KB055228

한국의 전통주 주방문 4

효도하는 술

한국의 전통주 주방문 ❹

효도하는 술

2쇄 발행 : 2023년 4월 5일
초판 발행 : 2015년 11월 10일

지은이 : 박록담
펴낸이 : 김세권

펴낸곳 : 바룸출판사
출판등록 : 2013년 4월 18일(제2013-000121호)
주소 : 121-840 서울시 마포구 양화로 8길 15 (301호)
전화 : 02)333-1225
팩스 : 02)332-5763
이메일 : bonbook@daum.net

ISBN 979-11-87048-13-8
ISBN 979-11-87048-09-1 (set)

* 잘못 만들어진 책은 구입하신 서점에서 바꾸어 드립니다.
* 책값은 뒤표지에 있습니다.

한국의 전통주 주방문 4

가향주류
약용약주류

효도하는 술

박록담 著

바룸

일러두기

1. 한글 표제 〈양주방〉과 한문 표제 〈양주방(釀酒方)〉은 각기 다른 문헌이다. 한글 표제 〈양주방〉은 1800년대에 쓰인 한글 필사본으로 전라도 지방의 문헌으로 알려져 있으며, 한문 표제 〈양주방(釀酒方)〉은 1700년대 말엽에 쓰인 한글 필사본으로 '연민 선생 소장본' 이다. 이 둘이 혼동될 우려가 있어 한글 표제의 경우 〈양주방〉*으로 구분하여 표기하였다.

2. 전통주가 수록된 문헌 중에 〈주방(酒方)〉으로 표기된 것이 두 가지이다. 하나는 1800년대 초엽에 쓰인 한글 필사본이며, 다른 하나는 1827년(또는 1887년)에 쓰인 한글 한문 혼용 필사본으로 임용기 소장본이다. 이를 구분하기 위해 한글 필사본인 경우 〈주방(酒方)〉*, 또는 〈주방〉*으로 표기하였다.

3. 〈주식방문〉과 〈쥬식방문〉은 별개의 문헌이다. 〈주식방문〉은 한글 붓글씨본이고, 〈쥬식방문〉은 한문 활자본이다.

〈한국의 전통주 주방문〉 출간에 부쳐

윤서석 | 중앙대학교 명예교수

한국 전통주 양조의 명인 박록담 선생께서 <한국의 전통주 주방문>을 출간하였음을 충심으로 축하드리고, <한국의 전통주 주방문>의 출간이 큰 동기가 되어 한국 전통주가 세계를 향한 비약적인 발전으로 격상하기를 기대해 마지않습니다.

<한국의 전통주 주방문>은 한국 전통주 주방문이 수록되어 있는 고문서 80여 책과 선생께서 직접 조사한 문헌을 근거 자료로 총 62개 항목으로 구성되었으며, 이 내용을 5,000여 쪽에 제5권으로 나누어 편집한 방대한 연구 업적입니다.

한국 전통주 양주총론을 시작으로 각 항목은 누룩방문 43품, 주방문으로 탁주 64품, 청주 214품, 혼양주 10품, 증류주 52품, 그리고 향을 가해서 빚는 가향주 37품, 약용약주와 과실주 72품 외에 주방문이 없는 술 51품, 양주잡방 24품 등 총 570여 품에 달합니다. 그처럼 상세한 한국 전통주 주방문 기록에 선생의 해설과 소견을 보태어 체계정연하게 서술되어 있습니다. 이 방대한 연구를 착안하고 다년간의 각고를 지속하신 선생의 소신과 열정에 감동하고, 그간의 연구와 경험으로 축적된 선생의 양주지식이 이 방대한 작업을 지속하게 한 동력이었음을 감탄합니다.

한편 수많은 한국 전통주 목록을 읽으면서 이토록 다양한 명주를 개발하여 한국 전통주 문화를 형성하고 그 한 가지 한 가지를 상세하고 정확한 기록으로 남겨 전수할 수 있게 한 우리 선조들의 철저한 생활규범과 질서에 고개 숙여 존경

했습니다. 이러한 생활관행과 철학이 굴곡 많던 우리의 역사를 극복하게 한 저력이었음을 새삼 깨닫게 되었습니다.

<한국의 전통주 주방문>의 성취는 비단 한국 전통주의 재현·발전뿐 아니라, 우리 생활문화 역정을 다시 인식하게 하는 큰 동기입니다. 크나큰 공헌을 이룩하셨습니다. 이제 한국 전래 전통주 주방문을 알기 쉽게 해설한 문헌이 탄생하였으니 한국 전통주의 연구가 심화될 것이고, 한국의 명주 생산은 탄탄대로를 향하리라 믿습니다.

술은 인류와 역사를 함께한 의미 깊은 문화입니다. 의례행위에서 신에게 올리는 술은 인간의 염원을 전하는 매체이고, 혼례절차에서 행하는 합환주는 부부의 연을 맹세하는 상징이며, 인간사를 경륜하는 자리에서는 술이 합의와 화합을 이끄는 고리가 됩니다.

이같이 술은 인류생활의 요긴한 문화이므로 세계 여러 민족은 각각 그들의 자연과 조화를 이룬 전통주를 가지고 있습니다. 한국은 벼 농사국이어서 쌀로 빚은 술이 전통주로 이어오는데, 고대로부터 한국인의 양주기술은 탁월하였습니다. 고구려가 술 빚기, 장 담기 등 장양을 잘한다고 <삼국지> '위지동이전'에 기술되어 있고, 압록강 건너 옛 곡아(曲阿) 지방의 명주인 곡아주(曲阿酒)는 고구려 여인의 솜씨라 전합니다. 4세기경 백제 사람 인번(仁番)이 일본으로 건너갔을 때 그곳에 처음으로 누룩으로 술 빚는 기술을 전수한 사실이 일본 고문서 <고사기(古事記)>에 명기되어 있습니다.

중국 당나라의 시인 이상은(李商隱)은 "신라의 술은 한 잔으로 취한다."고 한국 술이 발효도가 높은 명주임을 알리고 있는데, 고려에서 원나라로부터 증류주법을 도입하여 한국 전통주의 양주법 체계가 한층 더 확대되었습니다. 이같이 일찍 발달한 양주기술이 역대로 발전하였는데, 조선시대에 이르면 동의학의 발달 환경에서 양주원리의 인식이 고양되어 약용약주의 효용이 생활화하였습니다. 이어서 의례행위를 존중하는 대가족 생활이 엄수되면서 한 가문의 가양주 기술이 가문의 성쇠를 가늠한다 할 정도로 가양주 문화를 존중했으므로 가양주 기술은 더욱 발전했습니다.

한편 한반도는 좁은 국토이면서 기후구가 다양했으므로 여러 고장에서 그 고장만이 자랑하는 향토명주를 개발하게 되어 한국 전통주는 더욱 확대되었던 것입니다.

이같이 고대로부터 발달한 한국 전통주 문화가 20세기 초 일제 통치기관이 시행한 철저한 '가양주금지령'과 '주세법' 시행 등으로 한동안 잠재되었습니다. 광복 후에 동란 시기와 양곡 생산량 부족 환경에서 전통주류의 활발한 복원이 지연되었지만, 다행히 1980년대 중기 이후로 문화재관리국의 선도로 한국 전통주 발굴조사를 실시하고 몇 가지 명주를 중요무형문화재로 지정하였는데, 이 시점은 한국 전통주 복원발전의 봉아기입니다.

이후로 한국 전통주 복원을 전담하는 연구가 활발해지고 관계 행정당국의 전통주 발전 시책도 촉진되어, 일부 품목이지만 전통주 생산이 확대되어 국내외로 애호하게 되었습니다.

이러한 시기에 <한국의 전통주 주방문>이 출간되었으니 이 공헌이 동기가 되어 학계에서는 한국 전통주 연구를 활발하게 심화할 것이며, 관계 행정당국은 보다 적극적으로 전통주 발전 시책을 지원할 것입니다. 또한 모두가 한국 전통주 문화에 대한 가치를 깨닫고 인식을 새롭게 할 것입니다.

이제 선생께서는 한국 전통주 연구복원에 보다 적극 매진하시고 선생께서 스토리텔링에서 말씀한 대로 한국 가양주 연구업계와 함께 한국 전통주 양조를 위한 구체적이고 현실적인 공동연구와 여러 세칙에 관한 합의를 성취하여 한국 전통주가 세계적인 명주 대열에서 빛나도록 선도하시기 바랍니다. <한국의 전통주 주방문>의 출간을 다시 축하드립니다.

전통주 연구의 입문서

조재선 | 경기대학교 명예교수

술이 이 지구상에서 언제부터 만들어졌는지는 아무도 모른다. 과실이 익어 땅에 떨어진 것이 야생 효모(酵母)의 작용으로 당분이 알코올로 변화하는 자연발효에 의해서 술이 된 것이 최초의 술의 탄생이라고 추정하고 있다.

인류의 역사를 기록한 신화나 전설에 술이 등장한 것은 5,000년 전부터이다. 우리나라의 최초의 기록은 고구려의 건국신화에 등장하니, 적어도 3,000년 전부터 만들어 이용되었을 것이다.

술의 원료는 당분(糖分)이나 전분(澱粉)이 들어 있는 과실이나 곡류인데, 과실주가 먼저 만들어지고 그 이후 농경이 시작되면서 곡류를 원료로 한 술들이 만들어졌을 것이다. 우리나라는 쌀이나 잡곡 등의 곡류 생산을 주로 하였기 때문에 이들을 원료로 한 술이 개발되어 농민의 애환을 달래고, 관혼상제(冠婚喪祭)나 세시풍속(歲時風俗)의 의례음식(儀禮飮食)으로 이용하는 등 우리의 일상생활과 밀착하여 문화상품이 되어 왔다.

처음에는 잡곡을 원료로 하던 것이 쌀농사가 시작되면서 쌀을 이용하였고, 여기에 주변에서 얻기 쉬운 솔잎, 각종 향초류(香草類), 약초(藥草) 등 그 지역의 특산물 등을 가미하여 다채로운 술을 만들어 즐겨 이용하여 왔다. 그 중에서 여러 사람들의 기호에 맞는 것이 널리 이용되어 전통주(傳統酒)나 민속주(民俗酒)

라는 이름으로 전해 내려오고 있는 것이다.

곡류를 원료로 하는 술은 과실주와는 달리 만드는 과정에서 전분을 당분으로 하는 당화과정을 거쳐야 하는데, 이때 사용되는 것이 누룩이고, 이 누룩 중에 들어 있는 곰팡이는 당화작용뿐만 아니라 여러 가지 독특한 향기 성분을 생성하므로, 맛 좋은 술을 위해서는 누룩이 좋아야 함은 물론이다. 또한 숙성조건에 따라서도 술의 성분이 달라진다.

이와 같이 사용하는 원료, 누룩의 특성, 집집마다 담그는 숙성조건(熟成條件) 등에 따라 각양각색의 술이 만들어지므로 알려진 술만 해도 수백 종에 달한다.

옛날에는 정부의 간섭이 적어서 집집마다 자유롭게 술을 빚어서 다양한 가양주(家釀酒)가 만들어져 찬란한 술 문화를 즐겨왔지만, 일제강점기의 수탈정책의 일환으로 주세(酒稅) 징수(徵收)를 위해서 획일화된 제조법으로 통제하여 단순화되었으며, 해방 후 식량난으로 양조용으로 쌀을 사용하지 못하게 함으로써 좋은 술을 만들 수가 없었다. 이제는 경제형편이 좋아지고 쌀의 사용이 자유로워 여러 가지 술도 만들 수 있어서 그동안 숨겨져 있던 다양한 전통주를 복원하는 운동이 전개되고 있다.

그동안 어려운 여건을 이겨내면서 사라져가는 전통주의 복원연구와 후진양성에 정진해 오고 있는 박록담 선생은 고문헌에 나오는 500여 종의 주방문을 주종별로 탁주(濁酒), 청주(淸酒), 가향주(佳香酒), 증류주(蒸溜酒), 혼양주(混釀酒) 등으로 구분하여 수록하고, 저자가 직접 복원연구한 결과들을 해설 형식으로 첨부하였다.

우리나라의 각종 옛날 요리서에는 술에 관한 종류와 주방문이 비교적 많이 수록되어 있는데, 문헌마다 다소 다르게 설명되어 있는 것도 있고 여기저기 산재되어 있는 실정이다. 이것들을 비교하기 쉽게 한데 모아놓고 복원 결과를 설명하고 있다.

요컨대 지금까지 간행된 고요리서 중 주방문(酒方文)을 발췌 수록하여 집대성하였으며, 저자의 복원연구 결과를 첨부하였기에 전통주 연구의 요긴한 입문서로서 추천한다.

저자의 말

<한국의 전통주 주방문>은 국내 최고의 양주 관련 기록인 <산가요록(山家要錄)>과 <언서주찬방(諺書酒饌方)>, <수운잡방(需雲雜方)>, <고사촬요(故事撮要)>, <산림경제(山林經濟)>, <증보산림경제(增補山林經濟)>, <음식디미방>, <임원십육지(林園十六志)>와 <양주방>*, <주찬(酒饌)>, <주정(酒政)> 등 한문과 한글 기록에서부터 최근 발굴된 <봉접요람>, <양주(釀酒)>, <술방> 등에 이르기까지 80여 종의 문헌에 부분적으로 수록된 주품명과 그에 따른 주방문을 총망라한 것이다.
특히 조선시대 600년간의 기록을 통해서 520가지가 넘는 주품들의 양주경향과 특징, 시대별 양주기법의 변화, 양주기술의 발달과정 등 우리나라 양주문화 전반을 추적해 보고, 전통주에 대한 새로운 의미 부여와 해설 등 스토리텔링을 통해서 우리 술의 가치를 재조명하였다. 이로써 전통주의 대중화는 물론 세계화에 대한 단초와 차별화 전략을 세울 수 있기를 바란다.

필자의 우리 술에 대한 연구는 1987년 11월로 거슬러 올라간다. 처음에는 애주가인 아버지의 반주(飯酒)를 직접 빚어드려야겠다는 조촐한 생각으로 시작했던 가양주(家釀酒) 빚기가 전국의 전승가양주 조사와 기록화 작업이라는 전통주 연구활동으로 이어졌고, 민간에 전승되어 오던 숱한 가양주 발굴이라는 커다란 성과와 더불어 그간 배우게 된 전승가양주가 133가지에 이르면서, 가양주에 대한 관심과 생각은 양주도구와 술독은 물론이고, 심지어 안주를 만드는 데 사용되는 조리도구에 이르기까지 확대되었다.

그런데 이때부터 필자의 불행이 시작된 듯하다. 이 땅에서는 전통을 바탕으로 하는 어떠한 연구와 노력도 결코 밥이 되지 않는다는 사실을 몰랐던 것이다.

주변의 만류에도 불구하고 고서(古書)에 활자로 박제된 우리의 양주비법을 밝혀 대중화의 길로 이끌어보고자 <명가명주(名家名酒)>를 비롯하여 <우리 술 빚는 법>과 <우리 술 103가지>를 출간하게 되었고, 이를 보완한 <다시 쓰는 주방문(酒方文)>을 펴내게 되었다. 그리고 조선시대 양주 관련 고문헌에 수록된 전통 주방문에 근거하여 술 빚는 방법들을 풀어 쓴 <전통주 비법 211가지>, 고문헌의 기록과 가양주법의 누룩(麯子, 麴子)들을 망라한 <버선발로 디딘 누룩>을 펴내게 되었다. 전통주의 대중화를 위해서는 시급한 일이었다고 판단되었기 때문이다.

그리고 내친김에 우리나라만의 독특하면서도 차별화된 음주문화라고 할 수 있는 가향주문화(佳香酒文化)의 가치를 재인식해 보자는 취지에서 <꽃으로 빚는 가향주 101가지>, 발굴 기록인 <양주집(釀酒集)>에는 재현 전통주의 격에 맞는 주안상 차림까지를 곁들이는 등 여러 가지 방법의 다양한 시도를 하게 되었으나, 저간의 노력에도 불구하고 전통주의 대중화는 요원하게만 느껴지고, 지금 내게 남은 것은 고질병이 된 어깨통증을 비롯하여 뼈 마디마디 관절통, 그리고 빚뿐이다.

그럼에도 불구하고 <한국의 전통주 주방문>을 다시 엮게 된 동기와 배경 먼저 밝히고자 한다.

그간 우리 술에 대한 편견을 없애려고 갖은 노력을 다해 오면서 가장 빠른 지름길이 무엇일까를 생각하게 되었고, 그 결론으로 술 빚는 기술과 방법의 교육을 통해 가양주문화를 되살려 보고자 '전통주 교실'을 열었다. 국내 처음으로 개관한 '전통주 교실'을 통해 배출된 전문가들이 지금은 전국 각지에서 각종 전통주 강좌를 진행하고 있고, 2012년부터는 국가 지원을 받는 교육기관만도 13곳에 이를 정도로 가양주문화에 대한 관심이 고조되었다.

'전통주 교실'을 통해 배출된 전문가들이 각자의 독립된 위치에서 전통주 강좌를 시작하기까지 숱한 우여곡절이 많았다. 전통 양주방법에 대한 시각차와 곡해, 폄훼에 따른 갈등이 그것이었다.

사실 그간 우리나라의 학계와 양주업계는 전통주 제조법에 대한 이론도, 체계화된 양주공정도 끌어내지 못한 채, 100여 년간 일본에서 들여온 입국식(粒麴式) 양주기법을 보급했다. 국적 없는 이들 술이 국내 시장을 점유하고 있는 것도 전통주에 대한 폄훼와 부정적인 시각을 갖게 된 배경이기도 하다.

특히 입국식 양주기법은 국가기관을 중심으로 보급되고 있어, 필자의 전통 양주방법의 교육과 보급은 '미신적인 방법'과 '주먹구구식'으로, 그리고 '비과학적인 방법'으로 매도되기도 하고, '미생물학'이나 '발효학'을 전공하지도 않은 사람이 전통주 양주학을 교육한다는 사실에 비아냥거림이 있었음도 주지의 사실이다.

이에 필자는 전통 양주방법의 체계를 세우기 위해 우리 술의 우수성과 합리성, 과학적 근거를 수집하기에 이르렀고, 그 해답을 <산가요록> 등 80여 권에 이르는 조선시대 양주 관련 고서와 옛 기록을 근거로 한 우리 술 빚는 방법으로 채택하였다. 즉, 조선시대 고문헌의 기록에 따른 주방문(酒方文)으로 양주된 전통술에 대하여 미생물학과 발효학을 바탕으로 양주기술의 체계를 확립할 수 있었다.

그리고 전통 방식의 양주기술을 통해 복원 및 재현된 '우리 술'의 향기와 맛, 색상 등 관능시험평가를 통한 주질 비교에서 우리 술의 우수성과 합리성, 차별성, 그리고 세계화의 가능성을 찾을 수 있었다.

처음에는 전승가양주를 중심으로 양주방법의 원형을 찾고자 주방문의 비교와 차이점 등을 살펴보던 단순한 방법에서 벗어나 직접 술을 빚어보면서 전승가양주에 대한 문제의식을 갖게 되었고, 그때부터 본격적인 양주방법을 연구하고 양주실험을 해보게 된 것인데, 우리 술 빚는 법에 대한 건잡을 수 없는 묘한 매력에 빠져 헤어날 수 없게 되었다.

지난 100여 년간 단절되고 맥이 끊어진 채 활자 속에 갇혀만 있던 주방문들에 대한 복원과 재현은, 무엇보다 죽어 있는 전통주들에 대한 생명을 불어넣는 작업이었다. 이러한 작업의 배경은 저마다의 주품들에서 전승가양주와는 다른 맛과 색깔, 특히 와인에 비견되는 아름다운 향기로서의 방향(芳香)을 발견하게 되면서부터이다.

그리고 고문헌에 수록된 주방문에 대한 관심을 갖기 시작한 지 28년이 지난 지금, 고문헌 속의 주방문들은 들여다보면 볼수록 그 해석이 바뀔 수 있다는 것을 뼈저리게 느꼈다. 왜냐하면 한글 조리서이든 한문 조리서이든 깊이 들여다볼수록 당시 그 주방문을 썼던 사람의 입장이 되어 들여다보기 마련이어서, 어제의 눈과 생각이 오늘에 와서는 달라지곤 하는 것이었다. 소위 "아는 만큼 보인다."는 말이 가장 적합한 표현이라는 생각도 하게 되었다.

그간 수많은 고문헌이 한글로 번역, 출판되어 보급된 것은 사실이지만, 특히 고문헌 속의 전통주를 연구하는 전문가가 없다 보니 학자들이 번역해 놓은 주방문 역시도 직역 정도의 수준에 머물렀던 것이 사실이다.

고문헌에 수록된 주방문과 관련해서는 필자의 <다시 쓰는 주방문(酒方文)>이 등장하기 전까지는 전통주의 양주기술에 대한 어떤 전문서적도 없었다. 특히 처음으로 고문헌에 수록된 전통주를 복원해 보겠다고 덤볐던 당시의 기억들은 참담함 그것이었다. 번역된 고조리서의 술 빚는 방법을 재현하면서 부딪쳤던 실패와 좌절감, 궁극의 참담함을 혼자만의 추억으로 간직하기에는 너무나 안타까운 생각이 들었다.

이에 나름 30년에 가까운 세월 동안 술을 빚어보았던 경험을 바탕으로 고문헌 속의 주방문을 다시 찬찬히 들여다보게 되었고, 그 결과물인 <한국의 전통주 주방문>은 기본적인 술 빚는 법을 지득하고 있는 사람이라면 누구나 보다 쉽게 접근할 수 있도록 주방문마다의 해석과 술 빚는 데 따른 주의사항 등 구체적인 접근방법, 시대별 주방문의 변화과정에 대해서도 언급하였다.

특히 주품명에 얽힌 스토리텔링을 통하여 우리 술의 가치를 재조명하고, 새로운 의미부여를 통해 양주문화와 음주문화의 수준, 술을 빚는 사람의 자세와 철학, 가문마다의 가양주 제조방법에 깃든 이야기들을 재조명해 보고자 하였음을 밝혀둔다.

예를 들어 <산림경제>의 한 가지 주방문이 다른 기록인 <증보산림경제>로 옮겨지고, 다시 <임원십육지>로 옮겨져 재해석되는 과정에서 심지어 주품명이 바뀌는가 하면, 재료 배합비율이 바뀌기도 하고, 주재료의 가공법이 바뀌고, 더러는 양주과정이 생략되기도 하면서 전혀 다른 명칭의 주품명으로 등장하는 등 다양한 변화를 거치는 사실을 목도하게 되었다.

이러한 사실에서 보다 정확한 문헌 조사의 필요성과 함께 고문헌 속의 주방문에 담겨진 우리나라 전통주의 원형을 찾아보고, 역사성과 전통성, 문화성을 바탕으로 한 양주문화와 보다 체계적이고 과학적인 양주기술의 축적, 그리고 앞으로 전개될 우리나라 술의 세계화를 위한 합리적 접근방법을 모색하는 자료가 되었으면 하는 바람이다.

<한국의 전통주 주방문>은 1400년대 초 이퇴계(李退溪) 선생의 수적본(手蹟本)으로 알려진 <활인심방(活人心方)>을 시작으로, 국내 최고의 양주 관련 기록이라고 할 수 있는 <산가요록>과 <언서주찬방>, <수운잡방>, <고사촬요>, <산림경제>, <증보산림경제>, <음식디미방>, <임원십육지>와 <양주방>*, <주찬>, <주정> 등 한문과 한글 기록에서부터 최근 발굴된 <봉접요람>, <양주>, <술방> 등에 이르기까지 80여 권의 문헌에 부분적으로 수록된 주품명과 그에 따른 주방문을 총망라한 것이다.

한 나라의 문화는 시대에 맞게 변화와 수용을 거쳐 개선되고 발전해 왔다는 것이 정설이지만, 우리나라 술의 역사는 1907년 '주세령(酒稅令)' 발포를 시작으로 단절과 말살의 역사로 점철되었고, 그 사이 국적 없는 양주기술이 도입, 뿌리를 내리면서 우리 술의 정체성 위기를 초래하게 되었던 것이 사실이다.

1980년대 접어들면서 정부가 전승가양주에 대한 자원조사를 시작으로 몇몇 가양주에 대한 무형문화재 지정으로 전통주 양성화의 계기를 마련하였지만, 전통주의 대중화에는 성공하지 못하였다.

1987년도 접어들면서 필자에 의해 본격적인 가양주 조사와 발굴 작업이 이뤄졌고, 그 연속선상에서 사라지고 맥이 끊긴 조선시대 가양주에 대한 복원과 재현 작업이 시작되었는데, 조선시대 600년간의 양주문화와 양주기술은 물론이고, 전통주에 대한 본격적인 조명이 이뤄졌다고 생각한다.

일반인들이 그간 알지 못했던 '석탄향(惜呑香)'을 비롯하여 '이화주(梨花酒)', '백하주(白霞酒)', '하향주(荷香酒)', '감향주(甘香酒)', '과하주(過夏酒)', '동양주(冬陽酒)', '백화주(白花酒)', '백화주(百花酒)', '동정춘(洞庭春)', '호산춘(壺山春)', '감홍로(甘紅露)', '이강고(梨薑膏)', '죽력고(竹瀝膏)' 등 사라지고 맥이 끊겼던 전통 주품들에 대해 새로이 인식하기 시작했고, 특히 우리 고유의 술맛과 향기에 대한 깊은 애정과 관심을 갖게 된 것이 그 예이다.

<한국의 전통주 주방문>은 7년여에 걸친 조선시대 가양주의 종류와 그에 따른 주방문, 그리고 양주기법, 조선시대 궁중과 사대부들의 제주(祭酒)와 반주(飯酒), 접대주(接待酒)에서 일반 여염집의 가양주에 이르기까지 우리 술의 진정한 맛과 향기, 고유의 색깔에 대한 진면목을 엿볼 수 있다고 판단되며, 이러한 양주문화가 향촌(鄕村)과 민간에 어떠한 영향을 미쳤고, 주막이나 농가의 대중주로 뿌리 내리게 되었는지를 판단할 수 있는 중요한 기초자료가 될 수 있을 것이라고 확신한다.

필자는 1450년대 문헌 <산가요록>에 수록된 주방문에서 일본의 '사케(Sake)' 제조방법의 원형을 찾을 수 있었으며, 1500년대 문헌 <수운잡방>에서 프랑스의 '와인(wine)'을 공부했으며, 시대 불명의 조선 아낙이 쓴 한글 필사본 <양주집(釀酒集)>에서 독일의 '맥주(麥酒)'를 공부했다.

우리나라 술의 뿌리도 모른 채, 타의에 의한 입국식 양주방법에 따른 저가주(低價酒)와 속성주(速成酒) 중심의 양주문화와 유통으로 인해 맥주와 와인, 사케에 우리의 입맛을 저당 잡히고 있는 한, 우리나라 양주산업의 미래와 전통주의 정체성을 확보하기 힘들 것이라 확신한다.

그간 '전통주 육성법'이 제정 발포되었지만 아직까지 이렇다 할 우리 전통주에 대한 정체성을 확보하기에는 어려움이 많고, 특히 현재 국내의 전통주 자원에 대한 기초조사마저도 이루어지지 않은 상황이다.

사실, 그간 수차례에 걸쳐 전국의 가양주 조사와 발굴은 물론이고 고문헌에 수록된 전통주에 대한 자료수집과 번역 등 '국내 전통주 자원조사'를 제안했지만, 관심 밖의 일로 외면당했던 입장이었다.

그리하여 개인적으로나마 힘닿는 데까지, 그리고 누가 시켜서 한 일도 아니고 혼자 미쳐서 해왔던 일인 만큼 미칠 수 있는 데까지 미쳐보자는 생각이 이 방대한 작업 <한국의 전통주 주방문>을 끝낼 수 있었던 동기라고 할 수 있다.

조선시대 고문헌에 수록된 전통주에 대한 연구조사 작업인 <한국의 전통주 주방문>은 올해로 7년째인데, 주품명에 따른 분류 작업이 쉽지가 않았다. 특히 2014년에 새로 발굴된 <잡지(雜誌)>, <주방문조과법(造果法)>, <약방>, <양주>, <규중세화> 등에 수록된 주품에 대한 주방문까지를 추가하다 보니, 주품명에 따른 주방문의 분류 작업이 계속 혼돈을 초래했다. 특히 한글 문헌 속의 주품명들은 동일한 주품명인데도 순곡주와 가향주가 존재하고, 전라도와 경상도의 방언에 의한 주품명은 전혀 다른 주품으로 오인하게 만들기도 했다.

바로 이러한 이유 때문에 주방문 해설은 계속해서 수정을 해야만 했고, 탈고 시기는 자꾸만 지연되어 스스로에게 “무엇 때문에 나는 이 작업을 하는가?”고 하루에도 수십 번씩 되묻곤 하는 버릇이 생겼다.

그리고 그때마다 처음 주방문 정리와 해설을 쓰기 시작했을 때, 아니 처음 술 빚기를 시작했을 때 마음으로 돌아가자는 다짐으로 스스로를 다독여 보지만, 괜스레 짜증이 나고 손가락 마디마디 통증이 어깨까지 확대되어 고개를 돌릴 수 없을 때면 이번 집필을 마지막으로 다시는 책을 쓰지 않겠다는 작정을 하기도 했다.

사실 무엇을 이루자고 시작했던 일이 아니었다. 또 어떤 목적이나 이유가 있어서가 아니라, 그냥 호기심 때문에 시작했던 일이 점차 재미있고, 그래서 그 매력에 빠져들다 보면 나중에는 습관이나 버릇 같은 것이 되고, 결국에는 나이 때문에 잊어버리지 않기 위해서, 아니 어쩌면 더 늙어서 자신을 추억하기 위해서 쓰는 글이어야 한다고 생각하면서도 자꾸만 어떤 목적과 의도를 담기 시작하면서부터 글을 잘 써야 한다는 강박관념에서 비롯된 것이리라.

<한국의 전통주 주방문>은 최초의 시도이지만 부족한 부분이 너무 많으리라는 것을 인정하지 않을 수 없다. 특히 <산가요록>을 비롯하여 <수운잡방>, <산림경제>, <증보산림경제>, <임원십육지> 등 수십 종에 달하는 한문 기록의 주방문 번역과 주방문의 현대화 작업은 여러 가지 견해와 이견(異見)이 있을 수 있고, 술 빚는 방법에의 접근도 각각의 주장이 있을 수 있다.

하지만 <한국의 전통주 주방문>은 30년간 전통주를 빚어온 사람으로서, 그리고 처음으로 고문헌 속의 주품들을 복원하고 재현하면서 경험했던 시행착오와 반복실습, 술 빚는 방법에 따른 주의사항 등에 대한 선험적 기록이라는 점에서, 또한 15년간 가양주 가꾸기 운동과 전통주의 대중화를 위한 전통주 교육을 해오면서 교육현장에서 숱한 사람들을 대상으로 가졌던 시음평가를 토대로 한 기록이라는 점에서 그 의미와 가치를 부여하고 싶다.

특히 조선시대 600년간의 기록을 통해서 520가지가 넘는 주품들의 양주경향과 특징, 시대별 양주기법의 변화, 양주기술의 발달과정 등 우리나라 양주문화 전반을 추적해 봄으로써, 전통주에 대한 새로운 의미부여와 해설 등 스토리텔링을 통해서 우리 술의 가치를 재조명하고, 대중화는 물론 세계화에 대한 단초와 차별화 전략을 찾을 수 있기를 희망한다.

끝으로 <한국의 전통주 주방문>의 출판을 감내해 주신 바룸출판사의 김세권 대표님과 출판을 지원해 준 농림축산식품부 이동필 장관님께 진심 어린 감사의 말씀을 드리고, 이 원고의 교정에 참여해 준 제자 김태훈, 김인애, 조태경, 홍태기 씨에게 고마움을 전한다.

2015년 11월 1일

죽성재(竹城齋)에서
지은이 박록담(朴碌潭)

차례

제1부
가향주류

경향옥액주

스토리텔링 및 술 빚는 법

전통주 관련 전문서적으로 두 가지 <양주방>*이 전해 온다. 먼저 발굴된 <양주방>*은 1800년대 말엽 전라도 지방의 어느 반가에서 한글로 쓴 술 전문서적이라면, 나중에 발굴된 <양주방(釀酒方)>은 1700년대 초기 경상도 지방의 어느 반가에서 쓰였을 거라는 추측을 할 뿐 정확하지는 않다.

한편, 경상도 지방 출간본인 <양주방>에 수록된 주품은 42종이고, '이화곡' 2종이 수록되어 있는 반면, 전라도 지방 출간본인 <양주방>*에는 주품 83가지의 주방문과 함께 누룩 빚는 법 4가지가 수록되어 있어, 내용면에서 훨씬 다양한 것으로 밝혀지고 있다.

'경향옥액주'는 전라도 지방 출간본인 <양주방>*에 수록되어 전해 올 뿐, 다른 기록이나 문헌에서는 찾아볼 수 없는 주품이다. 해서 '경향옥액주'는 <양주방>*을 집필했던 전라도 지방 어느 반가의 가양주로만 전승되었을 거라는 추측이다.

'경향옥액주'라는 주품은 아마도 '경향옥액주(瓊香玉液酒)'가 아닐까 여겨지는데, 그 배경에는 주방문에서 보듯 '경향옥액주'가 이양주(二釀酒)이면서도 밑술의 쌀 양과 동량의 가루누룩을 사용하고, 다시 덧술에서도 쌀 양과 동량의 '배꽃술누룩(이화곡)'을 사용하고 있기 때문이다.

이는 쌀 양 대비 누룩 양이 100%나 되는 것으로, 지금까지 밝혀진 어떤 전통주에서도 이와 같은 사례는 목격할 수 없다. 더욱이 일반 가루누룩과 '배꽃술누룩(이화곡)'을 병행하여 술을 빚는 경우도 찾아보기 힘들다. 주방문을 보면 부재료 사용에 따라 '송순주'로 볼 수 있음에도 굳이 '경향옥액주'로 명명하게 된 배경에는 그에 따른 분명한 이유가 있을 것으로 판단되었다.

물론 덧술에 솔순을 넣기 하나, '어린애 반 짐 정도'라고 되어 있다. 여느 '송순주'와 비교해 보면 결코 많은 양이 사용되는 게 아니라서 이처럼 많은 양의 누룩을 사용해야만 하는 이유를 이해할 수가 없었다.

그런데 직접 술을 빚어본 결과, '경향옥액주'는 누룩의 과다사용에 따른 누룩곰팡이의 색깔이 발효과정에서 술에 배어 약간 푸르스름한 옥색을 띤 것처럼 보였다. 물론 이는 그저 필자의 판단일 뿐 정확하지는 않다.

'경향옥액주'를 빚을 때 주의할 점은 술에서 누룩취를 줄이려는 노력이다. 누룩의 법제(法製)를 많이 하여 사용하도록 하고, 밑술의 술독 바닥에 누룩의 앙금이 남아 있기 십상이므로 반드시 앙금을 풀어서 사용해야 한다. 그 앙금이 생밀가루로 여겨지면 완전히 제거하는 것도 한 방법이다.

또한 덧술을 할 경우 주발효시의 과다발효에 의한 산패가 일어나지 않도록 술독 관리에 유의해야 한다. 특히 덧술의 이화곡가루는 고운체에 여러 차례 내려서 굵은 알갱이가 들어가지 않도록 해야 숙성된 술이 텁텁해지지 않는다.

필자도 이런 점들을 주의하여 '경향옥액주'를 다시 빚고는 까맣게 잊고 있다가 3개월이 지난 후에야 '경향옥액주'를 열어보게 되었는데, 거울처럼 맑게 가라앉은 청주를 맛볼 수 있었다.

'경향옥액주'는 실로 환상적인 맛이다. 처음에 느꼈던 누룩취는 사라지고, 아주 맑은 솔잎 향과 함께 사과 향과 복숭아 향기를 느낄 수 있었다. 부드럽고 꿀처럼 매끄러운 술맛은 '화이트와인'과 견줄 바가 아니었다.

이처럼 결코 남들이 경험하지 못하는 황홀한 향기와 맛의 전통주를 느끼는 순간, 사라지고 맥이 끊겨버린 조선시대 전통주를 복원하는 과정에서 느끼는 외로

움 따위는 한순간에 없어지고 만다.

더러 "전통주를 복원해서 뭐할 것이냐?"는 힐난으로 필자의 보보등급(步步等級)을 다그치는 이도 있지만, 누군가는 이런 우리 전통주의 가치를 알고 도전을 함으로써 또 다른 보람을 찾을 수 있을 거라고 확신한다.

경향옥액주 <양주방>*

술 재료 : 밑술 : 찹쌀 2말, 가루누룩 2말, 물 2말
덧술 : 멥쌀 2말, 배꽃술누룩 2말, 솔순 반 짐(4kg 정도)

술 빚는 법 :

* 밑술 :

1. 2월 20일이 지나서 찹쌀 2말을 깨끗이 씻고 또 씻어(백세하여) 물에 담가 불렸다가 (다시 씻어 헹궈 건져서 물기를 뺀 후) 시루에 안쳐서 고두밥을 짓는다.
2. 솥에 물 2말 남짓 팔팔 끓여 고두밥이 익었으면 퍼내어 한데 합하고, 고두밥이 물을 다 먹기를 기다린다.
3. 고두밥을 넓은 그릇에 퍼두었다가, 싸늘하게 식으면 가루누룩 2말을 버무려서 술밑을 빚는다.
4. 술독에 술밑을 담아 안치고, 예의 방법대로 하여 세이레(21일) 동안 발효시킨다.

* 덧술 :

1. 밑술 빚은 지 21일 후나 3월 초순이 되면, 멥쌀 2말을 깨끗이 씻고 또 씻어(백세하여) 물에 담가 불렸다가 (다시 씻어 헹궈 건져서 물기를 뺀 후) 가루로 빻는다.

2. 솔순을 '어린애 짐으로 반 짐(4kg)' 정도 채취하여, 물에 깨끗하게 씻어 다듬고 물기를 빼놓는다.
3. 배꽃술누룩 2말을 가루로 빻고 깁체에 쳐서 고운 가루를 내린다.
4. 쌀가루를 뜨거운 물로 익반죽하여 두레떡(넓은 개떡)을 만들어 시루에 안쳐 찐다.
5. 떡이 익게 쪄졌으면, 더운 김에 배꽃술누룩가루 2말과 한데 섞고, 고루 버무려 술밑을 빚는다.
6. 술밑과 준비해 둔 솔순을 켜켜로 독에 안친 다음, 예의 방법대로 하여 술독을 단단히 싸매 둔다.
7. 7일이 지난 후에 독을 열면 솔순에서 물이 나므로, 밑술(찹쌀술)을 덩이째(술덧째) 부어가며 솔순물을 고운체에 걸러 넓은 그릇에 담아놓는다.
8. 하룻밤 지나거든 웃물(청주)을 따라내고, 녹말같이 앉은 것은 '박회전'에 박아 햇볕 바른 데 잘 말려둔다.
9. 마실 때 냉수에 타서 막걸리를 만들어 마신다.

누룩 만드는 법 :

1. 2월 초순에 희게 쓿은 멥쌀 2말을 백세작말하여 그릇에 담아놓는다.
2. 쌀가루가 말랐으면 물을 적당량 뿌려가면서 섞어 고운체에 내린다.
3. 쌀가루를 두 손으로 쥐어 달걀 크기로 단단히 뭉쳐 배꽃술누룩(이화곡)밑을 만든다.
4. 누룩밑을 예의 방법대로(솔잎이나 볏짚에 싸서 빈 섬에 넣고) 21일가량 띄운다.
5. 배꽃술누룩이 완성되면 법제한 후, 가루로 빻고 깁체에 내려 준비한다.

* '박회전'이 무엇인지 정확히 알 수 없다. 추측하건대 넓은 판자 같은 것으로 걸쭉한 반죽이나 앙금 같은 것을 펴서 말리는 데 사용되는 것으로 여겨진다.

경향옥익쥬

이월 쵸싱의 빅미 두 말을 빅셰작말ᄒᆞ야 닉게 쪄 물 두 말 남즉 부어 네ᄉᆞ술

빗돗 서늘ᄒᆞ게 ᄎᆡ와 ᄀᆞ로누룩 두 말을 밥의 섯거 빗고 삼칠일 지나 삼월 슌
젼이나 되거든 ᄇᆡᆨ미 두 말을 ᄇᆡᆨ셰작말ᄒᆞ야 숑슌을 아희 짐으로 반 짐만 ᄒᆞ고
니화쥬 누록 작말ᄒᆞᆫ 거ᄉᆞᆯ 그 더운 두랫 덕의 버므려 마이 쳐 항의 너흐며 숑
슌을 격지 노하 경여 노코 단단이 싸ᄆᆡ야 일 칠일 지나면 숑슌의 물이 날 거
시니 졈미 술을 덩이재 퍼 부어가며 숑슌물을 버무려 술을 걸너 여러 그ᄅᆞ식
녹말 안치돗 일야 지나거든 웃물 ᄯᆞ로고 녹말ᄀᆞᆺ치 쳐진 거ᄉᆞᆯ 박희판의 박아
당양ᄒᆞ야 잘 말뇌야 두고 먹을 제 ᄂᆡᆼ슈의 ᄡᅧ 너허 타 먹으라.

국화주

스토리텔링 및 술 빚는 법

'국화주(菊花酒)'는 '국화(菊花)'라는 향기가 뛰어나고 단맛이 있는 노란 꽃을 주재료로 빚은 술을 가리킨다. 대표적인 우리나라 가을철의 계절주(季節酒)이자 가향주(佳香酒) 중 한 가지이다.

'국화주'의 주방문을 수록하고 있는 조선시대 문헌으로는 <고사신서(攷事新書)>를 비롯해 <고사십이집(攷事十二集)>, <농정회요(農政會要)>, <달생비서(達生秘書)>, <동의보감(東醫寶鑑)> <민천집설(民天集說)>, <부인필지(夫人必知)>, <사시찬요초(四時纂要抄)>, <온주법(醞酒法)>, <요록(要錄)>, <윤씨(尹氏)음식법>, <임원십육지(林園十六志)>, <주식방(酒食方, 高大閨壼要覽)>, <침주법(浸酒法)>, <한국민속대관(韓國民俗大觀)>, <홍씨주방문> 등이 있으며, 총 16개 문헌에 18회가 등장한다.

이들 문헌의 주방문을 근거로 살펴보면, '국화주'는 대략 5가지 방법이 전해진다.

첫째, '화향입주방(花香入酒方)'이다. '화향입주방'은 기존의 청주(淸酒)에 가을 서리를 맞은 국화를 채취하여 직간접으로 국화의 향기만을 술에 불어넣는 방법이다. 대개 국화는 감국(甘菊)을 사용하고, 청주 1말에 국화 2냥(兩)의 비율로 사용하는 것이 일반적이다. 국화 송이나 꽃잎을 베주머니에 담고, 술독의 주면 위에 매달아 밀봉하여 하루나 이틀, 또는 사흘 뒤에 베주머니를 들어내면 국화 향기가 가득히 베어든 '국화주'가 된다.

시대적으로 가장 앞선 기록이라고 할 수 있는 <사시찬요초>의 '국화주' 주방문을 보자. "菊花採乾盛開時揀黃菊香甘者摘取乾淸酒一斗用菊二兩盛生絹帒縣於酒甁上納離一指高密封甁口經宿去帒酒味有香花凡梅花有香之花依此法 爲之盡酒性能透諸香而自變(국화가 만개했을 때 꽃을 채취하여 적당히 건조시킨다. 청주 1말을 수병에 담고, 생사로 만든 주머니에 감국꽃 2냥을 담아 병에 넣고, 주둥이를 묶어 끈을 길게 늘어놓는다. 꽃을 담은 주머니를 주병의 주면에서 손가락 한 마디쯤 떨어지게 하여 끈을 병 주둥이에 묶어 매달아 놓는다. 주병을 밀봉하고, 하룻밤 지난 뒤 꽃주머니를 거둬들인다. 주병의 청주를 맛보면, 꽃향기가 좋다. 무릇 매화 등 꽃향기가 있는 꽃은 이와 같은 방법에 따라 하면 술이 변하여 향이 좋다)."고 하였다.

이와 같이 <사시찬요초>에는 '국화주'라는 주품명으로 수록되어 있긴 하지만, 정작 술 빚는 법은 다름 아닌 '화향입주법'이라는 사실을 알 수 있다. '화향입주방'의 '국화주'를 수록하고 있는 문헌으로는 <임원십육지>, <농정회요> 등이 있으며, 여러 문헌에서 청주(菁酒)와 주배(酒醅)를 이용한 술 빚는 법을 찾아볼 수 있다.

둘째, <고사신서>와 <산림경제>에서 보듯 다 익은 술에 말린 국화를 넣고 휘저어 두었다가 3~4일 후에 걸러서 마시는 방법이 있다. 소위 '지약주중법(漬藥酒中法)'이라 할 수 있는데, 이는 국화 향기는 물론이고 국화의 색깔이나 효능까지를 얻기 위한 방법이다. '지약주중법'의 '국화주'는 향기도 좋지만 술맛이 무겁고 풍미가 살아난다는 점에서도 권장할 만하다.

셋째, <온주법>과 <임원십육지>, <요록>, <윤씨음식법>, <침주법>, <홍씨주방문> 등에서는 "감국 달인 즙에 누룩가루를 섞어 빚는다."거나 "또 지황, 당귀, 구기자 등 약재와 같이 넣어도 좋다."고 하였다.

넷째, 국화를 주재료로 하고, 찹쌀로 지은 고두밥과 누룩 적당량에 끓여 식힌 물을 합하여 술을 빚어 한 번 발효시키는 가향주(佳香酒)로서의 '국화주'가 <윤씨음식법>과 <임원십육지>, <침주법>에 수록되어 있다. 반면 멥쌀고두밥과 누룩가루, 밀가루, 물로 밑술을 빚은 후, 다시 멥쌀과 찹쌀로 고두밥을 짓고, 국화와 끓는 물로 덧술을 하여 두 번 발효시키는 이양주법(二釀酒法)의 가향주로서 '국화주'는 <홍씨주방문>에 수록되어 있다.

다섯째, 찹쌀고두밥과 고운 누룩가루, 그리고 물 1섬에 구기자나무 뿌리와 생지황, 감국화 각 1근씩 달인 물을 양주용수로 하여 한 번 발효시키는 약용약주(藥用藥酒)로서의 '국화주'가 <온주법>과 <요록>에 등장하고 있다.

이처럼 발효주로서의 가향주 '국화주'와 약용약주로서의 '국화주'가 있으며, <홍씨주방문>에서는 단양주법(單釀酒法)과 이양주법의 '국화주' 주방문을 볼 수 있다.

단양주법의 '국화주' 주방문은 "구월 구일에 국화를 많이 따 일천 번 말뇌어 가루 만들라. 매 닷 냥에 찰백미 한 말을 익게 쪄 국화가루와 누룩을 한데 섞어 상례 술 빚듯이 빚어 익거든 하루 한 잔씩 먹으면 두풍을 다스리느니라."고 하여 일반적인 가향주 주방문과는 약간 상이하다는 것을 알 수 있다.

이양주법은 "백미 두 말가웃 백세작말하여 끓인 물 두 말을 숫천(소창)에 밭치고 같이 퍼부어 저어 식거든 좋은 국말 일 승, 진말 일 승 버무려 두었다가, 한날 만에 두날 만에나 점미, 백미 각 서 말 백 번 시서 지에 흐억이 찌고 끓인 물 닷 되 밥에 섞어 서늘하거든 밑에 고운 자(?) 섞어 국화로 켜 두어가며 넣었다가 삼칠일 자나거든 보면 위에 ○○하여 익은 술 보로다가도 속을 헤치면 맑은 술이 솟아 맛이 기이하니라. 주방문이 너쳐 누룩 진말 가늘게 하여 조금 더 넣어라."고 하여 가향재를 켜켜이 안치는 방법을 보여주고 있다.

한편 약용약주 '국화주' 주방문은 <동의보감>과 <요록>, <온주법>에서만 찾아볼 수 있다. <요록>과 <온주법>에는 "노란 감국 5되와 생지황 5되, 지골피 5근을 물에 깨끗하게 씻어 절구에 찧고, 물 8말과 함께 삶아 달인 물이 5말이 되게 한 다음, 차게 식힌다. 찹쌀 5말을 고두밥을 짓고 약 달인 즙액과 참누룩 5되를 한데 합하고, 고루 버무려 술밑을 빚는다."고 하였다. 이들 문헌보다 시대가 앞선 <동의보감>에는 약을 달인 물로 쌀을 삶아 죽처럼 진밥을 만들어 사용하는 방법을 보여주고 있어 차이가 있다.

이러한 양주기법은 약용약주류에서 즐겨 사용하는 방법으로 국화의 향기와 효능까지를 얻고자 하는 발효주로서의 진정한 '국화주'라고 할 수 있다.

이렇듯 다양한 '국화주' 주방문을 통해 국화가 선비들과 시인묵객(詩人墨客), 사대부(士大夫)들에게 완상(玩賞)의 대상이었다는 사실과 함께 꽃의 향취를 즐기고자 했으며, 필요에 따라 질병 예방과 치료 목적의 가용주(家用酒)로 애용되었음을 알게 되었다.

'국화주'를 빚을 때 유의할 점은 무엇보다 국화의 선택과 사용량을 적절히 조절하는 일이다. '국화주'를 빚어놓고 "향기는 더할 나위 없이 좋은데, 그 맛이 써서 마시기 역겹다."는 소릴 자주 듣기 때문이다.

먼저, 국화는 백국(白菊), 감국(甘菊), 황국(黃菊), 홍국(紅菊), 산국(山菊) 등 여러 가지가 있지만, 술에 사용할 수 있는 국화는 황국과 감국 둘뿐으로 특히 감국을 더 선호한다.

감국은 진황색에 가깝고, 건조시키게 되면 떡처럼 뭉개지는 경향이 많다. 더러 산국을 감국이라고 잘못 알고 있거나, 향기가 강하여 선호하는 경향이 있으나, 지나치게 쓴맛이 강해 사용할 수 없다. <동의보감>에는 "백국(白菊)이 더 좋다."고 하였으나, 약재와 함께 달여서 사용하는 경우가 아니면 피하는 것이 좋다. 백국도 마찬가지로 쓴맛이 강해 화향입주법이나 직접 혼합법의 '국화주'를 빚고자 할 땐 적합하지 않다.

또한 생국화가 건조시킨 것보다 향취가 좋으나, 많이 넣는 것을 경계해야 한다. 꽃의 수분으로 인해 술이 변질될 수 있고, 지나친 향기는 술맛을 그르치며 쉬 물리게 하기 때문이다. 기호에 따라 다르겠지만 가능한 한 적게 넣는 것이 좋다.

지금까지 살펴보았지만 '국화주'는 특히 '화향입주법'이 선호되었음을 확인할 수 있다.

다음은 조선 초기의 대표적 문신이자 '사육신(死六臣)'으로 더 잘 알려진 성삼문(成三問, 1417~1456년)의 <성근보선생집> 권1에 수록되어 있는 "무계수창시에 차운하다(次武溪酬唱詩韻)"라는 제목의 시다.

世慮消殘道味深(세상 번뇌는 스러지고 도의 의미는 깊은데)

天教秋氣又淸心(하늘은 또 가을 기운으로 내 마음을 맑게 해주네.)
樽開冷蘸中秋白(술동이엔 중추절 밝은 달빛이 잠기고)
杯滿香吹九日金(술잔엔 중양절의 국화꽃 향기기 가득하네.)
楓染霜枝明野錦(서리에 물든 단풍가지는 임야를 수 놓았고)
松鳴風葉送山琴(바람으로 우는 솔잎은 산의 풍류를 보내네.)
洞門曾是無關鎖(동문을 일찍이 잠가두지 않았으니)
布襪靑鞋又一尋(포로 만든 버선과 짚신 또한 한 번쯤 찾아올 것이네.)

가을이면 시인묵객과 풍류객(風流客)들 사이에서는 '산음(山陰)'이라 하여, 산에 올라가 술자리를 마련하는데, 술을 담은 술동이에 감국잎을 뜯어다 띄워 잔으로 떠 마시는 풍류가 인기가 높았음을 짐작케 한다.

이 밖에도 남구만(南九萬)의 <약천집> 권2에 나오는 "9일 옥하관에서 오서장 도일과 함께 국화를 마주 대하다(九日玉河館 與吳書狀 道一 對菊)"라는 시는 다음과 같다.

異域同爲客(이역에서 같이 나그네 되어)
重陽共見花(중양절에 함께 꽃을 보네.)
愁懷驚節物(근심스런 말은 절기의 사물을 보고 놀라고)
衰鬢耐年華(쇠잔한 귀밑머리 희어졌네.)
主辱方甘死(임금이 모욕 받으니 기꺼이 죽을 수 있는데)
身羈豈足嗟(몸이 나그네 신세라고 어찌 한탄하리오.)
泛香猶有酒(국화꽃 띄운 술이 있으니)
一醉當還家(한번 취해 집으로 돌아가리.)

고려 말의 대표적인 문인으로 더 잘 알려진 이규보(李奎報)의 <동국이상국집(東國李相國集)>에 수록된 "촌가삼수(村家三首)"라는 시에도 '국화주' 마시는 풍속에 대해 언급하고 있다.

曉寒霜重織聲催(찬 서리 짙은 새벽은 베틀소리를 재촉하고)
日暮煙昏樵唱廻(저문 해 검은 연기에 나무꾼은 노래하며 돌아오네.)
野老那知重九日(들녘의 늙은이가 어찌 중구일을 알겠는가마는)
偶逢黃菊泛濃醅(우연히 국화 띄워 흠뻑 익은 술을 만나네.)

그런가 하면 <동문선(東文選)>의 "경인중구(庚寅重九)"라는 시(詩)에는 전쟁 중에도 사대부들 사이에서 '국화주음(菊花酒飮)' 풍속이 이어져오고 있었음을 알 수 있는 내용이 목격된다.

輦下干戈起(서울에서 병란이 일어나)
殺人如亂麻(사람 죽이기를 삼을 베는 듯하네.)
良辰不可負(그래도 아름다운 때를 저버릴 수가 없어서)
白酒泛黃花(백주에 노란 국화를 띄워 마시네.)

고려 말의 문신으로 잘 알려진 정몽주(鄭夢周)의 <포은선생문집(圃隱先生文集)>에 수록된 "목은선생구일운(次牧隱先生九日韻)"이라는 시(詩)에서도 절기주로서 '국화주'를 마시는 풍속이 성행했음을 알 수 있다.

光陰袞袞似川流(세월은 끊임없이 냇물처럼 흐르니,)
富貴何人是徹頭(부귀를 누가 끝까지 지키겠는가.)
喜共耆賢成邂逅(기쁘게도 기현耆賢과 해후하였으니,)
合將身世信沉浮(장차 영고성쇠하는 세상살이를 같이 하겠네.)
黃花綠酒傷佳節(국화와 좋은 술은 아름다운 절기에 알맞으니,)
白髮烏紗照暮秋(백발과 오사모가 늦가을에 비치네.)
聚散固知元有數(만나고 헤어짐은 원래 수가 있는 것으로 알고 있는데,)
明年何處得重遊(내년에는 어느 곳에서 다시 놀 수 있을까.)

다시 말해 절기주로서 '국화주'는 중구일로 불려지는 중양절(重陽節)의 가향주로, 특히 사대부들 사이에서 널리 애용되었음을 거듭 확인할 수 있다. 이처럼 '국화주'는 남녀노소의 사랑을 받은 대표적인 가향주로 자리매김 되어 왔다는 사실만으로도 그 가치를 다시금 확인한다 하겠다.

1. 국화주 <고사신서(攷事新書)>

감국(甘菊)의 싹으로 술을 빚어 먹으면 노화를 막을 수 있다. 남양양현(南陽穰縣)에 감곡수(甘谷水)가 있었는데, 좌우 모두에 국화 뿌리가 물속에서 자라므로 맛이 달아, 그곳에 사는 사람들은 우물을 파지 않고 계곡의 물을 마셨다. 수명이 긴 사람은 나이가 145세나 되었다고 한다.

甘菊酒

甘菊苗釀酒常服可以却老. 南陽穰縣有甘谷水左右皆生菊和墮水中故味甘居人不穿井飮谷水壽高者百四五十歲.

2. 국화주 <고사십이집(攷事十二集)>

술 재료 : 감국 2냥, 청주 1말, 명주 주머니 1개

술 빚는 법 :

1. 국화가 만개했을 때 꽃을 송이째 채취하여 (햇볕이 들지 않는) 그늘진 곳에서 완전 건조시킨다.
2. 깨끗한 명주 주머니에 건조시킨 국화 2냥을 넣고 끈으로 묶어놓는다.
3. (소독하여 준비한) 술독에 청주 1말을 담아 안친다.
4. 국화 주머니를 술 표면에 닿지 않게 손가락 한 마디쯤 떨어지게 하여 매달

아 놓는다.

5. 술독을 밀봉하여 밤재웠다가 국화 주머니를 제거하면 술에 국화 향이 배어 든다.

* 주방문 말미에 "납매(겨울 매화)와 일체의(모든) 향기 있는 꽃은 다 이와 같이 할 수 있다."고 하였다. 이러한 방법은 화향입주법(花香入酒法)의 하나로, 사용하고 난 국화 주머니는 다시 건조시킨 후 재차 사용할 수 있다.

菊花酒

甘菊盛開時揀摘晒乾用甕盛酒一斗以菊二兩盛生綃俗懸於酒面上約離一指高密封甕口經宿去俗酒味有菊香如臘梅一切有香之花依此法爲之亦可.

3. 국화주(우법) <고사십이집(攷事十二集)>

술 재료 : 감국 2냥, 청주 1말, 명주 주머니 1개

술 빚는 법 :

1. 술덧(酒醅)을 이용하고자 하면, 술이 익었을 때 감국을 채취하여 깨끗하게 다듬는데, 꽃받침을 제거한다.
2. 술을 빚어둔 지 21일가량 지나 숙성된 술로 거르지 않은 술독을 준비한다.
3. 잘 다듬은 감국 2냥을 술독에 넣고 손으로 휘저어 술덧과 섞어놓는다.
4. 다음날 술독에 (용수를 박고 술이 맑아지기를 기다렸다가) 떠내는데, 그 맛과 향기가 아름답다.

* 주방문 말미에 "향기가 있고 독이 없는 꽃은 다 이와 같이 할 수 있다."고 하고, "남양현(南陽縣)에 감곡수(甘谷水)가 있었는데, 좌우 모두에 국화가 물

속에서 자라므로 맛이 달아 그곳에 사는 사람들은 우물을 파지 않고 계곡의 물을 마셨다. 수명이 긴 사람은 나이가 145세나 되었다."고 한다.

菊花酒(又法)

酒醅欲濃時用 甘菊去蕚蔕二兩入醅攪匀次日早榨取 其味香美諸有香無毒之花亦可依此. 南陽有甘谷水左右皆生菊花花墮水中故味甘居人不穿井飮此水壽高者百四五十歲.

4. 국화주 <농정회요(農政會要)>

술 재료 : 감국, 술, 생명주 주머니 1장

술 빚는 법 :

1. 10월 가을에 감국(甘菊)이 만개(滿開)하는 때 국화꽃을 꽃잎만 따고 깨끗하게 다듬어서 2근을 준비한다.
2. 준비한 술밑에 국화를 고루 버무려 넣고, 술독에 담아 안친다.
3. 건조시킨 국화 2근을 생견(生絹) 포대(베로 만든 주머니)에 넣고, 주머니를 끈으로 주둥이를 묶어놓는다.
4. 꽃주머니를 술 속에 쑤셔 박고, 입구를 베보자기로 씌워 밀봉한 다음 뚜껑을 덮어놓는다.
5. 꽃주머니를 매단 지 하루가 지난 후 꽃주머니를 꺼내어 술을 마시는데, 술맛이 향기롭고 청렬하다.

* 주방문 말미에 "일체의 향기가 있는 꽃은 이 방법과 같이 사용하면 된다. 계수나무꽃, 난꽃, 장미꽃과 같이 향기가 있는 모든 꽃으로 담글 수 있다."고 하였다.

菊花酒
十月採甘菊花去蒂只取花二斤擇淨入醅內攪勻次早搾則味香淸冽凡一切有香之花與桂花蘭花薔薇皆可依可做此爲之. <遵生八牋>.

5. 국화주 <달생비서(達生秘書)>

오래 살게 하고 수명(壽命)을 늘리며 풍현(風眩)을 치료한다. (처방은 신형문에 나온다.)

菊花酒
延年益壽, 治風眩. <方見身形>.

6. 국화주 <동의보감(東醫寶鑑)>

술 재료 : 찹쌀 5말, 국화 5근, 생지황 5근, 구기자 뿌리 5근, 가루누룩(7되~8되), 물 1섬

술 빚는 법 :

1. 감국화·생지황·구기자 뿌리 각 5되씩을 물에 깨끗하게 씻어 물기를 뺀다.
2. 솥에 1섬의 물을 붓고 찧은 약재와 함께 끓이고 달이는데, 물이 5말이 되면 찌꺼기를 제거하고 차게 식힌다.
3. 찹쌀 5말을 백세하여 (새 물에 다시 씻어 건져서 물기를 뺀 다음) 약 달인 물에 넣고 삶는다.
4. 찹쌀밥이 익었으면, 고루 펼쳐서 차게 식기를 기다린다.
5. 찹쌀밥에 고운 가루누룩(5되)을 한데 합하고, 고루 버무려 술밑을 빚는다.

6. 술독에 술밑을 담아 안친 후 예의 방법대로 하여 밀봉하고, 익기를 기다려 맑은 술을 떠서 데워 마신다.

* 주방문 말미에 "흰국화가 더 좋다."고 하고, "근골을 강하게 하고 골수를 보하며, 수명을 늘린다."고 하였다. 또 감국화에 대해 "몸을 가볍게 하고 늙지 않고 오래 살게 한다. 싹·잎·뿌리·꽃을 다 먹는다."고 하였다.

菊花酒方

甘菊花·生地黃·拘杞根皮各五升, 水一石, 煮取汁五斗. 糯米五斗, 炊熟, 入細麴 和勻, 入瓮, 後熟澄淸溫服, 壯筋骨, 補髓一 延年益壽, 白菊花尤佳. (入門).

甘菊花

輕身, 耐老延年. 茆葉花斤 皆可服. 陰乾, 搗末, 酒調服. 或 蜜丸久服. <本草(身形)>.

菊花酒

延年益壽, 治風眩. <方見身形>.

7. 감국주 <민천집설(民天集說)>

국화를 채취하여 술을 빚고 상시 복용하면 가장 좋다.

국화가 물(우물) 주변에 자라나는 물을 마신 사람들이 그 기운 때문에 백사오십 세를 살았다.

* 옛 고사에 "남양현(南陽縣)에 감곡수(甘谷水)가 있었는데, 좌우 모두에 국화가 물속에서 자라므로 맛이 달아 그곳에 사는 사람들은 우물을 파지 않고 계곡의 물을 마셨다. 수명이 긴 사람은 나이가 145세나 되었다."고 하는 전설

이 전해오고 있다. 그 고사를 인용하여 "국화가 물속에서 자라므로 그 국화수를 마신 사람들의 수명이 긴 사람은 나이가 145세나 되었다."고 하는 내용을 싣고 있어, '국화주'의 효능을 강조하고 있다.

甘菊酒
取苗釀酒常服最尤. 菊花隨水右飮其水則氣可百四五十.

8. 국화주법 <부인필지(夫人必知)>

술 재료 : 맑은 술(청주) 18ℓ, 국화 50g.

술 빚는 법 :

1. 황국이 피어나면 좋은 술 1말을 준비하여 술독에 담아놓는다(빚은 술이 익었으면 용수를 박아두고 청주가 고이기를 기다린다).
2. 활짝 핀 황국을 채취하여 깨끗이 씻어낸 뒤 물기 없이 하여 음건한다.
3. 꽃을 줌치(술자루, 베로 만든 주머니)에 넣는데, 주머니가 술독 안의 수면으로부터 2~3cm 정도 떨어지게 매달아 놓는다.
4. 술독의 주둥이를 비닐이나 여러 겹의 베보자기로 밀봉하고 뚜껑을 덮은 뒤(2~3일 후에) 주머니를 걷어 내고 술을 떠낸다.

* 술을 병에 담아 냉장고에 넣어두고 차게 하여 마시면 향취가 좋은 국화주가 된다. 주방문 말미에 "매화, 연꽃도 이 법대로 하면 좋고, 귤은 술에 넣으면 맛이 시기 쉬우니 껍질만 벗겨 줌치에 넣어 독 속에 달면 향기 기이하니라."고 하여 여러 가지 꽃을 다 이와 같이 할 수 있음을 알려주고 있다.

국화쥬법

황국이 픠거든 술 ᄒᆞᆫ 말에 ᄭᅩᆺ 두 되를 줌치에 너어 독 속에 달면 향취 가:득 ᄒᆞ니 ᄆᆡ화 연화도 이 법ᄃᆡ로 ᄒᆞ면 조코 귤은 술의 너으면 맛이 싀기 쉬우니 겁즐만 벗겨 쥼치에 너어 독 속에 달면 향취 긔이ᄒᆞ니라.

9. 국화주 <사시찬요초(四時纂要抄)>

술 재료 : 국화(감국) 2냥, 청주 1말, 생견 주머니 1장

술 빚는 법 :

1. 국화가 만개했을 때 꽃을 송이째 채취하여 적당히 건조시킨다.
2. 청주 1말을 (주둥이가 넓은)주병에 담는다.
3. 생사로 만든 주머니에 감국꽃 2냥을 담아 넣고, 주둥이를 묶어 끈을 길게 늘어놓는다.
4. 꽃을 담은 주머니를 주병의 주면에서 손가락 한 마디쯤 떨어지게 하여 끈을 병 주둥이에 묶어 매달아 놓는다.
5. 주병을 밀봉하고, 하룻밤 지난 뒤 꽃주머니를 거둬들인다.
6. 주병의 청주를 맛보면, 꽃향기가 좋다.

* 무릇 매화 등 꽃향기가 있는 꽃은 이와 같은 방법에 따라 하면 술이 다 하도록 변하지 않는다고 하였다.

菊花酒

菊花採乾盛開時揀黃菊香甘者摘取乾淸酒一斗用菊二兩盛生絹帒縣於酒甁上納離一指高密封甁口經宿去帒酒味有香花凡梅花有香之花依此法爲之盡酒性能透諸香而自變.

10. 국화주 <온주법(醞酒法)>

술 재료 : 찹쌀 5말, 참누룩 5되, 구기뿌리·생지황·감국화 각 5되, 물 8말

술 빚는 법 :

1. 노란 감국 5되와 생지황 5되, 구기뿌리 5되를 물에 깨끗하게 씻어 절구에 찧는다.
2. 물 8말에 찧어서 준비한 약재를 넣고 삶아 달인 물이 5말이 되게 한 다음, 차게 식힌다.
3. 찹쌀 5말을 (백세하여 물에 담갔다가, 다시 씻어 물기를 뺀 후) 시루에 안쳐 고두밥을 짓는다.
4. (고두밥이 익었으면, 시루에서 퍼내고 고루 펼쳐 차게 식기를 기다린다.)
5. 약 달인 즙액에 고두밥, 참누룩 5되를 (고운 가루 내어) 한데 합하고, 고루 버무려 술밑을 빚는다.
6. 술독에 술밑을 담아 안치고, 예의 방법대로 하여 발효시킨다.

* 주방문에 쌀 씻는 법에 대해 언급하지 않았다. "묽기를(익어 말갛게 가라앉기를) 기다려 한 잔씩 떠서 마시면, 잔골을 장케 하고 골수를 보하여 연년익수하고 늙지 아니하느니라."고 하였다. 일설에 "서왕모가 한의 무왕에게 바쳤던 술이다."고 한다. <주찬>의 주방문과 술 빚는 법은 같으나 재료의 양에서 차이가 난다. 또 <주찬>에는 "피를 조화시켜 얼굴빛의 아름다움을 잃지 않게 하는 효능과 허약함을 보하고, 근골을 강하게 하며, 혈맥을 통하고 복통을 고치며 백발을 검게 한다."고 하여 효능에서도 차이가 있다.

국화듀

누란 감국 닷 되 싱디황 닷 되 디골피 닷 근을 씨허 물 여둘 말 부어 그 씨흔 거슬 너코 달혀 닷 말 되거든 뎜미 닷 말 밥 짓고 진국 닷 되 섯거 묽거든

ᄒᆞᆫ 잔식 더여 먹으면 잔골을 장케ᄒᆞ고 골슈를 보ᄒᆞ야 년년닉슈ᄒᆞ고 늘지 아니 ᄒᆞᄂᆞ니라.

11. 국화주 <요록(要錄)>

술 재료 : 찹쌀 5말, 국화 5근, 생지황 5근, 구기자뿌리 5근, 가루누룩(7되~8되), 물 1섬

술 빚는 법 :

1. 국화·생지황·구기뿌리 각 5근씩을 물에 깨끗하게 씻어 물기를 뺀 뒤, 절구에 함께 찧는다.
2. 솥에 1섬의 물을 붓고 찧은 약재와 함께 끓이고 달이는데, 물이 5말이 되면 찌꺼기를 제거하고 차게 식힌다.
3. 찹쌀 5말을 백세하여 (새 물에 다시 씻어 건져서 물기를 뺀 다음) 시루에 안쳐서 무르게 고두밥을 짓는다.
4. 고두밥이 익었으면, 고루 펼쳐서 차게 식기를 기다린다.
5. 약 달인 즙액에 고두밥, 가루누룩(7되~8되)을 한데 합하고, 고루 버무려 술밑을 빚는다.
6. 술독에 술밑을 담아 안친 후 예의 방법대로 하여 밀봉하고, 익기를 기다려 떠서 마신다.

* 주방문 말미에 덧붙이기를 "하루에 세 번 한 잔씩 따뜻하게 데워 마시면, 뼈와 근육이 튼튼해지고 오래 살게 된다."고 하였고, <동의보감>에는 "두통을 낫게 하고 눈과 귀를 밝게 하며 백병을 없애는 효능이 있다."고 기록되어 있다.
* 궁중의 축하주로 애용되었으며, "중양절에 마시면 장수무병한다."고 하여 여

러 민가에서 즐겼다. <동국이상국집(東國李相國集)>, <파안집(破閑集)>, <조선세시기(朝鮮歲時記)>, <동의보감>, <요록>, <고사십이집>, <임원십육지>, <주식방(고대규곤요람)>, <음식법> 등 다양한 문헌에도 수록되어 있다.

菊花酒

將筋骨補(髓)延年益壽. 菊花生地黃拘杞根各五斤都擣碎以水石煮取汁五斗取糯米五斗細麴碎同拌合均入瓮密封候熟濾(一日)一盞溫飮日三.

12. 국화주방문 <윤씨(尹氏)음식법>

술 재료 : 국화 2냥, 찹쌀 1말, 누룩 적당량(1되), (끓여 식힌 물 3~4되)

술 빚는 법 :

1. 9월 9일에 노란 국화를 따다가 (깨끗하게 다듬고 물로 살짝 씻어) 햇볕에 다 말린다.
2. 그릇(절구)에 찧는다(으깨어 분쇄한다).
3. 찹쌀 1말을 백세하여 (물에 담가 불렸다가, 다시 씻어 물기를 뺀 후) 시루에 안쳐서 고두밥을 짓는다.
4. 고두밥이 익었으면, 시루에서 퍼내고 고루 펼쳐서 차게 식기를 기다린다.
5. 고두밥에 국화 찧은 것 2냥과 누룩 적당량(1되), (끓여 식힌 물 3~4되)를 한데 합하고, 고루 버무려 술밑을 빚는다.
6. 술밑을 술독에 담아 안치고, 예의 방법대로 하여 발효시키는데 술이 익기를 기다려 채주하여 마신다.

국화쥬방문

구월 구일의 ᄂᆞ른 국화를 벼틔 ᄆᆞᆯᄂᆡ여 ᄀᆞ로 찌허 졈미 ᄒᆞᆫ 말 빅셰ᄒᆞ여 쪄 차거든 구화ᄀᆞ로 닷 냥과 ᄀᆞ로누록 알마초 섯거 비ᄌᆞ라.

13. 국화주방 <임원십육지(林園十六志)>

술 재료 : 감국 2냥, 술(1말), 생명주 주머니

술 빚는 법 :

1. 감국(甘菊, 황국)이 흐드러지게 필 때 꽃잎만을 채취하여 (흐르는 물에 살짝 씻어 먼지와 벌레, 이물질을 제거한 후) 햇볕에 꾸들하게 말린다.
2. (꽃잎은 잎잎이 부스러질 정도가 되게 말려서 여러 겹으로 된 종이봉투에 담아두고 필요할 때 사용한다.)
3. 생명주 주머니에 준비한 감국 2근을 넣어 (주머니를 묶고 끈을 달아) 놓는다.
4. 술독에 술(발효주 1말)을 담아 안치고, 국화 주머니를 술 속에 쑤셔 박아놓는다.
5. 술독은 베보자기를 씌워 단단히 밀봉하고, 뚜껑을 덮어 하룻밤 지낸다.
6. 다음날 주머니를 건어내면 국화 향기가 술에 배었으므로 짜서 마신다.

* 주방문 말미에 “그 맛이 향긋하고 맑다. 계수나무꽃, 난꽃, 장미꽃과 같이 향기 있는 꽃이라면 어느 꽃이고 다 이 법으로 하면 또한 좋다.”고 하였다.

菊花酒方

此與服餌菊花酒不同無他藥料伴入者但取其香耳. 十月採甘菊花去蒂只取花二斤擇淨入醅內攪勻次早榨則味香淸洌凡一切有香之花如桂花蘭花薔薇皆可倣此爲之. <遵生八牋>.

14. 국화주 <임원십육지(林園十六志)>

두풍(頭風)을 치료하고 눈, 귀를 밝게 하며 마비증상을 제거하고 여러 가지 병을 없앤다. 감국화를 달인 즙에 누룩가루를 섞어 술을 빚는다. 또 지황, 당귀, 구기자 등 약재와 같이 넣어도 좋다. <본초강목>을 인용하였다.

菊花酒

<本草綱目> 治頭風明耳目去痿痺消百病用甘菊花煎汁同麴米釀酒. 或如地黃當歸拘杞諸藥亦佳. (案)方詳 <葆養志>.

15. 국화주법 <주식방(酒食方, 高大閨壼要覽)>

술 재료 : 국화 2냥, 청주 1말, 모시 주머니 1장

술 빚는 법 :

1. 국화(甘菊, 황국)가 흐드러지게 필 때, 좋은 꽃을 (송이째) 많이 채취하여 (흐르는 물에 살짝 씻어 먼지와 벌레, 이물질을 제거한 후) 햇볕에 말린다.
2. (꽃잎은 잎잎이 부스러질 정도가 되게 말려서 여러 겹으로 된 종이봉투에 담아두고 필요할 때 사용한다.)
3. 모시 주머니에 말린 국화 2냥을 넣어 (주둥이를 묶고 끈을 달아) 놓는다.
4. 술독에 술(발효주) 1말을 담아 안치고, 국화 주머니를 주면 위에 1~2치(손가락 한 마디쯤) 떨어지게 매달아 놓는다.
5. 술독은 베보자기를 씌워 단단히 밀봉하고, 뚜껑을 덮어 2일간 지낸다.
6. 다음날(2일 후) 주머니를 걷어내고 마시면 국화 향기가 나고 마시기 좋다.

국화쥬법

국화 만히 쓰더 말노여 두고 술 ᄒᆞᆫ 말이면 ᄭᅩᆺ 두 냥식 날근 모시 듀머니에 너허 술 우희 ᄒᆞᆫ두 치만 쓰게 ᄃᆞᆯ고 항 부리를 단단이 싸ᄆᆡ엿다가 한 이틀 진ᄒᆞ거든 ᄂᆡ면 그 술이 향ᄂᆡ 나고 마시 됴ᄒᆞ니라.

16. 국화주 <침주법(浸酒法)>

–한 말 빚이

술 재료 : 찹쌀 1말, 누룩가루(1~2되), 국화가루 5냥, (끓인 식힌 물 7되)

술 빚는 법 :

1. 9월 9일 중구에 국화(감국)를 많이 따서 (흐르는 물에 살짝 씻어서 물기를 없이 한 후) 바람이 잘 통하는 응달에 1천 번 말려서 가루로 빻는다.
2. 찹쌀 1말을 백세하여 (물에 담가 하룻밤 불렸다가, 다시 헹궈서) 물기를 빼 놓는다.
3. 불린 쌀을 시루에 안쳐서 고두밥을 짓되, 뜸을 잘 들여 익게(무르게) 찌고, 물 7되를 팔팔 끓여 차게 식힌다.
4. 고두밥이 무르게 익었으면 퍼내고, 고루 펼쳐서 차게 식기를 기다린다.
5. 고두밥에 누룩가루(1~2되)와 준비해 둔 국화가루 5냥, (끓여 식힌 물 7되)를 한데 합하고, 고루 버무려 술밑을 빚는다.
6. 술밑을 술독에 담아 안친 후 예의 방법대로 하여 발효시키고, 술이 익기를 기다린다.

* <침주법>의 '국화주' 주방문은 이제까지 등장한 여러 고문헌의 '국화주' 주방문과는 다른 방법으로, 국화를 말려서 가루로 빻아 사용하는 게 특징이다. 또 "하루에 한 잔씩 마시면 두통에 좋다."고 하였다.

국화쥬(菊花酒)
믹 구월 구일에 국화를 만히 싸 일쳔 번 믈뇌여 ᄀ로 밍그라 믹 닷 냥애 출빅미 ᄒᆞᆫ 말을 닉게 뼈 국화ᄀᄅᆞ와 누록을 ᄒᆞᆫᄃᆡ 섯거 샹네 술 빗드시 비져 닉거든 ᄒᆞᄅᆞ ᄒᆞᆫ 잔식 먹으면 두풍을 다ᄉᆞ리ᄂᆞ니라.

17. 국화주 <한국민속대관(韓國民俗大觀)>

이규보(李奎報)의 시문(詩文) <촌가삼수(村家三首)>의 "중지구일우봉황국범농가(重知九日偶逢黃菊泛濃加)" 중에도 있듯이 국화가 피면 국화주를 즐겼음을 알 수 있다.

* 주방문 말미에 "'절기주류'는 "일 년 중 특별한 절기에 즐겨 만들어 마셔 온 술이 있었는데, 이를 절기주(節期酒)라고 한다."고 하였다.

국화주(菊花酒)
李奎報 <村家三首> 中 "重知九日偶逢黃菊泛濃加"

18. 국화주방문 <홍씨주방문>

술 재료 : 밑술 : 멥쌀 2말 5되, 누룩가루 1되, 밀가루 1되, 물 2말 5되
덧술 : 멥쌀 3말, 찹쌀 3말, 국화(1~2되), 끓는 물 5되

술 빚는 법 :
* 밑술 :
1. 멥쌀 2말 5되를 백세하여 (백 번 씻어 매우 깨끗하게 하여 말갛게 헹궈 불렸

다가 다시 씻어 건져서 물기를 뺀 다음) 작말한다(가루로 빻는다).
2. 쌀가루를 넓은 그릇에 담아놓고, 물 2말 5되를 솥에 부어 솟구치게 팔팔 끓여서 쌀가루에 골고루 부은 다음, 주걱으로 고루 개어 범벅을 쑨다.
3. 범벅이 투명하게 익었으면, 그릇 여러 개에 나눠 담고 차게 식기를 기다린다.
4. 식은 범벅에 좋은 누룩을 깁체에 쳐서 고운 누룩가루 1되와 밀가루 1되를 섞고, 고루 버무려 술밑을 빚는다.
5. 소독한 술독에 술밑을 담아 안치고, 예의 방법대로 하여 1~2일간 발효시켜 익기를 기다려 덧술을 해 넣는다.

* 덧술 :
1. 멥쌀 3말과 찹쌀 3말을 백세하여 (백 번 씻어 옥같이 깨끗하게 하여 말갛게 헹궈 건졌다가) 새 물에 하룻밤 담가 불린다.
2. 불린 쌀을 (다시 씻어 건져서 물기를 뺀 다음) 시루에 안쳐서 고두밥을 짓되, 물을 충분히 뿌려서 익게 찌고, 익었으면 넓은 그릇에 펴 담는다.
3. 끓인 물 5되를 고두밥에 섞어 헤쳐 두었다가 (고두밥이 물을 다 먹었으면) 고루 펼쳐서 차게 식기를 기다린다.
4. 고두밥과 밑술을 합하고, 고루 버무려 술밑을 빚는다.
5. 술독에 술밑과 국화를 켜켜이 안친다(맨 위에 국화 한 줌으로 위를 덮는다).
6. 술독은 예의 방법대로 하여 (차지도 덥지도 않은 곳에 앉혀두고) 21일간 발효시켜 술이 익기를 기다린다.
7. 술덧 위를 헤쳐 보면 맑은 술이 위로 솟구치면서 맛이 기이할 만큼 좋다.

* 흐억이 : 흡족히

국화주방문

백미 두 말가옷 백세작말하여 끓인 물 두 말을 솟천에 밭치고 같이 퍼부어 저어 식거든 좋은 국말 일 승, 진말 일 승 버무려 두었다가 한 날 만에 두 날 만에나 점미, 백미 각 서 말 백 번 치서 지에 흐억이 치고 끓인 물 닷 되 밥에 섞어 서늘하거든 밑에 고운 자(○) 섞어 국화로 켜 두어가며 넣었다가 삼칠일 자나거든 보면 위에 ○○하여 익은 술 보로다가도 속을 헤치면 맑은 술이 솟아 맛이 기이하니라. 주방문이 너쳐 누룩 진말 가늘게 하여 조금 더 넣어라.

닥주 · 저엽주

스토리텔링 및 술 빚는 법

'저엽주' 또는 '저주'는 <양주방>*과 <주방문조과법(造果法)>, <침주법(浸酒法)>에서만 찾아볼 수 있다. <양주방>*에는 '저엽주', <주방문조과법>에는 '딱술법', <침주법>에는 '닥주(楮酒)' 로 기록되어 있다.

이들 주방문과 유사한 주방문으로는 <음식방문(飮食方文)>에 '목욕주', <음식디미방>의 '저주(楮酒)', <주방문(酒方文)>의 '닥주(楮酒)'가 있다. 닥나무잎인 저엽(楮葉)과 관련된 것으로 표기되어 있으나, 주방문에는 닥나무잎이 보이지 않는다.

따라서 <음식디미방>의 '저주'와 <주방문>의 '닥주'는 주방문을 기록하는 과정에서 닥나무잎을 빠트렸거나 아니면 완성된 술의 향취에서 닥나무잎의 냄새를 느낄 수 있다는 의미에서 붙여진 술 이름으로 추측된다. 왜냐하면 <양주방>*의 '닥나무잎술'이나 <음식디미방>의 '저주', <음식방문>의 '목욕주', <주방문>의 '닥주'는 술 빚는 법이 거의 일치하고 있기 때문이다.

어찌됐든 <양주방>*과 <주방문조과법>, <침주법>의 '닥나무잎술'과 '딱술법', '닥주'는 부재료로 사용되는 닥나무잎의 초취(草臭)를 이용해 술맛과 향기를 부여하고자 한 가향주(佳香酒)의 일종으로 여겨진다. 이를테면 '두견주'나 '도화주', '연엽주', '국화주'와 같은 계절주의 성격을 띠는 가향주의 한 가지로 이 주방문을 이용하면 다른 어떤 가향주도 가능하게 된다.

다만, <음식방문>의 '목욕주'는 독특한 주품명 때문에 '저엽주'와는 분류를 달리 했다. 따로 설명을 곁들이기로 하고, 여기서는 '저엽주' 또는 '딱잎술', '닥주'라고 하는 주품명만을 다루고자 한다.

<양주방>*의 '저엽주' 주방문을 살펴보면, 그 과정이 매우 이채롭다. 즉, 멥쌀가루 1되를 익반죽하여 가운데 구멍을 뚫은 구멍떡(孔餠)을 빚고, 끓는 물로 삶아 떡이 익어 물 위로 떠오르면 건져서 식기 전에 주걱으로 짓이겨서 된죽을 만든다. 떡 삶았던 물을 식히지 말고 그대로 두었다가, 떡이 풀어지기 전에 식어서 풀어지지 않으면 조금씩 쳐가면서 멍울진 것 없이 풀처럼 만들고, 오랫동안 방치해서 차게 식기를 기다린다. 이어 차게 식힌 죽 형태의 떡에 누룩가루 7홉을 섞어 술밑을 빚고, 술독에 안친다. 이때 바가지에 닥나무잎을 깔고, 그 위에 술밑을 담아서 술독에 안치는 독특한 방법으로 이루어진다. 술밑을 바가지에 담아 안치는 방법은 지금까지 목격되지 않았던 유일한 방법이자 매우 이채로운 방법이라 하겠다.

'연엽주'나 '두견주'와 같은 대부분의 가향주들은 주방문에서 보듯 사용되는 부재료를 직접 버무려 넣거나 술독 밑바닥에 깔기도 하고, 시루떡 안치듯 켜켜로 안치는 것이 일반적이기 때문이다.

실제로 <주방문조과법>의 '딱술법'에서는 밑술의 술밑을 닥나무잎으로 싸서 발효시키고, <음식방문>의 '목욕주'에서는 닥나무잎을 깔고 덮어서 발효시키고 있다.

특이하게도 <양주방>*에서는 바가지에 닥나무잎을 깔고 그 위에 술밑을 안친 후 다시 닥나무잎을 덮어서 발효시키는 방법을 쓰는데, 그 이유를 확인할 수는 없다. 다만, 밑술의 양이 적은 탓에 가능한 한 밑술의 소실을 줄이기 위한 방편이 아닐까 여겨지는데, 그러한 이유라면 한 가지 문제가 예견된다.

그러려면 주둥이가 넓고 키가 낮은 독을 사용해야 하는데, 비교적 큰 독이 사용되기 쉽고, 이 경우 술밑에서 군내가 나기 쉬운 데다 특히 술밑이 잘 끓지 않을 수가 있다는 것이다. 바가지 주변의 빈 공간이 너무 많아지면 곰팡이 냄새를 비롯해 이취가 발생할 소지가 크기 때문이다.

물론 닥나무잎의 맛은 달고 성질은 서늘하며 독이 없다. 닥나무잎의 성분은 초취(草臭)와 함께 플라보노이드, 글리코사이드, 페놀류, 유기산, 탄닌 등을 함유하고 있어 피를 서늘하게 하고 물을 통하게 하며, 외상 출혈이나 수종, 산기, 이질, 선창(癬瘡)을 치료하는 것으로 알려져 있다. 이들 성분이 어떤 형식으로든 발효에 관여할 거라고 짐작은 가나 확인된 바는 없다.

'저엽주'의 밑술은 서늘한 곳에서 3일 정도 발효시키는데, 덧술은 특히 도정을 많이 한 흰멥쌀로 고두밥을 짓고 차게 식혀 사용한다. 먼저 빚어둔 밑술을 체에 밭쳐 막걸리를 만들어 사용하는데 냉수로 걸러낸다.

이때 술 빚기에 사용하는 냉수는 고두밥과 동량으로 하는 게 중요하다. 그러려면 대략 5되(9ℓ) 정도의 냉수가 필요하다. 덧술에 냉수를 사용하는 방법은 전통의 술 빚기에서 특히 밑술의 물을 끓인 상태로 빚은 술일 경우에는 매우 위험 부담이 크다. 그만큼 세심한 주의를 필요로 하므로 가능하면 끓여서 식힌 물을 사용하는 게 바람직하다.

이상의 술 빚는 법은 밑술의 목적과 연장선상에서 생각해 볼 필요가 있다. 즉, 닥나무잎을 사용한 누룩 제조가 닥나무잎의 곰팡이와 효모를 착생시키기 위한 방법이라는 점에서 보다 신선하고 독특한 특성을 간직한 효모 증식에 다름 아니다.

반면, <침주법>의 '닥주'는 <양주방>*, <주방문조과법>과는 달리, 덧술의 술밑을 "닥잎으로 싸매여 두라."고 하였고, 주방문 말미에 "가장 더운 때 하느니, 날이 적으나 추워도 아니 되느니라."고 하여 술 빚는 시기가 한여름임을 알 수 있다.

그런가 하면 <양주방>*의 '저엽주'와 <주방문조과법>의 '닥잎술'은 덧술을 빚는 과정에서 차이가 있다.

<양주방>*의 '저엽주'는 덧술에 사용되는 고두밥을 찔 때 냉수 두 동이를 뿌려서 찌게 되어 있으나, <주방문조과법>에서는 쪄낸 고두밥에 찬물을 뿌려 차게 식히라고 되어 있다. <침주법>의 '닥주'는 살수를 하여 찌거나 식히는 방법도 아니라는 점에서 덧술 방법이 각각 다르게 나타나고 있음을 알 수 있다.

그런 측면에서 보면 <음식디미방>의 '저주'와 <음식방문>의 '닥주'에서 공통

적으로 나타나는 "쪄낸 고두밥에 찬물을 뿌려서 차게 식히는 방법"이 여름철 술 빚는 방법에는 오히려 더 좋을 것으로 여겨진다.

이와 같이 발효시킨 '저엽주'나 '닥주' 또는 '딱잎술'은 닥나무잎 특유의 초취가 매우 은은하게 뿜어져 나오며, 연꽃 향기와 같은 독특한 방향(芳香)도 느낄 수 있고 부드러우면서도 쏘는 맛을 준다.

1. 저엽주 <양주방>*

술 재료 : 밑술 : 멥쌀 1되, 누룩 7홉, 닥나무잎 5~6장
덧술 : 멥쌀 1말, 냉수(5되~1말)

술 빚는 법 :

* 밑술 :

1. 희게 쓿은 멥쌀 1되를 깨끗이 씻고 또 씻어 (백세하여 물에 담가 불렸다가, 다시 씻어 건져서 물기를 뺀 후) 작말한다.
2. 쌀가루를 따뜻한 물로 익반죽하여 구멍떡을 빚는다.
3. 끓는 물솥에 구멍떡을 넣고 삶아, 떡이 떠오르면 건져낸다(짓이겨 한 덩어리가 되게 만든다).
4. 떡은 (차게 식힌 후) 누룩가루 7홉을 섞고, 매우 치대서 술밑을 빚는다.
5. 바가지에 닥나무잎을 깔고 그 위에 술밑을 담고, 다시 위를 닥잎으로 덮어 술독에 안친 뒤, 서늘한 곳에서 3일간 발효시킨다.

* 덧술 :

1. 흰 멥쌀 1말을 깨끗이 씻고 또 씻어(백세하여) 물에 담가 불렸다가 (다시 씻어 건져서) 물기를 뺀다.
2. 끓는 물솥에 시루를 올리고 쌀을 안쳐서 고두밥을 짓는다(찔 때 물을 두 동

이쯤 뿌려서 푹 찐다).
3. 고두밥이 익었으면 퍼내고 (찬물 두 동이를 뿌려서 차게 식힌 다음) 고루 펼쳐서 차디차게 식기를 기다린다.
4. 바가지에 담갔던 밑술을 체에 밭쳐 냉수로 걸러 막걸리를 만드는데, 막걸리의 양과 고두밥의 양이 같게 한다.
5. 막걸리에 고두밥을 넣고, 고루 버무려 술밑을 빚는다.
6. 술독에 술밑을 담아 안친 뒤, 예의 방법대로 하여 (서늘한 곳에서) 세이레(21일) 동안 발효시킨다.

* 주방문 말미에 "날이 몹시 더워야 좋지, 날이 조금 서늘하면 단맛이 있다. 콕 쏘는 맛도 덜하다."고 하였다.

져엽쥬

ᄇᆡᆨ미 일두 비자랴 ᄒᆞ면 ᄇᆡᆨ미 일승 ᄇᆡᆨ셰작말ᄒᆞ야 구무 ᄡᅥᆨ 비져 ᄉᆞᆯ마 국말 칠홉 섯거 마이 쳐 열 박의 닥닙 ᄭᆞᆯ고 다믄 후 덥허 서늘ᄒᆞᆫ ᄃᆡ 두엇다가 삼일 후 ᄇᆡᆨ미 일두 ᄇᆡᆨ셰ᄒᆞ야 담갓다가 ᄡᅧ ᄂᆡᆼ슈 두 동희나 드려 밥을 마이 ᄢᅵ서 ᄎᆞ거든 박의 담앗던 술밋츨 ᄂᆡᆼ슈의 걸너 물과 밥이 갓게 ᄒᆞ야 너허 삼칠일 만의 쓰면 조흐ᄃᆡ 날이 마이 더워야 조흐ᄃᆡ 서늘하면 단맛 잇ᄂᆞ니라.

2. 딱술법 <주방문조과법(造果法)>

술 재료 : 밑술 : 멥쌀 1되, 가루누룩 1되, 닥나무잎 여러 장, 떡 삶은 물(4~5ℓ)
덧술 : 찹쌀(멥쌀) 1말, 냉수(4말)

술 빚는 법 :
* 밑술 :

1. 멥쌀 1되를 백세하여 (물에 담가 불렸다가, 다시 씻어 헹궈서) 작말한다.
2. 솥에 물을 넉넉히(4~5ℓ 정도) 붓고 끓이다가, 따뜻해지면 2~3홉 정도를 뿌려가면서 고두 치대어 익반죽을 한다.
3. 솥의 물이 팔팔 끓으면 구멍떡을 넣고 삶아, 떡이 익어서 물 위로 떠오르면 그대로 차게 식기를 기다린다.
4. 차게 식은 구멍떡과 물에 가루누룩 1되를 섞고, 고루 치대어 멍울 없이 늘어지는 떡처럼 술밑을 빚는다.
5. 술밑을 닥나무잎으로 싸서 술독에 담아 안치고, 예의 방법대로 하여 3~7일 정도 발효시킨다.

* 덧술 :
1. 찹쌀(멥쌀) 1말을 (백세하여 물에 담가 불렸다가, 다시 씻어 헹궈서 물기를 뺀 후) 시루에 안쳐서 고두밥을 짓는다.
2. 고두밥이 익었으면 소쿠리에 퍼내고, 우물가에 가서 찬물을 길어다 고두밥에 퍼부어 차게 식힌 다음 물이 빠지길 기다린다.
3. 고두밥에 밑술을 합하고, 고루 버무려 술밑을 빚는다.
4. 술밑을 술독에 담아 안치고, 예의 방법대로 하여 발효시켜 익는 대로 채주한다.

* 덧술에 찹쌀 대신 멥쌀을 쓸 수도 있다고 하였다.

딱술법
차쌀 졈미 한 말 비지면 메쌀 한 되를 백셰작말하여 구무떡 하여 믈조차 퍼 가장 차거든 물 말고 가른누록 한 되에 쳐 딱닢 싸 헤 둣(다가) 간잘일 간의 졈미 한 말를 가장 닉게 쪄 밥이 차도록 믈밧타 믈이 다 빠자거든 밋술의 섯거 녀흐라. 제 법은 한 말 비지예 가ᄅ누룩이 한 되어서 (븨)누록이 만하여사 술이 달고 데오니다. 누록이 적으면 쓴맛시 만하니라. 메쌀 비지도 법은 한 가지어니와 졈미도 밋츨 믄고 이 담 밥을 벼고 다시 쪄 가장 차거든 녀 두라.

3. 닥주(楮酒) <침주법(浸酒法)>

술 재료 : 밑술 : 멥쌀 1되, 누룩가루 1되
덧술 : 찹쌀 1말, 끓여 식힌 물 1/2사발, 닥나무잎 여러 장

술 빚는 법 :

* 밑술 :

1. 멥쌀 1되를 깨끗이 씻고 또 씻어 (백세하여 물에 담가 불렸다가, 다시 씻어 건져서 물기를 뺀 후) 작말한다.
2. 쌀가루를 따뜻한 물로 익반죽하여 구멍떡을 빚는다.
3. 끓는 물솥에 구멍떡을 넣고 삶아, 떡이 떠오르면 건져낸다(짓이겨 한 덩어리가 되게 만든다).
4. 구멍떡은 (차게 식기를 기다렸다가) 누룩가루를 가는체에 내려서 1되를 섞고, 매우 치대서 술밑을 빚는다.
5. 술독에 술밑을 담아 안치고, 예의 방법대로 하여 (3일간) 발효시켜 밑술 맛이 가장 쓴맛이 나면 덧술을 준비한다.

* 덧술 :

1. 흰 찹쌀 1말을 백세하여 (물에 담가 불렸다가, 다시 씻어 건져서) 물기를 뺀다.
2. 끓는 물솥에 시루를 올리고, 불린 쌀을 안쳐서 고두밥을 짓는다(찔 때 찬물을 두 되쯤 뿌려서 푹 찐다).
3. 물을 1/2사발만 끓여서 차게 식히고, 고두밥이 익었으면 퍼내어 고루 펼쳐서 차디차게 식기를 기다린다.
4. 밑술에 고두밥을 넣고, 고루 버무려 술밑을 빚는 후 끓여 식혀둔 반 사발의 물로 술을 빚었던 그릇과 손을 깨끗하게 씻어 술밑에 붓는다.
5. 술밑을 닥나무잎으로 싸매어 술독에 담아 안친 뒤, 예의 방법대로 하여 (따뜻한 곳에서) 발효시키고 익기를 기다린다.

* <양주방>*, <주방문조과법>과는 달리, 덧술의 술밑을 "닥잎으로 싸매여 두라."고 하였고, 주방문 말미에 "가장 더운 때 하느니, 날이 적으나 추워도 아니 되느니라."고 하여 술 빚는 시기가 한여름이라는 것을 알 수 있다.

닥쥬(楮酒)—ᄒᆞᆫ 말

ᄆᆡ빅미 ᄒᆞᆫ 되 ᄀᆞ장 조케 시서 ᄀᆞᄅᆞ 브아 구뭇덕 ᄆᆡᆼ그라 닉게 살마 식거든 누록을 모시뵈에 노이여 ᄒᆞᆫ 되를 섯거더가 ᄀᆞ장 쓰거든 출빅미 ᄒᆞᆫ 말 일빅 믈 시서 밥 ᄀᆞ장 닉게 쪄 식거든 그 미틔 섯거 녀흐ᄃᆡ 믈 반 사발 슬혀 식거든 므든 그르슬 시서 녀흐ᄃᆡ ᄃᆞᆨ닙프로 싸ᄆᆡ여 두라. ᄀᆞ장 더운재 ᄒᆞᄂᆞ니 날이 져그나 치워도 아니 되ᄂᆞ니라.

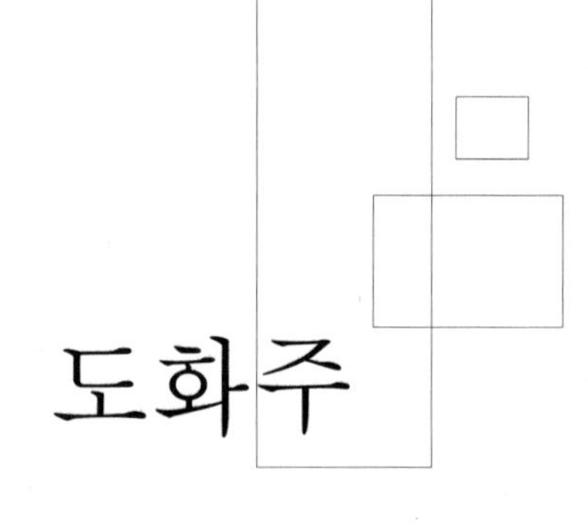

도화주

스토리텔링 및 술 빚는 법

예나 이제나 번민의 속세를 떠나 천연 그대로의 자연에 파묻혀 살고 싶다는 꿈을 가져보지 않은 사람이 없을 것이다. 소위 신선들이 모여 산다고 하는 무릉도원(武陵桃源)의 세계 말이다. 무릉도원이란 말 그대로 복숭아꽃이 흐드러지게 피어 있는 화원에 묻혀 사는 게 비록 현실적으로 불가능하다 할지라도 이상향을 향한 꿈을 버리지 말 일이다. 그래서일까? 어쩌다 남도 길에 마주치는 복숭아 농원에서 가지치기 또는 수정을 이유로 가지마다 만발한 꽃들을 따버리는 작업 광경을 볼 때면 유독 가슴이 아파 오곤 했다.

'도화주(桃花酒)'는 복숭아꽃을 이용한 가향주(佳香酒)이다. '도화주'는 복숭아꽃이 필 때 빚는 계절주이면서, 복숭아꽃이 피는 봄의 정취를 한껏 느낄 수 있는 가향주이다. 이 '도화주'를 즐기는 날이면 무릉도원의 신선들이 사는 세계만 이상향이 아니라는 생각이 든다.

조선시대 문신이자 시인으로도 유명세를 떨쳤던 이경석(1595~1671년)의 <백헌선생집>의 "추습록" 상편에 "4월에 유여해가 '도화주'를 가지고 왔다(四月 柳

汝晦携桃花酒來餉)"라는 시(詩)에서는 '도화주'의 맛과 색에 대한 칭송을 엿볼 수 있다.

始識桃花美(처음으로 도화주 맛을 알았으니)
休誇竹葉淸(죽엽주만 자랑하지 말게나.)
枝空入佳醞(가지가 비도록 좋은 술에 들어가)
春盡泛餘英(봄이 다하니 꽃잎만 뜨네.)
乍見先憐色(잠시 어여쁜 빛깔을 먼저 보고)
初聞最愛名(처음으로 가장 아름다운 이름을 알았네.)
愁腸差可緩(슬픈 생각은 차차 풀어질 수 있겠네.)
況復對君傾(그대와 다시 술을 기울이고 있으니.)

또 신유한(1681~1752년)의 시문집 <청천집>에 수록된 시 "경오년(1750) 설날(庚午元日)"에서는 설날 아침에 쓸쓸히 책(도덕경)을 읽으면서도, 마음은 먼저 도화원에서 거문고를 뜯으면서 술잔에 꽃잎 띄워 마시던 흥취를 상상하고 있다.

元朝寥落戶猶扃(설날 아침인데도 쓸쓸히 대문은 잠겨 있고)
鶴氅綸巾讀道經(학창의 관건으로 '도덕경' 읽네.)
萬事雪山心有素(구름 낀 산 속에서도 본디 만사에 마음은 있었고)
七旬烟月鬢還靑(자연에서의 일흔 살 세월에 귀밑머리는 아직도 푸르다네.)
瑤琴穩傍詩書座(시서詩書의 곁에 구슬로 장식한 거문고 온전히 놓여 있고)
斗屋新瞻福壽星(오두막에서 복성과 수성 다시 바라본다네.)
好是東君饒養老(봄을 맡은 신神이 늙은이 넉넉히 봉양할 것이니)
碧桃花下酒尊馨(벽도화 아래 놓인 술동이에서는 향기 진하구나.)

이렇듯 시인묵객들 사이에서 창작과 감상의 대상으로까지 자리 잡았던 '도화주'요, 대처의 주막(酒幕)에서까지 단골메뉴로 이름 높았던 '도화주'가 사라진 배경은 무엇일까?

우선 '도화주'는 계절주이자 가향주이다. 복숭아를 한자로 도(桃)라고 하므로, 도화(桃花)는 복숭아꽃을 가리키고, '도화주'는 이 복숭아꽃으로 빚는 술이다. 복숭아꽃이 봄철에 피므로 '도화주'는 봄철의 술(季節酒)이요, 술에 그윽한 향기를 보탰으니 가향주(加香酒)이고, 아름다운 향기를 간직한 술이니 가향주(佳香酒)임에 틀림없다.

'도화주'가 언제부터 빚어졌는지는 알 수 없지만, 이미 고려시대 때부터 개경을 중심으로 인기를 누렸고, 주막에서까지 팔렸던 술로도 알려지고 있으나 기록을 확인할 방법은 없다.

다만, 훨씬 후대의 조선시대 문헌인 <감저종식법(甘藷種植法)>을 비롯해 <고려대규합총서(高麗大閨閤叢書, 異本)>, <고사신서(攷事新書)>, <고사십이집(攷事十二集)>, <고사촬요(故事撮要)>, <군학회등(群學會騰)>, <규합총서(閨閤叢書)>, <김승지댁주방문(金承旨宅廚方文)>, <농정회요(農政會要)>, <보감록>, <부인필지(夫人必知)>, <산림경제(山林經濟)>, <술방>, <산림경제촬요(山林經濟撮要)>, <시의전서(是議全書)>, <양주방>*, <임원십육지(林園十六志)>, <조선무쌍신식요리제법(朝鮮無雙新式料理製法)>, <주방(酒方, 임용기소장본)>, <주찬(酒饌)>, <증보산림경제(增補山林經濟)>, <치생요람(治生要覽)>, <학음잡록(鶴陰雜錄)>, <해동농서(海東農書)>, <홍씨주방문> 등 총 25권에 43차례나 수록되어 있는 것으로 미루어 볼 때 우리나라 전통주가 가양주로 뿌리 내리게 된 시기인 조선조 중기에 '도화주'가 대표적인 계절주로 자리매김해 왔을 것이라 추측된다.

'도화주'를 기록하고 있는 문헌 가운데 시대적으로 조금 앞선 <고사촬요>에는 "정월에 깨끗이 쓴 멥쌀(粳米) 2말 5되를 매 씻어서 가루로 만들고, 흐르는 물(活水) 2말 5되를 비탕으로 끓여 고루 섞어 식힌 뒤에 누룩가루·밀가루 각 1되씩 독에 넣고, 복숭아꽃이 흐드러지게 필 때가 되면 멥쌀·찹쌀 각 3말씩을 매 씻어 하룻밤 물에 불려 쪄서 흐르는 물 6말을 팔팔 끓여 식힌 뒤 고루 섞는다. 밥이 완전히 식거든 복숭아꽃 2되를 따 먼저 독 바닥에 깔고, 먼저 빚은 술밑과 함께 넣고, 복숭아꽃 두어 가지를 그 가운데 꽂아놓았다가 익은 뒤에 술통에 뜬다. 주방문이 비록 이와 같으나, 처음 빚는 술밑에 물 5되를 감하고 첨가할 때 또 3~4

되를 감하면 맛이 더욱 좋다. 항상 싸늘한 곳에 두어 익기를 기다린다."고 하였다.

음력 정월에 멥쌀 2말 5되를 가루로 만들고 활수 2말 5되를 끓여 범벅을 쑨 뒤, 범벅이 식으면 누룩과 밀가루 각 1되를 섞어 밑술을 빚고, 복숭아꽃이 필 때 찹쌀과 멥쌀 각 3말씩 6말의 쌀로 고두밥을 지어 끓는 물 6말과 섞어 식으면 밑술과 합하여 술밑을 빚는데, 도화 2되를 술독에 먼저 깔고 그 위에 술밑을 안친 후 술밑 위에 복숭아꽃 가지를 꽂아두는 방법으로 기발한 착상이 아닐 수 없다.

<고사촬요>의 주방문을 기본으로 보고, 다른 기록과의 차이점을 살핌으로써 얼마나 다양한 방법의 '도화주' 주방문이 존재하고 그 특징이 무엇인지 찾고자 한다.

먼저 <감저종식법>, <고사신서>, <고사십이집>, <고려대규합총서(이본)>, <규합총서>, <김승지댁주방문>, <농정회요>, <산림경제>, <임원십육지>, <조선무쌍신식요리제법>, <주찬>, <증보산림경제>, <치생요람>, <학음잡록>, <해동농서>의 주방문은 <고사촬요>와 주원료의 배합비율이나 술 빚는 과정이 동일하다.

또한 이들 문헌 가운데 <고려대규합총서(이본)>, <규합총서>, <김승지댁주방문>, <조선무쌍신식요리제법>, <주방(임용기소장본)> 등을 제외하고는 모두가 한문 기록이다. 그런가 하면 이들 문헌에 수록된 '도화주' 주방문의 공통점은 대개가 별법(別法)을 수록하고 있는데, <주찬>을 제외하고는 별법까지도 동일한 주방문이다. 다만 <주찬>에서 밑술의 쌀을 덧술과 같이 반반씩 섞어서 하는 주방문도 있다.

그리고 한문 기록을 제외한 <부인필지>, <양주방>*, <홍씨주방문> 등 주로 한글본 문헌에 수록된 '도화주'의 주방문은 한문 기록과는 사뭇 다르고, 한글본 문헌끼리도 서로 상이한 주방문을 보여주고 있다.

그 배경이 궁금해 한문 기록 문헌의 계보와 함께 주방문을 점검하면서 한 가지 공통점을 발견할 수 있었다. 한문본의 '도화주' 주방문은 다른 어떤 주품의 주방문보다 상세하게 기록되어 있음을 확인할 수 있었다. 상세한 기록을 통해서 오기(誤記)나 아류(亞流)가 생겨나지 않고, 정통의 맥을 이어갈 수 있었던 것으로 판단된다.

그런데 한글본의 경우는 대부분 부녀자들이 자신의 경험을 토대로 작성된 주방문인 만큼 개인적 경험과 견해가 반영되어 각기 다른 '도화주'가 탄생했을 거라고 여겨진다. 이를테면 <김승지댁주방문>과 <부인필지>에서는 물의 도량형까지도 '사발' 또는 '쌀되(승)'의 개념을 사용하고 있고, <홍씨주방문>에서는 밑술에서 멥쌀을 2말로 줄여서 사용한다거나 덧술의 쌀 양을 밑술의 쌀 양보다도 적은 양으로 줄여서 하는 경우 등이 이를 뒷받침한다. <양주방>*의 경우도 마찬가지로 전혀 다른 '도화주' 주방문을 보이고 있다.

여기서 몇 가지 생각해 볼 거리 중 하나는 "왜 '도화주'는 밑술 빚는 방법을 한결같이 범벅으로 하는가?"이다. 이 궁금증을 풀지 않고서는 '도화주'를 빚는 이유도 술 빚기에 따른 공부도 아무런 의미가 없다 할 것이다(범벅으로 빚는 '호산춘'을 참고하라).

그리고 '도화주'를 비롯한 '두견주'나 '국화주'가 다 같이 우리나라의 대표적인 '계절주(季節酒)'이자 '가향주'인 점에서는 같으나, '두견주'나 '국화주'의 다양한 주방문에 비해 '도화주' 주방문은 이례적일 만큼 '매우 정형(定型)을 유지하고 있다.'는 점을 어떻게 이해해야 좋을지 모르겠다.

역사적으로나 문헌상의 기록으로 보면, 우리나라 대표 계절주라 할 수 있는 이들 세 가지 가운데 '국화주'의 기록이 가장 앞서는데도 '국화주'의 주방문에서는 '도화주'나 '두견주'의 주방문에 나타나는 공통점을 찾을 수 없다.

이렇듯 한결같으면서도 다양한 형태로 나타나는 '도화주' 주방문은, 그 특징이 이양주(二釀酒)이면서 밑술을 범벅으로 하여 누룩과 밀가루를 섞어 빚은 후에 복숭아꽃이 필 때에 덧술을 하는데, 그 방법이 세 가지 유형으로 나타난다.

첫째, <고려대규합총서(이본)>와 <조선무쌍신식요리제법>, <주찬>의 별법, <홍씨주방문> 등에서와 같이 끓는 물과 고두밥을 섞은 후에 식혀서 밑술과 혼화하는 방법이 있다.

둘째, <주방(임용기소장본)>에서와 같이 물을 끓여서 식힌 후 고두밥과 합하고, 고두밥이 물을 다 먹은 후에 고두밥을 차게 식혀서 덧술을 빚는 방법이다.

셋째, <양주방>*의 '도화주'에서와 같이 고두밥만을 식혀서 하는 방법이 있다.

그리고 '도화주'에서만 유일하게 덧술을 안치고 나서 동쪽으로 뻗은 복숭아나무 가지를 지칭하는 "동도지(東桃枝)를 두세 개 꺾어다 술독 한가운데에 꽂아둔다."고 하였는데, 이와 같은 방법이 벽사(辟邪)의 의미 외에 다른 이유가 있는지는 알 수가 없다. 본래 동도지는 극양(極陽)의 나뭇가지를 이용함으로써 '부정(不淨)한 것을 예방하기 위한' 옛 사람들의 방편이었기 때문이다.

여기서 '부정(不淨)한 것'이란 술의 발효가 더디거나 감패, 또는 산패되는 현상을 지칭하며, 양기(陽氣)가 강한 복숭아나무 가지를 이용해 술이 잘못되는 것을 예방하기 위한 방편으로 옛 사람들이 행해 왔던 벽사의 의미라면, 모든 주품의 주방문에 "꽃이 피어 있는 복숭아 꽃가지 서너 개를 꺾어다 술독 한가운데에 꽂아두라."고 했어야 하기 때문이다.

'도화주'를 빚을 때는 다음 몇 가지를 유념해야 한다.

첫째, 술 빚기에 사용되는 물은 흐르는 물(活水)을 사용해야 한다. 여기서 활수(活水)는 유수(流水)이자 비교적 경도가 높은 경수(硬水)로서 영양수가 풍부해 가향재로 사용되는 복숭아꽃의 향기를 드높이기 위한 방법이라 하겠다.

둘째, 멥쌀 2말 5되를 가루로 빻아 끓는 물 2말 5되로 범벅을 쑤어야 하는데, 그 핵심은 무엇보다 골고루 익히는 것이다. 또한 밑술의 발효가 2개월이라는 사실로 볼 때 범벅의 상태가 진흙 같아야 하고, 많이 익힌 것보다는 설익히는 편이 오히려 장기발효에 유리하다.

그러나 자칫 물이 식어서 생쌀가루가 많이 남아 있으면 안 되므로, 물의 온도를 조절해가면서 범벅을 쑤어야 한다. 그 양이 많아 한꺼번에 익히기가 힘듦으로, 등분하여 고루 익히는 지혜를 발휘해야 한다.

셋째, 밀가루는 유기산 생성을 촉진시켜 주는 효과가 있어 장기발효에 따른 잡균의 억제와 부재료(복숭아꽃) 사용으로 인한 불순물이나 부유물 제거에 효과가 있는 과학적인 접근이다. 밀가루를 쓸 때는 먼저 누룩가루와 섞어두었다가 함께 넣는 것이 바람직하다.

넷째, 복숭아꽃을 채취할 때에는 꽃이 피는 시기를 맞춰 아침에 따는 것이 좋다. 꽃봉오리를 터트리기 시작하는 아침 무렵에는 꽃에 생기가 넘치기 때문이다. 이때부터 꽃을 따는데, 꽃봉오리가 터진 것부터 따기 시작하면 시간이 지날수록 반쯤 벌어져 계속해서 싱싱한 꽃을 채취할 수 있어 좋다.

꽃송이 외 잔유물이 붙어 있지 않도록 하고, 가능한 한 곧바로 흐르는 물에 먼지나 흙, 부유물을 제거하고 바람이 통하는 곳에 펼쳐서 건조시키면 좋다. 시간이 없을 경우에는 따뜻한 구들방이나 전기장판 위에서 건조시켜 사용하되, 술 빚기 바로 전에 어레미에 한 번 쳐내면 꽃받침이나 꽃잎에 붙어 있던 잔유물을 제거할 수 있다.

건조시킨 꽃은 예의 주방문대로 따르고 생화를 사용할 경우, 선풍기 바람을 이용해서라도 물기를 완전히 제거한 후에 사용해야 실패가 없다. 꽃잎에 수분이 남게 되면 오염균의 침입 또는 증식을 초래하게 되고, 술이 숙성되어도 잡맛이 남는 등 결코 좋은 맛과 향을 기대하기가 어렵다.

또 향기를 최대한 살리고 맛있게 마시려면 가능한 한 서늘한 곳에서 발효시키고, 숙성 중 술덧이 가라앉은 후 곧바로 채주해야 한다. 이는 가향주일수록 숙성이 요구되긴 하나, 숙성 전에 탁주나 막걸리로 걸러 마시면 단맛이 남아 있어 더욱 좋다.

'도화주'는 정월에 먼저 밑술(술밑)을 만들어두었다가, 복숭아꽃이 피면 꽃과 꽃가지를 꺾어다 덧술과 함께 넣어 서늘한 곳에 두고 익히는 까닭에 길게는 3~4개월이 걸리는 장기발효주이다.

이러한 '도화주'는 물을 적게 쓸수록 그 맛과 향이 좋아지며, 옛날에는 주막에서 시절주(時節酒)로 여행객들에게 인기가 높았으나, 지금은 사라지고 맥이 끊긴 술이 되고 말았다.

<산림경제>와 <고려대규합총서>, <규합총서>, <양주방>*, <주찬>, <학음잡록>, <홍씨주방문> 등 6가지의 각각 다른 주방문을 근거로 재현했던 '도화주'는 그 빛깔이 맑고 투명하며, 은은한 방향(芳香)이 코를 찌르는 명주(銘酒)였다. 가향주의 참맛을 즐기기에 충분하다 하겠다.

'도화주'를 빚어보고 그 맛과 향취에 대한 필자의 감흥을 다음과 같이 표현해 보았다.

하늘 빛 푸르르고 천지에 꽃물 들 때
기울이는 술잔 속에 짧은 봄날이 못내 아쉽다.

잔에 뜬 하얀 복사꽃 아롱다롱 날릴 듯하고.

–박록담, '도화주음(桃花酒飮)' 전문(全文)

1. 도화주 <감저종식법(甘藷種植法)>

술 재료 : 밑술 : 멥쌀 2말 5되, 누룩가루 1되, 밀가루 1되, 활수 2말 5되
덧술 : 멥쌀 3말, 찹쌀 3말, 복숭아꽃 2되, 활수 6말, 도화 가지 2~3개

술 빚는 법 :

* 밑술 :

1. 정월에 잘 찧은 멥쌀 2말 5되를 물에 깨끗이 씻은 뒤 (하룻밤 불렸다가, 다시 씻어 헹궈서 물기를 뺀 후) 작말한다(가루로 빻는다).
2. 활수(活水) 2말 5되를 백비탕(오래 끓인 물)으로 끓여 쌀가루에 붓고, 주걱으로 고루 개어 범벅을 만든 뒤 (뚜껑을 덮어) 차게 식기를 기다린다.
3. 범벅에 누룩가루 1되와 밀가루 1되를 섞고, 고루 치대어 술밑을 빚는다.
4. 술독에 술밑을 담아 안치고, 예의 방법대로 하여 (서늘한 곳에서) 발효시키는데, 복숭아꽃이 만개할 때 덧술을 한다.

* 덧술 :

1. 멥쌀과 찹쌀 각 3말을 백세하여 하룻밤 물에 담가 불린다.
2. 다음날 불린 쌀을 (다시 씻어 헹궈서 물기를 뺀 후) 한데 섞고, 시루에 안쳐서 고두밥을 짓는다.
3. 활수를 팔팔 끓여 식기를 기다렸다가 고두밥이 익었으면 퍼내어 한데 합해 고루 섞어놓고 식기를 기다린다.
4. 복숭아꽃 2되를 따서 먼지와 이물질을 제거한다(바람이 잘 통하는 곳에 널

어 살짝 건조시킨다).
5. 고두밥이 식었으면 밑술을 합하고, 고루 버무려 술밑을 빚는다.
6. 준비한 술독에 복숭아꽃을 맨 먼저 안치고, 그 위에 술밑을 담아 안친다.
7. 술독 맨 뒤에 복숭아꽃 가지 2~3개를 꺾어 술독 중앙에 꽂아둔 다음, 예의 방법대로 하여 발효시켜 익기를 기다린다.

桃花酒

元月將精鑿粳米二斗五升百洗作末活水二斗五升湯沸和匀候冷調麴末真末各一升入甕待桃花盛開復以粳米粘米各三斗百洗經宿合蒸活水六斗湯沸候冷均調又待飯冷取桃花二升先納甕底並前釀和入桃花二三枝揷其中待熟上槽. <一云> 雖如此初釀減水五升合釀是亦減三四升味尤佳常置寒冷處待熟.

2. 도화주 일운 <감저종식법(甘藷種植法)>

술 재료 : 밑술 : 멥쌀 2말 5되, 누룩가루 1되, 밀가루 1되, 활수 2말
덧술 : 멥쌀 3말, 찹쌀 3말, 복숭아꽃 2되, 활수 5말 6되, 도화 가지 2~3개

술 빚는 법 :

* 밑술 :

1. 정월에 잘 찧은 멥쌀 2말 5되를 물에 깨끗이 씻은 뒤 (하룻밤 불렸다가, 다시 씻어 헹궈서 물기를 뺀 후) 작말한다(가루로 빻는다).
2. 활수(活水) 2말을 백비탕(오래 끓인 물)으로 끓여 쌀가루에 붓고, 주걱으로 고루 개어 범벅을 만든 뒤 (뚜껑을 덮어) 차게 식기를 기다린다.
3. 범벅에 누룩가루 1되와 밀가루 1되를 섞고, 고루 치대어 술밑을 빚는다.
4. 술독에 술밑을 담아 안치고, 예의 방법대로 하여 (서늘한 곳에서) 발효시키는데, 복숭아꽃이 만개할 때 덧술을 한다.

* 덧술 :

1. 멥쌀과 찹쌀 각 3말을 백세하여 하룻밤 물에 담가 불린다.
2. 다음날 불린 쌀을 (다시 씻어 헹궈서 물기를 뺀 후) 한데 섞고, 시루에 안쳐서 고두밥을 짓는다.
3. 흐르는 물 5말 6되를 팔팔 끓여 식기를 기다렸다가, 고두밥이 익었으면 퍼내어 한데 합하여 고루 섞어놓고 식기를 기다린다.
4. 복숭아꽃 2되를 따서 먼지와 이물질을 제거한다(바람이 잘 통하는 곳에 널어 살짝 건조시킨다).
5. 고두밥이 식었으면 밑술을 합하고, 고루 버무려 술밑을 빚는다.
6. 준비한 술독에 복숭아꽃을 맨 먼저 안치고, 그 위에 술밑을 담아 안친다.
7. 술독 맨 뒤에 복숭아꽃 가지 2~3개를 꺾어 술독 중앙에 꽂아둔 다음, 예의 방법대로 하여 발효시켜 익기를 기다린다.

* 주방문 말미에 "한 가지 덧붙이면, 첫 밑술 빚을 때 물을 5되 감하고 덧술할 때 3~4되를 감하면 맛이 특히 아름답고, 찬 곳에 보관하여 두고 익기를 기다린다."고 하였다.

桃花酒 一云

雖如此初釀減水五升合釀是亦減三四升味尤佳常置寒冷處待熟.

3. 도화주 <고려대규합총서(高麗大閨閤叢書, 異本)>

술 재료 : 밑술 : 멥쌀 2말 5되, 누룩가루 1되, 밀가루 1되, 물 2말 5되
덧술 : 찹쌀·멥쌀 3말, 물 6말, 복사꽃 2되, 꽃가지 3~4개

술 빚는 법 :

* 밑술 :

1. 정월에 좋은 날을 받아 멥쌀 2말 5되를 백세하여 (물에 담가 불렸다가, 다시 씻어 건져서 물기를 뺀 후) 작말한다.
2. 물 2말 5되를 솥에 붓고 팔팔 끓인 뒤, 쌀가루에 골고루 나누어 붓고 주걱으로 고루 저어 범벅(죽)을 쑤어 익힌다.
3. 범벅이 익었으면 넓은 그릇에 나눠 담고 얼음같이 차게 식기를 기다린다.
4. 범벅에 누룩가루·밀가루를 섞고, 고루 치대어 술밑을 빚는다.
5. 술밑을 소독하여 준비한 술독에 담아 안치고, 예의 방법대로 하여 발효시킨다.

* 덧술 :

1. 복사꽃이 필 때 멥쌀과 찹쌀 각 3말을 백세하여 물에 하룻밤 불려놓는다.
2. 활짝 핀 복사꽃 2되를 따고, 꽃가지 3~4개를 꺾어서 물에 헹군 후, 물기를 빼서 바람이 통하는 곳에 널어서 물기 없이 건조시킨다.
3. (다음날 불린 쌀을 다시 씻어 헹구고 소쿠리에 받쳐 물기를 뺀 후) 시루에 한데 안쳐서 고두밥을 짓는다.
4. 고두밥에 물 6말을 팔팔 끓여 한데 합하고, 싸늘하게 식기를 기다린다.
5. 물에 불려둔 고두밥과 밑술을 합하고, 고루 버무려 술밑을 빚는다.
6. 술독에 복사꽃 2되를 먼저 안치고, 그 위에 술밑을 담아 안친다.
7. 술독 한가운데에 복사꽃가지 3~4개를 꽂은 후, 예의 방법대로 하여 서늘한 곳에서 발효시킨다.

* 주방문 말미에 "본방이 이러ᄒᆞ나 적게 ᄒᆞ랴면 이 주방문을 가지고 ᄡᆞᆯ과 누룩과 물을 혜아려 ᄒᆞ고 촌 ᄃᆡ 두어 닉히라."고 하여 술 양을 적게 빚는 방법이 있다는 사실을 확인할 수 있다. 이른바 '아들두견주'나 '소소국주'처럼 '아들도화주'나 '소도화주'라고도 할 수 있겠으나, 여기서는 별도의 주방문을 생략하기로 한다.

도화쥬

정월의 됴흔 ᄡᆞᆯ 두 말 닷 되ᄅᆞᆯ ᄇᆡᆨ셰작말ᄒᆞ고 물 두 말 닷 되ᄅᆞᆯ ᄭᅳᆯ혀 ᄀᆡ야 어름ᄀᆞᆺ치 ᄎᆞ거든 됴흔 누록ᄀᆞ로 ᄒᆞᆫ 되 진말 ᄒᆞᆫ 되 섯거 항의 너허 두엇다가 도화가 셩히 픠거든 ᄡᆞᆯ과 출ᄡᆞᆯ 각 서 말을 ᄇᆡᆨ셰ᄒᆞ야 밤재와 합ᄒᆞ야 ᄧᅵ고 물 눅두ᄅᆞᆯ ᄭᅳᆯ혀 밥과 ᄒᆞᆫ가지로 ᄎᆡ와 도화 두 되ᄅᆞᆯ 몬져 독 밋ᄒᆡ 너코 몬져 ᄒᆞᆫ 술밋치 밥을 버므려 녀흔 후 도화 가지 서너흘 그 가온ᄃᆡ 너허 ᄡᅳ라. 본방이 이러ᄒᆞ나 적게 ᄒᆞ랴면 이 주방문을 가지고 ᄡᆞᆯ과 누록과 물을 헤아려 ᄒᆞ고 ᄎᆞᆫ ᄃᆡ 두어 닉히라.

4. 도화주 <고사신서(攷事新書)>

술 재료 : 밑술 : 멥쌀 2말 5되, 누룩가루 1되, 밀가루 1되, 활수 2말 5되
덧술 : 멥쌀 3말, 찹쌀 3말, 복숭아꽃 2되, 활수 6말, 도화 가지 2~3개

술 빚는 법 :

* 밑술 :

1. 정월에 많이 찧어 도정한 멥쌀 2말 5되를 물에 깨끗이 씻은 뒤, (하룻밤 불렸다가, 다시 씻어 헹궈서 물기를 뺀 후) 작말한다(가루로 빻는다).
2. 활수(活水) 2말 5되를 백비탕(오래 끓인 물)으로 끓여 쌀가루에 붓고, 주걱으로 고루 개어 범벅을 만든 뒤 (뚜껑을 덮어) 차게 식기를 기다린다.
3. 범벅에 누룩가루 1되와 밀가루 1되를 섞고, 고루 치대어 술밑을 빚는다.
4. 술독에 술밑을 담아 안치고, 예의 방법대로 하여 (서늘한 곳에서) 발효시킨다.

* 덧술 :

1. 복숭아꽃이 만개하는 때가 되면, 멥쌀과 찹쌀 각 3말을 한데 섞고, 백세하여 하룻밤 물에 담가 불린다.

2. 다음날 불린 쌀을 (다시 씻어 헹궈 물기를 빼서) 시루에 안쳐서 고두밥을 짓는다.
3. 흐르는 물을 팔팔 끓여 식기를 기다렸다가, 고두밥이 익었으면 퍼내고 한데 합하여 고루 섞어놓고 고두밥이 물을 다 먹기를 기다린다.
4. 고두밥을 그릇 여러 개에 나눠서 차게 식기를 기다렸다가, 밑술을 합하고 고루 버무려 술밑을 빚는다.
5. 복숭아꽃 2되를 따서 흐르는 물에 살짝 씻어 먼지와 이물질을 제거한 후, 바람이 잘 통하는 곳에 널어 물기를 제거한다.
6. 준비한 술독에 복숭아꽃을 맨 먼저 안치고, 그 위에 술밑을 담아 안친다.
7. 술독 맨 위에 복숭아꽃 가지 2~3개를 꺾어 꽂아둔 다음, 예의 방법대로 하여 발효시킨다.

桃花酒

元月將精鑿粳米二斗五升百洗作末活水二斗五升湯沸和勻候冷調麴末真末各一升入甕待桃花盛開復以粳米粘米各三斗百洗經宿合蒸活水六斗湯沸候冷均調又待飯冷取桃花二升先納甕底並前釀和入桃花二三枝挿其中待熟上槽. <一云> 雖如此初釀減水五升合釀減三四升味尤佳常置寒冷處待熟.

5. 도화주(일운) <고사신서(攷事新書)>

술 재료 : 밑술 : 멥쌀 2말 5되, 누룩가루 1되, 밀가루 1되, 활수 2말
덧술 : 멥쌀 3말, 찹쌀 3말, 복숭아꽃 2되, 활수 5말 6되, 도화 가지 2~3개

술 빚는 법 :

* 밑술 :

1. 정월에 잘 찧은 멥쌀 2말 5되를 물에 깨끗이 씻은 뒤 (하룻밤 불렸다가, 다

시 씻어 헹궈서 물기를 뺀 후) 작말한다(가루로 빻는다).

2. 활수(活水) 2말을 백비탕(오래 끓인 물)으로 끓여 쌀가루에 붓고, 주걱으로 고루 개어 범벅을 만든 뒤, (뚜껑을 덮어) 차게 식기를 기다린다.
3. 범벅에 누룩가루 1되와 밀가루 1되를 섞고, 고루 치대어 술밑을 빚는다.
4. 술독에 술밑을 담아 안치고, 예의 방법대로 하여 (서늘한 곳에서) 발효시키는데, 복숭아꽃이 만개할 때 덧술을 한다.

* 덧술 :

1. 멥쌀과 찹쌀 각 3말을 백세하여 하룻밤 물에 담가 불린다.
2. 다음날 불린 쌀을 (다시 씻어 헹궈서 물기를 뺀 후) 한데 섞고, 시루에 안쳐서 고두밥을 짓는다.
3. 흐르는 물 5말 6되를 팔팔 끓여 식기를 기다렸다가, 고두밥이 익었으면 퍼내어 한데 합하여 고루 섞어놓고 식기를 기다린다.
4. 복숭아꽃 2되를 따서 먼지와 이물질을 제거한다(바람이 잘 통하는 곳에 널어 살짝 건조시킨다).
5. 고두밥이 식었으면 밑술을 합하고, 고루 버무려 술밑을 빚는다.
6. 준비한 술독에 복숭아꽃을 맨 먼저 안치고, 그 위에 술밑을 담아 안친다.
7. 술독 맨 뒤에 복숭아꽃 가지 2~3개를 꺾어 술독 중앙에 꽂아둔 다음, 예의 방법대로 하여 발효시켜 익기를 기다린다.

桃花酒

元月將精鑿粳米二斗五升百洗作末活水二斗五升湯沸和勻候冷調麴末真末各一升入甕待桃花盛開復以粳米粘米各三斗百洗經宿合蒸活水六斗湯沸候冷均調又待飯冷取桃花二升先納甕底並前釀和入桃花二三枝挿其中待熟上槽. <一云> 雖如此初釀減水五升合釀減三四升味尤佳常置寒冷處待熟.

6. 도화주 <고사십이집(攷事十二集)>

술 재료 : 밑술 : 멥쌀 2말 5되, 누룩가루 1되, 밀가루 1되, 활수 2말 5되
덧술 : 멥쌀 3말, 찹쌀 3말, 복숭아꽃 2되, 활수 6말, 복숭아꽃 가지 2~3개

술 빚는 법 :

* 밑술 :

1. 정월에 많이 찧어 도정한 멥쌀 2말 5되를 물에 깨끗이 씻은 뒤 (하룻밤 불렸다가, 다시 씻어 헹궈서 물기를 뺀 후) 작말한다(가루로 빻는다).
2. 활수(活水) 2말 5되를 백비탕(오래 끓인 물)으로 끓여 쌀가루에 붓고, 주걱으로 고루 개어 범벅을 만든 뒤 (뚜껑을 덮어) 차게 식기를 기다린다.
3. 범벅에 누룩가루 1되와 밀가루 1되를 섞고, 고루 치대어 술밑을 빚는다.
4. 술독에 술밑을 담아 안치고, 예의 방법대로 하여 (서늘한 곳에서) 발효시킨다.

* 덧술 :

1. 복숭아꽃이 만개하는 때가 되면, 멥쌀과 찹쌀 각 3말을 한데 섞고 백세하여 하룻밤 물에 담가 불린다.
2. 다음날 불린 쌀을 (다시 씻어 헹궈서 물기를 뺀 후) 합쳐서 시루에 안쳐서 고두밥을 짓는다.
3. 흐르는 물을 팔팔 끓여 식기를 기다렸다가, 고두밥이 익었으면 퍼내고 한데 합하여 고루 섞어놓고 고두밥이 물을 다 먹기를 기다린다.
4. 고두밥을 그릇 여러 개에 나눠서 차게 식기를 기다렸다가, 밑술을 합하고 고루 버무려 술밑을 빚는다.
5. 복숭아꽃 2되를 따서 흐르는 물에 살짝 씻어 먼지와 이물질을 제거한 후, 바람이 잘 통하는 곳에 널어 물기를 제거한다.
6. 준비한 술독에 복숭아꽃을 맨 먼저 안치고, 그 위에 술밑을 담아 안친다.

7. 술독 맨 뒤에 복숭아꽃 두어 가지를 꺾어 꽂아둔 다음, 예의 방법대로 하여 발효시킨다.

* 주방문 말미에 "주방문이 비록 이와 같으나, 처음 빚는 술밑에 물 5되를 감하고 첨가할 때 또 3~4되를 감하면 맛이 더욱 좋다. 항상 싸늘한 곳에 두어 익기를 기다린다."고 하였다. <고사촬요>와 동일한 주방문이다.

桃花酒

元月將精鑿粳米二斗五升百洗作末活水二斗五升湯沸和勻候冷調麴末真末各一升入甕待桃花盛開復以粳米粘米各三斗百洗經宿合蒸活水六斗湯沸候冷均調又待飯冷取桃花二升先納甕底並前釀和入桃花二三枝揷其中待熟上槽. <一云> 雖如此初釀減水五升合釀減三四升味尤佳常置寒冷處待熟.

7. 도화주(일운) <고사십이집(攷事十二集)>

술 재료 : 밑술 : 멥쌀 2말 5되, 누룩가루 1되, 밀가루 1되, 활수 2말
덧술 : 멥쌀 3말, 찹쌀 3말, 복숭아꽃 2되, 활수 5말 6되~5말 7되, 복숭아꽃 가지 2~3개

술 빚는 법 :

* 밑술 :

1. 정월에 많이 찧어 도정한 멥쌀 2말 5되를 물에 깨끗이 씻은 뒤 (하룻밤 불렸다가, 다시 씻어 헹궈서 물기를 뺀 후) 작말한다(가루로 빻는다).
2. 활수(活水) 2말을 백비탕(오래 끓인 물)으로 끓여 쌀가루에 붓고, 주걱으로 고루 개어 범벅을 만든 뒤 (뚜껑을 덮어) 차게 식기를 기다린다.
3. 범벅에 누룩가루 1되와 밀가루 1되를 섞고, 고루 치대어 술밑을 빚는다.

4. 술독에 술밑을 담아 안치고, 예의 방법대로 하여 (서늘한 곳에서) 발효시킨다.

* 덧술 :

1. 복숭아꽃이 만개하는 때가 되면, 멥쌀과 찹쌀 각 3말을 한데 섞고 백세하여 하룻밤 물에 담가 불린다.
2. 다음날 불린 쌀을 (다시 씻어 헹궈서 물기를 뺀 후) 합치고 시루에 안쳐서 고두밥을 짓는다.
3. 흐르는 물(활수) 5말 6되~5말 7되를 팔팔 끓여 식기를 기다렸다가, 고두밥이 익었으면 퍼내고 한데 합하여 고루 섞어놓고, 고두밥이 물을 다 먹기를 기다린다.
4. 고두밥을 그릇 여러 개에 나눠서 차게 식기를 기다렸다가, 밑술을 합하고 고루 버무려 술밑을 빚는다.
5. 복숭아꽃 2되를 따서 흐르는 물에 살짝 씻어 먼지와 이물질을 제거한 후, 바람이 잘 통하는 곳에 널어 물기를 제거한다.
6. 준비한 술독에 복숭아꽃을 맨 먼저 안치고, 그 위에 술밑을 담아 안친다.
7. 술독 맨 뒤에 복숭아꽃 두어 가지를 꺾어 꽂아둔 다음, 예의 방법대로 하여 발효시킨다.

* 주방문 말미에 "주방문이 비록 이와 같으나, 처음 빚는 술밑에 물 5되를 감하고 첨가할 때 또 3~4되를 감하면 맛이 더욱 좋다. 항상 싸늘한 곳에 두어 익기를 기다린다."고 하였다. <고사촬요>와 동일한 주방문이다.

桃花酒(一云)

元月將精鑿粳米二斗五升百洗作末活水二斗五升湯沸和勻候冷調麯末真末各一升入甕待桃花盛開復以粳米粘米各三斗百洗經宿合蒸活水六斗湯沸候冷均調又待飯冷取桃花二升先納甕底並前釀和入桃花二三枝揷其中待熟上槽. <一云> 雖如此初釀減水五升合釀減三四升味尤佳常置寒冷處待熟.

8. 도화주 <고사촬요(故事撮要)>

술 재료 : 밑술 : 멥쌀 2말 5되, 누룩가루 1되, 밀가루 1되, 활수 2말 5되
덧술 : 멥쌀 3말, 찹쌀 3말, 복숭아꽃 2되, 활수 6말, 도화 가지 2~3개

술 빚는 법 :

* 밑술 :

1. 정월에 많이 찧어 도정한 멥쌀 2말 5되를 물에 깨끗이 씻은 뒤 (하룻밤 불렸다가, 다시 씻어 헹궈서 물기를 뺀 후) 작말한다(가루로 빻는다).
2. 활수(活水) 2말 5되를 백비탕(오래 끓인 물)으로 끓여 쌀가루에 붓고, 주걱으로 고루 개어 범벅을 만든 뒤 (뚜껑을 덮어) 차게 식기를 기다린다.
3. 범벅에 누룩가루 1되와 밀가루 1되를 섞고, 고루 치대어 술밑을 빚는다.
4. 술독에 술밑을 담아 안치고, 예의 방법대로 하여 (서늘한 곳에서) 발효시킨다.

* 덧술 :

1. 복숭아꽃이 만개하는 때가 되면, 멥쌀과 찹쌀 각 3말을 한데 섞고, 백세하여 하룻밤 물에 담가 불린다.
2. 다음날 불린 쌀을 (다시 씻어 헹궈 물기를 빼서) 시루에 안쳐서 고두밥을 짓는다.
3. 흐르는 물을 팔팔 끓여 식기를 기다렸다가, 고두밥이 익었으면 퍼내고 한데 합하여 고루 섞어놓고, 고두밥이 물을 다 먹기를 기다린다.
4. 고두밥을 그릇 여러 개에 나눠서 차게 식기를 기다렸다가, 밑술을 합하고 고루 버무려 술밑을 빚는다.
5. 복숭아꽃 2되를 따서 흐르는 물에 살짝 씻어 먼지와 이물질을 제거한 후, 바람이 잘 통하는 곳에 널어 물기를 제거한다.
6. 준비한 술독에 복숭아꽃을 맨 먼저 안치고, 그 위에 술밑을 담아 안친다.
7. 술독 맨 위에 복숭아꽃 가지 2~3개를 꺾어 꽂아둔 다음, 예의 방법대로 하

여 발효시킨다.

桃花酒

元月將精鑿粳米二斗五升百洗作末活水二斗五升湯沸和勻候冷調麴末真末各一升入甕待桃花盛開復以粳米粘米各三斗百洗經宿合蒸活水六斗湯沸候冷均調又待飯冷取桃花二升先納甕底並前釀和入桃花二三枝揷其中待熟上槽. <一云> 雖如此初釀減水五升合釀減三四升味尤佳常置寒冷處待熟.

9. 도화주(일운) <고사촬요(故事撮要)>

술 재료 : 밑술 : 멥쌀 2말 5되, 누룩가루 1되, 밀가루 1되, 활수 2말
덧술 : 멥쌀 3말, 찹쌀 3말, 복숭아꽃 2되, 활수 5말 6되, 복숭아꽃 가지 2~3개

술 빚는 법 :

* 밑술 :

1. 정월에 많이 찧어 도정한 멥쌀 2말 5되를 물에 깨끗이 씻은 뒤 (하룻밤 불렸다가, 다시 씻어 헹궈서 물기를 뺀 후) 작말한다(가루로 빻는다).
2. 활수(活水) 2말을 백비탕(오래 끓인 물)으로 끓여 쌀가루에 붓고, 주걱으로 고루 개어 범벅을 만든 뒤 (뚜껑을 덮어) 차게 식기를 기다린다.
3. 범벅에 누룩가루 1되와 밀가루 1되를 섞고, 고루 치대어 술밑을 빚는다.
4. 술독에 술밑을 담아 안치고, 예의 방법대로 하여 (서늘한 곳에서) 발효시킨다.

* 덧술 :

1. 복숭아꽃이 만개하는 때가 되면, 멥쌀과 찹쌀 각 3말을 한데 섞고 백세하여 하룻밤 물에 담가 불린다.

2. 다음날 불린 쌀을 (다시 씻어 헹궈서 물기를 뺀 후) 합쳐서 시루에 안쳐서 고두밥을 짓는다.
3. 흐르는 물 5말 6되를 팔팔 끓여 식기를 기다렸다가, 고두밥이 익었으면 퍼내어 한데 합하여 고루 섞어놓고, 고두밥이 물을 다 먹기를 기다린다.
4. 고두밥을 그릇 여러 개에 나눠서 차게 식기를 기다렸다가, 밑술을 합하고 고루 버무려 술밑을 빚는다.
5. 복숭아꽃 2되를 따서 흐르는 물에 살짝 씻어 먼지와 이물질을 제거한 후, 바람이 잘 통하는 곳에 널어 물기를 제거한다.
6. 준비한 술독에 복숭아꽃을 맨 먼저 안치고, 그 위에 술밑을 담아 안친다.
7. 술독 맨 뒤에 복숭아꽃 두어 가지를 꺾어 꽂아둔 다음, 예의 방법대로 하여 발효시킨다.

* 주방문 말미에 "주방문이 비록 이와 같으나, 처음 빚는 술밑에 물 5되를 감하고 첨가할 때 또 3~4되를 감하면 맛이 더욱 좋다. 항상 싸늘한 곳에 두어 익기를 기다린다."고 하였다.

桃花酒

元月將精鑿粳米二斗五升百洗作末活水二斗五升湯沸和勻候冷調麴末真末各一升入甕待桃花盛開復以粳米粘米各三斗百洗經宿合蒸活水六斗湯沸候冷均調又待飯冷取桃花二升先納甕底並前釀和入桃花二三枝揷其中待熟上槽. <一云> 雖如此初釀減水五升合釀減三四升味尤佳常置寒冷處待熟.

10. 도화주법 <군학회등(群學會謄)>

술 재료 : 밑술 : 멥쌀 2말 5되, 누룩가루 1되, 밀가루 1되, 활수 2말 5되
덧술 : 멥쌀 3말, 찹쌀 3말, 복숭아꽃 2되, 활수 6말, 복숭아꽃 가지 2~3개

술 빚는 법 :

* 밑술 :

1. 정월에 도정을 많이 한 멥쌀 2말 5되를 백세하여 (하룻밤 불렸다가, 다시 씻어 헹궈서 물기를 뺀 후) 작말한다.
2. 활수(活水, 흐르는 물) 2말 5되를 백비탕으로 끓여 쌀가루에 붓고, 주걱으로 고루 개어 범벅을 만든 뒤 (뚜껑을 덮어) 차게 식기를 기다린다.
3. 범벅에 누룩가루 1말, 밀가루 1말을 섞고, 고루 치대어 술밑을 빚는다.
4. 술독에 술밑을 담아 안치고, 예의 방법대로 하여 (서늘한 곳에서) 발효시키고 익기를 기다린다.

* 덧술 :

1. 복숭아꽃이 만개하면, 멥쌀과 찹쌀 각 3말을 한데 섞고, 백세하여 하룻밤 물에 담가 불린다.
2. 다음날 불린 쌀을 (다시 씻어 헹궈서 물기를 뺀 후) 시루에 안쳐서 고두밥을 짓는다.
3. 흐르는 물을 팔팔 끓여 식혔다가 고두밥이 익었으면 퍼내어 한데 합하고, (넓은 그릇 여러 개에 나눠놓고) 다시 차게 식기를 기다린다.
4. 물을 먹인 고두밥이 식었으면 밑술과 끓여 합하고, 고루 버무려 술밑을 빚는다.
5. 복숭아꽃 2되를 따서 (흐르는 물에 살짝 씻어 먼지와 이물질을 제거하고, 바람 통하는 곳에 널어 물기를 완전히 제거한 후) 술독에 복숭아꽃을 맨 먼저 안친다.
6. 복숭아꽃 위에 술밑을 담아 안친 다음, 술독 맨 위에 복숭아꽃 두어 가지를 꺾어 꽂아둔 다음, 예의 방법대로 하여 찬 곳에 두고 발효시킨다.

* 술독은 항상 찬 곳에 두어 발효시키고, 술이 익기를 기다려 주조에 올려 짜낸다.
* 주방문에 누룩가루의 양과 밀가루의 양이 각각 1말로 되어 있어, 다른 기록

(누룩가루 1되 또는 2되)의 10배 또는 5배로 되어 있다.

桃花酒法

元月將精鑿粳米二斗五升百洗作末活水二斗五升湯沸和勻候冷調麴末真末各一升入甕待桃花盛開復以粘米粳米各三斗百洗經宿合蒸活水六斗湯沸候冷均調又待飯冷取桃花二升先納甕底並前釀和入桃花二三枝揷其中待熟上槽. 此酒常置冷處待熟.

11. 도화주법(일운) <군학회등(群學會騰)>

술 재료 : 밑술 : 멥쌀 2말 5되, 누룩가루 1말, 밀가루 1밀, 활수 2말
덧술 : 멥쌀 3말, 찹쌀 3말, 복숭아꽃 2되, 활수 5말 6되~7되, 복숭아꽃 가지 2~3개

술 빚는 법 :

* 밑술 :

1. 정월에 도정을 많이 한 멥쌀 2말 5되를 백세하여 (하룻밤 불렸다가, 다시 씻어 헹궈서 물기를 뺀 후) 작말한다.
2. 활수(活水, 흐르는 물) 2말을 백비탕으로 끓여 쌀가루에 붓고, 주걱으로 고루 개어 범벅을 만든 뒤 (뚜껑을 덮어) 차게 식기를 기다린다.
3. 범벅에 누룩가루 1되와 밀가루 1되를 섞고, 고루 치대어 술밑을 빚는다.
4. 술독에 술밑을 담아 안치고, 예의 방법대로 하여 (서늘한 곳에서) 발효시키고 복숭아꽃이 피기를 기다린다.

* 덧술 :

1. 복숭아꽃이 만개하면 멥쌀과 찹쌀 각 3말을 한데 섞고, 백세하여 하룻밤 물

에 담가 불린다.

2. 다음날 불린 쌀을 (다시 씻어 헹궈서 물기를 뺀 후) 시루에 안쳐서 고두밥을 짓는다.
3. 흐르는 물 5말 6되~7되를 팔팔 끓여 식혔다가, 고두밥이 익었으면 퍼내어 한데 합하고, (넓은 그릇 여러 개에 나눠놓고) 다시 차게 식기를 기다린다.
4. 고두밥이 식었으면 밑술과 끓여 합하고, 고루 버무려 술밑을 빚는다.
5. 복숭아꽃 2되를 따서 (흐르는 물에 살짝 씻어 먼지와 이물질을 제거하고, 바람 통하는 곳에 널어 물기 제거 후) 술독에 복숭아꽃을 맨 먼저 안친다.
6. 복숭아꽃 위에 술밑을 담아 안친 다음, 술독 맨 위에 복숭아꽃 두어 가지를 꺾어 꽂아두고 예의 방법대로 하여 발효시킨다.

* 주방문 말미에 "본래 방법은 비록 이렇지만, 첫 술 빚을 때 물 5되 줄이고, 합쳐 덧빚을 때에도 역시 물 3~4되 줄이면 술맛이 더욱 좋다."고 하였으므로, 우법의 도화주 주방문을 작성하였다.

桃花酒法(一云)

元月將精鑿粳米二斗五升百洗作末活水二斗五升湯沸和匀候冷調麴末真末各一升入甕待桃花盛開復以粘米粳米各三斗百洗經宿合蒸活水六斗湯沸候冷均調又待飯冷取桃花二升先納甕底並前釀和入桃花二三枝揷其中待熟上槽. 此酒常置冷處待熟. (一云) 本方雖如此 初釀熟水五升合釀亦減水三四升味尤佳.

12. 복사꽃술(桃花酒) <규합총서(閨閤叢書)>

술 재료 : 밑술 : 멥쌀 2말 5되, 누룩가루 1되, 밀가루 1되, 끓는 물 2말 5되
덧술 : 멥쌀 3말, 찹쌀 3말, 복사꽃 2되, 끓는 물 6말, 꽃가지 3~4개

술 빚는 법 :

* 밑술 :

1. 정월에 좋은 쌀 2말 5되를 백세하여 (물에 담갔다가, 다시 씻어 건져서 물기를 뺀 후) 작말한다(빻는다).
2. 솥에 물 2말 5되를 끓여 쌀가루에 붓고 주걱으로 골고루 개어 범벅을 짓는다.
3. 범벅을 얼음같이 차게 식힌 다음, 좋은 누룩가루 1되와 밀가루 1되를 섞어 고루 버무려 술밑을 빚는다.
4. 술독에 술밑을 담아 안치고, 예의 방법대로 하여 (찬 곳에 두어) 복사꽃이 필 때까지 발효시킨다.

* 덧술 :

1. 3월이 되어 복사꽃이 흐드러지게 피거든, 꽃을 송이째 채취하여 흐르는 물에 살짝 씻어 그늘지고 서늘한 곳에 널어 물기 없이 말린다.
2. 멥쌀과 찹쌀 각 3말을 백세하여 (물에 담갔다가, 다시 씻어 건져서 물기를 뺀 후) 한데 섞고, 시루에 안쳐서 고두밥을 짓는다.
3. 물 6말을 팔팔 끓여 고두밥에 합하고 고루 섞고, 찬 곳에 두어 차게 식기를 기다린다.
4. 준비해 둔 복사꽃 2되를 먼저 소독하여 마련한 술독 밑에 넣어 안친다.
5. 밑술에 고두밥을 버무려 술밑을 빚은 후, 술독에 담아 안친다.
6. 복사꽃 서너 가지를 술덧 가운데 꽂아두고, 예의 방법대로 하여 서늘한 곳에 앉혀두고 발효시킨다.

복사꽃술(桃花酒)

정월의 됴흔 ᄡᆞᆯ 두 말 닷 되를 ᄇᆡᆨ세작말ᄒᆞ고 물 두 말 닷 되를 ᄭᅳᆯ혀 ᄀᆡ야 어름ᄀᆞᆺ치 ᄎᆞ거든 됴흔 누록ᄀᆞ로 ᄒᆞᆫ 되 진말 ᄒᆞᆫ 되 섯거 항의 너허 두엇다가 도화가 셩히 픠거든 ᄡᆞᆯ과 ᄎᆞᆯᄡᆞᆯ 각 서 말을 ᄇᆡᆨ세ᄒᆞ야 밤재와 합ᄒᆞ야 ᄡᅵ고 물 눅두를 ᄭᅳᆯ혀 밥과 ᄒᆞᆫ가지로 ᄎᆡ와 도화 두 되를 몬져 독 밋히 너코 몬져 ᄒᆞᆫ 술밋치 밥을 버므려 녀흔 후 도화 가지 서너흘 그 가온ᄃᆡ 너허 ᄡᅳ라. 본방이 이러

ᄒᆞ나 젹게 ᄒᆞ랴면 이 주방문을 가지고 ᄡᆞᆯ과 누록과 물을 혜아려 ᄒᆞ고 ᄎᆞᆫ ᄃᆡ 두어 닉히라.

13. 도화주법 <김승지댁주방문(金承旨宅廚方文)>

술 재료 : 밑술 : 멥쌀 2말 5되, 누룩가루 1되, 밀가루 1되, 활수 2말 5되(쌀되)
덧술 : 멥쌀 3말, 찹쌀 3말, 도화 2되, 끓는 물 6말, 도화 가지 2~3개

술 빚는 법 :

* 밑술 :

1. 멥쌀 2말 5되를 백세하여 (물에 불렸다가, 다시 씻어 헹궈 물기 뺀 후) 작말한다.
2. 쌀 되는 되로 물 2말 5되를 끓여 쌀가루에 붓고, 주걱으로 고루 개어 범벅을 만든 뒤 (뚜껑을 덮어) 차게 식기를 기다린다.
3. 범벅에 가루누룩 1되, 밀가루 1되를 섞고, 오랫동안 고루 치대어 술밑을 빚는다.
4. 술독에 술밑을 담아 안치고, 예의 방법대로 하여 (서늘한 곳에서) 발효시킨 다음 복숭아꽃이 피기를 기다린다.

* 덧술 :

1. 복숭아꽃이 만개하면, 매우 도정을 많이 한 멥쌀과 찹쌀 각 3말을 각각 백세하여 하룻밤 물에 담가 불린다.
2. 다음날 (쌀 된 되로) 물 6말을 팔팔 끓여 차디차게 식혀놓는다.
3. 전날 불린 쌀을 (다시 씻어 헹궈서 물기를 뺀 후) 한데 섞고, 시루에 안쳐서 고두밥을 짓는다.
4. 복숭아꽃 2되를 따서 (흐르는 물에 살짝 씻어 먼지와 이물질을 제거하고, 바

람 통하는 곳에 널어 물기를 완전히 제거한 후) 그릇에 담아 준비해 놓는다.

5. 고두밥이 익었으면 퍼내어 식혀둔 물을 한데 합하고, (넓은 그릇 여러 개에 나눠놓고) 다시 차게 식기를 기다린다.
6. 고두밥이 물을 다 먹고 차게 식었으면 밑술과 끓여 합하고, 고루 버무려 술밑을 빚는다.
7. 술독에 준비해 둔 복숭아꽃을 맨 먼저 안친 후, 복숭아꽃 위에 술밑을 담아 안치는데, 술덧 맨 위에 복숭아꽃 두어 가지를 꺾어 꽂아놓는다.
8. 술독은 예의 방법대로 하여 찬 곳에 두고 발효시킨 후, 술이 익었으면 깨끗한 물 1양푼을 술독에 부어두어 다음날 채주하여 사용한다.

(도)화쥬법

ᄇᆡᆨ미 두 말 닷 되 작말ᄇᆡᆨᄉᆡᆨᄒᆞ여 우물물 ᄡᆞᆯ 된 그ᄅᆞ스로 듀 말 닷 되를 ᄉᆞᆯ혀 그 ᄀᆞᆯᄂᆞᆯ ᄉᆞᆯ 물에 ᄀᆡ야 셔늘ᄒᆞ게 식혀 ᄀᆞ로누룩 ᄒᆞᆫ 되와 진말 ᄒᆞᆫ 되을 진ᄀᆞᆯ ᄂᆡ 너허 누룩ᄀᆞᆯ니 고로 가게 무궁히 쳐 항의 너허ᄃᆞᄀᆞ 복숑화 픠거든 ᄆᆡ오 ᄡᆞᆯ흔 ᄇᆡᆨ미 서 ᄆᆞᆯ과 ᄎᆞᆸᄡᆞᆸ 서 말과 각각 ᄇᆡᆨ셰ᄒᆞ여 ᄒᆞ로밤 자여 ᄒᆞᆫᄃᆡ 석거 희싀오 쪄 내고 ᄡᆞᆯ 된 그로ᄉᆞ로 우물물 엿 말을 ᄉᆞᆯ혀 ᄎᆡ와 그 찐 밥의 석거 마이 식은 후 벽도화 듀 되ᄅᆞᆯ 먼져 항 미티 너코 젼의 비ᄌᆞᆫ ᄉᆞᆯ밋ᄎᆞᆯ 그 찐 밥의 고로고로 석거 노코 도화 가지 세흘 썩거 ᄉᆞᆯ항의 ᄭᅩ자 두엇ᄃᆞ가 ᄂᆡᆨ거든 됴흔 ᄂᆡᆼ슈 ᄒᆞᆫ 냥푼만 부었다가 이튼날로 되어 쓰라. ᄇᆡᆨ미 닷 말가옷 졈미 셔 말 물 여ᄃᆞᆲ 말 누룩 ᄒᆞᆫ 되 젼말 ᄒᆞᆫ 되 도화 (두) 되 드ᄂᆞ니라.

14. 도화주법(별법) <김승지댁주방문(金承旨宅廚方文)>

술 재료 : 밑술 : 멥쌀 2말 5되, 누룩가루 1되, 밀가루 1되, 활수 2말(쌀되)
덧술 : 멥쌀 3말, 찹쌀 3말, 도화 2되, 활수 6말(쌀되), 도화 가지 2~3개

술 빚는 법 :

* 밑술 :

1. 정월에 도정을 많이 한 멥쌀 2말 5되를 백세하여 (하룻밤 불렸다가, 다시 씻어 헹궈서 물기를 뺀 후) 작말한다.
2. 쌀되로 활수(活水, 흐르는 물) 2말을 백비탕으로 끓여 쌀가루에 붓고, 주걱으로 고루 개어 범벅을 만든 뒤 (뚜껑을 덮어) 차게 식기를 기다린다.
3. 범벅에 누룩가루 1되와 밀가루 1되를 섞고, 고루 치대어 술밑을 빚는다.
4. 술독에 술밑을 담아 안치고, 예의 방법대로 하여 (서늘한 곳에서) 발효시키고 복숭아꽃이 피기를 기다린다.

* 덧술 :

1. 복숭아꽃이 만개하면, 멥쌀과 찹쌀 각 3말을 한데 섞고, 백세하여 하룻밤 물에 담가 불린다.
2. 다음날 불린 쌀을 (다시 씻어 헹궈서 물기 빼고) 시루에 안쳐 고두밥을 짓는다.
3. 쌀되로 흐르는 물 6말을 팔팔 끓여 식혔다가, 고두밥이 익었으면 퍼내어 한데 합하여 (넓은 그릇 여러 개에 나눠놓고) 다시 차게 식기를 기다린다.
4. 고두밥이 식었으면 밑술과 끓여 합하고, 고루 버무려 술밑을 빚는다.
5. 복숭아꽃 2되를 따서 (흐르는 물에 살짝 씻어 먼지와 이물질을 제거하고, 바람 통하는 곳에 널어 물기 제거 후) 술독에 복숭아꽃을 맨 먼저 안친다.
6. 복숭아꽃 위에 술밑을 담아 안친 후, 술독 맨 위에 복숭아꽃 두어 가지를 꺾어 꽂아둔 다음, 예의 방법대로 하여 발효시킨다.

* 주방문 말미에 "백미 닷 말가웃, 점미 서 말, 물 여덟 말, 누룩 한 되, 도화 두 되면 도화주 되나니라."고 하여 '도화주 별법' 주방문을 작성하였다.

(도)화쥬법(별법)

빅미 닷 말가옷 졈미 셔 말 물 여덟 말 누룩 흔 되 젼말 흔 되 도화 (두) 되 드느니라.

15. 도화주법 <농정회요(農政會要)>

술 재료 : 밑술 : 멥쌀 2말 5되, 누룩가루 1되, 밀가루 1되, 활수 2말 5되
덧술 : 멥쌀 3말, 찹쌀 3말, 복숭아꽃 2되, 활수 6말, 복숭아꽃 가지 2~3개

술 빚는 법 :

* 밑술 :

1. 정월에 도정을 많이 한 멥쌀 2말 5되를 백세하여 (물에 담가 하룻밤 불렸다가, 다시 씻어 헹궈서 물기를 뺀 후) 작말한다.
2. 활수(活水, 흐르는 물) 2말 5되를 백비탕으로 끓여 쌀가루에 붓고, 주걱으로 고루 개어 범벅을 만든 뒤 (뚜껑을 덮어) 차게 식기를 기다린다.
3. 범벅에 누룩가루 1되와 밀가루 1되를 섞고, 고루 치대어 술밑을 빚는다.
4. 술독에 술밑을 담아 안치고, 예의 방법대로 하여 (서늘한 곳에서) 발효시키고 복숭아꽃이 피기를 기다린다.

* 덧술 :

1. 복숭아꽃이 만개하면, 멥쌀과 찹쌀 각 3말을 한데 섞고 백세하여 하룻밤 물에 담가 불린다.
2. 다음날 불린 쌀을 (다시 씻어 헹궈서 물기를 뺀 후) 시루에 안쳐서 고두밥을 짓는다.
3. 흐르는 물 6말을 팔팔 끓여 차게 식기를 기다린다.
4. 고두밥이 익었으면 퍼내고, 고루 펼쳐서 다시 차게 식기를 기다린다.
5. 고두밥이 식었으면 밑술과 끓여 식힌 물을 합하고, 고루 버무려 술밑을 빚는다.
6. 복숭아꽃 2되를 따서 (흐르는 물에 살짝 씻어 먼지와 이물질을 제거하고, 바람 통하는 곳에 널어 물기를 완전히 제거한 후) 술독에 복숭아꽃을 맨 먼

저 안친다.

7. 복숭아꽃 위에 술밑을 담아 안친 다음, 술독 맨 위에 복숭아꽃 두어 가지를 꺾어 꽂아둔 다음, 예의 방법대로 하여 찬 곳에 두고 발효시킨다.

桃花酒法

元月將精鑿粳米二斗五升百洗作末活水二斗五升湯沸和勻候冷調麯末　眞末各一升入瓮待桃花盛開復以粘米粳米各三斗百洗經宿合蒸活水六斗湯沸候冷勻調又待飯冷取桃花二升先納瓮底並前釀和入桃花二三枝揷其中待熟上槽.此酒常置冷處待熟. 本方雖如此初釀熟水五升合釀亦減水三四升味尤佳.

16. 도화주법(일운) <농정회요(農政會要)>

술 재료 : 밑술 : 멥쌀 2말 5되, 누룩가루 1되, 밀가루 1되, 활수 2말
덧술 : 멥쌀 3말, 찹쌀 3말, 복숭아꽃 2되, 활수 5말 6되~7되, 복숭아꽃 가지 2~3개

술 빚는 법 :

* 밑술 :

1. 정월에 도정을 많이 한 멥쌀 2말 5되를 백세하여 (하룻밤 불렸다가, 다시 씻어 헹궈서 물기를 뺀 후) 작말한다.
2. 활수(活水, 흐르는 물) 2말을 백비탕으로 끓여 쌀가루에 붓고, 주걱으로 고루 개어 범벅을 만든 뒤 (뚜껑을 덮어) 차게 식기를 기다린다.
3. 범벅에 누룩가루 1되와 밀가루 1되를 섞고, 고루 치대어 술밑을 빚는다.
4. 술독에 술밑을 담아 안치고, 예의 방법대로 하여 (서늘한 곳에서) 발효시키고 복숭아꽃이 피기를 기다린다.

* 덧술 :

1. 복숭아꽃이 만개하면, 멥쌀과 찹쌀 각 3말을 한데 섞고, 백세하여 하룻밤 물에 담가 불린다.
2. 다음날 불린 쌀을 (다시 씻어 헹궈서 물기를 뺀 후) 시루에 안쳐서 고두밥을 짓는다.
3. 흐르는 물 5말 6되~7되를 팔팔 끓여 식혔다가, 고두밥이 익었으면 퍼내어 한데 합하여 (넓은 그릇 여러 개에 나눠놓고) 다시 차게 식기를 기다린다.
4. 고두밥이 식었으면 밑술과 끓여 합하고, 고루 버무려 술밑을 빚는다.
5. 복숭아꽃 2되를 따서 (흐르는 물에 살짝 씻어 먼지와 이물질을 제거하고, 바람 통하는 곳에 널어 물기 제거 후) 술독에 복숭아꽃을 맨 먼저 안친다.
6. 복숭아꽃 위에 술밑을 담아 안친 다음, 술독 맨 위에 복숭아꽃 두어 가지를 꺾어 꽂아둔 다음, 예의 방법대로 하여 발효시킨다.

* 도화주법 주방문 말미에 "본래 방법은 비록 이렇지만, 첫 술 빚을 때 물 5되 줄이고, 합쳐 덧빚을 때에도 역시 물 3~4되 줄이면 술맛이 더욱 좋다."고 하였으므로, 그 근거에 의하여 주방문을 작성하였다.

桃花酒法(一云)

元月將精鑿粳米二斗五升百洗作末活水二斗五升湯沸和勻候冷調麴末真末各一升入甕待桃花盛開復以粘米粳米各三斗百洗經宿合蒸活水六斗湯沸候冷均調又待飯冷取桃花二升先納甕底並前釀和入桃花二三枝揷其中待熟上槽. 此酒常置冷處待熟. (一云) 本方雖如此 初釀熟水五升合釀亦減水三四升味尤佳.

17. 도화주 <보감록>

술 재료 : 밑술 : 멥쌀 2말 5되, 가루누룩 1되, 밀가루 1되, 끓는 물 2말 5되
덧술 : 멥쌀 2말, 찹쌀 2말, 도화 2되, 물 6말

술 빚는 법 :

* 밑술 :

1. 정월에 멥쌀 2말 5되를 백세하여 물에 담갔다가 (다시 씻어 건져서 물기를 뺀 후) 작말하여 넓은 그릇에 담아놓는다.
2. 쌀 되던 되로 물 2말 5되를 바가지를 띄워서 팔팔 끓여 쌀가루에 골고루 나누어 붓고, 주걱으로 고루 섞어 범벅처럼 갠다.
3. 범벅을 넓은 그릇에 나누어 담고, 하룻밤 재워 얼음 같이 차게 식기를 기다린다.
4. 수없이 이슬을 맞혀 뽀얗게 바랜 누룩을 곱게 빻고, 생사로 된 깁체에 쳐서 1되와 밀가루 1되를 함께 범벅에 넣고, 고루 버무려 술밑을 빚는다.
5. 술독은 여러 날 물에 우렸다가 건조시킨 후, 짚불 연기를 쏘여 소독을 하여 마른행주로 그을음을 깨끗이 닦아낸 다음, 빈 가마니로 싸맨다.
6. 술독에 연기가 남아 있는 대로 술밑을 술독에 담아 안치고, 단단히 싸매어 예의 방법대로 하여 화기 없는 곳에 앉혀서 발효시킨다(60여 일간 발효시킨다).

* 덧술 :

1. 3월이 되어 도화가 흐드러지게 필 때, 활짝 핀 도화를 따다가 꽃술을 제거하여 2되를 준비해 놓는다.
2. 멥쌀 2말과 찹쌀 2말을 각각 백세하여 맑은 물에 담갔다가 새 물에 깨끗이 헹군 후, 건져서 시루에 안쳐 고두밥을 짓는다.
3. 고두밥이 익었으면 넓은 그릇에 펴 담아놓고 한 김 나게 식으면, 시루밑물을 고두밥에 고루 펴붓고 뚜껑을 덮어두었다가, 고두밥이 물을 다 먹기를 기다린다.
4. 찹쌀고두밥과 멥쌀고두밥이 다 식었으면 각각 그릇에 담아놓고 밑술을 섞어 버무리되, 밑술이 부족하면 끓여서 차게 식힌 물 6말을 섞어 술밑을 빚는다.
5. 소독하여 준비한 술독에 준비해 둔 도화를 먼저 안친다.
6. 도화를 안친 술독에 멥쌀고두밥 술밑 한 켜, 찹쌀고두밥 술밑 한 켜씩 켜켜

로 담아 안친 다음, 메밥을 맨 위에 덮는다.

7. 차게 식혀둔 물을 한 사발쯤 남겼다가 술그릇을 씻어낸 후, 술덧 위에 부어 주고, 예의 방법대로 하여 21일간 발효시킨다.
8. 술밑이 내려앉았으면, 밤중 심지에 불을 붙여서 독 속에 들여 꺼지거나 흔들리지 않으면 다 익은 것이다.
9. 술 위를 곱게 걷어내고 가운데를 헤쳐 보면 흰꽃과 부의(개미)가 잔뜩 떠 있고, 빛깔이 맑고 향기가 기이하다.

도화쥬

밋도 정월의 ᄒᆞ야 두고 덧ᄎᆞᆫ 도화 쎡 ᄒᆞᄃᆡ 밋 두말가웃 뫼쌀노 ᄒᆞ고 덧ᄎᆞᆫ 졈미 ᄇᆡᆨ미 각각 두말 가로누록 ᄒᆞᆫ되 진말 ᄒᆞᆫ되 들고 도화 두되 덧ᄒᆞᆯ 적 몬져 독 밋티 너코 버무려 너흐ᄃᆡ 다른 거산 다 두견쥬와 독도ᄒᆞ니라.

18. 도화주법 <부인필지(夫人必知)>

술 재료 : 밑술 : 멥쌀 2말 5되, 누룩 1되, 진말 1되, 끓는 물 2말 5되(사발)
덧술 : 멥쌀 3말, 찹쌀 3말, 도화 2되, 끓여 식힌 물 6말(사발)

술 빚는 법 :

* 밑술 :

1. 정월에 멥쌀 2말 5되를 정히 씻어 (백세하여 물에 담가 불렸다가, 다시 씻어 건져서 물기를 뺀 후) 작말한다.
2. 솥에 사발로 물 2말 5되를 붓고 끓여서, 쌀가루에 고루 붓고 주걱으로 골고루 개어 (범벅)을 쑨 뒤, 얼음같이 차게 식기를 기다린다.
3. (범벅)에 좋은 누룩 1되와 진말 1되를 섞고, 고루 버무려 술밑을 빚는다.
4. 술밑을 술독에 담아 안친 다음, 예의 방법대로 하여 (서늘한 곳에 두어) 복

숭아꽃이 필 때까지 발효시킨다.

* 덧술 :

1. 복숭아꽃이 필 때 꽃을 채취하여 깨끗이 씻어둔다.
2. 멥쌀과 찹쌀 각 3말을 정히 씻어(함께 섞고 백세하여 물에 담가 불렸다가, 다시 씻어 건져서 물기를 뺀 후) 시루에 안쳐서 고두밥을 짓는다.
3. 사발로 물 6말을 팔팔 끓여서 넓은 그릇 여러 개에 나눠서 차게 식힌다.
4. 고두밥이 익었으면, 시루에서 퍼내어 고루 펼쳐 차게 식기를 기다린다.
5. 고두밥과 끓여 식힌 물, 밑술을 한데 섞고, 고루 버무려 술밑을 빚는다.
6. 술독에 복숭아꽃 2되를 먼저 깔고, 그 위에 술덧을 담아 안친 다음 맨 위에 복숭아꽃 3~4가지를 꽂아둔다.
7. 술독은 예의 방법대로 하여 2~3개월 발효시켜, 술이 익으면 채주하여 마신다.

도화쥬법

뎡월에 ᄇᆡᆨ미 두 말 닷 되ᄅᆞᆯ 졍히 씨셔 작말ᄒᆞ고 물 두 말 닷 되ᄅᆞᆯ 끌여 ᄀᆡ야 어름갓치 ᄎᆞ게 ᄒᆞ야 조흔 누룩 ᄒᆞᆫ 되ᄅᆞᆯ 딘말 ᄒᆞᆫ 되 셕거 항아이에 너어 두엇다가 도화 피거든 ᄇᆡᆨ미와 졈미 찹쌀 각 ᄉᆞᆷ 두ᄅᆞᆯ 졍히 씨셔 합ᄒᆞ야 찌고 물 엿말을 끌여 밥과 물이 다 식은 후 먼져 ᄆᆡᆫ든 슐밋에 버무러 도화 두 되ᄅᆞᆯ 먼져 독 밋에 넛코 버무린 것을 다 넛코 도화 셔너 가지ᄅᆞᆯ 그 가운ᄃᆡ 너어 닉히ᄂᆞ니라. 본방이 이러ᄒᆞ나 적게 ᄒᆞ랴면 등분ᄒᆞ야 ᄒᆞᆯ지니라. ᄃᆡ져 ᄇᆡᆨ미ᄂᆞᆫ 메쌀이요 졈미ᄂᆞᆫ 찹쌀이요 물 ᄒᆞᆫ 되ᄂᆞᆫ ᄒᆞᆫ 사발이라 ᄒᆞ니라.

19. 도화주 <산림경제(山林經濟)>

술 재료 : 밑술 : 멥쌀 2말 5되, 누룩가루 1되, 밀가루 1되, 활수 2말 5되
덧술 : 멥쌀 3말, 찹쌀 3말, 도화 2되, 활수 6말, 복숭아꽃 가지 2~3개

술 빚는 법 :

* 밑술 :

1. 정월에 멥쌀 2말 5되를 물에 깨끗이 씻은 뒤 (하룻밤 불렸다가, 다시 씻어 헹궈서 물기를 뺀 후) 작말한다(가루로 빻는다).
2. 활수(活水) 2말 5되를 백비탕(오래 끓인 물)으로 끓여 쌀가루에 붓고, 주걱으로 고루 개어 범벅을 만든 뒤 (뚜껑을 덮어) 차게 식기를 기다린다.
3. 범벅에 누룩가루 1되와 밀가루 1되를 섞고, 고루 치대어 술밑을 빚는다.
4. 술독에 술밑을 담아 안치고, 예의 방법대로 하여 (서늘한 곳에서) 발효시킨다.

* 덧술 :

1. 복숭아꽃이 만개하는 때가 되면, 멥쌀과 찹쌀 각 3말을 한데 섞고 백세하여 하룻밤 물에 담가 불린다.
2. 다음날 불린 쌀을 (다시 씻어서 물기를 뺀 후) 시루에 안쳐서 고두밥을 짓는다.
3. 흐르는 물을 팔팔 끓여 식기를 기다렸다가, 고두밥이 익었으면 퍼내어 한데 합하여 고루 섞어놓고 식기를 기다린다.
4. 고두밥이 식었으면 밑술을 합하고, 고루 버무려 술밑을 빚는다.
5. 복숭아꽃 2되를 따서 흐르는 물에 살짝 씻어 먼지와 이물질을 제거한 후, 바람이 잘 통하는 곳에 널어 물기를 제거한다.
6. 준비한 술독에 복숭아꽃을 맨 먼저 안치고, 그 위에 술밑을 담아 안친다.
7. 술밑에 복숭아꽃 두어 가지를 꺾어 꽂아둔 다음, 예의 방법대로 발효시킨다.

桃花酒

元月, 將精鑿粳米二斗五升, 百洗作末, 活水二斗五升湯沸, 和均候冷, 調麴末眞末各一升入瓮. 待桃花盛開, 復以粳米粘米各三斗, 百洗經宿合蒸, 活水六斗湯沸, 候冷均調, 又待飯冷, 取桃花二升, 先納瓮底, 並前釀和入, 以桃花二三枝揷其中, 待熟上槽.

20. 도화주 우법 <산림경제(山林經濟)>

술 재료 : 밑술 : 멥쌀 2말 5되, 누룩가루 1되, 밀가루 1되, 활수 2말
덧술 : 멥쌀 3말, 찹쌀 3말, 도화 2되, 끓는 물 5말 6되, 도화 가지 2~3개

술 빚는 법 :

* 밑술 :

1. 정월에 많이 도정한 멥쌀 2말 5되를 물에 깨끗이 씻은 뒤 (하룻밤 불렸다가, 다시 씻어 헹궈서 물기를 뺀 후) 작말한다(가루로 빻는다).
2. 활수(活水) 2말을 백비탕(오래 끓인 물)으로 끓여 쌀가루에 붓고, 주걱으로 고루 개어 범벅을 만든 뒤 (뚜껑을 덮어) 차게 식기를 기다린다.
3. 범벅에 누룩가루 1되와 밀가루 1되를 섞고, 고루 치대어 술밑을 빚는다.
4. 술독에 술밑을 담아 안치고, 예의 방법대로 하여 (서늘한 곳에서) 발효시킨다.

* 덧술 :

1. 복숭아꽃이 만개하는 때가 되면, 멥쌀과 찹쌀 각 3말을 한데 섞고 백세하여 하룻밤 물에 담가 불린다.
2. 다음날 불린 쌀을 (다시 씻어 헹궈서 물기를 뺀 후) 시루에 안쳐서 고두밥을 짓는다.
3. 흐르는 물 5말 6되를 팔팔 끓여서 넓은 그릇 여러 개에 나눠 담고, 차게 식기를 기다린다.
4. 고두밥이 익었으면, 시루에서 퍼내어 고루 헤쳐서 차게 식기를 기다린다.
5. 고두밥이 식었으면 밑술을 합하고, 고루 버무려 술밑을 빚는다.
6. 복숭아꽃 2되를 따서 (흐르는 물에 살짝 씻어 먼지와 이물질을 제거한 후, 바람이 잘 통하는 곳에 널어 물기를 제거하여) 술독에 복숭아꽃을 맨 먼저 안친다.

7. 복숭아꽃 위에 술밑을 담아 안친 후, 맨 위에 복숭아꽃 두어 가지를 꺾어 꽂아둔 다음, 예의 방법대로 하여 발효시켜 익기를 기다려 주조에 올려 짜낸다.

桃花酒 又法

本方雖如此, 初釀減水五升, 合釀亦減三四升, 味尤佳, 常置寒冷處待熟. 上同.

21. 도화주법 <산림경제촬요(山林經濟撮要)>

술 재료 : 밑술 : 멥쌀 2말 5되, 누룩가루 1되, 밀가루 1되, 활수 2말 5되
덧술 : 멥쌀 3말, 찹쌀 3말, 복숭아꽃 2되, 활수 6말, 복숭아꽃 가지 2~3개

술 빚는 법 :

* 밑술 :

1. 정월에 많이 도정한 멥쌀 2말 5되를 물에 깨끗이 씻은 뒤 (하룻밤 불렸다가, 다시 씻어 헹궈서 물기를 뺀 후) 작말한다(가루로 빻는다).
2. 활수(活水) 2말 5되를 백비탕(오래 끓인 물)으로 끓여 쌀가루에 붓고, 주걱으로 고루 개어 범벅을 만든 뒤 (뚜껑을 덮어) 차게 식기를 기다린다.
3. 범벅에 누룩가루 1되와 밀가루 1되를 섞고, 고루 치대어 술밑을 빚는다.
4. 술독에 술밑을 담아 안치고, 예의 방법대로 하여 (서늘한 곳에서) 발효시킨다.

* 덧술 :

1. 복숭아꽃이 만개하는 때가 되면, 멥쌀과 찹쌀 각 3말을 한데 섞고 백세하여 하룻밤 물에 담가 불린다.
2. 다음날 불린 쌀을 (다시 씻어 헹궈서 물기를 뺀 후) 시루에 안쳐서 고두밥을 짓는다.

3. 흐르는 물 6말을 팔팔 끓여서 넓은 그릇 여러 개에 나눠 담고, 차게 식기를 기다린다.
4. 고두밥이 익었으면, 시루에서 퍼내어 고루 헤쳐서 차게 식기를 기다린다.
5. 고두밥이 식었으면 밑술을 합하고, 고루 버무려 술밑을 빚는다.
6. 복숭아꽃 2되를 따서 (흐르는 물에 살짝 씻어 먼지와 이물질을 제거한 후, 바람이 잘 통하는 곳에 널어 물기를 제거하여) 술독에 복숭아꽃을 맨 먼저 안친다.
7. 복숭아꽃 위에 술밑을 담아 안친 후, 맨 위에 복숭아꽃 두어 가지를 꺾어 꽂아둔 다음, 예의 방법대로 하여 발효시켜 익기를 기다려 주조에 올려 짜낸다.

* 주방문 말미에 "술은 항상 냉처에 두고 익혀 익기를 기다린다."고 하고, "주방문이 비록 이와 같으나, 처음 빚는 술밑에 물 5되를 감하고 첨가할 때 또 3~4되를 감하면 맛이 더욱 좋다."고 하였다. <증보산림경제>와 동일하다.

桃花酒法

元月將精鑿粳米二斗五升百洗作末活水二斗五升湯沸和勻候冷調麯末眞末各一升入瓮待桃花盛開復以粘米粳米各三斗百洗經宿合蒸活水六斗湯沸候冷勻調又待飯冷取桃花二升先納瓮底並前釀和入桃花二三枝揷其中待熟上槽. 此酒常置冷處待熟. 本方雖如此 初釀熟水五升合釀亦減三四升味尤佳.

22. 도화주법 <산림경제촬요(山林經濟撮要)>

술 재료 : 밑술 : 멥쌀 2말 5되, 누룩가루 1되, 밀가루 1되, 활수 2말
덧술 : 멥쌀 3말, 찹쌀 3말, 복숭아꽃 2되, 활수 6말, 복숭아꽃 가지 2~3개

술 빚는 법 :

* 밑술 :

1. 정월에 많이 도정한 멥쌀 2말 5되를 물에 깨끗이 씻은 뒤 (하룻밤 불렸다가, 다시 씻어 헹궈서 물기를 뺀 후) 작말한다(가루로 빻는다).
2. 활수(活水) 2말을 백비탕(오래 끓인 물)으로 끓여 쌀가루에 붓고, 주걱으로 고루 개어 범벅을 만든 뒤 (뚜껑을 덮어) 차게 식기를 기다린다.
3. 범벅에 누룩가루 1되와 밀가루 1되를 섞고, 고루 치대어 술밑을 빚는다.
4. 술독에 술밑을 담아 안치고, 예의 방법대로 하여 (서늘한 곳에서) 발효시킨다.

* 덧술 :

1. 복숭아꽃이 만개하는 때가 되면, 멥쌀과 찹쌀 각 3말을 한데 섞고 백세하여 하룻밤 물에 담가 불린다.
2. 다음날 불린 쌀을 (다시 씻어 헹궈서 물기를 뺀 후) 시루에 안쳐서 고두밥을 짓는다.
3. 흐르는 물 5말 6되~5말 7되를 팔팔 끓여서 넓은 그릇 여러 개에 나눠 담고, 차게 식기를 기다린다.
4. 고두밥이 익었으면, 시루에서 퍼내어 고루 헤쳐서 차게 식기를 기다린다.
5. 고두밥이 식었으면 밑술을 합하고, 고루 버무려 술밑을 빚는다.
6. 복숭아꽃 2되를 따서 (흐르는 물에 살짝 씻어 먼지와 이물질을 제거한 후, 바람이 잘 통하는 곳에 널어 물기를 제거하여) 술독에 복숭아꽃을 맨 먼저 안친다.
7. 복숭아꽃 위에 술밑을 담아 안친 후, 맨 위에 복숭아꽃 두어 가지를 꺾어 꽂아둔 다음, 예의 방법대로 하여 발효시켜 익기를 기다려 주조에 올려 짜낸다.

* 주방문 말미에 "술은 항상 냉처에 두고 익혀 익기를 기다린다."고 하고, "주방문이 비록 이와 같으나, 처음 빚는 술밑에 물 5되를 감하고 첨가할 때 또 3~4되를 감하면 맛이 더욱 좋다."고 하였다. <증보산림경제>와 동일하다.

桃花酒法

元月將精鑿粳米二斗五升百洗作末活水二斗五升湯沸和勻候冷調麯末眞末各一升入瓮待桃花盛開復以粘米粳米各三斗百洗經宿合蒸活水六斗湯沸候冷勻調又待飯冷取桃花二升先納瓮底並前釀和入桃花二三枝揷其中待熟上槽. 此酒常置冷處待熟. 本方雖如此 初釀熟水五升合釀亦減三四升味尤佳.

23. 도화주 <술방>

술 재료 : 밑술 : 멥쌀 2말 2되 5홉, 누룩 1되, 밀가루 1되, 흐르는 물 2말 5되
덧술 : 멥쌀 3말, 찹쌀 3말, 복숭아꽃 2되, 끓는 물 10말, 꽃가지 2개

술 빚는 법 :

* 밑술 :

1. 정월에 멥쌀 2말 2되 5홉을 백세하여 (하룻밤 불렸다가, 다시 씻어 헹궈서 물기를 뺀 후) 작말한다.
2. 물 2말 5되를 백비탕으로 끓여 쌀가루에 붓고, 고루 섞어 차게 식기를 기다린다.
3. 범벅에 누룩가루와 밀가루 각 1되씩 섞고, 고루 치대어 술밑을 빚는다.
4. 술독에 술밑을 담아 안치고, 예의 방법대로 하여 냉한 곳에 이불로 싸서 둔다.

* 덧술 :

1. 복숭아꽃이 필 때가 되면 멥쌀과 찹쌀 각 3말을 백세한 뒤 하룻밤 불린 다음, 한데 섞어 무른 고두밥을 짓는다.
2. 물 10말을 팔팔 끓인 뒤, 차게 식혀 고두밥에 섞는다.
3. 고두밥을 가능한 한 빨리 차게 식혀 밑술과 고루 버무려 술밑을 빚는다.
4. 복숭아꽃 2되를 술독에 맨 먼저 안치고, 그 위에 술밑을 담아 안친다.

5. 술독 맨 위에 복숭아꽃 두어 가지를 꺾어 꽂아둔 다음, 예의 방법대로 하여 냉한 곳에서 발효시킨다.

* 주방문 말미에 "이 술은 항상 냉한 곳에 두어 익히라."고 하였는데, 제조법은 <산림경제>와 <고사촬요>의 주방문과 동일하다.

도화쥬

뎡월의 ᄇᆡᆨ미 두 말가옷 ᄇᆡᆨ셰ᄒᆞ여 작말ᄒᆞ여 ᄂᆞᆯ물 두닷 되 ᄇᆡᆨ비탕 ᄭᅳᆯ여 한ᄃᆡ 타 식혀 곡말 진맛 각 ᄒᆞᆫ 되식 셧거 독의 너엇다가, 도화피기를 기다려 찹 뫕쌀 각 셔 말을 ᄇᆡᆨ셰ᄒᆞ여 밤 ᄌᆡ와 ᄒᆞᆫ데 쪄, ᄂᆞᆯ물 열 말을 ᄇᆡᆨ비탕 ᄭᅳ려 식혀 ᄒᆞᆫ데 타고 ᄯᅩ 밧비 셔ᄂᆞᆯᄒᆞ기ᄅᆞᆯ 기다려 도화 두 되ᄅᆞᆯ 몬져 독 밋ᄒᆡ 넛코, 젼슐과 버무려 너흐되 도화 두셔너 가지ᄅᆞᆯ 그 가온ᄃᆡ ᄭᅩᆺ자 익은 후 드리우되, 이ᄅᆞᆯ이 항상 ᄂᆡᆼᄒᆞᆫᄃᆡ 두어 익히라. 만일 쳐음 비즐졔 물 닷 되만 두르고, 덧ᄒᆞᆯ졔 물 셔너 되ᄅᆞᆯ 감ᄒᆞ면 마시 더옥 죠흐니라.

24. 도화주(우방) <술방>

술 재료 : 밑술 : 멥쌀 2말 2되 5홉, 누룩 1되, 밀가루 1되, 흐르는 물 2말
덧술 : 멥쌀 3말, 찹쌀 3말, 도화 2되, 끓는 물 9말 6~7되, 꽃가지 2개

술 빚는 법 :

* 밑술 :

1. 정월에 멥쌀 2말 2되 5홉을 백세하여 (하룻밤 불렸다가, 다시 씻어 헹궈서 물기를 뺀 후) 작말한다.
2. 물 2말을 백비탕으로 끓여 쌀가루에 붓고, 고루 섞어 차게 식힌다.
3. 범벅에 누룩가루와 밀가루 각 1되씩 섞고, 고루 치대어 술밑을 빚는다.

4. 술독에 술밑을 담아 안치고, 예의 방법대로 하여 냉한 곳에 이불로 싸서 둔다.

* 덧술 :
1. 복숭아꽃이 필 때가 되면 멥쌀과 찹쌀 각 3말을 백세한 뒤 하룻밤 불린 다음, 한데 섞어 무른 고두밥을 짓는다.
2. 물 9말 6되를 팔팔 끓인 뒤 차게 식혀 고두밥에 섞는다.
3. 고두밥을 가능한 한 빨리 차게 식혀 밑술과 고루 버무려 술밑을 빚는다.
4. 복숭아꽃 2되를 술독에 맨 먼저 안치고, 그 위에 술밑을 담아 안친다.
5. 술독 맨 위에 복숭아꽃 두어 가지를 꺾어 꽂아둔 다음, 예의 방법대로 하여 냉한 곳에서 발효시킨다.

* '도화주' 주방문 말미에 "만일 쳐음 비즐 졔 물 닷 되만 두르고(덜고), 덧흘 졔 물 셔너 되를 감ᄒᆞ면 마시 더옥 죠흐니라."고 하였으므로, 이에 주방문을 작성하였다.

도화쥬(우방)
만일 쳐음 비즐 졔 물 닷 되만 두르고, 덧흘 졔 물 셔너 되를 감ᄒᆞ면 마시 더옥 죠흐니라.

25. 도화주 <시의전서(是議全書)>

술 재료 : 밑술 : 멥쌀 2되, 누룩가루 1되, 밀가루 1되, 물(2되)
덧술 : 찹쌀 3말, 멥쌀 3말, 냉수 5말 3되, 복숭아꽃(2되)

술 빚는 법 :
* 밑술 :

1. 정월에 멥쌀 2되를 백세하여 (물에 담갔다가 다시 씻어 뜨물이 없이 말갛게 헹궈 건져서 물기를 뺀 후) 작말하여(가루로 빻아) 넓은 그릇에 담아놓는다.
2. 쌀가루에 팔팔 끓는 물(2되)을 골고루 붓고, 주걱으로 개어 범벅을 쑨 다음 (뚜껑 덮어) 차게 식기를 기다린다.
3. 범벅에 누룩가루와 진말 각 1되씩을 한데 합하고, 고루 버무려 술밑을 빚는다.
4. 술밑을 술독에 담아 안친 다음, 예의 방법대로 복숭아꽃이 필 때까지 발효시킨다.

* 덧술 :
1. 복숭아꽃이 피었으면, 활짝 피어난 복숭아꽃(2되)을 따서 물에 깨끗이 씻어 물기를 뺀 다음, 그늘에서 음건하여 물기를 제거한다.
2. 멥쌀과 찹쌀 각 3말을 백세하여 물에 하룻밤 불렸다가 (다시 씻어 건져서 물기를 뺀 후) 시루에 안쳐서 고두밥을 짓는다.
3. 물 5말 3되를 팔팔 끓여서 넓은 그릇 여러 개에 나눠 담아 차게 식혀놓는다.
4. 고두밥이 익었으면 차게 식혀둔 탕수에 골고루 합하고, 고두밥이 물을 다 먹기를 기다렸다가 고루 헤쳐서 차게 식기를 기다린다.
5. 차게 식은 고두밥에 밑술을 합하고, 고루 버무려 술밑을 빚는다.
6. 복숭아꽃(2되)을 술밑에 묻혀서 술독 맨 밑에 먼저 담아 안친다.
7. 술밑을 술독에 담아 안친 다음, 예의 방법대로 하여 찬 곳에 자리를 잡아 앉히고, 발효시켜 술이 익는 대로 채주한다.

* 주방문 말미에 "복숭아꽃을 넣으면 '도화주'가 된다."고 하였으므로, 이에 주방문을 완성하였다.

杜鵑酒(두견쥬-도화주)

정월에 ᄇᆡᆨ미 이승 ᄇᆡᆨ셰작말ᄒᆞ야 물 ᄭᆞᆯ혀 가로에 부어 골나 식거든 곡말 진말 각 일승식 너허 두엇다가 두견 막 픠거든 ᄇᆡᆨ미 졈미 각 삼두을 ᄇᆡᆨ셰 담가 밤 ᄌᆡ와 쪄 ᄂᆡᆼ슈 오두 삼승 ᄭᆞᆯ혀 ᄎᆞ거든 밥에 골나 두엇다가 식거든 두견ᄭᅩᆺ 두 되를 슐 발으고 먼져 독 밋히 너코 지에를 젼 밋히 셕거 식거든 드리오되 슐 그릇슬 찬 ᄃᆡ 두라. 도화 너흐면 도화쥬라.

26. 도화주 <양주방>*

술 재료 : 밑술 : 멥쌀 3되, 가루누룩 1되, 끓는 물 3되
　　　　 덧술 : 멥쌀 1말, 복사꽃 말린 것 1되

술 빚는 법 :

* 밑술 :

1. 희게 쓿은 멥쌀 3되를 깨끗이 씻고 또 씻어 (백세하여 물에 담가 불렸다가, 다시 씻어 헹궈 건져서) 작말한다.
2. 물 3되를 팔팔 끓여 쌀가루에 붓고 개어서 범벅을 만든 뒤, 넓은 그릇에 퍼서 차게 식기를 기다린다.
3. 쌀 범벅에 가루누룩 1되를 섞고, 고루 버무려 술밑을 빚는다.
4. 술밑을 술독에 담아 안치고, 예의 방법대로 하여 2일간 발효시킨다.

* 덧술 :

1. 희게 쓿은 멥쌀 1말을 깨끗이 씻고 또 씻어 (백세하여 물에 담가 불렸다가, 다시 씻어 헹궈 건져서 물기를 뺀 후) 시루에 안쳐서 무른 듯하게 고두밥을 짓는다.
2. 고두밥이 무른 듯 익었으면 퍼내고, 고루 펼쳐서 차게 식기를 기다린다.
3. 밑술을 고두밥에 쏟아 붓고 복사꽃 말린 것 1되를 섞은 뒤, 고루 버무려 밑술을 빚는다.
4. 술밑을 술독에 담아 안치고, 예의 방법대로 하여 발효시켜 술이 익는 대로 따라서 마신다.

도화쥬

빅미 서 되를 빅세작말ᄒᆞ야 ᄭᅳᆯ힌 물 엿 되에 ᄀᆞ야 ᄎᆞ거든 국말 ᄒᆞᆫ 되 섯거 너허 삼일 만의 빅미 ᄒᆞᆫ 말을 무르게 쪄 식와 도화 마른 것 ᄒᆞᆫ 되와 밋슐의 섯거 너헛다가 괴는 ᄃᆡ로 드리우라.

27. 도화주방 <임원십육지(林園十六志)>

술 재료 : 밑술 : 멥쌀 2말 5되, 누룩가루 1되, 진말 1되, 활수 백비탕 2말 5되
덧술 : 멥쌀 3말, 찹쌀 3말, 도화 2되, 물 6말

술 빚는 법 :

* 밑술 :

1. 정월에 매우 깨끗하게 도정한 멥쌀 2말 5되를 백세하여 (물에 담가 불렸다가, 다시 씻어 헹궈서 물기를 뺀 후) 작말한다.
2. 솥에 활수(흐르는 물) 2말 5되를 부어 백비탕으로 끓여서 쌀가루 붓고, 주걱으로 고루 개어서 범벅을 쑨 뒤 (넓은 그릇 여러 개에 펴서) 차게 식기를 기다린다.
3. 범벅에 누룩가루 1되, 밀가루 1되를 섞고, 고루 버무려 술밑을 빚는다.
4. 술밑을 술독에 담아 안친 다음, 예의 방법대로 하여 (서늘한 곳에 두고) 복숭아꽃이 필 때까지 발효시킨다.

* 덧술 :

1. 복숭아꽃이 필 때 꽃을 채취하여 깨끗이 씻어둔다.
2. 멥쌀과 찹쌀 각 3말을 (백세하여) 물에 담가 밤재워 불린 후, 다시 씻어 헹궈서 물기를 뺀 후) 함께 고두밥을 짓는다.
3. 물 6말을 팔팔 끓여 식히고, 고두밥이 익었으면 퍼내어 한데 섞은 후 고두밥

이 물을 다 먹기를 기다려 그릇 여러 개에 나눠 담고, 차게 식기를 기다린다.

4. 고두밥에 밑술을 합하고, 고루 버무려 술밑을 빚는다.
5. 준비한 술독에 복숭아꽃 2되를 먼저 깔고, 그 위에 술덧을 담아 안친 후 맨 위에 복숭아꽃 3~4가지를 꽂아둔다.
6. 술독은 예의 방법대로 하여 발효시키고, 술이 익기를 기다려 채주하여 마신다.

桃花酒方

元月將精鑿粳米二斗五升百洗作末活水二斗五升湯沸和勻候冷調麴末眞麪各一升入甕待桃花盛開復以粳米 糯米各三斗洗浸經宿 烝活水六斗湯沸候冷均調又待飯冷取桃花二升先納瓮底並前釀和入桃花二三枝揷其中待熟上槽. (一云) 初釀減水五升合釀或三四升味尤佳常置寒冷處待熟. <聞見方>.

28. 도화주 일운 <임원십육지(林園十六志)>

술 재료 : 밑술 : 멥쌀 2말 5되, 누룩가루 1되, 밀가루 1되, 활수 2말
덧술 : 멥쌀 3말, 찹쌀 3말, 복숭아꽃 2되, 활수 5말 6되, 복숭아꽃 가지 2~3개

술 빚는 법 :

* 밑술 :

1. 정월에 잘 찧은 멥쌀 2말 5되를 물에 깨끗이 씻은 뒤 (하룻밤 불렸다가 다시 씻어 헹궈서 물기를 뺀 후) 작말한다(가루로 빻는다).
2. 활수(活水) 2말을 백비탕(오래 끓인 물)으로 끓여 쌀가루에 붓고, 주걱으로 고루 개어 범벅을 만든 뒤 (뚜껑을 덮어) 차게 식기를 기다린다.
3. 범벅에 누룩가루 1되와 밀가루 1되를 섞고, 고루 치대어 술밑을 빚는다.

4. 술독에 술밑을 담아 안치고, 예의 방법대로 하여 (서늘한 곳에서) 발효시키는데, 복숭아꽃이 만개할 때 덧술을 한다.

* 덧술 :

1. 멥쌀과 찹쌀 각 3말을 백세하여 하룻밤 물에 담가 불린다.
2. 다음날 불린 쌀을 (다시 씻어 헹궈서 물기를 뺀 후) 한데 섞고, 시루에 안쳐서 고두밥을 짓는다.
3. 흐르는 물 5말 6되를 팔팔 끓여 식기를 기다렸다가, 고두밥이 익었으면 퍼내어 한데 합하여 고루 섞어놓고 식기를 기다린다.
4. 복숭아꽃 2되를 따서 먼지와 이물질을 제거한다(바람이 잘 통하는 곳에 널어 살짝 건조시킨다).
5. 고두밥이 식었으면 밑술을 합하고, 고루 버무려 술밑을 빚는다.
6. 준비한 술독에 복숭아꽃을 맨 먼저 안치고, 그 위에 술밑을 담아 안친다.
7. 술독 맨 뒤에 복숭아꽃 가지 2~3개를 꺾어 술독 중앙에 꽂아둔 다음, 예의 방법대로 하여 발효시켜 익기를 기다린다.

桃花酒 一云

初釀減水五升合釀或三四升味尤佳常置寒冷處待熟. <聞見方>.

29. 도화주 <조선무쌍신식요리제법(朝鮮無雙新式料理製法)>

술 재료 : 밑술 : 멥쌀 2말 5되, 밀가루 1되, 누룩가루 1되, 끓는 물 2말 5되
덧술 : 멥쌀 3말, 찹쌀 3말, 복숭아꽃(도화) 2되, 끓는 물 6말

술 빚는 법 :

* 밑술 :

1. 정월에 멥쌀 2말 5되를 정히 씻어 (백세하여 물에 담가 불렸다가, 다시 씻어 건져서 물기를 뺀 뒤) 작말하여 넓은 그릇에 담아놓는다.
2. 물 2말 5되를 팔팔 끓여서 쌀가루에 부으면서 주걱으로 골고루 개어 범벅을 쑨 다음, 차게 식기를 기다린다.
3. 차게 식힌 범벅에 누룩가루 1되와 밀가루 1되를 넣고, 고루 섞어 술밑을 빚는다.
4. 준비한 술독에 술밑을 담아 안친 뒤, 예의 방법대로 하여 복숭아꽃이 필 때까지 서늘한 곳에서 발효시킨다.

* 덧술 :
1. 복숭아꽃이 피었으면, 송이째 꽃을 따서 2되를 장만하고 흐르는 물에 살짝 헹군 후, 그늘에서 꾸들꾸들하게 건조시켜 물기를 없앤다.
2. 멥쌀 3말과 찹쌀 3말을 각각 정히 씻어 (백세하여 물에 담가 불렸다가, 다시 씻어 건져서) 물기를 뺀다.
3. 쌀을 시루에 안치고 쪄서 고두밥이 무르게 익었으면 퍼서 큰 그릇에 퍼 담아둔다.
4. 물 6말을 팔팔 끓여 고두밥에 골고루 나눠 붓고, 주걱으로 헤쳐 놓은 뒤 고두밥이 물을 다 먹었으면, 여러 그릇에 나눠 차게 식기를 기다린다.
5. 밑술과 차게 식은 고두밥을 고루 섞고, 버무려 술밑을 빚는다.
6. 준비한 술독에 복숭아꽃을 먼저 안친 후, 술밑을 다 안친다.
7. 꽃이 달린 복숭아나무 가지 2~3개를 준비하여 술독 한가운데 꽂아둔다.
8. 술독은 예의 방법대로 하여 서늘한 곳에서 발효시키고, 익는 대로 떠 마신다.

도화주(桃花酒)

정월에 멥쌀 두 말 닷 되 정이 씨서 장말하고 물 두 말 닷 되를 쓰려 식혀서 누룩과 밀가루 각 한 되를 석거 항아리에 느코 두엇다가 도화피거든 멥쌀과 찹쌀 각 서 말을 정이 씨서 하로밤 지내고 합하야 찌고 활수 엿 말을 쓰려 밥과 물이 다 식은 후 술밋헤 버무려 복사갖 두 되를 먼저 독밋헤 느코 버무린 것을 다느코 도화 서너 가지를 가운데 느어 닉히나니라. 이 술은 항상 서늘 한 데 두어 익기를 기다리라.

30. 도화주 <조선무쌍신식요리제법(朝鮮無雙新式料理製法)>

–적게 하려면

술 재료 : 밑술 : 멥쌀 2말 5되, 누룩가루 1되, 밀가루 1되, 활수 2말
덧술 : 멥쌀 3말, 찹쌀 3말, 복숭아꽃 2되, 활수 5말 6되, 복숭아꽃 가지 2~3개

술 빚는 법 :

* 밑술 :

1. 정월에 잘 찧은 멥쌀 2말 5되를 물에 깨끗이 씻은 뒤 (하룻밤 불렸다가 다시 씻어 헹궈서 물기를 뺀 후) 작말한다(가루로 빻는다).
2. 활수(活水) 2말을 백비탕(오래 끓인 물)으로 끓여 쌀가루에 붓고, 주걱으로 고루 개어 범벅을 만든 뒤 (뚜껑을 덮어) 차게 식기를 기다린다.
3. 범벅에 누룩가루 1되와 밀가루 1되를 섞고, 고루 치대어 술밑을 빚는다.
4. 술독에 술밑을 담아 안치고, 예의 방법대로 하여 (서늘한 곳에서) 발효시키는데, 복숭아꽃이 만개할 때 덧술을 한다.

* 덧술 :

1. 멥쌀과 찹쌀 각 3말을 백세하여 하룻밤 물에 담가 불린다.
2. 다음날 불린 쌀을 (다시 씻어 헹궈서 물기를 뺀 후) 한데 섞고, 시루에 안쳐서 고두밥을 짓는다.
3. 흐르는 물 5말 6되를 팔팔 끓여 식기를 기다렸다가, 고두밥이 익었으면 퍼내어 한데 합하여 고루 섞어놓고 식기를 기다린다.

4. 복숭아꽃 2되를 따서 먼지와 이물질을 제거한다(바람이 잘 통하는 곳에 널어 살짝 건조시킨다).
5. 고두밥이 식었으면 밑술을 합하고, 고루 버무려 술밑을 빚는다.
6. 준비한 술독에 복숭아꽃을 맨 먼저 안치고, 그 위에 술밑을 담아 안친다.
7. 술독 맨 뒤에 복숭아꽃 가지 2~3개를 꺾어 술독 중앙에 꽂아둔 다음, 예의 방법대로 하여 발효시켜 익기를 기다린다.

* <술방>의 주방문과 동일하다.

도화주(桃花酒)—적게 하려면
본방이 이러하나 적게 하랴면 등분하야 할 것이니 이 아레도 가트니라. 처음 비질제 물은 닷 되를 감하고 나종 우덥흘 제도 물을 서너 되를 감하는 것이 조흐니라.

31. 도화주방문 <주방(酒方, 임용기소장본)>

술 재료 : 밑술 : 찹쌀과 멥쌀 2말 5되, 누룩가루 1되, 밀가루 1되, 끓는 물 2말 5되
덧술 : 멥쌀 3말, 찹쌀 3말, 끓여 식힌 물 6말, 도화 2되, 도화 가지 2~ 3개

술 빚는 법 :
* 밑술 :
1. 정월에 멥쌀 2말 5되를 백세하여 (물에 담가 불렸다가, 다시 씻어 헹궈 건져서 물기를 뺀 뒤) 작말한다(넓은 그릇에 담아둔다).
2. 물 2말 5되를 팔팔 끓여 쌀가루에 붓고, 주걱으로 개서 범벅을 쑨 다음 차게 식기를 기다린다.

3. 범벅에 흰누룩가루 1되와 밀가루 1되를 합하고, 고루 치대어 술밑을 빚는다.
4. 술독에 술밑을 담아 안치고, 예의 방법대로 하여 차고 서늘한 곳에 45일가량 발효시킨다.

* 덧술 :
1. 도화가 만발할 때 꽃을 따다 물에 깨끗이 씻어 물기를 제거한 다음, 2되를 준비해 놓는다.
2. 물 6말을 팔팔 끓여서 차게 식힌다.
3. 찹쌀과 멥쌀 각 3말을 백세하여 (물에 담가 불렸다가 다시 씻어 헹궈 건져서 물기를 뺀 뒤) 시루에 안쳐서 무른 고두밥을 짓는다.
4. 도화를 따서 물에 깨끗이 씻어 건져서 그늘에서 말린다.
5. 갓 퍼낸 고두밥에 끓여 식힌 물 6말을 골고루 합하고, 고두밥이 물을 다 먹은 후 차게 식기를 기다린다.
6. 물을 먹어 차게 식은 고두밥에 밑술을 합하고, 고루 버무려 술밑을 빚는다.
7. 도화 2되를 술독에 먼저 깔고 그 위에 술밑을 안친 다음, 도화꽃 가지 2~3개를 꽂아놓고 예의 방법대로 하여 발효시킨다.

도화쥬방문(桃花酒方文)

정월(正月)의 ᄇᆡᆨ미(白米) 두 말(二斗) 가옷슬(五升) ᄇᆡᆨ셰(百洗)하여 작말(作末)ᄒᆞ고 물(水) 두 말(二斗) 가옷슬(五升) ᄭᅳᆯ혀 ᄀᆞ로의 퍼부어 식거든 진국말(眞麯末) ᄒᆞᆫ 되(一升) 진말(眞末) 한 되(一升)ᄅᆞᆯ 셕거 독(옹(甕)의 너허다가 복셩화(桃花) 만발(晩發)ᄒᆞ거든 졈미(粘米) 셔 말(三斗) ᄇᆡᆨ미(白米) 셔 말(三斗)을 ᄇᆡᆨ셰(百洗)하여 ᄒᆞ로밤(一夜) 담(沈)았다가 ᄒᆞᆫ듸 쪄고 물(水) 엿 말(六斗)을 ᄭᅳᆯ혀 식거든 고로 셕거 밥이 식거든 도화(桃花) 두 되(二升)ᄅᆞᆯ ᄆᆞᆫ져 독(甕) 밋희 담고 술(酒)맛과 셧거 너코 도화(桃花) 두어(發) 가지(枝)ᄅᆞᆯ 독(甕) 가온데(中) 꼬자다가 ᄋᆡᆨ거든 쓰라.

32. 도화주방문 <주방(酒方, 임용기소장본)>

술 재료 : 밑술 : 찹쌀과 멥쌀 2말 5되, 누룩가루 1되, 밀가루 1되, 끓는 물 2말
덧술 : 멥쌀 3말, 찹쌀 3말, 끓여 식힌 물 5말 5~6되, 도화 2되, 도화 가지 2~3개

술 빚는 법 :

* 밑술 :

1. 정월에 멥쌀 2말 5되를 백세하여 (물에 담가 불렸다가 다시 씻어 헹궈 건져서 물기를 뺀 뒤) 작말한다(넓은 그릇에 담아둔다).
2. 물 2말을 팔팔 끓여 쌀가루에 붓고 주걱으로 개서 범벅을 쑨 다음, 차게 식기를 기다린다.
3. 범벅에 흰누룩가루 1되와 밀가루 1되를 합하고, 고루 치대어 술밑을 빚는다.
4. 술독에 술밑을 담아 안치고, 예의 방법대로 하여 차고 서늘한 곳에 45일가량 발효시킨다.

* 덧술 :

1. 도화가 만발할 때 꽃을 따다 물에 깨끗이 씻어 물기를 제거한 다음, 2되를 준비해 놓는다.
2. 물 5말 5~6되를 팔팔 끓여서 차게 식힌다.
3. 찹쌀과 멥쌀 각 3말을 백세하여 (물에 담가 불렸다가 다시 씻어 헹궈 건져서 물기를 뺀 뒤) 시루에 안쳐서 무른 고두밥을 짓는다.
4. 도화를 따서 물에 깨끗이 씻어 건져서 그늘에서 말린다.
5. 갓 퍼낸 고두밥에 끓여 식힌 물 5말 5~6되를 골고루 합하고, 고두밥이 물을 다 먹은 후 차게 식기를 기다린다.
6. 물을 먹어 차게 식은 고두밥에 밑술을 합하고, 고루 버무려 술밑을 빚는다.
7. 도화 2되를 술독에 먼저 깔고 그 위에 술밑을 안친 다음, 도화꽃 가지 2~3

개를 꽂아놓고 예의 방법대로 하여 발효시킨다.

도화쥬방문(桃花酒方文)

주방문(方文)은 이러ᄒᆞ나, 쳐음(初) 비질 졔 물(水) 닷 되(五升)을 감(減)ᄒᆞ고, 덧ᄒᆞᆯ 졔 너덧 되(四升)을 감(減)ᄒᆞ면 더 죠흐니라.

33. 도화주 <주찬(酒饌)>

술 재료 : 밑술 : 찹쌀과 멥쌀 2말 5되, 누룩가루 1되, 밀가루 1되, 끓는 물 2말 5되
덧술 : 멥쌀 3말, 찹쌀 3말, 끓여 식힌 물 6말, 도화 3냥

술 빚는 법 :

* 밑술 :

1. 정월 첫 해일(亥日)에 찹쌀과 멥쌀을 합한 2말 5되를 백세하여 (물에 담가 불렸다가 다시 씻어 헹궈 건져서 물기를 뺀 뒤) 작말한다(넓은 그릇에 담아둔다).
2. 물 2말 5되를 팔팔 끓여 쌀가루에 붓고, 주걱으로 범벅같이 개서 차게 식기를 기다린다.
3. 범벅에 누룩가루 1되와 밀가루 1되를 합하고, 고루 치대어 술밑을 빚는다.
4. 술독에 술밑을 담아 안치고, 예의 방법대로 하여 차고 서늘한 곳에 45일가량 발효시킨다.

* 덧술 :

1. 도화가 필 때 꽃을 따다 물에 깨끗이 씻어 물기를 제거한 다음, 꽃술과 꽃받침을 제거하여 3냥을 준비해 놓는다.
2. 물 6말을 팔팔 끓여서 차게 식힌다.
3. 찹쌀과 멥쌀 각 3말을 백세하여 (물에 담가 불렸다가 다시 씻어 헹궈 건져

서 물기를 뺀 뒤) 시루에 안쳐서 무른 고두밥을 짓는다.
4. 도화를 따서 물에 깨끗이 씻어 건져서 그늘에서 말린다.
5. 고두밥과 밑술을 합하고, 고루 버무려 술밑을 빚는다.
6. 술독에 도화를 먼저 깔고 그 위에 술밑을 안친 다음, 나머지 꽃잎으로 많이 덮어준다.
7. 동도지(東桃枝) 두세 개를 꺾어다 술독에 꽂고, 예의 방법대로 발효시킨다.

* 쌀 양이 많을 때는 누룩가루와 물 양을 각각 조절하며 쓴다.

桃花酒

正月初亥日白米一斗二升五合粘米一斗二升五合皆百洗作末水二斗五升調打最冷後曲末一升眞末一升調雜置于寒處桃花發時白米三斗粘米三斗合百洗爛熟烝飯湯水六斗調和待冷與本酒最調而以桃花三兩餘層層鋪釀又多覆上後堅封二七日後用之.

34. 도화주 <주찬(酒饌)>

술 재료 : 밑술 : 멥쌀 1말 2되 5홉, 찹쌀 1말 2되 5홉, 누룩가루 1되, 밀가루 1되, 물 2말 5되
덧술 : 멥쌀 3말, 찹쌀 3말, 끓는 물 5말, 도화 3냥

술 빚는 법 :

* 밑술 :

1. 정월 첫 해일(亥日)에 찹쌀과 멥쌀을 합한 2말 5되를 백세하여 (물에 담가 불렸다가 다시 씻어 헹궈 건져서 물기를 뺀 뒤) 작말한다(넓은 그릇에 담아 둔다).

2. 물 2말 5되를 팔팔 끓여 쌀가루에 붓고, 주걱으로 범벅같이 개서 차게 식기를 기다린다.
3. 범벅에 누룩가루 1되와 밀가루 1되를 합하고, 고루 치대어 술밑을 빚는다.
4. 술독에 술밑을 담아 안치고, 예의 방법대로 하여 차고 서늘한 곳에 45일가량 발효시킨다.

* 덧술 :
1. 도화가 필 때 꽃을 따다 물에 깨끗이 씻어 물기를 제거한 다음, 꽃술과 꽃받침을 제거하여 3냥을 준비해 놓는다.
2. 찹쌀과 멥쌀 각 3말을 백세하여 (물에 담가 불렸다가 다시 씻어 헹궈 건져서 물기를 뺀 뒤) 시루에 안쳐서 무른 고두밥을 짓는다.
3. 물 5말을 팔팔 끓이고, 고두밥이 익었으면 퍼내어 넓고 큰 그릇에 퍼 담아 끓는 물을 골고루 붓고, 주걱으로 고루 저어서 차게 식기를 기다린다.
4. 고두밥에 밑술을 합하고, 고루 치대어 술밑을 빚는다.
5. 먼저 술독에 꽃잎을 두툼하게 깔고, 나머지 꽃잎은 켜켜이 놓아 술밑을 안치고, 맨 위에 꽃잎을 한 켜 덮어준다.
6. 술독은 단단히 봉해 두고, 예의 방법대로 하여 발효시킨다.

桃花酒

元月精鑿粳米二斗五升百洗作末活水二斗五升湯沸和均俟冷曲末眞末各一升同調入瓮待桃花盛開又粳米粘米各三斗百洗徑宿合烝活水六斗湯沸俟冷取桃花三兩先入瓮底前醲竝和入以桃二三枝揷其中待熟上酒槽米多則曲末與水隨宜調用.

35. 도화주법 <증보산림경제(增補山林經濟)>

술 재료 : 밑술 : 멥쌀 2말 5되, 누룩가루 1되, 밀가루 1되, 활수 2말 5되
덧술 : 멥쌀 3말, 찹쌀 3말, 도화 2되, 활수 6말, 복숭아꽃 가지 2~3개

술 빚는 법 :

* 밑술 :

1. 정월에 도정을 많이 한 멥쌀 2말 5되를 백세하여 (하룻밤 불렸다가 다시 씻어 헹궈서 물기를 뺀 후) 작말한다.
2. 활수(活水, 흐르는 물) 2말 5되를 백비탕으로 끓여 쌀가루에 붓고, 주걱으로 고루 개어 범벅을 만든 뒤 (뚜껑을 덮어) 차게 식기를 기다린다.
3. 범벅에 누룩가루 1되와 밀가루 1되를 섞고, 고루 치대어 술밑을 빚는다.
4. 술독에 술밑을 담아 안치고, 예의 방법대로 하여 (서늘한 곳에서) 발효시키고 복숭아꽃이 피기를 기다린다.

* 덧술 :

1. 복숭아꽃이 만개하면, 멥쌀과 찹쌀 각 3말을 한데 섞고 백세하여 하룻밤 물에 담가 불린다.
2. 다음날 불린 쌀을 (다시 씻어 헹궈서 물기를 뺀 후) 시루에 안쳐서 고두밥을 짓는다.
3. 흐르는 물을 팔팔 끓여 식혔다가 고두밥이 익었으면 퍼내어 한데 합하고, (넓은 그릇 여러 개에 나눠놓고) 다시 차게 식기를 기다린다.
4. 고두밥이 식었으면 밑술과 끓여 합하고, 고루 버무려 술밑을 빚는다.
5. 복숭아꽃 2되를 따서 (흐르는 물에 살짝 씻어 먼지와 이물질을 제거하고, 바람 통하는 곳에 널어 물기를 완전히 제거한 후) 술독에 복숭아꽃을 맨 먼저 안친다.
6. 복숭아꽃 위에 술밑을 담아 안친 다음, 술독 맨 위에 복숭아꽃 두어 가지를

꺾어 꽂아둔 다음, 예의 방법대로 하여 찬 곳에 두고 발효시킨다.

* 술독은 항상 찬 곳에 두어 발효시키고, 술이 익기를 기다려 주조에 올려 짜 낸다.
* 주방문 말미에 "본래 방법은 비록 이렇지만, 첫 술 빚을 때 물 5되 줄이고, 합쳐 덧빚을 때에도 역시 물 3~4되 줄이면 술맛이 더욱 좋다."고 하였다.

桃花酒法

元月將精鑿粳米二斗五升百洗作末活水二斗五升湯沸和勻候冷調麴末真末各一升入甕待桃花盛開復以粘米粳米各三斗百洗經宿合蒸活水六斗湯沸候冷均調又待飯冷取桃花二升先納甕底並前釀和入桃花二三枝揷其中待熟上槽. 此酒常置冷處待熟. (一云) 本方雖如此 初釀熟水五升合釀亦減三四升味尤佳.

36. 도화주법(일운) <증보산림경제(增補山林經濟)>

술 재료 : 밑술 : 멥쌀 2말 5되, 누룩가루 1되, 밀가루 1되, 활수 2말
덧술 : 멥쌀 3말, 찹쌀 3말, 도화 2되, 활수 5말 6~7되, 도화 가지 2~3개

술 빚는 법 :

* 밑술 :

1. 정월에 도정을 많이 한 멥쌀 2말 5되를 백세하여 (하룻밤 불렸다가 다시 씻어 헹궈서 물기를 뺀 후) 작말한다.
2. 활수(活水, 흐르는 물) 2말을 백비탕으로 끓여 쌀가루에 붓고, 주걱으로 고루 개어 범벅을 만든 뒤 (뚜껑을 덮어) 차게 식기를 기다린다.
3. 범벅에 누룩가루 1되와 밀가루 1되를 섞고, 고루 치대어 술밑을 빚는다.

4. 술독에 술밑을 담아 안치고, 예의 방법대로 하여 (서늘한 곳에서) 발효시키고 복숭아꽃이 피기를 기다린다.

* 덧술 :
1. 복숭아꽃이 만개하면, 멥쌀과 찹쌀 각 3말을 한데 섞어 백세하여 하룻밤 물에 담가 불린다.
2. 다음날 불린 쌀을 (다시 씻어 헹궈서 물기를 뺀 후) 시루에 안쳐서 고두밥을 짓는다.
3. 흐르는 물 5말 6되~7되를 팔팔 끓여 식혔다가 고두밥이 익었으면 퍼내어 한데 합한 후 (넓은 그릇 여러 개에 나눠놓고) 다시 차게 식기를 기다린다.
4. 고두밥이 식었으면 밑술과 끓여 합하고, 고루 버무려 술밑을 빚는다.
5. 복숭아꽃 2되를 따서 (흐르는 물에 살짝 씻어 먼지와 이물질을 제거하고, 바람 통하는 곳에 널어 물기 제거 후) 술독에 복숭아꽃을 맨 먼저 안친다.
6. 복숭아꽃 위에 술밑을 담아 안친 다음, 술독 맨 위에 복숭아꽃 두어 가지를 꺾어 꽂아둔 다음, 예의 방법대로 하여 발효시킨다.

桃花酒法(一云)

元月將精鑿粳米二斗五升百洗作末活水二斗五升湯沸和勻候冷調麴末真末各一升入甕待桃花盛開復以粘米粳米各三斗百洗經宿合蒸活水六斗湯沸候冷均調又待飯冷取桃花二升先納甕底並前釀和入桃花二三枝揷其中待熟上槽. 此酒常置冷處待熟. (一云) 本方雖如此 初釀熟水五升合釀亦減水三四升味尤佳.

37. 도화주 <치생요람(治生要覽)>

술 재료 : 밑술 : 멥쌀 2말 5되, 누룩가루 1되, 밀가루 1되, 활수 2말 5되
덧술 : 멥쌀 3말, 찹쌀 3말, 복숭아꽃 2되, 활수 6말, 복숭아꽃 가지 2~3개

술 빚는 법 :

* 밑술 :

1. 정월에 깨끗하게 찧은 멥쌀 2말 5되를 백세하여 (물에 담가 불렸다가 다시 씻어 헹궈서 물기를 뺀 후) 작말한다(가루로 빻는다).
2. 활수(活水) 2말 5되를 팔팔 끓여 쌀가루에 붓고, 주걱으로 고루 개어 (범벅을 만든 뒤 뚜껑을 덮어) 차게 식기를 기다린다.
3. 범벅에 누룩가루 1되와 밀가루 1되를 섞고, 고루 버무려 술밑을 빚는다.
4. 술독에 술밑을 담아 안치고, 예의 방법대로 하여 (서늘한 곳에서) 발효시킨다.

* 덧술 :

1. 복숭아꽃이 만개하는 때가 되면, 멥쌀과 찹쌀 각 3말을 백세하여 하룻밤 물에 담가 불린다.
2. 흐르는 물 6말을 팔팔 끓여 식기를 기다린다.
3. 다음날 불린 쌀을 (다시 씻어 헹궈서 물기를 뺀 후) 각각 시루에 안쳐서 고두밥을 짓는다.
4. 고두밥이 익었으면 퍼내어 넓은 그릇 여러 개에 나눠 담고, 끓여둔 물을 고루 섞어 주걱으로 헤쳐 놓고, 고두밥이 물을 다 먹고 차게 식기를 기다린다.
5. 고두밥이 식었으면 밑술과 한데 합하고, 고루 버무려 술밑을 빚는다.
6. 복숭아꽃 3냥을 따서 (흐르는 물에 살짝 씻어 먼지와 이물질을 제거한 후, 바람이 잘 통하는 곳에 널어 물기를 제거한다).
7. 준비한 술독에 복숭아꽃을 맨 먼저 안치고, 그 위에 술밑을 담아 안친다.
8. 술독 맨 뒤에 복숭아꽃 2~3가지를 꺾어 꽂아둔 다음, 예의 방법대로 하여 발효시킨다.

桃花酒

元月精鑿粳米二斗五升百洗作末活水二斗五升湯沸和勻候冷調曲末眞末各一升入甕待桃花盛開又粳米粘米各三斗百洗經宿合蒸活水六斗湯沸候冷桃花三兩入缸並前釀和入桃花二三枝挿其中常置冷處待熟.

38. 도화주 <학음잡록(鶴陰雜錄)>

술 재료 : 밑술 : 멥쌀 2말 5되, 누룩가루 1되, 밀가루 1되, 활수 2말 5되
덧술 : 멥쌀 3말, 찹쌀 3말, 도화 2되, 활수 6말, 복숭아꽃 가지 2~3개

술 빚는 법 :

* 밑술 :

1. 정월 초하룻날에 많이 도정한 멥쌀 2말 5되를 물에 깨끗이 씻은 뒤 (하룻밤 불렸다가 다시 씻어 헹궈서 물기를 뺀 후) 작말한다(가루로 빻는다).
2. 활수(活水, 흐르는 물) 2말 5되를 끓이다가 쌀가루를 합하고, 주걱으로 고루 개어가면서 범벅을 쑨 뒤 (뚜껑을 덮어) 차게 식기를 기다린다.
3. 죽에 누룩가루 1되와 밀가루 1되를 섞고, 고루 치대어 술밑을 빚는다.
4. 술독에 술밑을 담아 안치고, 예의 방법대로 하여 (서늘한 곳에서) 발효시킨다.

* 덧술 :

1. 복숭아꽃이 만개하는 때가 되면, 멥쌀과 찹쌀 각 3말을 백세하여 하룻밤 물에 담가 불린다.
2. 다음날 불린 쌀을 (다시 씻어 헹궈서 물기를 뺀 후) 한데 섞고, 시루에 안쳐서 고두밥을 짓는다.
3. 활수 6말을 팔팔 끓여서 넓은 그릇 여러 개에 나눠 담고, 차게 식기를 기다린다.
4. 고두밥이 익었으면 시루에서 퍼내어 끓여 식힌 물에 합하고, 고루 헤쳐서 차게 식기를 기다린다.
5. 고두밥이 식었으면 밑술을 합하고, 고루 버무려 술밑을 빚는다.
6. 복숭아꽃 2되를 따서 (흐르는 물에 살짝 씻어 먼지와 이물질을 제거한 후, 바람이 잘 통하는 곳에 널어 물기를 제거하여) 술독에 복숭아꽃을 맨 먼저 안친다.

7. 복숭아꽃 위에 술밑을 담아 안친 후, 맨 위에 복숭아꽃 두어 가지를 꺾어 한가운데에 꽂아둔 다음, 예의 방법대로 하여 찬 곳에 두고 발효시켜 익기를 기다린다.

桃花酒

元月將精鑿粳米二斗五升百洗作末活水二斗五升湯沸和勻候冷調麴末眞末各一升入甕待桃花盛開復以粘米粳米各三斗百洗經宿合蒸活水六斗湯沸候冷均調又待飯冷取桃花二升先納甕底並前釀和入桃花二三枝揷其中待熟上槽. 此酒常置冷處待熟. (一云)本方雖如此 初釀熟水五升合釀亦減三四升味尤佳.

39. 도화주(일운) <학음잡록(鶴陰雜錄)>

술 재료 : 밑술 : 멥쌀 2말 5되, 누룩가루 1되, 밀가루 1되, 활수 2말
덧술 : 멥쌀 3말, 찹쌀 3말, 도화 2되, 활수 5말 6되, 도화 가지 2~3개

술 빚는 법 :

* 밑술 :

1. 정월 초하룻날에 많이 도정한 멥쌀 2말 5되를 물에 깨끗이 씻은 뒤, (하룻밤 불렸다가 다시 씻어 헹궈서 물기를 뺀 후) 작말한다(가루로 빻는다).
2. 활수(活水, 흐르는 물) 2말을 끓이다가 쌀가루를 합하고, 주걱으로 고루 개어 범벅을 쑨 뒤 (뚜껑을 덮어) 차게 식기를 기다린다.
3. 죽에 누룩가루 1되와 밀가루 1되를 섞고, 고루 치대어 술밑을 빚는다.
4. 술독에 술밑을 담아 안치고, 예의 방법대로 하여 (서늘한 곳에서) 발효시킨다.

* 덧술 :

1. 복숭아꽃이 만개하는 때가 되면, 멥쌀과 찹쌀 각 3말을 백세하여 하룻밤 물

에 담가 불린다.

2. 다음날 불린 쌀을 (다시 씻어 헹궈서 물기를 뺀 후) 한데 섞고, 시루에 안쳐서 고두밥을 짓는다.
3. 활수 5말 6되를 팔팔 끓여서 넓은 그릇 여러 개에 나눠 담고, 차게 식기를 기다린다.
4. 고두밥이 익었으면 시루에서 퍼내어 끓여 식힌 물에 합하고, 고루 헤쳐서 차게 식기를 기다린다.
5. 고두밥이 식었으면 밑술을 합하고, 고루 버무려 술밑을 빚는다.
6. 복숭아꽃 2되를 따서 (흐르는 물에 살짝 씻어 먼지와 이물질을 제거한 후, 바람이 잘 통하는 곳에 널어 물기를 제거하여) 술독에 복숭아꽃을 맨 먼저 안친다.
7. 복숭아꽃 위에 술밑을 담아 안친 후, 맨 위에 복숭아꽃 두어 가지를 꺾어 한가운데에 꽂아둔 다음, 예의 방법대로 하여 찬 곳에 두고 발효시켜 익기를 기다린다.

* 주방문 말미에 "주방문이 비록 이와 같으나, 처음 빚는 술밑에 물 5되를 감하고 첨가할 때 또 3~4되를 감하면 맛이 더욱 좋다."고 하고, "항상 냉처에 안쳐두고 익기를 기다린다."고 하였다. <산림경제>와 동일하나 덧술은 끓여 식힌 물로 빚는다.

桃花酒(一云)

元月將精鑿粳米二斗五升百洗作末活水二斗五升湯沸和匀候冷調麴末真末各一升入甕待桃花盛開復以粘米粳米各三斗百洗經宿合蒸活水六斗湯沸候冷均調又待飯冷取桃花二升先納甕底並前釀和入桃花二三枝揷其中待熟上槽. 此酒常置冷處待熟. (一云) 本方雖如此 初釀熟水五升合釀亦減水三四升味尤佳.

40. 도화주법 <해동농서(海東農書)>

술 재료 : 밑술 : 멥쌀 2말 5되, 누룩가루 1되, 밀가루 1되, 활수 2말 5되
덧술 : 멥쌀 3말, 찹쌀 3말, 복숭아꽃 2되, 활수 6말, 복숭아꽃 가지 2~3개

술 빚는 법 :

* 밑술 :

1. 정월에 많이 찧어 도정한 멥쌀 2말 5되를 백세하여 (물에 담가 불렸다가 다시 씻어 헹궈서 물기를 뺀 후) 작말한다(가루로 빻는다).
2. 활수(活水) 2말 5되를 팔팔 끓여 쌀가루에 붓고, 주걱으로 고루 개어 (범벅을 만든 뒤 뚜껑을 덮어) 차게 식기를 기다린다.
3. 범벅에 누룩가루 1되와 밀가루 1되를 섞고, 고루 버무려 술밑을 빚는다.
4. 술독에 술밑을 담아 안치고, 예의 방법대로 하여 (서늘한 곳에서) 발효시킨다.

* 덧술 :

1. 복숭아꽃이 만개하는 때가 되면, 멥쌀과 찹쌀 각 3말을 백세하여 하룻밤 물에 담가 불린다.
2. 흐르는 물 6말을 팔팔 끓여 식기를 기다린다.
3. 다음날 불린 쌀을 (다시 씻어 헹궈서 물기를 뺀 후) 각각 시루에 안쳐서 고두밥을 짓는다.
4. 고두밥이 익었으면 퍼내어 넓은 그릇 여러 개에 나눠 담고, 끓여둔 물을 고루 섞어 주걱으로 헤쳐 놓고, 고두밥이 물을 다 먹고 차게 식기를 기다린다.
5. 고두밥이 식었으면 밑술과 한데 합하고, 고루 버무려 술밑을 빚는다.
6. 복숭아꽃 3냥을 따서 준비한다(흐르는 물에 살짝 씻어 먼지와 이물질을 제거한 후, 바람이 잘 통하는 곳에 널어 물기를 제거한다).
7. 준비한 술독에 복숭아꽃을 맨 먼저 안치고, 그 위에 술밑을 담아 안친다.

8. 술독 맨 위에 복숭아꽃 2~3가지를 꺾어 꽂아둔 다음, 예의 방법대로 하여 발효시킨다.

* <고사촬요>를 인용하였다.

桃花酒法
元月將精鑿粳米二斗五升百洗作末活水二斗五升湯沸和勻候冷調麴末眞末各一升入甕待桃花盛開復以粘米粳米各三斗百洗經宿合蒸活水六斗湯沸候冷均調又待飯冷取桃花二升先納甕底並前釀和入桃花二三月枝揷其中待熟上槽. 本方雖如此釀減水五升合釀時亦減三四升味尤佳常置冷處待熟. <上同>.

41. 도화주법 <해동농서(海東農書)>

술 재료 : 밑술 : 멥쌀 2말 5되, 누룩가루 1되, 밀가루 1되, 활수 2말
덧술 : 멥쌀 3말, 찹쌀 3말, 복숭아꽃 2되, 활수 5말 6되, 복숭아꽃 가지 2~3개

술 빚는 법 :
* 밑술 :
1. 정월에 많이 찧어 도정한 멥쌀 2말 5되를 백세하여 (물에 담가 불렸다가 다시 씻어 헹궈서 물기를 뺀 후) 작말한다(가루로 빻는다).
2. 활수(活水) 2말을 팔팔 끓여 쌀가루에 붓고, 주걱으로 고루 개어 (범벅을 만든 뒤 뚜껑을 덮어) 차게 식기를 기다린다.
3. 범벅에 누룩가루 1되와 밀가루 1되를 섞고, 고루 버무려 술밑을 빚는다.
4. 술독에 술밑을 담아 안치고, 예의 방법대로 하여 (서늘한 곳에서) 발효시킨다.

* 덧술 :

1. 복숭아꽃이 만개하는 때가 되면, 멥쌀과 찹쌀 각 3말을 백세하여 하룻밤 물에 담가 불린다.
2. 흐르는 물 5말 6되를 팔팔 끓여 식기를 기다린다.
3. 다음날 불린 쌀을 (다시 씻어 헹궈서 물기를 뺀 후) 각각 시루에 안쳐서 고두밥을 짓는다.
4. 고두밥이 익었으면 퍼내어 넓은 그릇 여러 개에 나눠 담고, 끓여둔 물을 고루 섞어 주걱으로 헤쳐 놓은 후 고두밥이 물을 다 먹고 차게 식기를 기다린다.
5. 고두밥이 식었으면 밑술과 한데 합하고, 고루 버무려 술밑을 빚는다.
6. 복숭아꽃 3냥을 따서 준비한다(흐르는 물에 살짝 씻어 먼지와 이물질을 제거한 후, 바람이 잘 통하는 곳에 널어 물기를 제거한다).
7. 준비한 술독에 복숭아꽃을 맨 먼저 안치고, 그 위에 술밑을 담아 안친다.
8. 술독 맨 위에 복숭아꽃 2~3가지를 꺾어 꽂아둔 다음, 예의 방법대로 하여 발효시킨다.

* 주방문 말미에 "주방문이 비록 이와 같으나, 처음 빚는 술밑에 물 5되를 감하고 첨가할 때 또 3~4되를 감하면 맛이 더욱 좋다. 항상 싸늘한 곳에 두어 익기를 기다린다. 술을 빚는 쌀이 많으면, 누룩가루에 물을 부어 수시로 섞어서 쓴다."고 하였다.

桃花酒法

元月將精鑿粳米二斗五升百洗作末活水二斗五升湯沸和勻候冷調麴末眞末各一升入甕待桃花盛開復以粘米粳米各三斗百洗經宿合蒸活水六斗湯沸候冷均調又待飯冷取桃花二升先納甕底並前釀和入桃花二三月枝揷其中待熟上槽. 本方雖如此釀減水五升合釀時亦減三四升味尤佳常置冷處待熟. <上同>.

42. 도화주방문 <홍씨주방문>

술 재료 : 밑술 : 멥쌀 2말, 누룩가루 1되, 밀가루 1되, 끓는 물 2말
덧술 : 멥쌀 3말, 찹쌀 3말, 복숭아꽃 1되, 끓는 물 5말 6되

술 빚는 법 :

* 밑술 :

1. 멥쌀 2말을 백세하여 (백 번 씻어 매우 깨끗하게 하여 말갛게 헹궈 불렸다가, 다시 씻어 건져서 물기를 뺀 다음) 작말한다(가루로 빻는다).
2. 쌀가루를 넓은 그릇에 담아놓고, 물 2말을 솥에 붓고 솟구치게 팔팔 끓여서 쌀가루에 골고루 부어 주걱으로 고루 개어 범벅을 쑨다.
3. (범벅이 투명하게 익었으면, 그릇 여러 개에 나눠 담고 차게 식기를 기다린다.)
4. 범벅에 좋은 (누룩을 깁체에 쳐서 고운) 누룩가루 1되와 밀가루 1되를 섞고, 고루 버무려 술밑을 빚는다.
5. 소독한 술독에 술밑을 담아 안치고, 예의 방법대로 하여 (찬 곳에 앉혀두고) 발효시킨 후 복숭아꽃이 피기를 기다려 덧술을 해 넣는다.

* 덧술 :

1. 멥쌀 3말과 찹쌀 3말을 백세하여 (백 번 씻어 옥같이 깨끗하게 하여 말갛게 헹궈 건졌다가) 새 물에 하룻밤 담가 불린다.
2. 끓인 물 5말 6되를 넓은 그릇에 나눠 담고, 차게 식기를 기다린다.
3. 불린 쌀을 (다시 씻어 건져서 물기를 뺀 다음) 시루에 쌀을 안쳐 고두밥을 무르게 찌고, 익었으면 고루 펼쳐서 차게 식기를 기다린다.
4. 고두밥과 밑술, 식힌 물 5말 6되를 합하고, 고루 버무려 술밑을 빚는다.
5. 복숭아꽃이 활짝 피었으면, 꽃송이를 채취하여 술독에 먼저 안친다.
6. 복숭아꽃 위에 술밑을 안치고, 예의 방법대로 하여 (차지도 덥지도 않은 곳

에 앉혀두고) 21일간 발효시켜 술이 익기를 기다린다.

도화주방문

백미 두 말 백세작말하여 끓인 물 이두에 개며 국말, 진말 각 일승씩 버무려 넣었다가, 도화 피거든 화엽만 일승 되게 독 밑에 깔고, 점미 백미 각 서 말씩 지에 쪄 식거든 국말 일승 넣어 술밑하고 고루고루 버무려 넣으되, 끓인 물 서늘하게 식혀 닷 말 엿 되 버무려 넣나니라.

43. 도화주 <홍씨주방문>

–4말 빚이

술 재료 : 밑술 : 멥쌀 2말 5되, 누룩가루 1되 5홉, 밀가루 1되 5홉, 물 2말 5되
덧술 : 멥쌀 1말 5되, 복숭아 꽃가지 3~4개, 끓는 물 6말

술 빚는 법 :

* 밑술 :

1. 정월에 멥쌀 2말 5되를 백세하여(백 번 씻어 매우 깨끗하게 하여 말갛게 헹궈 불렸다가, 다시 씻어 건져서 물기를 뺀 후) 작말한다(가루로 빻는다).
2. 쌀가루를 넓은 그릇에 담아놓고, 물 2말 5되를 솥에 붓고 끓여 쌀가루에 고루 부어 주걱으로 개어 범벅을 만든다.
3. 범벅을 그릇 여럿에 펴 담고 차게 식기를 기다렸다가, 법제한 누룩가루 1되 5홉, 밀가루 1되 5홉을 한데 섞어 고루 버무려 술밑을 빚는다.
4. 술독에 술밑을 담아 안치고, 예의 방법대로 하여 발효시켜 진달래꽃이 피기를 기다린다.

* 덧술 :

1. 멥쌀 1말 5되를 백세하여 (백 번 씻어 깨끗하게 하여 말갛게 헹궈 건졌다가) 새 물에 하룻밤 담가 불린다.
2. 불린 쌀을 (다시 씻어 건져서 물기를 뺀 다음) 각각 시루에 쌀을 안쳐서 고두밥을 찐다.
3. 물 6말을 팔팔 끓이다가 고두밥이 익었으면 조금만 남기고, 고두밥에 한데 합한 후 그릇 여러 개에 나눠 담아 차게 식기를 기다린다.
4. 고두밥과 밑술을 한데 합하고, 고루 버무려 술밑을 빚는다.
5. 술밑을 술독에 담아 안치고, 남긴 물로 술그릇을 부셔서 술밑에 붓는다.
6. 술밑 위에 복숭아꽃 가지 3~4개를 꺾어다 꽂아놓고, 예의 방법대로 하여 발효시킨 후 술이 익기를 기다린다.
7. 주면에 고두밥이 떠오르면 건져두었다가 술 마실 때 띄워서 마신다.

도화주

정월에 백미 두 말 닷 되 백세작말하여 끓인 물 두 말 닷 되에 개여 차거든 가루누룩 되가웃, 진가루 되가웃 넣어 빚다가 도화 피거든 백미 말가웃 백세하여 익게 찌고 끓인 물 엿 말을 밥에 골나 식혀 밑술 섞어 넣어되 도화 서너 가지 꽂아두었다가 익게 가라앉거든 쓰되, 날물 조심하고 즈에는 드리워 쓰라.

두견주·진달래꽃술

스토리텔링 및 술 빚는 법

봄이면 온 산과 들에 진달래 연분홍 꽃물이 든다. 진달래를 '두견화'라고도 하는데, '홍두견', '백두견', '영산홍' 등 여러 이름으로 불린다. 이른 봄의 정취를 한껏 돋워주는 꽃이면서 식용이 가능해 화전을 부치기도 하고 나물로도 무쳐먹는데, 진달래를 넣어 빚은 술이 그 중 으뜸이다.

'진달래술', 곧 '두견주(杜鵑酒)'는 꽃의 향기뿐만 아니라, 혈액순환 개선과 혈압강하, 피로회복, 천식, 여성의 허리냉증 등에 약효가 인정되어 신분 구별 없이 가장 널리 빚어 마셨던 국민주였다.

'두견주'는 충남 당진이 명산지로 알려져 있으나, 지방 또는 가전비법에 따라 술 빚는 법에서 약간씩 차이가 있다. 옛 문헌인 <간본규합총서(刊本閨閤叢書)>를 비롯해 <고려대규합총서(高麗大閨閤叢書, 異本)>, <규중세화>, <규합총서(閨閤叢書)>, <김승지댁주방문(金承旨宅廚方文)>, <보감록>, <봉접요람>, <부인필지(夫人必知)>, <술 만드는 법>, <술방문>, <술 빚는 법>, <시의전서(是議全書)>, <양주방>*, <양주방(釀酒方)>, <우음제방(禹飮諸方)>, <음식방문니라>, <이씨

(李氏)음식법>, <조선무쌍신식요리제법(朝鮮無雙新式料理製法)>, <주식시의(酒食是儀)>, <주정(酒政)>, <주찬(酒饌)>, <한국민속대관(韓國民俗大觀)>, <홍씨주방문> 등 22종의 문헌에 25차례나 등장하고 있다. 몇몇 주방문들은 각각의 문헌마다 쌀 양과 누룩 양, 밀가루 양 또는 물 양에서 약간씩 차이를 나타내고 있다. 또한 밑술과 덧술의 발효기간에서도 약간씩 차이가 있음을 확인할 수 있다.

먼저 시대적으로 가장 앞선 기록인 1700년대 말엽의 <술 만드는 법>과 <홍씨주방문>, <술방문>의 '두견주' 주방문을 기초로 양주 경향과 기법의 변화를 살펴봄으로써 '두견주'에 대한 올바른 이해와 앞으로의 방법을 모색해 보고자 한다.

<술 만드는 법>의 주방문을 보면, "한 번에 쌀이 팔두가 드나니, 찹쌀이 너 말(3말)이오, 백미가 너 말(5말 5되)이라. 백미 두 말가웃을 정월에 백세작말하야 두 말가웃을 쌀 된 되그릇으로 되어, 작말한 가루를 큰 그릇에 담고 끓는 물을 퍼부어 주걱으로 저어 식거든, 곡말 닷 되, 진말 너 되를 물 된 그릇으로 되어 붓고, 주걱으로 고루 저어 항아리에 넣어 한데 두었다가, 두견화 피거든 찹쌀 서 말, 백미 서 말 정이 쓸고 정히 쓸혀 불은 후, 시루에 백미는 밑에 안치고, 찹쌀은 위에 안쳐 찌며, 찰밥은 퍼내고 밑의 흰밥은 물을 언쳐 다시 김 올려 퍼 놓고, 쌀 된 그릇으로 물 엿 말을 끓여 매양 밥에 두어 말쯤 부어 그 물이 밥에 밸 만하거든, 두 가지 밥을 다 식혀서 물에 안구고, 남은 물도 한 가지로 식히고, 두견화를 큰 함박으로 수염 하나 없이 정하게 다듬고, 끓인 물 식은 것을 술밑에 서너 바가지 부어 통쳐 술밥을 버무리고 꽃을 켜켜 놓아가며 항아리에 넣으되, 메밥을 먼저 버무리고 찰밥은 그 다음에 버무려 넣고 꽃도 찰밥 버무려 넣은 후, 그 위에 넣고 메밥 버무린 것을 한 바가지 남겼다가, 위를 덮어 단단히 봉하여 별 안 드는 데 두었다가, 일삭 만에 위를 걷어버리고 쓰라. 밑이 괴인 후에는 넘기가 쉬우니 부디 큰 항아리에 하는 것이 좋으니라."고 하였다.

<술 만드는 법>의 주방문에서 "한 번에 쌀이 팔두가 드나니"라고 전제하였는데, 실제로는 '8말 5되'가 든다. 밑술은 멥쌀 2말 5되를 백세작말하여 끓는 물 2말 5되로 범벅을 쑨 후, 식으면 누룩가루 5되와 밀가루 4되가 사용된다.

또 덧술은 찹쌀과 멥쌀 각 3말씩 6말을 백세하여 침지하여 고두밥을 짓는데, 두 가지 쌀을 함께 찌되 멥쌀은 물을 뿌려 한 번 더 쪄내고, 끓는 물과 섞어 고두

밥이 불으면 차게 식혀 사용하고, 남은 물도 차게 식혀서 밑술에 섞은 후 둘로 나누어 각각의 고두밥과 섞어 버무리되, 정히 다듬은 진달래꽃을 먼저 안치고 멥쌀 고두밥으로 빚은 술밑을 먼저 안치고 꽃을 한 켜 안치고, 그 위에 찹쌀고두밥으로 빚은 술밑을 안치며, 꽃을 한 켜 뿌리고 맨 위에는 멥쌀고두밥으로 빚은 술밑을 한 바가지 덮어서 다지고 밀봉하여 한 달간 발효시켜 익히는 것으로 되어 있다.

<술 만드는 법>과 동일한 주방문으로 <규합총서>를 비롯해 <고려대규합총서(이본)>, <김승지댁주방문>, <부인필지>, <양주방>, <우음제방>, <조선무쌍신식요리제법>, <주식시의>, <주찬>, <한국민속대관>에서도 목격할 수 있다. 배합비율과 양주과정에서 약간씩 차이가 있을 뿐이다.

한편 <주찬>의 '두견주'는 덧술을 안치고 나서 동쪽으로 뻗은 복숭아나무 가지를 가리키는 "동도지(東桃枝) 두세 개를 꺾어다 술독 한가운데에 꽂아둔다."고 하였는데, 이러한 방법은 '도화주' 제조에서나 볼 수 있는 방법이다. 본래 동도지는 극양(極陽)의 나뭇가지를 이용함으로써 '부정(不淨)한 것을 예방하기 위한' 옛 사람들의 방편으로 사용되었다.

<음식방문니라>의 '두견주'는 다른 문헌의 주방문과 달리 술 빚는 과정에 차이가 있다. 즉, 시루밑물을 사용한다는 점이 다르다. 또한 술밑을 켜켜로 안칠 때마다 진달래꽃을 1말씩 매우 많이 사용하는데, 주방문에는 "너무 만ᄒᆞ면 술빗치 불고 좃치 아니ᄒᆞ니 맛초 너코"라고 하였다.

'두견주' 주방문과 '도화주' 주방문을 비교해 보면 유사점이 발견되나, 어느 주방문이 먼저였는지 확인해 볼 필요가 있다.

<홍씨주방문>의 '두견주 주방문'은 "여덟 말 빚으려면, 백미 두 말 백세작말하여 물 두 말 끓여 그릇에 담고 같이 퍼부어 풀 것는 것처럼 개여 서늘하게 차거든, 국말 되 서 홉, 진말 한 되 버무려 항에 넣어 찬 방에 두었다가, 두견화 핀 후 점미, 백미 각 서 말씩 백세하여 익게 데쳐 물 닷 말가웃 끓여 차게 식히고 밥도 차게 식힌 후 또 국말 되 서 홉 술밑과 한테 버무려 넣으되, 두견화 여의없이 떠러 버리고, 독 밑에 한 치 남짓 사 깔고 버무린 것 넣었다가, 세니레 된 후 떠 쓰면 지주 되나니라."고 하였다.

<홍씨주방문>의 '두견주 주방문'은 밑술의 멥쌀 양이 2말로 <술 만드는 법>

의 '두견주'보다 줄어들었고, 누룩과 밀가루, 물의 양이 모두 줄었다. 덧술은 찹쌀 3말과 멥쌀 3말로 동일하지만, 5말 5되를 끓여 각각 차게 식혀서 사용하며, 덧술에도 누룩이 밑술과 동량이 사용된다.

<홍씨주방문>과 동일한 주방문은 <간본규합총서>, <술 빚는 법>에서도 찾아볼 수 있다. 이러한 주방문은 다른 문헌에서 '지주(旨酒) 빚는 법'이라고 하여 '밑술의 물과 덧술의 물을 각각 5되씩 줄이라.' 하였다.

<술방문>의 '두견주' 주방문은 "한 제(劑) 하려면 정월 첫 휘일에 백미 2말 5되를 백세하여 담가 하룻밤 지내어 작말하여 탕수 2말 5되에 고루 섞어 된범벅같이 두었다가, 온기 없이 누룩가루 1되 3홉, 진말 1되를 고루 섞어 넣어 한데 밖에 두었다가, 두견화 피거든 점미 3말을 백세하여 담가서 하룻밤 지낸 후, 물으게 쪄서 탕수 5말 5되와 고루 섞고 술밥이 온기 없이 잘 식거든, 진말 3홉과 누룩가루 3홉, 두견화(말)를 한데 넣어 버물려서 밖에 두었다가, 21일 만에 먹는다. 전국 뜨고 물 끓여 내어 식은 후 부어서 먹는다."고 하였다.

<술방문>의 '두견주'는 <술 만드는 법>보다 밑술의 누룩 양이 많이 줄었으며, 덧술은 찹쌀 3말을 사용할 뿐 멥쌀이 빠져 있는데도 끓여 식힌 물의 양이 5말 5되나 된다. 매우 변칙적인 '별법' 주방문이라 하겠다. <봉접요람>, <시의전서>, <이씨음식법>, <홍씨주방문>의 '추후별방문 3말 5되 빚이'와 '추후별방문 7말 5되 빚이'에서 유사한 과정을 목격할 수 있다.

<보감록>의 '두견주'는 <규합총서>의 주방문과 매우 유사하면서도 차이가 있다. 또한 <주식방문>의 '아달두견주' 주방문은 매우 독특한 주방문으로, 양주과정은 단양주법(單釀酒法)이면서 채주한 후 술밑에 덧술을 해 넣는 과정으로, 이는 어느 문헌에서도 찾아볼 수 없는 유일한 기록이다.

이렇듯 다양한 방법에도 불구하고 '두견주' 주방문에서 찾을 수 있는 공통점은 다음과 같다.

첫째, 반생반숙(半生半熟)의 '범벅'을 사용해 밑술을 빚는다는 점이다. 물론 쌀가루로 죽을 쑤어 밑술을 빚는 <홍씨주방문>의 '두견주 추후별방문(3말 5되 빚이)'처럼 예외도 있다.

둘째, '두견주'는 덧술의 주원료로 멥쌀과 찹쌀을 동량으로 하여 고두밥을 짓되,

멥쌀고두밥은 쪄낸 후 끓여서 식힌 물과 섞어 만든 진고두밥을 사용하고, 찹쌀고두밥은 차게 식혀서 사용한다. 이러한 경향은 일반 전승가양주로 전해져 오는 '두견주'가 찹쌀고두밥을 선호하는 것과는 다르다.

'두견주'는 끈적거릴 정도로 단맛이 강하고, 진달래꽃 빛깔이 그대로 술에 녹아들어 진한 담황색을 자랑하며, 독특한 향취를 간직하고 있어 전통 가향주의 특징을 가장 잘 반영하고 있다.

'두견주'를 빚을 때 주의할 일은 크게 두 가지이다.

먼저, 진달래꽃잎을 지나치게 많이 넣지 않도록 해야 한다. 꽃을 많이 넣게 되면, 술 빛깔이 붉게 되고 쓴맛이 돌아 술맛이 좋지 않다. 또한 꽃잎을 채취할 때는 가능한 한 만개한 꽃을 선택하도록 하고, 꽃술을 완전히 제거한 다음, 흐르는 물에 살짝 헹궈낸 후에 건조시켜서 사용해야 한다. 지나치게 수분이 많은 생화(生花)는 약간의 산미가 있어 발효에 지장을 줄 뿐만 아니라 술맛을 떨어뜨린다.

따라서 그 양을 가능한 한 적게 사용하거나, 그늘지고 바람이 잘 통하는 응달에서 2~3일 간격으로 두 차례 건조시켜 사용하는 게 꽃의 색깔과 향기를 그대로 유지시킬 수 있고, 술의 산패도 예방할 수 있어 좋다.

뿐만 아니라 술 빚기에 있어 약효를 얻고자 할 때는 고두밥과 꽃잎을 직접 버무려 안치는 것이 좋다. 향기와 술 빛깔이 좋은 술을 빚으려면 시루떡을 안치듯 켜켜로 안쳐 발효시키는 방법을 활용하면 좋다.

둘째, 덧술의 고두밥은 멥쌀고두밥과 찹쌀고두밥을 균일하게 익혀야 한다. 멥쌀고두밥이 찹쌀고두밥보다 호화도가 낮기 때문에 끓는 물을 섞어서 진고두밥 상태로 만드는 방법을 취하는 이유가 바로 그 때문이다. 주로 이 과정에서 실패하기 쉬운데, 각각의 고두밥을 차게 식히려다 보니 찹쌀고두밥은 마르고 멥쌀고두밥은 덜 식은 상태에서 술을 빚기 때문이라 하겠다.

따라서 '두견주'의 맛을 달고 부드럽게 빚고자 하면 전량 찹쌀을 사용하고, 톡쏘게 빚고자 하면 전량 멥쌀을 사용하되, 진고두밥을 만들어 하룻밤 재워 차디차게 식혀서 사용하는 등 보다 간편한 방법을 이용해 볼 것을 권한다.

한편 경북대학교 정용진 교수(식품가공학과)의 <면천두견주(沔川杜鵑酒) 용역보고서>에 의하면 "진달래꽃을 가공·건조시켜 찹쌀, 누룩과 함께 발효과정을 거친 '면천두견주(沔川杜鵑酒)'를 분석한 결과, 진해작용과 신경통, 부인냉증, 류머티즘 등 성인병에 대한 효과를 나타낸다."고 발표한 바 있다.

'면천두견주'의 이러한 항산화 효과는 진달래꽃의 '아지라인' 성분의 작용으로 보고되고 있다. 이같은 '아지라인' 성분의 항산화 효과 외에도 '면천두견주'에는 에탄올을 중심으로 유기산, 각종 비타민, 미네랄 등 여러 가지 영양소가 다량 함유되어 있어 혈액순환 촉진과 피로회복에 특별한 효과가 있다고 한다.

실제로 술의 에탄올(Ethanol)은 소화과정을 거치지 않고 체내에 바로 흡수되어 열량의 급원(給源)이 되고, 적당히 마시면 식욕이 촉진되며 소화액의 분비 및 혈액순환을 촉진시킨다. 또한 피로회복에도 효과가 있다.

영양성분으로서 에탄올과 미량의 ex분, 유기산, voletle acid, 당, 비타민, 미네랄 등은 함량에 따라 술의 향기, 빛깔, 맛 또한 미생물의 번식 정도 등이 다를 수 있지만, '면천두견주'의 경우 비교적 양호한 것으로 분석되었다.

한국과학기술연구소의 약용식물 기초조사표에 수록되어 있는 진달래꽃 추출물은 진해제의 효과가 있는데, 그 성분은 다름 아닌 '아잘린(Azalein)'과 '아잘리틴(Azaleatin)'이다.

또한 '두견주'는 일반 약주에 있는 성분도 함유하므로, 혈액순환 촉진을 비롯하여 피로회복 등의 역할 외에도 성인병의 원인인 혈액 속의 콜레스테롤 수치를 낮추고 저혈당 수치를 높여주는 효과가 있다.

이 외에도 진달래꽃의 향미성분, 색소(色素), 지미(旨味)와 위의 진해성분(azzlein과 azaleatin), 누룩에 영향을 많이 받은 알코올 성분 이외의 특수성분, 여러 종류의 비타민, 무기질 등이 알코올에 용해되어 있다.

또 하나 특기할 것은 "쌀을 원료로 한 약주와 시판 약주에는 피루브산(Pyruvic acid)이 미량 존재하는데 비해, 찹쌀을 원료로 한 전통 약주에서는 많은 양(99.3mg/100㎖)의 피루브산을 검출할 수 있었다."고 한다. 따라서 밑술과 덧술 모두 찹쌀로만 빚는 '면천두견주'의 진가가 재확인된 셈이다.

민간에서는 '두견주'를 식전, 식후, 취침 전 소주잔으로 1~2잔씩 장기간 즐겨 마시면, 가래를 삭이고 신경통을 줄이며, 부인냉증 및 요통, 류머티즘에 치료 효과가 있다고 전해져 왔다.

때문에 진달래로 빚은 '두견주'는 화향(花香) 첨가의 가향주 혹은 향료주(香醪酒)로서 가치와 특징을 지닌 술이라고 할 수 있다. 특히 감미(甘味)와 지미(旨味) 등의 풍미(風味)가 뛰어난 술이라 하겠다.

지금까지 '면천두견주'에 대한 유래를 시작으로 고식문헌에 수록된 여러 형태의 '두견주'에 대해 살펴보았다. 고식문헌의 '두견주'와 민간에 전승되고 있는 '면천두견주'에 이르기까지 그 차이점 등을 살펴본 결과, 재료나 술 빚는 방법, 비율 등에서 많은 차이가 있음을 확인할 수 있었다.

그렇다면 이러한 양주법(釀酒法)의 변화를 어떻게 해석할 것인가가 과제로 남는다. 한편 생각해 보면, 역사와 전통이 있는 전통주라 해도 100여 년 전 술 빚는 재료도 구할 수 없었던 현실을 감안하지 않을 수 없다. 무엇보다 별도의 양주용(釀酒用) 쌀이 없었던 실정이었기에 주재료부터 끊임없이 변화할 수밖에 없었을 것이다. 특히 술 빚는 사람이 바뀌고, 주거환경이 바뀌었으며, 생활 패턴도 바뀌었다.

사정이 이렇다 보니 과거 기록이나 문헌에 의한 방법만이 전통주라고 고집하기엔 무리가 있다. 따라서 시간이 흐름에 따라 술의 재료뿐 아니라 재료의 가공방법, 빚는 시기, 발효기간 등의 변화를 필연적인 것으로 받아들일 수밖에 없다.

더구나 세대를 거치면서 주거환경의 변화는 커다란 변화가 아닐 수 없다. 과거 주택은 초가(草家)이거나 와가(瓦家)였다. 이 두 가지 가옥은 사람이 인위적으로 만들 수 없는 자연재료이기 때문에 자연친화적일 뿐 아니라 가옥 구조 자체가 방열과 방음, 보온, 단열, 공기의 소통과 오염 등 제반적인 측면에서 발효미생물에게 친숙한 환경이므로 발효에 적당한 조건을 갖추고 있다 할 것이다.

반면 현대 가옥 구조는 시멘트와 철골, 플라스틱, 나일론, 페인트, 비닐 등 모든 구성이 인위적이고, 비자연적인 조건이다. 이러한 사실을 감안할 때 변화는 필연적일 수밖에 없다.

또한 양주과정에서 가장 중요한 변수는 사람이다. 세월이 흐르고 세대가 바뀌면서 생활환경과 사회구조의 변화는 사람을 변화시키기 마련이다. 따라서 술을 빚는 사람도 과거 부모나 조부모 시절과는 많이 다른 사고구조를 가지고 있다. 생각이 바뀌면 행동이 바뀌는 건 당연한 이치이므로 술도 맛과 향이 다를 것이고,

제조방법도 자연스럽게 변화의 수순을 밟아가기 마련이다.

단적인 예가 주재료와 쌀의 가공방법에서 많은 차이를 나타내고 있다는 점이다. '면천두견주'에서와 같이 고두밥을 밑술 재료로 선택하게 되면, 우선 알코올 도수가 높은 술을 얻을 수 있다. 따라서 지금과 같이 냉장고나 저온창고 같은 시설과 설비가 없었던 시절에 도수 높은 술은 저장과 보관에 유리했을 것이다.

특히 가향주의 제조과정에서 보듯 대개의 가향주가 화향입주법(花香入酒法)이나 침출(浸出) 방법을 채택하고 있는 반면, '면천두견주'는 켜켜로 넣는 방법을 쓰고 있다. 이는 보다 맑고 깨끗한 술을 얻기 위한 방법으로 놀라운 발견이 아닐 수 없다.

다시 말하지만 가장 중요한 건 사람이다. 환경의 변화에 적응하고 사는 인간의 속성상 변화는 필연적이라고밖에 말할 수 없으며, 과거의 문헌이나 자료에 의존하는 방법만 요구할 수 없는 게 현실이다.

'면천두견주' 제조방법의 변화를 추측할 수 있는 근거는 이렇다. <규합총서> 등 여러 문헌에 수록된 '두견주'의 밑술 빚는 방법은 범벅, 즉 반생반숙(半生半熟)법이다. 쌀가루를 끓는 물로 개어 익히되 반을 설고 반은 익히는 방법의 양주가 고두밥으로 바뀐 것에 대한 지적을 우선할 수 있겠다.

이는 과거 가양주법의 밑술 제조에 있어 범벅으로 할 경우, 자칫 실패율이 높다는 사실을 경험적으로 터득하게 되면서 보다 간편하고 용이한 방법을 찾게 되었을 거라는 추측이 가능하다.

범벅(반생반숙)을 이용해 술을 빚다 보면, 술이 활발하게 끓지 못하거나 발효 시 술이 괴어오르면서 술독 밖으로 자주 넘치는 현상을 경험하게 된다. 그러면 누구나 당연히 실패율을 줄일 수 있는 방법으로 변화를 꾀할 것이다. 그 결과 자연스럽게 주재료인 쌀의 가공공정을 보다 간소화하고, 발효도 더 용이한 고두밥으로 술을 빚게 되었을 것이다.

술을 빚어본 사람이면 한 번쯤 경험했을 테지만, 범벅(반생반숙)은 말 그대로 쌀가루를 설익힌 방법이다. 쌀은 주성분이 전분(澱粉, 綠末)으로 당화(糖化)가 용이해야 발효가 잘 이루어진다. 그런데 범벅과 같이 설익은 쌀일 경우엔 당화가 더디고 시간이 많이 걸릴 뿐 아니라, 당화과정에서 잘 분해되지 않고 풍선처럼 부풀어 오르는 현상이 생긴다.

이렇게 되면 발효 시 생성되는 이산화탄소가 전분 속에 갇히게 되고, 이로 인해 술독 속은 기포(氣泡)가 가득해지면서 갑작스럽고 계속해서 부피가 팽창한다. 그 결과 범벅은 괴어오르는 현상이 심해져 결국 술독 밖으로 넘치는 일이 발생한다.

술이 괴어 넘치는 현상은 결국 주변에 의한 오염과 공기접촉에 의한 산화(酸化), 효모균(酵母菌)의 감소로 이어져 본술인 덧술까지도 빚지 못하는 결과로 이어지거나 발효부진(醱酵不進) 현상을 초래한다.

그러니 자연스럽게 자신의 성격이나 주변 환경, 시간 등 제반 여건에 알맞은 방법을 찾게 되고, 그 결과 좀 더 용이한 방법인 고두밥으로의 전환을 추구하게 되었을 것이다.

범벅으로 빚는 방법의 술은 고려시대에 개발되어 민간에 확산되었을 것으로 여겨진다. 조선시대 교통 요지나 인구가 밀집되는 시장, 큰 고개가 있는 곳이면 으레 주막촌(酒幕村)이 형성되었는데, 여러 기록이나 문헌을 통해 이들 주막에서 팔았던 주품들로 알려진 '도화주', '백하주', '방문주' 등이 모두 범벅으로 빚는 술이었다는 사실을 확인할 수 있다. 그에 비해 근래 대처의 주막에서 취급하고 있는 주품들이 고두밥 중심으로 바뀌었다는 사실이 이를 뒷받침한다.

그러니 술 빚는 일이 어찌 쉽다고 할 것이며, 그 목적과 술 빚는 방법을 별도로 생각하기 힘들다. 평생을 두고 공부를 해도 옛 선조들의 오랜 경험에 의한 지혜와 솜씨에는 이르지 못할 거라는 생각을 떨칠 수 없다.

지금까지 살펴본 결과 여러 고식문헌과 기록, 전승가양주로서 '두견주' 주방문은 서로 유사하면서도 차이점을 발견할 수 있다. 이러한 사실을 자칫 서로 다른 술로 오해하거나, 또는 체계적이고 표준화되지 않았다는 이유로 비합리적·비과학적이라고 폄훼(貶毁)할지도 모른다.

여기서 반드시 짚고 넘어가야 할 건, 위의 기록들을 근거로 재현한 전통주들의 품질을 평가한 결과 뜻밖에도 현대의 과학적이고 합리적인 사고와 첨단장비, 선진기술을 도입한 양주기술로 빚은 술보다 맛은 물론이고 향취에 있어서도 훨씬 앞섰다는 점이다.

따라서 예의 가록에 의한 주방문은 무엇보다 술 빚는 사람에 따라 사용코자 하는 재료의 가공방법과 배합비율, 발효기간 등을 차별화함으로써 술의 품질을 향상시키기 위한 노력의 흔적으로 봐야 한다. 이러한 시도를 통해서 보다 체계적이고 합리적인 양주방법을 모색해 왔으며, 특히 이상발효나 산패를 방지하고자 애쓴 노력의 결실로 이해하면 좋겠다.

다시 말해 재료의 양이나 배합비율이 중요한 게 아니다. 특히 부재료의 채택과 관련해 같은 주재료라고 할지라도 쌀의 가공방법을 달리함으로써 얻고자 하는 술의 향기나 약효를 어떻게 극대화시킬 것인가에 골몰했음이다. 이에 대한 답을 구할 수 있는 기초자료가 바로 여러 옛 문헌에 수록된 '두견주'를 비롯한 가향주류인 셈이다.

여기서 절대 간과할 수 없는 또 한 가지 사실은, '두견주'의 덧술에 두 가지 쌀을 함께 사용하고, 멥쌀을 가공하는 방법은 다른 순곡청주류나 약용약주류는 물론이고 심지어 같은 가향주류들과도 다르다는 점이다.

이는 덧술의 발효와 밀접한 관련이 있으며, 이와 같은 주방문의 주품들이 비교적 단맛이 적어 독하게 느껴진다는 점에서 이 또한 부재료의 사용 목적과 연계하여 생각해야 한다.

1. 두견주 <간본규합총서(刊本閨閤叢書)>

술 재료 : 밑술 : 멥쌀 2말, 누룩가루 1되 3홉, 밀가루 7홉, 끓는 물 2말(1말)
덧술 : 멥쌀 3말, 찹쌀 3말, 두견화 1말, 물 60식기(6말)

술 빚는 법 :

* 밑술 :

1. 정월 첫 해일에 멥쌀 2말을 백세하여 (물에 담가 불렸다가, 다시 씻어 건져서 물기를 뺀 후) 작말한다.
2. 물을 쌀 된 그릇으로 2말을 계량하여 솥에 붓고, 쪽박 띄워 고붓지게(솟구치

게) 끓여 쌀가루에 붓고, 주걱으로 개어 범벅처럼 만든다.

3. 범벅을 그릇 여러 개에 나눠 담고, 하룻밤 재워 밑까지 얼음같이 차게 식힌다.
4. 이슬을 맞혀 뽀얗게 바랜 누룩을 생사로 된 깁체에 쳐서 내린 고운 누룩가루 1되 3홉을 준비한다.
5. 범벅에 누룩가루 1되 3홉과 밀가루 7홉을 함께 넣고, 고루 버무려 술밑을 빚는다.
6. 술독은 깨끗하게 씻어 우렸다가 (건조시킨 뒤) 공석(가마니)으로 싸고, 볏짚을 불 피워 연기로 소독한 뒤, 수선으로 그을음을 씻어내어 준비한다.
7. 준비한 술독에 술밑을 담아 안치고, 단단히 밀봉하여 화기와 양기가 없는 곳에 두어 진달래가 필 때까지(36일간) 발효시킨다.

* 덧술 :

1. 멥쌀 3말과 찹쌀 3말을 각각 백세하여 물에 불렸다가, 다시 새 물에 깨끗이 헹궈서 물기를 뺀 후, 시루에 안쳐 고두밥을 짓는다.
2. 물을 쌀 된 그릇으로 60되를 계량하여 놓고, (시루에서 한 김 나면) 멥쌀고두밥에는 물을 실컷 주어 뻐없이 찌고, 찰밥에는 물을 5~6되(개)를 뿌려 오래 쪄낸다.
3. 뿌리고 남은 물을 고붓지게 끓이다가, 고두밥이 익었으면 넓은 소래기에 각각 퍼 담고, 끓는 물은 멥쌀고두밥에 두세 바가지나 퍼붓고 남은 물은 차게 식힌다.
4. 찰밥이 익었으면 재빨리 퍼서 고루 펼쳐서 차게 식기를 기다린다.
5. 멥쌀고두밥이 물을 다 먹고 김이 들었으면 삿자리에 고루 펼쳐서 식히고, 온기가 없게 식기를 기다린다.
6. 밑술을 동량으로 나누어 각각 멥쌀고두밥과 찹쌀고두밥에 합하고 버무리되, 밑술이 적고 밥이 많아 버무리기 어렵거든 끓여두었던 물을 1사발만 남기고 술밑에 타서 술밑을 빚는다.
7. (소독하여 준비한) 술독에 멥쌀고두밥과 찹쌀고두밥을 차례대로 각각 한 켜

씩 안치고, 그 위에 진달래꽃잎 한 켜씩 안치는 방법으로 켜켜로 담아 안친다.

8. 멥쌀 술밑을 한 바가지 정도 남겼다가 맨 위에 덮고, 남겨둔 물 1사발로 술 빚었던 그릇을 씻어 술덧 위에 부어준다.
9. 술 안치기를 끝낸 술독은, 예의 방법대로 하여 (화기火氣와 양기陽氣가 없는 곳에 두어) 14~21일간 발효시킨다.
10. 종이 심지에 불을 켜서 술독에 넣어 보아 꺼지지 않으면 채주한다.

* 주방문 말미에 "두견화 여의 없이 정히 다듬어 술 한 제에 한 말 넣으라. 꽃을 너무 많이 넣으면 술이 붉어지니, 켜켜 가운데로 넣었다가 이칠일이나 삼칠일이 지난 후에 들쳐보아 종이 심지에 불을 켜보아 불이 아니 꺼지면 익은 것이다. 위는 엷게 고일 것이고 가운데를 잘 헤쳐 보면 청주가 용출하며 개미와 꽃이 뜨고 향취가 기이하리라."고 하였다.

두견쥬

정월 쳣 ᄒᆡᆫ일에 ᄇᆡᆨ미 두 말 ᄇᆡᆨ셰ᄒᆞ야 작말허고 물을 되인 되로 슈를 갓치 되야 죡박 씌히고 고붓지게 쓸혀 가로에 고로 퍼부어 쥬걱으로 ᄀᆡ여 ᄒᆞ로밤 ᄌᆡ와 밋ᄶᅡ지 어름가치 식은 후 국말을 무슈히 이슬 마쳐 바ᄅᆡ여 빗치 보희도록 ᄒᆞ야 깁체에 뇌야 돼 서 홉을 너코 진가로 칠 홉 너허 고로 버을려 항을 정히 울엿다가 공셕으로 싸고 집불 살은 우희 업허 항속의 집ᄂᆡ가 ᄌᆞ옥헐 졔 니륵 켜 불틔ᄂᆞᆫ 정히 씻고 연긔ᄂᆞᆫ 인ᄂᆞᆫᄃᆡ로 슐밋 너허 ᄃᆞᆫᄃᆞᆫ이 봉허고 화긔와 양긔 업ᄂᆞᆫᄃᆡ 두엇다가 두견화 퓌거든 ᄇᆡᆨ미 서 말 졈미 서 말 ᄇᆡᆨ 번 ᄲᅵ셔 각각 ᄆᆞᆰ근 물에 담갓다가 다시 ᄆᆞᆰ근 물에 헤워 건져 ᄶᅵ고 물을 쓸되단 되로 누십긔 되야 노코 뫼밥의ᄂᆞᆫ 물을 슬컷 주어 밥이 쌔 업시 ᄶᅵ고 출밥의ᄂᆞᆫ 물을 오륙 승이나 ᄲᅮ려 쥬어 쐐 ᄶᅧᄂᆡ야 출밥은 즉시 헤쳐 식이고 뫼밥은 소ᄅᆡ의 퍼 덥허노코 지에예 주고 남은 물을 다 고붓지게 쓸혓다가 ᄯᅩ 뫼밥 소라의 물을 두세 박이나 퍼쥬어 덥허 두엇다가 밥이 물을 마시고 김이 드럿ᄭᅥ든 삿자리에 고로 헤쳐 식여 온긔 업거든 슐밋슬 ᄂᆡ야 뫼밥과 출밥을 각〻 그르세 버무리되

밋치 젹고 밥이 만하고로 버무리기 어렵거든 그 쓸힌 물도 씌 식여 서늘ᄒᆞᆫ 후 술밋헤 더러 타고 두 가지 밥 각〻 고로 버무려 뫼밥 ᄒᆞᆫ켸 출밥 ᄒᆞᆫ켸 ᄭᅩᆺ ᄒᆞᆫ켸 노코 ᄆᆡᆫ 우흔 뫼밥 버무린 거ᄉᆞᆯ 덥ᄂᆞ니 ᄲᆞᆯ슈와 갓치 되야 쓸힌 물은 다 밥의 ᄒᆞᆫᄃᆡ 버무리고 물을 ᄒᆞᆫ 사발 즈음 남겻다가 버무린 그릇 죄 부싀여 다 부으라 두견화 여의(ᄭᅩᆺ술이라) 업시 졍이 다듬어 ᄉᆞᆯ ᄒᆞᆫ 제의 ᄒᆞᆫ 말 녀흐라. 너모 만ᄒᆞ면 빗치 북ᄂᆞ니 켸〻 가온ᄃᆡ로 녀헛다가 이칠이ᄂᆞ ᄉᆞᆷ칠이ᄂᆞ 지ᄂᆞᆫ 후에 들셔 보아 밤의 심지의 불을 혀 독속의 녀허 보면 덜되면 불이 써지고 다되면 아니 써지니 우흔 ᄋᆢᆲ게 고이 것고 가온ᄃᆡ를 잘 헤치면 청주가 용츌ᄒᆞ며 ᄀᆡ암이와 ᄭᅩᆺ치 잠속 쓰고 향취가 긔이ᄒᆞ니라.

2. 두견주 <고려대규합총서(高麗大閨閤叢書, 異本)>

술 재료 : 밑술 : 멥쌀 2말 5되, 가루누룩 1되 3홉, 밀가루 7홉, 물 2말 5되
덧술 : 찹쌀·멥쌀 3말, 물 60되, 진달래꽃 한 제(1말)

술 빚는 법 :

* 밑술 :

1. 정월 첫 해일에 멥쌀 2말가웃(5되)을 백세하여 (물에 담가 불렸다가, 다시 씻어 건져서 물기를 뺀 후) 작말하여 넓은 그릇에 담아놓는다.
2. 솥에 쌀 되던 되로 물 2말 5되를 붓고, 쪽박을 띄워 끓이되, 소쿠라치게 끓인다.
3. 쌀가루에 끓는 물을 골고루 붓고, 주걱으로 개어서 범벅(죽)같이 갠 다음, 넓은 그릇에 나누어 하룻밤 재워 얼음같이 차게 식기를 기다린다.
4. 가루누룩을 몇 날 며칠 법제하여 깁체에 내려서 1되 3홉을 마련한다.
5. 범벅에 준비한 가루누룩 1되 3홉과 밀가루 7홉을 합하고, 고루 버무려 술밑을 빚는다.

6. 술독을 물에 우려 씻어 건조시켰다가 짚불로 소독한 뒤, 그을음을 깨끗한 마른행주로 닦아내고 연기 있는 대로 술밑을 담아 안친다.
7. 술독은 단단히 싸매고 빈 섶으로 옷을 입힌다.
8. 술독은 불기운이나 햇볕 들지 않는 곳에서 3월에 진달래가 필 때까지 발효시킨다.

* 덧술 :
1. 삼월에 진달래가 막 흐드러지게 필 때 산에 가서 꽃을 따서 꽃술을 제거하고, 흐르는 물에 헹궈서 물기를 제거한 다음 그늘에서 말린다.
2. 멥쌀과 찹쌀 각 3말을 백세하여 맑은 물에 담가 불린다(다시 맑은 물에 헹궈 건져서 물기를 뺀다).
3. 쌀을 각각 시루에 안쳐 고두밥을 짓는데, 쌀 된 되로 물을 60되 계량하여 메밥에는 물을 흠씬 주어 무르게 찌고, 찹쌀은 물을 한두 되 정도 뿌려서 무게 찐다.
4. 각각의 고두밥을 자배기에 담고, 쓰고 남은 물을 팔팔 끓여서 두세 바가지 메밥에 부어준 다음, 주걱으로 헤쳐 차게 식힌다.
5. 고두밥이 물을 다 먹고 식었으면, 밑술을 나누어 각각 버무려 술밑을 빚는다.
6. 밑술이 부족하면 식혀두었던 물을 타서 버무리는데, 물을 한 사발쯤 남겼다가 그릇을 씻어 나중에 술독에 죄다 쏟아 붓는다.
7. 술독에 메밥 한 켜, 찰밥 한 켜, 진달래 한 켜씩 켜켜로 안친 후 맨 위에 메밥을 한 켜 안친다.
8. 술독은 예의 방법대로 하여 보름이나 세이레 동안 발효시켜, 술덧이 내려앉았으면 채주하여 오지병에 담아 가라앉혀서 마신다.

두견주

한 제 하려면, 정월 첫 해일에 희게 쓴 멥쌀 두 말가웃을 정히 씻어 가루 만들고 물을 소크라지게 끓이되, 끓일 때 쪽박을 띄워 끓이라. 가루를 소래기에 담고 고루고루 끓는 물을 퍼부어 주걱으로 개되, 쌀 된 되로 물을 쌀 수대로 되어 끓여라. 가루를 끓인 물로 개어 한데 놓아 하룻밤 재워 밑까지 손 넣어 얼음같이 차게 식힌다. 좋은 가루누룩을 수없이 이슬 맞혀 바래어 빛이 뽀얗도록 하여 깁체에 뇌었다가 되 서 홉을 밀가루 칠 홉하고 넣어 고루 버무린다. 항아리를 깨끗이 우렸다가 벼 담지 않은 빈 섬으로 옷 입히고 속에는 짚불을 살러 항아리를 짚불 붙은 위에 엎어 항아리 속에 짚내 자욱할 재 일으켜 불티는 정한 행주로 낱낱이 훔쳐내고 연기 있는 대로 술밑을 넣어 단단히 싸매어 불기운·햇볕 다 안 비취는 곳에 두어라. 삼월에 진달래가 막 흐드러지게 필 제 희게 쓿은 멥쌀 서 말·찹쌀 서 말을 씻고 씻어 맑은 물에 담갔다가 두 가지 지에쌀을 건져 다시 맑은 물에 헤워 건진다. 쌀 된 되(됫박)로 물을 예순 그릇을 쌀 수대로 되어 놓고 메밥에는 흠뻑 물을 주어 무릇하게(슬지에) 밥을 뻐없이 찌라. 찰밥은 한 말에 물 한두 되나 뿌려 주어 꽤 쪄서 곧 헤쳐 식히라. 메밥은 소래기에 퍼 덮어놓고 지에에 주고 남은 물을 모두 다 폭폭 소크라지게 끓였다가 또 메밥 소래기에 물을 두세 박이나 퍼 허쳐 덮어두라. 그러면 메밥이 물을 다 마시고 흠뻑 불고 김이 다 들었을 테니 또 초석에나 고루고루 헤쳐 식히되 손을 두루넣어 보아 꽤 서늘하고 차도록 식혀 더운 기가 조금도 없은 뒤에 술밑을 내어 메밥과 찰밥을 각각 그릇에 버무리라. 밑이 적고 밥이 많아 고루고루 버무리기 어렵거든 그 끓인 물을 꽤 식혀 서늘한 후 술밑에 덜어 타 두 바가지 밥을 각각 고루고루 버무려 메밥 한 켜, 찰밥 한 켜, 꽃 한 켜 놓아 맨 위에는 메밥 버무린 것을 덮는다. 쌀 수와 같이 되어 끓인 물을 다 밥에 버무리고 한 사발쯤 남겼다가 버무린 그릇을 죄 부셔 부어라. 진달래 활짝 핀 것을 꽃술 없이 정히 다듬어 술 한 제에 한 말 넣어라. 너무 많이 넣으면 술빛이 붉고 좋지 않으니 조금씩 켜켜 가운데로 넣었다가 두이레나 세이레나 지난 뒤 들쳐보아, 내려앉았거든 밤에 심지에 불 켜 독 속에 넣어 들러보면 덜 된 술은 불이 꺼지고, 다 된즉 안 꺼진다. 위를 얇게 곱게 벗기고 가운데를 잘 헤치면 맑은 술이 용출하여 개미와 꽃이 잔뜩 뜨고, 술내가 향기로워 가히 사랑스럽다. 사병과 질병은 술맛이 변하니, 오지병에 가라앉혀 맑게 하면 무거운 밥알은 다 가라앉고, 개미와 흰 꽃이 퍼져 뜬다.

무릇 술은 밥을 꽤 쪄 서늘토록 식혀하면 실 염려가 없고 누룩을 잘 바래어 하면 잡맛이 없고 빛이 냉수 같다. 술을 잡내 안 나는 그릇을 정히 우렸다가 여러 번 가라앉힐수록 그 맛이 맑고 매우며 변하지 않는다.

3. 두견주 <규중세화>

술 재료 : 밑술 : 멥쌀 2말, 밀가루 1되, 가루누룩 1되, 끓는 물 2말 5되
덧술 : 찹쌀 3말, 멥쌀 3말, 두견화(3~4되), 끓는 물 5말

술 빚는 법 :

* 밑술 :

1. 한 제 하려면 정월에 멥쌀 2말을 백세하여 (물에 담가 불렸다가, 다시 씻어 헹궈 건져서 물기를 뺀 뒤) 가늘게 작말한다.
2. 쌀가루를 넓은 소래기에 담아놓고, (팔팔 끓는) 물 2말 5되와 가루누룩 1되, 밀가루 1되를 한데 합한 후 고루 버무려놓는다(넓은 소래기에 쌀가루를 담고, 끓는 물 2말 5되를 쌀가루에 골고루 붓고, 주걱으로 고루 개어 범벅같이 개서 차게 식기를 기다렸다가, 가루누룩 1되와 밀가루 1되를 한데 합하고, 고루 버무려 술밑을 빚는다).
3. 술독에 술밑을 담아 안치고, 예의 방법대로 하여 단단히 밀봉한 후, 찬 곳에 한 달 보름(45일)가량 발효시킨다.

* 덧술 :

1. 두견화가 필 때 술독 안의 술덧 표면에 곰팡이가 피어 있는 것을 걷어버린다.
2. 진달래를 따다 꽃술과 꽃받침을 제거한 후, 깨끗이 씻어 물기를 제거해 놓는다.
3. 찹쌀과 멥쌀 각 3말을 백세하여 (물에 담가 불렸다가, 다시 씻어 헹궈 건져

서 물기를 뺀 뒤) 시루에 안쳐서 무른 고두밥을 짓는다.

4. 물 5말을 팔팔 끓이고(날씨가 춥지 않을 때는 냉수), 고두밥이 익었으면 넓은 그릇에 펴 담고, 끓는 물 5말을 고두밥에 골고루 붓고 주걱으로 고루 저어서 놓는다.
5. 고두밥이 (물을 다 먹었으면, 그릇 여러 개에 나눠 담고) 차게 식기를 기다린다.
6. 고두밥에 밑술을 합하고, 고루 치대어 술밑을 빚는다.
7. (술독에 꽃잎을 먼저 두툼하게 깔고 술밑을 눌러 안치는데, 나머지 꽃잎을 켜켜이 안치고, 맨 위에 두견화나무 가지를 꽂아놓는다.)
8. 술독은 단단히 봉하여 서늘한 곳에 앉혀두고 발효시켜 익기를 기다린다.
9. 술이 익었으면 두견화가지를 젖혀보면 맑은 술이 꽃잎과 함께 솟아 올라오면 용수 박아 채주한다.

* 주방문 말미에 "기일을 더 두어 15일 정도 지난 후에라야 속까지 맑고, 박아 두었던 두견화나무 가지를 빼어보면 맑은 술이 곧 솟구쳐 올라온다."고 하였다.

두견주

한 제 하라면 정월에 백미 두 말 가는 백세작말하여 넓은 소래에 담고 물 두 말가웃 가루누룩 한 되 진말 한 되 넣어 고로 버무려 맞은 항에 담고 찬찬 동이고 찬데 두었다가, 두견화 나거든 우의 블끼인 것을 걷어버리고 점미 서 말 백미 서 말 백세하야 밥 익게 쪄 물 엿 말 끓여 밥에 골라, 서늘케 식거든 술밑 조차 한 가지로 고로 (버무려 술밑 한 켜 두견화 한 켜씩 켜켜 안치고 맨 위에 꽃가지를 단단히 눌러 밭쳤다가, 두견화 가지를 비쳐보면 맑은 것이 꽃하고 소사 올라오거든 드되(뜨되) 날 수는 더 두훈(두어) 일망니나(보름이나) 되 녀야 속부터 맑고 그매 박근(박은) 남글(나무를) 빠혀(빼어) 보오야(보아야) 맑은 것이 곧 닷차 솟난이라. 주방문의 물 끓여 하라 하야시되 날이 칩지(춥지) 아니하거든 냉수를 부어도 좋으리라.

4. 두견주 <규합총서(閨閤叢書)>

–한 제 빚이

술 재료 : 밑술 : 멥쌀 2말 5되, 가루누룩 1되 3홉, 밀가루 7홉, 끓는 물 2말 5되
　　　　덧술 : 멥쌀 3말, 찹쌀 3말, 두견화 1말, 물 6말

술 빚는 법 :

* 밑술 :

1. 정월 첫 해일에 멥쌀 2말 5되를 백세하여 (물에 담갔다가, 다시 씻어 건져서 물기를 뺀 후) 고운 가루로 빻아 고운체에 내려서 넓은 그릇에 담아놓는다.
2. 쌀 되던 되로 물 2말 5되를 바가지를 띄워서 팔팔 끓여 쌀가루에 골고루 나누어 붓고, 주걱으로 고루 섞어 범벅처럼 갠다.
3. 범벅을 넓은 그릇에 나누어 담고, 하룻밤 재워 밑까지 차게 식힌다.
4. 이슬을 맞혀 뽀얗게 바랜 누룩을 곱게 빻고, 생사 깁체에 쳐 1되 3홉을 준비한다.
5. 가루누룩을 밀가루 7홉과 함께 범벅에 넣고, 고루 버무려 술밑을 빚는다.
6. 술독은 여러 날 물에 우렸다가 건조시킨 후, 빈 섶으로 싸맨다.
7. 술독은 짚불 연기를 쏘여 소독을 한 다음, 마른행주로 그을음을 깨끗이 닦아낸다.
8. 술독에 연기가 남아 있는 대로 술밑을 술독에 담아 안치고, 단단히 싸매어 예의 방법대로 하여 발효시킨다(60~70일간 발효시킨다).

* 덧술 :

1. 3월이 되어 진달래가 흐드러지게 필 때, 활짝 핀 진달래를 따다가 꽃술을 제거하여 1말을 준비해 놓는다.
2. 멥쌀 3말과 찹쌀 3말을 각각 백세하여 맑은 물에 담갔다가 새 물에 깨끗이 헹군 후 건져서 시루에 안쳐 고두밥을 짓는다.

3. 쌀 되던 되로 물 60되를 계량하여 놓고, 멥쌀고두밥을 찔 때 물을 흠씬 주고, 찰밥에는 1말당 물 1~2되를 주어 뻐없이 쪄낸다.
4. 남은 물을 끓여서 메밥에 2~3바가지 부어주고, 나머지는 차게 식기를 기다린다.
5. 메밥은 자배기에 퍼 담고 덮어두었다가 물을 다 먹었으면, 찹쌀고두밥과 같이 멍석 같은 것에 펼쳐서 일체의 온기 없이 차게 식혀놓는다.
6. 밑술을 동량으로 나누어 각각 메밥과 찰밥에 섞고 고루 버무려 술밑을 빚는데, 밥이 많아 버무리기 어려우면 끓여둔 물을 섞고 고루 버무려 술밑을 빚는다.
7. 밑술에서와 같이 소독하여 준비한 술독에 한 켜, 준비해 둔 진달래꽃잎 한 켜씩 켜켜로 담아 안친 다음 메밥을 맨 위에 덮는다.
8. 차게 식혀둔 물을 한 사발쯤 남겼다가 술그릇을 씻어낸 후 술덧 위에 부어주고, 예의 방법대로 하여 14~21일간 발효시킨다.
9. 밤에 심지에 불을 붙여서 독에 들여 꺼지거나 흔들리지 않으면 다 익은 것이다.
10. 술 위를 곱게 걷어내고 가운데를 헤쳐 보면 흰꽃과 부의(개미)가 잔뜩 뜨고 맑고 향기가 사랑스럽다.

* 주방문에 “사병과 질병은 술맛이 변하니 오지병에 도청(淘淸)하면 무거운 밥알은 다 가라앉고, 개미와 흰꽃이 퍼져 뜬다. 무릇 술이 밥을 꽤 쪄 서늘토록 식혀 하면 실 염려가 없고 누룩을 잘 바래어 하면 잡맛이 없고 빛이 냉수 같다. 술을 잡내 안 나는 그릇을 정히 우렸다가 여러 번 가라앉힐수록 그 맛이 맑고 매우며 변하는 일이 없다.”고 하였다. 진달래꽃을 너무 많이 넣으면 술이 붉어진다. 술을 안친 독은 화기(火氣)와 양기(陽氣)가 없는 곳에 두어 발효시킨다.

두견쥬

ᄒᆞᆫ 제 ᄒᆞ랴면 정월 쳣 ᄒᆡ일의 ᄇᆡᆨ미 두 말가오술 ᄇᆡᆨ세작말ᄒᆞ야 믈 고븟지게 ᄧᆞ

히되 ᄡᆞᆯ힐 제 족박 씌워 ᄡᆞᆯ혀 ᄀᆞ로을 쇼라의 담고 고쵸고쵸 ᄡᆞᆯᄂᆞᆫ 물을 퍼부어 쥬걱으로 ᄀᆡ되 ᄡᆞᆯ된 ᄃᆡ로 믈을 ᄡᆞᆯ 슈ᄃᆡ로 되야 ᄡᆞᆯ혀 ᄀᆞ늘 ᄀᆡ야 ᄒᆞᆫᄃᆡ ᄂᆞ하 ᄒᆞ로밤 ᄌᆡ와 밋ᄀᆞ지 숀 너허 어름ᄀᆞᆺ치 식은 후 됴흔 ᄀᆞ로누록을 무슈히 이슬 맛쳐 ᄇᆞ라여 빗치 뵈희도록 ᄒᆞ야 깁체에 뇌얏다가 되 서 홉을 진말 칠 홉ᄒᆞ고 너허 고를/고루고루 범무려 항을 졍히 우렷다가 공셕으로 옷 닙히고 속의ᄂᆞᆫ 집블을 ᄉᆞᆯ나 향을 집블 븟ᄂᆞᆫ 우희 업흐면 항 속의 집ᄂᆡ ᄌᆞ옥ᄒᆞᆯ 제 니로혀 블 틔ᄂᆞᆫ 졍ᄒᆞᆫ 힝ᄌᆞ로 낫ᄂᆞ치 훔쳐 ᄂᆡ고 연긔 잇난 ᄃᆡ로 술밋 너허 단단이 ᄡᆞᄆᆡ야 화긔 양긔 아니 빗최ᄂᆞᆫ ᄃᆡ 두어다가 삼월 두견이 막 셩ᄀᆡᄒᆞᆯ 제 ᄇᆡᆨ미 서 말 졈미 서 말 ᄇᆡᆨ셰ᄒᆞ야 쳥슈의 담가다가 두 가지 여ᄅᆞᆯ 건져 다시 쳥슈의 헤워 건져 ᄡᆞᆯ된 ᄃᆡ로 믈을 눅십 긔ᄅᆞᆯ ᄡᆞᆯ 슈ᄃᆡ로 되야 노코 뫼밥의ᄂᆞᆫ 흐시토록 믈을 쥬어 흡죡흡죡 슬컷 밥의 ᄡᆡ 업시 ᄧᅵ고 출밥을 ᄒᆞᆫ 말의 이니 승이나 ᄲᅮ려 쥬어 ᄉᆡᆨᄉᆡᆨ ᄧᅵ여 출밥을 즉시 어쳐 시기고 뫼밥은 쇼라의 퍼 너허 노코 지예예 쥬고 남은 믈을 모도 다 고븟나게 ᄡᆞᆯ혀다가 ᄯᅩ 뫼밥 쇼라의 물을 두셰 박이나 퍼 허쳐 덥허 두면 뫼밥이 물을 다 마시고 흐시이 븟고 김이 다 드러나니 ᄯᅩ 쵸석의나 고누고누 허쳐 식여 숀을 두루 너허 보아 ᄉᆡᆨᄉᆡᆨ 서늘ᄒᆞ고 ᄎᆞ도록 식여 더온 긔가 일ᄒᆞᆫ 업ᄉᆞᆫ 후 술밋출을 ᄂᆡ여 뫼밥과 ᄡᆞᆯ밥 각각 그로ᄉᆡ 버물리되 밋치 젹고 밥이 만하 고로고로 버믈리기 어렵거든 그 ᄡᆞᆯ힌 믈 ᄉᆡ 식여 서늘ᄒᆞᆫ 후 술밋치 더러 타 두 가지 밥 각각 고로고로 범므려 뫼밥 ᄒᆞᆫ 케 출밥 ᄒᆞᆫ 케 ᄭᅩᆺ ᄒᆞᆫ 케 노화 ᄆᆡᆫ 우흔 뫼밥 범믈린 거ᄉᆞᆯ 덥ᄂᆞ니 ᄡᆞᆯ 슈와 ᄀᆞᆺ치 되야 ᄡᆞᆯ힌 믈을 다 밥의 버므리고 ᄒᆞᆫ ᄉᆞ발즈음 남겻다가 버므린 그릇 죄 브시여 부으라. 두견화 콰희 핀 것 여의 업 졍히 ᄃᆞᆷ아 술 ᄒᆞᆫ 제예 ᄒᆞᆫ 말 너흐라. 너모 마히 너흐면 슐 빗치 불고 됴치 아니니 젹젹 케케 가온ᄃᆡ로 너헛다가 이칠이나 삼칠이니 디난 후 들서 보아 ᄂᆞ려안젓거든 밤의 심디예 블 혀 독 속의 너허 둘너보면 녜된 슐은 블이 써지고 다 되야신즉 아니 써디ᄂᆞ니 우흘 ᄋᆞᆲ게 고이 벗기고 가온ᄃᆡᄅᆞᆯ 잘 허치면 쳥쥬가 용뉼ᄒᆞ여 ᄀᆡ야미와 ᄭᅩᆺ치 즘속 쓰고 향취 북욱ᄒᆞ야 가ᄋᆡᄒᆞ니라. ᄉᆞ병과 질병은 슐이 변미ᄒᆞ니 오지병의 도쳥ᄒᆞ면 무거온 밥알은 다 ᄀᆞ라안고 부의와밥플ᄀᆡ야미 쓴 거시라. 흰 ᄭᅩᆺ치 펴져 쓰ᄂᆞᆫ니라. 므릇 슐이 밥을 ᄉᆡ 셔 서늘토록 식여 ᄒᆞ면 실 념네 업고 누록을 잘 바라여 ᄒᆞ

면 잡마시 업고 빗치 뉭슈 곳ᄂᆞ니 술을 잡ᄂᆡ 아니 나ᄂᆞᆫ 그로ᄉᆞᆯ 졍히 우렷다가 여러 번 도쳥ᄒᆞᆯᄉᆞ록 마시 쳥녈ᄒᆞ고 변미을 아닛ᄂᆞᆫ이라.

5. 두견주법 <김승지댁주방문(金承旨宅廚方文)>

술 재료 : 밑술 : 멥쌀 2말 5되, 누룩가루 7홉 5작, 진말 3홉, 물 5병 반
　　　　덧술 : 찹쌀 2말 5되, 멥쌀 2말 5되, 진달래꽃 1말, 물 12병 반

술 빚는 법 :

* 밑술 :

1. 멥쌀 2말 5되를 물에 깨끗이 씻어 (물에 담가 불렸다가, 다시 씻어 건져서 물기를 뺀 후) 작말한 후 소래기에 담아둔다.
2. 쌀 1말당 물 2병 반씩 물 5병 반을 솟구치게 팔팔 끓여 쌀가루에 고루 붓고, 주걱으로 골고루 개어서 범벅을 만들어 차게 식기를 기다린다.
3. 누룩을 법제하여 고운 가루로 빻고, (쌀 1말당 누룩가루 3홉씩) 누룩가루 7홉 5작을 취한다.
4. 범벅에 누룩가루와 진말(3홉)을 한데 섞고, 고루 버무려 술밑을 빚는다.
5. 술독에 술밑을 담아 안친 다음, 예의 방법대로 하여 (단단히 밀봉하고, 서늘한 곳에 앉혀) 발효시킨다.

* 덧술 :

1. 3월이 되어 진달래꽃이 피면, 꽃을 채취하여 꽃술을 모두 제거하여 1말을 마련한다.
2. 찹쌀 2말 5되, 멥쌀 2말 5되를 각각 물에 깨끗하게 씻어(백세하여) 하룻밤 불렸다가 (다시 씻어 건져서 물기를 뺀 뒤) 각각 고두밥을 짓는다.
3. 고두밥을 지을 때, 물 12병 반(쌀 1말당 2병 반씩)을 팔팔 끓여 고두밥에 합

하고, 그릇 여러 개에 나눠 담고 차게 식기를 기다린다.

4. (밑술을 퍼서 찰밥과 메밥에 각각 나누어 붓고 고루 버무려 술밑을 빚는다.)
5. (술독에 메밥 한 켜, 찰밥 한 켜, 꽃잎 한 켜씩 켜켜로 안치되, 맨 위에는 메밥을 덮는다.)
6. 끓여두었다 남은 물로 술을 비볐던 그릇을 씻어내어 술독에 마저 붓고, 예의 방법대로 단단히 밀봉하여 21일간 발효시킨다.

* 주방문 머리에 "한 제가 대개 일곱 말인데, 밑은 두 말가웃이 되고 우(덮는 술)는 찹쌀 두 말가웃, 멥쌀 두 말가웃이 되는데, 합이 닷 말이라. 누룩가루 서 홉씩 전 가루대로 물은 세 번씩 부으라."고 하여 7말 빚이가 한 제 주방문이라는 것을 알 수 있다. 주방문 말미에 "세이레째나 지나거든 불을 켜 넣어보아 꺼지지 않으면 익었으니 헤쳐서 쓰라."고 하고, "밑할 때나 덧할 때나 날물기로 맛이 아주 그릇되는 것이니 그릇에 물기를 막 열어서 치우고, 지에 쌀을 익게 지어야 독하니라. 반 제나 반의 반 제나 빚어 술의 짐작하면 아주 좋으리라."고 하였다.
* 진달래꽃에 대한 언급이나 분량이 나와 있지 않은데, '두견주방문'이라고 하였으므로 상법대로 사용하는 주방문을 채용하였다. 진달래꽃은 활짝 핀 것을 따서 꽃술을 따내고, 흐르는 물에 한 번 씻은 후 그늘지고 서늘한 곳에서 음건하여 보관해 두고 쓴다. 또 술을 안친 독은 화기(火氣)와 양기(陽氣)가 없는 곳에 두어 발효시킨다. 꽃을 너무 많이 넣으면 술이 붉어지므로 적당량을 넣도록 한다.

두견쥬법

ᄒᆞᆫ 졔가 되대 닐곱 말인데 밋ᄒᆞᆫ 두 말가옷시 되고 우ᄒᆞᆫ ᄎᆞᆸᄊᆞᆯ 두 말가옷 뫼ᄊᆞᆯ 두 말가옷시 듀대 대닷 말얼이라. 누룩가로 서 홉식 진가로 대되 물은 셰 번식 부으라. 말ᄊᆞᆯ 되게 ᄒᆞ랴면 더러 부어 ᄒᆞᆫ 밋ᄎᆞᆯ 가로 쎠 찌허 ᄊᆞᆯ ᄒᆞᆫ 말의 두 병 반식 고붓지셔 ᄉᆞᆯ혀 (글)미 퍼부어 뇌여 ᄆᆡ이 사늘ᄒᆞ게 식히고 진가로를 ᄒᆞᆫ데 쳐 너헛다가 ᄇᆡᆨ미 든 우ᄒᆞᆫ 두 가지 ᄊᆞᆯ 각각 씨고 물도 말 듀되로 고붓저

ᄀᆡ ᄆᆞ이 ᄊᆞᆯ혀 밥과 물을 각 ᄎᆡ와 목져 밋치 버므러 노코 물을 나중에 쳐 여부으면 마침 되ᄅᆞ다가 어슥ᄒᆞ면 밥의 ᄇᆡ야 노고의 밥 ᄌᆞ쳐 니긋ᄒᆞ여 ᄌᆞ자를 니른 셰 일제나 지나거든 불혀 보와 쩌질 아니면 닉어시니 혜칠여 쓰라. 만ᄒᆞᆯ 제나 더ᄒᆞᆯ 제나 ᄂᆞᆯ은 거시로 마시 아조 그릇되는 거시니 그ᄅᆞ싀 ᄂᆞᆯ물긔를 막 열어석칙ᄒᆞ고 지에 술을 닉게 쪄어 독ᄒᆞ니라. 반 제나 반반 제나 비지어 슈의 짐작ᄒᆞ면 아니 아주 ᄆᆡ오니라.

6. 두견주법 <보감록>

술 재료 : 밑술 : 멥쌀 2말 5되, 가루누룩 1되 3홉, 밀가루 7홉, 끓는 물 2말 5되
덧술 : 멥쌀 3말, 찹쌀 3말, 두견화 1말, 물 6말

술 빚는 법 :

* 밑술 :

1. 정월 첫 해일에 멥쌀 2말 5되를 백세하여 물에 담갔다가 (다시 씻어 건져서 물기를 뺀 후) 작말하여 넓은 그릇에 담아놓는다.
2. 쌀 되던 되로 물 2말 5되를 바가지를 띄워서 팔팔 끓여 쌀가루에 골고루 나누어 붓고, 주걱으로 고루 섞어 범벅처럼 갠다.
3. 범벅을 넓은 그릇에 나누어 담고, 하룻밤 재워 얼음 같이 차게 식기를 기다린다.
4. 수없이 이슬을 맞혀 뽀얗게 바랜 누룩을 곱게 빻고, 생사로 된 깁체에 쳐서 1되 3홉을 준비하여 밀가루 7홉과 함께 범벅에 넣고, 고루 버무려 술밑을 빚는다.
5. 술독은 여러 날 물에 우렸다가 건조시킨 후, 짚불 연기를 쏘여 소독을 하여 마른행주로 그을음을 깨끗이 닦아낸 다음 빈 가마니로 싸맨다.
6. 술독에 연기가 남아 있는 대로 술밑을 술독에 담아 안치고, 단단히 싸매어

예의 방법대로 하여 화기 없는 곳에 앉혀서 발효시킨다(60여 일간 발효시킨다).

* 덧술 :

1. 3월이 되어 진달래가 흐드러지게 필 때, 활짝 핀 진달래를 따다가 꽃술을 제거하여 1말을 준비해 놓는다.
2. 멥쌀 3말과 찹쌀 3말을 각각 백세하여 맑은 물에 담갔다가 새 물에 깨끗이 헹군 후, 건져서 시루에 안쳐 고두밥을 짓는다.
3. 고두밥이 익었으면 넓은 그릇에 펴 담아놓고, 한 김 나게 식으면 시루밑물을 고두밥에 고루 퍼붓고 뚜껑을 덮어두었다가, 고두밥이 물을 다 먹기를 기다린다.
4. 찹쌀고두밥과 멥쌀고두밥이 다 식었으면 각각 그릇에 담아놓고 밑술을 섞어 버무리되, 밑술이 부족하면 끓여서 차게 식힌 물 6말을 섞어 술밑을 빚는다.
5. 소독하여 준비한 술독에 멥쌀고두밥 술밑 한 켜, 찹쌀고두밥 술밑 한 켜, 준비해 둔 진달래꽃잎 한 켜씩 켜켜로 담아 안친 다음, 메밥을 맨 위에 덮는다.
6. 차게 식혀둔 물을 한 사발쯤 남겼다가 술그릇을 씻어낸 후, 술덧 위에 부어주고, 예의 방법대로 하여 21일간 발효시킨다.
7. 술밑이 내려앉았으면, 밤에 심지에 불을 붙여서 독 속에 들여 꺼지거나 흔들리지 않으면 다 익은 것이다.
8. 술 위를 곱게 걷어내고 가운데를 헤쳐 보면 흰꽃과 부의(개미)가 잔뜩 뜨고 맑고 향기가 기이하다.

* 주방문 말미에 "ᄉᆞ병과 질병은 슐이 변미ᄒᆞ니 오지병의 도청ᄒᆞ면 무거온 밥낫과 밥풀 ᄀᆡ야미 쁜 거시라 흰 ᄉᆡᆯ치 펴져 쓰ᄂᆞ니라. 범슐이 밥을 닉게닉게 쪄셔늘ᄒᆞ여 비즈면 싈 념여 업고 누록을 잘 ᄇᆞ릐여 ᄒᆞ면 잡마시 업고 슐 비치 ᄂᆡ슈 ᄀᆞᆺ고 슐의 잡ᄂᆡ 나기ᄂᆞᆫ 그르ᄉᆞᆯ 정히정히 씨셔 날물긔 업시 누슌 도청ᄒᆞ면 마시 청열ᄒᆞ고 변미 아닛나니라."고 하여 술의 저장방법과 술 빚을 때의 주의사항에 대해 구체적으로 언급하고 있다. <규합총서>와 매우 유사하다.

두견쥬법

두견쥬 ᄒᆞ랴면 정월 첫 ᄒᆡ일의 ᄇᆡᆨ미 두 말가오ᄉᆞᆯ ᄇᆡᆨ세ᄒᆞ야 담가다가 작말ᄒᆞ여 쌀 되난 되로 물 두 말가옷 ᄀᆞ붓지게 ᄊᆞᆯ혀 쇼라의 날물긔 업시 ᄀᆞ로를 담고 탕슈를 고로고로 ᄊᆡ여 언저 쥬걱으로 ᄀᆡ고 한ᄃᆡ 노하 ᄒᆞ로밤 ᄌᆞ거던 어름 ᄀᆞᆺ치 식은 후 ᄀᆞ로누록 밤 ᄂᆡ 살마 쳐 무슈히 바ᄅᆡ여 ᄌᆞᆨ말ᄒᆞ여 칠 홉 진말 칠 홉 너허 고로고로 버무려 ᄊᆡ 쳐서 정히 울인 항의 집븐 ᄂᆡ 쏘여 술 버무린 거살 ᄃᆞᆫᄃᆞᆫ이 너코 항을 공셕으로 둘너 화기 업ᄂᆞᆫ ᄃᆡ 잘 두엇다가 삼월의 두견화 셩발ᄒᆞᆯ 제 ᄇᆡᆨ미 셔 말 졈미 서 말 ᄇᆡᆨ셰ᄒᆞ여 담가다가 일야 후 찬물의 씨셔 건져 ᄂᆡᆨ게ᄂᆡᆨ게 ᄊᆡ 쪄 ᄂᆡ여 각각 그ᄅᆞᄉᆡ 헤치고 ᄒᆞᆫ 김 난 후 찬찬 눌너 가며 시로 물을 밥 우ᄒᆡ ᄌᆞ즐ᄌᆞ즐ᄒᆞ게 퍼 부어 두에 덥허 이ᄋᆞᆨ이 두엇다가 ᄉᆞᆯ밥이 지은 밥 ᄀᆞᆺ거던 헤쳐 식이ᄃᆡ ᄉᆞᆨᄉᆞᆨ드리 온긔 업거던 ᄆᆡ밥 출밥을 각각 그ᄅᆞᄉᆡ 담고 ᄉᆞᆯ밋ᄎᆞᆯ ᄂᆡ여 버무려 ᄉᆞᆯ밋치 부족거던 시로물만 말고 덧 슈ᄃᆡ로 엿 말 물을 ᄊᆞᆯ여 서늘ᄒᆞ게 식혀 ᄉᆞᆯ밋틔 타며 버므려 메밥 ᄒᆞᆫ 케 출밥 ᄒᆞᆫ 케 ᄉᆞᆺ ᄒᆞᆫ 케식 항의 ᄃᆞᆫᄃᆞᆫ이 눌너 가며 너ᄒᆞᄃᆡ ᄆᆡᆫ 우희 메밥 범므린 거살 덥ᄂᆞ니 ᄊᆞᆯ힌 물 남겨다가 술 버무린 그ᄅᆞ살 부ᄉᆡ여 붓고 두견화 쾌히 핀 거살 수울 업시 졍히졍히 다ᄃᆞᆺ다가 ᄉᆞᆯ ᄒᆞᆫ 졔의 ᄒᆞᆫ 말이나 너ᄒᆞ라. 너무 만ᄒᆞ도 ᄉᆞᆯ이 불거 죠치 안이니 게 가온ᄃᆡ 쟉쟉 펴 너헛다가 삼칠이 지ᄂᆞᆫ 후 들셔 보면 ᄂᆞ려 안ᄌᆞ거던 밤의 심지의 불 혀 독 속 너허 보면 데된 ᄉᆞᆯ은 불이 써지고 다 된 ᄉᆞᆯ은 불이 안이 써지ᄂᆞ니 우흘 녀래 거드면 가온ᄃᆡ를 헤치면 쳥쥬 용ᄎᆞᆯᄒᆞ며 ᄀᆡ야미와 ᄉᆞᆺ치 잠속 ᄠᅳ고 향취 복욱ᄒᆞ야 가ᄋᆡᄒᆞ니라. ᄉᆞ병과 질병은 ᄉᆞᆯ이 변미ᄒᆞ니 오지병의 도쳥ᄒᆞ면 무거온 밥낫과 밥풀 ᄀᆡ야미 ᄠᅳᆫ 거시라 흰 쇠치 펴져 쓰ᄂᆞ니라. 범ᄉᆞᆯ이 밥을 ᄂᆡᆨ게ᄂᆡᆨ게 쪄 셔늘ᄒᆞ여 비즈면 ᄉᆡᆯ 넘여 업고 누록을 잘 ᄇᆞᄅᆡ여 ᄒᆞ면 잡마시 업고 ᄉᆞᆯ 비치 ᄂᆡᆼ슈 ᄀᆞᆺ고 ᄉᆞᆯ의 잡ᄂᆡ 나기ᄂᆞᆫ 그ᄅᆞᄉᆞᆯ 졍히졍히 씨셔 날물긔 업시 누ᄉᆞᆫ 도쳥ᄒᆞ면 마시 쳥열ᄒᆞ고 변미 아닛나니라.

7. 두견주법 <봉접요람>

술 재료 : 밑술 : 멥쌀 1말, 가루누룩 2되 7홉, 끓는 물(1말)
덧술 : 멥쌀 1말 5되, 찹쌀 1말 5되, 두견화(1~2되), 끓여 식힌 물(2말 5되)

술 빚는 법 :

* 밑술 :

1. 정월 첫 해일에 밑술할 멥쌀 1말을 (백세하여 물에 담갔다가, 다시 씻어 헹궈 건져서) 작말한다(가루로 빻는다).
2. 솥에 물(1말)을 고비나게(오랫동안 솟구치게) 끓여, 쌀가루에 골고루 붓고 주걱으로 멍울 없이 고루 개어 된 풀같이 반생반숙하여 범벅을 쑨다.
3. 범벅을 넓은 그릇에 나눠 담고, 차게 식기를 기다린다.
4. 차게 식은 범벅에 가루누룩 2되 7홉을 합하고, 고루 치대어 술밑을 빚는다.
5. 술밑은 날물기 없이 하여 술독에 담아 안치고, 예의 방법대로 하여 단단히 봉하여 (서늘한 데 두어) 발효시킨다.
6. 두견화가 필 때 만개한 것을 골라 따고, 꽃술을 전부 제거하여 1~2되를 준비한다.

* 덧술 :

1. 두견화 피거든 찹쌀 1말 5되와 멥쌀 1말 5되, 두 가지 쌀을 백세하여 담가 불렸다가 (다시 씻어 헹궈 건져서 물기를 뺀 후) 시루에 안쳐서 고두밥을 짓는다.
2. 고두밥이 익었으면 퍼내고, 고루 펼쳐서 차게 식기를 기다린다.
3. 솥에 물(2말 5되)을 고비나게 끓여 (넓은 그릇에 퍼서) 서늘하게 식힌다.
4. 차게 식은 고두밥에 밑술과 끓여 식혀둔 물을 한데 합하고, 고루 버무려 술밑을 빚는다.
5. 술독에 두견화(1~2되)를 한 켜 안치고, 술밑을 안친다(맨 위에 두견화와 누룩가루를 한 줌 뿌려 술밑을 덮어놓는다).

6. (끓여두었던 물을 조금 남겨서 술 빚었던 그릇을 깨끗하게 씻고, 술밑 위에 쏟아 붓는다.)
7. 술독은 예의 방법대로 하여 서늘한 곳에 앉혀두고 발효시킨다.

* 두견화의 양과 이용법에 대한 언급이 없고, 덧술의 물 양(밥물)과 꽃의 양도 정확치가 않다.

두견쥬법

셔 말 ᄒᆞ랴면 정월 쳣 ᄒᆡ일의 밋 ᄒᆞᆫ 말 작말ᄒᆞ여 물 고비나게 ᄭᅳ려 ᄆᆞᆼ올 업시 물 퍼부어 ᄀᆡ셔 된풀 갓치 반싱반슉ᄒᆞ게 쓔어 ᄀᆞ로누룩 두 되 칠 홉만 너허 날물긔 업시 ᄒᆞ여 단단이 봉ᄒᆞ여 두니다. 두견화 나거든 찹ᄡᆞᆯ 말 가옷 멥ᄡᆞᆯ 말 ᄀᆞ옷 두 가지 ᄡᆞᆯ을 ᄇᆡᆨ세ᄒᆞ여 담아다가 슐ᄒᆞᆯ ᄡᆞᆯ 물 고비나게 ᄭᅳ려 셔눌ᄒᆞ게 시근 후 슐ᄒᆞ면 조흐이라. ᄭᅩᆺ슨 덧ᄒᆞᆯ 졔 너되 너무 만이 너면 조치 못ᄒᆞ고 맛시 쓰이라. 슐물은 밥물 만치 부라.

8. 두견주법 <부인필지(夫人必知)>

술 재료 : 밑술 : 멥쌀 2말 5되, 누룩가루 1되 3홉, 밀가루 7홉, 물 2말 5되
덧술 : 진달래꽃 1말, 찹쌀 3말, 멥쌀 3말, 물 6말

술 빚는 법 :

* 밑술 :

1. 정월 첫 해일에 멥쌀 2말 5되를 정히 씻어 (백세하여 물에 담가 불렸다가, 다시 씻어 건져서 물기를 뺀 후) 작말하여 소래기에 담아둔다.
2. 물 2말 5되를 팔팔 끓여 쌀가루에 골고루 붓고, 주걱으로 고루 개어서 범벅을 만든 후, 하룻밤 재워 얼음같이 차게 식기를 기다린다.

3. 누룩을 이슬을 맞히고 햇볕에 바래어(법제한 후), 가루로 빻아 깁체에 쳐서 고운 가루를 취한다.
4. 범벅에 누룩가루 1되 3홉과 밀가루 7홉을 한데 섞고, 고루 버무려 술밑을 빚는다.
5. 예의 방법대로 연기로 소독한 술독에 술밑을 담아 안친 다음, 단단히 밀봉하여 햇볕이 닿지 않는 곳에 앉혀 3월에 진달래 필 때까지 (2개월가량) 발효시킨다.

* 덧술 :
1. 3월이 되어 진달래꽃을 채취하여 꽃술을 모두 제거하여 1말을 마련한다.
2. 찹쌀 3말과 멥쌀 3말을 각각 정히 쓿어 씻고 또 씻어 (백세하여 물에 담가 불렸다가, 다시 씻어 건져서 물기를 뺀 후) 시루에 안쳐서 고두밥을 짓는다.
3. 고두밥을 지을 때 물 6말을 준비해 두었다가 멥쌀은 물을 흠씬 주어 무르게 짓고, 찹쌀은 물 3사발을 뿌려 푹 익힌다.
4. 찹쌀고두밥이 익었으면, 즉시 퍼내고 고루 헤쳐서 차게 식기를 기다린다.
5. 고두밥에 뿌리고 남은 물을 고붓지게(솟구치게) 끓이다가, 멥쌀고두밥이 익었으면 소래기에 퍼 담아놓고, 메밥에 두세 바가지 퍼붓고 다시 덮어놓는다.
6. 멥쌀고두밥이 물을 다 먹고 김이 들었으면, 삿자리에 고루 헤쳐서 더운 기가 없이 차게 식기를 기다린다.
7. 사용하고 남은 물은 차게 식히고, 밑술을 퍼서 찰밥과 메밥에 각각 나누어 붓고, 밑술이 적으면 끓여둔 물을 몇 바가지 퍼서 섞은 후, 고루 버무려 술밑을 빚는다.
8. 술독에 메밥 한 켜, 찰밥 한 켜, 꽃잎 한 켜씩 켜켜로 안치되, 맨 위에는 메밥을 덮고 끓여두었다가 남은 물로 술을 비볐던 그릇을 씻어내어 술독에 마저 붓고 단단히 밀봉하여 21일간 발효시킨다.
9. 술이 익었으면 가운데를 헤치고, 술을 퍼서 술독 가장자리로 부어주면 맑은 술이 용솟음치므로 용수를 박아 채주한다.

* 주방문 말미에 “성냥불을 켜 독 속에 넣고 불이 꺼지지 않으면, 다 익은 것이니” 하였다. 또 채주한 후 “오지병에 담아두면 과하 하여도(여름이 지나도) 변하지 않는다.”고 하였다.

두견쥬법

정월 쳣 ᄒᆡ일에 ᄇᆡᆨ미 두 말 닷 되 정히 씨셔 작말ᄒᆞ야 소라기에 담고 물 두 말 닷 되ᄅᆞᆯ 펄펄 ᄭᅳᆯ여 쌀가루에 고루 부어 ᄀᆡ야 밤 ᄌᆡ와 어름갓치 식은 후 가루 누룩을 이슬맛쳐 볏ᄒᆡ 발ᄒᆡ야 깁체에 쳐서 ᄒᆞᆫ 되 ᄉᆞᆷ 홉과 진말 칠 홉을 너어 고루 버무려 항아리ᄅᆞᆯ 정히 울엿다가 베집을 불ᄐᆡ워 항아리ᄅᆞᆯ 불에 덥허 연긔가 항 속에 가득ᄒᆞᆫᄃᆡ로 ᄌᆡᄅᆡ만 힝자로 얼는 훔쳐ᄂᆡ고 슐밋을 너어 단〻히 봉ᄒᆞ야 양긔 빗취지 안ᄂᆞᆫ 곳에 두엇다가 삼월의 두견화 피거든 ᄭᅩᆺ슐 업시 ᄒᆞᆫ 말 ᄶᅡ고 ᄇᆡᆨ미 셔 말과 졈미 셔 말을 정히 쓰러 씻고 씻서 각〻 씻되 물을 쌀과 갓치 엿 말을 되어 놋코 메밥에ᄂᆞᆫ 물을 흠벅 쥬어 ᄲᅧ 업시 짓고 찰밥에ᄂᆞᆫ 셰 ᄉᆞ발 좀 ᄲᅮ려다 ᄶᅵᆫ 후 찰밥은 직시 헤쳐 식이고 메밥은 소라기에 담어 덥허 놋코 밥에 쥬고 남은 물을 곱웃지게 ᄭᅳᆯ여 메밥에 두셰 박 퍼부어 도로 덥허두면 밥이 부러 김이 들거든 초석에 헤쳐 더운 긔가 조곰도 업시 식여 슐밋을 ᄂᆡ여 메밥과 찰밥을 각 그릇에 버무리되 슐밋이 져글 터이니 ᄭᅳᆯ여 노은 물을 차게 식여 몃그릇 타서 버무러 메밥 ᄒᆞᆫ 켜 찰밥 ᄒᆞᆫ 켜 ᄭᅩᆺ ᄒᆞᆫ 켜식 넛타가 ᄆᆡᆫ 우에ᄂᆞᆫ 메밥을 덥고 물을 조금 남겻다가 그릇부시여 부어 단〻히 봉ᄒᆞ야 닉혀 삼칠일되거든 성양에 불켜 독 속에 ᄃᆡ여 보아 불이 안이ᄭᅥ지면 다 닉은 것이니 가운ᄃᆡᄅᆞᆯ 고이 헷치면 청쥬가 용츌ᄒᆞᄂᆞ니 오지병에 너어 도청ᄒᆞ야 과하ᄒᆞ야도 변치 안이ᄒᆞᄂᆞ니라.

9. 두견주 <술 만드는 법>

술 재료 : 밑술 : 멥쌀 2말 5되, 누룩가루 5되, 밀가루 4되, 물 2말 5되
덧술 : 멥쌀 3말, 찹쌀 3말, 두견화 1함박, 물 6말

술 빚는 법 :

* 밑술 :

1. 정월에 멥쌀 2말가웃(5되)을 백세하여 (불렸다가 다시 씻어 헹궈서 물기를 뺀 뒤) 작말한다.
2. 쌀 계량한 되로 물 2말 5되를 팔팔 끓이다가, 쌀가루에 (골고루 나눠) 붓고 주걱으로 개어서 죽(범벅)을 쑨다.
3. 죽(범벅)이 서늘하게 식기를 기다려 물 계량한 그릇으로 누룩가루 5되와 밀가루 4되를 섞고, 고루 버무려 술밑을 빚는다.
4. 술밑을 술독에 담아 안친 다음, 예의 방법대로 하여 찬 곳에 두고 술이 익기를 기다린다.

* 덧술 :

1. 두견화가 피거든 멥쌀 3말과 찹쌀 3말을 각각 정히 씙고 또 씙어 (하룻밤 불렸다 다시 헹궈서) 시루에 안치는데, 멥쌀을 밑에 안치고 찹쌀은 위에 안친다.
2. 한 김이 한창 올라오고 고두밥이 익었으면 찹쌀고두밥은 먼저 퍼서 고루 펼쳐 차게 식히고, 멥쌀에는 물을 많이 뿌리고 다시 김을 올려서 뼈가 없이 무르게 찐다.
3. 쌀 계량한 그릇(되)으로 물 6말을 팔팔 끓여서 각각 고두밥에 2말쯤 뿌려주고 뚜껑을 덮어둔다.
4. 밥이 물을 다 빨아 들였으면 돗자리에 펼쳐서 차게 식히고, 밥에 주고 남은 물 2말도 넓은 그릇에 퍼서 차게 식힌다.
5. 두견화를 수염(꽃술)을 하나도 남지 않게 깨끗하게 다듬어 큰 함박으로 하나 준비하여 놓는다.
6. 밑술을 둘로 나누어 멥쌀고두밥과 찹쌀고두밥에 합하고, 끓여 식힌 물도 각각 3~4바가지를 합하여 각각 술밑을 빚되, 멥쌀고두밥을 먼저 버무려놓는다.
7. 술독에 메밥 한 켜, 찰밥 한 켜, 진달래꽃 한 켜씩 켜켜로 안치고, 메밥을 한 바가지 남겨서 맨 위에 한 켜 덮어 안친다.

8. 술밑을 안친 독은 예의 방법대로 하여 단단히 밀봉한 후, 볕이 들지 않는 곳에 둔다.
9. 술 빚은 지 1삭(30일) 만에 술덧 위(메밥 한 바가지 덮은 것)를 걷어내고, 술을 뜬다(용수 박아 채취한다).

* 진달래꽃은 꽃술을 남김없이 제거하고 깨끗이 씻어 물기를 뺀 뒤, 그늘에서 꾸들꾸들하게 건조시켜 사용하는 것이 좋다. 메밥과 찰밥에 각각 밑술과 탕수를 나누어 붓고 고루 버무리되, 멥쌀고두밥을 먼저 버무리고 먼저 안친다. 또 밑술이 끓어 괴기 시작할 때는 잘 넘치니 부디 큰 항아리에 하는 것이 좋을 것이라고 하였다.

두견쥬

ᄒᆞᆫ 번에 ᄡᆞᆯ이 팔 두가 드나니 찹ᄡᆞᆯ이 너 말이오 ᄇᆡᆨ미가 너 말이라. ᄇᆡᆨ미 두 말가오슬 졍월에 ᄇᆡᆨ셰작말ᄒᆞ야 물 두 말가오슬 ᄡᆞᆯ 된 그릇스로 되야 작말ᄒᆞᆫ 가로를 큰 쇼라에 담고 ᄭᅳᆯᄂᆞᆫ 물를 퍼부으며 쥭억으로 져어 식거든 곡말 닷 되 진말 너 되를 물 된 그르스로 되야 붓고 쥭억으로 고로 져어 항아리에 너허 ᄒᆞᆫᄃᆡ 두엇다가 두견화 퓌거든 찹ᄡᆞᆯ 셔 말 ᄇᆡᆨ미 셔 말 졍이 ᄲᆞᆯ코 졍이 ᄲᆞᆯ어 불은 후 시루에 ᄇᆡᆨ미ᄂᆞᆫ 밋히 안치고 찹ᄡᆞᆯ은 우ᄒᆡ 안쳐 �며 찰밥은 퍼ᄂᆡ고 밋히 밥은 물를 언져 다시 김을 올녀 퍼 놋코 ᄡᆞᆯ 된 그르스로 물 엿 말를 ᄭᅳᆯ혀 ᄆᆡ양 밥에 두어 말즘 부어 그 물이 밥에 빌 만하거든 두 가지 밥을 다 시겨셔 물에 안구고 남은 물도 ᄒᆞᆫ가지로 식이고 두견화를 큰 홈박으로 슈염 ᄒᆞ나 업시 졍ᄒᆞ게 다듬고 ᄭᅳᆯ인 물 식은 거슬 슐밋히 셔너 박 부어 통쳐 슐밥을 버무리되 ᄭᅩᆺ을 케케 노아 가며 항아리에 너흐되 메밥을 먼져 버무리고 찰밥을 그 ᄃᆡ음 버무려 너코 ᄭᅩᆺ도 찰밥 버무려 너흔 우ᄒᆡ 너코 메밥 버무린 것 ᄒᆞᆫ 박아지 남겻다가 우를 덥허 단단이 봉ᄒᆞ야 볏 아니 드ᄂᆞᆫ ᄃᆡ 두엇다가 일삭 만에 우를 것고 ᄯᅳ라 밋치 괴인 후에ᄂᆞᆫ 넘기가 쉬우니 부ᄃᆡ 큰 항아리에 ᄒᆞᄂᆞᆫ 거시 죠흐니라.

10. 두견주방문 <술방문>

술 재료 : 밑술 : 멥쌀 2말 5되, 누룩가루 1되 3홉, 밀가루 1되, 물 2말 3되
덧술 : 찹쌀 3말, 누룩가루 3홉, 밀가루 3홉, 끓여 식힌 물 5말 5되, 진달래꽃(2~3되)

술 빚는 법 :

* 밑술 :

1. 정월 첫 해일에 멥쌀 2말 5되를 물에 깨끗이 씻어 물에 담가 하룻밤 불렸다가, (다시 씻어 건져서 물기를 뺀 후) 작말하여 소래기에 담아둔다.
2. 물 2말 3되를 팔팔 끓여 쌀가루에 고루 붓고, 주걱으로 고루 개어서 범벅을 쑨 후 온기가 남지 않게 식기를 기다린다.
3. 범벅에 누룩가루 1되 3홉과 밀가루 1되를 한데 섞고, 고루 버무려 술밑을 빚는다.
4. 술밑을 소독한 술독에 담아 안친 다음, 예의 방법대로 하여 밖에 두고 2개월가량 발효시킨다.

* 덧술 :

1. 3월이 되어 진달래꽃이 피면, 만개한 꽃을 채취하여 꽃술을 모두 제거하여 2~3되를 마련한다.
2. 찹쌀 3말을 백세하여 물에 담가 하룻밤 불렸다가, (다시 씻어 말갛게 헹궈 건져서 물기를 뺀 후) 시루에 안쳐서 무른 고두밥을 짓는다.
3. 고두밥을 지을 때 물 5말 5되를 팔팔 끓여 차게 식혀놓는다.
4. 찹쌀고두밥은 무르게 짓고, 익었으면 즉시 헤쳐서 차게 식기를 기다린다.
5. 찹쌀고두밥에 밑술과 누룩가루 3홉, 밀가루 3홉, 진달래꽃(2~3되), 끓여두었던 물 5말 5되를 한데 합하고, 고루 버무려 술밑을 빚는다.
6. 술독에 술밑을 담아 안치고, 예의 방법대로 단단히 밀봉하여 밖에(찬 곳에)

두고 21일간 발효시킨다.

7. 술이 익었으면 가운데를 헤치면 맑은 술이 용출하므로 용수를 박아 채주한다.

* 주방문에는 '진달래술'도 '탕수로 후수하여 마신다.'고 하였으며, 기존의 주방문과 대조를 이룬다. 즉 덧술에서 멥쌀을 사용하지 않고, 양도 적은 편이다. 또 고두밥과 끓는 물을 각각 차게 식힌 후 일반적인 방법으로 버무려 술밑을 빚는다.

두견쥬방문

ᄒᆞᆫ 제을 ᄒᆞ랴면 정월 쳣 ᄒᆡ일의 ᄇᆡᆨ미 두 말가웃 ᄇᆡᆨ세ᄒᆞ여 담가 ᄒᆞ로밤 지ᄂᆡ여 ᄌᆞᆨ말ᄒᆞ여 탕슈 두 말 셔 되 ᄉᆞ를적의 고로 셕거 된 범벅갓치 두어다 온기업시 가루누록 ᄒᆞᆫ 되 셔 홉 진말 ᄒᆞᆫ 되 너허 고로 셕거 그릇세 물기업시 집ᄂᆡ쓰야 ᄒᆞ여 너허 ᄎᆞᆫᄃᆡ 두어다가 두견화 나거든 졈미 셔 말 ᄇᆡᆨ세하여 담가 ᄒᆞ로밤 지ᄂᆡ여 물우게 쪄 ᄃᆡ 탕슈만 말가웃과 슐밥을 온기 없시즐 식거든 진말 셔 홉 누록가로 셔 홉 두견화 ᄒᆞᆫᄐᆡ 쳐 버무러 밧기 두엇다가 ᄉᆞᆷ칠일 만에 먹나이라. 젼국 쓰고 물 ᄉᆞ려 ᄂᆡ일 식은 후 부어셔 먹나이라. 시언하게 만거쳔ᄒᆞ면 과하여도 앙겐ᄎᆞᆫ코 과ᄒᆞᆫ하면 자그만 ᄒᆞᆫ글읏세 수을 ᄌᆞᆯ 봉ᄒᆞ여 ᄎᆞ디 일존케 ᄒᆞ고 잔간스하면 츨가ᄒᆞ 쓰리라.

11. 두견주 <술 빚는 법>

술 재료 : 밑술 : 멥쌀 2말, 가루누룩 7홉, 밀가루 7홉, 끓는 물 2말
덧술 : 멥쌀 3말, 찹쌀 3말, 진달래꽃 2~3되, 끓는 물 6말

술 빚는 법 :

* 밑술 :

1. (정월) 첫 해일에 멥쌀 2말을 백세하여 (물에 담가 하룻밤 불렸다가, 다시 씻어 헹궈서) 작말한다(넓은 그릇에 담아놓는다).
2. 솥에 물 2말을 끓이는데, 바가지를 띄워 바가지가 가라앉게 끓여 멥쌀가루에 한데 합하고, 주걱으로 고루 개어 범벅을 만든 후 밤까지 차게 식기를 기다린다.
3. 범벅에 좋은 가루누룩 7홉, 밀가루 7홉을 합하고, 고루 버무려 술밑을 빚는다.
4. 술밑이 넘지 않을 정도로 큰 술독에 담아 안치고, 예의 방법대로 하여 찬 곳에 두어 진달래꽃이 필 때까지 발효시킨다.

* 덧술 :

1. 멥쌀 3말과 찹쌀 3말을 깨끗하게 쓿어(도정을 많이 하여 백세하고 물에 담가 불렸다가, 다시 헹궈서 물기를 뺀 후) 시루에 안쳐서 고두밥을 짓는다.
2. 솥에 물 3말을 팔팔 끓이고, 고두밥이 익었으면 넓은 그릇에 퍼 담는다.
3. 즉시 끓고 있는 물 3말을 고두밥에 골고루 붓고, 주걱으로 고루 헤쳐 놓는다.
4. (고두밥이 물을 다 먹었으면 그릇 여러 개에 나눠 담고 차게 식기를 기다린다.)
5. 물 먹인 고두밥에 밑술을 붓고, 고루 버무려 술밑을 빚는다.
6. 술밑을 술독에 담아 안치고, 예의 방법대로 하여 (서늘한 곳에서) 발효시켜 익기를 기다린다.
7. 술덧이 괼 때에 꽃술 없이 하여 준비한 진달래꽃 2~3되를 쑤셔 박아두고, 재차 밀봉하여 21일간 발효시킨다.

* 주방문 말미에 "독의 두견을 두어 되 곳술을 업시 ᄒᆞ고 술 괼 ᄯᅢ의 너허다가, 삼칠일 만의 먹게 허라."고 하여 다른 두견주와는 달리 술덧이 발효될 때 두견화를 넣는다는 것이 다른 주방문과 다른 점이다.

두견주

초 ᄒᆡ일의 ᄇᆡᆨ미 두 말 ᄇᆡᆨ세작말허고 물 두 말을 ᄉᆞᆯ히여되, 족박 ᄯᅴ여 박이 갈아안계 ᄉᆞᆯ혀, 가로의 물을 부어 범벅이 되게 쪄허 두어다가, 밤ᄋᆡ ᄊᆡᆨ거든 조ᄒᆞᆫ 가로누룩 칠 홉과 진말 칠 홉을 한ᄃᆡ 셕거 넘지 안니헐 항의 너허 찬 ᄃᆡ 두여다가, 두견니 날만 ᄒᆞ거단, ᄇᆡᆨ미 셔 말 졈미 셔 말 졍이 ᄊᆞᆯ어 부ᄃᆡ 밥을 ᄋᆡᆨ계 쪄, 물 셔 말을 ᄇᆡᆨ 번 ᄉᆞᆯ여 밤의 ᄊᆡᆨ거단, 밋 헐 젹의 이불 다 것고 군ᄂᆡ 업시 허여, 독의 두견을 두어 되 곳술을 업시 ᄒᆞ고 술 괼 ᄊᆡ의 너허다가, 삼칠일 만의 먹게 허라. 한 제가 모도 여달 말인니, 반만 허려 허면 각각 분반ᄒᆞ라.

12. 두견주 <시의전서(是議全書)>

술 재료 : 밑술 : 멥쌀 2되, 누룩가루 1되, 밀가루 1되, 물(2되)
덧술 : 찹쌀 3말, 멥쌀 3말, 냉수 5말 3되, 진달래꽃 2되

술 빚는 법 :

* 밑술 :

1. 정월에 멥쌀 2되를 백세하여 (물에 담갔다가, 다시 씻어 뜨물이 없이 말갛게 헹궈 건져서 물기를 뺀 후) 작말하고(가루로 빻고), 넓은 그릇에 담아놓는다.
2. 쌀가루에 팔팔 끓는 물(2되)을 골고루 붓고, 주걱으로 개어 범벅을 쑨 다음 (뚜껑 덮어) 차게 식기를 기다린다.
3. 식힌 범벅에 누룩가루와 진말 각 1되씩을 한데 합하고, 고루 버무려 술밑을 빚는다.
4. 술밑을 술독에 담아 안친 다음, 예의 방법대로 하여 진달래꽃이 필 때까지 (서늘한 곳에서) 발효시킨다.

* 덧술 :

1. 진달래꽃이 피었으면, 활짝 피어난 진달래꽃잎(2되)을 따서 물에 깨끗이 씻어 물기를 뺀 다음, 그늘에서 음건하여 물기를 제거한다.

2. 멥쌀과 찹쌀 각 3말을 백세하여 물에 하룻밤 불렸다가 (다시 씻어 건져서 물기를 뺀 후) 시루에 안쳐서 고두밥을 짓는다.
3. 물 5말 3되를 팔팔 끓여서 넓은 그릇 여러 개에 나눠 담아 차게 식혀놓는다.
4. 고두밥이 익었으면, 차게 식혀둔 탕수에 골고루 합하고, 고두밥이 물을 다 먹기를 기다렸다가 고루 헤쳐서 차게 식기를 기다린다.
5. 차게 식은 고두밥에 밑술을 합하고, 고루 버무려 술밑을 빚는다.
6. 진달래꽃 2되를 술밑을 묻혀서 술독 맨 밑에 먼저 담아 안친다.
7. 술밑을 술독에 담아 안친 다음, 예의 방법대로 하여 찬 곳에 자리를 잡아 앉히고, 발효시켜 술이 익는 대로 채주한다.

* 여느 '두견주' 주방문과는 다르다. 즉, 끓는 물과 쪄낸 뜨거운 고두밥을 합하여 식히지 않고, 물을 끓여 식힌 뒤 갓 쪄낸 뜨거운 고두밥을 합하고 식힌 뒤 술밑을 빚고, 진달래꽃도 술밑을 묻힌 뒤 독에 먼저 안친다는 점에서 차이가 있다. 또 "복숭아꽃을 넣으면 '도화주'가 된다."고 하였다.

두견쥬(杜鵑酒)
정월에 ᄇᆡᆨ미 이 승 ᄇᆡᆨ셰작말ᄒᆞ야 물 ᄭᅳᆯ혀 가로에 부어 골나 식거든 곡말 진말 각 일 승식 너허 두엇다가 두견 막 픠거든 ᄇᆡᆨ미 졈미 각 삼 두을 ᄇᆡᆨ셰 담가 밤 ᄌᆡ와 쪄 ᄂᆡᆼ슈 오 두 삼 승 ᄭᅳᆯ혀 ᄎᆞ거든 밥에 골나 두엇다가 식거든 두견ᄭᅩᆺ 두 되를 슐 발으고 먼져 독 밋ᄒᆡ 너코 지에를 젼 밋ᄒᆡ 셕거 식거든 드리오되 슐 그릇슬 찬 ᄃᆡ 두라. 도화 너흐면 도화쥬라.

13. 두견주 <양주방>*

술 재료 : 밑술 : 멥쌀 2말, 가루누룩 3되, 밀가루 3되, 끓는 물(4말, 쌀되)
덧술 : 멥쌀 3말, 찹쌀 3말, 진달래꽃 2~3되, 끓는 물(4말, 쌀되)

술 빚는 법 :

* 밑술 :

1. (정월) 첫 해일에 멥쌀 2말을 백세하여 (물에 담가 하룻밤 불렸다가, 다시 씻어 헹궈서) 작말한다(넓은 그릇에 담아놓는다).
2. 솥에 물 2말을 끓이는데, 고붓지게(바가지를 띄워 바가지가 가라앉게) 끓여 멥쌀가루에 한데 합하고, 주걱으로 고루 개어 범벅을 쑨다.
3. 범벅을 넓은 그릇에 펴 담고, 밤재워 밑까지 차게 식기를 기다린다.
4. 범벅에 좋은 가루누룩 3되, 밀가루 3되를 합하고, 고루 버무려 술밑을 빚는다.
5. 술밑이 넘지 않을 정도로 큰 술독에 담아 안치고, 예의 방법대로 하여 찬 곳에 두어 진달래꽃이 필 때까지 발효시킨다.

* 덧술 :

1. 멥쌀 3말과 찹쌀 3말을 백세하여 물에 담가 불렸다가, 멥쌀을 먼저 (다시 헹궈서 물기를 뺀 후) 시루에 안쳐서 고두밥을 짓는다.
2. 솥에 물(4말)을 팔팔 끓이고, 넓은 자배기 위에 소쿠리를 얹고 멥쌀고두밥이 익었으면 그 안에 펴 담는다.
3. 즉시 끓고 있는 물을 멥쌀고두밥에 골고루 퍼붓고, 주걱으로 고루 헤쳐 놓고, 자배기에 남은 물을 차게 식힌다.
4. (멥쌀고두밥이 물을 다 먹었으면, 다시 시루에 안쳐서 무르게 익도록 쪄낸 다음, 그릇 여러 개에 나눠 담고 차게 식기를 기다린다.)
5. 찹쌀을 다시 씻어 헹궈서 물을 뺀 다음, 시루에 안쳐서 고두밥을 찌되, 물을 흠씬 뿌려서 무른 고두밥을 짓고, 익었으면 퍼내서 차게 식기를 기다린다.
6. 밑술에 멥쌀고두밥과 찹쌀고두밥, 끓여 식힌 물, 진달래꽃을 한데 섞고, 고루 버무려 술밑을 빚는다.
7. 술밑을 술독에 담아 안치고, 예의 방법대로 하여 (서늘한 곳에서) 21일간 발효시켜 익기를 기다린다.

* 주방문 말미에 술 빚는 물은 밑술과 덧술의 쌀 양대로 계량한다고 하였는데, 그 도량형이 쌀을 계량하는 되라는 것을 알 수 있다. 따라서 쌀되로 동일한 양의 물을 사용하는 것으로 주방문을 작성하였다.

두견쥬

ᄒᆞᆫ 제 ᄒᆞ랴면 정월의 ᄇᆡᆨ미 두 말 ᄇᆡᆨ셰작말ᄒᆞ여 물 내말 ᄭᅳᆯ혀 가로의 ᄭᅳᆯᄂᆞᆫ 고븟츨 퍼 부어 반ᄉᆡᆼ반슉ᄒᆞ게 가(ᄀᆡ)야 ᄒᆞ로밤 ᄌᆡ와 ᄎᆞ거든 국말 진말 각 서 되셕 너허 고로고로 쳐 너허 ᄒᆞᆫᄃᆡ 두엇다가 두견화 ᄑᆡ거든 졈미 ᄇᆡᆨ미 각 서 말식 각각 ᄇᆡᆨ셰ᄒᆞ야 담가두고 탕슈 밥이 ○○○ 합ᄒᆞ여 ○이 되게 ᄭᅳᆯ혀 식히고 ᄆᆞᄡᆞᆯ 몬져 쎠 펴ᄂᆡ여 믈 슐나 덥혀 노코 졈미 담근 거슬 ᄒᆞ억이 물 ᄲᅳ려가며 ᄂᆡ게 쎠 펴 ᄂᆡ고 믈 슐론 밥ᄀᆞᆺ쳐 쎠 ᄂᆡ게 쎠 식거든 탕슈ᄒᆞ고 슐밋ᄒᆞ고 두견화 ᄭᅩᆺ술 업시 정히 ᄒᆞ여 범으려 두엇다가 삼칠일 후에 쓰라. 믈은 밋브터 제되 슈ᄃᆡ로 드ᄂᆞ니라.

14. 두견주법 <양주방(釀酒方)>

술 재료 : 밑술 : 멥쌀 2말 5되, 누룩가루 1되, 밀가루 1되, 끓는 물 2말 5되
덧술 : 멥쌀 2말 5되, 찹쌀 2말 5되, 끓는 물 5말, 진달래꽃 1되

술 빚는 법 :

* 밑술 :

1. 두견화 피기 20일 전에 멥쌀 2말 5되를 백세하여 물에 하룻밤 담갔다가, (다시 씻어 헹궈 건져서 물기를 뺀 후) 가루로 빻아 넓은 그릇에 담아놓는다.
2. 솥에 물 2말 5되를 팔팔 끓이다가, 쌀가루에 고루 붓고, 주걱으로 고루 개어 범벅 을 만들어놓는다.
3. 범벅을 그릇 여러 개에 나눠 담고, 하룻밤 재워 차게 식기를 기다린다.

4. 범벅에 누룩가루 1되와 밀가루 1되를 한데 섞고, 고루 치대어 술밑을 빚는다.
5. 술독에 술밑을 담아 안치고, 예의 방법대로 발효시켜 익기를 기다린다.

* 덧술 :
1. 두견화 필 때 꽃을 송이째 따서 다듬고, (꽃술을 깨끗하게 제거하여) 1되를 새 술독에 넣어놓는다.
2. 멥쌀 2말 5되와 찹쌀 2말 5되를 각각 백세하여 물에 하룻밤 담갔다가 (새 물에 다시 씻어 헹궈 건져서) 물기를 뺀다.
3. 각각의 쌀을 시루에 안쳐서 물을 주지 말고, 고두밥을 익게 쪄낸다.
4. 솥에 물 5말을 팔팔 끓이다가, 고두밥이 익었으면 퍼내어 끓는 물을 나누어 합하고, 고루 개어놓는다.
5. 고두밥이 물을 다 먹었으면, 고루 헤쳐서 차게 식기를 기다린다.
6. 각각의 고두밥에 밑술을 동량으로 나누어 합하고, 고루 버무려 술밑을 빚는다.
7. 술독에 술밑을 그 위에 담아 안치고, 예의 방법대로 (서늘한 곳에서) 발효시킨다.

두견쥬법

두견 픠지 아닌 이십일 젼의 ᄇᆡᆨ미 이 두 오 승 ᄇᆡᆨ세ᄒᆞ야 ᄒᆞ로ᄇᆞᆷ 담ᄀᆞᆺ다가 작말ᄒᆞ야 물 두 말ᄀᆞ옷 ᄭᅳᆯ혀 ᄀᆞᆯ릐 부오대 한 그ᄅᆞᆺ싀 만하 어려오니 두세 그ᄅᆞᆺ싀 ᄀᆞᆯ라 물 고붓나긔 ᄭᅳᆯ흘제 ᄀᆞᄅᆞ부어 이튼날 식거든 누록ᄀᆞᄅᆞ 한 되 진ᄀᆞᄅᆞ ᄒᆞᆫ 되 고로 섯거 항의 너허 다 닉기가지가면 두견도 픨거시니 두견화 한 되ᄅᆞᆯ 너코 ᄇᆡᆨ미 두 말 ᄀᆞ옷 졈미두 말 ᄀᆞ옷 ᄇᆡᆨ세ᄒᆞ야 각〻 담갓다가 이튼날 물주지 말고 닉게 ᄲᅧ ᄭᅳᆯ힌 물을 ᄡᆞᆯ수대로 단 말되야 부어 식은 후 술밋과 섯거 비쟈되 젼후의 날물긔ᄅᆞᆯ 업시ᄒᆞ라.

15. 두견주 <우음제방(禹飮諸方)>

술 재료 : 밑술 : 멥쌀 2말 5되, 누룩가루 1되, 밀가루 1되, 끓는 물 2말 5되
덧술 : 멥쌀 2말 5되, 찹쌀 2말 5되, 두견화(2되), 끓여 식힌 물 5말

술 빚는 법 :

* 밑술 :

1. 정월에 멥쌀 2말 5되를 백세하고 (물에 담가 불렸다가, 다시 씻어 헹궈서 물기를 뺀 후) 작말하여(가루로 빻아) 넓은 그릇에 담아놓는다.
2. 물 2말 5되를 끓여 쌀가루에 붓고, 주걱으로 고루 개어 (범벅을 만든 뒤, 뚜껑을 덮어) 차게 식기를 기다린다.
3. 범벅에 누룩가루 1되와 밀가루 1되를 섞고, 고루 치대어 술밑을 빚는다.
4. 술독에 술밑을 안치고, 예의 방법대로 하여 (서늘한 곳에서) 30일간 발효시킨다.

* 덧술 :

1. 멥쌀과 찹쌀 각 2말 5되를 각각 백세하여 하룻밤 물에 담가 불리고, (다시 씻어 헹궈서 물기를 뺀 후) 각각 시루에 안쳐서 고두밥을 짓는다.
2. 물 5말을 팔팔 끓여 넓은 그릇 여러 개에 나눠 담고 차게 식기를 기다린다.
3. 고두밥이 익었으면 퍼내어 넓은 그릇 여러 개에 나눠 담고, 끓여둔 물을 고루 섞어 주걱으로 헤쳐 놓고, 고두밥이 물을 다 먹고 차게 식기를 기다린다.
4. 고두밥이 식었으면 밑술과 한데 합하고, 고루 버무려 술밑을 빚는다.
5. 준비한 술독에 꽃술을 제거한 두견화 한 줌을 맨 먼저 안치고, 그 위에 술밑을 담아 안치고, 다시 꽃잎과 술밑을 안치는 방법으로 켜켜이 안친다.
6. 술독은 예의 방법대로 하여 추울 때는 온기 있는 데 두고, 더울 때는 찬 데 두고 발효시켰다가 14일 만에 익으면 채주한다.

두견쥬

뎡월의 ᄇᆡᆨ미 두 말 닷 되 ᄇᆡᆨ셰작말ᄒᆞ여 물 두 말 닷 되 ᄭᅳᆯ혀 ᄀᆡ야 서늘ᄒᆞ게 식여 국말 ᄒᆞᆫ 되 진말 ᄒᆞᆫ 되 너허 쳐 너헛다가 그 이듬ᄂᆞᆯ의 술밋치 훌훌ᄒᆞ거든 ᄇᆡᆨ미 두 말 닷 되 졈미 두 말 닷 되 희게 ᄡᅳᆯ허 ᄇᆡᆨ셰ᄒᆞ야 ᄒᆞᄅᆞ밤 ᄌᆡ와 각각 ᄶᅧ 서늘ᄒᆞ게 식이고 물 닷 말 ᄭᅳᆯ혀 ᄎᆞ도록 식여 술밋ᄒᆡ 고로고로 석거두견 여희 업시 ᄡᆡᆸ고 ᄉᆞ이두어 너허 두면 수십일 후 닉ᄂᆞ니 비치 곱고 마시 긔이ᄒᆞ니 술듕 상이라. 물을 두어 되 주려부어야 마시 ᄆᆡᆸ고 두견을 만히 너흐면 마시 눅고 이월의 ᄒᆞ야도 죠흐니 늣게야 ᄒᆞ여 ᄭᅩ치 질ᄃᆞᆺᄒᆞ거든 미리 술희 ᄣᅡ 너허두라. 날물을 일금ᄒᆞᄂᆞ니 그ᄅᆞ식 ᄒᆡᆼᄌᆞ질ᄒᆞ라. 삼월의도 빗ᄂᆞ니 ᄭᅩ치 너허 치위예ᄂᆞᆫ 온긔잇ᄂᆞᆫᄃᆡ 두고 더운ᄣᆡᄂᆞᆫ 찬ᄃᆡ 두엇다가 이칠만의 드리오라.

16. 두견주법 <음식방문니라>

술 재료 : 밑술 : 멥쌀 2말 5되, 누룩가루 2되 5홉, 끓는 물 2말 5되
덧술 : 멥쌀 3말, 찹쌀 3말, 두견화(2~3말), 시루밑물(1~2말), 끓여 식힌 물 6말

술 빚는 법 :

* 밑술 :

1. 정월 첫 해일에 멥쌀 2말 5되를 백세하고 (물에 담가 불렸다가, 다시 씻어 헹궈서 물기를 뺀 후) 작말하여(가루로 빻아) 넓은 그릇에 담아놓는다.
2. 냉수 2말 5되를 팔팔 끓여 쌀가루에 붓고, 주걱으로 고루 개어 (범벅을 만든 뒤, 뚜껑을 덮어) 차게 식기를 기다린다.
3. 범벅에 무수히 법제한 가루누룩 2되 5홉을 섞고, 고루 치대어 멍울 없는 술밑을 빚는다.
4. 술독에 술밑을 안치고, 예의 방법대로 하여 단단히 싸매고 가마니로 옷을

입혀 음기 양기 없는 곳(차도 덥도 않는 곳)에 두고 진달래가 필 때까지 발효시킨다.

* 덧술 :

1. 진달래가 만개할 때 멥쌀과 찹쌀 각 3말을 각각 백세하여 하룻밤 물에 담가 불린 후 (다시 씻어 헹궈서 물기를 뺀 후) 각각 시루에 안쳐서 고두밥을 짓는다.
2. 물 5말을 팔팔 끓여 넓은 그릇 여러 개에 나눠 담고 차게 식기를 기다린다.
3. 고두밥을 찔 때 청수(깨끗한 찬물)를 많이 끼얹어서 무르게 찌고, 익었으면 찹쌀고두밥은 즉시 고루 펼쳐서 차게 식기를 기다린다.
4. 멥쌀고두밥은 큰 그릇 여러 개에 나눠서 시루밑물을 가장 뜨거울 때 골고루 끼얹고 눌러두었다가, 고두밥이 물을 다 먹었으면 고루 펼쳐서 차게 식기를 기다린다.
5. 각각의 고두밥에 끓여둔 물 6말과 밑술을 고루 섞어 술밑을 빚는다.
6. 각각의 술밑을 2~3등분하여 준비한 술독에 멥쌀 술밑 한 켜, 찹쌀 술밑 한 켜, 꽃술을 제거한 두견화 1말씩 켜켜로 안치고, 맨 위에 멥쌀 술밑을 한 켜 덮어둔다.
7. 술독은 예의 방법대로 하여 추울 때는 온기 있는 데 두고, 더울 때는 찬 데 두고 발효시켰다가 14~21일 만에 익으면 술덧이 가라앉은 것을 볼 수 있다.
8. 밤에 종이 심지에 불을 켜서 술독에 넣고 불이 꺼지거나 흔들리지 않으면 익은 것이니, 위를 한 겹 걷어내고 용수 박아 채주하여 오지병에 담아두고 사용한다.

* 주방문 말미에 "밤의 종이 심지의 불을 붙여 술항 속의 넣으면 술이 덜 익으면 불이 꺼지고 다 익으면 꺼지지 않으니, 술덧의 위를 한 겹 벗겨내면 청수가 용솟음치며 올라오고 향취가 가득하고 맛이 좋은데, 오지병에 담아두고 마셔야 맛이 변하지 않는다."고 하여, 술의 발효 종료시점 확인방법과 저장방법에 대해 설명하고 있음을 볼 수 있다.

* 다른 문헌의 '두견주' 주방문과는 술 빚는 과정에서 차이를 볼 수 있다. 즉, 시루밑물을 사용한다는 점과 술밑을 켜켜로 안칠 때마다 진달래꽃을 1말씩 매우 많이 사용한다는 점이다. 주방문에는 "너무 만ᄒᆞ면 술빗치 불고 좃치 아니ᄒᆞ니 맛초 너코"라고 하였다.

두견쥬법

한 제 ᄒᆞ랴면 정월 첫 ᄒᆡ일의 ᄇᆡᆨ미 두 말가옷슬 ᄇᆡᆨ셰작말ᄒᆞ야 ᄂᆡᆼ슈을 고붓지계 ᄉᆞ려 가루을 소ᄅᆡ의 담고 :로:: ᄭᅳᆯᄂᆞᆫ 물을 풍기여 흰쩍 반쥭갓치 하되 물은 ᄡᆞᆯ수와 갓치 두 말가옷슬 ᄉᆞ려 염미업시 ᄎᆞ거든 조흔 가로누록을 무수니 밤이슬 맛쳐 ᄇᆞ랴여 빗치 흰도록 ᄒᆞ야 체의 치되 쌀 칠 홉의 누록가로 칠 홉식 셕거 무수니 방울 업시 ᄊᆡ쳐셔 항의ᄌᆞ미와 날물니 업시ᄒᆞ냐 술밋 너허 단:니 ᄊᆞᄆᆡ여 공셕으로 독을 ᄊᆞᄆᆡ여 음긔 양긔 아니 빗치ᄂᆞᆫ ᄃᆡ 두엇다 두견화 승ᄀᆡ시의 진미 셔 말과 ᄇᆡᆨ미 셔 말을 옥갓치 쓸어 ᄇᆡᆨ셰ᄒᆞ야 당거 ᄒᆞ로밤 ᄌᆡ와 건져 청수의 만히 씨쳐 각: ᄊᆡ 익게 쪄 찰밥은 혜치고 메밥은 동의희 눌녀가며 담어 시루물을 밥우희 ᄌᆞ질:: 부어 덥퍼두엇다가 니식한 후의 그 물니 다른 후 보면 질도되도 아니할 거시니 고로:: 헛쳐 어름갓치 식니고 물엿 말을 ᄭᅳᆯ여 식히고 메밥과 찰밥을 각: 밋과 ᄭᅳᆯ여 식인 물과 버무려 메밥 한 케 찰밥 한 케 ᄭᅩᆺ 한 케 쩍 안치듯 케: 안치고 메밥 버무리 시루을 덥고 물을 ᄡᆞᆯ수와 갓치 부우되 조곰도 더ᄒᆞ지 말고 두견은 수염업시 다드머술 ᄒᆞ케의 한 말을 너허라 너무 만ᄒᆞ면 술빗치 불고 좃치 아니ᄒᆞ니 맛초 너코 니칠일니나 삼칠일니ᄂᆞ 지ᄂᆞᆫ 후 가라안거든 밤의 심지의 불을 쎠 술항속의 너허면 들 고인즉 불니 써지고 다 고인면 불니 아니 써지ᄂᆞᆫ 법니ᄆᆡ 우흘 얄게 고로 것고 보면 청주가 소ᄉᆞᄂᆞ며 향취 ᄌᆞ옥ᄒᆞ냐 맛시 조흔되 오지병의 두엇다 먹어냐 변미치 안니 ᄒᆞᄂᆞᆫ니라.

17. 두견주 <이씨(李氏)음식법>

술 재료 : 밑술 : 멥쌀 5말, 가루누룩 2되, 밀가루 2되, 끓는 물 5말
덧술 : 멥쌀 4말, 진달래꽃 1말

술 빚는 법 :

* 밑술 :

1. 정월 초순에 멥쌀 5말을 백세하여 (물에 담갔다가 다시 씻어 건져서 물기를 뺀 후) 가루로 빻아 넓은 그릇에 담아놓는다.
2. 물 5말을 팔팔 끓여 쌀가루에 골고루 나누어 붓고, 주걱으로 고루 개어 범벅처럼 만든다.
3. 범벅에 가루누룩 2되와 밀가루 2되를 합하고, 고루 힘껏 치대어 술밑을 빚는다.
4. 술밑을 술독에 담아 안치고, 예의 방법대로 하여 찬 곳에 두고 발효시킨다(진달래 필 때까지 발효시킨다).

* 덧술 :

1. (진달래가 흐드러지게 필 때, 활짝 핀 진달래를 따다가 꽃술을 제거하여 1말을 준비해 놓는다.)
2. 멥쌀 4말을 (백세하여 맑은 물에 담갔다가 새 물에 깨끗이 헹궈서 물기를 뺀 후) 시루에 안쳐 고두밥을 짓는다.
3. (고두밥이 익었으면 멍석 같은 것에 펼쳐서 차디차게 식혀놓는다.)
4. 고두밥에 밑술을 섞고, 고루 버무려 술밑을 빚는다.
5. 소독하여 준비한 술독에 술밑 한 켜, 준비해 둔 진달래꽃 한 켜씩 켜켜로 담아 안친 후, 예의 방법대로 하여 서늘한 곳에서 발효시킨다.

* 주방문 말미에 "밋(밑술)을 정월 초승에 하나니라."고 하였다. 다른 기록의 두

견주 주방문과는 많은 차이가 있다. 매우 일반적인 방법이다.

두견쥬

빅미 닷 말을 빅세장말ᄒᆞ어 물 닷 말을 끌혀 갈우의 쎠 부어 식거든 갈로 루눅 두 되 진말 두 되 ᄀᆡ어 차게 두어다가 두견 피거든 빅미 너 말 진미 넌 말 뼈 두견화 ᄒᆞᆫ 즙식 켸 노하 비져 너흐라 밋츨 정월 초싱의 ᄒᆞ난이라.

18. 두견주 <조선무쌍신식요리제법(朝鮮無雙新式料理製法)>

술 재료 : 밑술 : 멥쌀 2말 5되, 누룩가루 1되 3홉, 진말 7홉, 물 2말 5되
덧술 : 진달래꽃 1말, 찹쌀 3말, 멥쌀 3말, 물 6말

술 빚는 법 :

* 밑술 :

1. 정월 첫 해일에 멥쌀 2말 5되를 물에 깨끗이 씻어 (물에 담가 불렸다가, 다시 씻어 건져서 물기를 뺀 후) 작말하여 소래기에 담아둔다.
2. 물 2말 5되를 팔팔 끓여 쌀가루에 고루 붓고, 주걱으로 골고루 개어서 범벅을 만들어 밤을 재워 얼음같이 차게 식기를 기다린다.
3. 누룩을 법제하여 가루로 빻고, 깁체에 쳐서 고운 가루 1되 3홉을 취한다.
4. 범벅에 누룩가루와 진말 7홉을 한데 섞고, 고루 버무려 술밑을 빚는다.
5. 소독한 술독에 술밑을 담아 안친 다음, 예의 방법대로 하여 단단히 밀봉하고, 햇볕이 닿지 않는 곳에 앉혀 2개월가량 발효시킨다.

* 덧술 :

1. 3월이 되어 진달래꽃이 피면, 꽃을 채취하여 꽃술을 모두 제거하여 1말을 마련한다.

2. 찹쌀 3말과 멥쌀 3말을 각각 물에 깨끗하게 씻어(백세하여) 하룻밤 불렸다가 (다시 씻어 건져서 물기를 뺀 뒤) 각각 고두밥을 짓는다.
3. 고두밥을 지을 때 물 6말을 준비해 두었다가, 멥쌀고두밥은 물을 흠씬 주어 무르게 짓고, 찹쌀고두밥은 물 3사발을 뿌려 푹 익힌다.
4. 고두밥이 익었으면 찰밥은 즉시 헤쳐서 차게 식히고, 메밥은 소래기에 퍼 담아 식지 않게 뚜껑을 덮어놓는다.
5. 고두밥에 뿌리고 남은 물을 끓여 메밥에 두세 바가지 퍼붓고, 다시 덮어둔다.
6. 고두밥이 불어서 밥이 되었으면, 아침저녁으로 헤쳐서 더운 기가 조금도 남지 않게 식기를 기다린다.
7. 밑술을 퍼서 찰밥과 메밥에 각각 나누어 붓고 고루 버무리되, 밑술이 적으면 끓여둔 물을 조금만 남기고 각각 나누어 섞고, 고루 버무려 술밑을 빚는다.
8. 술독에 메밥 한 켜, 찰밥 한 켜, 꽃잎 한 켜씩 켜켜로 안치되, 맨 위에는 메밥을 덮는다.
9. 끓여두었다 남은 물로 술을 비볐던 그릇을 씻어내어 술독에 마저 붓고, 예의 방법대로 단단히 밀봉하여 21일간 발효시킨다.
10. 술이 익었을 경우, 가운데를 헤치면 맑은 술이 용출할 것이니 용수를 박아 채주한다.

* 주방문 말미에 이르기를 "채주한 술은 오지병에 담아두고 도청(淘淸, 定置)하여 두면 여름이 지나도 변하지 않는다."고 하였다. 진달래꽃은 활짝 핀 것을 따서 꽃술을 따내고, 흐르는 물에 한 번 씻은 후 그늘지고 서늘한 곳에서 음건하여 보관해 두고 쓴다. 또 술을 안친 독은 화기(火氣)와 양기(陽氣)가 없는 곳에 두어 발효시킨다. 꽃을 너무 많이 넣으면 술이 붉어진다. <부인필지>의 제조법과 동일하다.

두견주(杜鵑酒)

정월 첫 해일에(亥日) 멥쌀 두 말 닷 되를 정이 씨서 작말하야 소래기에 담고 물 두 말 닷 되를 펄〻 끌려 쌀가루에 드러 붓고 고루 석근 후에 밤을 지내여 어름가티 식은 후에 가루누룩을 이슬 마쳐 볏헤 바래야 깁체에 처서 한 되 서 홉과 밀가루 칠 홉을 느어 모다 버무려 항아리를 정이 울엿다가 베집흘 불태여 항아리를 불에 덥허 연기가 항아리 속에 가득한 대로 재틔만 행자로 얼른 흠처내고 술밋흘느어 단단이 봉하야 양기 빗쵀지 안는 곳에 두엇다가 삼월에 두견화(진달래 피거든) 솟을 짜서 한 말과 멥쌀 서 말과 찹쌀 서 말을 정히 쓰러 씻고 씨서 각각 찌되 물을 쌀과 가티 엿 말을 되어 노코 멥쌀에는 물을 흠썩 주어 쌔 업시 찌고 찹쌀은 세 사발쯤 뿌려 다 찐 후에 찰밥은 직시 헤처 식히고 메밥은 소래기에 담아 덥혀 노코 밥에 주고 남은물을 곱웃지게 끌려 메밥에 두세 박 퍼부어 도로 덥혀 두면 밥이 부려 김이 들거든 초석에 헤처 더운 긔가 조곰도 업시 식혀 술밋을 내여 메밥과 찰밥을 각 그릇에 버무리되 술밋이 적을 터이니 끌여 노은 물을 차게 식혀 몃 그릇 타서 버무려 메밥 한 켜 찰밥 한 켜 솟 한 켜식 느엇다가 맨 우에 메밥을 덥고 물을 조곰 남겻다가 그릇을 부시여 붓고 단단이 봉하야 익혀 삼칠일 되거든 석양에 불켜 독 속에 대여 보아 불이 아니 써지면 다 익은 것이니 가운대를 고이 헤치면 맑은 술이 소사 날 것이니 용수 박아 써서 오지병에 도청하야 두면 여름을 지나여도 변치를 아니 하나니라.

19. 두견주 <주식시의(酒食是儀)>

술 재료 : 밑술 : 멥쌀 2말 5되, 누룩가루 1되, 밀가루 1되, 끓는 물 2말 5되(1말 2되 5홉)
덧술 : 덧술 : 멥쌀 2말 5되, 찹쌀 2말 5되, 두견화 1말, 물 5말

술 빚는 법 :

* 밑술 :

1. 정월 첫 해일에 멥쌀 2말 5되를 백세하여 (물에 담갔다가, 다시 씻어 건져서

물기를 뺀 후) 가루로 빻아 고운체에 내려서 넓은 그릇에 담아놓는다.

2. 물 2말 5되를 팔팔 끓여서 쌀가루에 골고루 나누어 붓고, 주걱으로 고루 개어 범벅을 쑨다.
3. 범벅을 넓은 그릇에 나누어 담고, 밑까지 차게 식기를 기다린다.
4. 범벅에 누룩가루 1되와 밀가루 1되를 함께 범벅에 넣고, 고루 버무려 술밑을 빚는다.
5. (술독은 짚불 연기를 쏘여 소독하여 마른행주로 그을음을 깨끗이 닦아내고) 술밑을 술독에 담아 안치고, 서늘한 곳에 앉혀두고 30일간 발효시킨다.

* 덧술 :

1. 밑술이 발효되어 훌훌해지면(물이 많이 생겨 묽어지면) 멥쌀 2말 5되와 찹쌀 2말 5되를 희게 쓿어(도정을 많이 하여) 각각 백세하여 맑은 물에 하룻밤 재워 불린다.
2. 불린 쌀을 다시 새 물에 각각 씻어 깨끗이 헹궈서 소쿠리에 건져서 물기를 빼놓는다.
3. 불린 쌀을 각각 시루에 안쳐 고두밥을 짓되 멥쌀고두밥을 더 많이 쪄서 익히고, 익었으면 퍼내어 고루 펼쳐서 차게 식기를 기다린다.
4. 물 5말을 팔팔 끓여 차게 식혀서, 멥쌀고두밥과 찹쌀고두밥에 등분하여 섞는다.
5. 밑술을 동량으로 나누어 각각 메밥과 찰밥에 섞고, 고루 버무려 술밑을 빚는다.
6. 진달래가 흐드러지게 필 때, 활짝 핀 진달래를 따다가 꽃술을 제거하여 1말을 준비해 놓는다.
7. 밑술에서와 같이 소독하여 준비한 술독에 한 켜, 준비해 둔 진달래꽃잎 한 켜씩 켜켜로 담아 안친다(메밥을 맨 위에 덮는다).
8. 술밑을 다 안쳤으면 (차게 식혀둔 물을 한 사발쯤 남겼다가 술그릇을 씻어낸 후 술덧 위에 부어주고) 예의 방법대로 하여 14일간 발효시켜 익기를 기다린다.

* 주방문 말미에 "빛이 곱고 맛이 기이하니, 술 중에서 으뜸이라. 물을 두어 되 들어(줄여) 부어야 맛이 맵고, 진달래꽃을 많이 넣으면 맛이 녹고, 이월에 하여도 좋으니 늦게 하여 꽃이 질 듯하거든 미리 술에 따 넣어두라. 끓이지 않은 물은 모조리 금하니 그릇에 행주질하라. 삼월에도 빚느니 꽃을 넣어 추위에는 온기 있는 곳에 두고, 더운 때는 찬 곳에 두었다가 삼사일 만에 들여오라."고 하였다.

두견쥬

뎡월의 ᄇᆡᆨ미 두 말 닷 되 ᄇᆡᆨ셰직말ᄒᆞ어 물은 서 발 닷 되 ᄭᅳ려 ᄂᆡ여 서늘ᄒᆞ게 식혀 국말 ᄒᆞᆫ 되 진말 ᄒᆞᆫ 되 너헛 처 너헛다가 그 일 전 달의 슐밋시 훌훌ᄒᆞ거든 ᄇᆡᆨ미 두 말 닷 되 졈미 두 말 ᄃᆞᆺ 되 희게 쓸허 ᄇᆡᆨ셰ᄒᆞ야 ᄒᆞ로밤 ᄌᆡ와 각각 쎠 서늘ᄒᆞ게 식이고 물 단 말 ᄭᅳᆯ혀 ᄎᆞ도록 식여 슐밋희 고로 셕거 두견 여희 업시 쌥고 ᄉᆞ이 두어 너허 두면 수십 일 후 익ᄂᆞ이 빗치 곱고 마시 긔이ᄒᆞ니 슐 즁 상이라.

물을 드이되 두려부어야 마시 ᄆᆡᆸ고 두견을 마니 너흐면 마신 ᄂᆞ고 이월의 ᄒᆞ야도 조흐니 늣겨야 ᄒᆞ여 ᄭᅩᆺ치 질 듯ᄒᆞ거든 미리 슐희 ᄯᅡ 너허 두라 날물은 일금ᄒᆞ나니 그르싀 ᄒᆡᆼᄌᆞ질ᄒᆞ라 삼월의도 빗나니 ᄭᅩᆺ치 너허 치위예ᄂᆞᆫ 온긔 잇ᄂᆞᆫ ᄃᆡ 두고 더운 ᄣᆡ도 ᄎᆞᆫ ᄃᆡ 두엇다가 이칠 만의 드려오라.

20. 별별약주(두견)법 <주식시의(酒食是儀)>

술 재료 : 밑술 : 멥쌀 2말 5되, 누룩 1주발 1탕기, 밀가루 1식기, 끓인 물 25식기
덧술 : 멥쌀·찹쌀 각 30식기, 끓인 물 62식기, 두견화 약간

술 빚는 법 :

* 밑술 :

1. 두견화가 피기 전에 멥쌀 2말 5되를 희게 쓿어 (도정을 많이 하여 백세한 후) 물에 담가 불렸다가, (다시 씻어 건져서 물기를 뺀 후) 곱게 빻아 가는체로 쳐서 넓은 그릇에 담는다.
2. 솥에 맛 좋은 물 25식기를 고붓지게(솟구치게) 끓여 뜨겁지도 차지도 않게 하여 쌀가루에 붓고 주걱으로 골고루 개어 멍울 없는 범벅을 짓는다.
3. 범벅을 온기 없이 차게 식힌 다음 좋은 누룩 1주발 1탕기와 밀가루 1되를 섞고, 고루 버무려 술밑을 빚는다.
4. 군내 나지 않는 술독을 짚불 연기 쏘여 소독한 후에 술밑을 담아 안치고, 예의 방법대로 하여 덥지도 차지도 않는 곳에 두어 20일간 발효시킨다.

* 덧술 :
1. 좋은 물 62식기를 팔팔 끓여 밤재워 차게 식기를 기다린다.
2. 멥쌀 30식기와 찹쌀 30식기를 희게 쓿어 (도정을 많이 하여 백세한 후) 물에 담갔다가 다시 씻어 건져서 물기를 뺀 후) 각각 시루에 안쳐서 고두밥을 짓는다.
3. 고두밥은 좋은 물을 안친 솥에 올려 찌되, 멥쌀고두밥에는 물을 많이 뿌려서 질게 찌고, 고두밥이 익었으면 각각 퍼내어 차게 식기를 기다린다.
4. 활짝 핀 두견화를 따다가 꽃술을 제거하고 깨끗이 다듬어놓는다.
5. 멥쌀고두밥과 찹쌀고두밥에 차게 식혀둔 물을 등분하여 한데 섞는다.
6. 각각의 고두밥에 밑술과 두견화 약간을 합하고, 골고루 버무려 술밑을 빚는다.
7. 군내 나지 않는 술독을 짚불 연기 쏘여 소독한 후에 술밑을 담아 안치고, 예의 방법대로 하여 김이 새지 않게 밀봉한다.
8. 술독은 덥지도 차지도 않는 곳에서 발효시켜 푹 가라앉으면 용수 박아 채주한다.

* 주방문에 "술밑을 오래 둘수록 좋으니라. 봄이면 꽃이 피기 전 밑하였다가, 두견화 약간 섞어 하면 두견주요."라고 하였으므로 '두견주' 주방문을 작성

하였다.

별별약쥬법

멥살 슈물다셧 되을 희계 씰러 담가다가 곱계 ᄉᆡᆨ아 가는 체로 쳐셔 물 맛 죠ᄒᆞᆫ 것스로 고부지계 ᄭᅳ려 슈물다셧 식기을 듭도 ᄎᆞ도 안케 ᄒᆞ여 망올 업시 반쥭ᄒᆞᆫ 후 온긔 읍시 식이여 누룩 ᄒᆞᆫ 쥬발 ᄒᆞᆫ 탕긔 진말 ᄒᆞᆫ 식기 넉고 고로 버물리여 군ᄂᆡ 읍은 항아리 집ᄂᆡ 쏘이여 항아리의 너허 덥도 ᄎᆞ도 안이ᄒᆞᆫ ᄃᆡ 두엇ᄃᆞ 이십일 만의 멥살 셔른 식긔 찹살 셔른 식긔 희계 씰러 쓰되 각각 죠ᄒᆞᆫ 물의 ᄶᅵ계 ᄒᆞ고 메밥은 물 만이 ᄲᆡ려 질계 ᄶᅧ셔 더운 긔운 읍시 식인 후 죠ᄒᆞᆫ 물 고부지계 ᄭᅳ려 ᄒᆞ로밤 ᄌᆡ운 후의 예슌두 식긔을 ᄒᆞᆫᄃᆡ 여흐되 찹살밥과 멥살밥 밋쳘 ᄂᆡ여 고로 셕거 ᄒᆞᆫᄃᆡ 버무려 알마진 항아리의 군ᄂᆡ 읍시 집ᄂᆡ 쏘이여 넉코 짐 안니 나계 부리을 봉ᄒᆞ여 덥도 ᄎᆞ도 안이ᄒᆞᆫ ᄃᆡ 두고 슐이 다 되면 푹 가라안나이 용슈 너어 ᄯᅥ먹ᄂᆞ니 밋쳘 오ᄅᆡ 둘ᄉᆞ록 조흐이라. 봄이면 ᄭᅩᆺ 픠기 젼의 밋 ᄒᆞ여ᄯᅡ가 덧틀 졔 두견화 약간 셕거 ᄒᆞ면 '두견쥬'요, 여름의 소쥬 식기 더ᄒᆞ면 '과하주'요, 송슌을 약간 너흐면 '송슌쥬'요, 이 슐은 날물이 안이 든 슐인 고로 치담ᄒᆞ고 두통이 업ᄂᆞᆫ이라.

21. 두견주방 <주정(酒政)>

술 재료 : 밑술 : 멥쌀 3말, 누룩 3되, 밀가루 3되, 끓는 물 2동이
덧술 : 찹쌀 3말, 멥쌀 3말, 끓여 식힌 물 54주발

술 빚는 법 :

* 밑술 :

1. 한 제 하려면, 멥쌀 3말을 (백세하여) 물에 담가 불렸다가 (다시 씻어 말갛게 헹궈서) 절구에 찧어서 가루로 빻는다.

2. 솥에 물 2동이를 매우 팔팔 끓여 쌀가루에 고루 섞고 치대서 술거리(범벅)를 만든 뒤, 넓은 그릇에 나눠 차게 식기를 기다린다.
3. 좋은 누룩 3되와 밀가루 3되를 차게 식은 술거리(범벅)에 합하고, 고루 치대서 술밑을 빚는다.
4. 술밑을 항에 담아 안치고, 예의 방법대로 하여 단단히 밀봉하여 찬 곳에 앉혀두고 발효시키는데 진달래꽃이 활짝 피기를 기다린다.

* 덧술 :
1. 찹쌀 3말과 멥쌀 3말을 (각각) 정세하여 물에 담가 불렸다가, (다시 씻어 헹궈서 물기를 뺀 후) 각각 시루에 안쳐서 고두밥을 짓는다.
2. 솥에 쌀 1말당 물 9주발씩 54주발을 매우 팔팔 끓여서 차게 식기를 기다린다.
3. 밑술과 끓여 식힌 물 54주발을 등분하여 각각의 고두밥에 합하고, 고루 버무려 술밑을 빚는다.
4. 술독에 안칠 시간에 진달래꽃을 먼저 술독 밑에 깔고, 그 위에 멥쌀고두밥 술밑을 먼저 안치고, 그 위에 찹쌀고두밥 술밑을 담아 안친다.
5. 술밑 맨 위에 진달래꽃(가지)을 꽂아놓은 후, 독 주둥이를 단단히 봉하여 (차지도 덥지도 않은 곳에서) 20여 일 발효시킨다.

* 주방문에 "밑술은 반드시 정월 첫 해일이나 둘째 해일에 빚어야 한다."고 하였으므로 두견주 역시도 한겨울에 빚는 계절주라는 것을 알 수 있다.

杜鵑酒方

一齊　白米三斗浸水擣末水二分極沸湯米末和勻待冷好麯三升眞末三升和勻釀入缸堅封置之寒冷處待杜鵑花爛開白米三斗糯米三斗淨洗浸水蒸爲飯量其蒸飯水多少重添灌水極沸待冷米每斗水九碗取酒本和飯給湯水入甕時間舖杜鵑花又揷込上堅封甕口過二十餘日甚甘美之(酒本必打正月初亥日或次亥日).

22. 두견주 <주찬(酒饌)>

술 재료 : 밑술 : 멥쌀 2말 5되, 밀가루 1되, 가루누룩 1되, 끓는 물 2말 5되
덧술 : 찹쌀 3말, 멥쌀 3말, 끓는 물 5말, 두견화 3~4되

술 빚는 법 :

* 밑술 :

1. 멥쌀 2말 5되를 백세하여 (물에 담가 불렸다가, 다시 씻어 헹궈 건져) 작말한다.
2. 쌀가루를 넓은 그릇에 담아놓고, 솥에 물 2말 5되를 팔팔 끓여 쌀가루에 골고루 부은 다음 주걱으로 고루 개어 죽(범벅)같이 개서 차게 식기를 기다린다.
3. 죽(범벅)에 가루누룩과 밀가루 각 1되를 합하고, 고루 힘껏 치대어 술밑을 빚는다.
4. 술독에 술밑을 담아 안치고, 예의 방법대로 하여 차고 서늘한 곳에 한 달 보름(45일)가량 발효시킨다.

* 덧술 :

1. 두견화가 필 때 진달래를 따다 물에 깨끗이 씻어 물기를 제거한 다음, 꽃술과 꽃받침을 제거해 놓는다.
2. 찹쌀과 멥쌀 각 3말을 백세하여 (물에 담가 불렸다가, 다시 씻어 헹궈 건져서 물기를 뺀 뒤) 무른 고두밥을 짓는다.
3. 물 5말을 팔팔 끓이고, 고두밥이 익었으면 넓은 그릇에 펴 담고, 끓는 물을 고두밥에 골고루 붓고 주걱으로 고루 저어서 놓는다.
4. 고두밥이 물을 다 먹었으면, 그릇 여러 개에 나눠 담고 차게 식기를 기다린다.
5. 고두밥에 밑술을 합하고, 고루 치대어 술밑을 빚는다.
6. 술독에 꽃잎을 먼저 두툼하게 깔고 술밑을 안치는데, 나머지 꽃잎을 켜켜이

안치고, 맨 위에 꽃잎을 덮어준다.

7. 동쪽으로 뻗은 복숭아나무 꽃가지(東桃枝) 3개를 꺾어 독에 꽂아두고, 단단히 밀봉한다.

* 4월이 될 때까지 그냥 두었다가 술이 익으면 위에 뜬 막을 제거한다. 술을 떠낸 다음 탕수 5~6되를 식혀서 붓는다. '두견주'에 동도지를 꽂는 것이 이채롭다.

杜鵑酒

正月初亥日白米二斗五升百洗作末水二斗五升同調成泥如博文酒本待冷後眞末曲末各一升合調置杜鵑發時粘米白米各三斗烝之湯水五斗同調待冷合釀本酒而杜鵑無蔕蔓而生者多鋪瓮底後與酒層層雜入又多覆其上而以銅島枝三介揷之堅封至四月間扶銅島枝又捲酒上皮水五六升預先滅餘者至于今湯沸待冷假令明日食前浮用則今日夕時以水五六升注入而用之味甚好美.

23. 두견주 <한국민속대관(韓國民俗大觀)>

술 재료 : 밑술 : 멥쌀 2말, 누룩가루 1되 3홉, 밀가루 7홉, 끓는 물 2말
덧술 : 멥쌀 3말, 찹쌀 3말, 물 6말, 진달래꽃 1말

술 빚는 법 :

* 밑술 :

1. 정월 첫 해일에 멥쌀 2말을 물에 매우 깨끗하게 씻어 (불렸다가 다시 씻어 건져서 물기를 뺀 뒤) 가루로 빻는다.
2. 물 2말을 끓이는데, 박바가지를 띄우고 매우 오랫동안 팔팔 끓여 쌀가루에 골고루 나눠 부은 다음 주걱으로 골고루 개어서 범벅을 쑨다.

3. 범벅을 (넓은 그릇에 나눠 담고, 뚜껑을 덮어) 하룻밤 재워 그릇 밑바닥까지 얼음같이 차게 식기를 기다린다.
4. 범벅에 (깁체에 쳐서 내린 고운 누룩가루를 법제하여 1되 3홉과 밀가루 7홉을 합하고) 고루 버무려 술밑을 빚는다.
5. 술밑을 술독에 담아 안친 후, 예의 방법대로 하여 단단히 밀봉하고 화기(火氣)나 양기(陽氣)가 없는 곳(서늘하고 그늘진 곳)에 두고 발효시킨다.

* 덧술 :
1. 멥쌀 3말과 찹쌀 3말을 각각 백세하여 물에 담가 불렸다가, 다시 씻어 헹군다(물기를 뺀다).
2. 불린 쌀을 시루에 안치고 고두밥을 찌는데, 멥쌀고두밥에는 (찬)물을 많이 주어 뼈가 없이(무르게) 찐다.
3. 멥쌀고두밥이 익었으면 퍼내고 자배기에 담아놓고, 준비한 물 6말 중 바가지로 2~3개를 뿌려준 뒤, 고두밥이 물을 다 먹으면 넓은 그릇 여러 개나 돗자리에 퍼내어 고루 펼쳐서 차게 식기를 기다린다.
4. 찹쌀도 시루에 안쳐서 찌되, (준비한 찬물 6말 중) 5~6방울(쪽박, 매우 작은 바가지) 뿌려서 무르게 찌고, 익었으면 즉시 퍼내어 고루 펼쳐서 차게 식기를 기다린다.
5. 쓰고 남은 물은 솥에 팔팔 끓여서 차게 식힌다.
6. 각각의 고두밥에 밑술을 등분하여 각각 혼합하고, 밑술이 적어 버무리기 힘들면 식혀둔 물을 쳐가면서 고루 버무려 술밑을 빚는데, 1사발 정도만 남긴다.
7. 소독한 술독에 술밑을 담아 안치는데, 맨 먼저 멥쌀고두밥 술밑을 안치고, 찹쌀고두밥 술밑을 안친다.
8. 찹쌀고두밥 술밑 위에 준비한 진달래꽃잎을 한 켜 안치고, 다시 메밥 한 켜, 찰밥 한 켜, 진달래 한 켜 안치되, 메밥을 한 바가지 정도 남겨서 맨 나중에 위를 덮는다.
9. 남겨둔 물 1사발을 이용해 술 버무렸던 그릇을 씻어 술밑 위에 부어 넣고, 예의 방법대로 하여 14~21일간 발효시킨다.

10. 종이 심지에 불을 붙여 술독 안에 넣어 보아 불이 꺼지지 않으면 다 익은 것이니, 맨 나중에 덮었던 멥쌀고두밥을 조심스레 걷어버리고 용수 박아 채주한다.

* 주방문에 "술을 담글 항아리는 짚불을 사르고, 그 위에 엎어 항아리 속에 연기가 자욱하게 들어가게 한다. 항아리의 불티가 붙은 것을 깨끗하게 마른행주로 닦아낸다."고 하여 술독의 소독방법을 소개하고 있으며, 주재료의 하나인 "두견화는 꽃술을 빼고 정하게 다듬어 넣는데, 꽃이 너무 많으면 술 빛깔이 붉어진다."고 하여 지나치게 많은 양의 진달래꽃을 넣지 않도록 경계하고 있다.
* <한국민속대관(韓國民俗大觀)>에 '가향주(加香酒)'에 대하여 "고려시대의 대표적인 것으로 화주(花酒)가 있는데, 이것은 여러 가지 꽃을 이용해 담근 것의 총칭명으로 되어 있다. '도화주', '송화주', '연엽주', '죽엽주', '국화주', '유자피주', '백화주', '하엽주', '두견주' 등이 있는데, '두견주'를 알아보면 다음과 같다."고 하여 여러 가지 가향주를 빚었음을 확인할 수 있다.

두견주(杜鵑酒)

정월 첫 해일에 백미 두 말을 잘 씻고 가루 내어 물 두 말을 쪽박을 띄우고 많이 끓여 쌀가루에 골고루 퍼붓고, 주걱으로 개서 하룻밤 재우는데, 밑까지 얼음같이 차게 식힌 후, 누룩가루 한 되 서 홉과 밀가루 칠 홉을 섞는다. 이때 누룩은 가루를 만들어 깁체(명주실로 멘 체)에 쳐서 이슬을 맞혀 빛이 뽀얗게 되도록 배래서 쓴다. 술을 담글 항아리는 짚불을 사르고 그 위에 엎어 항아리 속에 연기가 자욱하게 들어가게 한다. 항아리의 불티가 붙은 것을 깨끗하게 마른행주로 닦은 다음, 술을 빚어 넣고 단단히 봉한 뒤 빈 섬으로 싸서 화기(火氣)와 양기(陽氣)가 없는 곳에 둔다. 이어 덧술을 같이 담근다. 백미 서 말과 찹쌀 서 말을 잘 씻고 각각 맑은 물에 담갔다가, 다시 맑은 물에 헹구어 건져서 찐다. 우선 멥쌀은 날물을 많이 주어 밥이 뼈 없이 익게 한다. 또 찹쌀지에밥은 날물 대여섯 방울을(박, 박아지) 뿌려가며 쪄내어 즉시 헤쳐 널어 식힌다. 멥쌀은 소래기(모양이 굽 없는 접시처럼 된 넓은 그릇. 독의 뚜껑으로도 쓰고 그릇으로도 쓰인다.)에 펴서 덮어놓고, 물 여섯 말(중에)을 지에밥에 두세 바가지 퍼주고 덮었다가, 밥이 물을 먹고 김이 들었거든 삿자리(갈대를 엮어서 만든 자리)에 고루 펼쳐 식힌 다음, 온기가 없으면 밑술에 버무린다. 메밥과 찰밥을 각각 버무리되 밑술이 적고 밥이 많아 고루 버무리기 어렵거든 잘 끓인 물(6말 중 쓰고 남은 물)을 꽤 식혀 술밑에 타서 두 가지 밥에 나누어 붓고 고루 버무린다. 술독에 메밥 한 켜, 찰밥 한 켜 두견화 한 말을 한 켜씩 놓고, 맨 위에는 메밥 버무린 것을 덮는다(물 여섯 말을 끓여서 식힌 후 모두 지에밥에 버무리는데 한 사발쯤은 남겼다가 버무린 그릇을 모두 부셔서 붓는다). 두견화는 꽃술을 빼고 정하게 다듬어 넣는데, 꽃이 너무 많으면 술 빛깔이 붉어진다. 덧술을 해 넣고 14일(이칠일)이나 21일(삼칠일) 지난 후에 뚜껑을 열고 밤에 심지에 불을 켜 술독에 넣어보아 불이 꺼지게 되면 덜 익은 것이고, 불이 꺼지지 않으면 술이 다 된 것이다. 위에 뜬 것을 고이 건어내고, 가운데를 헤치면 청주가 솟아나는데 그 향취가 매우 좋다.

24. 두견주방문 <홍씨주방문>

–여덟 말 빚이

술 재료 : 밑술 : 멥쌀 2말, 누룩가루 1되 3홉, 밀가루 1되, 끓는 물 2말
덧술 : 멥쌀 3말, 찹쌀 3말, 진달래꽃(2되), 누룩가루 1되 3홉, 끓는 물 5말 5되

술 빚는 법 :

* 밑술 :

1. 멥쌀 2말을 백세하여 (백 번 씻어 매우 깨끗하게 하여 말갛게 헹궈 불렸다가, 다시 씻어 건져서 물기를 뺀 다음) 작말한다(가루로 빻는다).

2. 쌀가루를 넓은 그릇에 담아놓고, 물 2말을 솥에 부어 솟구치게 팔팔 끓여서 쌀가루에 골고루 부은 다음 주걱으로 고루 개어 범벅을 쑨다.
3. (범벅이 투명하게 익었으면) 범벅을 그릇 여러 개에 담고 차게 식기를 기다린다.
4. 범벅에 누룩가루 1되 3홉, 밀가루 1되 섞고, 고루 버무려 술밑을 빚는다.
5. 소독한 술독에 술밑을 담아 안치고, 예의 방법대로 하여 찬 방에 앉혀두고, 진달래꽃이 피기를 기다려 덧술을 해 넣는다.

* 덧술 :
1. 멥쌀 3말과 찹쌀 3말을 백세하여 (말갛게 헹궈서) 새 물에 하룻밤 담가 불린다.
2. 물 5말 5되를 끓여 넓은 그릇에 나눠 담고, 차게 식기를 기다린다.
3. 불린 쌀을 (다시 씻어 건져서 물기를 뺀 다음) 시루에 쌀을 안쳐서 고두밥을 무르게 찌고, 익었으면 고루 펼쳐서 차게 식기를 기다린다.
4. 고두밥과 밑술, 누룩가루 1되 3홉, 식힌 물 5말 5되를 고루 버무려 술밑을 빚는다.
5. 활짝 핀 진달래꽃을 따되 꽃술 없이 하여 2되 정도를 술독에 먼저 안친다.
6. 진달래꽃 위에 술밑을 안치고, 예의 방법대로 하여 (차지도 덥지도 않은 곳에 앉혀두고) 21일간 발효시켜 술이 익기를 기다리면 지주(旨酒) 된다.

두견주방문

여덟 말 빚으려면, 백미 두 말 백세작말하여 물 두 말 끓여 그릇에 담고 같이 퍼부어 풀 젓는 것처럼 개여 서늘하게 차거든, 국말 되 서 홉, 진말 한 되 버무려 항에 넣어 찬방에 두었다가 두견화 핀 후 점미, 백미 각 서 말씩 백세하여 익게 데쳐 물 닷 말가웃 끓여 차게 식히고 밥도 차게 식힌 후 또 국말 되 서 홉 술밑과 한데 버무려 넣으되, 두견화 여의 없이 떠러 버리고, 독 밑에 한치 남짓 사 깔고 버무린 것 넣었다가 세니레 된 후 떠 쓰면 지주 되나니라.

25. 두견주 <홍씨주방문>

–추후별방문, 3말 5되 빚이

술 재료 : 밑술 : 멥쌀 5되, 누룩가루 5홉, 밀가루 5홉, 물 3말
　　　　　덧술 : 찹쌀 3말, 진달래꽃 1되

술 빚는 법 :

* 밑술 :

1. 정월 첫 해일에 멥쌀 5되를 백세하여 (백 번 씻어 매우 깨끗하게 하여 말갛게 헹궈 불렸다가, 다시 씻어 건져서 물기를 뺀 후) 작말한다(가루로 빻는다).
2. 쌀가루를 넓은 그릇에 담아놓고, 물 3말을 솥에 붓고 끓이다가 뜨거운 물 5되를 쌀가루에 고루 부은 후 주걱으로 개어 아이죽을 만든다.
3. 솥의 물이 팔팔 끓으면 아이죽을 합하고, 천천히 저어 죽을 퍼지게 쑨다.
4. (죽이 투명하게 익었으면) 큰 그릇에 퍼 담고 차게 식기를 기다린다.
5. 죽에 누룩가루 5홉과 밀가루 5홉을 섞고, 고루 저어 술밑을 빚는다.
6. 술독에 술밑을 담아 안치고, 예의 방법대로 하여 하루 동안 발효시킨다.

* 덧술 :

1. 찹쌀 3말을 백세하여 (백 번 씻어 옥같이 깨끗하게 하여 말갛게 헹궈 건졌다가) 새 물에 하룻밤 담가 불린다.
2. 불린 쌀을 (다시 씻어 건져서 물기를 뺀 다음) 시루에 쌀을 안쳐서 고두밥을 무르게 찐다(익었으면 고루 펼쳐서 차게 식기를 기다린다).
3. 고두밥과 밑술을 합하고, 고루 버무려 술밑을 빚는다.
4. (진달래꽃이 활짝 피었으면, 활짝 핀 꽃을 따되 꽃술 없이 하여 1되 정도를 술독에 먼저 안친다.)
5. 진달래꽃 위에 술밑을 (메주처럼) 뭉쳐서 안치고, 예의 방법대로 하여 찬 곳에 앉혀두고, 발효시켜 3~4월이 되면 술이 많이 나고 독하며 향기가 좋다.

* 어쳐두면 : '헤쳐두면'의 오기(誤記)인 듯함

두견주 추후별방문

정월 초 해일에 백미 닷 되 작말하여 물 서 말에 죽 쑤어 항에 퍼두었다가 식혀 더운 것 없거든 누룩가루 닷 홉 진말 닷 홉 넣어 저어 두었다가, 이튿날 점미 서 말 익게 쪄 덩일 뭉쳐 넣어 한데 내어두면, 얼락 녹으락 하여 어쳐 두면 삼사월에 물 퍼즌하나니, 우린 독주 맛이 거멉고 향기가 좋은 맛이 어오나니라.

26. 두견주 <홍씨주방문>

–추후별방문, 7말 5되 빚이

술 재료 : 밑술 : 멥쌀 1말 5되, 누룩가루 1되, 밀가루 1되, 물 2말
덧술 : 멥쌀 3말, 찹쌀 3말, (진달래꽃 1되), 냉수 4~5되, 끓여 식힌 물 4~5되, 진달래꽃 가지 3~4개

술 빚는 법 :

* 밑술 :

1. 정월에 멥쌀 1말 5되를 옥같이 씻어 (백 번 씻어 매우 깨끗하게 하여 말갛게 헹궈 불렸다가, 다시 씻어 건져서 물기를 뺀 후) 작말한다(가루로 빻는다).
2. 쌀가루를 넓은 그릇에 담아놓고, 물 2말을 솥에 붓고 끓여 쌀가루에 고루 부은 후 주걱으로 개어 범벅을 만든다.
3. 범벅을 그릇 여럿에 펴 담고 차게 식기를 기다렸다가 법제한 누룩가루 1되와 밀가루 1되를 섞고, 고루 버무려 술밑을 빚는다.
4. 술독에 술밑을 담아 안치고, 예의 방법대로 하여 발효시켜 진달래꽃이 피기를 기다린다.

* 덧술 :

1. 멥쌀 3말과 찹쌀 3말을 각각 옥같이 씻어 (백 번 씻어 말갛게 헹궈 건졌다가) 새 물에 하룻밤 담가 불린다.
2. 불린 쌀을 (다시 씻어 건져서 물기를 뺀 다음) 각각 시루에 안쳐서 고두밥을 찐다(멥쌀고두밥을 먼저 찌고 찹쌀고두밥은 나중에 찐다).
3. (물 5되를 팔팔 끓이다가 멥쌀고두밥이 익었으면 넓은 그릇에 퍼 담고, 끓는 물을 조금만 남기고 고두밥에 합하고 고루 헤쳐서 식기를 기다린다.)
4. (찹쌀을 시루에 안쳐서 무르게 찌고, 고두밥이 익었으면 퍼내어 고루 펼쳐서 차게 식기를 기다린다.)
5. 각각의 고두밥과 밑술을 한데 합하고, 고루 버무려 술밑을 빚는다.
6. (진달래꽃이 활짝 피었으면 활짝 핀 꽃을 따되, 꽃술 없이 하여 1~2되 정도를 술독에 먼저 안친다.)
7. 술밑을 술독에 담아 안치고, 술밑 위에 진달래꽃 가지 3~4개를 꺾어다 꽂아 놓고, 남긴 물로 술그릇을 부셔서 술밑 위에 붓는다.
8. 술독은 예의 방법대로 하여 볕이 들지 않는 마루에 앉혀두고, 4월 되도록 발효시키면 술이 많이 나고 독하며 향기가 좋다.

두견주 추후별방문

정월에 백미 말 닷 되에 옥같이 쓿어 하룻밤 담갔다가, 작말하여 물 두 말 끓여 가루에 퍼부어 식거든 누룩 좋은 것으로 바래여 가루 만들어 한 되, 진말 한 되 섞어 버무려 독에 넣었다가 두견화 피거든, 백미 서 말, 점미 서 말 처음 옥같이 쓸고 씻어 담갔다가 이튿날 건져 한데 섞어 익게 쪄 끓인 물 닷넉 되를 밥에 섞어 익게 쪄 끓임 물 닷넉 되를 밥에 섞어놓아 두견화 서너 가지를 꺾어 술독 위에 박아 두었다가 사월에 보면 익는 대로 쓰되, 멀게 진 후 위를 즐러 뜨고 된 것은 드리워 쓰되, 술밑부터 독을 마루에 두되, 볕 안 드는 데 두라. 탕수를 밥에 덜 붓고 남겼다가 남은 것을 붇나니라.

매속주

스토리텔링 및 술 빚는 법

'매속주(沫俗酒)'는 저자나 저술 연대를 알 수 없는 <침주법(浸酒法)>이라는 문헌에 수록되어 있는 유일한 주품이다. <침주법>의 기록이 유일하다 보니 '매속주'라는 주품명이 무슨 의미를 지니고 있는지 명확히 알 수 없다.

<침주법>의 '매속주' 주방문을 보면, "백미 한 되를 백세하여 가루 빻아 구무떡 만들어 익게 삶아 차게 식혀 누룩을 가루 내어 한 되를 떡 삶은 물을 뿌리며 섞어, 손바닥만큼 빚어 닥잎에 묻어 발 위에 띄워 사흘 만에 내면 향기 나고 털이 돋았으니 전거하여"라고 하여, 밑술 빚는 작업이 매우 독특함을 알 수 있다.

'매속주' 주방문을 자세히 들여다보면 <오주연문장전산고(五洲衍文長箋散稿)>에 수록된 '동양주(東陽酒)' 밑술 주방문과 <양주방>*의 '닥나무잎술'을 혼용한 듯 매우 복잡한 방법으로 이루어진 주방문이라 할 수 있다.

그런가 하면 덧술은 "백미 한 말을 백세하여 사흘을 담갔다가 익게 쪄서 시루째 궁군데 놓고 갓 길은 냉수로 붓기를 이삼 번이나 하여 물 빠지거든 먼저 빚은 술에 섞어 넣으라."고 하여 <양주집(釀酒集)>의 '하시절품주'나 <양주방>*의 '청명향'과 같은 방법으로 이루어지고 있다.

이와 같이 밑술과 덧술의 주방문을 종합해 보면, 비록 원료 배합비율에서 차이는 있지만, 바로 <음식방문(飮食方文)>의 '목욕주' 주방문과 동일하다는 사실을 알 수 있다. 뿐만 아니라 덧술 주방문에는 "맑을 제 쓰고자 하거든 좋은 누룩 서 홉을 함께 섞어 넣고"라고 되어 있는데, 이는 청주로 뜨고자 하면 덧술에 누룩을 넣고 한 차례의 덧술을 더 해 넣고, 그렇지 않고 탁주로 거르려면 누룩을 넣지 않고 2차 덧술도 해 넣지 않음을 알 수 있다.

따라서 한 차례의 덧술을 또 해 넣음으로써 삼양주법(三釀酒法)의 청주를 얻기 위해 작성된 주방문이라는 결론에 이른다.

주방문 말미에서 보듯 "사흘 만에 찹쌀 닷 되를 죽 쑤어 차게 식혀 항에 넣었다가 맑거든 쓰라."고 한 까닭이 여기에 있다. 이를 위해 덧술과는 다른 죽을 쑤어 2차 덧술을 해 넣음으로써 발효시간 단축과 함께 양도 많고 맑은 형태의 청주를 얻고자 한 것이다.

'매속주'처럼 2차 덧술을 죽 형태로 해 넣는 주방문이 없는 건 아니지만, 밑술과 덧술, 그리고 2차 덧술에 이르기까지 다른 주방문에서 찾아보기 힘든 방법이라는 점에서 '매속주'는 매우 독특한 주품이라고 할 수 있겠다.

'매속주'를 빚을 때 주의할 점은 첫째, 밑술을 빚을 때 누룩을 고운 가루로 빻아서 사용해야 한다. 둘째, 삶아서 차게 식은 구멍떡과 혼합하여 빈대떡을 만들 때 떡 삶은 물을 많이 쳐서 반죽을 질게 해서는 안 된다. 자칫 잘못하여 누룩과 섞은 빈대떡이 질어지면, 닥잎에 술밑떡을 묻을 수도 없거니와 대나무발을 밭쳐놓아도 대나무발 밑으로 흘러내리기 때문이다.

셋째, 덧술의 고두밥은 냉수로 씻어 냉각시키는 방법을 쓰는데, 가능한 한 빠른 시간 안에 고두밥을 차게 식히는 게 중요하다. 고두밥은 물기가 충분히 빠진 뒤 덧술을 해 넣어야 덧술의 과발효 또는 오염을 예방할 수 있다.

특히 2차 덧술의 죽은 가능한 한 팔팔 끓여서 퍼지게 쑤어야 하고, 어떤 재료보다 차게 냉각시킨 후 덧술과 혼합하는데, 술독은 서늘한 곳으로 옮겨놓는 게 바람직하다. 기껏 잘 익은 술이 마지막 덧술로 인해 어느 날 갑자기 산패할 수 있기 때문이다.

뫼(매)속주 <침주법(浸酒法)>

–한 말 엿 되 빚이

술 재료 : 밑술 : 멥쌀 1되, 가루누룩 1되, 닥나무잎, 떡 삶은 물(2~1홉)
덧술 : 멥쌀 1말, 누룩 3홉
2차 덧술 : 찹쌀 5되, 물(1말 5되)

술 빚는 법 :

* 밑술 :

1. 여름에 멥쌀 1되를 백세하여 (하룻밤 물에 담가 불렸다가, 다시 씻어 건져서 물기를 뺀 후) 가루로 빻는다.
2. 솥에 물을 넉넉히 붓고 끓이다가 뜨거워지면 쌀가루에 골고루 뿌려 익반죽을 만든 뒤 한 주먹씩 떼어 구멍떡을 빚는다.
3. 솥의 물이 끓으면 구멍떡을 넣고 삶아, 익어서 물 위로 떠오르면 건져서 (주걱으로 많이 짓이겨서) 차게 식기를 기다린다.
4. 누룩을 가루로 빻아 (깁체에 쳐서 매우 고운 누룩가루) 1되를 만들어 준비하고, 떡 삶은 물도 차게 식힌다.
5. 식은 떡에 누룩가루와 떡 삶은 물을 쳐가면서, 고루 치대어 손바닥만 한 크기의 (빈대떡처럼) 술밑떡을 빚는다.
6. 술독에 대나무로 엮은 발을 걸치고, 술밑떡을 닥나무잎에 묻어 그 발 위에 담아 안친다.
7. 술독은 예의 방법대로 하여 (2~3겹의 한지로 뚜껑을 덮어 서늘한 곳에서) 3일간 발효시켜 익기를 기다린다.
8. 3일 후에 보면 향기가 나고 털(곰팡이)이 돋아나 있으므로 전부 벗겨서 제거한다.

* 덧술 :

1. 멥쌀 1말을 백세하여 (물에 담가 하룻밤 불렸다가 다시 헹궈서) 물기를 빼 놓는다.
2. 불린 쌀을 시루에 안치고 쪄서 고두밥을 짓고, 무르게 익었으면 시루째 떼어 우물가로 가서 쳇다리 위에 올려놓는다.
3. 정화수를 길어서 시루의 고두밥에 붓기를 2~3차례 거듭하여 물이 다 빠지고 고두밥이 차게 식기를 기다린다.
4. 고두밥에 좋은 누룩 3홉과 밑술을 합하고, 고루 버무려 술밑을 빚는다.
5. 술밑을 술독에 담아 안치고, 예의 방법대로 하여 3일간 발효시킨다.

* 2차 덧술 :
1. 찹쌀 5되를 백세하여 (물에 담가 하룻밤 불렸다가 다시 헹궈서) 물기를 빼 놓는다.
2. 솥에 물 1말 5되를 붓고 팔팔 끓이다가 불린 쌀을 합하고 죽을 쑨 다음, (솥의 뚜껑을 덮어 찬 곳에 두어) 차게 식기를 기다린다.
3. 식은 죽을 덧술에 합하고, 고루 저어준다.
4. 술독은 예의 방법대로 하여 발효시켜 익기를 기다려 채주하여 마신다.

뫼쏙주(沫俗酒)—ᄒᆞᆫ 말 엿 되

ᄇᆡᆨ미 ᄒᆞᆫ 되ᄅᆞᆯ ᄇᆡᆨ셰ᄒᆞ야 ᄒᆞᄀᆞᄅᆞ 브아 구무ᄯᅥᆨ ᄆᆡᆼ그라 ᄂᆡᆨ게 살마 ᄎᆡ와 누록을 가느리 뇌여 ᄒᆞᆫ 되ᄅᆞᆯ ᄡᅥᆨ ᄉᆞᆯ믄 믈로 ᄲᆡ리며 섯거 ᄉᆞᆫ ᄡᅡ닥 마곰 비저 단닙페 무더 발 우희 ᄧᅴᄡᅥ 사ᄒᆞᆯ 만의 내면 향긔나고 터되도 ᄃᆞᆺᄂᆞ니 젼 긔ᄒᆞ야 ᄇᆡᆨ미 ᄒᆞᆫ말을 ᄇᆡᆨ셰ᄒᆞ야 사ᄒᆞᆯ 을 ᄃᆞᆷ갓더가 ᄂᆡᆨ게 쪄 시로채 궁군ᄃᆡ 노코 ᄀᆞᆺ 기ᄅᆞᆫ ᄆᆡᆼ슈로 붓기ᄅᆞᆯ 이삼번이나 ᄒᆞ야 믈 ᄲᅴ거든 몬져 비ᄌᆞᆫ 술에 섯거 녀흐라. ᄆᆞᆰ제 ᄡᅳ고져 ᄒᆞ거든 죠ᄒᆞᆫ 누록 서 홉을 ᄒᆞᆷ ᄢᅦ 녀코 사ᄒᆞᆯ 만의 ᄎᆞᆸ ᄡᆞᆯ 닷 되ᄅᆞᆯ 쥭 ᄲᅮ어 ᄎᆡ와 항의 녀헛더가 ᄆᆞᆰ거든 ᄡᅳ라.

매화주

스토리텔링 및 술 빚는 법

<조선무쌍신식요리제법(朝鮮無雙新式料理製法)>의 '매화주(梅花酒)'는 가향주(加香酒, 佳香酒)이다. '매화주'를 빚는 방법으로 보면 가향주법(加香酒法)을 동원하고 있고, 술의 종류로 구분하면 가향주(佳香酒)라고 분류할 수 있다.

조선시대 양주 관련 기록으로는 80여 권의 문헌이 전해지고 있는데, 그중 <음식보(飮食譜)>와 <양주방>*에 '매화주' 또는 '매화술'이라는 주방문이 수록되어 있다. 대한제국 시대의 기록인 <조선무쌍신식요리제법>에 수록된 '매화주'는 주배(酒醅)를 이용한 화향입주법(花香入酒法)의 가향주로 분류할 수 있다.

<조선무쌍신식요리제법>의 '매화주'는 매화의 향기를 간접적으로 술에 불어넣는 방법으로써, 매화꽃이 피는 시기에는 어떤 술이든지 이와 같은 방법을 활용할 수 있어 가장 간편한 주방문이라 하겠다.

<조선무쌍신식요리제법>의 '매화주'는 '국화주' 주방문 말미에 "국화주 담그는 것과 같이 하니라."고 하였으므로, 이에 '매화주' 주방문을 작성하였음을 밝혀둔다. 다만 한 가지 아쉬운 점은 '두견주(杜鵑酒)'나 '국화주(菊花酒)', '도화주(桃花

酒)', '창포주(菖蒲酒)', '백화주(百花酒)' 등 여느 가향주와 같이 술을 빚을 때 직접적으로 매화를 넣어 빚는 주방문이 한 번도 등장하지 않는다는 점이다.

특히 시인묵객(詩人墨客)들과 문사(文士)들 사이에서 가향주가 절기주로서 완상(玩賞)의 대상이었음에도 상대적으로 매화를 넣어 발효시킨 '매화주'의 주방문이 없다는 사실은 아무리 생각해도 의문이었다.

때문에 화향입주법의 '매화주'와 함께 술을 빚을 때 매화를 직접 버무려 넣어 발효시키는 직접혼합법(直接混合法)의 '매화주'를 빚어보았다. 그 결과 화향입주법의 '매화주'가 오래지 않아 매화 향기가 가시는 것과는 달리, 직접혼합법의 '매화주'는 오랜 시간 숙성시킬수록 매화 향기가 상하게 나타나 흥취가 더 좋았다. 이를 경험한 후로는 직접혼합법의 매화주를 즐겨 빚게 되었다.

직접혼합법의 '매화주'를 즐기고자 한다면, 단양주법(單釀酒法)보다는 이양주법(二釀酒法)을 시도하고, 밑술보다는 덧술에 매화를 넣는데, 그 양을 쌀 1말당 생화일 경우 1되(100~120g) 정도, 건조시킨 경우 10~15g 내외로 넣는 게 적당하다.

특히 70일 이상 장기간 발효시켜 즐기고자 한다면 꽃의 양을 20~30% 정도 줄여 사용하는 게 더 좋은 '매화주'의 맛과 향기를 즐길 수 있는 방법이다.

매화주 <조선무쌍신식요리제법(朝鮮無雙新式料理製法)>

술 재료 : 매화(8냥), 술(숙성 중), 명주베주머니 1장

술 빚는 법 :

1. (매화나무에 꽃망울이 맺힐 기미가 보이면 술을 빚는다.)
2. (술은 상법대로 하되, 떡으로 빚는 방향주면 더욱 좋다.)
3. (술이 익어 밥알이 동동 떠올라 있으면, 매화를 채취한다.)
4. 매화가 피거든 이울어지기 전에 송이째 채취한다.

5. 매화를 흐르는 물에 살짝 씻어 물기를 털어내고, 면보나 키친타월로 두드려 가면서 물기를 제거한다.
6. 매화(8냥)를 명주베주머니에 담아서 술독 안 술 위에 손가락 한 마디만큼 매달아 놓는다.
7. 하룻밤이나 이틀 밤 지낸 뒤에 매화 주머니를 거두고 술을 떠서 마신다.

* 화향입주법의 '매화주'이다. 주방문 말미에도 "국화주 담그는 것과 같이 하니라."고 하였으므로 '매화주' 주방문을 작성하였음을 밝혀둔다.

매화주(梅花酒)

매화가 피거든 이울기 전에 싸서 주머니에 느어 국화주 당그는 거와 가티 하나니라.

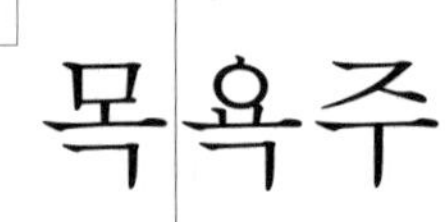

목욕주

스토리텔링 및 술 빚는 법

'목욕주(楮酒)'는 1800년대 중엽에 저술된 한글 붓글씨본인 <음식방문(飮食方文)>에 수록된 주품이다. 주품명이 한글로 되어 있어서 '목욕주'라는 주품명의 의미를 제대로 파악하기가 힘들다.

<음식방문> 외의 어떤 문헌에서도 '목욕주'를 찾아볼 수 없고, 주방문 또한 독특하기 때문에 <음식방문>을 저술했던 저자의 가문에서만 전승되어온 비전의 가양주라고 추측되나 확신할 수는 없다.

<음식방문>의 '목욕주'는 <양주방>*의 '닥나무잎술(楮酒)'와 같은 주방문으로 여겨진다. 덧술 주방문은 <양주집(釀酒集)>의 '하시절품주'나 '청명향'의 덧술 주방문과 같은 방법으로 이루어져, 그 정체를 파악하기 힘들 만큼 매우 독특한 주방문이다.

<양주방>*의 '닥나무잎술'은 밑술 빚는 법이 <음식방문>의 '목욕주'와 같지만, 덧술은 '고두밥을 찔 때 물을 두 동이쯤 뿌려서 고두밥을 푹 무르게 쪄서 차게 식히고, 밑술을 체에 걸러 누룩찌꺼기를 제거하는데, 이때 물을 쳐서 막걸리

를 만들어 사용한다는 점에서 <음식방문>의 '목욕주'와는 차이를 보이고 있다.

<음식방문>의 '목욕주' 덧술 빚는 법은 쪄낸 고두밥에 찬물을 흠씬 뿌려서 차게 식히는 것으로, <양주방>*의 '청명향'이나 <양주집>의 '하시절품주'와 같다. '목욕주' 주방문에서 보듯 덧술의 고두밥을 찬물로 씻어 차게 냉각시키는 방법은 세 가지 의도로 이루어진다.

첫째, 술맛을 '콕' 쏘게 만들려는 의도이고, 둘째는 보다 맑은 술 빛깔을 얻으려는 의도이며, 셋째는 고두밥의 온도가 높은 상태에서 술을 빚게 되면 자칫 산패하는 일이 발생하므로, 고두밥의 온도를 최대한 낮추려는 의도에서 주로 여름철에 이루어지는 방법이다.

따라서 <음식방문>의 '목욕주'는 쌀에 비해 4.5%라는 비교적 적은 양의 누룩을 사용하는 대신 닥나무잎으로부터 향취와 야생 효모균의 도움을 받게 된다.

그리고 덧술은 고두밥을 쪄낸 후 즉시 차가운 냉수를 많이 뿌려서 차게 식히는 게 비결로, 이때 고두밥은 매우 탱글탱글한 상태가 된다.

여기에 밑술과 고두밥 양의 부피에 해당하는 물 3병으로 빚으면, 비교적 빠른 시간 내 원활한 발효를 도모할 수 있다.

다만 경계할 일은 냉수의 온도가 높거나 식은 고두밥을 찬물로 씻어 냉각시키는 방법은 바람직하지 못하다. 오히려 도수 낮은 술이 될 가능성이 높고, 냉수로부터 유입된 잡균에 의해 발효가 종료될 즈음 산패할 확률이 높아질 수 있다.

따라서 가장 뜨거운 상태의 고두밥을 가장 차가운 냉수로 씻어서 냉각시켜야 한다.

이처럼 발효 숙성된 '목욕주'는 그 어떤 술보다 상쾌하면서도 '콕' 쏘는 자극적인 맛과 함께 강한 향기가 일품이다. 특히 맑고 깨끗한 청주를 얻을 수 있는 장점이 있다.

목욕주 <음식방문(飮食方文)>

–닥잎술(楮酒)

술 재료 : 밑술 : 멥쌀 2되, 누룩가루 1되, 닥잎(10~20장)
덧술 : 멥쌀 2말, 물 3병

술 빚는 법 :

* 밑술 :

1. 6월이나 7월(여름철)에 멥쌀 2되를 백세하여 (물에 담가 불렸다가, 다시 씻어 건져서 물기를 뺀 다음) 작말한다.
2. 솥에 물을 넉넉히 붓고 끓이다가 쌀가루에 뜨거운 물을 쳐가면서 익반죽하여 구멍떡을 빚는다.
3. (끓는 물솥에 구멍떡을 넣고 삶고, 익어서 떠오르면 건져 차게 식기를 기다린다).
4. (차게 식힌) 구멍떡에 누룩가루 1되를 합하고, (물러지게) 많이 치대어 술밑을 빚는다(술 빚을 때 힘들거든 떡 삶은 물 1~2홉을 쳐가면서 치대어 물러지도록 술밑을 빚어야 한다. 반죽은 충분히 주무르고 잘 치대서 모든 재료가 잘 혼합된 상태라야 한다).
5. 술독 밑에 닥나무잎 10박(바가지)을 깔고, 그 위에 술밑을 담아 안친 후 다시 닥잎으로 많이(두텁게) 덮는다.
6. 술독은 예의 방법대로 하여 (이불로) 단단히 싸매고 (따뜻하지도 서늘하지도 않은 곳에서) 3일간 발효시킨다.

* 덧술 :

1. 멥쌀 2말을 (백세하여 물에 담가 불렸다가 다시 씻어 건져) 고두밥을 짓는다.
2. 고두밥은 시루째 떼어 (주걱으로 뒤집고) 찬물을 많이 뿌려서 차게 식힌다.
3. 차게 식힌 고두밥에 물 3병과 밑술을 한데 합하고, 고루 버무려 술밑을 빚

는다.

4. 술독에 술밑을 담아 안치고, 예의 방법대로 하여 21일간 발효시킨다.

* <음식방문>의 '목욕주'는 '닥잎술'과 같은데, 덧술 주방문은 <양주집>의 '하시절품주'나 '청명향'의 덧술 주방문과 같은 방법으로 매우 특이한 과정을 보여주고 있다.

목욕쥬

뉵월 칠월의 ᄇᆡᆨ미 두 되 ᄇᆡᆨ셰 작말ᄒᆞ여 구무떡 ᄆᆡᆼ그러 ᄆᆡ오 쳐 곡말 ᄒᆞᆫ 되 섯거 열박의 닥닙흘 가득 갈고 그 쇽의 뭉쳐 너코 우희 닙흘 만니 덥고 단단이 ᄊᆞᄆᆡ야 삼 일 만의 ᄇᆡᆨ미 이 두 ᄂᆡᆨ게 쪄 시ᄅᆞ씩 두고 물 ᄉᆡᆼ려 ᄎᆡ 식은 후 술밋 ᄎᆞᆯ 물 셰 병의 곡 홉 버무려 삼칠일 후의 쓰라.

백엽주

스토리텔링 및 술 빚는 법

'백엽주(柏葉酒)'에 대한 기록은 <임원십육지(林園十六志)>에서 찾아볼 수 있다. <임원십육지>의 "약양제품(藥釀諸品)"편에 '도소주(屠蘇酒)'와 함께 수록되어 있는데, 술 원료나 빚는 방법에 대한 언급은 없다.

다만, <본초강목(本草綱目)>을 인용하여 "풍증, 마비증 및 관절염을 치료한다."는 기록이 전부이다.

이러한 '백엽주'는 연말연시 세시주(歲時酒)로 애용되었음을 조선시대 문인들의 여러 시편들에서 확인할 수 있다.

또한 사대부와 반가의 양반들은 물론이고 가난한 민간인들 사이에서도 너나없이 '도소주'를 대신해 즐겼던 술이었음을 알 수 있다.

'백엽주'의 음주 배경은 '도소주음'에서 유래한 것으로, '도소주'에 사용되는 갖가지 한약재를 조달하기 어려웠던 민간인들 사이에서 잣나무잎을 넣어 향기가 좋은 술로, 사악한 기운을 물리치고 일 년 내내 건강하게 지낼 수 있기를 바라는 벽사 의미가 더 크다고 할 수 있다.

다음은 조선시대 문신이었던 신석번의 <백원선생문집>에 수록된 “제야서회(除夜書懷, 제야에 감회를 쓰다)”라는 시(詩)다.

一樹寒梅照鬢毛(한 그루 한매寒梅가 귀밑털을 비추며)
況當年管報灰移(올해 갈대피리에서 재가루가 날아간 것을 전하네.)
桃符謾誦迎新帖(도부를 외면서 새해를 맞이하는 첩문을 짓고)
栢葉聊傾送舊危(‘백엽주柏葉酒’를 마시며 작년의 액운을 보내네.)
斷盡流光全賦分(흐르는 세월은 하나인데, 이를 나누었을 뿐이니)
消磨世故占便宜(세대가 바뀌는 것은 마땅한 것이네.)
從頭情念平生計(처음부터 고요히 생각하는 것을 평생의 계획으로 삼았는데)
第一安心此策奇(이것이 마음을 편하게 하는 제일 좋은 방법이네.)

서거정의 <사가시집> “수세(守歲)”라는 시편에서도 사대부들 사이에서 해가 바뀔 때 ‘백엽주’를 마셨다는 사실을 알 수 있다.

開筵餞殘臘(자리를 깔고 얼마 남지 않은 납월을 보내며)
燒燭待新春(촛불을 켜고 새봄을 기다리네.)
忽聞三夜鼓(문득 삼야의 북소리를 듣고)
已作兩年身(이미 두 해의 몸을 일으키네.)
索共梅花笑(함께 매화 핀 곳을 찾으며)
呼來栢酒親(백엽주를 가져오라고 부르네.)
有詩無可祭(시는 있는데 제사를 지낼 수 없으니)
欲學賣癡人(어리석을 파는 사람에게 배워야 하겠네.)

또한 서거정의 <사가시집> 중 “제석(除夕)”이라는 시에서는 ‘백엽주’의 형태를 짐작할 수도 있다.

餽歲吾何事(한 해를 보내며 나는 어떤 일을 해야 하나?)

青燈一笑開(푸른 등불이 웃는 것과 같네.)
椒花傳舊頌(초화는 옛 노래를 전하며)
柏葉泛新醅(백엽을 새 술에 띄우네.)

다시 말해 '백엽주'는 빚는 술이라는 의미보다는 술 마시는 현장에서 잣나무잎을 띄워 마시는 술을 칭한 것으로 여겨진다.

그리고 이 '백엽주'에 천초(川椒)를 함께 넣어 마시는 술을 '초백주(椒柏酒)'라 하여 연말연시에 함께 애음되었음도 알 수 있다.

백엽주 <임원십육지(林園十六志)>

풍증, 마비증 및 관절염을 치료한다. <본초강목>을 인용하였다.

柏葉酒
<本草綱目> 治風痺歴節痛. (案)方見 <葆養志>.

백화주

스토리텔링 및 술 빚는 법

술에 꽃향기를 불어넣는 가향주 중 으뜸은 단연코 '백화주(百花酒)'라고 확신한다. '백화주'라고 하는 주품명이 암시하듯 백화(百花)란 '백 가지 꽃'을 지칭하는 한정된 개념이 아니라, '온갖 꽃'을 가리킨다. 온갖 꽃향기가 어우러진 술 향기는 과연 어떤 맛일까?

우선 '백화주'는 엄동설한에 반쯤 핀 설중매의 꽃송이를 비롯해 동백꽃·개나리·진달래·살구꽃·복숭아꽃·자두꽃·배꽃·산수유꽃·연꽃·구기자꽃·앵두꽃·국화·창포꽃·장미 등 일 년 동안 차례대로 피어나는 온갖 꽃들을 꽃이 필 때 송이째 따서 물에 깨끗이 씻어 그늘에 말린 다음, 종이봉투에 담아 보관해 두었다가 중양절에 술을 빚는다.

'백화주' 주방문이 실린 옛 문헌으로는 <고려대규합총서(高麗大閨閤叢書, 異本)>를 비롯하여 <고사신서(攷事新書)>, <군학회등(群學會騰)>, <규합총서(閨閤叢書)>, <농정회요(農政會要)>, <민천집설(民天集說)>, <술방>, <온주법(醞酒法)>, <임원십육지(林園十六志)>, <조선무쌍신식요리제법(朝鮮無雙新

式料理製法)>, <주식방(酒食方, 高大閨壼要覽)>, <증보산림경제(增補山林經濟)>, <침주법(浸酒法)> 등이며, 13권의 문헌에 15차례나 등장한다.

이 중 '백화주' 빚는 법을 가장 상세하게 보여주고 있는 <고려대규합총서(이본)>에 따르면, "꽃 가운데는 채취했을 당시 생물(生物)일 때에는 비록 향기가 좋더라도 마른 후에는 향기가 가시게 되는 것이 대부분이다. 그런데 국화나 라일락과 같이 꽃은 마른 후에도 향기가 그대로 남아 있는 꽃을 주장을 삼고 복숭아·살구꽃·매화·연꽃·구기자꽃·냉이꽃 등은 약효가 인정되는 꽃이므로 그 양을 넉넉히 넣도록 하는 것이 좋다."고 하였다.

또 <주식방(고대규곤요람)>에는 "금은화·국화·송화·매화 등 온갖 꽃을 백 가지로 모아서 말렸다가, 모시자루에 담아 항아리 밑에 넣고, 술('소곡주'나 '삼해주'로 하여)을 빚는다."고 하였다.

'백화주'를 빚는 법에 있어 한 가지 유의할 점은 술 빚는 시기와 물의 선택이다.

<고려대규합총서(이본)>에 이르기를 "꽃을 모으되, 송이째 그늘에 말렸다가 중양절에 술을 빚는다."하였고, "술을 빚는 물은 특별히 강 한가운데서 떠온 물이나 돌 틈에 괴는 물을 써야 한다."고 기록하고 있다. 이는 술맛을 결정짓는 요인이라 여겨진다.

다시 말해 집안이나 마을의 우물물이 아닌 강 한가운데서 길어온 물과 돌 틈에 괸 물, 즉 센물(경수)을 사용한다는 건 꽃이 지닌 향기를 좋게 하기 위함이고, 중양절에 술을 빚는 까닭은 양의 수이자 완전수인 9(九)가 겹쳐 중양(重陽)이 되므로, 일 년 중 양(陽)의 기운이 가장 왕성한 날로 여긴 데서 기인한다.

술은 양(陽)인데 양의 기운이 충만한 날에 술을 빚으면, 술에 양의 기운이 더욱 왕성해져 술을 마심으로써, 모든 사악한 음의 기운을 물리칠 수 있다고 믿었던 것이다.

이러한 '백화주'는 원기(元氣)를 보(補)하는 효능이 뛰어나다고 알려지고 있다.

<온주법>에는 "먹으면 기부충장하고 무병장수하고 음식 아니 먹어도 용안(얼굴빛)이 여상하여 죽지 아니하고 자식 못 낳는 사람이 생산하느니라."고 하여 '백화주'의 효능에 대해서 언급하고 있다. 또 <임원십육지>에도 <동의보감(東醫寶鑑)>을 인용하여 "모든 병을 치료하고 장수하는 효력이 있다."고 하였다.

그러나 정작 <동의보감>을 비롯하여 대부분의 문헌에서는 구체적인 '백화주' 주방문을 찾아볼 수 없고, 다만 <고려대규합총서(이본)>를 비롯하여 <규합총서>, <온주법>, <침주법>에서 그 방법을 찾을 수 있을 뿐이다.

'백화주' 주방문은 여러 가지 형태로 등장하고 있는데, 가장 전형적인 주방문은 <고려대규합총서(이본)>의 '백화주'이다. "찹쌀 두 되를 가루 만들어 구멍떡 삶아라. 혹 되거든 삶은 물을 쳐서 치켜들어 떨어질 만큼 개어, 이슬 맞힌 좋은 누룩가루 한 되를 바로 섞어 날물 들이지 말고 항아리에 넣어 쐐기 받쳐 덥지 않되, 바람기 없는 곳에 우는 덮지 말고 두어라. 그러면 우 아래 먼저 노랗게 괴이거든 멥쌀 너 되 씻고 씻어 담갔다가 가루 만들어 범벅을 개어 얼음같이 차거든 먼저 한 (술)밑에 섞고 누룩가루 한 되 넉넉히 더 섞어 날물이 치지 말고 개어 정한 항아리에 짚내 쏘여 넣고, 위를 여러 겹 봉하여 처음처럼 두었다가 다 괴거든 찹쌀 말가웃, 멥쌀 닷 되를 씻고 씻어 인절미처럼 물 주어 찌되, 메밥에는 물을 더 주어 흠뻑 분게 하여라. 널어서 얼음 같이 식거든 밑을 섞되 너무 되거든 끓여 채운 물을 쌀 된 되로 두 되만 더 섞고 알맞은 독에 밥 한 켜 넣고 백화를 다 각각 등분하여 달아 한데 섞고 국화는 말리지 말고 한 되 남짓 꽃잎만 따서 한 켜씩 백화와 밥을 떡 안치듯 하되, 국화는 위에 뿌리고 밀가루 서 홉 밥에 섞고 누룩 한 줌만 위에 뿌려 눌러 고르게 하고, 위를 김나지 않게 봉하여 익히면 국화는 개미와 한가지로 뜨고 향내와 맛이 다른 술보다 뛰어날뿐더러 원기를 보하고 공효가 특별하다." "겨울에 매화·동백으로부터 이듬해 가을 국화까지 꽃을 모으되, 송이째 꽃술 없이 하지 말고 그늘에 말려 각각 봉지를 지었다가 중양 때 국화가 흐드러지게 피기에 이르러 술을 빚으라. 다른 꽃은 비록 향기 많다가도 마르면 향내가 가시나, 국화는 마른 후 더욱 향기로우니 주장을 삼고, 복사·살구·매화·연꽃 등과 초화에는 구기·냉이꽃 등 성미가 유익한 것은 돈수를 넉넉히 하고 다른 꽃은 각 한 돈씩 하되, 왜철쭉·옥잠화·싸리꽃은 지독하니 넣지 말라."고 하는 주방문을 기본으로 하고 있다.

그리고 <술방>을 비롯해 <온주법>, <주식방(고대규곤요람)> 등에 수록된 이양주법(二釀酒法)은 <고려대규합총서(이본)>의 주방문을 간소화한 것으로 보인다.

그 외 <고사신서>와 <농정회요>, <민천집설>, <조선무쌍신식요리제법>, <증보산림경제> 등의 주방문은 주원료의 배합비율뿐 아니라, 술 빚는 방법에 대한 구체적인 언급이 없다. '백하주'나 '방문주'를 이용한 주방문으로 보인다. 즉, 기존 술에 백화를 사용해 빚는 방법인 것이다.

따라서 아마도 '지약주법'이나 '국화주' 주방문을 참고한 것이 아닌가 생각되며, 그 배경이 궁금하여 여러 가지 이유를 추측해 보게 되었는데, '백화주'와 같이 재료 조달이 어렵고 약효가 뛰어난 명주들은 집안 나름의 목적과 용도로 사용되어 온 만큼, 그 집안의 주인(酒人)이나 대모(大母)에 의해 그때그때 필요에 따라 빚어지고 사용되어 온 데 기인한 것으로 여겨진다.

한편, 이들 문헌과는 달리 독특한 방법의 주방문을 목격할 수 있다. <군학회등>의 '백화주'는 꽃을 달인 물에 고두밥과 '주본', 누룩을 사용한다. 그런가 하면 <침주법>에는 백화가 아닌 복숭아꽃(桃花)을 단독으로 사용하면서도 '백화주'라는 주품명으로 기록하고 있다. <술방문>에는 백화 대신 생강과 엿기름가루·후추·계피가 사용되고, 양주용수 대신 소주를 사용함으로써 혼양주(混釀酒)의 한 가지인 '오종주'나 '오향소주'를 연상케 한다.

필자는 <고려대규합총서(이본)>의 주방문을 따르되, 백화를 넣고 자두꽃을 주장으로 삼아 재현해 낸 '백화주'의 향기를 맛보았다. 마치 온갖 향수를 뿌려 놓은 것처럼 기이한 방향으로 정신이 혼미해질 정도인 데다 맛도 오미(五味)를 고루 갖춰 특별히 뛰어난 술이라는 생각이 들었다.

술을 빚은 지 20일 만에 용수를 박고 다음날 채주를 하였는데, 무엇보다 그 향기가 뛰어났다. 채주하여 40여 일 숙성시킨 결과 약간의 산미(酸味)가 살아나면서 균형 잡힌 '칠미(七味)'를 다 느낄 수 있었다. 비로소 숙성(熟成)의 진미(眞味)를 깨닫게 된 것이다.

'백화주'를 빚을 때 주의할 점은 무엇보다 양주용수의 선택에 유의해야 한다. 또 범벅을 쑬 때 가능한 한 범벅이 설익은 상태라야 술 향기가 좋아진다는 사실을 명심해야 한다. 이는 경도가 높은 양주용수와 설익은 범벅의 발효를 통해 강한 효모가 육성된다는 뜻이기도 하다.

그러나 아무리 좋은 꽃이라도 그 양이 지나치게 많거나 수분이 많은 생화를 많이 넣는 건 결코 바람직하지 못하다. 발효가 잘 되어 술이 막 끓었을 때는 향기도 좋고 맛도 부드러울 수 있으나 장기 보관이 어렵고, 숙성된 후에는 시큼한 맛과 함께 산패를 초래하기 때문이다. 아까운 꽃만 버리는 실수를 범하지 말라는 얘기다.

거듭 강조하지만 '백화주'를 맛보지 않고서는 가향주(佳香酒)의 참맛을 논할 자격이 없다고 생각한다.

다만, 안타깝게도 부재료로 사용되는 백화를 쉽게 구할 수 없어 서너 번 빚어 본 것으로 만족해야 했기에 지금도 시간이 나거나 기회만 되면 백화를 구하는 데 몸을 사리지 않고 있다.

실제로 향기가 좋은 꽃이라면 염치불구하고 채취하고야 마는 버릇이 생겼다. 꽃 도둑질이라도 해서 '백화주'를 빚고 싶은 마음이 간절하기 때문이다.

다행스럽게도 몇 년간의 고생 끝에 지금은 1년에 몇 독씩 '백화주'를 빚어 지인(知人)들과 나눠 마시는 즐거움을 누리고 있다.

그들이 이런 필자의 마음고생을 알까 모르겠지만.

1. 백화주 <고려대규합총서(高麗大閨閤叢書, 異本)>

술 재료 : 밑술 : 찹쌀 2되, 누룩가루 1되, 떡 삶은 물 적당량
덧술 : 멥쌀 4되, 누룩가루 1되, 끓는 물 4되
2차 덧술 : 찹쌀 1말 5되, 멥쌀 5되, 누룩가루 한 줌, 밀가루 3홉, 국화 1되, 백화(1~2되), 끓인 물 2되

술 빚는 법 :

* 밑술 :

1. 국화가 흐드러지게 피는 음력 중양 때 찹쌀 2되를 (백세하여 물에 담가 불렸다가, 다시 씻어 건져서 물기를 뺀 후) 작말한다.
2. 쌀가루를 따뜻한 물로 익반죽한 후, 한 주먹씩 떼어 구멍떡(공병)을 빚는다.

3. 솥에 물을 붓고 끓으면 구멍떡을 하나씩 넣는데, 익어 물 위로 떠오르면 건진다.
4. 삶은 구멍떡을 주걱으로 으깨면서 치대는데, 잘 풀어지지 않거든 떡 삶았던 물을 쳐가면서 주걱으로 들어 올려서 늘어질 만큼 풀어놓는다.
5. 죽같이 풀어놓은 떡이 차게 식었으면, 법제한 좋은 누룩가루 1되를 섞고, 고루 치대어 술밑을 빚는다.
6. 소독하여 마련해둔 술독에 술밑을 담아 안치고, 베보자기를 덮어 밀봉한다.
7. 술독은 덥지 않고 바람기 없는 곳에 두는데, 받침대를 깔고 그 위에 앉혀서 3~5일간 발효시킨다.

* 덧술 :
1. 밑술이 위아래가 노랗게 괴어오르면, 멥쌀 4되를 백세하여 새 물에 담가 불렸다가 (다시 씻어 헹궈서 물기를 뺀 후) 작말한다.
2. 쌀가루를 자배기에 담고, 끓는 물 4되를 고루 부어 죽같이 개어서 범벅을 만든 다음 얼음같이 차게 식기를 기다린다.
3. 범벅에 밑술과 누룩가루 1되를 합하고, 고루 버무려 술밑을 빚는다.
4. 짚불 연기 쏘여 소독한 술독에 술밑을 안치고, 베보자기로 여러 겹 덮어 밀봉한다.
5. 술독은 덥지 않고 바람기 없는 곳에 두는데, 받침대를 깔고 그 위에 앉혀서 3~5일간 발효시킨다.

* 2차 덧술 :
1. 덧술이 다 괴었거든 찹쌀 1말 5되와 멥쌀 5되를 각각 백세하여 (물에 담가 불렸다가, 다시 씻어 건져서 물기를 뺀 후) 시루에 안쳐서 고두밥을 짓는다.
2. 고두밥을 찔 때 인절미처럼 물을 주어 찌되, 메밥에는 물을 더 주어 흠뻑 불게 찌고, 고루 펼쳐서 얼음같이 차게 식기를 기다린다.
3. 차게 식힌 고두밥에 밀가루 3홉과 덧술을 합하고, 고루 버무려 술밑을 빚되 너무 되거든 끓여 식힌 물을 쌀된 되로 2되를 섞어 빚는다.

4. 소독하여 마련해 둔 독에 술밑을 안치는데, 각각 등분하여 준비한 백화를 한데 합하고, 백화와 술밑을 켜켜로 안친다.
5. 국화는 별도로 생것으로 꽃잎을 따서 1되를 맨 위에 안치고, 누룩가루 한 줌을 뿌려준다.
6. 술밑을 손으로 눌러 공기를 빼고 고르게 한 뒤, 김이 새지 않게 밀봉하여 예의 방법대로 발효시킨다.

* 주방문 머리에 "겨울에 매화·동백으로부터 이듬해 가을 국화까지 꽃을 모으되, 송이째 꽃술 없이 하지 말고 그늘에 말려 각각 봉지를 지었다가 중양 때 국화가 흐드러지게 피기에 이르러 술을 빚으라. 다른 꽃은 비록 향기 많다가도 마르면 향내가 가시나, 국화는 마른 후 더욱 향기로우니 주장을 삼고, 복사·살구·매화·연꽃 등과 초화에는 구기·냉이꽃 등 성미가 유익한 것은 돈수를 넉넉히 하고 다른 꽃은 각 한 돈씩 하되, 왜철쭉·옥잠화·싸리꽃은 지독하니 넣지 말라."고 하여 백화를 준비하는 일에 대해 상세히 설명하였다.

ᄇᆡᆨ화쥬

겨을의 ᄆᆡ화 동ᄇᆡᆨ으로브터 익년 츄국ᄀᆞ지 일ᄇᆡᆨ 가지 ᄭᅩᆺ출 모흐되 숑이ᄌᆡ 여희 업시치 말고 음건ᄒᆞ야 각각 봉지을 지엇다가 듕양 시의 국화 경ᄀᆡᄒᆞ기 미쳐 술을 비지ᄃᆡ 다ᄅᆞᆫ ᄭᅩᆺ촌 비록 향긔 만타가도 ᄆᆞ르면 향취가 감ᄒᆞ고 국화ᄂᆞᆫ ᄆᆞᄅᆞᆫ 후 더옥 향긔로오니 위군ᄒᆞ고 도힝ᄆᆡ연 등과 쵸화의ᄂᆞᆫ 구긔 졔ᄎᆡ화 ᄀᆞᆺᄒᆞᆫ 셩미가 유익ᄒᆞᆫ 거ᄉᆞᆫ 돈슈 넉넉이 ᄒᆞ고 다ᄅᆞᆫ ᄭᅩᆺ촌 각 ᄒᆞ 돈식 ᄒᆞ되 왜텩듁 옥ᄌᆞᆷ화 빠리ᄭᅩᆺ촌 지독ᄒᆞ니 너치 말고 슐 ᄒᆞᄂᆞᆫ 법은 졈미 이 승 작말ᄒᆞ야 구무ᄯᅥᆨ ᄉᆞᆯ마 되거든 ᄉᆞᆯ믄 물을 쳐 쥐여드러 ᄯᅥ러질 만치 ᄀᆡ야 이ᄉᆞᆯ 맛친 됴흔 누록ᄀᆞ로 ᄒᆞ 되 바로 석거 ᄂᆞᆯ믈 드리디 말고 항의 너허 뼈약이 밧쳐 덥든 아니되 무풍쳐의 우흔 덥지 말고 두면 우 아ᄅᆡ 몬져 노라케 괴이거든 뫼ᄡᆞᆯ 넉 되 ᄇᆡᆨ셰ᄒᆞ야 담갓다가 작말ᄒᆞ야 범벅 ᄀᆞ야 어름ᄀᆞᆺ치 ᄎᆞ거든 몬져 ᄒᆞᆫ 밋치 석고 국말 ᄒᆞᆫ 되 넉넉이 더 서거 ᄂᆞᆯ ᄆᆞᆫ치 말고 ᄀᆡ야 졍ᄒᆞᆫ 항의 집ᄂᆡ 뽀여 너코 우흘 여러 겹 봉ᄒᆞ야 쳐음쳐로 두엇다가 다 괴거든 출ᄡᆞᆯ 말가옷 뫼ᄡᆞᆯ 닷 되 ᄇᆡᆨ셰ᄒᆞ야 인졀미쳐로 물 쥬어 ᄧᅵ되 뫼밥의ᄂᆞᆫ 물을 더 쥬어 흐억이 븟게 ᄒᆞ야 너러 어름ᄀᆞᆺ치 식거든 밋출 석 너모 되거든 ᄉᆞᆯ혀 ᄎᆡ온 믈 ᄡᆞᆯ 된 되로 두 되만 더 석고 마ᄌᆞᆫ 독의 밥 ᄒᆞᆫ 켸 너코 ᄇᆡᆨ화을 다 각각 등븐ᄒᆞ야 ᄃᆞ라 ᄒᆞᆫᄃᆡ 석고 국화ᄂᆞᆫ ᄆᆞᆯ뇌오디 말고 ᄒᆞᆫ 되 남즉이 ᄭᅩᆺ닙만 ᄯᅡ ᄒᆞᆫ 켸식 ᄇᆡᆨ화와 밥을 쎡 안치듯 ᄒᆞᄃᆡ 국화ᄂᆞᆫ 우히 ᄲᅦ고 진말 서 홉 밥의 석고 누록 ᄒᆞᆫ 줌만 우ᄒᆡ ᄲᅦ허 눌너 고르게 ᄒᆞ고 우흘 김 나지 아니게 봉ᄒᆞ야 닉히면 국화ᄂᆞᆫ ᄀᆞ야미와 ᄒᆞᆫ가디로 ᄡᅳ고 향취와 마시 다ᄅᆞᆫ 슐의 졀승ᄒᆞᆯ 분 아니라 원긔를 보익ᄒᆞ고 공회 긔이ᄒᆞ니라. 크고 ᄆᆞᆨ은 구긔ᄌᆞ ᄲᅮᆯ회나 숑졀이나 진히 달혀 ᄎᆡ온 믈을 술 비질 젹 다른 믈 ᄆᆞᆯ고 이 믈로 ᄒᆞ면 더옥 익유ᄒᆞ니 각별이 갈희여 강심슈나 셕쳔이나 ᄒᆞ되 숑순을 ᄆᆞᆯ뇌엿다가 글거 데쳐 밋히 너코 유ᄌᆞ피을 ᄲᅢ흐라. 우ᄒᆡ 너코 호쵸을 굵게 작말ᄒᆞ야 쥼치여 너허 가온ᄃᆡ 너흐면 더 됴흐니라.

2. 백화주 <고사신서(攷事新書)>

술 재료 : 밑술 : (멥쌀 5되, 누룩가루 2되, 물 1말)
덧술 : (찹쌀 5말, 누룩 2되, 꽃 5되, 물 3말)

술 빚는 법 :

* 밑술 :

1. 멥쌀 5되를 물에 백세하여 물에 하룻밤 담가 불렸다가 씻어 건져서 물기를 뺀 뒤, 가루로 빻아놓는다.
2. 솥에 물 1말을 끓이다가 뜨거운 물 5되 정도를 떠서 쌀가루에 고루 붓고, 주걱으로 골고루 개어 아이죽을 만든다.
3. 끓고 있는 물에 개어놓은 아이죽을 넣고 팔팔 끓여 죽을 쑨 다음, 넓은 그릇 여러 개에 나눠 담아 차게 식기를 기다린다.
4. 죽에 누룩가루 2되를 합하고, 고루 버무려 술밑을 빚는다.

5. 술독에 술밑을 담아 안치고, 예의 방법대로 하여 하룻밤 동안(1일간) 발효시킨다.

* 덧술 :

1. 이른 봄부터 시작하여 늦겨울의 동백과 매화에 이르기까지 100가지 꽃을 송이째 채취하여 흐르는 물에 살짝 씻어 이물질과 먼지 등을 제거한다.
2. 진달래는 꽃술을 제거하여 음건하고, 나머지 꽃도 마련하는 대로 다듬고, 음건하여 종이봉투에 담아 보관해 두었다가 사용한다.
3. 솥에 물 3말을 붓고 끓이다가 준비한 분량의 꽃 5되를 넣어 은근한 불에서 달여 물이 1말 5되가 되면 달이는 것을 멈춘다.
4. 꽃 달인 물을 넓은 그릇에 퍼서 뚜껑을 덮고, 하룻밤 재워 저절로 차게 식기를 기다린다.
5. 찹쌀 5말을 백세하여 물에 담가 하룻밤 불렸다가 다시 씻어 건져서 물기를 뺀다.
6. 불린 찹쌀을 시루에 안쳐서 고두밥을 짓고, 익었으면 퍼내고 고루 펼쳐서 차게 식기를 기다린 다음 넓은 그릇에 퍼 담는다.
7. 누룩을 곱게 빻아 체에 쳐서 내린 누룩 2되와 찹쌀고두밥, 꽃 달인 물 2말 5되를 한데 합하고, 고루 버무려 술밑을 빚는다.
8. 소독한 술독에 술밑을 담아 안치고, 예의 방법대로 하여 30여 일간 발효시킨다.
9. 술이 익기를 기다려 채주하여 마신다.

* 술 빚는 주방문이 나와 있지 않아서 임의대로 상법(常法)의 술 빚는 법을 참고하여 주방문을 작성하였다. 주방문에 "백초(百草)의 꽃을 달여 즙을 취하여 술을 빚어 먹으면 온갖 병을 치료할 수 있으며 장수한다."고 하여 '백화주'의 효능에 대해 언급한 것을 볼 수 있다.

百花酒

百草花煮取汁釀酒服治百病長生.

3. 백화주법 <군학회등(群學會騰)>

술 재료 : 쌀 1말, 백화 (말린 것) 반 근 또는 3~4냥, 주본(1병 또는 누룩 2되), 꽃 달여 식힌 물(1말 또는 끓여 식힌 물 1말)

술 빚는 법 :

1. 온갖 꽃을 따서 (흐르는 물에 살짝 씻어 헹궈서 이물질과 흙, 먼지 등을 제거하여) 물기를 빼놓는다.
2. 꽃이 많으면 술맛이 좋지 못하니, 쌀 1말에 반 근(300g)이나 3~4냥을 준비한다.
3. 솥에 물(1말)을 붓고, 씻어 준비한 온갖 풀과 꽃을 삶아 그 즙을 취하는데, 여름에 그늘에서 말리거니, 날씨가 눅눅해서 어려우면 혹 볕에 말려서 사용해도 된다.
4. 찹쌀 또는 멥쌀 1말을 (백세하여 물에 담가 불렸다가, 다시 씻어 건져서 물기를 뺀 후) 시루에 안쳐서 고두밥을 짓는다.
5. (고두밥이 무르게 익었으면 시루에서 퍼낸 다음, 돗자리에 고루 펼쳐서 차게 식기를 기다린다.)
6. 고두밥에 (꽃 달여 식힌 물 1말 또는 끓여 식힌) 물과 주본(1병 또는 누룩가루 2되)을 합하고, 고루 버무려 술밑을 빚는다.
7. 술밑을 술독에 담아 안치고, 예의 방법대로 하여 발효시킨다.
8. 먹으면 사람에게 유익하고, 백 가지 병을 다스리고 오래 산다.

* 주방문에 "쌀 1말을 빚을 경우, 꽃 반 근을 쓰는데 혹 3~4냥을 써도 좋다. 꽃이 많이 들어가면 술맛이 좋지 않다. 여름에 날씨가 눅눅해서 어려우면

혹 볕에 말려서 사용해도 된다. 꽃에 술밥과 누룩을 섞고 주본을 섞어 익으면 마신다. 사람 몸에 좋다."고 하였다. 쌀의 양과 꽃의 양은 나와 있으나, 기타 물이나 누룩 양에 대해서는 구체적인 언급이 없어, 일반적인 술 빚는 법을 참고하였다.

百花酒法
菜百花夏月攤於陰乾或晒乾亦可欲釀米一斗用花半斤或三四兩爲加.花多則味不美取花調飯麯納於酒本待熟飮之益人.

4. 백화주 <규합총서(閨閤叢書)>

술 재료 : 밑술 : 찹쌀 2되, 누룩가루 1되, 떡 삶은 물 적당량
덧술 : 멥쌀 4되, 누룩가루 1되, 끓는 물 4되
2차 덧술 : 찹쌀 1말 5되, 멥쌀 5되, 누룩가루 한 줌, 밀가루 3홉, 국화 1되, 백화(1~2되), 끓인 물 2되

술 빚는 법 :

* 밑술 :

1. 국화가 흐드러지게 피는 음력 중양 때 찹쌀 2되를 (백세하여 물에 담가 불렸다가, 다시 씻어 건져서 물기를 뺀 후) 작말한다.
2. 쌀가루를 따뜻한 물로 익반죽한 후, 한 주먹씩 떼어 구멍떡(공병)을 빚는다.
3. 솥에 물을 붓고 끓으면 구멍떡을 하나씩 넣는데, 익어 물 위로 떠오르면 건진다.
4. 삶은 구멍떡을 주걱으로 으깨면서 치대는데, 잘 풀어지지 않거든 떡 삶았던 물을 쳐가면서 주걱으로 들어 올려서 늘어질 만큼 풀어놓는다.
5. 죽같이 풀어놓은 떡이 차게 식었으면, 법제한 좋은 누룩가루 1되를 섞고, 고

루 치대어 술밑을 빚는다.

6. 소독하여 마련해 둔 술독에 술밑을 담아 안치고, 베보자기를 덮어 밀봉한다.
7. 술독은 덥지 않고 바람기 없는 곳에 두는데, 받침대를 깔고 그 위에 앉혀서 3~5일간 발효시킨다.

* 덧술 :

1. 밑술 위아래가 노랗게 괴어오르면, 멥쌀 4되를 백세하여 새 물에 담가 불렸다가 (다시 씻어 헹궈서 물기를 뺀 후) 작말한다.
2. 쌀가루를 자배기에 담고, 끓는 물 4되를 고루 부어 죽같이 개어서 범벅을 만든 다음 얼음같이 차게 식기를 기다린다.
3. 범벅에 밑술과 누룩가루 1되를 합하고, 고루 버무려 술밑을 빚는다.
4. 짚불 연기 쏘여 소독한 술독에 술밑을 안치고, 베보자기로 여러 겹 덮어 밀봉한다.
5. 술독은 덥지 않고 바람기 없는 곳에 두는데, 받침대를 깔고 그 위에 앉혀서 3~5일간 발효시킨다.

* 2차 덧술 :

1. 덧술이 다 괴었거든, 찹쌀 1말 5되와 멥쌀 5되를 각각 백세하여 (물에 담가 불렸다가, 다시 씻어 건져서 물기를 뺀 후) 시루에 안쳐서 고두밥을 짓는다.
2. 고두밥을 찔 때 인절미처럼 물을 주어 찌되, 메밥에는 물을 더 주어 흠뻑 불게 찌고, 고루 펼쳐서 얼음같이 차게 식기를 기다린다.
3. 차게 식힌 고두밥에 밀가루 3홉과 덧술을 합하고, 고루 버무려 술밑을 빚되 너무 되거든 끓여 식힌 물을 쌀된 되로 2되를 섞어 빚는다.
4. 소독하여 마련해둔 독에 술밑을 안치는데, 각각 등분하여 준비한 백화를 한데 합하고, 백화와 술밑을 켜켜로 안친다.
5. 국화는 별도로 생것으로 꽃잎을 따서 1되를 맨 위에 안치고, 누룩가루 한 줌을 뿌려준다.
6. 술밑을 손으로 눌러 공기를 빼고 고르게 한 뒤, 김이 새지 않게 밀봉하여 예

의 방법대로 발효시킨다.

ᄇᆡᆨ화쥬

겨을의 ᄆᆡ화 동ᄇᆡᆨ으로브터 익년 츄국ᄭᆞ지 일ᄇᆡᆨ 가지 ᄭᅩᆺ출 모흐되 송이ᄌᆡ 여희 업시치 말고 음건ᄒᆞ야 각각 봉지을 지엇다가 듕양 시의 국화 경ᄀᆡᄒᆞ기 미쳐 술을 비지ᄃᆡ 다ᄅᆞᆫ ᄭᅩᆺᄎᆞᆫ 비록 향긔 만타가도 ᄆᆞ르면 향취가 감ᄒᆞ고 국화ᄂᆞᆫ ᄆᆞ른 후 더옥 향긔로오니 위군ᄒᆞ고 도힝ᄆᆡ연 등과 쇼화의ᄂᆞᆫ 구긔 제ᄎᆡ화 ᄀᆞᆺᄒᆞᆫ 셩미가 유익ᄒᆞᆫ 거ᄉᆞᆫ 돈슈 넉넉이 ᄒᆞ고 다ᄅᆞᆫ ᄭᅩᆺᄎᆞᆫ 각 ᄒᆞ 돈식 ᄒᆞ되 왜텩듁 옥ᄌᆞᆷ화 ᄲᅡ리ᄭᅩᆺᄎᆞᆫ 지독ᄒᆞ니 너치 말고 ᄉᆞᆯ ᄒᆞᄂᆞᆫ 법은 졈미 이 승 작말ᄒᆞ야 구무ᄯᅥᆨ ᄉᆞᆯ마 되거든 ᄉᆞᆯ믄 물을 쳐 ᄎᆔ여드러 ᄲᅥ러질 만치 ᄀᆡ야 이ᄉᆞᆯ 맛친 됴흔 누록ᄀᆞ로 ᄒᆞ 되 바로 석거 ᄂᆞᆯ믈 드리디 말고 항의 너허 ᄢᅬ약이 밧쳐 덥든 아니되 무풍쳐의 우흔 덥지 말고 두면 우 아ᄅᆡ 몬져 노라케 괴이거든 뫼ᄡᆞᆯ 넉 되 ᄇᆡᆨ셰ᄒᆞ야 담갓다가 작말ᄒᆞ야 범벅 ᄀᆞ야 어름ᄀᆞᆺ치 ᄎᆞ거든 몬져 ᄒᆞᆫ 밋ᄎᆡ 석고 국말 ᄒᆞᆫ 되 넉넉이 더 서거 ᄂᆞᆯ 믄치 말고 ᄀᆡ야 경ᄒᆞᆫ 항의 집ᄂᆡ ᄡᅩ여 너코 우흘 여러 겹 봉ᄒᆞ야 쳐음쳐로 두엇다가 다 괴거든 출ᄡᆞᆯ 말가옷 뫼ᄡᆞᆯ 닷 되 ᄇᆡᆨ셰ᄒᆞ야 인졀미쳐로 물 쥬어 ᄧᅵ되 뫼밥의ᄂᆞᆫ 물을 더 쥬어 흐억이 븟게 ᄒᆞ야 너러 어름ᄀᆞᆺ치 식거든 밋출 석 너모 되거든 ᄭᅳᆯ혀 ᄎᆡ온 믈 ᄡᆞᆯ 된 되로 두 되만 더 석고 마ᄌᆞᆫ 독의 밥 ᄒᆞᆫ 켸 너코 ᄇᆡᆨ화을 다 각각 등븐ᄒᆞ야 ᄃᆞ라 ᄒᆞᆫᄃᆡ 석고 국화ᄂᆞᆫ ᄆᆞᆯ뇌오디 말고 ᄒᆞᆫ 되 남즉이 ᄭᅩᆺ닙만 ᄯᅡ ᄒᆞᆫ 켸식 ᄇᆡᆨ화와 밥을 ᄯᅥᆨ 안치듯 ᄒᆞᄃᆡ 국화ᄂᆞᆫ 우히 ᄲᅵ고 진말 서 홉 밥의 석고 누록 ᄒᆞᆫ ᄌᆞᆷ만 우히 ᄲᅵ허 ᄂᆞᆯ너 고르게 ᄒᆞ고 우흘 김 나지 아니게 봉ᄒᆞ야 닉히면 국화ᄂᆞᆫ ᄀᆞ야미와 ᄒᆞᆫ가디로 ᄯᅳ고 향취와 마시 다ᄅᆞᆫ ᄉᆞᆯ의 졀승ᄒᆞᆯ 분 아니라 원긔를 보익ᄒᆞ고 공효 긔이ᄒᆞ니라. 크고 ᄆᆞᆰ은 구긔ᄌᆞ ᄲᅢᆯ회나 숑졀이나 진히 달혀 ᄎᆡ온 믈을 술 비질 젹 다른 믈 ᄆᆞᆯ고 이 믈로 ᄒᆞ면 더옥 익유ᄒᆞ니 각별이 갈희여 강심슈나 셕쳔이나 ᄒᆞ되 숑슌을 ᄆᆞᆯ뇌엿다가 글거 데쳐 밋히 너코 유ᄌᆞ피을 ᄲᅡ흐라 우히 너코 호쵸을 굵게 작말ᄒᆞ야 ᄌᆞᆷ치여 너허 가온ᄃᆡ 너흐면 더 됴흐니라.

5. 백화주법 <농정회요(農政會要)>

술 재료 : 쌀 1말, 온갖 꽃(백화) 말린 것 반 근(또는 3~4냥), 석임(백하주나 방문 주 밑술 1되), (끓여 식힌 물 3~4되)

술 빚는 법 :

1. 온갖 꽃을 따서 건조시키는데 여름에 그늘에서 말리되, (날씨가 눅눅해서 어려우면) 볕에 말려서 사용해도 된다.
2. 꽃이 많으면 술맛이 좋지 못하니, 쌀 1말에 반 근(300g)이나 3~4냥을 준비한다.
3. (찹쌀 또는 멥쌀 1말을 백세하여 물에 담가 불렸다가, 다시 씻어 건져서 물기를 뺀 후, 시루에 안쳐서 고두밥을 짓는다.)
4. (고두밥이 무르게 익었으면, 시루에서 퍼낸 다음 돗자리에 고루 펼쳐서 차게 식기를 기다린다).
5. 고두밥에 끓여 식힌 물(3~4되)과 석임(또는 백하주나 방문주 밑술 1되)을 합하고, 고루 버무려 술밑을 빚는다.
6. 술밑을 술독에 담아 안치고, 예의 방법대로 하여 발효시킨다.
7. 먹으면 사람에게 유익하고, 백 가지 병을 다스리고 오래 산다.

* 주방문에 "쌀 1말을 빚을 경우, 꽃 반 근을 쓰는데 혹 3~4냥을 써도 좋다. 꽃이 많이 들어가면 술맛이 좋지 않다. 꽃에 술밥과 누룩을 섞고 밑술에 부어 익으면 마신다. 사람 몸에 좋다."고 하였다. 쌀의 양과 꽃의 양은 나와 있으나 기타 물이나 누룩 양에 대한 구체적인 언급이 없어, 일반적인 술 빚는 법을 참고하였다.

百花酒法

菜百花夏月攤於陰乾或晒乾亦可欲釀米一斗用花半斤或三四兩爲加 花多則

味不美取花調飯麯納於酒本待熟飮之益人.

6. 백화주 <민천집설(民天集說)>

술 재료 : 밑술 : (멥쌀 5되, 누룩가루 2되, 물 1말)
덧술 : (찹쌀 5말, 누룩 2되, 꽃 5되, 물 3말)

술 빚는 법 :

* 밑술 :

1. 멥쌀 5되를 물에 백세하여 물에 하룻밤 담가 불렸다가, 씻어 건져서 물기를 뺀 뒤 가루로 빻아놓는다.
2. 솥에 물 1말을 끓이다가 뜨거운 물 5되 정도를 떠서 쌀가루에 고루 붓고 주걱으로 골고루 개어 아이죽을 만든다.
3. 끓고 있는 물에 개어놓은 아이죽을 넣고 팔팔 끓여 죽을 쑨 다음, 넓은 그릇 여러 개에 나눠 담아 차게 식기를 기다린다.
4. 죽에 누룩가루 2되를 합하고, 고루 버무려 술밑을 빚는다.
5. 술독에 술밑을 담아 안치고, 예의 방법대로 하여 하룻밤 동안(1일간) 발효시킨다.

* 덧술 :

1. 이른 봄부터 시작하여 늦겨울의 동백과 매화에 이르기까지 100가지 꽃을 송이째 채취하여 흐르는 물에 살짝 씻어 이물질과 먼지 등을 제거한다.
2. 진달래는 꽃술을 제거하여 음건하고, 나머지 꽃도 마련하는 대로 다듬어 음건하여 종이봉투에 담아 보관해 두었다가 사용한다.
3. 솥에 물 3말을 붓고 끓이다가 준비한 분량의 꽃 5되를 넣고, 은근한 불에서 달여 물이 1말 5되가 되면 달이는 것을 멈춘다.

4. 꽃 달인 물을 넓은 그릇에 퍼서 뚜껑을 덮고, 하룻밤 재워 저절로 차게 식기를 기다린다.
5. 찹쌀 5말을 백세하여 물에 담가 하룻밤 불렸다가, 다시 씻어 건져서 물기를 뺀다.
6. 불린 찹쌀을 시루에 안쳐서 고두밥을 짓고, 익었으면 퍼내어 고루 펼쳐서 차게 식기를 기다린 다음, 넓은 그릇에 퍼 담는다.
7. 누룩을 곱게 빻아 체에 쳐서 내린 누룩 2되와 찹쌀고두밥, 꽃 달인 물 2말 5되를 한데 합하고, 고루 버무려 술밑을 빚는다.
8. 소독한 술독에 술밑을 담아 안치고, 예의 방법대로 하여 30여 일간 발효시킨다.
9. 술이 익기를 기다려 채주하여 마신다.

* 술 빚는 주방문이 나와 있지 않아서 임의대로 상법의 술 빚는 법을 참고하여 주방문을 작성하였다. <고사신서>와 동일하다. 다만 <고사신서>에는 '백초(白草)의 꽃을 끓여'라고, <민천집설>은 '백화(百花)의 꽃을 끓여'라고 하여, 방법에서 각각 차이가 있다.

百花酒

百草花煮取汁釀酒常服治病長生.

7. 화향주 <민천집설(民天集說)>

술 재료 : 백화(백 가지 꽃) 2냥, 술(청주/탁주) 1말, 명주 주머니 1개

술 빚는 법 :

1. 백화를 송이째 채취하여 (햇볕이 들지 않는) 그늘진 곳에서 완전 건조시킨다.

2. 깨끗한 명주 주머니에 건조시킨 백화 2냥을 넣고, 끈으로 묶어놓는다.
3. (소독하여 준비한) 술독에 술(청주/탁주) 1말을 담아 안친다.
4. 백화주머니를 술 표면에 닿지 않게 손가락 한 마디쯤 떨어지게 하여 매달아 놓는다.
5. 술독을 밀봉하여 밤재웠다가 백화주머니를 제거하면, 술에 백화향이 배어든다.

* 주방문 말미에 "무릇 일체의(모든) 향기 있는 꽃은 다 이와 같이 할 수 있다."고 하였다. 이러한 방법은 '화향입주법(花香入酒法)'의 하나로, 사용하고 난 백화 주머니는 다시 건조시킨 후 재차 사용할 수 있다.

花香酒

花香晒乾釀酒一斗則花二兩盛帒懸酒缸去離一指許封缸口經夜酒味好花香且酒醅時花香入醅調均翌日早搾則其味香.凡採菊及有香之乾皆依花香酒後及之盖酒性能透淸香而自変. 菊花則香甘香尤美實(○)時(○○○).

8. 화향주(우법) <민천집설(民天集說)>

–주배(酒醅)를 이용하는 법

술 재료 : 백화 2냥, 청주 1말, 명주 주머니 1개

술 빚는 법 :
1. 술덧(酒醅)을 이용하고자 하면, 술이 익었을 때 백화를 준비해 꽃받침을 제거하고 깨끗하게 다듬는다.
2. 술을 빚어 숙성된 술로 거르지 않은 술독을 준비한다.
3. 잘 다듬은 백화 2냥을 술독에 넣는다(손으로 휘저어 술덧과 섞어놓는다).

4. 다음날 술독에서 (용수를 박고 술이 맑아지기를 기다렸다가) 떠내는데, 그 맛과 향기가 아름답다.

* 주방문 말미에 " 향기가 있고 독이 없는 꽃은 다 이와 같이 할 수 있다."고 하였다.

花香酒(又法)
凡採菊及有香之乾皆依花香酒後及之盖酒性能透淸香而自変. 菊花則香甘香尤美實(○)時(○○○).

9. 백화주 <술방>

술 재료 : 밑술 : 멥쌀 3되, 누룩(2)되, 물(3)되
덧술 : 쌀(멥쌀, 찹쌀) 1말, 백 가지 꽃 반 근(300g) 또는 3~4냥

술 빚는 법 :
* 백화 준비 :
1. 봄부터 시작하여 기회가 닿는 대로 꽃을 따서 흐르는 물에 살짝 헹궈 먼지와 흙 등 이물질을 제거한다.
2. 물기를 털어 내고, 바람이 잘 통하고 그늘진 곳에 얇게 펼쳐서 꽃잎이 바스러질 정도로 완전히 건조시킨다.
3. 꽃이 백 가지가 마련되면 평소 즐겨 빚는 술을 기준으로 준비를 한다.

* 밑술 :
1. (멥쌀 3되를 백세하여 물에 하룻밤 담가 불렸다가 새 물에 다시 헹궈서 작말한다.)

2. (솥에 물 3되를 계량하여 붓고 불을 지펴 끓인다.)
3. (쌀가루를 자배기에 담고 팔팔 끓는 물을 조금씩 나누어 부으면서 주걱으로 개어 죽같이 범벅을 쑤어 익힌 다음, 하룻밤 방치하여 차게 식힌다.)
4. (범벅이 차게 식었으면 누룩(2되)을 넣고, 고루 버무려 술밑을 빚는다.)
5. (술밑을 술독에 담아 안치고, 예의 방법대로 하여 3일간 발효시킨다.)

* 덧술 :
1. 밑술이 다 익은 후, 쌀(멥쌀/찹쌀) 1말을 백세하여 물에 담가 하룻밤 불린다.
2. 불린 쌀을 다시 새 물에 씻어 헹군 후, 소쿠리에 밭쳐서 물기를 뺀다.
3. 시루를 씻어 솥에 얹고, 시루밑을 물에 적셨다가 짜서 시루 안에 깐다.
4. 쌀을 시루에 안쳐 고두밥을 짓고, 익었으면 고루 펼쳐 차게 식기를 기다린다.
5. 밑술에 고두밥, 누룩(5홉), 준비한 백화를 한데 섞고, 고루 버무려 술밑을 빚는다.
6. 술독에 술밑을 담아 안치고, 예의 방법대로 하여 20일간 발효시킨다.

* 주방문에 "음건하기 어렵거든 볕에 말려도 좋다."고 하였으나, 꽃의 향기와 색깔이 바래어 좋지 못하였다.

뷕화쥬

뷕 가지 꼿출 싸 여름의 음건ᄒᆞ기 어렵거든 볏히 말이워도 죠흐니 쏠 ᄒᆞᆫ 말 비즈려 ᄒᆞ거든 꼿출 반 근이나 셔너 냥이나 너허 홀거시니 꼿치 만흔즉 맛시 죠치 못ᄒᆞ믹, 죠금 너허 밥과 누룩의 셧거 술밋히 너허 익혀 먹으면 사름의게 유익ᄒᆞ니라.

10. 백화주 <온주법(醞酒法)>

술 재료 : 밑술 : 찹쌀 1말, 누룩가루 1되 5홉, 밀가루 1되 5홉, 끓는 물 1말 5되
덧술 : 찹쌀 1말(2~3말), 누룩가루 5홉, 밀가루 5홉, 꽃가루(백화) 1되 (2~3되)

술 빚는 법 :

* 밑술 :

1. 찹쌀 1말을 백세하여 (물에 담가 불렸다가, 다시 씻어 건져서) 작말한다.
2. 솥에 물 1말 5되를 붓고 끓여 쌀가루와 합하여 의이(된죽) 같은 범벅을 쑨다 (넓은 그릇에 퍼서 뜨거운 기운이 나가게 식기를 기다린다).
3. 범벅에 누룩가루 1되 5홉과 밀가루 1되 5홉을 한데 섞고, 고루 버무려 술밑을 빚어 차게 식힌다.
4. 술독에 술밑을 담아 안치고, 예의 방법대로 하여 3일간 발효시킨다.

* 덧술 :

1. 찹쌀 2말을 백세하여 (물에 담가 불렸다가, 다시 씻어 헹궈서) 고두밥을 짓는다.
2. 고두밥이 익었으면 시루에서 퍼내고, 고루 펼쳐서 차게 식기를 기다린다.
3. 고두밥에 밑술과 꽃가루 2되, 누룩가루 5홉, 밀가루 5홉을 한데 합하고, 고루 버무려 술밑을 빚는다.
4. 술독에 술밑을 담아 (밀봉한 후 덥지 않고 바람 없는 곳에) 안치고 발효시킨다.

* 꽃의 양에 따라 덧술의 쌀 양이 달라지며, 덧술에도 누룩과 밀가루가 사용된다.

ᄇᆡᆨ화듀
뎜미 일 두 ᄇᆡᆨ셰작말ᄒᆞ야 탕슈 말가오ᄉᆡ 의이ᄅᆞᆯ 되고 익게 쑤어 국말 되가옷 진말 되가옷 너허 ᄎᆡ와 섯거 항의 너허 사ᄒᆞᆯ 만의 뎜미 일 두 ᄇᆡᆨ셰ᄒᆞ야 ᄂᆡᆨ게 쎠 ᄎᆡ와 젼술의 섯그ᄃᆡ ᄭᅩᆺ가로 두 되면 뎜미 두 말ᄒᆞ고 서 되면 서 말ᄒᆞ여 뎜미 ᄒᆞᆫ 말의 ᄭᅩᆺᄀᆞ로 ᄒᆞᆫ 되 국말 다 숩 진말 다 숩 넛ᄂᆞ니라 술 못먹ᄂᆞ니ᄂᆞᆫ 더운데 섯거 덥게 무더 ᄃᆞᆯ게 ᄒᆞ여 먹으라 ᄇᆡᆨ화가 차지 못ᄒᆞ여도 독ᄒᆞᆫ ᄭᅩᆺ과 ᄒᆡ로온 ᄉᆡ출 녀치 말고 넛ᄭᅩᆺ 정향ᄭᅩᆺ 산슈유ᄭᅩᆺ치 웃듬이니 만히 ᄒᆞ고 고ᄭᅩᆺ과 모든 유익ᄒᆞᆫ ᄭᅩᆺ츨 다쇼ᄂᆞᆫ 되ᄂᆞᆫ ᄃᆡ로 가지수나 ᄎᆡ와 여코 버러지 업게 음건 작말ᄒᆞ여 규식이 ᄒᆞᆫ졔예 ᄭᅩᆺᄀᆞ로 서되식 여ᄒᆞ니 뎜미 서 말의 ᄒᆞᆫ 제 되ᄂᆞ니라 먹으면 긔부 츙장ᄒᆞ고 무병장슈ᄒᆞ고 음식 아니 먹어도 농안이 녀상ᄒᆞ여 죽지 아니ᄒᆞ고 자식 못 ᄂᆞᆫ는 사람이 ᄉᆡᆼ산ᄒᆞᄂᆞ니라.

11. 백화주 <임원십육지(林園十六志)>

모든 병을 치료하고 장수하는 효력이 있다. <동의보감>을 인용하였다. <보양지>에서 볼 수 있다.

百花酒
<東醫寶鑑> 主百病長生. (案)方見 <葆養志>.

12. 백화주 <조선무쌍신식요리제법(朝鮮無雙新式料理製法)>

술 재료 : 멥쌀 1말, 온갖 꽃(백화) 말린 것 반 근 또는 3~4냥, 밑술, 누룩

술 빚는 법 :

1. 온갖 꽃이든지 여름달(여름철)에는 그늘에 말리기가 어렵고, 혹 볕에 말려서 빚는다.
2. 쌀 1말에 꽃 반 근이나 3~4냥이면 되고, 꽃이 많으면 좋지 못하다.
3. 멥쌀 1말로 지은 고두밥에 꽃과 밑술(떡으로 빚은 술밑), 누룩을 한데 버무려 술독에 넣고 익기를 기다린다.
4. 먹으면 사람에게 유익하고, 백 가지 병을 다스리고 오래 산다.

* 주방문에 "술밑의 반죽이 되어서 누룩과 혼합되지 않으면, 떡 삶은 물을 더 넣어도 좋다."고 한 것으로 미뤄 구멍떡을 빚어 밑술로 하고 고두밥을 지어 덧술을 하는 주방문으로 여겨지나, 누룩이나 물의 양에 대한 언급이 없어 주방문을 작성할 수가 없었다. '방문주'나 '삼해주' 주방문을 참고하면 좋을 듯하다.

백화주(白花酒)
온갖 솟이든지 여름달에는 그놀에 말리기가 어렵고 흑 볏헤 말려서 가이 비질지니라. 쌀 한 말에 솟 반 근가량 흑 서너 량중이면 되나니 솟치 만면 맛이 조치 못하나니 솟을 밥에 버무려 누룩을 술밋에 느코 익기를 기다려 먹으면 사람에게 유익하니라. 백 가지 병이 다스리고 오래 산다。하나니라.

13. 백화주 <주식방(酒食方, 高大閨壼要覽)>

술 재료 : 밑술 : 멥쌀 1말, 누룩가루 1되 5홉, 밀가루 1되, 물(2병)
덧술 : 멥쌀 3말, 끓는 물 4병, 백화(금은화, 국화, 송화, 매화, 송절, 송순 등 백 가지 꽃 1돈), 끓인 물 4병

술 빚는 법 :

* 밑술 :

1. 멥쌀 1말을 백세하여 (물에 담가 불렸다가, 다시 씻어 건져서 물기를 뺀 후) 작말한다.
2. 물솥의 시루에 쌀가루를 안쳐서 흰무리떡을 찐 뒤, 끓는 물(2병)에 풀어 차게 식기를 기다린다.
3. 차게 식힌 떡(죽)에 누룩가루 1되 5홉과 밀가루 1되를 합하고, 고루 버무려 술밑을 빚는다.
4. 술독에 술밑을 담아 안치고, 예의 방법대로 하여 찬 곳에 놓아두고 (30일간) 발효시킨다.

* 덧술 :

1. 금은화, 국화, 송화, 매화 같은 여러 가지 백 가지 꽃을 많이 모아 물에 살짝 씻어 물기를 털어낸 뒤, 그늘지고 바람이 잘 통하는 곳에 널어서 건조시킨다.
2. 멥쌀 3말을 백세하여 (물에 담가 불렸다가, 다시 씻어 건져서 물기를 뺀 뒤) 시루에 안쳐서 고두밥을 짓는다.
3. 솥에 물 4병을 오랫동안 팔팔 끓이다가, 고두밥이 익었으면 퍼내어 넓은 그릇에 담아놓는다.
4. 끓고 있는 물을 즉시 고두밥에 고루 섞고, 주걱으로 고루 헤쳐서 놓는다.
5. 고두밥이 물을 다 먹었으면, 그릇에 뚜껑을 덮어두고, 차게 식기를 기다린다.
6. 준비한 백화를 모시베주머니에 담고, 주둥이를 묶어 술독 밑에 먼저 안친다.
7. 차게 식은 고두밥에 밑술을 섞고, 고루 버무려 술밑을 빚는다.
8. 술독에 술밑을 담아 안치고, 예의 방법대로 하여 발효시키는데 술이 익으면 향기 이상하고 극히 맑다.

ᄇᆡᆨ화쥬

금은화·국화·숑화·ᄆᆡ화 ᄀᆞᆺ튼 온ᄀᆞᆺ ᄭᅩᆺᄎᆞᆯ ᄇᆡᆨ 가지ᄅᆞᆯ 만히 모화 말뇌여 모시 줌치예 너허 독 미ᄐᆡ 너코 쇼국쥬나 삼ᄒᆡ쥬로나 비ᄌᆞ면 향긔 이샹코 극히 보ᄒᆞᄂᆞ니라 ᄇᆡᆨ화쥬ᄅᆞᆯ ᄇᆡᆨ 날을 먹으면 얼굴이 윤ᄐᆡᆨᄒᆞ고 ᄇᆡᆨ 병이 업ᄂᆞ니라.

14. 백화주법 <증보산림경제(增補山林經濟)>

술 재료 : 쌀 1말, 온갖 꽃 말린 것 반 근 또는 3~4냥, 석임, 끓여 식힌 물

술 빚는 법 :

1. 온갖 꽃을 따 그늘에서 건조시킨다. (여름에 날씨가 눅눅해서 어려우면) 혹 볕에 말려서 사용해도 된다.
2. 꽃이 많으면 술맛이 좋지 못하니, 쌀 1말에 반 근(300g)이나 3~4냥을 준비한다.
3. (찹쌀 또는 멥쌀 1말을 백세하여 물에 담가 불렸다가, 다시 씻어 건져서 물기를 뺀 후 시루에 안쳐서 고두밥을 짓는다.)
4. (고두밥이 무르게 익었으면, 시루에서 퍼낸 다음 돗자리에 고루 펼쳐서 차게 식기를 기다린다).
5. 고두밥에 (끓여 식힌) 물(3~4되)과 석임(1되) 또는 밑술(백하주 또는 방문주)을 합하고, 고루 버무려 술밑을 빚는다.
6. 술밑을 술독에 담아 안치고, 예의 방법대로 하여 발효시킨다.
7. 먹으면 사람에게 유익하고, 백 가지 병을 다스리고 오래 산다.

* 주방문에 "쌀 1말을 빚을 경우, 꽃 반 근을 쓰는데 혹 3~4냥을 써도 좋다. 꽃이 많이 들어가면 술맛이 좋지 않다. 꽃에 술밥과 누룩을 섞고, 밑술에 부어 익으면 마신다. 사람 몸에 좋다."고 하였다. 쌀의 양과 꽃의 양은 나와 있으나, 기타 물이나 누룩 양에 대한 구체적인 언급이 없어 일반적인 술 빚는 법을 참고하였다. 또 주방문 말미에 "구기주(枸杞酒), 지황주(地黃酒), 오가피주(五加皮酒), 천문동주(天門冬酒), 백출주(白朮酒), 무술주(戊戌酒)는 빚는 방법이 섭생(攝生)편에 보인다."고 한 것으로 미루어, 다 싣지 못한 데 따른 아쉬움을 언급한 것으로 보인다.

百花酒法
菜百花夏月攤於陰乾或晒乾亦可欲釀米一斗用花半斤或三四兩爲加 花多則味不美取花調飯麯納於酒本待熟飮之益人.

15. 백화주 <침주법(浸酒法)>

–열닷 말 빚이

술 재료 : 밑술 : 멥쌀 5말, 가루누룩 2되, 밀가루 2되, 끓는 물 5말
덧술 : 찰백미(찹쌀) 10말, 끓는 물 10말, 복숭아꽃 1말

술 빚는 법 :

* 밑술 :

1. 매 정월 20일에 멥쌀 5말을 백세하여 물에 담가 불렸다가, 가루로 빻아 넓은 그릇에 담아놓는다.
2. 물 5말을 팔팔 끓여 쌀가루에 골고루 나눠 붓고, 주걱으로 개어 반은 설고 반은 익게 담(범벅)을 만든다.
3. (담이 담긴 그릇과 똑같은 크기로 뚜껑을 덮어 밤재워) 담(범벅)이 차게 식기를 기다린다.
4. 담(범벅)에 가루누룩 2되와 밀가루 2되를 한데 합하고, 고루 버무려 술밑을 빚는다.
5. 술밑을 술독에 담아 안친 후, 예의 방법대로 하여 발효시키되 복숭아꽃이 막 피어나면 덧술을 준비한다.

* 덧술 :

1. 찰백미(찹쌀) 10말을 백세하여 물에 담가 하룻밤 불렸다가, 다시 헹궈서 물기를 빼놓는다.

2. 불린 쌀을 시루에 안치고 쪄서 고두밥을 짓고, 솥에 물 10말을 끓인다.
3. 고두밥이 무르게 익었으면 퍼내어 넓은 그릇에 담고, 팔팔 끓고 있는 물을 고두밥에 골고루 합한다.
4. (고두밥이 담긴 그릇과 똑같은 그릇으로 뚜껑을 덮고 하룻밤 재워) 고두밥과 물이 차디차게 식기를 기다린다.
5. 고두밥과 물에 밑술을 한데 섞어 합하고, 고루 버무려 술밑을 빚는다.
6. 복숭아꽃을 훑어 1말을 정선하여 술독 밑에 깔고, 그 위에 술밑을 담아 안친다.
7. 술독은 예의 방법대로 하여 (차지도 덥지도 않은 곳에서) 발효시키고, 복숭아잎(꽃가지)이 시들면서 술이 익기를 기다린다.

* 주품명에 '백화주(白花酒)'로 되어 있으나, '도화주(桃花酒)'라고 해야 옳을 것 같다. 또한 '백화주'는 9월 9일이 술 빚는 시기인데, <침주법>의 '백화주'는 술 빚는 시기가 도화가 필 때이고 술을 빚는 방법이나 과정도 '백화주'로 보기에는 무리가 따른다.

백화주(白花酒)

열닷 말. 매 정월 스무날 사이어든 백미 5말 일백 번 물에 씻어 하룻밤 재워 가루 만들라. 물 5말을 끓여 반은 설고 반은 익게 개어 가장 식거든 가루누룩 2되와 진가루 2되 섞었다가 복사꽃이 막 피거든 찰백미 10말 일백 번 물에 씻어 하룻밤 재워 밥이 익게 쪄 물 10말을 끓여 밥에 넣고 골화 가장 식거든 누룩 없이 먼저 빚어둔 밑에 섞어 넣으되, 복숭아꽃을 한 말을 훑어 술독 밑에 넣고 하나니 가장 좋으니라.

송령주·솔방울술

스토리텔링 및 술 빚는 법

우리 선조들은 평소 즐겨 빚는 술에 꽃은 물론이고 초근목피(草根木皮)의 자연재료를 이용해 계절 감각이나 약효와 향기를 불어넣는 지혜를 발휘함으로써, 다양한 가양주문화(家釀酒文化)를 가꾸어왔다.

'송령주(松鈴酒)'도 그중 하나로 이른 봄의 '송순주'를 비롯해 송화를 이용한 '송화주', 솔잎을 이용한 '송엽주', 소나무의 잔가지를 이용한 '송절주', 그 외에 '송지주'와 '송액주', '송지주', '송근주', '송하주', '와송주'에 이르기까지 소나무를 이용한 전통주는 참으로 다양하다.

'송령(松鈴)'이란 솔방울을 가리킨다. 초여름 무렵에 송홧가루가 다 날리고 나면, 소나무 가지 끝과 마디마디 사이에 팽이 모양의 열매가 맺히는데 이것이 솔방울이다. 겨울로 접어들 무렵이면 비늘처럼 붙어 있던 껍질이 벌어지면서 솔씨를 날리는데, 이 솔방울이 완전히 여물게 되면 암갈색으로 바뀌므로, 여물기 전 초록색을 띤 솔방울을 여름철에 채취해 놓아야 한다.

채취한 솔방울은 물로 깨끗이 씻은 뒤, 한 번 쪄서 바람이 잘 통하고 그늘진 곳에 두고 말려서 두고두고 사용하면 좋다. 또 가능한 한 초여름에서 한여름 사이에 큰 밤톨 크기만 한 솔방울을 채취하는 게 가장 좋다. 많이 자란 열매는 송진이 많아 술 빚기엔 적합지 못하다.

솔방울을 말려두면 역시 암갈색으로 변하는데, 이는 솔방울의 주성분인 송진이 탄닌을 많이 함유하고 있어 공기 중에서 산화작용을 일으키기 때문이다. 주로 햇것을 채취하여 바로 술을 빚으면 좋다. 물에 깨끗이 씻고 바로 물에 삶아서 사용해야 하나, 여분의 것은 그늘에 말려두거나 쪄서 건조시킨 후 사용해도 된다.

솔방울을 삶은 물(농축액)을 양주용수로 사용하며, 술을 빚는 동안에도 산화하여 갈색으로 변하는 현상을 목격할 수 있다.

<주방문(酒方文)>을 비롯하여 <술 만드는 법>, <양주방>*, <규중세화>에 '송령주' 또는 '솔방울술'이란 이름으로 등장하고 있는데, 이들 문헌의 주방문을 근거로 한 '송령주'는 그 맛이 쓰고 떫으며, 술맛과 향기보다는 송진 냄새가 강하여 마시기가 쉽지 않다.

따라서 "음식을 잘 내리게 하고 양기를 돕는 데 효용이 있다."고 알려진 바처럼 술이라기보다는 질병 치료나 예방 목적의 약용약주라 할 수 있겠다.

단, 술 빚기에 쓸 솔방울은 반드시 본줄기의 표피가 붉은색을 띠는 적송(붉은소나무)에 달린 솔방울을 채취해야 한다. 또 한 나무에 지나치게 열매가 많이 달린 것은 좋지 못하므로 피하고, 솔방울의 표피가 매끄럽고 부드러운 것을 채취하도록 한다. 한 나뭇가지에 더덕더덕 달라붙어 있는 솔방울은 그 맛이 쓰고 향이 약할 뿐더러 약효도 떨어진다. 소나무의 수명이 다한 경우 솔방울이 많이 맺히는데, 이는 자연계의 모든 생명체가 그렇듯 종족보존 본능에 따라 씨앗을 많이 퍼뜨리기 위함이다.

솔방울의 크기를 선택할 때도 지나치게 크거나 작은 것은 피하고, 어린 풋살구만 한 게 가장 좋다. 이 솔방울을 채취하여 꼭지를 따내고 물에 깨끗이 씻었다가 물과 함께 삶고 적당히 달여졌으면 솔방울과 솥바닥에 가라앉은 찌꺼기와 불순물을 제거한 다음 차게 식혀서 사용한다. 센 불로 단시간에 졸이게 되면 물 위에 기름기가 뜨고 심하게 붉은 빛을 띠면서 쓰고 떫은맛이 강해지므로 은근한 불에서 천천히 달여야 한다.

또 솔방울을 지나치게 많이 넣으면 술의 발효가 안 되거나 더디고, 오래 방치하면 공기와의 접촉으로 심하게 붉어지므로 가능한 한 빨리 술을 빚는 것이 좋다.

쌀의 양이 적어도 발효상태가 고르지 못해 좋은 술을 얻기 어려우므로, 가능한 한 정해진 양을 지키는 게 좋다. 쓴맛과 떫은맛이 싫거나 그 맛을 부드럽게 하려면 쌀의 양을 두 배로 늘리면 더욱 좋다.

결국 <주방문>을 비롯해 <술 만드는 법>, <양주방>*, <규중세화>에 수록된 '송령주' 또는 '솔방울술'은 술맛이나 향기를 즐기기 위한 주방문이 아니라, 말 그대로 약으로 쓰기 위한 주방문으로 현대인들에게는 맞지 않을 수 있다.

따라서 솔방울의 양을 3되~ 5되 분량으로 줄여서 사용하거나, 반대로 쌀의 양을 2말 정도로 늘려서 빚는 것도 추천할 만하다.

'송령주'는 음식의 소화를 돕고 부인들의 산후 골절통과 노인성 신경통, 반신불수, 수족마비에 효과가 좋다고 알려져 왔다. 노인을 모시는 가정에서는 상비해 두면 좋다.

1. 솔방울법(송엽주) <규중세화>

술 재료 : 멥쌀 5되, 누룩 2되, 솔방울 달인 물(솔방울 1말, 물 3동이) 2동이

술 빚는 법 :

1. 솔방울이 푸르렀을 때 1말을 채취하여 물에 깨끗이 씻어 이물질을 제거한다.
2. 솥에 물 3동이(말)를 붓고 솔방울과 함께 은근한 불로 끓여서 2동이가 되면, 고운체에 밭쳐 솔방울과 찌꺼기를 제거한다.
3. 솔방울 달인 물을 차게 식혀서 술독에 담아 안친다.
4. 멥쌀 5되를 (백세하여 물에 담가 불렸다가, 다시 씻어 헹궈서 물기를 빼놓고) 준비한다.
5. 솥에 솔방울 달인 물을 붓고 끓이다가 불린 쌀을 넣고 팔팔 끓여 죽을 쑨다

(익었으면 퍼내어 그릇에 펴 담고 차게 식기를 기다린다).

6. (차게 식은) 죽에 솔방울 달인 물과 누룩 2되를 섞어 넣고, 고루 버무려 술밑을 빚는다.
7. 술밑을 술독에 담아 안친 다음, 예의 방법대로 하여 발효시키고 익기를 기다려 떠서 마신다.

* 주방문 말미에 "익거든 먹으면 가장 좋고, 음식이 잘 내리고 야자로와 빛이 더 나니라."고 하였다. <양주방>*의 '송엽주', <술 만드는 법>의 '송령주'와 주방문이 매우 유사하다. '송엽주'를 응용한 주방문이다.

송엽주(솔방울법)

생솔방울 한 말에 물 세 동이로 끓여 두 동이 되거든 거재하여 차거든 항에 넣고, 또 백미 닷 되로 묽게 죽 쑤어 누룩 두 되 섞어 익거든 먹으면 가장 좋고, 음식이 잘 내리고 야자로와 빛이 더 나니라.

2. 송령주 <술 만드는 법>

술 재료 : 송령 1말, 멥쌀 1말, 누룩가루 3되, 물 3동이

술 빚는 법 :

1. 솔방울이 푸르렀을 때 1말을 채취하여 물에 깨끗이 씻어 이물질을 제거한다.
2. 솥에 물 3동이(말)를 붓고 솔방울을 넣어 은근한 불에 끓여서 2동이가 되면 베에 밭쳐 찌꺼기를 제거한다.
3. 솔방울 달인 물을 (차게 식혀서) 술독에 담아 안친다.
4. 멥쌀 1말을 준비한다(백세하여 물에 담가 불렸다 다시 씻어 헹궈서 물기를 뺀 다음, 시루에 쪄서 무른 고두밥을 짓고, 고두밥이 익었으면 퍼내어 그릇

에 펴 담는다).

5. 고두밥에 솔방울 달인 물 2동이를 퍼붓고, 주걱으로 골라두었다가 고두밥이 물을 다 먹었으면, 고루 헤쳐서 차게 식기를 기다린다,
6. 술독에 불려둔 고두밥에 누룩가루 3되를 섞어 넣고, 고루 버무려 술밑을 빚는다.
7. 술밑을 술독에 담아 안친 다음, 예의 방법대로 하여 발효시키고 익기를 기다려 떠서 마신다.

* <양주방>*의 '솔방울술'과 주방문이 유사하다.

숑영쥬

솔방울이 맛츰 푸르럿슬 ᄃᆡ ᄒᆞᆫ 말에 물 셰 동의를 붓고 ᄡᅳᆯ여 두 동의씸 되게 다려 베에 밧타 항아리에 넛코 ᄇᆡᆨ미 ᄒᆞᆫ 말 그 물에 골나 식여 곡말 셔 되를 셕거 두엇다가 익거든 먹으라.

3. 송엽주(송령주) <양주방>*

술 재료 : 솔방울 1말, 멥쌀 5되, 누룩 2되, 물 3동이, 물(1말)

술 빚는 법 :

1. 솔방울 1말을 채취하여 물로 깨끗이 씻어 물기를 뺀다.
2. 물 3동이를 솥에 붓고 끓이다가 솔방울을 넣고 은근한 불로 달여서 물이 2동이가 되게 한다.
3. 솔방울 달인 물을 고운체나 면보로 걸러서 부유물과 찌꺼기를 제거한 후, 소독하여 준비해 둔 술독에 담아놓는다.
4. 희게 쓿은 멥쌀 5되를 준비한다(물에 씻고 또 씻어 불렸다가, 다시 씻어 헹

궈서 건져놓아 물기를 뺀다).
5. 불린 쌀을 물(1말)과 섞고 누그름하게(좀 무르게) 죽을 쑤어 펴낸다(차디차게 식기를 기다린다).
6. 죽에 누룩 2되를 섞고, 고루 버무려 술밑을 빚는다.
7. 술밑을 솔방울 달인 물 담긴 독에 담아 안치고, 예의 방법대로 하여 발효시킨다.
8. 술이 익어 맑게 가라앉았으면 떠서 마신다.

* 주품명이 '송엽주'로 되어 있으나 '송령주'이라는 것을 알 수 있다. 또한 주방문 말미에 "흉년에 더욱 좋으니, 굶주려 누렇게 뜬 빛을 없애고 병도 낫게 한다."고 하였다. 죽을 쑤는 데 사용되는 물의 양이 나와 있지 않다.

숑엽쥬(송령쥬)
숄방울 ᄒᆞᆫ 말을 물 셰 동희예 달혀 두 동희 되거든 거ᄌᆡᄒᆞ야 물만 독의 붓고 빅미 닷 되를 눅게 쥭 쑤어 누록 두 되 섯거 그 독의 너허 두엇다가 닉거든 먹으라. 흉년의 더욱 죠흐니 ᄎᆡᄉᆡᆨ을 업시 ᄒᆞ고 병도 낫ᄂᆞ니라.

4. 송령주 <주방문(酒方文)>

술 재료 : 멥쌀 5되, 누룩 2되, 솔방울 1말, 물 3동이, 물(1말)

술 빚는 법 :
1. 정기 있는(푸르게 맺혀 싱싱한) 솔방울 1말을 따다 깨끗이 씻은 후, 물 3동이를 붓고 삶아서 남은 물이 2말이 되게 달인다.
2. 솔방울 달인 물을 베에 받쳐 찌꺼기를 제거한 후, 차게 식기를 기다려 술독에 담아놓는다.

3. 멥쌀 5되를 (백세하여 물에 담가 불렸다가, 다시 헹궈 건져서) 물기를 빼놓는다.
4. 불린 쌀을 물(1말)에 넣고 끓여 팥죽처럼 된 쌀죽을 만든다(차게 식기를 기다린다).
5. 쌀죽에 누룩 2되를 합하고, 고루 버무려 술밑을 빚는다.
6. 술밑을 솔방울 달인 물이 담긴 술독에 담아 안친 후 주걱으로 휘저어 술밑을 풀어놓고, 예의 방법대로 하여 발효시켜 술이 익는 대로 채주하여 마신다.

* 주방문 말미에 "음식을 잘 내리고 양(陽氣) 키우는 데 하나니라."고 하였다.

숑녕쥬(松鈴酒)

졍긔 인ᄂᆞᆫ 솔방올 ᄒᆞᆫ 말 믈 세 동ᄒᆡ로 두 동ᄒᆡ 되게 글혀 바타 ᄃᆡ링ᄒᆞ여 ᄇᆡᆨ미 닷 되로 곱듁 ᄀᆞ티 ᄡᅳ고 누록 두 되 그 믈의 프러 닉거ᄃᆞᆫ 머그라 음식 잘 ᄂᆞ리고 양ᄌᆡ 윤ᄐᆡᄒᆞᄂᆞ니라.

송국주

스토리텔링 및 술 빚는 법

술에 향기를 드리우는 가향주법(加香酒法)의 우리나라 발효주는 다른 나라에서는 찾아보기 힘든 우리 민족 고유의 양주기술이라고 해도 과언이 아니다.

이러한 가향주법으로 완성된 술을 가향주(佳香酒)라고 하는데, 이는 주로 꽃을 쉽게 구할 수 있는 봄철에 주로 이뤄지긴 하나 여러 문헌들을 통해 여름과 가을, 심지어 겨울철에도 계속 즐겼다는 사실을 알 수 있다. 이처럼 우리 선조들은 술에 계절감각과 풍류를 담아냈으며, 한국인 특유의 독특하고 낭만적인 정서를 향유해 왔다.

'송국주(松菊酒)'라는 주품명은 <주식방(酒食方, 高大閨壼要覽)>에서 처음 목격되었다. 전승가양주인 안동 지방의 '송화주(松花酒)'와는 같은 재료를 사용하긴 하나 차별화된다. 이들 두 가지 주품이 다 같이 솔잎과 국화를 부재료로 사용하고 있지만, 양주과정에서 다른 모습을 나타내고 있기 때문이다.

다만 '송국주'나 '송화주'는 '송엽주'나 '국화주'에 각각 한 가지의 부재료를 추가했다는 점에서 공통점을 찾을 수 있다.

한편 <사시찬요초(四時纂要抄)>의 '국화주'나 경주 지방과 함양 지방의 전승 가양주인 '국화주', 그리고 양주 지방과 선산 지방의 '송엽주', 더 나아가 <증보산림경제(增補山林經濟)>의 '하엽청'과는 또 다른 과정을 보여주고 있어 전통주의 다양성을 엿볼 수 있다고 하겠다.

안동 지방의 '송화주'를 비롯해 송엽을 이용한 주품들이 대개 솔잎을 고두밥과 함께 쪄서 익힌 후에 직접 버무려 넣거나, 솔잎 달인 물로 죽을 쑤어 술밑을 빚는 데 반해 <주식방(고대규곤요람)>의 '송국주'는 팔팔 끓는 물로 멥쌀가루를 익혀 범벅을 갠 후 차게 식혔다가, 누룩가루를 섞고 버무려 밑술을 빚는다. 이어 덧술은 멥쌀로 고두밥을 짓고, 밑술과 섞어 술밑을 빚는 전형적인 양주기법에 감국과 송엽을 베주머니에 담아 독 밑바닥에 넣고, 술밑을 안쳐서 발효시키는 방법, 소위 '주배(酒醅)'를 응용하고 있다.

이와 같은 '송국주' 주방문은 여느 주품에서 찾아보기 힘들며, 지금까지 <주식방(고대규곤요람)>에서 처음 목격되는 가향주법의 주방문이라는 점에서 본 주방문의 의미가 자못 크다고 하겠다.

대부분의 가향주들이 완성주에 꽃이나 과실 껍질을 베주머니에 담아 술 위에 드리워서 그 향기만을 베어들게 하는 '화향입주법(花香入酒法)' 또는 술에 단기간 담가서 우려내는 '지약주중법(漬藥酒中法)', 그리고 증류주의 경우 '침출법(浸出法)'을 채용하고 있기 때문이다.

<주식방(고대규곤요람)>의 '송국주' 주방문은 술의 안정적인 발효와 함께 맑고 깨끗한 맛과 향기를 얻고자 이용하는 주방문임을 알 수 있다. '송국주'의 맛과 향기가 이를 뒷받침해 준다.

다만, 본 주방문에 따라 감국과 솔잎의 양을 사용해 양주를 해본 결과, 그 맛이 현대인들의 기호에 부합되지 못하다는 판단과 함께 술의 기호성과는 거리가 멀다는 판단이 들었다.

다시 말해서 부재료(감국, 솔잎)의 양이 지나치게 많아 발효도 용이하지 못하고, 떫은맛과 쓴맛이 몹시 강했다. 따라서 그 양을 10~20% 정도로 줄여서 술을 빚어본 결과, 술의 기호를 충족시킬 수 있었음을 밝혀두고 싶다.

<주식방(고대규곤요람)>의 '송국주' 주방문 말미에는 "감국 많이 모아 송엽 썰

어 국화와 등분하여 모시나 베주머니에 송국을 넣어 독 밑에 넣고는 청명일이나 곡우날이나 장류수 길어다가 술을 빚으면 좋으되, '방문주'로 빚느니라."고 하였다.

이에 <증보산림경제>의 '방문주 별법' 주방문을 참고하여 주방문을 작성하였음을 밝혀둔다.

<주식방(고대규곤요람)>의 '송국주'는 비교적 높은 알코올 도수와 함께 이에 따른 강한 국화와 솔잎 향취를 즐길 수 있다.

특히 술이 맑고 깨끗하며 황금색을 띤다는 점에서 전통 가향주의 특징을 잘 반영하고 있다. 알코올 도수가 높은 편이고, 향취도 좋고, 후미가 매우 깔끔하다.

송국주법 <주식방(酒食方, 高大閨壼要覽)>

술 재료 : 밑술 : 멥쌀 6되, 누룩가루 3되, 물(6되)
덧술 : 찹쌀 3말, 묵은 누룩가루 3되, 송엽·감국 적당량, 냉수(여름엔 탕수) 9병

술 빚는 법 :

* 밑술 :

1. 멥쌀 6되를 (백세하여 물에 담가 불렸다가, 다시 씻어 말갛게 헹궈서 물기를 뺀 후) 작말한다.
2. 물(6되)을 팔팔 끓여 골고루 쌀가루에 붓고, 주걱으로 고루 치대어 진흙 같은 범벅을 쑤어 (넓은 그릇에 담아 뚜껑을 덮고) 차게 식기를 기다린다.
3. 범벅에 좋은 누룩가루 3되를 한데 섞고, 고루 버무려 술밑을 빚는다.
4. 술밑을 술독에 담아 안치고, 예의 방법대로 하여 4~5일간 발효시켜 숙성되면 덧술을 준비한다.

* 덧술 :

1. 감국을 많이 따고 송엽을 채취하여 썰어 준비한다(물에 살짝 씻어서 물기를 뺀 후, 그늘진 곳에서 완전히 건조시켜 놓는다).
2. 찹쌀 3말을 치백(治白, 매우 깨끗하게 씻어 말갛게 헹군 후 물에 담갔다가, 다시 씻어 건져서 물기를 뺌)하여 시루에 안쳐 (무른) 고두밥을 짓는다.
3. (고두밥이 무르게 익었으면 시루에서 퍼내고, 넓게 헤쳐) 차게 식기를 기다린다.
4. 무른 고두밥에 밑술과 묵은 누룩가루 3되, 냉수(여름엔 탕수) 9병을 합하고, 고루 버무려 술밑을 빚는다.
5. 건조시킨 송국을 등분하여 모시(베)주머니에 담아 준비한 술독에 안쳐 놓는다.
6. 감국주머니를 안친 위에 술밑을 안치고, 예의 방법대로 하여 (차지도 덥지도 않은 적당한 곳에서) 21일간 발효·숙성시켜 술이 익기를 기다린다.

* 주방문에 "방문주로 빚느니라."고 하였으므로, 이에 <증보산림경제>의 '방문주 별법' 주방문을 참고하여 주방문을 작성하였다.

숑국쥬법

감국 만히 모화 숑엽 ᄊᆞᄒᆞ라 국화와 동븐ᄒᆞ여 모시나 뵈나 쥬머니예 숑국을 너허 독 미틔 너코 눌너 비ᄌᆞ면 죠ᄒᆞ되 방문쥬로 빗ᄂᆞ니라.

송로양방

스토리텔링 및 술 빚는 법

송화(松花)는 봄에 피는 소나무의 꽃을 가리킨다. 술에 사용하는 부재료 가운데 송화로 빚는 주품처럼 그 과정이 까다롭고 힘든 전통주도 드물다.

새 봄 어린 소나무 가지 끝에 올라오는 새순(송순, 松荀)에 작은 알맹이가 줄지어 자라는데, 이 작은 알맹이들이 처음에는 연녹색을 띠다가 점차 샛노란 색으로 바뀌면서 커지고, 이내 포자가 터져 노란 꽃가루가 날리는데, 이것이 송홧가루이다.

"윤사월 송홧가루 날리는……"으로 시작되는 시(詩)처럼 송화는 음력 4월이 되면 소나무 가지마다 연두색의 어린 송순이 자라고, 송순과 함께 맺힌 꽃망울이 완숙되면 바람에 터져 운무처럼 날린다. 이 송화를 채취하여 밀수(蜜水)를 비롯하여 다식(茶食)과 술에 이용하는가 하면, 화분(花粉) 또는 약용으로 널리 쓰이고 있다.

송화는 "그 맛이 달고 향기로우며 따뜻하고 독이 없으며, 심폐(心肺)를 윤하게 하고, 기를 늘리며, 풍을 제거하고, 지혈을 시킨다."고 하여 약으로 이용하고 있음을 <본초강목(本草綱目)>에서 찾아볼 수 있다.

또한 <당본초(唐本草)>에도 "송화를 술로 먹으면 몸이 경쾌해지고, 병을 다스릴 수 있다. 솔잎이나 송지, 송피보다 약효가 승하다."고 기록되어 있다.

송화를 이용해 술을 빚고자 할 때는 다른 꽃과는 달리 송홧가루가 터지기 직전 채취하는 경우와 송홧가루를 이용하는 두 가지 경우가 있다.

송화가 덜 익은 상태의 것을 사용할 경우에는 '소주'를 이용한 침출방식이 더 바람직하고, 송홧가루를 사용해 술을 빚을 경우에는 송홧가루를 물과 섞어서 약을 달이듯 하는 방법을 쓴다. <임원십육지(林園十六志, 高麗大本)>에서 '송로양방(松露釀方)'이라고 하여 그 주방문이 수록되어 있다.

추측하건대 <임원십육지(고려대본)>의 '송로양방'은 <산가요록(山家要錄)>의 '송화천로주'나 <음식디미방>의 '송화주' 별법으로 여겨진다.

주방문을 보면 알 수 있듯이 밑술을 빚는 방법에서 차이가 있을 뿐, 덧술의 술 빚는 과정과 주원료의 배합비율 등은 동일하기 때문이다.

주지하다시피 송화 5되를 물 3말과 함께 오랜 시간 끓여서 진하게 달인 송화수로 백세작말한 찹쌀 5말의 쌀가루와 섞어서 죽을 쑤기가 매우 힘들고, 여의치 않았을 것이다. 송화수를 진하게 달이는 만큼 쌀가루의 부피보다 적은 양의 송화수로 죽을 쑤다 보면 설익거나 솥 바닥에 눋는 일이 빈번하게 발생하기 때문이다.

따라서 보다 원활한 방법을 택한 주방문이 '송로양방'이고, 이는 다름 아닌 <산가요록>의 '송화천로주'의 주방문에서 유래했을 거라는 견해에 이른다.

<임원십육지>의 '송로양방'에서 주의할 점은 송화죽을 쑬 때 죽 위에 뜨는 기름(송진)의 유무에 따라 물의 양과 끓이는 시간을 달리해야 한다는 것이다.

기름(송진)이 많이 뜰수록 천천히 은근한 불에서 오랫동안 끓이는 것이 좋고, 송화죽을 비롯해 고두밥 또한 가능한 한 차디차게 냉각시킨 후 사용해야 한다.

또한 누룩이 충분히 섞이도록 고루 버무려주어야 하는데, 찹쌀가루 때문에 죽이 눋거나 탈 수가 있어 오래 끓일 수 없기 때문이다.

한편, 한 가지 의문은 <임원십육지>의 '송로양방' 주방문 말미에 <산림경제(山林經濟)>를 인용하였다고 했는데, <산림경제>의 '치선(治善)' 편에는 '송로양방'은 물론이고 유사한 주방문도 보이지 않는다는 점이다.

이러한 사실을 어떻게 받아들여야 할지 모르겠다. 필자가 찾지 못했을 수도 있으나, 아직까지 새롭게 밝혀진 사실은 없다.

송로양방 <임원십육지(林園十六志, 高麗大本)>

술 재료 : 밑술 : 찹쌀 5말, 송홧가루 5되, 누룩가루 7되, 물 3말
덧술 : 멥쌀 10말, 송홧가루 1말, 누룩 3되, 물 5말

술 빚는 법 :

* 밑술 :

1. 찹쌀 5말을 (백세하여 물에 담가 불렸다가, 다시 씻어 헹궈서 물기를 뺀 후) 세말한다(고운 가루로 빻는다).
2. 물 3말에 송홧가루 5되와 쌀가루를 합하고, 끓여서 체에 걸러 찌꺼기를 제거한 송화죽을 쑨 뒤 넓은 그릇에 펴서 차게 식기를 기다린다.
3. 송화죽에 누룩가루 7되를 합하고, 고루 버무려 술밑을 빚는다.
4. 술독에 술밑을 담아 안치고, 예의 방법대로 하여 (차지도 덥지도 않은 곳에 앉혀서) 5일간 발효시킨다.

* 덧술 :

1. 멥쌀 10말을 (백세하여 물에 담가 불렸다가, 다시 씻어 헹궈서 물기를 뺀 후) 시루에 안쳐서 고두밥을 짓는다.
2. 송홧가루 1말을 물 5말에 넣고 끓여서 죽을 쑨 뒤, 넓은 그릇 여러 개에 나눠 담고 차게 식기를 기다린다.
3. 고두밥이 익었으면 퍼내고, 고루 펼쳐서 차게 식기를 기다린다.
4. 송화 달인 물에 고두밥과 밑술, 누룩 3되를 합하고, 고루 버무려 술밑을 빚는다.

5. 술독에 술밑을 담아 안치고, 예의 방법대로 하여 (차지도 덥지도 않은 곳에 앉혀서) 27일간 발효시킨다.

* 주방문 말미에 "<산림경제>를 인용하였다."고 하였으나, <산림경제>에는 '송로양방(松露釀方)'뿐 아니라 '송화주(松花酒)' 주방문도 수록되어 있지 않다.

松露釀方

粘米五斗細末用松花五升煎水三斗去滓和作粥麴末七升和釀五日白米十斗熟烝松花一斗煎水五斗麴三升並釀二十七日用之. <山林經濟補>.

송순주

스토리텔링 및 술 빚는 법

'송순주(松荀酒)'는 한국의 음주문화인 반주(飯酒)를 대표하는 전통주이면서 전형적인 가향주(佳香酒, 加香酒) 중 한 가지이다.

우리나라 전통주 가운데는 '두견주'를 비롯해 '도화주', '송화주', '창포주', '연엽주', '국화주', '백화주' 등 다양한 가향주가 계절성을 띠면서 국민들의 사랑을 받아 왔는데, 그 중 '송순주'가 집안 어른들의 반주로 가장 널리 사랑받아 왔다 하겠다.

그 근거로 함양의 일두 정여창 선생의 가문 비주였던 '송순주'가 '전통식품 명인'으로 지정(함양 솔송주)되었고, 대전의 은진 송씨 가문의 '대전 송순주'가 대전광역시 무형문화재로 지정되었으며, 조선시대 병조좌랑을 지냈던 대장군 집안의 가양주 '김제 송순주'도 전라북도 무형문화재로 지정된 바 있다.

또한 송순이 해를 넘기면 송절이 되는데, 이 송절을 사용한 '서울 송절주'가 서울시 무형문화재로 지정된 것도 결코 우연은 아니라는 생각이다.

이처럼 한 가지 주종이 '전통식품 명인'이나 '무형문화재'로 중복되어 지정된 사례는 거의 전무하다는 사실에서도 '송순주'의 대중성 또는 반주로서 그 비중을 반영한다고 하겠다.

'송순주'는 소나무를 주재로 한 가향주이다. 소나무를 주재로 하는 주품만 하더라도 '송엽주'를 비롯해 '송화주'·'송절주'·'송령주'·'송근주'·'송하주'·'송지주'·'송액주'가 있는데, 그중 '송순주'가 향기와 효능 면에서 가장 뛰어나다.

우선 '송순주'는 크게 두 가지 양주법이 전해 온다. 첫째는 발효주 방식이고, 둘째는 혼양주법이다. 발효주 방식의 '송순주'는 다시 송순 삶은 물을 양주용수로 사용하는 단양주법(單釀酒法)이 있고, 덧술에 삶은 송순을 단독으로 사용하거나 송순 삶은 물을 함께 사용하는 이양주법(二釀酒法)이 있다.

본고에서는 발효주 방식의 '송순주'를 다루기로 하고, 혼양주법의 '송순주'는 혼양주 편에서 다루기로 한다,

단양주법의 '송순주'는 <침주법(浸酒法)>에서 구체적인 주방문을 볼 수 있다. 동일한 주방문으로는 <고사촬요(故事撮要)>의 '구주법(救酒法)'을 비롯해 <구황보유방(救荒補遺方)>, <규중세화>, <민천집설(民天集說)>, <의방합편(醫方合編)>, <임원십육지(林園十六志, 高麗大本)>, <조선무쌍신식요리제법(朝鮮無雙新式料理製法)>, <주찬(酒饌)>, <치생요람(治生要覽)> 등 10종의 문헌에 12차례나 등장한다.

<침주법>에 "송순을 많이 꺾어 큰 독에 가득히 담고 물을 가장 덥게 끓여 독에 가득 부었다가 사나흘 지낸 후에 송순을 건져버리고 그 독의 물을 체로 받쳐 재강이를 없이 한 후에 도로 독에 붓고 찰백미 한 말을 익게 쪄서 누룩 한 되 섞어 그 물에 골화 빚어 독두에를 봉하였다가 한보름 지난 후에 쓰면 그 맛이 가장 맵고, 비록 여러 날을 지내여도 변치 아니하니라."고 하여 솔순 우린 물을 양주용수로 사용하고 있음을 볼 수 있다.

발효주 방식의 단양주법 '송순주'가 다른 주품들과 다르게 여러 문헌에서 보듯이 공통된 주방문을 보여주고 있다. 여기엔 분명 이유가 있을 거라 생각되어 그 이유를 찾고자 하였으나 결국 답을 찾지는 못했다.

다만, 단양주법 '송순주' 주방문을 수록하고 있는 문헌에서 나타나는 공통점으로 <고사촬요>의 '구주법'을 비롯해 <의방합편>, <침주법> 등 어떤 문헌에서도 주원료와 송순 등 배합비율이 정확하게 수록되어 있지 않다는 것이다. 그 이

유를 유추해 보면, '송순주'는 무엇보다 노부모 등 집안 어른의 소화흡수는 물론이고, 혈액순환과 청혈해독작용 등을 목적으로 한 반주였다는 사실에서 그 답을 찾을 수 있겠다.

다시 말해 반주로 마실 사람의 주량이나 연령, 건강상태 등 그 대상에 따라 송순의 양과 물 양이 달라지고, 송순의 양과 물 양에 따라 누룩의 양을 달리할 수밖에 없으므로, 그때그때 송순과 물의 양이 달라지기 마련일 거라는 풀이가 가능해진다.

특히 송순 우린 물을 사용하는 주방문이 단양주법이라는 사실에서도 이러한 추론이 가능해진다. 송순의 채취 시기가 4월 중순부터 5월 초순까지 한정되어 있는 만큼 송순의 쓴맛이나 탄닌 함량 등으로 인한 문제라기보다는 한 번 빚는 단양주라는 사실에서 송순 성분의 함량 정도를 끓인 물로 조절하고, 발효상태는 술을 빚는 이의 숙련된 감각에 의존했다는 결론에 이른다.

한편, 단양주법보다 안정된 발효와 높은 주질의 '송순주'를 얻기 위한 방법으로 <주식시의(酒食是儀)>와 <주찬(酒饌)>에서는 이양주법 주방문을 수록하고 있는데, 밑술을 범벅으로 하여 술을 빚는다는 공통점을 보여주고 있다.

그런가 하면 <주식시의>에서는 밀가루를 사용하고, 누룩을 계량하는 그릇으로 1주발, 1탕기라 하여 두 가지 용기를 사용한다는 점에서 여느 '송순주' 주방문과 다르다는 사실을 알 수 있다.

이양주법 '송순주'는 덧술에 송순을 사용한다는 점은 동일하나, <주식시의>에서는 송순과 끓여 식힌 물을 함께 사용하고, <주찬>에서는 송순을 삶았던 물을 차게 식혀서 송순과 함께 사용하며, 멥쌀과 찹쌀을 섞어 사용하는 등 술을 빚는 방법에서는 약간씩 차이가 있다.

특히 <주찬>에서는 송순과 송순 삶은 물을 각각 차게 식혀서 사용하고, 멥쌀과 찹쌀을 섞어 사용하는 방법으로 유일한 주방문을 보여주고 있다. 이는 덧술을 찹쌀로만 빚는 경우보다 단맛이 덜하고 깔끔한 술맛을 얻을 수 있어 바람직한 주방문이라고 생각된다.

지금까지 살펴본 발효주 방식의 '송순주'는 혼양주법의 '송순주'보다 양주과정도 비교적 간단하고 비용도 적게 들어 반가(班家)를 비롯한 여염집에서 노인들의 반주로 즐겨 빚었고, 솔잎과 송순을 장복하면 연년수명한다는 연유에서 선호되었다 하겠다. <구황보유방>에서 송순을 사용해 빚은 술을 '적선주(謫仙酒)'로 표기하고 있음도 같은 맥락이라고 여겨진다.

1. 송순주 <고사촬요(故事撮要)>

–구주법(救酒法)

술 재료 : 찹쌀 1말, 송순(5되~1말), 누룩가루 1되, 물(5되~1말)

술 빚는 법 :

1. 송순이 막 자랄 때(필 때) 많이(5되~1말) 따다 (모엽을) 다듬고, 깨끗하게 씻어 술독에 가득 채워놓는다.
2. 물을 매우 끓여 술독에 가득 채워 3~4일간을 지내서 우려낸 다음, 맑아지기를 기다려 찌꺼기를 깨끗하게 제거한다.
3. 찹쌀 1말을 준비한다(백세하여 물에 담가 불렸다가, 다시 씻어 건져서 물기를 빼놓는다).
4. 불린 찹쌀을 시루에 안쳐서 고두밥을 짓고, 익었으면 퍼낸다(고루 펼쳐서 차게 식기를 기다린다).
5. 송순 우린 물에 고두밥과 누룩가루 1되를 한데 합하고, 고루 버무려 술밑을 빚는다.
6. 술밑을 술독에 담아 안친 후, 예의 방법대로 하여 단단히 밀봉한 후 15일간 발효시킨다.

* 주방문에 '송순주(松荀酒)'가 아닌 '송순(松荀)'이라고만 되어 있다. 송순과 물의 양이 언급되어 있지 않아 찹쌀의 양을 기준으로 그 양을 산정하였다. 또 "15일이 지나면 먹는데, 그 맛이 매우 진하고 오래 두어도 변하지 않는다."

고 하였다.

松荀酒

救酒法. 松笋多數折取滿盛於大瓮中湯水極溫入瓮盈滿過數三日後拯去松笋節瓮水去滓還入瓮粘米一斗作飯麴一升交和瓮水以釀之封瓮口過十五日後用之其味甚烈雖過多日不變.

2. (적선소주) 우방 <구황보유방(救荒補遺方)>

술 재료 : 송순(1말), 찹쌀 1말, 누룩 1되, 끓는 물(1말)

술 빚는 법 :

1. (5월 초순경에 한 뼘 길이로 갓 자란) 송순을 많이(1말) 꺾어다 물에 깨끗하게 씻어 물기를 뺀다.
2. 큰 술독을 깨끗하게 씻어 건조시켰다가 물기를 뺀 송순을 가득 담아 채운다.
3. 솥에 물(1말)을 팔팔 끓여 송순을 안친 술독에 가득 붓고, 3~4일간 송순을 우려낸다.
4. 3~4일 후에 송순을 건져내고, 우린 물을 고운체에 밭쳐 부유물과 찌꺼기를 제거한 후 다시 술독에 담아놓고 맑아지기를 기다린다.
5. 찹쌀 1말을 (백세하여 물에 담가 불렸다가, 다시 씻어 건져서 물기를 뺀 후) 시루에 안쳐서 고두밥을 짓는다.
6. 고두밥이 무르게 익었으면 퍼내고, 넓게 고루 펼쳐서 차게 식기를 기다린다.
7. 고두밥에 누룩 1되와 송순 우린 물을 한데 합하고, 고루 버무려 술밑을 빚는다.
8. 술밑을 소독하여 준비한 술독에 담아 안치고, 독을 예의 방법대로 하여 밀봉한 후 발효시켜 익기를 기다린다.

* <구황보유방>에 '적선소주방(謫仙燒酒方)'에 이어 '우방(又方)'이라고 하였을 뿐, '적선소주 우방'인지 확신할 수 없다. <규중세화> 및 <침주법>에 '송순주'로 소개되어 있어 '송순주'로 분류하였음을 밝혀둔다. <구황보유방> 주방문에는 송순의 양이나 물의 양이 언급되어 있지 않아 <규중세화> 및 <침주법>의 주방문을 참고하였다.

(謫仙燒酒) 又方

松笋多數折取滿盛於大瓮中湯水極溫入於瓮中盈滿過數三日後拯出松笋後瓮水以篩去滓還入瓮中. 粘米一斗蒸熟麴子一升交合和瓮水釀之封瓮口過十五日後用之其味甚烈雖過多日其味不變

한글본 : 솔쉰을 만히 걱거다가 큰 독의 가득 녀코 믈을 만히 끌혀 그 독의 ᄀ득 브어 ᄒᆞᆫ잇틀 디나거든 솔쉰을 다 건뎌ᄇᆞ리고 그 믈 체에 밧타 그 독의 도로 녀코 춥쌀 ᄒᆞᆫ 말을 닉게 쪄 누룩 ᄒᆞᆫ 되 교합ᄒᆞ야 그 독의 녀코 봉ᄒᆞ야 두면 보롬 디나거든 내여 쓰면 그 마시 ᄀᆞ장 됴코 과하 ᄒᆞ야도 변미 아니ᄒᆞᄂᆞ니라.

3. 송순주방문 <규중세화>

술 재료 : 찹쌀 1말, 송순(5되~1말), 누룩 1되, 물(5되~1말)

술 빚는 법 :

1. 송순이 막 자랄 때(필 때) 많이(5되~1말) 꺾어다 (모엽) 다듬고, 깨끗하게 씻어 술독에 가득 채워놓는다.
2. 물을 매우 끓여 술독에 가득 채워 붓고, 2일간을 지내서 우려낸 다음 맑아지기를 기다려 건더기를 건져 버린다.
3. 찹쌀 1말을 (백세하여 물에 담가 불렸다가, 다시 씻어 건져 물기를 빼) 준비해 놓는다.

4. 불린 찹쌀을 시루에 안쳐서 고두밥을 짓고, 익었으면 퍼낸다(고루 펼쳐서 차게 식기를 기다린다).
5. 송순 우린 물을 고운체에 밭쳐 불순물과 찌꺼기를 깨끗하게 제거한다.
6. 송순 우린 물에 고두밥과 누룩 1되를 한데 합하고, 고루 버무려 술밑을 빚는다.
7. 술밑을 술독에 담아 안친 후, 예의 방법대로 하여 단단히 밀봉한 후 15일간 발효시킨다.

* <고사촬요>의 "구주법"에 나와 있는 '송순주' 주방문과 동일하다. 주방문 말미에 "과하(過夏) 하여도 변치 아예 하나니라."고 하였다.

송순주방문

송순을 만이 껀거다가 큰 독에 다 단케 담고 물을 만이 끓여 그 독에 가득히 부어 한 이틀 지내거든, 건져버리고 그 물 체에 밧타 그 독에 도록 역코(넣고), 점미 한 말을 익이 쪄 누룩 한 되 교합하여 그 독에 역코(넣고), 봉하야 두면 보람 지내거든 내어 쓰면 맛이 가장 좋고 과하 하여도 변치 아예 하나니라.

4. 송순주 <민천집설(民天集說)>

술 재료 : 솔순(1말), 찹쌀 1말, 누룩가루 1되, 물(3동이)

술 빚는 법 :
1. 솔순이 푸르렀을 때 많이(1말) 채취하여 물에 깨끗이 씻어 이물질을 제거한다.
2. 솥에 물(3동이)을 붓고 솔순을 넣어 은근한 불에 끓여서 술독에 담아 3일을 지낸 다음, 베에 밭쳐 찌꺼기를 제거한다.

3. 찹쌀 1말을 (백세하여 물에 담가 불렸다가, 다시 씻어 헹궈서 물기를 뺀 후) 시루에 쪄서 무른 고두밥을 짓는다.
4. (고두밥이 익었으면 퍼내어 고루 펼쳐서 차게 식기를 기다린다.)
5. 고두밥에 솔순 달인 물과 누룩 1되를 합하고, 고루 버무려 술밑을 빚는다.
6. 술밑을 술독에 담아 안친 다음 예의 방법대로 하여 15일간 발효시키고, 익기를 기다려 떠서 마신다.

* 주방문 말미에 "오래 두어도 맛이 변하지 않는다."고 하였다. <양주방>*의 '솔방울술'과 주방문이 유사하다.

松筍酒

多取松笋爛烹釜中盈以熱湯入瓮過數三日後拯去松笋篩瓮水去滓還入瓮粘米一斗蒸熟曲一升和瓮水釀之封瓮口過十五日後味烈雖過多日不變.

5. 송순주 <의방합편(醫方合編)>

술 재료 : 찹쌀 1말, 누룩가루 1되, 송이(송순) 많이(1말), 끓는 물(1말)

술 빚는 법 :
1. 송순을 많이 (1말) 따서 큰 독에 가득 담는다.
2. 물을 팔팔 끓여 매우 뜨거울 때 (2말) 가득히 붓는다.
3. 3~4일 후에 송순과 찌꺼기를 걸러내고, 송순 우린 물이 맑아지기를 기다렸다가 다시 독에 담아놓는다.
4. 찹쌀 1말을 (백세하여 다시 씻어 헹궈 건져서 물기를 뺀 뒤) 시루에 안쳐 무른 고두밥을 짓는다.
5. (고두밥이 익었으면 퍼내고, 고루 펼쳐서 차게 식기를 기다린다.)

6. 독 안의 송순 삶은 물이 맑아졌으면, 고두밥과 누룩가루 1되를 합하고 고루 버무려 술밑을 빚는다.
7. 술독에 술밑을 담아 안치고, 단단히 봉하여 예의 방법대로 15일간 발효시킨다.
8. 술맛이 맵고 강하면 여러 날이 지나도 변하지 않는다.

松荀酒
多取松笋滿盛於大瓮中湯水極溫入瓮盈滿過數三日後拯去松笋節瓮水去滓還入瓮粘米一斗蒸熟曲一升和瓮水釀之封瓮口過十五日後用之其味烈雖過多日不變.

6. 송순주방 <임원십육지(林園十六志, 高麗大本)>

술 재료 : 찹쌀 1말, 누룩가루 1되, 송순(1말), 끓는 물(1말)

술 빚는 법 :
1. (양력 4월 중순경에 쥐꼬리만 한) 송순을 많이 따다가 (물에 깨끗이 씻어 이물질과 먼지 등을 제거한 후) 술독에 가득 채운다.
2. 송순을 안친 술독에 끓인 물을 가득 채워놓았다가 3일 후에 송순을 건져내고, 송순 우린 물을 체에 걸러 찌꺼기를 제거한 후 다시 술독에 붓는다.
3. 찹쌀 1말을 (백세하여 물에 담가 불렸다가, 다시 씻어 헹궈서 물기를 뺀 후) 시루에 안쳐서 고두밥을 짓는다.
4. 고두밥이 익었으면 퍼내고, 고루 펼쳐서 차게 식기를 기다린다.
5. 고두밥에 누룩가루 1되와 송순 우린 물을 합하고, 고루 버무려 술밑을 빚는다.
6. 술독에 술밑을 담가 안치고, 예의 방법대로 하여 술독 주둥이를 밀봉한 후

(차지도 덥지도 않은 곳에서) 15일간 발효시킨다.

* 주방문 말미에 "그 맛이 매우 독하고, 오래 두어도 변하지 않는다."고 하였다.

松笋酒方

松笋多數折取盛瓮中滾湯注滿數日後漉去滓松笋傾出瓮內水於淨盆以篩去滓還入瓮中粘米一斗烝熟麴末一升和合用瓮內水釀之封瓮口十五日後用之其味甚烈經久不變 <飮膳要覽>.

7. 송순주 <조선무쌍신식요리제법(朝鮮無雙新式料理製法)>

술 재료 : 찹쌀 1말, 송순(1말), 누룩 1되, 물(1말)

술 빚는 법 :

1. 연하고 굵은 송순을 많이(1말) 채취하여 깨끗이 씻은 뒤 물기를 뺀다.
2. 깨끗하게 씻어 마련한 큰 독에 송순을 가득 채운다.
3. 물(1말)을 많이 끓여 송순을 채운 독에 가득 붓고 3일을 지낸다.
4. 4일째 날 송순을 건져내고, 독 안의 물을 체에 밭쳐 찌꺼기를 제거한다.
5. 송순 우린 물을 다시 독에 붓고, 식기를 기다린다.
6. 좋은 찹쌀 1말을 (물에 깨끗이 씻어 하룻밤 불렸다가 건져서) 고두밥을 짓는다.
7. (고두밥은 고루 펴서 차게 식힌 뒤) 누룩 1되를 합하고, 고루 버무려 술밑을 빚는다.
8. 송순 우린 물을 담아둔 술독에 술밑을 담아 안치고, 예의 방법대로 밀봉하여 (15일간) 발효시킨다.
9. 술맛이 씩씩하여 여러 날 두어도 변하지 않는다.

송순주(松筍酒)

송순을 만이 짜서 큰 독에 갓득 늣코 끌는 물을 부어 물이 독에 차거든 수삼일 후에 송순은 건저버리고 독에 물을 쳬에 밧처 찍기를 버리고 도로 독에 붓고 조흔 찹쌀 한 말을 써서 누룩 한 되와 합하야 독물에 너코 봉한 지 보름이면 맛이 씩씩할지니 여러 날 되여도 맛이 변치 아니 하나니라.

8. 별별약주(송순주)법 <주식시의(酒食是儀)>

술 재료 : 밑술 : 멥쌀 2말 5되, 누룩 1주발 1탕기, 밀가루 1되, 끓는 물 25식기
덧술 : 멥쌀·찹쌀 각 30식기, 끓여 식힌 물 62식기, 송순 2되

술 빚는 법 :

* 밑술 :

1. 3월 하순경에 도정을 많이 한 멥쌀 2말 5되를 (백세한 후) 물에 담가 불렸다가, (다시 씻어 건져서 물기를 뺀 후) 곱게 빻아 가는체로 쳐서 넓은 그릇에 담는다.
2. 솥에 맛 좋은 물 25식기를 고붓지게(솟구치게) 끓여 뜨겁지도 차지도 않게 하여 쌀가루에 붓고 주걱으로 골고루 개어 멍울 없는 범벅을 짓는다.
3. 범벅을 온기 없이 차게 식힌 다음 좋은 누룩 1주발 1탕기와 밀가루 1되를 섞고, 고루 버무려 술밑을 빚는다.
4. 군내 나지 않는 술독을 짚불 연기 쏘여 소독한 후 술밑을 담아 안치고, 예의 방법대로 하여 덥지도 차지도 않는 곳에 두어 20일간 발효시킨다.

* 덧술 :

1. 산에 가서 쥐꼬리만 하게 자란 송순을 꺾어다 수염을 다듬고, 물에 깨끗이 씻은 후 시루에 안쳐서 한 김 올려 쪄 차게 식혀놓는다.

2. 좋은 물 62식기를 팔팔 끓여 밤재워 차게 식기를 기다린다.
3. 고두밥은 좋은 물을 안친 솥에 올려 찌되, 멥쌀 30식기와 찹쌀 30식기를 희게 쓿어 (도정을 많이 하여 백세한 후) 물에 담갔다가, (다시 씻어 건져 물기를 뺀 후) 각각 시루에 안쳐 고두밥을 짓는다.
4. 멥쌀고두밥에는 물을 많이 뿌려서 질게 찌고, 고두밥이 익었으면 각각 퍼내어 차게 식기를 기다린다.
5. 멥쌀고두밥과 찹쌀고두밥에 차게 식혀둔 물을 등분하여 한데 섞는다.
6. 각각의 고두밥에 밑술과 송순을 한데 합하고, 골고루 버무려 술밑을 빚는다.
7. 군내 나지 않는 술독을 짚불 연기 쏘여 소독한 후 술밑을 담아 안치고, 예의 방법대로 하여 김이 새지 않게 밀봉한다.
8. 술독은 덥지도 차지도 않는 곳에서 발효시켜 푹 가라앉으면 용수 박아 채주한다.

* 주방문 말미에 "송순을 약간 넣으면 송순주요."라고 하였으므로 이에 '송순주' 주방문을 작성하였다.

별별약쥬(송순주)법

멥살 슈물다섯 되을 희계 씰러 담가다가 곱계 ᄉᆡᆨ아 가는 체로 쳐셔 물 맛 죠ᄒᆞᆫ 것스로 고부지계 ᄭᅳ려 슈물다섯 식기을 듭도 ᄎᆞ도 안케 ᄒᆞ여 망올 업시 반쥭ᄒᆞᆫ 후 온긔 읍시 식이여 누룩 ᄒᆞᆫ 쥬발 ᄒᆞᆫ 탕긔 진말 ᄒᆞᆫ 식기 넉고 고로 버물리여 군ᄂᆡ 읍은 항아리 집ᄂᆡ 쏘이여 항아리의 너허 덥도 ᄎᆞ도 안이ᄒᆞᆫ ᄃᆡ 두엇ᄃᆞ 이십일 만의 멥살 셔른 식긔 찹살 셔른 식긔 희계 씰러 쓰되 각각 죠흔 물의 찌계 ᄒᆞ고 메밥은 물 만이 ᄲᅮ려 질계 쪄셔 더운 긔운 읍시 식인 후 죠흔 물 고부지계 ᄭᅳ려 ᄒᆞ로밤 ᄌᆡ운 후의 예슌두 식긔을 ᄒᆞᆫᄃᆡ 여흐되 찹살밥과 멥살밥 밋쳘 ᄂᆡ여 고로 셕거 ᄒᆞᆫᄃᆡ 버무려 알마진 항아리의 군ᄂᆡ 읍시 집ᄂᆡ 쏘이여 넉코 짐 안니 나계 부리을 봉ᄒᆞ여 덥도 ᄎᆞ도 안이ᄒᆞᆫ ᄃᆡ 두고 슐이 다 되면 푹 가라안나이 용슈 너어 써먹ᄂᆞᆫ니 밋쳘 오ᄅᆡ 둘ᄉᆞ록 조흐이라.
봄이면 ᄭᅩᆺ 피기 젼의 밋 ᄒᆞ여ᄶᅡ가 덧틀 졔 두견화 약간 셕거 ᄒᆞ면 두견쥬요,

여름의 소쥬 식기 더ᄒᆞ면 과하주요, 송슌을 약간 너흐면 송슌쥬요, 이 슐은 날물이 안이 든 슐인 고로 치담ᄒᆞ고 두통이 업ᄂᆞᆫ이라.

9. 송순주 <주찬(酒饌)>

술 재료 : 밑술 : 찹쌀 2되, 가루누룩(백곡) 2되, 끓는 물 6되
덧술 : 찹쌀 2말, 송순 1~2되, 송순 삶은 물 6되

술 빚는 법 :

* 밑술 :

1. 찹쌀 2되를 백세하여 (물에 담가 불렸다가, 다시 씻어 건져서 물기를 뺀 후) 작말하고 넓은 그릇에 담아놓는다.
2. 물 6되를 팔팔 끓여 쌀가루에 골고루 합하고, 주걱으로 고루 개어 죽(범벅)을 쑨 다음 넓은 그릇에 펴서 차게 식기를 기다린다.
3. 죽(범벅)에 가루누룩 2되를 합하고, 고루 버무려 술밑을 빚는다.
4. 술독에 술밑을 담아 안치고, 예의 방법대로 하여 7일간 발효시킨다.

* 덧술 :

1. 송순 1~2되를 물에 깨끗이 씻어 건졌다가, 물 6되에 삶아 건져서 모엽(母葉)을 제거한 후 송순과 송순 삶은 물을 각각 차게 식힌다.
2. 찹쌀 2말을 백세하여 (물에 담가 오랫동안 불렸다가, 다시 씻어 건져서 물기를 뺀 후) 시루에 안쳐서 고두밥을 짓는다.
3. 고두밥을 찔 때 찬물을 두 차례 살수하여 무른 고두밥을 짓고, 익었으면 퍼내어 그릇에 담아놓는다(차게 식기를 기다린다).
4. 고두밥에 시루밑물을 붓고 살살 비벼 헹궈서 밥알이 손에 달라붙지 않게 한다.

5. 시루밑물에 씻어 헹군 고두밥과 송순 삶은 물, 밑술을 한데 합하고 고루 버무려 술밑을 빚는다.
6. 술독에 술밑을 담아 안치되 송순을 켜켜이 넣고 단단히 봉하고, 예의 방법대로 하여 차고 시원한 곳에 두고 발효시킨다.

* 주방문 말미에 “날씨가 더우면 3일 만에 쓸 수 있다.”고 하였다.

松筍酒

粘米二升作末水六升合作粥末曲二升調釀七日後粘米二斗浸熟良久烝飯時二巡灑水熟烝以甑水調飯期以不着手後軟松端去葉而烹之以其烹水合飯釀於本酒而訟滓層層入釀堅封置凉寒處日若甚熱則三日後用之.

10. 송순주 <주찬(酒饌)>

술 재료 : 찹쌀 1말, 누룩가루 1되, 송순(1되), 끓는 물(1말)

술 빚는 법 :

1. 송순을 많이 따서 큰 독에 가득 담는다.
2. 물(1말)을 팔팔 끓여 매우 뜨거울 때 가득 붓는다.
3. 3~4일 후에 송순과 찌꺼기를 걸러내고, 독 안의 물이 맑아지기를 기다린다.
4. 찹쌀 1말을 백세하여 (다시 씻어 헹궈 건져서 물기를 뺀 뒤) 시루에 안쳐 무른 고두밥을 짓는다.
5. 고두밥이 익었으면 퍼내고, 고루 펼쳐서 차게 식기를 기다린다.
6. 독 안의 송순 삶은 물이 맑아졌으면, 고두밥과 누룩가루를 합하고 고루 버무려 술밑을 빚는다.
7. 술독에 술밑을 담아 안치고, 단단히 봉하여 예의 방법대로 15일간 발효시

킨다.

* 주방문 말미에 “그 맛이 매우 독하고 오래 지나도 변하지 않는다.”고 하였다.

松筍酒

松荀多數折取滿盛於大瓮中而極溫湯水注入盈滿經宿三四日後拯出去滓待淸粘米一斗作飯曲末一升交和釀之堅封十五日過後用之其味甚烈雖過多日不變.

11. 송순(주) <치생요람(治生要覽)>

술 재료 : 찹쌀 1말, 송순(5되~1말), 누룩가루 1되, 물(5되~1말)

술 빚는 법 :

1. 송순이 막 자랄 때(필 때) 많이(5되~1말) 따다 (모엽을) 다듬고, 깨끗하게 씻어 술독에 가득 채워놓는다.
2. 물을 매우 끓여 술독에 가득 채워 3~4일간을 지내서 우려낸 다음, 맑아지기를 기다려 찌꺼기를 깨끗하게 제거한다.
3. 찹쌀 1말을 준비한다(백세하여 물에 담가 불렸다가, 다시 씻어 건져서 물기를 빼놓는다).
4. 불린 찹쌀을 시루에 안쳐서 고두밥을 짓고, 익었으면 퍼낸다(고루 펼쳐서 차게 식기를 기다린다).
5. 송순 우린 물에 고두밥과 누룩가루 1되를 한데 합하고, 고루 버무려 술밑을 빚는다.
6. 술밑을 술독에 담아 안친 후, 예의 방법대로 하여 단단히 밀봉한 후 15일간 발효시킨다.

* 주방문에 '송순주(松荀酒)'가 아닌 '松葉(송엽)'이라고만 되어 있다. 송순과 물의 양이 언급되어 있지 않아 찹쌀의 양을 기준으로 그 양을 산정하였다. 또 "15일이 지나면 먹는데, 그 맛이 매우 진하고 오래 두어도 변하지 않는다."고 하였다.

松葉(笋酒)
松荀多折滿盛大甕湯水極熟入盈經宿三四極筍待淸篩滓粘米一斗作飯曲末一升和釀堅封過十五日用甚烈久不變.

12. 송순주 <침주법(浸酒法)>
–한 말 빚이

술 재료 : 송순(1말), 찹쌀 1말, 누룩 1되, 끓는 물(1말)

술 빚는 법 :
1. (5월 초순경에 한 뼘 길이로 갓 자란) 송순을 많이 꺾어다 물에 깨끗이 씻어 물기를 뺀다.
2. 큰 술독을 깨끗하게 씻어 건조시켰다가 물기를 뺀 송순을 가득 담아 채운다.
3. 솥에 물(1말)을 팔팔 끓인 후 송순을 안친 술독에 가득 붓고, 3~4일간 송순을 우려낸다.
4. 3~4일 후에 송순을 건져내고, 우린 물을 고운체에 밭쳐 부유물과 찌꺼기를 제거한 다음 다시 술독에 담아놓고 맑아지기를 기다린다.
5. 찹쌀 1말을 (백세하여 물에 담가 불렸다가, 다시 씻어 건져서 물기를 뺀 후) 시루에 안쳐서 고두밥을 짓는다.
6. 고두밥이 무르게 익었으면 퍼내고, 고루 펼쳐서 차게 식기를 기다린다.
7. 고두밥에 누룩 1되와 송순 우린 물을 한데 합하고, 고루 버무려 술밑을 빚

는다.

8. 술밑을 소독하여 준비한 술독에 담아 안치고, 독을 예의 방법대로 하여 밀봉하여 발효시켜 익기를 기다린다.

* 주방문에 송순의 양이나 물의 양이 언급되어 있지 않아, 다른 기록의 송순주 주방문을 참고하였다. 또 주방문 말미에 "한보름 지난 후에 쓰면 그 맛이 가장 맵고, 비록 여러 날을 지내여도 변치 아니하니라."고 하여 알코올 도수가 높고 송순의 성분 때문에 저장성이 좋은 술임을 알 수 있다.

숑슌쥬(松荀酒)

숑슌을 만히 것거 큰 독의 ᄀᆞ득이 담고 믈을 ᄀᆞ장 덥게 ᄭᅳᆯ혀 독의 ᄀᆞ득 브엇더가 사나ᄒᆞᆯ 지낸 후의 숑슌을 건져 ᄇᆞ리고 그 독의 믈을 체로 밧타 ᄌᆡ강이를 업시 ᄒᆞᆫ 후의 도로 독의 붓고 츌빅미 ᄒᆞᆫ 말을 닉게 쪄 누록 ᄒᆞᆫ 되 섯거 그 믈에 골라 비져 독 우희을 봉ᄒᆞ얏더가 ᄒᆞᆫ 보ᄅᆞᆷ 지낸 후의 쓰면 그 마시 ᄆᆡᆸ고 비록 여러 날을 지내여도 변치 아니ᄒᆞᄂᆞ니라.

13. 적선주(송순주)방 <후생록(厚生錄)>

술 재료 : 송순(1말), 찹쌀 1말, 누룩가루 1되, 물 1말

술 빚는 법 :

1. 한창 송순이 자랄 무렵(5월 중순~6월 중순)에 송순을 많이 채취하여 큰 독에 채워 넣는다.
2. 송순을 채운 독에 팔팔 끓는 물을 가득 채운다.
3. 3일 지난 후에 송순을 건져내고, 물에 뜨거나 가라앉은 찌꺼기를 체에 밭쳐 제거한 다음 다시 술독에 담는다.

4. 찹쌀 1말을 (백세하여 물에 담가 불렸다가, 다시 씻어 건져서 물기를 뺀 후) 시루에 안쳐서 고두밥을 짓는다.
5. 고두밥이 익었으면 퍼낸다(고루 펼쳐서 차게 식기를 기다린다).
6. 고두밥과 누룩 1되를 합하고, 독의 송순 우린 물을 한데 섞어 고루 버무려 술밑을 빚는다.
7. 술독의 주둥이를 밀봉하고, 예의 방법대로 하여 15일 동안 발효시킨다.
8. 15일이 지난 후에 마시면, 그 맛이 매우 독하여 여러 날이 지나도 맛이 변하지 않는다.

* 주품명에 '적선주방(謫仙酒方)'이라고 하였으나 '송순주(松笋酒)' 주방문임을 알 수 있다. 또 <고사촬요>의 '구주법(救酒法)'이 <구황보유방>을 비롯해 <민천집설>, <의방합편>, <임원십육지(고려대본)>, <조선무쌍신식요리제법>, <주찬>, <치생요람>, <침주법>과 <후생록>에 이르기까지 '송순주' 또는 '적선주'로 자리매김 되었음을 알 수 있다.

謫仙酒(松笋酒)方

松笋多數折取滿盛於大瓮中湯水極溫入甕中盈滿過數三日後拯去松笋其甕水節去滓還入甕中粘米一斗蒸熟曲子一升交合和水釀之封口過十五日後用之其味甚烈雖過多日其味不變.

송액주

스토리텔링 및 술 빚는 법

우리나라 전통주 제조법에서 상당한 비중을 차지하는 가향주(加香酒)와 약용약주(藥用藥酒) 가운데 가장 널리 사용되는 재료가 다름 아닌 소나무라는 사실은 이미 몇 차례 언급한 바 있다.

이른 봄 새로 자란 송순으로 빚은 '송순주'를 비롯해 송화로 빚은 '송화주', 솔잎으로 빚은 '송엽주', 소나무 잔가지로 빚은 '송절주' 외에도 '송지주', '송근주', '송령주', '송하주', '와송주'에 이르기까지 소나무로 빚은 전통주는 참으로 다양하다.

이렇듯 소나무의 다양한 부위를 술에 사용하는 까닭은 소나무가 지닌 성분과 효능 때문이며, 무엇보다 향기가 좋고 우리네 생활과도 친숙하기 때문이다.

그중 소나무의 진액인 송액을 사용해 빚는 '송액주(松液酒)'는 매우 특별하다. 왜냐하면 송액은 얻기가 쉽지 않을 뿐 아니라 그 약효 또한 뛰어나기 때문이다.

'송액주'와 비슷한 주품명으로는 '죽력고(竹瀝膏)'가 있다. 살아 있는 대나무의 마디를 잘라서 그 진액인 죽력을 술의 주원료로 사용한다는 점에서 공통점이 있다. 물론 '송액주'는 발효주(醱酵酒)이고, '죽력고'는 2차 증류주인 '고(膏)'라는 점이 다르다.

'송령주(松鈴酒)'는 <고사십이집(攷事十二集)>과 <임원십육지(林園十六志)>에서 찾아볼 수 있는데, 주방문은 <고사십이집>에만 수록되어 있다. <고사십이집>의 주방문에는 "큰 소나무 밑에 술독보다 큰 굴을 파고, 그 안에 술독을 안치하고 소나무 진액 2근을 취하여, 나미(糯米) 5말로 술을 빚어 마신다."고만 하였을 뿐 구체적인 재료의 비율이나 방법, 기간에 대한 언급이 없다.

비록 아쉬움이 남긴 하지만, 대략 그 면모는 짐작할 수 있어 상법(常法)의 술 빚는 법으로 주방문을 작성하였다.

술밑을 빚어서 송액을 받은 독에 담아 안치는 방법으로, 여러 차례 갖가지 방법을 동원하여 술 빚기를 시도해 보았으나 좋은 술을 얻지는 못하였다.

예를 들어 송액을 술 빚을 물과 끓여서 사용하는 방법 외에도 송액을 물과 섞어 끓인 후에 고두밥과 누룩을 섞어 빚는 방법, 술밑을 빚을 때 송액을 직접 버무리는 방법, 완성된 발효주에 송액을 넣어 숙성시키는 방법에 이르기까지 다양한 방법으로 술을 빚어 보았다.

그러나 발효가 용이하지 못하고 알코올 도수가 낮다는 단점뿐 아니라 송액의 향기가 지나치게 강해 거부감이 느껴졌다. 특히 쌀 5말에 물과 누룩의 배합비율에 따라 그 맛이 천차만별이었으며, 무엇보다 완전발효를 이루기가 여의치 않았다.

결국 송액 위에 술밑을 안치는 방법을 통해 어느 정도 안전한 발효를 도모할 수 있었으며, 송액의 공기와의 접촉으로 인한 산화현상도 줄일 수 있었다.

한편 '죽력고'와 같은 방법으로 시도해 본 '송액주'는 숙성과정에서 산화현상에 따른 술 색깔이 문제가 되었고, 떫은맛을 해소하기 위해 꿀을 섞어보기도 했으나, 숙성 후 갈변현상 등의 단점을 극복하지 못했다.

특히 <고사십이집>의 주방문에서 보듯 '송액주'가 증류주 또는 혼성주(混成酒)라는 근거를 찾을 수 없어, 발효주라는 판단을 하게 되었고, 이에 근거해 위와 같은 주방문을 찾기에 이르렀다는 사실도 밝혀둔다.

따라서 송액 위에 술밑을 안치는 방법을 통해 완성된 '송액주'는 그 향기가 매우 강하게 나타났으나, 맛이나 알코올 도수에 있어 일반적인 약용약주와 다름없었다. 무엇보다 '송순주'의 특성을 가장 잘 반영하고 있다는 판단 하에 더 이상의 실험양주를 중단함으로써 '송액주'의 복원을 종료하였다.

<임원십육지>는 <고사십이집>의 주방문 말미에 수록된 내용을 옮긴 것으로 여겨지며, '송액주'의 근거로 <본초강목(本草綱目)>을 인용한 것으로 미뤄볼 때 치료 목적의 술이었음을 알 수 있다.

'송액주'에 대한 효능으로 <고사십이집>과 <임원십육지>에서 공통적으로 "모든 풍증과 마비증상, 각기병을 치료한다."고 하는 <본초강목>의 내용을 수록하고 있다.

이는 '송액주'가 뇌졸중 등 현대인들에게서 자주 나타나는 각종 성인병의 예방과 치료를 위한 상비주(常備酒)이자 치료약이었을 거라는 추측의 근거가 되고 있다.

1. 송액주 <고사십이집(攷事十二集)>

술 재료 : 찹쌀 5말, (누룩 5되), 송액 2근(斤), (물 2말 5되)

술 빚는 법 :

1. 산에 들어가서 약간 경사진 곳에 있는 큰 소나무 밑에 술독보다 큰 굴을 파고, 그 안에 술독을 안치한다.
2. (굴을 파는 과정에서 드러난 소나무 뿌리를 잘라 독 안에 넣고 밀봉하여) 소나무의 진액 2근을 받아낸다.
3. (물 2말 5되를 팔팔 끓여서 넓은 그릇 여러 개에 나눠 담고 밤재워 차게 식기를 기다린다.)
4. 누런(현미) 찹쌀 5말을 준비한다(백세하여 물에 담가 하룻밤 불려놓는다).
5. (다음날 불린 찹쌀을 다시 씻어 헹궈서 소쿠리에 밭쳐 물기를 뺀 다음, 시루에 안쳐 고두밥을 짓는다.)
6. (차게 식은 물에 누룩가루 5되를 합하고, 5~6시간 불린 수곡을 만들어놓는다.)

7. (고두밥이 익었으면 시루에서 퍼내고, 돗자리에 고루 펼쳐서 차게 식기를 기다린다.)
8. (고두밥에 불린 물 2말 5되를 합하고, 고루 버무려 술밑을 빚는다.)
9. 술밑을 소나무 밑으로 가져가 송액이 담긴 술독에 담아 안치고, 예의 방법대로 하여 밀봉한 다음 흙을 덮어 (1년간) 발효시킨다.
10. (술 빚은 지 1년 후에 술독을 열어보면 향기가 아름다운 송액주가 익었을 것이므로 용수 박아 채주하여 마신다.)

* 주방문에는 구체적인 재료의 비율이나 방법, 기간에 대한 언급이 없어 상법의 술 빚는 법으로 주방문을 작성하였다.

松液酒

於大松下掘坑置甕承取其津液二斤釀糯米五斗取酒飮之(本草綱目曰松液酒治一切風脾脚氣.

2. 송액주 <임원십육지(林園十六志)>

모든 풍증과 마비증상, 각기병을 치료한다. <본초강목>을 인용하였다.

松液酒

<本草綱目> 治一切風痺脚氣. (案)方見 <葆養志>.

송엽주

스토리텔링 및 술 빚는 법

'송엽주(松葉酒)'는 전승가양주 가운데 일반 가정에서 가장 널리 빚어 마시는 가향주 중 하나였다. 과거엔 가양주가 일상에서 그 쓰임새가 많았다. 특히 '송엽주'가 농가의 상비주로 자리 잡은 데는 솔잎이 주변에서 조달하기 쉬운 원료이면서 향이나 약효도 좋은 재료였기 때문이다.

'송엽주'는 <김승지댁주방문(金承旨宅廚方文)>, <동의보감(東醫寶鑑)>, <수운잡방(需雲雜方)>, <양주방>*, <역주방문(曆酒方文)>, <온주법(醞酒法)>, <요록(要錄)>, <윤씨(尹氏)음식법>, <주찬(酒饌)>, <치생요람(治生要覽)>, <침주법(浸酒法)> 등 다양한 문헌에 수록되어 있다. '송엽주' 주방문은 크게 4가지로 나뉜다.

첫째, 민간에서 찹쌀이나 멥쌀로 지은 고두밥에 솔잎과 누룩, 물을 섞고 버무려 빚는 방법으로 단양주법(單釀酒法)의 '송엽주'가 주류(主流)를 이루고 있다. <고사촬요(故事撮要)>를 비롯해 <치생요람>과 <주찬>에서는 술이 발효되면 3일 후에 술(청주, 소주) 1되를 붓고 후발효 및 숙성시키는 방법을 쓰고 있다. '송엽주'에 사용되는 술은 '청주'가 주(主)를 이룬다. 이는 알코올 도수를 높이고, 주질을 좋게 하기 위한 방법이다. '소주'를 사용하면 '과하주'와 같은 혼양주류(混釀酒類)가 된다.

<고사촬요>의 주방문을 예로 들면 "찹쌀 1말을 쪄서 밥을 만들고 식기를 기다린다. 누룩가루 1되, 솔잎 1되를 서로 섞는데, 객수를 넣지 않고 이를 빚는다. 3일 뒤에 술 1되를 첨가한다. 다시 3일이 지나면 푹 익는다. 처음의 맛은 조금 쓰고 독하나 나중의 맛은 맑고 달기가 극에 달한다."고 하였다.

둘째, 솔잎을 물에 넣고 달여서 만든 물을 양주용수로 사용하며, 멥쌀이나 찹쌀가루와 섞어서 죽을 쑨 뒤 차게 식으면 누룩과 합하여 술밑을 빚는 방법이 가장 높은 비율을 차지한다.

보통 '송엽주'는 솔잎 6말에 물 6말~10말의 비율로 섞어 달이고, 솔잎 달인 물은 2말이다. 이처럼 솔잎을 매우 진하게 달인 물 2말에 멥쌀이나 찹쌀 1말을 백세작말하여 한데 섞어서 죽을 쑤고, 차게 식으면 누룩 5홉~1되를 섞어 술밑을 빚는다. 이 같은 방법은 <김승지댁주방문>을 비롯해 <침주법>, <윤씨음식법>, <수운잡방> 등의 문헌에서 찾아볼 수 있다.

셋째, <양주방>*에 수록된 방법으로 솔잎 달인 물에 고두밥과 누룩을 섞어 빚는 방법이다. 소위 고두밥과 누룩에 솔잎 달인 물을 양주용수로 사용하는 것이다.

넷째, <온주법>과 <역주방문>에는 솔잎을 가루로 빻아 술과 함께 복용하는 솔잎 생식법이 수록되어 있다.

한편 <동의보감>과 <달생비서(達生秘書)>에는 "각기(脚氣)와 풍비(風痹)를 치료한다."고 하여 송엽(松葉)의 효능을 언급하고 있다.

이들 문헌에 수록된 '송엽주'는 한결같이 단양주법이라는 사실과 함께 부재료인 솔잎이 사용되면서도 누룩의 양은 상대적으로 매우 적게 사용된다는 점이 흥미를 끄는 가운데 <양주방>*에는 이양주법 '송엽주' 주방문도 수록되어 있다.

<양주방>*의 이양주법 '송엽주'는 잘게 썬 솔잎을 주머니에 담고 술독에 안친 후 그 위에 두 차례에 걸쳐 고두밥으로 빚은 술밑을 안치는 방법으로, 전형적인 약용약주의 주방문을 취하고 있다. 밑술의 양보다 적은 쌀 양이 덧술에 사용되고

있어 이채롭다 하겠다.

<주찬>에도 단양주법과 이양주법을 수록하고 있는데, 그 방법이 매우 상이하다. <주찬>의 단양주법 '송엽주'는 고두밥과 송엽을 사용하고 숙성 후 좋은 술을 첨가하는 방법인데 반해, 이양주법은 밑술과 덧술에 찹쌀을 사용하는데 쌀 가공방법에 대한 언급이 없어 단양주법을 참고해 고두밥으로 빚는 주방문을 작성하였다.

그런데 <주찬>의 이양주법 '송엽주'는 덧술에 송절을 달인 물을 사용하고, 찹쌀의 양에 대한 언급이 없는 데다 특이하게 모과가루를 함께 사용하고 있음을 볼 때 '송절주(松節酒)'를 수록하고 있다 여겨진다.

'송엽주'는 민간에서도 널리 빚어 마시는 주품 가운데 하나이다. 이러한 양주방법의 등장은 솔잎의 효능 때문일 거라 추정된다.

주지하다시피 솔잎은 피톤치드 등 여러 가지 방향성 물질과 함께 특히 탄닌을 많이 함유하고 있다. 술을 빚는 데 있어 무엇보다 탄닌이 문제가 되는 만큼 탄닌을 최소화하는 게 '송엽주'를 빚기 위한 최우선 과제라 할 수 있다.

예로부터 민간에서 '구증구포(九蒸九餔)'라고 하여 불이나 열로써 어떤 재료가 갖고 있는 성분을 변화시키는 방법을 강구해 왔다. 이러한 작업의 일환으로 솔잎을 오랫동안 달인 물을 양주용수로 사용함으로써 탄닌에 의한 발효부진을 극복하고 있다는 점에서 주목할 필요가 있다.

'송엽주'의 주원료인 솔잎에는 피톤치드(Phytoncide)라는 살균작용을 하는 물질이 다량 함유되어 있으며, 이는 공기 중의 세균과 곰팡이를 죽이는 작용을 한다.

또한 솔잎의 성분 가운데 테르펜(terpene)으로 총칭되는 $C_{10}H_{16}$, $C_{16}H_{24}$, $C_{24}H_{32}$ 등의 화학성분들이 복합적으로 작용하여 진통·구충·항생·살충작용과 진정 및 혈압 강하작용을 한다는 사실도 과학적으로 규명되었다.

뿐만 아니라 솔잎에 소량 함유되어 있는 단백질과 지방·인·칼슘·철분·비타민 A·C 등이 고유의 성분과 더불어 콜레스테롤을 제거해 몸을 가볍게 하고, 기를 충실하게 하며, 피부를 윤택하게 하고, 혈액순환과 식욕을 촉진시킨다. 또 항암과 노화방지 효과와 더불어 아토피·항염 및 당뇨 개선 등 각종 성인병을 억제한다고 밝혀졌다.

바로 이런 까닭에 '송엽주'가 예로부터 가정의 상비주로 널리 사랑받아 왔다고 하겠다.

그 예로 <윤씨음식법>의 '송엽주' 주방문 말미에 "극는이 필셔ᄒᆞ니 ᄃᆡᄃᆡ 젼진ᄒᆞ고 유ᄌᆞ싱녀 선선이 ᄒᆞ며 셩혼 시와 등과ᄒᆞ여 외임 적의 대빈졉ᄃᆡ 이ᄃᆡ로 ᄒᆞ고 환갑 회혼예의 낙셩연 음식도 이만치만 ᄒᆞ라."고 하여 가정에 항상 있어야 할 것으로 여겼다. 또 "대대로 조상께 올리고, 유자셩녀의 결혼할 때와 과거급제하여 외부 손님접대 때 빚어 준비하고, 환갑이나 화혼례, 낙성연 잔치에 이만큼만 하라." 고 하여 상비주로서 가양주의 중요성을 강조하고 있다.

문헌에 따른 '송엽주'를 빚을 때는 무엇보다 품질이 좋은 누룩을 사용하도록 해야 한다. 주원료인 쌀의 양과 특히 솔잎 양에 비해 누룩의 양이 상대적으로 적게 사용된다는 건 그만큼 성공 가능성도 적다는 얘기이기도 하다.

누룩은 법제를 많이 하고 어레미로 쳐서 내린 가루를 다시 고운체로 치되, 고운체 안에 남은 누룩가루를 선택하도록 한다. 밀가루 같은 누룩가루가 많아지면 솔잎 특유의 쓴맛과 함께 술맛이 더욱 써질 수 있기 때문이다.

<고사촬요>와 <주찬>, <치생요람>의 주방문 말미에 "처음의 맛은 조금 쓰고 독하나 나중의 맛은 맑고 달기가 극에 달한다."고 한 언급에서도 알 수 있거니와 이때의 쓴맛은 솔잎에서 오는 맛이다. '그 맛이 매우 맑고 달다'고 한 것은 발효가 덜 이루어져 잔당이 많이 남았다는 의미이며, 결국 솔잎의 탄닌과 피톤치드 때문에 발효가 억제되어 알코올 도수가 낮음을 뜻한다.

<양주방>*에는 "오래 두어도 맛이 변하지 않는다."고 하였는데, 이렇듯 변질되지 않고 저장성을 가지려면 최소한 누룩의 양이 1되는 되어야 한다.

따라서 누룩의 선택에 따라 '송엽주'의 맛이 결정된다고 할 수 있다.

1. 송엽주 <고사촬요(故事撮要)>

술 재료 : 연중 채취한 솔잎 1되, 찹쌀 1말, 누룩가루 1되, 술(소주) 1되

술 빚는 법 :

1. (봄 3개월 동안은 동쪽으로 뻗은 가지의 솔잎을, 여름철 3개월은 남쪽으로 뻗은 가지의 솔잎을, 가을철 3개월은 서쪽으로 뻗은 가지의 솔잎을, 겨울철 3개월은 북쪽으로 뻗은 가지의 솔잎을 채취한다.)
2. (솔잎에 붙어 있는 꼭지/모엽을 잘라버리고 물에 깨끗이 씻어 물기를 털어 없앤 뒤, 볕이 들지 않은 음지에서 건조시킨다.)
3. 찹쌀 1말을 (물에 백 번 씻어 매우 깨끗하게 헹군 뒤, 새 물에 담가 불렸다가 다시 씻어 말갛게 헹궈서 물기를 뺀 뒤) 시루에 안쳐서 고두밥을 짓는다.
4. 고두밥이 무르게 익었으면 넓은 그릇에 펴내고, 주걱으로 고루 헤쳐 놓는다 (차게 식기를 기다린다).
5. 차게 식힌 고두밥에 누룩가루 1되와 앞서 준비한 솔잎 1되를 합하고, 고루 버무려 술밑을 빚는데, 객수(날물)가 들어가지 않도록 한다.
6. 술밑을 술독에 담아 안치고, 술독 주둥이에 묻은 것을 깨끗하게 씻어내고 베보자기를 씌운 다음 뚜껑을 덮어 3일간 발효시킨다.
7. 술 빚은 지 3일 후에 술 1되를 붓고, 다시 3일간 후숙시킨다.
8. 술이 익으면 용수 박아 채주하여 마신다.

* 주방문에 "3일 뒤에 술 1되를 첨가한다."고 하였는데, 술이 소주라고 하면 송순주를 응용한 혼양주법으로 생각된다. 주방문 말미에 "첫맛은 조금 쓰고 독하나 나중의 맛은 맑고 달기가 극에 달한다."고 한 것으로 미루어 혼양주법임을 알 수 있다.

松葉酒

粘米一斗烝飯待冷曲末一升松葉一升交和不用水釀之第三日後以好酒一升添入又過三日爛熟初味少有辛苦後味極其淸甘.

2. 송엽주방문 <김승지댁주방문(金承旨宅廚方文)>

술 재료 : 멥쌀 1말, 솔잎 10말, 누룩 5홉, 물 6말

술 빚는 법 :

1. 솔잎 10말을 채취하여 모엽을 제거한 후, 물에 깨끗이 씻어 물을 가득 붓고 한 번 삶아낸 후 물을 버린다.
2. 다시 솔잎에 물 6말에 넣고 삶다가 물이 2말이 되면, 솔잎과 찌꺼기, 기름기를 제거한다.
3. 멥쌀 1말을 백세하여 (물에 담가 불렸다가, 다시 씻어 헹궈서 물기를 뺀 후) 그릇에 담아놓는다.
4. 불린 쌀을 고운 가루로 빻아 끓고 있는 솔잎 달인 물 2말을 넣고, 주걱으로 고루 치대어 죽(범벅)을 갠 뒤 차게 식기를 기다린다.
5. 법제한 좋은 누룩 5홉을 차게 식은 죽(범벅)에 넣고, 고루 치대어 술밑을 빚는다.
6. 술밑을 소독하여 준비한 술독에 담아 안친 다음, 예의 방법대로 하여 (21일간) 발효시킨다.

* 주방문 말미에 "세이레 지난 후에 먹으라. 배에 냉기 일 때와 바람증 일 때 먹느니라."고 하였다. <음식보(飮食譜)>의 '송엽주' 주방문과 유사하다.

송엽쥬방문

솔입 열 말을 ᄒᆞᆫ 벌 ᄉᆞᆯ마 ᄇᆞ리고 물 엿 말 부어 두 말 되게 달혀 ᄇᆡᆨ미 ᄒᆞᆫ 말 ᄇᆡᆨ셰ᄒᆞ여 그 ᄉᆞᆯ힌 물에 듁 ᄀᆡ여 누룩 닷 홉 석거 너헛ᄃᆞ가 세 일 지ᄂᆞᆫ 후 먹으라. ᄇᆡ의 ᄂᆡᆼ기 잇ᄂᆞ니와 ᄇᆞ람증 잇ᄂᆞ니 먹ᄂᆞ니라.

3. 송엽주 <달생비서(達生秘書)>

각기(脚氣)와 풍비(風痹)를 치료한다. (처방은 풍문에 나온다.)

松葉酒
治脚氣, 風痹. <方見風門>.

4. 송엽주 <동의보감(東醫寶鑑)>

각기(脚氣)와 풍비(風痹)를 치료한다. (처방은 풍문에 나온다.)

松葉酒
治脚氣, 風痹. <方見風門>.

5. 송엽주 <수운잡방(需雲雜方)>

술 재료 : 멥쌀 1말, 솔잎 6말, 누룩 1되, 물 6말

술 빚는 법 :
1. 솔잎 6말을 채취하여 모엽(毛葉)을 제거한 후, 물에 깨끗하게 씻어 준비한다.
2. 솔잎 6말을 물 6말에 넣고 삶다가 물이 2말이 되면, 솔잎과 찌꺼기, 기름기를 제거한다.
3. 멥쌀 1말을 백세하여 (물에 담가 불렸다가, 다시 씻어 헹궈서 물기를 뺀 후) 세말한다(고운 가루로 빻는다).
4. 쌀가루를 솔잎 달인 물 2말에 풀어 넣고, 다시 팔팔 끓여 죽을 쑨 뒤 (넓은

그릇 여러 개에 나눠 담고) 차게 식기를 기다린다.
5. 법제한 좋은 누룩 1되를 차게 식은 죽에 넣고, 고루 버무려 술밑을 빚는다.
6. 술밑을 소독하여 준비한 술독에 담아 안친 다음, 예의 방법대로 하여 (21일간) 발효시킨다.

* 주방문 말미에 "세이레 후에 쓸 수 있으며, 만병을 다스리는 효과가 있다."고 하였다.

松葉酒
松葉六斗水六斗煎至二斗去滓及脂白米一斗百洗細末前水作粥待冷好曲一升和入瓮三七日後用之諸疾卽治.

6. 송엽주 <양주방>*

술 재료 : 솔잎 60근, 멥쌀 5말, 누룩(5~8되), 물 4섬

술 빚는 법 :
1. 솔잎 60근을 채취하여 물로 깨끗이 씻어 물기를 뺀 다음, 잘게 썰어놓는다.
2. 솥에 물 4섬(40말)과 준비한 솔잎을 넣고, 은근한 불로 달여서 물이 4말 9되가 되게 졸인다.
3. (솔잎 달인 물을 고운체나 면보로 걸러서 부유물과 찌꺼기를 제거한 후, 소독하여 준비해 둔 술독에 담는다.)
4. 희게 쓿은 멥쌀 5말을 (물에 씻고 또 씻어 불렸다가, 다시 씻어 건져서 물기를 뺀 후) 시루에 안쳐서 고두밥을 짓는다.
5. 고두밥이 익었으면 퍼낸다(고루 펼쳐서 차디차게 식기를 기다린다).
6. 고두밥에 솔잎 달인 물을 붓고, 밥이 물을 먹으면, 누룩(5되~8되)을 섞고,

예사 술 빚듯이 고루 버무려 술밑을 빚는다.
7. 술밑을 술독에 담아 안치고, 예의 방법대로 하여 7일간 발효시킨다.

* 주방문 말미에 "솔잎 달인 물을 밥에 고르게 뿌리기도 하고 또 씻고 가시기도 하여, 군물을 들이지 말고 빚어라. 이레 만에 익거든 취하도록 마셔라."고 하였으며, 또 "여러 가지 풍증과 걷지 못하는 증세가 이 술을 먹으면 좋다."고 하였다.

숑엽쥬

숑엽 뉵십 근을 ᄀᆞ늘게 싸흐라 물 넉 셤의 달혀 물이 너 말 아홉 되 되거든 쌀 닷 말을 지예 쪄 네ᄉᆞ 술 빗듯 ᄒᆞᄃᆡ 숄닙 달힌 물을 밥의 고ᄅᆞ기도 ᄒᆞ고 씻가식기도 ᄒᆞ야 다른 물 드리지 말고 비졋다가 칠일 만의 닉거든 취도록 먹으라. 열두 가지 풍증과 거러ᄃᆞ니지 못ᄒᆞᄂᆞᆫ 증을 이 술 먹으면 죠흐니라.

7. 송엽주 <양주방>*

> 술 재료 : 밑술 : 연중 채취한 솔잎 1되, 멥쌀 1말, 누룩가루 1되, (끓여 식힌 물 1말)
> 덧술 : 찹쌀 5되, 누룩가루 5홉

술 빚는 법 :

* 밑술 :

1. 솔잎을 채취하여 준비한다(꼭지/모엽을 잘라버리고 물에 깨끗이 씻어 물기를 털어 없앤 뒤, 볕이 들지 않은 음지에서 건조시킨다).
2. 수분을 제거한 솔잎을 잘게 썰어서 베자루에 담고, 끈으로 묶어놓는다.
3. 멥쌀 1말을 희게 쓿어(도정을 많이 하여) 깨끗이 씻고 또 씻어 (백세하여 깨끗하게 헹군 뒤, 새 물에 담가 불렸다가 다시 씻어 말갛게 헹궈) 고두밥을

짓는다.

4. 고두밥이 무르게 익었으면, 자리에 고루 헤쳐서 차게 식기를 기다린다.
5. 차게 식힌 고두밥에 누룩가루 1되와 (끓여 식힌 물 1말을) 한데 합하고 고루 버무려 술밑을 빚는다.
6. 앞서 준비한 솔잎 자루를 술독에 먼저 안친 후, 그 위에 술밑을 담아 안치고 예의 방법대로 하여 발효시킨다.
7. 술이 익기를 기다려 덧술을 한다.

* 덧술 :

1. 찹쌀 5되를 (희게 쓿어 깨끗이 씻고 또 씻어 깨끗하게 헹군 뒤, 새 물에 담가 불렸다가 다시 씻어 말갛게 헹궈) 고두밥을 짓는다.
2. 고두밥이 무르게 익었으면 넓은 그릇에 퍼내고, 주걱으로 고루 헤쳐서 차게 식기를 기다린다.
3. 차게 식힌 고두밥에 밑술과 누룩가루 3홉을 합하고 고루 버무려 술밑을 빚는다.
4. 술독에 술밑을 담아 안치고 예의 방법대로 하여 발효시켜서 익기를 기다린다.

* '송엽주' 가운데 유일한 이양주법의 주방문을 보여주고 있다.

숑엽쥬

ᄉᆡᆼ숑엽을 잘게 싸흐라 ᄒᆞᆫ 되만 굵은 베 자로에 너허 독 밋히 너코 ᄇᆡᆨ미 ᄒᆞᆫ 말 ᄇᆡᆨ셰작말ᄒᆞ야 ᄂᆡᆨ게 쪄 누록 ᄒᆞᆫ 되를 섯거 그 독의 너허 ᄂᆡᆨ거든 졈미 닷 되를 ᄂᆡᆨ게 밥 쪄 식거든 누록 서 홉 ᄒᆞ고 젼슐과 섯거 너허 ᄂᆡᆨ거든 쓰라.

8. 송엽주방 <역주방문(曆酒方文)>

술 재료 : 연중 채취한 솔잎

술 빚는 법 :

1. 봄 3개월 동안은 동쪽으로 뻗은 가지의 솔잎을, 여름철 3개월은 남쪽으로 뻗은 가지의 솔잎을, 가을철 3개월은 서쪽으로 뻗은 가지의 솔잎을, 겨울철 3개월은 북쪽으로 뻗은 가지의 솔잎을 채취한다.
2. 솔잎에 붙어 있는 꼭지(모엽)를 잘라버리고 물에 깨끗하게 씻어 물기를 털어 없앤 뒤, 볕이 들지 않은 음지에서 건조시킨다.
3. 솔잎을 방아에 찧어 가루로 만들어 날마다 공복에 복용하면, 백발이 다시 검어지고 백 가지 모든 병이 없어지고, 몸이 몹시 가벼워 경쾌하게 움직일 수 있으며, 걸음을 건실하게 걸을 수 있고, 허기증을 느끼지 않게 된다.

* <역주방문>의 '송엽주'는 주방문이 아닌 '솔잎 선식(仙食)'의 개념으로 보인다.

松葉酒方

春三(則)取東枝葉夏三(則)取南枝葉秋三(則)取西枝葉冬三(則)取北枝葉截去其葉陰乾以置另搗和酒日常空心腹白髮還黑祛百病能輕身健步令不飢.

9. 송엽주 <온주법(醞酒法)>

술 재료 : 연중 채취한 솔잎, 청주

술 빚는 법 :

1. 봄에는 동녘 가지, 여름에는 남녘 가지, 가을에는 서녘 가지, 겨울에는 북녘 가지의 송엽을 채취한다.
2. 솔잎에 붙은 꼭지를 제거하여 물에 깨끗하게 씻어서 말린다.
3. 솔잎을 방아에 찧어 가루로 만들어 날마다 공복에 술에 타서 양대로 마신다.

* 주방문 말미에 "공심에 술에 타서 양대로 마시면 센머리 다시 검게 되고, 백병이 없고 몸이 가볍고 밥 아니 먹어도 배고프지 아니하니라."고 하였다.
* <역주방문>에도 수록되어 있다. 선식의 개념이다.

숑녑듀

봄의ᄂᆞᆫ 동녁 가지 여ᄅᆞᆷ은 남녁 가지 가을은 셧녁 가지 겨을은 북녁 가지 솔닙흘 싸 곡지를 긋처 말ᄒᆞ야 날마ᄃᆞ 공심의 술의 타 양ᄃᆡ로 먹으면 센 머리 다시 검고 ᄇᆡᆨ병이 업(ᄂᆞᆫ) 몸이 가보얍고 밥 아니 먹어도 ᄇᆡ 고프지 아니ᄒᆞ니라

10. 송엽주 <요록(要錄)>

술 재료 : 멥쌀 1말, 누룩 1되, 솔잎 적당량, 물 3말

술 빚는 법 :

1. 깨끗한 솔잎을 채취하여 물에 깨끗하게 씻은 뒤, 물 3말에 넣고 삶다가 물이 1말이 되면 솔잎과 기름(송진), 찌꺼기를 제거한다.
2. 멥쌀 1말을 백세하여 (새 물에 담가 불렸다가, 다시 씻어 물기를 뺀 후) 세말한다.
3 쌀가루를 솔잎 달인 물 1말에 풀어 넣고, 예의 방법대로 하여 죽을 쑨 뒤 차게 식기를 기다린다.

4. 죽이 차게 식었으면 법제한 좋은 누룩 1되를 넣고, 고루 버무려 술밑을 빚는다.
5. 소독하여 준비한 술독에 술밑을 담아 안친 다음, 예의 방법대로 하여 21일간 발효시킨다.
6. 술이 익었으면 술자루에 담아 압착, 여과하여 공복에 음용한다.

松葉酒

松葉六斗水六斗煎至二斗之滓及脂白米一斗百洗細末以其水作粥待冷好麴末一升和入瓮三七日後用.空心服.

11. 송엽주방문 <윤씨(尹氏)음식법>

술 재료 : 멥쌀 1말, 솔잎 6말, 가루누룩 5홉, 물 6말

술 빚는 법 :

1. 솔잎 6말을 채취하여 깨끗하게 다듬고, 물을 가득 채워 한 번 끓여낸 후 물을 따라 버린다.
2. 다시 솔잎을 물 6말에 넣고 삶았다가 건져내고 물은 버린다.
3. 솥에 새로 길어온 물 6말에 솔잎을 넣고 달여서 물이 2말이 되면 솔잎과 찌꺼기를 제거한다.
4. 멥쌀 1말을 백세하여 (물에 담가 불려다가 다시 씻어 건져서 물기를 뺀 후, 절구에) 찧어 가루로 만든다.
5. 솔잎 달인 물 1말에 쌀가루를 넣고, 주걱으로 천천히 저어가면서 팔팔 끓여 죽을 쑨 뒤 (넓은 그릇에 퍼서) 차게 식기를 기다린다.
6. 죽이 차게 식었으면 (법제한) 가루누룩 5홉을 합하고, 고루 버무려 술밑을 빚는다.

7. 술밑을 술독에 담아 안친 후, 예의 방법대로 하여 14일간 발효시킨다.

* 주방문 말미에 “ᄀᆞᆨᄂᆞᆫ이 필셔ᄒᆞ니 ᄃᆡᄃᆡ 젼진ᄒᆞ고 유ᄌᆞᄉᆡᆼ녀 선선이 ᄒᆞ며 셩혼 시와 등과ᄒᆞ여 외임 젹의 대빈졉ᄃᆡ 이ᄃᆡ로 ᄒᆞ고 환갑 회혼예의 낙셩연 음식도 이만치만 ᄒᆞ라.”고 하였다. 이는 송엽주를 “가정에 항상 있어야 할 것으로, 대대로 조상께 올리고, 유자성녀 결혼할 때, 과거급제하여 외부 손님 접대할 때 빚어 준비하고, 환갑이나 화혼례, 낙성연 잔치에 이만큼만 하라.”고 하여 상비주로서의 중요성을 강조하였다.

숑엽듀방문

숑엽 엿 말을 ᄯᅳ더 살마 그 믈란 바리고 ᄯᅩ 물 엿 말을 부어 살마 그 믈이 두 말이 되거든 숑엽은 바리고 빅미 ᄒᆞᆫ 말 빅셰ᄒᆞ여 ᄀᆞ로 ᄶᅵ허 그 믈노 쥭 ᄡᅮ어 ᄎᆞ거든 ᄀᆞ로누룩 닷 홉을 셧거 너허 이칠 후 ᄡᅳ라. ᄀᆞᆨᄂᆞᆫ이 필셔ᄒᆞ니 ᄃᆡᄃᆡ 젼진ᄒᆞ고 유ᄌᆞᄉᆡᆼ녀 선선이 ᄒᆞ며 셩혼 시와 등과ᄒᆞ여 외임 젹의 대빈졉ᄃᆡ 이ᄃᆡ로 ᄒᆞ고 환갑 회혼예의낙 셩연 음식도 이만치만 ᄒᆞ라.

12. 송엽주 <주찬(酒饌)>

술 재료 : 찹쌀 1말, 누룩가루 1되, 솔잎 1되, 좋은 술 1되

술 빚는 법 :

1. 찹쌀 1말을 백세하여 물에 담가 하룻밤 불렸다가 (다시 씻어 헹궈 건져서 물기를 뺀 뒤) 시루에 안쳐서 고두밥을 짓는다.
2. 고두밥이 익었으면 퍼내고, 고루 펼쳐서 차게 식기를 기다린다.
3. 고두밥에 깨끗이 씻어 말린(물기를 제거한) 솔잎 1되와 누룩가루 1되를 합하고, 고루 버무려 술밑을 빚는다.

4. 술독에 술밑을 담아 안치고, 단단히 밀봉하여 따뜻한 곳에서 3일간 발효시킨다.
5. 3일 후 좋은 청주 1되를 붓고, 다시 밀봉하여 3일간 후숙시켜 익기를 기다린다.

* 주방문 말미에 "처음에는 맵고 쓴맛이 있으나, 뒤에는 그 맛이 매우 맑고 달다."고 하였다. <고사촬요>의 주방문과 유사하다.

松葉酒
粘米一斗烝飯待冷曲末一升松葉一升交和不用水釀之第三日後以好酒一升添入又過三日爛熟初味少有辛苦後味極其淸甘.

13. 송엽주 <치생요람(治生要覽)>

술 재료 : 연중 채취한 솔잎 1되, 찹쌀 1말, 누룩가루 1되, 술 1되

술 빚는 법 :
1. (봄 3개월 동안은 동쪽으로 뻗은 가지의 솔잎을, 여름철 3개월은 남쪽으로 뻗은 가지의 솔잎을, 가을철 3개월은 서쪽으로 뻗은 가지의 솔잎을, 겨울철 3개월은 북쪽으로 뻗은 가지의 솔잎을 채취한다.)
2. (솔잎은 꼭지/모엽을 잘라버리고 물에 깨끗이 씻어 물기를 털어 없앤 뒤, 볕이 들지 않은 음지에서 건조시킨다.)
3. 찹쌀 1말을 (물에 백 번 씻어 매우 깨끗하게 헹군 뒤, 새 물에 담가 불렸다가 다시 씻어 말갛게 헹궈서 물기를 뺀 다음) 시루에 안쳐서 고두밥을 짓는다.
4. 고두밥이 무르게 익었으면 넓은 그릇에 퍼내고, 주걱으로 고루 헤쳐 둔다(차게 식기를 기다린다).

5. 차게 식힌 고두밥에 누룩가루 1되와 앞서 준비한 솔잎 1되를 합하고, 고루 버무려 술밑을 빚는다. 객수(날물)를 넣지 않는다.
6. 술밑을 술독에 담아 안치고, 술독 주둥이에 묻은 것을 깨끗하게 씻어내 베 보자기를 씌운 다음, 뚜껑을 덮어 3일간 발효시킨다.
7. 술 빚은 지 3일 후에 술 1되를 붓고, 다시 3일간 후숙시킨다.
8. 술이 완숙되었으면 용수 박아 채주하여 마신다.

* 주방문 말미에 "첫 맛은 조금 쓰고 독하나 나중 맛은 맑고 달기가 극에 달한다."고 하였다.

松葉酒
粘米一斗蒸飯曲末一升松葉一升交和不用水入瓮三日以好酒一升入又過三日爛熟初味火有盖後極淸甘.

14. 송엽주 <침주법(浸酒法)>

–한 말 빚이

술 재료 : 솔잎 10말, 찹쌀 1말, 누룩 5홉, 물 10말(솔잎 달인 물 2말)

술 빚는 법 :
1. 솔잎을 많이 채취하여 1말을 물에 살짝 씻어 이물질을 제거한다.
2. 솥에 물 6말을 붓고 솔잎을 넣어, 물이 2말이 되게 은근한 불에 달인다.
3. 솔잎을 제거하고 솔잎 달인 물을 퍼서 면보에 걸러 찌꺼기를 제거한다.
4. 찹쌀 1말을 백세한다(물에 담가 불렸다가, 다시 씻어 건져서 물기를 빼놓는다).
5. 불린 쌀을 가루로 빻아 솔잎 달인 물에 넣고 끓여서 죽을 쑨다.
6. 죽이 퍼지게 익었으면, 그릇 여러 개에 나눠 담고 뚜껑을 덮어서 차게 식기

를 기다린다.

7. 죽에 누룩 5홉을 섞고, 고루 버무려 술밑을 빚는다.
8. 술밑을 술독에 담아 안치고, 예의 방법대로 하여 7일간 발효시킨다.

송엽쥬(松葉酒)—ᄒᆞᆫ 말

솔닙 열 말애 믈 엿말 브어 두 말 되게 달혀 ᄇᆡᆨ미 ᄒᆞᆫ 말을 ᄇᆡᆨ셰ᄒᆞ야 ᄀᆞᄅᆞ 브아 그 물의 죽 수어 ᄎᆞ거든 누록 닷 홉으로 섯거 기픈 독의 녀허 닐웨 지나거든 쓰라.

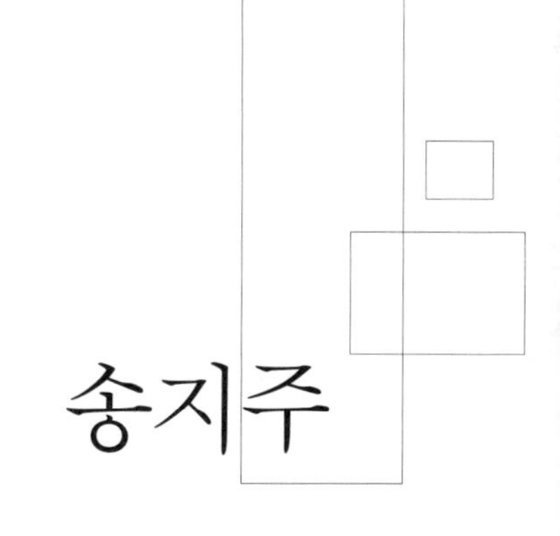

송지주

스토리텔링 및 술 빚는 법

전승가양주를 조사하면서 옛 어른들께 말로만 들어왔던 '송지주(松脂酒)'에 대한 주방문을 <임원십육지(林園十六志)>에서 드디어 목격하게 되었다.

필자는 <임원십육지>의 '송지주' 주방문을 보면서 조부님이 봄철이면 '송피주'를 빚어 드시던 기억을 떠올리게 되었다.

50대 이상의 농촌 출신이라면, 아마도 먹을거리가 없던 춘궁기(春窮期)에 물이 오른 소나무 껍질을 벗겨 먹던 추억(?)이 있을 것이다.

당시 어린 나이여서 그것이 배가 고파 끼니 대신 먹어야 했던 구황식(救荒食)이었다는 사실을 모른 채 달고 떫으면서 상큼한 껌처럼 맛있었다는 기억만 있으니, 지금 생각하면 세상물정 모르는 철부지였던 모양이다.

하루는 집 마당에 성주(집 짓는 일)를 하기 위해 소나무를 베어다 산더미처럼 쌓아 놓았는데, 거기서 송피를 벗겨 먹느라 정신이 없는 필자에게 조부님은 "나무를 베어둔 지 오래여서 송키 맛이 없고 질기다."고 하시더니 소나무의 속껍질과 송진을 열심히 긁어모아 대밭으로 들어가시고는 한참을 나오질 않으셨다.

당시엔 맛있는 껌을 빼앗겨버린 그런 느낌이었는데, 후일 그것이 달콤쌉싸름한 술이 되었다고 기억한다.

필자의 고향집 가양주(家釀酒)는 멥쌀과 차조를 섞어 지은 고두밥에 뇌명누룩(분곡)과 물을 섞어 한 번 빚었던 '좁쌀술'을 증류하여 만든 '좁쌀소주'였다. '솔술'은 이 '좁쌀술'에 '소주'를 내리기 전 다시 멥쌀과 차조가루에 송피와 송진을 넣고, 오랜 시간 달여서 만든 죽을 하룻밤 방치하여 두었다가 덧술로 넣어 빚는 방식이었다. '솔술'이라 불렀던 그 맛은 의외로 부드럽고 특히 솔향이 좋았던 것으로 기억한다.

'송지(松脂)'는 소나무의 겉껍질과 속껍질인 송피를 벗겨내면 나오는 소나무의 진액으로 사람의 피와 같은 것이다. 흔히 '송진'이라고도 하는데, 이 '송지'를 사용해 빚는 술이 '송지주'이다.

이러한 '송지주'는 <임원십육지>에만 수록되어 있으며, 이양주법(二釀酒法)이다. 밑술은 찹쌀 2되로 만든 죽에 누룩가루를 섞어 5일간 발효시킨다고 하였으나, 물의 양이 나와 있지 않아 통상적으로 술 빚는 죽의 형태를 감안하여 물의 양을 쌀의 2배인 4되로 산정하였다.

밑술이 완성되면, 찹쌀 1곡(斛, 요즘의 3말에 해당한다고 하나 정확하지 않음)을 백세 후 침지하여 불린 후 쪄서 차게 식힌 고두밥과 송지를 달인 물에 누룩과 함께 밑술에 버무려 넣는 방법으로 술 빚기를 끝낸다.

주지하다시피 '송지주'는 밑술의 쌀 양에 비해 덧술의 쌀 양이 상대적으로 많으나, 덧술의 누룩 양은 정확히 얼마인지 알 수 없다. '편'은 인삼을 잴 때 사용하는 단위로, 누룩의 양을 편으로 계량한 주방문도 '송지주'가 처음이다.

어찌됐든 술을 빚을 때 가장 중요한 과정은 송지를 가능한 한 뭉근한 불에서 오랫동안 달여야 한다는 것이다. 그래야 실수가 없고, 숙성된 후에도 술이 산화를 일으키지 않는다. 송지를 달이는 과정을 소홀히 하면, 술이 완성된 후에도 산화가 계속 진행되어 술맛이 변하고, 혼탁현상을 비롯해 주질이 떨어진다.

잘 빚어진 '송지주'는 '송순주'와 그 맛과 향기가 유사하다. 솔잎이나 송순을 많이 넣어 빚은 술맛과 향기를 연상하면 틀림없다.

송지주 <임원십육지(林園十六志)>

술 재료 : 밑술 : 찹쌀 2되, 밀누룩가루 3~3.5냥, 물(4되)
덧술 : 찹쌀 10곡(3말), 누룩가루 20편, 송지 14냥, 물 6말 5되

술 빚는 법 :

* 밑술 :

1. 찹쌀 2되를 백세하여 물에 담가 불렸다가, 다시 씻어 헹궈 건져서 물기를 뺀다.
2. 솥에 물(4되)을 붓고 불린 쌀과 함께 끓여서 죽을 쑨 후, 넓은 그릇에 퍼서 차게 식기를 기다린다.
3. 차게 식은 죽에 햇볕에 말려 가루로 빻은 밀누룩 3~3.5냥을 섞고, 고루 버무려 술밑을 빚는다.
4. 술독에 술밑을 담아 안치고, 예의 방법대로 하여 5일간 발효시킨다.

* 덧술 :

1. 물 6말 5되에 송지 14냥을 섞고, 오랫동안 뭉근한 불에 달여서 (송지 달인 물이 3말 2되 5홉이 되면) 차게 식힌다.
2. 찹쌀 10곡(3말)을 백세하여 물에 담가 불렸다가 다시 씻어 건져서 물기를 뺀 후, 시루에 안쳐서 고두밥을 짓는다.
3. 고두밥이 익었으면 퍼내고, 고루 펼쳐서 차게 식기를 기다린다.
4. 송지 달인 물이 차게 식으면, 수면 위에 얇은 막이 생기는데 끈끈한 송진액과 같으므로 깨끗하게 걷어내는 것이 좋다.
5. 찹쌀고두밥에 밑술과 햇볕에 말려 법제하여 가루로 빻은 누룩가루 20편, 송지 달인 물을 한데 섞고, 고루 버무려 술밑을 빚는다.
6. 술독에 술밑을 담아 안치고, 예의 방법대로 하여 3~4일간 발효시킨다.

* 1곡(斛)은 10말이란 뜻이나 현재의 도량으로는 3말에 해당한다,

松脂酒

<醉鄕日月記> 松脂蠲百疾每糯米一斛松脂十四兩別以糯米二升煮如粥稍冷着小麥麴一片反每片重二三兩火曝乾搗爲末攪作酵五日二来候起辨炊飯來須薄之更以麴二十片火焙乾作末用水六斗五升酵及麴末飯等一時攪和入甕甕爛和如常春冬四日秋夏三日成.

송하주

스토리텔링 및 술 빚는 법

'송하주(松下酒)'는 "소나무 아래 술독을 묻는다."는 뜻에서 유래한 주품명이다. 이처럼 술독을 땅에 묻는 방식을 이양주(異釀酒) 또는 이양법(異釀法)이라고 하는데, '와송주'와 '죽통주' 등이 여기에 해당된다.

'송하주'라는 주품명은 <한국민속대관(韓國民俗大觀)>에 처음 등장한다. 이 기록이 유일한 것으로 생각되며, 술 빚는 주방문에 관해서는 자세히 알 수 없다.

그리고 <산림경제(山林經濟)>를 비롯해 <임원십육지(林園十六志)>와 <해동농서(海東農書)> 등 여러 문헌에 가끔 등장하는 '지주(地酒)'도 유사한 방법으로 이양주의 범위에 포함된다.

<한국민속대관>은 1982년 고려대학교 부설 민족문화연구소에서 간행한 문헌으로, '송하주' 주방문 말미에 이양주에 대해 자세히 기록하고 있다. 그 내용을 보면 "보통 술은 처방대로 재료를 혼합해서 항아리에 빚는데, 숙성과정에 특별한 방법을 써서 만드는 경우가 있다. 즉, 술덧을 담는 그릇으로 생나무통을 이용하는 경우도 있고, 산 대나무의 대롱을 사용하기도 했다. 어떤 경우에는 술항

아리를 땅속에 묻거나, 물 속에 담가 술덧을 숙성시키는 등 특별한 방법을 쓰는 경우가 있다. 이러한 방법에 따라 숙성시켜 만드는 술을 '이양주(異釀酒)'라고 한다. 이러한 술은 중국에도 많이 있는 사실로 보아 중국에서 전래한 것이 아닌가 한다."고 하였다. 그런 다음 "이상 소개한 주방문은 조선 중엽 이후의 문헌에 나와 있는 것들이다."고 하였으나, 음식 관련 다른 문헌에서는 '송하주'에 대한 기록을 찾을 수 없었다.

한편 벌써 20년이 훨씬 넘은 것으로 기억한다. 가양주(家釀酒) 조사를 다니던 때 강원도 양양에서 예의 '송하주'를 빚고 있는 정화목 씨를 면담하면서 '송하주' 빚는 법에 대해 얘기를 나눈 적이 있었는데, 그때 "<한국민속대관>의 '송하주' 기록을 토대로 복원한 것"이라고 들었다.

그러나 실제 양주방법은 삼양주법(三釀酒法)의 장기발효주로, 술독을 땅에 묻어서 발효시키는 방법이 아닌 지상에서 저온 장기발효시키는 방법이었다.

정화목 씨 말에 따르면, "먼저 흑국(黑麴)과 물을 섞어 수곡(水麯)을 만든 뒤, 멥쌀고두밥을 투입하여 밑술(酒母)을 빚는다. 3일 후 멥쌀과 옥수수를 90:10의 비율로 섞어 고두밥을 짓고, 부원료로 송근·당귀·오미자·계피·솔잎을 밑술과 물을 한데 합하여 덧술을 빚는다. 덧술은 7일간 발효시키는데 2차 덧술은 덧술과 같은 비율로 투입하여 다시 7일간 발효시켜 숙성된 술덧을 얻고, 여과하여 마신다."고 하였다.

정씨의 '송하주'는 비교적 주질은 좋았으나, 당시에도 인지도가 낮은 까닭에 고전하고 있었고, 결국 어느 때부턴가 찾아볼 수 없게 되었다.

<한국민속대관>의 '송하주'를 빚을 때 주의할 점은, 술밑을 안친 독을 땅에 묻을 때 반드시 '옷'을 입혀야 한다는 것이다. '옷'은 술독을 감싸는 것으로, 대개 볏짚을 이용해 이엉이나 마람을 엮어 술독의 밑바닥과 몸을 감싼다. 비나 물이 술독 주변으로 흘러들었을 경우, 흙냄새가 술독에 배이지 않도록 하기 위한 조치이다.

자칫 흙물이 술독에 직접 닿아 술에 배어들면, 술맛을 그르치기 때문이다. 이와 같은 방법은 김장독과 젓갈을 땅에 묻어 오랜 시간 숙성시키는 경우에도 사용해 왔으나, 현재는 찾아보기 힘들게 되었다.

술독에 '옷'을 입히는 방법과 함께 술독을 땅에 묻는 방법은 '지주' 편에 자주 등장하므로 참고하기 바란다.

자칫 잊혀질 뻔했던 '송하주'에 대한 기록을 필자의 <명가명주(名家名酒)> 편에 수록한 바 있으나, <한국민속대관>에서 다시 찾게 되어 참으로 다행스러운 일이 아닐 수 없다. 우리가 그간 간과해 왔던 '생활문화 기록'의 중요성을 새삼 다시 깨닫게 되었다.

일제강점기 이전까지 팔도강산에 넘쳐났던 전승가양주들에 대한 역사적·문화적 가치는 천문학적 숫자로도 감당 못할 일이라고 생각한다.

그런데 이런 소중한 문화자원들이 사라지고 멸실된 까닭은 '생활문화 기록'에 대한 중요성을 깨닫지 못한 데서 비롯된 것이므로 못내 안타까울 뿐이다.

송하주 <한국민속대관(韓國民俗大觀)>

술 재료 : 술밑(멥쌀 1말, 누룩가루 3되), 소나무

술 빚는 법 :

1. 동짓날 하루 전에 멥쌀 1말로 술거리를 준비한다(백세하여 물에 담가 불렸다가 다시 씻어 헹궈서 물기를 뺀 후, 시루에 안치고 고두밥을 짓는다).
2. (고두밥이 익었으면 퍼내고, 고루 펼쳐서 차게 식기를 기다린다.)
3. 고두밥과 누룩가루 3되를 합하고, 힘껏 치대어 술밑을 빚는다.
4. 땅을 파고 소나무 가지로 사방을 둘러 집을 짓고, 그 안에 술독을 묻은 뒤 술독에 술밑을 담아 안친다.
5. 술독에 뻗어 나온 소나무의 굵은 뿌리를 술덧에 쑤셔 박고, 베보자기를 씌운 뒤 예의 방법대로 단단히 밀봉한 후 뚜껑을 덮는다.
6. 흙으로 술독을 덮어 햇볕을 가린다.
7. 땅속에 묻은 지 7개월 후에 술독을 파내어 채주한다.

* 주방문 말미에 이양주(異釀酒)에 대하여 "보통 술은 처방대로 재료를 혼합해서 항아리에 빚는데, 숙성과정에 특별한 방법을 써서 만드는 경우가 있다. 즉, 술덧을 담는 그릇을 생나무통을 이용하는 경우도 있고, 산 대나무의 대롱을 사용하는 수도 있었다. 어떤 경우에는 술항아리를 땅속에 묻거나, 물속에 담가 술덧을 숙성시키는 등 특별한 방법을 쓰는 경우가 있다. 이러한 방법에 따라 숙성시켜 만드는 술을 이양주라고 한다. 이러한 술은 중국에도 많이 있는 사실로 보아, 중국에서 전래한 것이 아닌가 한다. 이상 소개한 주방문은 조선 중엽 이후 문헌에 나와 있는 것들이다."고 하였다.

송하주(松下酒)

동짓날 밤에 소나무 밑을 파고, 술을 빚어 넣은 항아리에, 소나무 뿌리를 넣고 봉해두었다가, 이듬해 늦가을에 파내어 마시는 술이다.

송화주

스토리텔링 및 술 빚는 법

민간에서 오리알을 부화시키기 위한 방편으로 닭둥우리 속에 달걀과 함께 섞어놓는데, 그러면 닭이 자기가 낳은 알인 줄 알고 정성들여 그 알도 부화시킨다.

비유가 적절할지 모르겠지만, 술 빚는 법 가운데 '화향입주법(花香入酒法)'과 '주중지약법(酒中漬藥法)'을 보면, 남의 힘을 빌려 목적하는 바를 달성하는 게 꼭 "얌체 같다."는 생각과 함께 "술 빚는 방법도 참 쉽다."는 생각이 든다.

그나마 '화향입주법'은 남의 힘을 빌려오기는 하지만 주인(主人) 행세는 하지 않는데 비해, '주중지약법'은 남에게 의탁하면서 주인 행세를 하는 격이라 더욱 그렇다.

'주중지약법'은 발효가 끝난 술이나 발효가 다 되어가는 술덧에 목적하는 약재나 가향재를 직접 쑤셔 박아 놓음으로써 사용된 약재나 가향재의 직접적인 맛과 향으로 인해 본디 술이 갖고 있는 맛과 향, 성질까지 바꿔버리는 경향이 있다.

그에 비해 '화향입주법'은 본디 술의 향기는 바뀌지만, 맛이나 성격은 바뀌지 않기 때문에 두 방법이 같으면서도 차이가 있다 하겠다.

'주중지약법'으로 이루어지는 주품은 여러 가지가 있겠으나, 음식 관련 고식문헌에 수록된 주품으로는 여기서 다루고자 하는 '송화주(松花酒)'가 대표적이다.

<농정회요(農政會要)>를 비롯해 <임원십육지(林園十六志, 高麗大本)>와 <조선무쌍신식요리제법(朝鮮無雙新式料理製法)>에는 '주중지약법'의 '송화주' 주방문이 수록되어 있고, <조선무쌍신식요리제법>에는 '화향입주법'의 '송화주' 주방문도 함께 수록되어 있다.

한편 <우음제방(禹飮諸方)>과 <음식디미방>은 술을 빚을 때 송화를 직접 혼합하여 발효시키는 방법의 '송화주'를 수록하고 있어 근본적인 차이를 보인다. 또한 <우음제방>의 '송화주'는 단양주(單釀酒)인데 반해, <음식디미방>의 '송화주'는 이양주(二釀酒)라는 점과 송화를 두 차례 사용한다는 점에서도 차이를 나타낸다. 특히 시대가 앞선 <음식디미방>의 '송화주' 주방문은 후기 기록인 <임원십육지>에서 '송로양방(松露釀方)'이라고 하여 '송화주'와 차별화되는 경향을 보이고 있다.

따라서 '송로양방'에서 구체적으로 다루었음을 밝혀둔다.

주지하는 바와 같이 '송화'처럼 향기와 삽미(澁味)가 강한 재료를 술에 넣고자 할 때 주의할 점은 얻고자 하는 술을 단기간에 마실 것인지, 두고두고 마실 것인지를 판단하여 그 사용량을 달리해야 한다는 것이다.

자칫 사용코자 하는 재료의 성분이나 맛, 색깔로 인해 술맛이 근본적으로 바뀐다든지 변질되는 경향에 대비해야 한다. 오랜 시간 숙성과정을 거쳐야 하거나 오랫동안 보관해 두고 마실 경우에는 그 양을 줄여서 넣어야 한다. 시간이 오래 경과할수록 향이나 맛이 강하게 나타나는 특성 때문이다.

여기서 가장 중요한 한 가지 사실이 있다. 송화주에서 '지약주중법'을 취하고 있는 주방문을 보면, 이들 주품이 한결같이 백주(白酒)의 술덧을 사용한다는 점이다. 백주는 탁주를 얻기 위해서 빚은 술을 가리킨다.

그렇다면 백주가 아닌 "용수를 박아서 마실 수 있는 청주(淸酒)는 안 될까?" 하는 궁금증이 생겼다. 말인즉 "왜 백주를 사용하는 것으로만 주방문이 이루어졌을까?"를 생각해 보아야 한다는 것이다.

주지하다시피 '백주(탁주)'를 사용할 것인가, '청주'를 사용할 것인가 하는 결정은 사용할 재료에 달려 있다. '화향입주법'의 '주배이용법(지약주중법)'을 공부했으면 알겠지만, '화향입주법'에서는 용수를 박아두었다가 맑게 가라앉기를 기다려 청주로 떠서 마시면 된다.

하지만 '송화주'는 백주인 탁주(濁酒)를 선택할 수밖에 없는 이유가 있다. 그건 바로 송화가 천성적으로 갖고 있는 탄닌 때문이다. 송화의 화분을 비롯해 꽃자루 속에 함유하고 있는 탄닌 성분이 삽미를 주기도 하지만, 시간이 오래될수록 공기와 접촉하면 술 색깔이 산화하여 검붉은 빛을 띠고, 삽미는 점점 강해져서 술맛을 그르치게 된다.

송화가 귀한 재료임에도 불구하고, '백주'로 마실 수밖에 없는 이유가 바로 그 선천적인 성질 때문인 것이다.

1. 송화주 <농정회요(農政會要)>

술 재료 : 송화 썬 것 1되, 발효 중인 백주(탁주)

술 빚는 법 :

1. 3월경에 쥐꼬리 같은 송화를 따다 잘게 썰어서 1되를 준비한다.
2. 잘게 썬 송화를 비단 주머니에 담고 끈으로 묶어놓는다.
3. 백주가 다 익어갈 무렵 술항아리 중앙 부분을 우물 정(井) 형태로 파고, 그 속에 송화 주머니를 쑤셔 박아 3일간 담가놓는다.
4. 3일 후에 송화 주머니를 건져내고 술을 떠서 마시면, 그 맛이 맑고 향기로우며 감미롭다.

松花酒

三月取松花如鼠尾者細挫一升用絹帒盛之造白酒熟時投帒于酒中心井內浸三日取出漉酒飮之其味淸香甘美. <遵生八牋>.

2. 송화주법 <우음제방(禹飮諸方)>

술 재료 : 흰찹쌀 1말, 송홧가루 1홉, 누룩가루 7홉, 끓여 식힌 물 8되

술 빚는 법 :

1. 희게 찧은(도정을 많이 한) 찹쌀 1말을 백세하여 (물에 담가 불렸다가, 다시 씻어 헹궈서 물기를 뺀 후) 시루에 안쳐 고두밥을 짓는다.
2. 물 8되를 팔팔 끓여 얼음같이 차게 식힌다.
3. 고두밥은 물을 뿌리지 말고 익게 쪄서, 퍼내고 고루 펼쳐서 차디차게 식기를 기다린다.
4. 고두밥에 끓여 식힌 물 8되와 송홧가루 1홉, 누룩가루 7홉을 한데 섞고, 힘껏 고루 버무려 술밑을 빚는다.
5. 술독에 술밑을 담아 안치고, 예의 방법대로 하여 20일간 발효시킨다.

송화쥬법

ᄇᆡᆨ졈미 ᄒᆞᆫ 말 ᄇᆡᆨ셰ᄒᆞ야 믈 ᄲᅮ리지 말고 ᄂᆡᆨ게 ᄂᆡᆨ게 ᄶᅧ 믈 석지 말고 잘 식여 탕슈 여ᄃᆞᆲ 되ᄅᆞᆯ 어름ᄀᆞ치 ᄎᆡ와 숑화ᄀᆞ로 ᄒᆞᆫ 홉 누록ᄀᆞ로 칠 홉 석거 항의 너헛다가 스므날 후 쓰라.

3. 송화주 <음식디미방>

술 재료 : 밑술 : 송화 5되, 찹쌀 5말, 누룩가루 7되, 물 3말
　　　　덧술 : 송화 1말, 멥쌀 10말, 누룩가루 3되, 물 5말

술 빚는 법 :

* 밑술 :

1. 아직 활짝 피지 않은(집이 터지지 않은) 송화를 많이 채취하여 흐르는 물에 살짝 씻어 먼지나 이물질을 털어내고 햇볕에 내어 말린다.
2. 찹쌀 5말을 백세하여 (물에 백 번 씻어 담가 불렸다가, 다시 씻어 헹궈서 건져서) 세말한다(고운 가루로 빻는다).
3. 솥에 물 3말을 담고 (끓이다가) 준비한 송화 5되를 넣어 오랫동안 달인다.
4. 쌀가루에 송화 달인 물을 골고루 합하고, 주걱으로 고루 개어 죽(범벅)을 쑤어 차게 식기를 기다린다.
5. 송화죽에 누룩가루 7되를 넣고, 고루 버무려 술밑을 빚는다.
6. 술밑을 술독에 안친 다음, 예의 방법대로 하여 (베보자기를 씌우고 뚜껑을 덮어) 5일간 발효시킨다.

* 덧술 :

1. 멥쌀 10말을 백세하여 (물에 백 번 씻어 담가 불렸다가, 다시 씻어 헹궈서) 물기를 빼놓는다.
2. 솥에 물 5말을 붓고 (끓이다가) 준비해 둔 송화 1말을 섞어 오랫동안 끓인다.
3. 건져둔 멥쌀을 시루에 안쳐서 찌고, 고두밥이 익었으면 퍼내어 (넓은 그릇 여러 개에 나눠) 놓는다.
4. 고두밥에 송화 달인 물을 골고루 나눠 붓고, 주걱으로 고루 헤쳐서 차게 식기를 기다린다.
5. 송화 달인 물에 불린 고두밥과 누룩가루 3되를 섞고, 고루 버무려 술밑을 빚는다.
6. 술밑을 술독에 안친 다음, 예의 방법대로 하여 14일간 발효시킨다.

숑화쥬

숑화ᄅᆞᆯ ᄡᅡ 볏ᄐᆡ ᄆᆞᆯ로이고 ᄎᆞᆸᄡᆞᆯ 닷 말 ᄇᆡᆨ셰셰말ᄒᆞ여 숑화 닷 되ᄅᆞᆯ ᄆᆞᆯ 서 말애 ᄆᆞ이 달혀 섯거 쥭쒀 ᄎᆞ거든 국말 닐곱 되 섯거 녀헛다가 닷쇄 후에 ᄇᆡᆨ미 열 말 ᄇᆡᆨ셰ᄒᆞ여 닉게 ᄶᅧ 숑화 ᄒᆞᆫ 말을 ᄆᆞᆯ 닷 말애 ᄆᆞ이 달혀 석거 ᄎᆞ거든 누록 서

되 섯거 녀헛다가 이칠일 후에 쓰라.

4. 송화주방 <임원십육지(林園十六志, 高麗大本)>

술 재료 : 송화 1되, 숙성 중인 백주 술덧, 생(生)명주 주머니 1장

술 빚는 법 :

1. 3월에 쥐꼬리만 한 송순에 피어 있는, 터지기 직전의 송화를 채취하여 물에 깨끗이 씻어 이물질과 먼지를 제거한 후, 물기를 빼 말려놓는다.
2. 장만한 송화 1되를 생명주 주머니에 가득 담아놓는다.
3. 숙성된 백주(白酒) 술덧 한가운데를 우물 정(井) 형태로 파내고 송화 주머니를 쑤셔 박아놓는다.
4. 송화 주머니를 박아놓은 지 3일 후에 송화 주머니를 건져내고, 술을 채주하여 마신다.

* 주방문 말미에 "그 맛이 청쾌하고 향기로우며 달고 아름답다."고 하였다.

松花酒方

三月取松花如鼠尾者細挫一升用絹帒盛之造白酒熟時投帒于酒中心井內浸三日取出漉酒飮之其味淸香甘美. <遵生八牋>.

5. 송화주 <조선무쌍신식요리제법(朝鮮無雙新式料理製法)>

술 재료 : 송화 1되, 깁전대 1장, 발효된 술

술 빚는 법 :

1. 3~4월에 송화가 반쯤 피었을 때 줄기째 채취하여 먼지나 이물질을 털어내고, 잘게 썰어 1되를 장만한다.
2. 송화를 깁전대(매우 고운 망사처럼 된 천으로 만든 자루)에 담아서 이미 빚어둔 술이 익으면, 술 한가운데 매달고 담가둔다.
3. 송화를 담근 지 3일 만에 꺼내고, 술을 걸러서 마시면 맛이 달고 향기롭고 맑고 좋다.

송화주(松花酒)

삼사월에 송화가 반쯤 되얏거든 줄거릿재 잘게 써러 한 되를 깁전대에 담아서 흔술 익을 쌔에 술 가운데 당근 지 사흘 만에 끄내고 술을 걸러 마시면 맛이 달고 향기롭고 맑고 조흐니라.

6. 우(又) 송화주 <조선무쌍신식요리제법(朝鮮無雙新式料理製法)>

술 재료 : 송화 1되, 깁전대 1장, 흰술(발효된 술, 백주白酒, 탁주濁酒)

술 빚는 법 :

1. 3월에 송화가 쥐꼬리만큼 자랐을 때 줄기째 채취하여 먼지나 이물질을 털어내고, 잘게 썰어 1되를 장만한다.
2. 송화를 깁전대(매우 고운 망사처럼 된 천으로 만든 자루)에 담아서 주둥이를 단단히 묶는다.
3. 이미 빚어둔 흰술(발효된 술, 백주, 탁주)이 익으면, 술 한가운데를 헤치고 쑤셔 박아둔다.
4. 송화를 담근 지 3일 만에 꺼내고, 술을 걸러서 마시면 맛이 맑고 향기롭고 달고 좋다.

송화주(松花酒) 또

삼월에 송화가 쥐꼬리와 갓거든 잘게 써 한 되가량을 깁전대에 느코 부리를 동혀 매여 흰술(白酒) 익을 째에 한가운데를 헤치고 느엇다가 사흘 만에 집어내고 술을 걸러 마시면 맛이 맑고 향기롭고 달고 조흐니라.

송화천로주·송화주

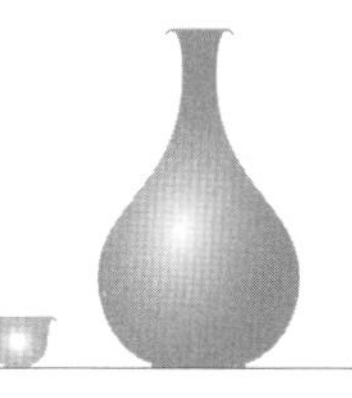

스토리텔링 및 술 빚는 법

<산가요록(山家要錄)>의 '송화천로주(松化天露酒)'를 접하면서 '삼오로주(三五露酒)'라는 주품을 떠올렸다.

왜냐하면 '삼오로주'는 술의 성격에 있어 발효주인지 증류식 소주인지를 명확히 알 수가 없기 때문이다. 주품명을 '삼오로주'라고 한 걸 보면 증류주라 하겠으나, 주방문을 보면 발효주라 할 수 있기 때문이다. 어디에도 증류하여 소주로 마신다는 언급이 없다.

어찌됐든 '삼오로주'와 비슷한 사례가 있는지 추적해 본 결과 "주방문에는 증류하여 소주를 내린다는 구체적인 언급이 없지만, 주방문 말미에 '소주를 내릴 수 있다.'고 첨기(添記)한 주품들이 분명 존재한다는" 주장과 함께 이 주품을 증류주로 판단해 분류하고 있다.

본고에서 다루고자 하는 '송화천로주' 역시 주품명으로 보면 증류주라는 생각이 드는데, 주방문 어디에서도 이 주품이 증류주라는 근거를 찾을 수 없다.

그런데 주품명 바로 밑에 '일명 홍로주(一名 紅露酒)'라는 부제가 표기되어 있어 이를 어떻게 해석해야 좋을지 고민스러웠다.

먼저 우리나라 전통주 가운데 명문가를 비롯해 사대부가에서 가장 선호하던 반주(飯酒)가 바로 소나무를 주재료로 한 술이라는 사실은 이미 여러 주방문에서 언급한 바 있다. 소나무를 주원료로 한 주품으로는 '송엽주'를 비롯해 '송순주', '송절주', '송지주'. '송령주'가 있고 '송화주'와 '송하주' 등 매우 다양하다.

<산가요록>의 '송화천로주' 역시 송화를 사용한 가향주의 한 가지로 분류할 수 있다. <산가요록>의 '송화천로주'가 220년 후 문헌인 <음식디미방>에는 '송화주'로 기록되어 있다.

따라서 '송화주'와 '송화천로주'와의 공통점과 차이점을 살핌으로써 '송화천로주'와 '송화주'의 의미를 찾고자 한다. 주원료의 종류나 주방문에서 별반 차이가 없는데도 다른 주품명을 부여하게 된 배경에는 무언가 다른 차이점이 있을 거라고 보았다.

먼저 술을 빚는 과정에서 <산가요록>의 '송화천로주'는 "粘米五斗 細末, 松花五升 水三斗 濃煎 去滓, 和作粥 待冷 菊末七升 和盛. 五日後 白米十斗 熟蒸 亦以松花水五斗 濃煎 和而待冷 匊末三升 和入瓮. 二七日後 開用之."이라고 하였다. 즉, "송홧가루 5되를 물 3말에 넣고 은근한 불에 오래 끓여 (1말 5되가 되게) 진하게 달여놓는다. 찹쌀 5말을 세말한다. 송화 달인 물은 고운체에 밭쳐 찌꺼기를 걸러내고, 찹쌀가루와 섞어 팔팔 끓여 죽(범벅)을 쑤어 차게 식기를 기다린다. 죽(범벅)에 누룩가루 7되를 고루 버무려 넣고, 5일 후 멥쌀 10말을 찌고, (밑술과) 같은 방법으로 진하게 달여서 만든 송화수 5말을 버무려 합하고, 차게 식기를 기다렸다가 누룩가루 3되와 합하여 고루 버무려서 독에 넣고 (발효시켜) 이칠일(14일) 후 열어서 쓴다."는 내용이다.

그런데 <음식디미방>의 '송화주' 주방문도 "송화 다섯 되를 말리고 찹쌀 닷 말 백세세말하여 송화 닷 되를 물 서 말에 많이 달여서 섞어 죽(범벅) 쒀 차거든 국말 일곱 되 섞어 넣었다가, 닷새 후에 백미 열 말 백세하여 익게 쪄 송화 한 말을 물 닷 말에 많이 달여서 차거든 누룩 서 되 섞어 넣었다가, 이칠일 후에 쓰라."고 하여 두 주방문의 차이를 발견할 수 없었다.

따라서 <산가요록>의 '송화천로주'는 송화죽을 쑤는 데 진하게 달인 송화수

(松花水)를 사용함으로써 매우 진하면서도 농도가 짙은 된죽 상태라는 점에서 증류식 노주(露酒)가 아닌 발효주로서 '송화천로주'라 명명하지 않았을까 추측해 보는 것이다.

이러한 추측을 뒷받침하는 기록으로 <임원십육지(林園十六志)>의 '송로양방(松露釀方)'을 예로 들 수 있다. <임원십육지>의 '송로양방'은 송화수를 만들지 않고, 바로 찹쌀가루와 송홧가루, 물을 한데 섞어 송화죽을 쑨 다음 누룩을 섞어 밑술을 빚는데, 주원료의 종류나 배합비율에서 차이가 없다. 오히려 <산가요록>의 '송화천로주' 주방문보다 훨씬 간편하면서도 수월한 과정을 보여주고 있다.

주지하다시피 우리 술 빚기에서 중양주(重釀酒)를 빚는 목적과 과정에서 가장 중요한 건 밑술이다. 밑술의 상태에 따라 덧술의 발효상태는 물론이고, 완성된 주품의 품질이 달라진다는 건 누구나 알고 있다.

실질적인 술 빚기에 따르면, <산가요록>의 '송화천로주'는 발효가 끝나기까지 주방문의 발효기간인 '이칠일(14일)'보다 시간이 더 걸렸으나, 숙성된 '송화주'의 향기는 말로 다 표현하기 힘들 만큼 좋았다. 결코 남 주기 아까운 술이라 할 만하다.

따라서 굳이 지적하자면, <산가요록>의 '송화천로주' 주품명 부제를 '일명 홍로주(一名 紅露酒)'가 아닌 '송로주(松露酒)'라고 하는 게 옳지 않을까 싶다. '홍(紅)' 자와 '송(松)' 자가 유사하여 잘못 표기한 것으로 여겨진다.

밑술의 물 양과 덧술의 송홧가루, 물의 양에 대한 언급 없이 송화수 5말이라고 하였으므로, <음식디미방>의 '송화주' 주방문을 참고하여 송화는 밑술의 2배인 1말로 산정하였고, 송화수를 만들자면 물의 양이 5말 이상이 되어야 하므로 밑술의 2배인 6말로 산정하였음을 밝혀둔다.

1. 송화천로주 <산가요록(山家要錄)>

–일명 홍로주(一名 紅露酒), 쌀 15말 빚이

술 재료 : 밑술 : 찹쌀 5말, 송화 5되, 누룩가루 7되, 물 3말
덧술 : 멥쌀 10말, 송화(1말), 누룩가루 3되, 물(6말)

술 빚는 법 :

* 밑술 :

1. 5월에 송화를 따서 양지에서 말린다(수비를 하여 불순물과 흙 등을 제거한다).
2. 송화 5되를 물 3말에 넣고 은근하게 오래 끓여(1말 5되 되게) 진하게 달인다.
3. 찹쌀 5말을 (백세하여 물에 불렸다가, 다시 씻어 건져서 물기를 뺀 후) 세말한다.
4. 송화 달인 물은 고운체에 밭쳐 찌꺼기를 걸러내고, 찹쌀가루와 섞어 주걱으로 고루 개어 죽(범벅)을 쑤어 차게 식기를 기다린다.
5. 차게 식은 송화죽(범벅)에 누룩가루 7되를 섞고, 고루 버무려 술밑을 빚는다.
6. 술독에 술밑을 담아 안치고, 예의 방법대로 하여 5일간 발효시킨다.

* 덧술 :

1. 멥쌀 10말을 (백세하여 물에 담가 불렸다가, 다시 씻어 건져서 물기를 뺀 후) 시루에 안쳐서 고두밥을 짓는다.
2. 송화(1말)와 물(6말)을 합하고, 오랫동안 달여서 송화수가 5말이 되도록 한다.
3. 고두밥이 익었으면 시루에서 퍼내어 넓은 그릇에 담고, 송화수를 골고루 퍼붓는데 주걱으로 고루 섞어놓아 차게 식기를 기다린다.
4. 송화 달인 물을 먹인 고두밥에 누룩가루 3되, 밑술을 한데 섞고 술밑을 빚는다.

5. 술독에 술밑을 담아 안치고, 예의 방법대로 14일간 발효시킨 후 걸러서 쓴다.

* 주품명 밑에 부제로 '일명 홍로주(一名 紅露酒)'라 하였는데, '송로주(松露酒)'라 하는 게 옳지 않을까 싶다. '홍(紅)'자와 '송(松)'자가 유사하여 잘못 표기한 것으로 여겨진다. 또 밑술의 물 양과 덧술의 송홧가루, 물 양에 대한 언급 없이 송화수 5말이라고 하였으므로, <음식디미방>을 참고하여 송화는 밑술의 2배인 1말, 술 빚는 물은 밑술의 2배인 6말로 산정하였다.

松化天露酒

一名 紅露酒 米十五斗. 五月 摘松花 陽乾. 粘米五斗 細末 松花五升 水三斗 濃煎 去滓 和作粥 待冷 菊末七升 和盛. 五日後 白米十斗 熟蒸 亦以松花水五斗 濃煎 和而待冷 匊末三升 和入瓮. 二七日後 開用之.

2. 송화주 <음식디미방>

술 재료 : 밑술 : 송화 5되, 찹쌀 5말, 누룩가루 7되, 물 3말,
덧술 : 송화 1말, 멥쌀 10말, 누룩가루 3되, 물 5말

술 빚는 법 :

* 밑술 :

1. 아직 활짝 피지 않은(집이 터지지 않은) 송화를 많이 채취하여 흐르는 물에 살짝 씻어 먼지나 이물질을 털어내고 햇볕에 내어 말린다.
2. 찹쌀 5말을 백세하여 (물에 백 번 씻어 담가 불렸다가, 다시 씻어 헹궈서 건져서)세말한다(고운 가루로 빻는다).
3. 솥에 물 3말을 담고 (끓이다가) 준비한 송화 5되를 넣고 오랫동안 달인다.
4. 쌀가루에 송화 달인 물을 골고루 합하고, 주걱으로 고루 개어 죽(범벅)을 쑤

어 차게 식기를 기다린다.
5. 송화죽에 누룩가루 7되를 넣고, 고루 버무려 술밑을 빚는다.
6. 술밑을 술독에 안친 다음, 예의 방법대로 하여(베보자기를 씌우고 뚜껑을 덮어) 5일간 발효시킨다.

* 덧술 :
1. 멥쌀 10말을 백세하여 (물에 백 번 씻어 담가 불렸다가, 다시 씻어서) 물기를 빼놓는다.
2. 솥에 물 5말을 붓고 (끓이다가) 준비해 둔 송화 1말을 섞어 오랫동안 끓인다.
3. 건져둔 멥쌀을 시루에 안쳐서 고두밥을 짓는다.
4. 고두밥이 익었으면 넓은 그릇 여러 개에 나눠서 펴 담고, 송화 달인 물을 골고루 나눠 부은 다음 주걱으로 고루 헤쳐서 차게 식기를 기다린다.
5. 송화 달인 물에 불린 고두밥에 누룩가루 3되를 섞고, 고루 버무려 술밑을 빚는다.
6. 술밑을 술독에 안친 다음, 예의 방법대로 하여 14일간 발효시킨다.

* 주품명은 '송화주(松花酒)'이나 다른 문헌의 '송화주'와는 차별되고, <임원십육지>의 '송로양방(松露釀方)'과 동일하여 여기에 포함시켰다.

숑화쥬
숑화ᄅᆞᆯ 싸 볏ᄐᆡ ᄆᆞᆯ로이고 찹ᄡᆞᆯ 닷 말 ᄇᆡᆨ셰셰말ᄒᆞ여 숑화 닷 되ᄅᆞᆯ ᄆᆞᆯ 서 말애 ᄆᆞ이 달혀 섯거 쥭 쉬 ᄎᆞ거든 국말 닐곱 되 섯거 녀헛다가 닷쇄 후에 ᄇᆡᆨ미 열 말 ᄇᆡᆨ셰ᄒᆞ여 닉게 ᄶᅧ 숑화 ᄒᆞᆫ 말을 ᄆᆞᆯ 닷 말애 ᄆᆞ이 달혀 석거 ᄎᆞ거든 누록 서 되 섯거 녀헛다가 이칠일 후에 ᄡᅳ라.

신선벽도춘

스토리텔링 및 술 빚는 법

'신선벽도춘방(神仙碧桃春方)'이라는 주품명의 주방문은 1823년경 출간된 서유구의 <임원십육지(林園十六志)>에 수록되어 있다.

주방문 머리에 "일명 송복양(一名 松腹釀)"이라고 하여, 이 술이 소나무를 발효용기로 사용했음을 짐작할 수 있다. 게다가 주방문을 찬찬히 살펴보면 눈에 익은 주방문이라는 사실도 알 수 있다. '와송주'가 그렇다.

'신선벽도춘'과 같은 방법으로 빚는 술을 이양주(異釀酒)로 분류한다. <임원십육지>에 "이양(異釀)이란 술항아리를 물속에 담아 익히는 것, 술항아리를 솥 속에 넣고 중탕하여 익히는 것, 생대나무 마디에 구멍을 파고 빚는 것, 술항아리를 땅을 파고 묻어서 익히는 것, 술항아리를 사람의 품에 안아 익히는 것, 통소나무를 항아리 모양으로 파서 술을 빚는 것, 비스듬히 누운 소나무의 구부러진 부분을 말구유같이 파서 술 빚는 것 등이다."고 하였다.

즉 '신선벽도춘'은 "통소나무를 항아리 모양으로 파서 빚는 술"을 가리키며, '와송주'는 "비스듬히 누운 소나무의 구부러진 부분을 말구유같이 파서 빚은 술"을 가리킨다. 이 외에도 두 주품의 가장 뚜렷한 차이는 '신선벽도춘'이 주품명에 따른 주방문이 존재하는 데 반해, '와송주'는 주방문이 없다는 점이다.

<임원십육지>에만 수록되어 있는 '신선벽도춘'은 "멥쌀이나 찹쌀 1말로 백설기를 지어 차게 식힌 후 누룩가루를 섞어 술밑을 빚고, 소나무 몸통에 구유처럼 파서 술밑을 담아 안치는데, 흙으로 밀봉하여 발효시킨다."고 하였다.

또한 주방문 말미에 "만약에 살아 있는 소나무(生松)가 없으면, 산에서 전나무를 수척 길이로 썰어다 같은 방법으로 술을 빚어 그늘에 둔다."고 하였다.

이로써 <임원십육지>의 '신선벽도춘', 곧 '송복양'은 주품명에 따른 주방문이 존재하며, 살아 있는 소나무나 전나무 등 송지(송진)를 발효에 끌어들이는 방법임을 알 수 있다. 콩잎으로 덮어서 독특한 맛과 향을 부여하기도 한다는 점에서 '와송주'와의 차이점도 읽을 수 있다.

유감스럽게도 '신선벽도춘'은 실습을 해보지 못해서 맛과 향에 대해 뭐라 말할 수 없다. 다만 주방문 후기의 "이 방법은 봄·가을에는 적당치 않고, 여름·겨울에는 무방하나, 진흙으로 덮기 전에 콩잎을 덮으면 맛이 묘하다."고 한 설명을 참고할 뿐이다.

신선벽도춘방 <임원십육지(林園十六志)>

–일명 송복양(一名 松腹釀)

술 재료 : 멥쌀(찹쌀) 1말, 누룩가루(1되 5홉), (끓인 물 3되), 소나무

술 빚는 법 :

1. 살아 있는 소나무의 몸통을 소(牛) 구유처럼(항아리 모양으로) 파낸다.
2. 멥쌀 1말을 백세하여 (물에 담가 불렸다가, 다시 씻어 헹궈서 물기를 뺀 후) 작말한다(찹쌀로 할 경우, 가루로 빻지 않고 온 쌀로 해야 좋다).
3. 멥쌀가루를 시루에 안쳐서 설기떡을 쪄낸다(고루 펼쳐서 온기가 남게 식힌

다. 찹쌀로 할 경우, 고두밥을 짓는다).
4. 떡에 (끓여 식힌 물 3되) 누룩을 가루 내어 (1되 5홉) 넣고, 힘껏 치대어 술밑을 빚는다.
5. 파낸 소나무 속에 술밑을 채워 넣고, 흙으로 밀봉하여 (1개월) 놓는다(발효시킨다).

* 주방문 말미에 "만약에 살아 있는 소나무(生松)가 없으면, 산에서 전나무를 수척 길이로 썰어다 같은 방법으로 술을 빚어 그늘에 둔다."고 하고, "이 방법은 봄·가을에는 적당치 않고, 여름·겨울에는 무방하나, 진흙으로 덮기 전에 콩잎을 덮으면 맛이 묘하다."고 하였다. <증보산림경제(增補山林經濟)>에서는 '와송주'라 하였는데, <임원십육지>에는 '신선벽도춘', 일명 '송복양'으로 부른다 하였다. 한 가지 주방문에서 파생된 주품명임을 알 수 있다.

神仙碧桃春方

(一名松腹釀). 刳鑿生松腹若缸形白米細末爛烝(若用糯米則不須細末全粒尤佳)和麴納之封穴塗泥裹以空(圖)二七日開飲香烈非人間物若無生松入山伐倒截斷作數尺長搬來刳鑿依法釀之板蓋泥塗置陰地亦得但此法春秋不宜冬夏不妨未途泥前用豆葉塞之則尤妙. <三山方>.

아들두견주

스토리텔링 및 술 빚는 법

진달래가 온 산을 뒤덮을 때, 옛 풍습으로 '진달래술'을 빚을 시기인 것이다. '진달래술'은 '두견주(杜鵑酒)'라고도 하며, 충남 당진의 '면천두견주(沔川杜鵑酒)'가 국가 지정 중요무형문화재 제나호로 지정될 만큼 유명하다. 그만큼 '두견주'는 우리 세시풍속이나 음주문화와 밀접하게 연관되어 있다.

'아둘두견주'라는 주품명과 함께 주방문이 수록된 문헌은 저술 연대와 저자 미상의 한글 기록 <주식방문>이다. '아돌두견주'는 지금까지 보아왔던 '두견주'와는 전혀 다른 주방문을 보여주고 있어 관심을 불러일으키기에 충분하다.

우선 '아돌두견주'라는 주품명이 암시하는 '아돌'의 의미와 '아돌두견주'의 주방문에 대한 호기심이 그것이다.

확신할 수는 없지만 '아돌'은 고어사전에서 '아들'로 설명하고 있다. 또 <주정(酒政)>이라는 1800년대 문헌에 '아소곡주(兒小麴酒)'가 등장하는데, 일반 '소곡주'에 비해 주원료의 배합비율을 10%로 줄여서 빚는 '적은 양의 소곡주'를 뜻한다.

따라서 '아돌두견주'는 자전풀이 그대로 정상적인 방법에 비해 약식이거나, 소량으로 빚는 두견주라는 해석이 가능하다. 그 예로 '두견주' 주방문 가운데 비교적 간단한 <술 빗는 법>의 주방문을 보면, "초 ᄒᆡ일의 ᄇᆡᆨ미 두 말 ᄇᆡᆨ셰작말허고 물 두 말을 쓸히여되, 족박 씌여 박이 갈아안계 쓸혀, 가로의 물을 부어 범벅이 되계 쪄허 두어다가, 밤ᄋᆡ 씩거든 조흔 가로누룩 칠 홉과 진말 칠 홉을 ᄒᆞᆫᄃᆡ 셕거 넘지 안니헐 항의 너허 찬 ᄃᆡ 두여다가, 두견니 날 만ᄒᆞ거단, ᄇᆡᆨ미 셔 말 졈미 셔 말 졍이 쓸어 부ᄃᆡ 밥을 익계 쪄, 물 셔 말을 ᄇᆡᆨ 번 쓸여 밤의 씩거단, 밋 헐 젹의 이불 다 것고 군ᄂᆡ 업시허여, 독의 두견을 두어 되 곳술을 업시 ᄒᆞ고 술 필 ᄣᆡ의 너허다가, 삼칠일 만의 먹계 허라. 한 졔가 모도 여달 말인니, 반만 허려 허면 각각 분반ᄒᆞ라."고 하였다.

즉, 정월 초 해일에 쌀을 가루로 빻아 동량의 끓는 물로 범벅을 쑤어 익히고, 차게 식으면 가루누룩과 밀가루 각 7홉씩 넣어 밑술을 빚는데, 큰 독에 담아 진달래꽃이 필 때까지 두었다가 찹쌀과 멥쌀 각 3말씩 따로 고두밥을 짓고, 물도 3말을 끓여서 고두밥과 물이 다 식으면 밑술과 합하여 술밑을 각각 버무려 안치는데, 진달래꽃은 덧술이 필 때 넣는 방법인 것이다.

이처럼 <술 빗는 법>의 '두견주'는 진달래꽃을 넣는 방법에서 다른 문헌의 '두견주'와는 다르며, 이러한 차이점이 바로 <주식방문>에 처음 등장하는 '아ᄃᆞᆯ두견주'와 유사한 점이기도 하다.

'아ᄃᆞᆯ두견주' 주방문의 특징을 찾아보면 여느 '두견주'와는 다른데, 그러한 변화가 바로 '아ᄃᆞᆯ두견주'라는 주품명으로 나타나게 된 배경임을 알 수 있다.

첫째, <주식방문>의 '아ᄃᆞᆯ두견주'는 진달래꽃이 피는 시기가 술을 빚는 때로 양주 시기에서 차이가 있다. 양주 시기는 술맛을 결정짓는 중요한 요소이자, 그 주품의 특징을 반영한다는 점에서 꽃이 피는 봄에 빚는 두견주는 한겨울에 빚는 '두견주'와는 매우 다르다.

둘째, <주식방문>의 '아ᄃᆞᆯ두견주'는 지금까지 보아왔던 일반적인 '두견주'의 덧술 방식, 즉 단양주법(單釀酒法)을 취하고 있다.

'아ᄃᆞᆯ두견주' 주방문에 "두견화 피ᄂᆞᆫ 소문 잇거든 ᄇᆡᆨ미 두 말가옷 졈미 두 말가옷술 옥ᄀᆞᆺ치 ᄲᆞᆯ혀 ᄃᆞᆷ가 ᄒᆞ라밤 지나거든 쇼국쥬 밥ᄀᆞᆺ치 되ᄌᆞ기 ᄡᅧ ᄎᆡ오고 ᄭᆞᆯ힌 믈 닷 말을 어름ᄀᆞᆺ치 ᄎᆡ오고 독을 날믈긔 업시ᄒᆞ여 고앙의나 서늘ᄒᆞᆫ ᄃᆡ 뭇고 술미촐 너코 메밥 진 거술 몬져 너코 그 믈 닷 말을 우희 퍼부어 ᄲᅡᄆᆡ야 두엇다가 두견화 픠거든 여ᄒᆡ 업시 정히 ᄶᅡ 담아 ᄒᆞᆫ 되만 줄흘 죄 싯고 손으로 쥐여 술을 깁히 헤치고 너허 두엇다가 ᄒᆞᆫ 열흘 후 보면 말가케 괴야 ᄭᅩᆺ과 밥알이 우희 ᄠᅥ오ᄅᆞᄂᆞ니라. 다 ᄯᅳᆫ 후"라고 하였다.

꽃피는 소식을 듣고 술을 빚었다가, 술이 어느 정도 익은 후에 진달래꽃을 따다가 술덧에 쑤셔 박아두고 10일 정도 기다려서 꽃잎이 삭아 위로 떠오르면 떠서 마신다는 것이다. 이는 '아둘두견주'가 단양주법으로 이루어진다는 근거이다.

다만, 술밑이 어느 정도 발효된 후에 꽃을 투입하고 다시 기다렸다가 꽃을 넣는 방법은 무엇보다 안전한 발효를 중요하게 여겼기 때문이라 판단된다.

셋째, 고두밥과 꽃잎이 다 삭아서 주면 위로 떠오르면 다 떠서 채주를 마치는 것으로 되어 있다. 술을 빚어 채주를 한다는 건 술 빚기를 끝냈음을 의미한다.

따라서 필자는 '아둘두견주'라는 주품명이 이처럼 한 번의 양주과정 때문에 붙이게 된 것이라 보고 있다.

'아둘두견주', 곧 '아들두견주'는 이양주법(二釀酒法)의 '두견주'와 달리 한 번으로 그치기 때문에 '약식 두견주'이고, 이양주법 '두견주'에 비해 맛이나 향기가 덜한 '아들(아이)과 같은 두견주'라는 애칭이 붙게 되었다는 견해이다.

그런데 이렇게 하고 보니 아쉬움이 남았던지 "다 ᄯᅳᆫ 후 ᄎᆞᄡᆞᆯ ᄒᆞᆫ 말을 닉게 ᄶᅧ 식여 너코 믈 ᄒᆞᆫ 말만 ᄭᅳᆯ혀 식여 부으면 ᄯᅩ 수이 되ᄂᆞ니 이거시 아달두견쥬니라. ᄂᆞᆯ믈기 죠곰 이셔도 ᄉᆡ니 일절 정히 ᄒᆞ여 힝ᄌᆞ질 ᄀᆞᆺ금 ᄒᆞᄂᆞ니라"고 하였다.

이 과정은 후주(後酒)를 하는 과정이지 정식 양주과정이라 할 수는 없다. 다만, 다른 주품과 주방문에서 후주는 대개 죽(粥)을 사용하고 있는 것과 달리 고두밥(蒸飯)을 사용한다는 점에서 차이가 있다.

이렇게 고두밥으로 후주를 하는 방법은 대개 중국식 술 빚기에서 찾아볼 수 있는데, 비로소 '아둘두견주' 주방문에서도 등장하고 있는 것이다. 이러한 후주방법이 다른 '두견주'와의 또 다른 차이점이기도 하다.

끝으로 주방문 말미에 "ᄂᆞᆯ믈기 죠곰 이셔도 ᄉᆡ니 일절 정히 ᄒᆞ여 힝ᄌᆞ질 ᄀᆞᆺ금 ᄒᆞᄂᆞ니라."고 하였다. 여기서 "행주질을 가끔 하라."고 한 까닭은 술밑이 다시 끓으면서 술독이 뜨거워져 산패하는 것을 예방하기 위한 조치로 여겨진다.

이제까지 대다수의 주방문에서 죽으로 하는 후주방법이 주류를 이룬 배경이 후주 후 재발효를 염려하지 않아도 된다는 점이고, 고두밥으로 하는 후주방법을 기피한 이유라 하겠다. 따라서 후주 후에는 술독을 서늘한 곳으로 옮겨두어야 하며, 가끔 술독을 살피고 만져보아서 조금이라도 더워지는 기운이 느껴지면 즉시 차게 식히거나 채주를 끝내야만 한다.

<주식방문>의 '아들두견주'를 통해서 우리 전통주의 이야기가 보다 다양해졌다는 생각을 하게 되었다. 이렇게 이야기는 또 다른 이야기를 낳는다.

아들두견주방문 <주식방문>

술 재료 : 밑술 : 멥쌀 2말 5되, (누룩가루 2되, 밀가루 1되), 두견화 1되, 끓여 식힌 물 5말

덧술 : 찹쌀 1말, 끓여 식힌 물 1말

술 빚는 법 :

* 밑술 :

1. 봄에 진달래 피는 소문이 들리면, 멥쌀 2말 5되를 옥같이 깨끗이 씻어 물에 담가 하룻밤 불렸다가, (다시 씻어 건져서 물기를 뺀 후) 되직한 고두밥을 짓는다.
2. 물 5말을 팔팔 끓여서 넓은 그릇에 나누어 담고 차게 식기를 기다린다.
3. 고두밥이 익었으면 퍼내고, 고루 펼쳐서 차게 식기를 기다린다.
4. 고두밥에 (누룩가루 2되와 밀가루 1되를) 섞고, 고루 버무려 술밑을 빚는다.
5. 술독은 (짚불 연기를 쏘여 소독하여 마른행주로 그을음을 깨끗이 닦아내고) 날물기 없이 하여 광이나 서늘한 데 묻어놓는다.
6. 술독에 술밑을 담아 안친 후, 그 위에 식혀둔 물을 퍼붓고 싸매서 발효시킨다.
7. 진달래가 흐드러지게 필 때, 활짝 핀 진달래를 따다가 꽃술을 제거하고 깨끗

하게 씻어 1되를 준비해 놓는다.
8. 술밑이 발효되어 내려앉았으면 술밑 위를 걷어내고, 준비해 둔 진달래꽃을 쑤셔 박은 후, 다시 밀봉하여 10일간 발효·숙성시킨다.
9. 술독을 열어보아 밥알과 꽃잎이 말갛게 떠올라 있으면 채주한다.

* 덧술 :
1. 찹쌀 1말을 옥같이 깨끗하게 씻어 물에 담가 하룻밤 불렸다가, (다시 씻어 건져서 물기를 뺀 후) 되직한 고두밥을 짓는다.
2. 물 1말을 팔팔 끓여서 넓은 그릇에 나누어 담고 차게 식기를 기다린다.
3. 고두밥이 익었으면 퍼내고 고루 펼쳐서 차게 식기를 기다린다.
4. 술을 다 떠낸 술밑에 고두밥과 식혀둔 물을 고루 섞고, 예의 방법대로 하여 다시 발효시키면 수일 내로 술이 익는다.

* 다른 문헌의 '두견주' 주방문과는 매우 상이한 주방문이다. 주방문 말미에 "ᄂᆞᆯ믈기 죠곰 이셔도 싀니 일졀 졍히 ᄒᆞ여 힝ᄌᆞ질 ᄀᆞᆺ금 ᄒᆞᄂᆞ니라."고 하였다. 여기서 "행주질을 가끔 하라."고 한 까닭은 술밑이 지나치게 끓으면서 술독이 뜨거워지는 것을 예방하기 위한 조치로 여겨진다.

아ᄃᆞᆯ두견주방문

(봄)의 두견화 픠ᄂᆞᆫ 소문 잇거든 ᄇᆡᆨ미 두 말가옷 졈미 두 말가옷ᄉᆞᆯ 옥ᄀᆞᆺ치 ᄡᆞᆯ혀 ᄃᆞᆷ가 ᄒᆞ라밤 지나거든 쇼국슈 밥ᄀᆞᆺ치 되ᄌᆞ기 ᄡᅧ ᄎᆡ오고 ᄉᆞᆯ힌 믈 닷 말을 어ᄅᆞᆷᄀᆞᆺ치 ᄎᆡ오고 독을 날믈긔 업시 ᄒᆞ여 고앙의나 서늘ᄒᆞᆫ ᄃᆡ 믓고 술미ᄎᆞᆯ 너코 메밥 진 거ᄉᆞᆯ 몬져 너코 그 믈 닷 말을 우희 퍼부어 빠ᄆᆡ야 두엇다가 두견화 픠거든 여ᄒᆡ 업시 졍히 ᄡᅡ 담아 ᄒᆞᆫ 되만 줄흘 ᄭᅬ 싯고 손으로 쥐여 ᄉᆞᆯ을 깁히 헤치고 너허 두엇다가 ᄒᆞᆫ 열흘 후 보면 말가케 괴야 ᄭᅩᆺ과 밥알이 우희 ᄯᅥ오ᄅᆞᄂᆞ니라. 다 ᄡᅳᆫ 후 ᄎᆞᄡᆞᆯ ᄒᆞᆫ 말을 닉게 ᄡᅧ 식여 너코 믈 ᄒᆞᆫ 말만 ᄉᆞᆯ혀 식여 부으면 ᄯᅩ 수이 되ᄂᆞ니 이거시 아ᄃᆞᆯ두견쥬니라. ᄂᆞᆯ믈기 죠곰 이셔도 싀니 일졀 졍히 ᄒᆞ여 힝ᄌᆞ질 ᄀᆞᆺ금 ᄒᆞᄂᆞ니라.

애주 · 애엽주

스토리텔링 및 술 빚는 법

'애주(艾酒)', '애엽주(艾葉酒)' 또는 '애초주(艾草酒)'라고 하는 약용약주(藥用藥酒)는 우리말로 '쑥술'을 가리킨다. 쑥을 한자로 애(艾) 또는 애엽(艾葉), 애초(艾草)라고 부르는 데서 유래한 주품명이다.

'애주'는 <수운잡방(需雲雜方)>, <요록(要錄)>, <침주법(浸酒法)> 등 조선 초기와 중기 문헌에서 찾아볼 수 있으며, 문헌마다 주방문이 다르다. <수운잡방>과 <요록>에는 별법이 수록되어 있는데, 특히 <수운잡방>의 별법은 '백출주' 주방문을 응용하여 '백출주 별법'으로 되어 있으나 '애주'임을 알 수 있다. 조선 중기 이후의 문헌에서는 찾아볼 수 없는 것으로 보아 대중화되지는 못한 듯하다.

또한 민간의 전승가양주 조사에서도 서울 강남구 자곡동(속칭 못골)에 사는 김홍식 씨 집안에서 빚고 있는 '쑥술'이 유일한 것으로 알려지고 있다.

조선시대 문헌에 수록된 '애주'는 <수운잡방>의 기록이 가장 오래된 주방문이며, 이양주법(二釀酒法)과 함께 단양주법(單釀酒法)도 소개하고 있다. 이후 문헌인 <요록>과 <침주법>에는 단양주법의 주방문만 보인다는 사실에서 간소화된 경향을 엿볼 수 있다.

<수운잡방>의 이양주법 '애주'는 "4월 그믐께 멥쌀 1말을 백세하여 세말한다. 물(1말)을 붓고 팔팔 끓여 쌀가루에 골고루 섞고, 고루 개어 범벅을 쑨 뒤 차게 식기를 기다린다. 범벅에 누룩가루 1되를 섞고, 고루 버무려 술독에 술밑을 담아 안친 다음 단단히 봉하여 발효시킨다. 5월 초사흘에 멥쌀 1말을 백세한 뒤 물에 담가 하룻밤 불렸다가 (작말하여), 초 4일에 참쑥잎을 채취하여 깨끗이 씻은 후 고두밥을(흰무리떡) 찌고, 깨끗한 자리에 펼쳐서 여러 번 뒤집어주면서 차게 식히되, 밤새 이슬을 맞힌다. 단옷날 이른 아침에 고두밥(흰무리떡)과 밑술을 합하고 고루 치대어 손바닥 크기의 떡을 빚는다. 술독 가운데 촘촘히 엮은 대나무발을 걸치고, 그 위에 술밑을 올려 김이 새지 않도록 밀봉하여 찬 곳에 두고, 8월 보름까지 발효시켜서 대나무발 밑의 맑은 술을 떠낸다."고 하여 매우 복잡한 과정을 거쳐 술 빚기가 이뤄짐을 알 수 있다.

주방문 말미에는 "맑은 술을 떠내어 하루 세 번 마시면 만병이 낫는다."고 하고, 또 "쌀에 섞는 쑥의 양은 많고 적음을 보아 임의대로 할 것이며, 어림짐작으로 한다."고 하였다. 밑술의 물 양이 나와 있지 않고, 덧술의 쌀은 고두밥을 찌는 것인지 흰무리떡을 하는지 정확히 알 수 없다.

다만, 덧술을 할 때 '손바닥 크기의 떡'을 만든다고 하였으므로, 떡을 만들려면 백설기를 쪄서 '손바닥 크기의 떡'이 될 수 있는 양인 물 5되를 산정하였다.

이렇듯 복잡하고 힘든 과정 때문인지 <수운잡방>에는 이양주법의 '애주' 외에도 단양주법 '애주'를 수록하고 있다. <수운잡방>의 '백출주' 주방문을 그대로 인용하되, '백출' 대신 '쑥'을 사용한 방법을 채택하고 있다. 멥쌀로 지은 고두밥과 누룩, 쑥을 달인 물을 사용하는 방법이다.

이후 단양주법의 '애주'가 <요록>에 등장하는데, <수운잡방>의 단양주법과 이양주법의 밑술 과정을 생략함으로써 양주과정을 간소화시켰다. 그런가 하면 <침주법>에서는 <요록>과 또 다른 변화가 목격된다.

<침주법>에 수록된 단양주법의 '애엽주' 주방문을 보면 "오월 초나흘날 백미 한 말을 백세하여 물에 담가 오후에 물기 없이 베보자기로 건져, 쑥잎 한 말을 한데 섞어 돗끼 널어 밤이슬 맞히고, 닷새날 새벽 정화수를 한 말 남직 솥에 붓고,

그 쌀을 시루에 담아 쪄, 그 물로 골화 차거든, 좋은 누룩 한 되 섞어 독에 넣고 굳이 봉하여 두었다가, 유월 망후에 쓰라."고 하였다.

<수운잡방>과 <요록>의 주방문과는 전혀 다른 과정, 즉 불린 쌀을 쑥과 섞어서 밤이슬을 맞히고, 정화수를 사용한 시루밑물을 고두밥과 섞어서 사용하는 방법을 보이고 있다.

한편 <수운잡방>과 <요록>의 주방문에는 쑥을 삶는데 사용된 물의 양이 나와 있지 않다. 따라서 <홍씨주방문>을 참고하여 문헌마다 술 빚는 물을 1말씩으로 환산하였으며, <수운잡방>의 이양주법은 술 빚는 물의 양을 5되씩으로 한정하였다. <수운잡방> 주방문에는 "단옷날 아침에 고두밥(흰무리떡)과 밑술을 합하고 고루 치대어 손바닥 크기의 떡을 빚는다."고 하여 물의 양이 매우 적다는 걸 짐작할 수 있기 때문이다.

결론적으로 <수운잡방>을 비롯해 <요록>과 <침주법> 등에 등장하는 단양주법 '애주'의 공통적인 특징은 바로 부원료인 쑥의 양은 늘어나고 쌀의 양은 줄어듦으로써 약효 중심의 양주기법으로 변화했다는 것이다.

그러한 이유 때문인지 모르지만 <수운잡방>과 <요록>에는 "이 술을 하루 세 번 마시면 만병이 낫는다."라고 기록하고 있다.

그런가 하면 <수운잡방>의 '애주'와 <요록>, <침주법>에 수록된 '애주', '애엽주'의 술 빛깔과 맛, 향기가 매우 다르다. <수운잡방>의 '애주'가 일반적인 주품들과 같은 황금빛 또는 엷은 미황색의 술 색깔과 맛을 간직하고 있으며, 향기 또한 쑥 향기가 지나치게 강하지 않아 매우 바람직한 향기인 데 비해, <요록>의 '애주'와 <침주법>의 '애엽주'는 강한 쑥 향기가 방향을 지배하고 있으며, 술 빛깔이 다소 진한 보리차나 위스키 같은 색깔을 보여주고 있다. 맛 또한 약간 쓴맛이 두드러지고 쉽게 물린다는 점에서 오래 즐길 수 있는 맛은 아니라는 생각이 들었다.

'애주'는 단오 무렵에 빚어 여름부터 가을 추석 무렵까지 마시는 세시주였다. <침주법>에서도 "오월 초나흗날 백미 한 말을 백세하여…… 독에 넣고 굳이 봉하여 두었다가 유월 망후에 쓰라."고 한 것을 볼 수 있다.

예로부터 '단오 무렵에 채취한 약쑥의 효능이 으뜸'이라고 했듯이 민간에서는 단오쑥의 효능을 술에 불어넣어 그 효과를 극대화시키기 위한 양주기법으로 한 때는 '애주'가 각광받았을 것이다.

또한 쑥에 얽힌 신화가 전해질 만큼 우리 민족의 정서와도 잘 맞는 세시주(歲時酒) 중 한 가지였으나, 어느 순간 우리 주변에 흔하게 널려 있어 귀한 줄 모르게 되어 결국 단절을 초래한 것은 아닐까 여겨진다.

서양에서 수입해 온 허브는 비싼 값을 치러서라도 사 들여와 '향기요법'이다 '방향제'다 하여 그 쓰임새를 다양화하고 있는 반면, 토종 허브의 하나인 쑥을 이용한 주류나 방향제 개발 등에는 소극적이고 무관심한 우리의 현실이 가슴 아프다.

1. 애주 <수운잡방(需雲雜方)>

술 재료 : 밑술 : 멥쌀 1말, 누룩가루 1되, 끓는 물(5되)
덧술 : 멥쌀 1말, 참쑥잎(2~3되)

술 빚는 법 :

* 밑술 :

1. 4월 그믐께 멥쌀 1말을 백세하여 (물에 담가 불렸다가, 다시 씻어 헹궈서 물기를 뺀 후) 세말한다(고운 가루로 빻는다).
2. 솥에 물(5되)을 붓고 팔팔 끓여 쌀가루에 골고루 섞어 주걱으로 고루 개어 범벅을 쑨 뒤, (넓은 그릇에 나눠 담고) 차게 식기를 기다린다.
3. 범벅에 누룩가루 1되를 섞고, 고루 버무려 술밑을 빚는다.
4. 술독에 술밑을 담아 안치고, 단단히 봉하여 서늘한 곳에 두어 5월 초사흘까지 발효시킨다.

* 덧술 :

1. 5월 초사흘에 멥쌀 1말을 백세한 뒤 물에 담가 하룻밤 불렸다가 (다시 씻어 헹궈서) 물기를 빼놓는다(작말한다).

2. 5월 초 4일에 참쑥잎을 채취하여 깨끗이 씻은 후 (쌀과 섞어 시루에 안쳐서) 고두밥(설기)을 찐다.
3. 고두밥(흰무리떡)이 익었으면 퍼내어 깨끗한 자리에 펼쳐서, 여러 번 뒤집어 주면서 차게 식히되 밤새 이슬을 맞힌다.
4. 단옷날 이른 아침에 고두밥(흰무리떡)과 밑술을 합하고 고루 치대어 손바닥 크기의 떡을 빚는다.
5. 술독 가운데 촘촘히 엮은 대나무발을 걸치고, 그 위에 술밑을 올려 안쳐놓는다.
6. 술독은 김이 새지 않도록 밀봉하여 찬 곳(땅)에 두고, 8월 보름까지 3개월가량 발효시킨 후 대나무발 밑의 맑은 술을 떠낸다.

* 주방문에 밑술의 물 양이 나와 있지 않으나, 덧술을 할 때 떡을 만들 수 있는 양인 5되를 산정하였다.

白朮酒(艾酒)

白米三斗百洗浸水一宿翌日更洗作餢白朮末五升麴五升和納甕待熟上槽和水飯之白朮濃煎水和飯造釀. 亦妙艾煎水和飯造酒亦通.

2. 백출주 별법 (애주) <수운잡방(需雲雜方)>

술 재료 : 멥쌀 3말, 쑥 5되, 누룩 5되, 물(1말 5되)

술 빚는 법 :

1. 멥쌀 3말을 백세하여 물에 하룻밤 담가 불렸다가 (다시 씻어 헹궈 건져서 물기를 뺀 후) 시루에 안쳐서 술거리(고두밥)를 만든다.
2. 술거리(고두밥)가 익었으면 퍼내고, 고루 펼쳐서 차게 식기를 기다린다.

3. 준비한 백출(또는 쑥) 5되를 물에 깨끗이 씻은 뒤, 물(1말 5되)과 함께 솥에 넣고 오랫동안 달여서 (달인 물이 1말이 되면) 백출(쑥)을 건져내고 차게 식힌다.
4. 고두밥에 백출 달인 물(쑥 달인 물)과 누룩 5되를 한데 합하고, 힘껏 치대어 술밑을 빚는다.
5. 술밑을 술독에 담아 안치고, 예의 방법대로 하여 발효시킨다.
6. 술이 익거든 술주자에 올려 짜서 채주하고, 물을 적당량 타서 마신다.

* '백출주(白朮酒)' 주방문 말미에 별법(別法)으로 "백출을 진하게 달인 물에 고두밥을 섞어 빚어도 좋고, 쑥을 달인 물로 빚어도 좋다."고 하였으므로 '애주' 주방문을 작성하였다.

白朮酒(艾酒)
白米三斗百洗浸水一宿翌日更洗作醅白朮末五升麴五升和納甕待熟上槽和水飯之白朮濃煎水和飯造釀. 亦妙艾煎水和飯造酒亦通.

3. 애주 <요록(要錄)>

술 재료 : 쑥잎 1말, 멥쌀 1말, 누룩가루 2되, 물(1말)

술 빚는 법 :
1. 5월 첫 4일에 어린 쑥잎 1말을 따다 물에 깨끗하게 씻어 물기를 뺀 다음, 자리에 펴서 말려놓는다.
2. 쑥은 밤새 이슬을 맞히고, 다음날 정화수를 길어다가 쑥잎을 넣고 삶아서 떡잎 같은 것을 제거한다.
3. 멥쌀 1말을 (백세하여) 하룻밤 불렸다가 다시 씻어 건져서 물기를 뺀 다음,

시루에 안쳐서 고두밥을 짓는다.
4. 고두밥을 쑥물과 섞어 고루 저어주고, 고두밥이 쑥물을 다 먹고 차게 식기를 기다린다.
5. 고두밥에 누룩가루 2되를 넣고 고루 버무려 술밑을 빚는다.
6. 술독에 술밑을 담아 안치고, 예의 방법대로 하여 발효시킨다.

* '애초주(艾草酒)'라고도 한다.

艾酒

治腹痛. 五月初四日採艾葉一斗鋪席上承露以翌日浸井花水沸之去艾葉白米一斗浸宿炊飯以艾水和合待冷麴末二升和入熟用.

4. 애엽주 <침주법(浸酒法)>

–한 말 빚이

술 재료 : 멥쌀 1말, 쑥잎 1말, 누룩 1되, 정화수 1말

술 빚는 법 :

1. 5월 4일날 멥쌀 1말을 백세하여 물에 담가 불렸다가, 오후에 다시 씻어 베보자기에 건져서 물기를 빼놓는다.
2. 5월 5일에 쑥잎 1말을 따다 불린 쌀과 섞고, 돗자리에 널어 밤이슬을 맞혀 놓는다.
3. 5일 새벽에 정화수 1말 남짓 길어다 솥에 붓고 불을 지펴 끓인다.
4. 이슬 맞힌 쌀과 쑥잎을 시루에 담아 안치고, 끓는 물솥에 올려서 고두밥을 찌는데, 익었으면 그릇에 퍼 담는다.
5. 솥의 물을 퍼서 고두밥에 합하고, 고루 섞어 고두밥이 물을 다 먹었으면, 차

게 식기를 기다린다.

6. 고두밥에 좋은 누룩 1되를 합하고, 고루 버무려 술밑을 빚는다.
7. 술밑을 술독에 담아 안치고, 독 주둥이를 단단히 밀봉하여 두었다가 6월 망후에 쓴다.

애엽쥬(艾葉酒)—ᄒᆞᆫ 말

오월 초 나ᄒᆞᆫ날 ᄇᆡᆨ미 ᄒᆞᆫ 말을 ᄇᆡᆨ셰ᄒᆞ야 믈에 ᄃᆞᆷ가 오후에 물 ᄭᅵ 업시 뵈보ᄒᆞ로 건져 숙닙 ᄒᆞᆫ 말을 ᄒᆞᆫᄃᆡ 섯거 돗 ᄭᅴ 너러 밤이슬 마치고 닷쇄날 새볘 정화슈를 ᄒᆞᆫ 말 남즉 ᄉᆞᆺ희 붓고 그 ᄡᆞᆯ을 실늬 다마 ᄡᅧ 그 믈로 골와 ᄎᆞ거든 죠ᄒᆞᆫ 누록 ᄒᆞᆫ되 ᄉᆞᆺ거 독의 녀코 구지 봉ᄒᆞ야 ᄃᆞᆺ더가 뉵월 망후의 ᄡᅳ라.

연엽주 · 연엽양

스토리텔링 및 술 빚는 법

여러 가지 가향재(加香材) 가운데 특이하게 한여름에 피는 연잎(蓮葉)을 술에 넣는 가향주(佳香酒)가 '연엽주(蓮葉酒)'이다.

'연엽주'는 '하엽주'라고도 하는데, 이 '연엽주'에 대한 유래는 "조선조 무장이었던 이완(李浣) 장군이 부하들의 사기를 돋우기 위해 빚었다."는 설과 "조선조 금주령 때 궁중의 제례용 술과 허약한 왕의 보신을 위해 신하들이 빚었다."는 등 두 가지 설이 전해지고 있다.

연엽주가 언제부터 빚어졌는지는 정확하지 않지만, 1600년대 말엽의 <주방문(酒方文)>과 1716년의 <산림경제(山林經濟)>에 수록되어 있는 것으로 미뤄볼 때 500여 년 전부터 빚어왔던 것만은 분명하다.

이후 <고사십이집(攷事十二集)>을 비롯해 18~19세기의 문헌인 <간본규합총서(刊本閨閤叢書)>, <감저종식법(甘藷種植法)>, <고려대규합총서(高麗大閨閤叢書, 異本)>, <고사신서(攷事新書)>, <군학회등(群學會騰)>, <규합총서(閨閤叢書)>, <농정회요(農政會要)>, <부인필지(夫人必知)>, <술방>, <온주법(醞

酒法)>, <임원십육지(林園十六志)>, <조선무쌍신식요리제법(朝鮮無雙新式料理製法)>, <주방(酒方, 임용기소장본)>, <주식방(酒食方, 高大閨壼要覽)>, <증보산림경제(增補山林經濟)>, <학음잡록(鶴陰雜錄)>, <해동농서(海東農書)> 등에 집중되어 있다. 총 19종의 문헌에 24차례나 등장하는 것으로 보아 조선 중기에 전성기를 이뤘을 것으로 짐작된다.

특히 사대부를 비롯하여 선비들 사이에서 '개화성(開花聲)'이니 '하심주(荷心酒)'니 하여 '연꽃'과 '연엽주'가 완상의 대상이 되었던 사실을 감안하면, '연엽주' 만큼 여름철의 낭만과 풍류(風流)가 깃든 술도 드물 것이다.

'연엽주'는 문헌에 따라 술 빚는 법에 차이가 있다. <주방문>의 '연엽주 별법(別法)' 주방문에는 "멥쌀 1말을 하룻밤 불렸다가 고두밥을 쪄서 식히고, 물 2병도 끓여서 차게 식혀 누룩가루 한 줌 섞어 버무려 먼저 독 밑에 연잎을 깔고, 그 위에 술밑을 안치고, 다시 켜켜로 안쳐서 누룩가루를 맨 위에 뿌려준 다음 단단히 밀봉하여 서늘한 곳에서 익힌다."고 하였다.

<산림경제>에서도 <사시찬요(四時纂要)>를 인용해 "매 씻은 찹쌀을 하룻밤 물에 담갔다가 폭 찐다. 이튿날 찹쌀 1말에 누룩가루 7홉 정도를 섞고, 물 2병을 끓여 지에밥과 물을 다른 그릇에서 식혔다가 섞는다. 먼저 독 밑에 연잎을 깔고, 그 위에 지에밥과 누룩을 켜켜이 놓아 깔되, 절대로 날물을 들이지 말 것이다."고 하여 두 문헌에서 찹쌀 또는 멥쌀 1말로 지은 고두밥과 끓여 식힌 물 2병, 누룩가루 7홉 또는 한 줌을 섞어 빚는 가장 기본적인 단양주법(單釀酒法)을 보여주고 있다.

그러나 누룩의 양이 0.7%밖에 사용되지 않는다는 점에서 결코 쉽지 않은 주방문임을 알 수 있다.

이 두 문헌과 동일한 주방문으로 <간본규합총서>, <감저종식법>, <고려대규합총서(이본)>, <고사십이집>, <고사신서>, <군학회등>, <규합총서>, <농정회요>, <부인필지>, <술방>, <주방(임용기소장본)>, <주식방(고대규곤요람)>, <증보산림경제>, <학음잡록>, <해동농서>에서도 16차례나 볼 수 있다.

'연엽주'는 <주방문> 및 <산림경제>를 인용한 것으로 추측되고, 예의 '연엽주' 양주법이 주류를 이뤘던 것으로 여겨진다.

다만 <산림경제>에서 "<사시찬요보(四時纂要補)>를 인용하였다."고 하여 '연엽주'의 등장시기를 보다 앞당길 수 있겠다는 생각에 <사시찬요보>를 뒤졌으나 아직까지 '연엽주' 주방문을 찾을 수 없었다.

한편, 이보다 훨씬 더 낭만적이고 풍류가 깃든 양주법으로 "멥쌀을 가루로 하여 쪄서 누룩가루와 섞어 주먹 크기나 바가지 크기로 둥글게 빚는다. 이것을 연잎으로 싸고 부드러운 끈으로 붙잡아 맨 후 나뭇가지나 연줄기로 주위를 받쳐둔다. 일주일 후 열어서 마신다."고 한 기록을 볼 수 있다.

이와 같은 양주법은 <주방문>을 비롯해 <온주법>, <임원십육지>, <조선무쌍신식요리제법> 등에서 목격되는데, 문헌에 따라서는 멥쌀과 찹쌀이 쓰이고, '1말 빚이'와 '1되 빚이'가 있다. 쌀을 가공하는 방법에 있어서도 <온주법>, <임원십육지>, <조선무쌍신식요리제법>에서는 '고두밥'으로, <주방문>, <임원십육지>, <조선무쌍신식요리제법>에서는 '흰무리떡'으로, <온주법>에서는 '구멍떡'으로 빚는 등 다양한 방법이 등장하고 있다.

<규합총서>보다 약간 후대의 문헌인 <양주방>*에서는 "끓여 식힌 물과 누룩가루, 엿기름가루를 한데 섞어 만든 물누룩을 사용해 찹쌀 1말로 지은 고두밥과 섞어 술밑을 빚는데, 연못 가운데 있는 연잎에 술밑을 싸서 짚으로 동여매어 솔발간(나뭇가지)으로 고정시켜 하루 동안 두면 술이 익는다."고 기록되어 있다. 술밑을 살아 있는 연잎으로 싸서 술독에 담아 안쳐서 발효시키는 방법 가운데서도 가장 합리적인 양주법을 수록하고 있다.

그런가 하면 충남 아산 지방의 예안 이씨 가문비주로 전해 오는 '아산 연엽주'는 <규합총서>와 같은 술 빚기를 바탕으로 하되, 신국(神麴)을 사용하고, 감초와 솔잎 등의 부재료가 첨가된 약용약주(藥酒)이다. 충청남도 무형문화재로 지정되어 있는데, 연잎 외에도 솔잎과 연근 등이 사용되는 약용약주 개념의 단양주이다.

특히 '아산 연엽주'는 특별히 빚은 '신국'을 사용한다는 점에서 조선시대 사대부가의 양주기법을 엿볼 수 있는 중요한 자료이다.

이렇듯 '연엽주'의 주방문이 다양한 이유는 술 빚기가 힘든 여름철을 대표하는 주품으로 자리 잡고 있었다는 사실의 반증이기도 하며, 무엇보다 '연엽주'의 향기가 그만큼 뛰어났고, 기호와 건강에도 좋았기 때문이었을 거라는 결론에 이른다.

특히 <주방문>을 비롯해 <산림경제>, <온주법>, <규합총서>, <임원십육지>, <술방>, <양주방>* 등의 기록대로 '연엽주'를 재현해 시음회를 가져본 결과, 그 반응은 예상 밖이었다.

옛 문헌에 수록된 주방문을 근거로 필자가 재현한 '연엽주'를 맛본 사람이면 한결같이 "뭐라 형용할 수 없는 향취가 감돈다."라는 일관된 평가를 보였다. 개인적으로도 "전통주의 대중화 및 세계화를 위해서도 '연엽주'와 같은 보다 다양한 방법의 양주를 시도해 볼 만한 가치가 있다."고 생각한다.

다만 '연엽주'를 빚을 때는 날물(生水)을 쓰지 않도록 하고, 술독은 단단히 밀봉하여 서늘한 곳에 두고 발효시키는 게 좋다. 또 어떠한 방법이든지 한여름의 열기가 가라앉고 서리가 내리기 전에 빚어야 술이 시어질 염려가 없으며, 연잎도 수분이 가장 많을 때인 한여름은 피하고, 서리가 내리기 전 늦여름이나 입추 무렵이 술 빚기에 좋다는 사실을 유념해야 한다.

특히 연못의 연잎에 술밑을 싸서 태양 아래서 발효시키는 방법의 술 빚기는 고두밥을 한 김 나게 식힌 뒤 누룩과 끓여 식힌 물을 섞어 술밑을 빚되, 고두밥의 양보다 물의 양이 많아서는 안 되고, 술밑은 반드시 차게 식힌 후 연잎에 싸고 볏짚이나 끈으로 묶어서 비나 서리가 들어가지 않게 해야 한다.

또 주방문에는 1~7일로 되어 있으나, 고두밥이나 흰무리떡, 또는 구멍떡과 누룩가루를 섞어 버무린 술밑의 상태에 따라 그 기간을 조절할 일이다. 햇볕 아래서 발효시키므로 지나치게 오랜 기간이 되면 술덧이 시어지고, 짧으면 덜 익어서 시어지는 경우가 많기 때문이다.

이른 새벽 연못에 나가 연꽃의 개화성을 듣고 술을 빚기 시작해 저녁나절엔 연꽃 한두 송이 꺾어 붉은 노을을 뒤로하고 돌아와 연화차 한 잔에 취해 곤히 잠들었다가, 다시 날을 잡아 지기(知己)들을 불러 모아놓고 연못의 연엽을 따다 그 자리에서 탁주를 걸러서 놓고, 취하도록 주거니 받거니 수작(授爵)을 해보았는가? 연꽃에 취하고 '연엽주' 향기에 취하고 또 사람에 취하다 보면 신선(神仙)이 부럽지 않을 것이다.

'연엽주'는 하룻밤 통음(痛飮)하는 것으로도 잊지 못할 추억을 가슴에 담고 평생을 살아갈 수 있을 것만 같은 그런 술이다.

1. 연엽주 <간본규합총서(刊本閨閤叢書)>

술 재료 : 멥쌀 1말, 연잎 5~6장, 누룩가루 7홉, 좋은 물 2병

술 빚는 법 :

1. 가을 서리 (내리기) 전에 쌀 1말을 백세하여 밤재워 불렸다가 (다시 씻어 건져서 물기를 뺀 후) 시루에 안쳐서 고두밥을 짓는다.
2. 좋은 물 2병을 팔팔 끓이다가 고두밥이 익었으면 퍼내어 (넓은 그릇에 담고) 고두밥에 끓는 물을 골고루 퍼부은 후 주걱으로 고루 헤쳐 놓는다.
3. 고두밥이 물을 다 먹고, 얼음같이 차게 식기를 기다린다.
4. 누룩가루를 곱게 가루 내어 7홉을 준비한다.
5. 연잎은 가을 서리 내리기 전에 마르지 않은 것을 채취하여 수건으로 깨끗이 씻어 이물질을 제거한다.
6. 먼저 독에 연잎을 깔고, 그 위에 고두밥과 누룩을 순서대로 켜켜로 안친다.
7. 누룩은 조금씩 뿌리듯이 하여 연잎과 고두밥, 누룩가루를 순서대로 다 안친다.
8. 술독은 예의 방법대로 하여 단단히 밀봉한 후, 볕이 들지 않는 찬 곳에 두고 익힌다.

* 주방문 말미에 "일절 날물을 들이지 아니하면 향기가 비상하고 오래 두어도 상하지 않으니, 술을 다 뜬 후에 다른 좋은 술을 부어도 맛과 향기가 여전하다."고 하였다.<규합총서>의 주방문과 동일하다.

년엽쥬

ᄀᆞ을 셔리 젼에 (날이 더우면 싀기 쉬온니라) ᄡᆞᆯ ᄒᆞᆫ 말을 뵈셰ᄒᆞ야 담가 밤을 ᄌᆡ아 ᄶᅵ고 죠흔 물 두 병을 ᄭᅳᆯ혀 밥과 물이 어름갓치 ᄎᆞ거든 ᄒᆞᆫᄃᆡ 셕고 ᄉᆡᆼ년엽을 독 속에 편 후에 밥을 그 우의 너코 국말 칠 홉을 가지고 밥 우희 ᄒᆞᆫ 계

을 펴고 다시 년엽을 펴고 우희 밥을 너코 누록을 펴되 펴 기을 제 ː ᄯᅥᆨ 안치돗 ᄒᆞ야 ᄃᆞᆫᄃᆞᆫ이 봉ᄒᆞ야 양긔 업ᄂᆞᆫ ᄎᆞᆫᄃᆡ 두어 닉히되 일졀 날물을 드리지 안니허면 향긔가 비ᄉᆞᆼᄒᆞ고 오ᄅᆡ 두어도 상치 안이ᄒᆞ니 슐을 다 쓴 후 다른 죠ᄒᆞᆫ 슐을 부어도 향긔가 의구ᄒᆞ니라.

2. 연엽주 <감저종식법(甘藷種植法)>

술 재료 : 찹쌀(1말), 연잎 약간, 누룩가루 14홉, 탕수 2병

술 빚는 법 :

1. 찹쌀(1말)을 백세하여 물에 담가 하룻밤 불렸다가, (다시 씻어 건져서 물기를 뺀 뒤) 시루에 안쳐서 고두밥을 짓는다.
2. 다음날 쌀 1말당 물 2병을 끓여서 차게 식힌다.
3. 고두밥이 익었으면, 그릇 여러 개에 나눠 담고 차게 식기를 기다린다.
4. 연잎을 채취하여 깨끗한 수건으로 먼지와 이물질을 깨끗하게 닦아내어 2~3장을 준비한다.
5. 고두밥에 끓여 식힌 물을 합하고, 고루 버무려 술밑을 빚는다.
6. 술독에 마련한 연잎을 먼저 펴고, 그 위에 고두밥(술밑)을 한 켜 안친다.
7. 고두밥(술밑) 위에 누룩가루 7홉을 나누어 한 켜 뿌리고, 그 위에 고두밥(술밑)을 다시 한 켜 안친다.
8. 위와 같이 떡 안치듯 계속하여 켜켜로 고두밥(술밑)을 다 안치고, 맨 위에 누룩가루를 뿌려서 덮는다.
9. 술독은 날물이 들어가지 않게 조심하고, 단단히 밀봉하여 햇볕이 들지 않는 찬 곳에 두고 익힌다.

* 주방문 말미에 "날이 더우면 맛이 쉬어지니 반드시 서리 내리기 전, 잎이 채

마르지 않았을 때 담가야 향기와 맛이 기이하며, 비록 봄·여름을 지나더라도 변하지 않으니, 독을 기울여 따라 쓴 뒤에는 좋은 술을 대신 넣더라도 그 향기와 맛은 같다."고 하였다.

蓮葉酒
粘白米百洗浸宿蒸熟又明日計每斗入麴末七合熟水二瓶飯與水各器停冷和合先鋪蓮葉於甕底次鋪飯麴層層隔鋪切禁生水日熱則或味酸須趁霜前葉未枯時釀之香味異常雖過春夏不變傾甕取用後(瀡)入好酒替入香味依舊.

3. 연엽주 <고려대규합총서(高麗大閨閤叢書, 異本)>

술 재료 : 멥쌀 1말, 누룩가루 7홉, 물 2병, 연잎 3~4(5~6)장

술 빚는 법 :

1. 좋은 쌀 1말을 백세하여 물에 하룻밤 담가 불려두었다가 (다시 씻어 건져서 물기를 뺀 후) 시루에 안쳐서 고두밥을 짓는다.
2. 고두밥이 익었으면 고루 펼쳐서 얼음같이 차게 식기를 기다린다.
3. 물 2병(6되)을 팔팔 끓여서 넓은 그릇에 담아 얼음같이 차게 식힌 후, 고두밥과 섞어놓는다(고두밥이 물을 다 빨아들일 때까지 기다린다).
4. 좋은 누룩 7홉을 가루로 빻고, 체로 쳐서 고운 가루를 준비한다.
5. 소독하여 준비한 술독에 연잎 1장을 먼저 깔아놓는다.
6. 연잎을 깐 술독에 고두밥을 안치고, 그 위에 누룩가루를 한 줌 뿌린다.
7. 다시 연잎을 깔고 고두밥을 안친 후, 누룩가루를 뿌리는 방법으로 반복해서 안친다.
8. 이와 같이 켜떡 안치듯 하여 술밑을 다 안치고, 맨 위에 누룩가루를 한 줌 뿌려준다.

9. 술독은 삼베나 면보로 단단히 밀봉하고, 햇볕이 들지 않는 서늘한 데 두고 익힌다.

* 술 빚을 때 일절 날물을 들이지 말고, 날이 더우면 쉬어지므로 가을 서리가 내려 연잎이 마르기 전에 빚으면 오래 두어도 변하지 않는다고 하였다.

년엽쥬

죠흔 ᄡᆞᆯ 빅셰ᄒᆞ야 ᄒᆞᆫ 말 ᄃᆞᆷ가 경슉한 후 ᄶᅵ고 됴흔 물 두 병을 ᄭᅳᆯ혀 밥과 물이 어름ᄀᆞᆺ치 ᄎᆞ거든 ᄒᆞᆫᄃᆡ 셕고 됴흔 누록 칠 홉을 셰말ᄒᆞ야 몬져 년닙흘 독속의 펴고 그 우희 밥을 너코 누록 쎄키를 켸켸 ᄯᅥᆨ 안치듯 ᄒᆞ야 ᄃᆞᆫᄃᆞᆫ이 봉ᄒᆞ야 양긔 업ᄉᆞᆫ ᄎᆞᆫ ᄃᆡ 두어 닉히ᄃᆡ 일졀 ᄂᆞᆯ물 드리디 말고 날 더우면 싀기 쉬오니 ᄀᆞ을어 서늘ᄒᆞᆫ 후 서리 미처 ᄂᆞ리디 아냐셔 닙히 ᄆᆞ르기 젼의 비ᄌᆞ면 향미가 이샹ᄒᆞ고 오래 두어도 샹치 아니ᄒᆞ니 슐을 담믄 후 다른 됴흔 슐을 부어 ᄀᆞᆺ 향미가 의구ᄒᆞ니라.

4. 연엽주 <고사신서(攷事新書)>

술 재료 : 찹쌀 1말, 연잎 약간, 누룩가루 14홉, 탕수 2병

술 빚는 법 :

1. 찹쌀 1말을 백세하여 물에 담가 하룻밤 불렸다가 (다시 씻어 건져서 물기를 뺀 뒤) 시루에 안쳐서 고두밥을 짓는다.
2. 물 2병을 끓여서 차게 식힌 후에 고두밥에 합하고, 고루 헤쳐서 고두밥이 물을 다 먹으면, 고루 펼쳐서 차게 식기를 기다린다.
3. 연잎을 채취하여 깨끗한 수건으로 먼지와 이물질을 깨끗하게 닦아내어 2~3장을 준비한다.

4. 고두밥에 곱게 가루 내어 준비한 누룩 7홉을 합하고, 고루 버무려 술밑을 빚는다.
5. 술독에 마련한 연잎을 먼저 펴고, 그 위에 고두밥(술밑)을 한 켜 안친다.
6. 고두밥(술밑) 위에 누룩가루를 한 켜 뿌리고, 그 위에 고두밥(술밑)을 다시 한 켜 안친다.
7. 위와 같이 떡 안치듯 계속하여 켜켜로 고두밥(술밑)을 다 안치고, 날물이 들어가지 않도록 하여 맨 위에 누룩가루를 뿌려서 덮는다.
8. 술독은 단단히 밀봉하여 햇볕이 들지 않는 찬 곳에 두고 익힌다.
9. 술을 다 뜨고 더 이상 술이 고이지 않으면, 다른 술이라도 좋은 술 더 부어 두어도 맛과 향기가 여전하다.

* <고사촬요>와 동일한 주방문이다.

蓮葉酒
粘白米百洗浸水經宿蒸熟又明日計每斗入麴末七合熟水二瓶飯與水各器停冷和合先鋪蓮葉於甕底次鋪飯麴層層隔鋪切禁生水日熱則味酸須趁霜前葉未枯時釀之香味異常雖過春夏不變傾甕取用後以好酒替入香味依舊.

5. 연엽주 <고사십이집(攷事十二集)>

술 재료 : 찹쌀 1말, 연잎 약간, 누룩가루 14홉, 탕수 2병

술 빚는 법 :
1. 찹쌀 1말을 백세하여 물에 담가 하룻밤 불렸다가 (다시 씻어 건져서 물기를 뺀 뒤) 시루에 안쳐서 고두밥을 짓는다.
2. 물 2병을 끓여서 차게 식힌 후에 고두밥에 합하고, 고루 헤쳐서 고두밥이 물

을 다 먹으면, 고루 펼쳐서 차게 식기를 기다린다.

3. 연잎을 채취하여 깨끗한 수건으로 먼지와 이물질을 깨끗하게 닦아내어 2~3장을 준비한다.
4. 고두밥에 곱게 가루 내어 준비한 누룩 7홉을 합하고, 고루 버무려 술밑을 빚는다.
5. 술독에 마련한 연잎을 먼저 펴고, 그 위에 고두밥(술밑)을 한 켜 안친다.
6. 고두밥 위에 누룩가루를 한 켜 뿌리고, 그 위에 고두밥을 다시 한 켜 안친다.
7. 위와 같이 떡 안치듯 계속하여 켜켜로 고두밥(술밑)을 다 안치고, 날물이 들어가지 않도록 하고, 맨 위에 누룩가루를 뿌려서 덮는다.
8. 술독은 단단히 밀봉하여 햇볕이 들지 않는 찬 곳에 두고 익힌다.

* 주방문 말미에 "날이 더우면 쉬어지니 반드시 서리 내리기 전, 잎이 채 마르지 않았을 때 담가야 향기와 맛이 기이하며, 비록 봄·여름을 지나더라도 변하지 않으니, 독을 기울여 따라 쓴 뒤에는 좋은 술을 대신 넣더라도 그 향기와 맛은 여전하다."고 하였다. <고사촬요>와 동일한 주방문이다.

蓮葉酒

粘白米百洗浸水經宿蒸熟又明日計每斗入麴末七合熟水二瓶飯與水各器停冷和合先鋪蓮葉於甕底次鋪飯麴層層隔鋪切禁生水日熱則味酸須趁霜前葉未枯時釀之香味異常雖過春夏不變傾甕取用後以好酒替入香味依舊.

6. 연엽주법 <군학회등(群學會騰)>

술 재료 : 찹쌀 또는 멥쌀 1말, 연잎 2~3장, 누룩가루 14홉, 끓여 식힌 물 2병

술 빚는 법 :

1. 찹쌀이나 멥쌀 1말을 백세하여 물에 담가 하룻밤 불렸다가 (다시 씻어 건져서 물기를 뺀 뒤) 시루에 안쳐서 고두밥을 짓는다.
2. 물 2병을 끓여서 넓은 그릇에 퍼 담고 식기를 기다린다.
3. 고두밥이 익었으면 그릇에 퍼내어 끓여 식힌 물을 한데 합하고, 주걱으로 고루 헤쳐 차게 식기를 기다린다.
4. 연잎을 채취하여 깨끗한 수건으로 먼지와 이물질을 깨끗하게 닦아내어 2~3장을 준비한다.
5. 누룩 7홉을 곱게 가루 내어 준비한다.
6. 술독에 마련한 연잎을 먼저 펴고, 그 위에 고두밥(술밑)을 한 켜 안친다.
7. 고두밥(술밑) 위에 누룩가루를 한 켜 뿌리고, 그 위에 고두밥(술밑)을 다시 한 켜 안친다.
8. 위와 같이 떡 안치듯 계속하여 켜켜로 고두밥(술밑)을 다 안치고, 맨 위에 누룩가루를 뿌려서 덮는다.
9. 술독은 날물을 일절 금하고, 단단히 밀봉하여 햇볕이 들지 않는 찬 곳에 두고 익힌다.

* 주방문 말미에 "쌀 1말당 누룩가루 7홉의 비율로 하고 건조시킨 연잎을 항에 넣는다."고 하였다. 또 "날이 더우면 쉬어지니 반드시 서리 내리기 전, 잎이 채 마르지 않았을 때 담가야 향기와 맛이 기이하며, 비록 봄·여름을 지나더라도 변하지 않으니, 독을 기울여 따라 쓴 뒤에는 좋은 술을 대신 넣더라도 그 향기와 맛은 여전하다."고 하였다.

蓮葉酒法

粘白米百洗浸水經宿蒸熟又熟水二瓶各器停冷後和合.之每米斗一以麴末七合爲率先鋪蓮葉於甕於底次下蒸米次下麯末必層層隔鋪切禁生水日熱則恐味酸須趁霜前葉未枯時而釀之則香味異常雖過春夏不變傾甕取用後以好酒晉入香味依舊.

7. 연엽주 <규합총서(閨閤叢書)>

술 재료 : 멥쌀 1말, 연잎 2~3장, 누룩가루 7홉, 끓여 식힌 물 2병

술 빚는 법 :

1. 좋은 멥쌀 1말을 백세하여 (물에 담갔다가, 다시 씻어 건져서 물기를 뺀 후) 시루에 안쳐서 고두밥을 짓는다.
2. 물 2병을 팔팔 끓여서 차게 식기를 기다린다.
3. 고두밥이 익었으면 시루에서 퍼내고, 고루 펼쳐서 차게 식기를 기다린다.
4. 법제한 누룩 7홉을 곱게 가루 내어 준비한다.
5. 가을에 서리가 내리기 전에 마르지 않은 연잎은 2~3장을 채취하여 깨끗이 씻어 물기를 없앤다.
6. 소독하여 준비한 술독에 연잎을 먼저 깐다.
7. 연잎 위에 밥과 누룩을 순서대로 켜켜로 안치되. 누룩은 조금씩 뿌리듯이 안친다.
8. 술독은 예의 방법대로 하여 날물기를 절대 금하고, 단단히 밀봉하여 볕이 들지 않는 서늘한 곳에 두고 발효시킨다.

* 주방문 말미에 "날이 더우면 쉬기 쉬우니 가을 서늘해진 뒤, 서리는 미처 내리지 않아서 잎이 마르기 전에 이 술을 빚으면 향기가 이상하고, 오래 두어도 상하지 않으니, 술을 다 쓰고 다른 좋은 술을 부어도 맛과 향기가 변하지 않는다."고 하였다.

년엽쥬

죠흔 ᄡᆞᆯ 빅셰ᄒᆞ야 ᄒᆞᆫ 말 ᄃᆞᆷ가 경슉한 후 ᄶᅵ고 됴ᄒᆞᆫ 물 두 병을 ᄉᆞᆯ혀 밥과 물이 어름ᄀᆞᆺ치 ᄎᆞ거든 ᄒᆞᆫᄃᆡ 석고 됴ᄒᆞᆫ 누록 칠 홉을 셰말ᄒᆞ야 몬져 년닙흘 독속의 펴고 그 우희 밥을 너코 누록 쎄키를 켸켸 썩 안치ᄃᆞᆺ ᄒᆞ야 ᄃᆞᆫᄃᆞᆫ이 봉ᄒᆞ

야 양긔 업ᄉᆞᆫ ᄎᆞᆫ ᄃᆡ 두어 ᄂᆡᆨ히ᄃᆡ 일졀 ᄂᆞᆯ물 드리디 말고 날 더우면 싀기 쉬오니 ᄀᆞ을어 서늘ᄒᆞᆫ 후 서리 미처 ᄂᆞ리디 아냐셔 닙히 ᄆᆞ르기 젼의 비ᄌᆞ면 향미가 이샹ᄒᆞ고 오래 두어도 샹치 아니ᄒᆞ니 술을 담믄 후 다른 됴흔 술을 부어 ᄀᆞᆺ 향미가 의구ᄒᆞ니라.

8. 연엽주법 <농정회요(農政會要)>

술 재료 : 찹쌀/멥쌀 1말, 연잎 약간, 누룩가루 7홉, 탕수 2병

술 빚는 법 :

1. 찹쌀이나 멥쌀 1말을 백세하여 물에 담가 하룻밤 불렸다가 (다시 씻어 건져서 물기를 뺀 뒤) 시루에 안쳐서 고두밥을 짓는다.
2. 물 2병을 끓여서 넓은 그릇에 퍼 담고 식기를 기다린다.
3. 고두밥이 익었으면 그릇에 퍼내고, 주걱으로 고루 헤쳐 차게 식기를 기다렸다가 식혀둔 물과 고루 합하여 놓는다.
4. 연잎을 채취하여 (깨끗한 수건으로 먼지와 이물질을 깨끗하게 닦아내어) 2~3장을 준비한다.
5. 가루 내어 (체에 쳐서 곱게 만든) 누룩가루 7홉을 준비한다.
6. 술독에 마련한 연잎을 먼저 펴고, 그 위에 고두밥(술밑)을 한 켜 안친다.
7. 고두밥(술밑) 위에 누룩가루를 한 켜 뿌리고, 그 위에 고두밥(술밑)을 다시 한 켜 안친다.
8. 위와 같이 떡 안치듯 계속하여 켜켜로 고두밥(술밑)을 다 안치고, 맨 위에 누룩가루를 뿌려서 덮는다.
9. 술독은 날물을 일절 금하고, 단단히 밀봉하여 햇볕이 들지 않는 찬 곳에 두고 익힌다.

* 주방문 말미에 "날이 더우면 쉬어지니 반드시 서리 내리기 전, 연잎이 채 마르지 않았을 때 채취하여 빚어야 향기와 맛이 기이하며, 비록 봄·여름을 지나더라도 변하지 않으니, 독을 기울여 따라 쓴 뒤에는 좋은 술을 대신 넣더라도 그 향기와 맛은 여전하다."고 하였다.

蓮葉酒法

粘白米百洗浸水經宿蒸熟又熟水二瓶各器停冷後和合之每米斗一以麯末七合爲率先鋪蓮葉於瓮於底冷下蒸米次下麯末必層層隔鋪切禁生水日熱則恐味酸須趁霜前葉未枯時而釀之則香味異常雖過春夏不變傾瓮取用後以好酒替入香味依舊.

9. 연엽주법 <부인필지(夫人必知)>

술 재료 : 멥쌀 1말, 연잎 3~4장, 누룩가루 7홉, 끓여 식힌 물 2되

술 빚는 법 :

1. 멥쌀 1말을 정히 씻어 (백세하여 물에 담가 불렸다가, 다시 씻어 건져서 물기를 뺀 후) 시루에 안쳐서 고두밥을 짓는다.
2. 물 2되를 팔팔 끓여서 차게 식히고, 고두밥도 익었으면 퍼내어 고루 펼쳐서 차게 식기를 기다린다.
3. 고두밥과 물을 한데 합하여 술밑을 빚는다.
4. 누룩가루 7홉을 세말하여(곱게 빻아) 놓는다.
5. 술독에 연잎 한 켜 펴고, 그 위에 술덧을 한 켜 안치고, 누룩가루를 뿌리는 순서로 켜켜이 안친다.
6. 술독은 예의 방법대로 하여 단단히 밀봉하여 따뜻한 곳에 두어 발효시킨다.

* 주방문 말미에 "술독은 양기 많이 쏘이게(따뜻한 곳에 두고) 익히되, 일체의 날물이 들어가지 않게 하고, 날이 더우면 쉬기 쉬우니, 가을에 연잎이 마르기 전 빚으면 향미 이상하고, 오래 두어도 변치 아니하니, 술을 뜨고 무쥬에(주박) 다른 술을 부어도 향미가 의구하니라."고 하였다.

연엽쥬법

ᄇᆡᆨ미 ᄒᆞᆫ 말 정히 씨셔 찌고 물 두 되 ᄭᅳᆯ여 밥과 물이 다 식은 후 ᄒᆞᆫ데 셕고 누룩가루 칠 홉 셰말ᄒᆞ야 연닙을 독 밋헤 펴고 밥 ᄒᆞᆫ켸 넛코 누룩가루 펴고 ᄯᅩ 엽닙 펴고 밥 넛코 누룩 펴셔 켜ᄶᅧᆨ 안치듯 ᄒᆞ야 단〻히 봉ᄒᆞ야 양긔 안이 쏘이게 두어 익히되 일졀 ᄀᆡᆨ물을 드리지 말며 더우면 쉬기 쉬우니 가을에 연닙 말으기 젼 비즈면 향이 이상ᄒᆞ고 오ᄅᆡ 두어도 변ᄒᆞ지 안이 ᄒᆞᄂᆞ니라. ᄡᅳ고 무쥬에 다른 ᄉᆞᆯ을 부어도 향미가 의구ᄒᆞ니라.

10. 연엽주 <산림경제(山林經濟)>

술 재료 : 찹쌀 1말, 연잎 약간, 누룩가루 14홉, 끓여 식힌 물 2병

술 빚는 법 :

1. 찹쌀 1말을 백세하여 물에 담가 하룻밤 불렸다가 (다시 씻어 건져서 물기를 뺀 뒤) 시루에 안쳐서 고두밥을 짓는다.
2. 물 2병을 끓여서 차게 식힌 후에 고두밥에 합하고, 고루 헤쳐서 고두밥이 물을 다 먹으면, 고루 펼쳐서 차게 식기를 기다린다.
3. 연잎을 채취하여 깨끗한 수건으로 먼지와 이물질을 깨끗하게 닦아내어 2~3장을 준비한다.
4. 고두밥에 끓여 식힌 물 2병과 곱게 가루 내어 준비한 누룩 7홉을 합하고, 고루 버무려 술밑을 빚는다.

5. 술독에 마련한 연잎을 먼저 펴고, 그 위에 고두밥(술밑)을 한 켜 안친다.
6. 고두밥(술밑) 위에 누룩가루를 한 켜 뿌리고, 그 위에 고두밥(술밑)을 다시 한 켜 안친다.
7. 위와 같이 떡 안치듯 계속하여 켜켜로 고두밥(술밑)을 다 안치고, 맨 위에 누룩가루를 뿌려서 덮는다.
8. 술독은 단단히 밀봉하여 햇볕이 들지 않는 찬 곳에 두고 익힌다.

* 주방문 말미에 "날이 더우면 쉬어지니 반드시 서리 내리기 전, 잎이 채 마르지 않았을 때 담가야 향기와 맛이 기이하며, 비록 봄·여름을 지나더라도 변하지 않으니, 독을 기울여 따라 쓴 뒤에는 좋은 술을 대신 넣더라도 그 향기와 맛은 여전하다."고 하였다.

蓮葉酒

粘白米百洗, 浸水經宿蒸熟, 又明日, 計每斗入麯末七合, 熟水二瓶, 飯與水各器, 停冷和合, 先鋪蓮葉於瓮底, 次鋪飯麴, 層層隔鋪, 切禁生水, 日熱則或味酸, 須趁霜前葉未枯時釀之. 香味異常, 雖過春夏不變. 傾瓮取用後. 以好酒替入. 香味依舊. <纂要補>.

11. 연엽주 <술방>

술 재료 : 찹쌀 1말, 연잎 3~2장, 누룩가루 7홉, 끓여 식힌 물 2병

술 빚는 법 :

1. 찹쌀을 백세하여 하룻밤 불렸다가 다시 씻어 말갛게 건져서 고두밥을 짓는다.
2. 물 2병을 팔팔 끓여 차게 식힌다.

3. 고두밥이 익었으면 퍼서 얇게 펼쳐 차게 식히고, 차게 식힌 물 2병을 고두밥에 섞어 고루 버무린다.
4. 누룩을 곱게 가루 내어 체에 친 후, 법제한 것으로 7홉을 준비한다.
5. 연잎은 가을에 서리가 내리기 전 마르지 않은 것을 채취하여, 깨끗이 씻어 물기를 없앤다.
6. 독에 연잎을 먼저 깐 다음, 연잎 위에 고두밥과 누룩을 순서대로 켜켜로 안치되, 누룩은 조금씩 뿌리듯이 안친다.
7. 술독은 예의 방법대로 하여 단단히 봉한 후, 볕이 들지 않는 서늘한 곳에 두고 익힌다.

* <규합총서>와 제조법이 동일하다.

년엽쥬

찹쌀 ᄒᆞᆫ 말 ᄇᆡᆨ셰ᄒᆞ여 물의 담가다가 밤 ᄌᆡ와 익게 ᄶᅵᆯ ᄯᆡ ᄭᅳ린 물 두 병을 각ː 그릇세 식혀 ᄒᆞᆫ데 타되, ᄆᆡ 두의 곡말 칠 홉식 정식ᄒᆞ여 몬져 녀엽을 독 밋히 ᄭᆞᆯ고, 그 다음의 밥 너코 그 다음의 곡말 너허 ᄎᆞᆼː 켜되 날물을 졀금ᄒᆞ고 ,날이 더운즉 맛시 실까 염여되ᄆᆡ, 셔리 오기 젼 년엽 말으지 아니 ᄯᆡ의 비즌즉, 향긔와 맛시 이상ᄒᆞ여 비록 죠ᄒᆞ가 지나여도 변치 아니ᄒᆞ고, 독을 기울여 ᄯᅡ라 ᄯᅳᆫ 후, ᄯᅩ 죠흔 ᄉᆞᆯ 그 ᄃᆡ신 부으면 향긔와 맛시 의법ᄒᆞ니라.

12. 연엽주 <온주법(醞酒法)>

술 재료 : 멥쌀 1말, 누룩가루 2되, 끓인 물 3병

술 빚는 법 :

1. 멥쌀 1말을 백세하여 (물에 담가 불렸다가, 다시 씻어 건져서 물기를 빼고)

시루에 안쳐서 고두밥을 짓는다.

2. 고두밥이 무르게 익었으면 퍼낸다(고루 펼쳐서 차게 식기를 기다린다).
3. 고두밥에 누룩가루 2되를 섞고, 고루 버무려 술밑을 빚는다.
4. (연잎이 있는 연못으로 들어가) 연잎 한 장 한 장에 술밑을 조금씩 나누어 얹어 싼 뒤, 볏짚으로 풀어지지 않게 묶어놓는다.
5. 연잎이 쓰러지지 않도록 막대기를 꽂아 지지대를 만들어 고정해 두면, 7일 후에 익는다.
6. 술 빚어 싸놓은 연잎을 따서 풀어 그 맛을 보면 달고 향기가 입에 가득하다.

연녑듀

ᄇᆡᆨ미 일 두 ᄇᆡᆨ셰ᄒᆞ야 붓거든 ᄆᆞ이 닉게 ᄶᅧ 국말 일 승 섯거 주먹마곰 뭉쳐 년녑 소오긔 싸 막ᄃᆡ로 밧쳐다가 칠일 만의 ᄶᅡ 먹으면 향긔로오니라.

13. 연엽주 (또 한 법) <온주법(醞酒法)>

술 재료 : 멥쌀 1말, 이화곡가루 또는 누룩가루 4되, 뜨거운 물 적당량

술 빚는 법 :

1. 멥쌀 1말을 백세하여 (물에 담가 불렸다가, 다시 씻어 건져서 물기를 뺀 후) 작말한다.
2. 쌀가루에 뜨거운 물을 2홉 정도 쳐서 익반죽을 만들고, 구멍떡을 빚는다.
3. 끓는 물솥에 구멍떡을 넣고 삶아 익어서 떠오르면 건져낸다(한 김 나가게 식힌다).
4. 구멍떡이 뜨거울 때 이화곡가루나 누룩가루 4되를 합하고, 매우 치대어 술밑을 빚는다(차게 식기를 기다린다).
5. 연방죽에 가서 연잎에 술밑을 조금씩 나눠 얹고, 온전히 감싸 덮어 볏짚으

로 싸맨다.
6. 술밑을 싼 연잎 주변에 나뭇가지를 세워서 지지대를 만들어 쓰러지지 않게 고정시킨다.
7. 술 빚은 지 3일 만에 연잎을 따내고, 벗겨서 (체에 밭쳐) 탁주를 거른다.

* 주방문 말미에 "연엽째 따면 맛이 향감하고 기이하니라."고 하였다.

연녑듀 ᄯᅩ

ᄇᆡᆨ미 일 두 ᄇᆡᆨ셰작말ᄒᆞ야 구멍ᄯᅥᆨ 닉게 살마 더울 제 니화국이나 그저 누록ᄀᆞᆯ니나 너 되 너허 ᄆᆞ이 쳐 년녑의 싸고 다란 닙 덥허 막ᄃᆡ 밧쳐 삼일 만ᄋᆡ 연녑 ᄌᆡ로 ᄡᅡ면 마시 향감ᄒᆞ여 긔이ᄒᆞ니라.

14. 연엽양방 <임원십육지(林園十六志)>
–천상황례(天上皇醴)

술 재료 : 멥쌀 1말, 누룩가루(1되), 연엽

술 빚는 법 :
1. 멥쌀 1말을 (백세하여 물에 담가 불렸다가, 다시 씻어 헹궈 건져서 물기를 뺀 후) 세말한다(고운 가루로 빻는다).
2. 쌀가루를 시루에 안치고 흰무리떡을 쪄서 익었으면 퍼낸다.
3. 흰무리떡에 누룩을 빻아 합하고, 손으로 힘껏 치대어 주먹 크기나 바가지 크기의 단자와 같은 술밑을 빚는다.
4. 연못으로 들어가 연잎 한 장 한 장에 술밑을 나누어 얹고, 연잎으로 싼 뒤 볏짚으로 풀어지지 않게 묶어놓는다.
5. 연잎이 쓰러지지 않도록 대나무로 지지대로 세워서 고정해 둔다(연잎으로

위를 덮어서 직사광선에 직접 노출되지 않도록 햇볕을 가려준다).
6. 술 빚은 지 7일 후에 연못으로 가서 술밑을 채취하여 (체에 걸러) 탁주를 얻는다.

* 주방문 머리에 "일명 천상황례(天上皇醴)라고도 한다."고 하였다. <삼산방>을 인용하였다. 술을 빚을 때 생수를 써서도 안 되고, 또 날이 더우면 쉴 염려가 있으므로, 반드시 서리가 내리기 전 잎이 마르지 않았을 때 빚어야 한다.

蓮葉釀方

一名天上黃醴. 白米細末熟烝和麴屑按摩作團如擧如瓠盛于沼中蓮葉用柔繩結褁植(到)木四枝于傍以扶蓮莖七日開飮. <三山方>.

15. 연엽양 일방 <임원십육지(林園十六志)>

술 재료 : 찹쌀 1되, 흰누룩가루 약간, 연엽

술 빚는 법 :

1. 찹쌀 1되를 (백세하여 물에 담가 불렸다가, 다시 씻어 헹궈 건져서 물기를 뺀 후) 시루에 안쳐 고두밥을 짓는다.
2. 고두밥이 익었으면 퍼내고, 그릇에 담아놓는다.
3. 고두밥에 흰누룩가루 조금과 끓여 식힌 물을 조금씩 뿌려가면서, 손으로 힘껏 치대어 주먹 크기나 바가지 크기의 단자와 같은 술밑을 빚는다.
4. 술밑이 차게 식기를 기다린다.
5. 연못으로 들어가 연잎 한 장 한 장에 술밑을 나눠 얹어 싼 뒤, 볏짚으로 풀어지지 않게 묶어놓는다.
6. 연잎이 쓰러지지 않도록 대나무로 지지대를 세워 고정해 둔다(연잎으로 위

를 덮어서 직사광선에 직접 노출되지 않도록 햇볕을 가려준다).
7. 술 빚은 지 7일 후에 연못으로 가서 술밑을 채취하여 (체에 걸러) 탁주를 얻는다.

蓮葉釀 一方

粘米一升作飯和白麴末少許熟水灑調候冷取荷葉上包釀之. <增補山林經濟>.

16. 연엽양 <조선무쌍신식요리제법(朝鮮無雙新式料理製法)>

술 재료 : 흰쌀(1되), 백곡가루 1되, 더운 물 3~4홉

술 빚는 법 :

1. 흰쌀(1되)을 백세하여 하룻밤 불렸다가 건져서 물기를 빼고, 고두밥을 짓는다.
2. 고두밥을 펴서 (뜨거운 김이 나가면) 백곡(흰누룩)을 곱게 빻아 만든 백곡가루를 조금 섞고, 고루 버무려 술밑을 빚는다.
3. 술밑에 더운 물(3~4홉)을 뿌려서 고루 버무린 뒤, 술밑을 차게 식힌다.
4. 연잎이 있는 연못으로 들어가 연잎 한 장 한 장에 술밑을 나눠 얹어 싼 뒤, 볏짚으로 풀어지지 않게 묶어놓는다.
5. 연잎이 쓰러지지 않도록 막대기를 꽂아 지지대를 만들어 고정해 두면, 이틀쯤 뒤에 익는다.
6. 술 빚어 싸놓은 연잎을 따서 풀어 그 맛을 보면 달고 향기가 입에 가득하다.

연엽양(蓮葉釀)

찹쌀 한 되를 밥을 지여 흔누룩가루 조곰 석거 더운 물을 ᄲᅮ려 식혀서 련닙 달린 채 붓들고 쌀만치 느코 우무려서 나무가지를 좌우로 ᄭᅩᆺ자 두면 두어

날 만에 익을 것이니 련립을 짜서 싼 걸 열고 마슬 보면 달고 향기가 입에 가득하니라.

17. 연엽양 별법 <조선무쌍신식요리제법(朝鮮無雙新式料理製法)>

술 재료 : 찹쌀 1되, 백곡가루 1되

술 빚는 법 :

1. 찹쌀 1되를 백세하여 (하룻밤 불렸다가 건져서 물기를 빼고) 작말한 다음 (시루에 안쳐서) 설기떡을 짓는다.
2. 설기떡을 펴서 (뜨거운 김이 나가면) 백곡(흰누룩)을 곱게 빻아 만든 누룩가루를 조금 섞고, 고루 버무려 술밑을 빚는다.
3. 술밑에 더운 물을 뿌려서 술밑을 차게 식힌다.
4. 연잎이 있는 연못으로 들어가 연잎 한 장 한 장에 술밑을 나눠 얹어 싼 뒤, 볏짚으로 풀어지지 않게 묶어놓는다.
5. 연잎이 쓰러지지 않도록 막대기를 꽂아 지지대를 만들어 고정해 두면, 이틀쯤 뒤에 익는다.
6. 술 빚어 싸놓은 연잎을 따서 풀어 그 맛을 보면 달고 향기가 입에 가득하다.

연엽양(蓮葉釀) 또

흔쌀을 세말하야 쩌서 누룩과 합하야 동굴려 주먹이나 박 가티 만드러 엽립헤 싸서 우와 갓티 하엿다가 니레 만에 여러 먹나니라.

18. 연엽주방문 <주방(酒方, 임용기소장본)>

술 재료 : 찹쌀 1말, 연잎 2~3장, 흰누룩가루 7홉, 끓여 식힌 물 2병

술 빚는 법 :

1. 찹쌀 1말을 백세하여 물에 담가 하룻밤 불렸다가 (다시 씻어 건져서 물기를 뺀 뒤) 시루에 안쳐서 고두밥을 짓는다.
2. 물 2병을 끓여서 넓은 그릇에 퍼 담고 식기를 기다린다.
3. 고두밥이 익었으면, 돗자리에 퍼내고 주걱으로 고루 헤쳐 차게 식기를 기다린다.
4. 연잎을 채취하여 깨끗한 수건으로 먼지와 이물질을 깨끗하게 닦아내어 2~3장을 준비한다.
5. 고두밥에 끓여 식힌 물과 곱게 가루 내어 만든 누룩가루 7홉을 한데 합하고, 고루 버무려 술밑을 빚는다.
6. 술독에 마련한 연잎을 먼저 펴고, 그 위에 술밑을 한 켜 안친다.
7. 고두밥(술밑) 위에 또 연잎을 깔고, 다시 그 위에 술밑을 다시 한 켜 안친다.
8. 위와 같이 떡 안치듯 계속하여 켜켜로 술밑을 다 안치되, 날물기를 주의하고 맨 위에 누룩가루를 뿌려서 덮는다.
9. 술독은 예의 방법대로 하여, 단단히 밀봉한 후 서늘한 곳에 두고 익힌다.

* 주방문 말미에 "연엽(蓮葉)이 서리 젼은 ᄒᆞ고"라고 하여 서리 맞기 전의 연잎을 채취하여 술을 빚는다 하였다. "술을 다 쓴 후 죠흔술(好酒)을 부면 향긔로온 맛시 의구ᄒᆞ니라."고 하였다.

연엽쥬방문(蓮葉酒方文)

졈미(粘米) ᄒᆞᆫ 말(一斗)을 ᄇᆡㄱ셰(百洗)하여 하로밤(一夜) 담(沈)앗다가 익게 쎠 진국말(眞麯末) 칠 홉(七合) 끌인 물(水) 두 병(二瓶)을 밥과 물을 각각

그릇싀 식히고 몬져 연엽(蓮葉)을 독 밋희 깔고 그 우희 밥과 누룩을 펴되 층층(層層)이 격지 두어가며 일절 날물을 졀금하고 익는 대로 먹나니라. 연엽(蓮葉)이 서리 젼은 ᄒᆞ고 술을 다 쓴 후 죠흔술(好酒)을 부면 향긔로온 맛시 의구ᄒᆞ니라.

19. 연엽주 <주방문(酒方文)>

술 재료 : 찹쌀 1되, (연잎 3~2장), 누룩가루 한 줌(250g), (끓여 식힌 물 5홉)

술 빚는 법 :

1. 찹쌀 1되를 (백세하여 하룻밤 불렸다가 다시 씻어 말갛게 건져서) 고두밥을 짓는다.
2. 고두밥을 펴서 얇게 펼쳐 차게 식히고, 물(5홉)도 팔팔 끓여 차게 식힌다.
3. 누룩을 법제한 것으로 곱게 가루 내어 체에 친 후, 한 줌(250g)을 준비한다.
4. (연잎은 가을에 서리가 내리기 전 마르지 않은 것을 채취하여 깨끗이 씻어 물기를 없앤다.)
5. 고두밥과 누룩가루 한 줌, 끓여 식힌 물 5홉을 합하고, 고루 버무려 술밑을 빚는다.
6. (독에 연잎을 먼저 깔고, 연잎 위에) 술밑을 담아 안친다.
7. 술독은 예의 방법대로 하여 단단히 봉한 후, 볕이 들지 않는 서늘한 곳에 두고 익힌다.

년엽쥬(蓮葉酒)

ᄎᆞᆸ발 ᄒᆞᆫ 되 밥 지어 식거든 됴흔 누룩 ᄒᆞᆫ줌 되여 섯거 비저 제빼예 쓰라. 밉게 ᄒᆞ려거든 밥을 지어 비ᄌᆞ라.

20. 연엽주 <주식방(酒食方, 高大閨壼要覽)>

술 재료 : 찹쌀(또는 멥쌀) 1말, 연잎 2~3장, 누룩가루 7홉, 끓여 식힌 물 2병

술 빚는 법 :

1. 찹쌀이나 멥쌀 1말을 백세하여 물에 담가 하룻밤 불렸다가 (다시 씻어 건져서 물기를 뺀 뒤) 시루에 안쳐서 고두밥을 짓는다.
2. 물 2병을 끓여서 넓은 그릇에 퍼 담고 식기를 기다린다.
3. 고두밥이 익었으면, 돗자리에 퍼내고 주걱으로 고루 헤쳐 차게 식기를 기다린다.
4. 연잎을 채취하여 깨끗한 수건으로 먼지와 이물질을 깨끗하게 닦아내어 2~3장을 준비한다.
5. 고두밥에 끓여 식힌 물과 곱게 가루 내어 만든 누룩가루 7홉을 한데 합하고, 고루 버무려 술밑을 빚는다.
6. 술독에 마련한 연잎을 먼저 펴고, 그 위에 술밑을 한 켜 안친다.
7. 고두밥(술밑) 위에 연잎을 깔고, 다시 그 위에 술밑을 다시 한 켜 안친다.
8. 위와 같이 떡 안치듯 계속하여 켜켜로 술밑을 다 안치되, 날물기를 주의하고 맨 위에 누룩가루를 뿌려서 덮는다.
9. 술독은 예의 방법대로 하여 단단히 밀봉한 후, 서늘한 곳에 두고 익힌다.

* 주방문 말미에 “날이 더우면 쉬어지니 반드시 서리 내리기 전, 잎이 채 마르지 않았을 때 담가야 향기와 맛이 기이하며, 비록 봄·여름을 지나더라도 변하지 않으니, 술을 다 쓴 뒤에는 좋은 술을 대신 넣더라도 그 향기와 맛은 여전하다.”고 하였다.

연엽듀

뎜빅미ᄅᆞᆯ 빅셰 침슈ᄒᆞ여 밤 지ᄂᆞᆫ 후 ᄒᆞᆫ 말의 누룩 칠 홉과 ᄭᆞᆯ힌 물 두 병식

밥과 물을 각 그ᄅᆞ시 식여 식거든 섯거 노코 몬져 연닙흘 독 미ᄐᆡ ᄭᆞᆯ고 그 우희 밥 한 케 노코 연닙 ᄒᆞᆫ 케 노코 케케 노하 가며 날물긔롤 졀금ᄒᆞ고 날 더운 제는 ᄉᆡ기 쉽으니 ᄶᅵ기 젼의 연닙히 ᄆᆡ ᄶᅵ니와 니우지 아닌 제 비ᄌᆞ면 향긔 이샹ᄒᆞ고 비록 츈하ᄉᆞᆺ지 두어도 변치 아니ᄒᆞ니, 술 다 쓴 후의 그 항의 다른 술을 부어도 향긔가 여구ᄒᆞ니라.

21. 연엽주법 <증보산림경제(增補山林經濟)>

술 재료 : 찹쌀 또는 멥쌀 1말, 연잎 2~3장, 누룩가루 7홉, 탕수 2병

술 빚는 법 :

1. 찹쌀이나 멥쌀 1말을 백세하여 물에 담가 하룻밤 불렸다가, (다시 씻어 건져서 물기를 뺀 뒤) 시루에 안쳐서 고두밥을 짓는다.
2. 물 2병을 끓여서 넓은 그릇에 퍼 담고 식기를 기다린다.
3. 고두밥이 익었으면 돗자리에 퍼내고, 주걱으로 고루 헤쳐 차게 식기를 기다린다.
4. 연잎을 채취하여 깨끗한 수건으로 먼지와 이물질을 깨끗하게 닦아내어 2~3장을 준비한다.
5. 고두밥에 곱게 가루 내어 마련한 누룩가루 7홉과 끓여 식힌 물을 한데 합하고, 고루 버무려 술밑을 빚는다.
6. 술독에 마련한 연잎을 먼저 펴고, 그 위에 술밑을 한 켜 안친다.
7. 술밑 위에 연잎을 한 장 깔고, 그 위에 술밑을 다시 한 켜 안친다.
8. 위와 같이 떡 안치듯 계속하여 켜켜로 연잎과 술밑을 다 안치고, 맨 위에 누룩가루를 뿌려서 덮는다.
9. 술독은 날물을 일절 금하고, 단단히 밀봉하여 햇볕이 들지 않는 찬 곳에 두고 익힌다.

* 주방문 말미에 "날이 더우면 쉬어지니 반드시 서리 내리기 전, 잎이 채 마르지 않았을 때 담가야 향기와 맛이 기이하며, 비록 봄·여름을 지나더라도 변하지 않으니, 독을 기울여 따라 쓴 뒤에는 좋은 술을 대신 넣더라도 그 향기와 맛은 여전하다."고 하였다.

蓮葉酒法

粘白米百洗浸水經宿蒸熟又熟水二瓶各器停冷後和合 之每米斗一以麴末七合爲率先鋪蓮葉於甕於底次下蒸米次下麯末必層層隔鋪切禁生水日熱則恐味酸須趁霜前葉未枯時而釀之則香味異常雖過春夏不變傾甕取用後以好酒晉入香味依舊.

22. 연엽주 <학음잡록(鶴陰雜錄)>

술 재료 : 찹쌀/멥쌀(1말), 연잎 약간, 누룩가루 7홉, 탕수 2병

술 빚는 법 :

1. 찹쌀이나 멥쌀(1말)을 백세하여 물에 담가 하룻밤 불렸다가 (다시 씻어 건져서 물기를 뺀 뒤) 시루에 안쳐서 고두밥을 짓는다.
2. 물 2병을 끓여서 넓은 그릇에 퍼 담고 식기를 기다린다.
3. 고두밥이 익었으면 돗자리에 퍼내고, 주걱으로 고루 헤쳐 차게 식기를 기다린다.
4. 연잎을 채취하여 깨끗한 수건으로 먼지와 이물질을 깨끗하게 닦아내어 2~3장을 준비한다.
5. 고두밥에 곱게 가루 내어 마련한 누룩가루 7홉과 끓여 식힌 물을 한데 합하고, 고루 버무려 술밑을 빚는다.
6. 술독에 마련한 연잎을 먼저 펴고, 그 위에 술밑을 한 켜 안친다.
7. 술밑 위에 연잎을 한 장 깔고, 그 위에 술밑을 다시 한 켜 안친다.

8. 위와 같이 떡 안치듯 계속하여 켜켜로 연잎과 술밑을 다 안치고, 맨 위에 누룩가루를 뿌려서 덮는다.
9. 술독은 날물을 일절 금하고, 단단히 밀봉하여 서늘한 곳에 두고 익힌다.

* 주방문에 쌀의 양이 언급되어 있지 않다. 따라서 여느 기록의 연엽주 주방문을 참고하였다. 말미에 "날이 더우면 쉬어지니 반드시 서리 내리기 전, 잎이 채 마르지 않았을 때 채취하여 빚어야 향기와 맛이 기이하며, 비록 봄·여름을 지나더라도 변하지 않으니, 독을 기울여 따라 쓴 뒤에는 좋은 술을 대신 넣더라도 그 향기와 맛은 여전하다."고 하였다. 또 "연근을 함께 쪄서 빚으면 향기가 최고로 좋다."고 하였다.

蓮葉酒

粘白米百洗浸水經宿蒸熟又熟水二瓶各器停冷後和合之每米斗一以麴末七合爲率先鋪蓮葉於甕於底次下蒸米次下麯末必層層隔鋪切禁生水日熱則恐味酸須趁霜前葉未枯時而釀之則香味異常雖過春夏不變傾甕取用後以好酒晉入香味依舊.

23. 연엽주 별법 <학음잡록(鶴陰雜錄)>

술 재료 : 찹쌀/멥쌀(1말), 연잎 약간, 연근 약간, 누룩가루 7홉, 탕수 2병

술 빚는 법 :
1. 연근을 물에 씻어 깨끗이 한 다음 어슷하게 썰어서 준비한다.
2. 찹쌀이나 멥쌀(1말)을 백세하여 물에 담가 하룻밤 불렸다가 (다시 씻어 건져서 물기를 뺀 뒤) 연근과 함께 시루에 안쳐서 고두밥을 짓는다.
3. 물 2병을 끓여서 넓은 그릇에 퍼 담고 식기를 기다린다.

4. 연근고두밥이 익었으면 돗자리에 퍼내고, 주걱으로 고루 헤쳐 차게 식기를 기다린다.
5. 연잎을 채취하여 깨끗한 수건으로 먼지와 이물질을 깨끗하게 닦아내어 2~3장을 준비한다.
6. 고두밥에 곱게 가루 내어 마련한 누룩가루 7홉과 끓여 식힌 물을 한데 합하고, 고루 버무려 술밑을 빚는다.
7. 술독에 마련한 연잎을 먼저 펴고, 그 위에 술밑을 한 켜 안친다.
8. 술밑 위에 연잎을 한 장 깔고, 그 위에 술밑을 다시 한 켜 안친다.
9. 위와 같이 떡 안치듯 계속하여 켜켜로 연잎과 술밑을 다 안치고, 맨 위에 누룩가루를 뿌려서 덮는다.
10. 술독은 날물을 일절 금하고, 단단히 밀봉하여 서늘한 곳에 두고 익힌다.

* 주방문 말미에 "연근을 함께 쪄서 빚으면 향기가 최고로 좋다."고 하였다.

蓮葉酒 別法

粘白米百洗浸水經宿蒸熟又熟水二瓶各器停冷後和合 之每米斗一以麴末七合爲率先鋪蓮葉於甕於底次下蒸米次下麯末必層層隔鋪切禁生水日熱則恐味酸須趁霜前葉未枯時而釀之則香味異常雖過春夏不變傾甕取用後以好酒晉入香味依舊.

24. 연엽주 <해동농서(海東農書)>

술 재료 : 찹쌀 1말, 연잎 약간, 누룩가루 누룩 7홉, 탕수 2병

술 빚는 법 :

1. 찹쌀 1말을 백세하여 물에 담가 하룻밤 불렸다가 (다시 씻어 건져서 물기를

뺀 뒤) 시루에 안쳐서 고두밥을 짓는다.

2. 물 2병을 끓여서 차게 식힌 후 고두밥에 합하고, 고루 헤쳐 고두밥이 물을 다 먹으면, 고루 펼쳐서 차게 식기를 기다린다.
3. 연잎을 채취하여 깨끗한 수건으로 먼지와 이물질을 깨끗하게 닦아내어 2~3장을 준비한다.
4. 고두밥에 곱게 가루 내어 준비한 누룩 7홉을 합하고, 고루 버무려 술밑을 빚는다.
5. 술독에 마련한 연잎을 먼저 펴고, 그 위에 고두밥(술밑)을 한 켜 안친다.
6. 고두밥(술밑) 위에 누룩가루를 한 켜 뿌리고, 그 위에 고두밥(술밑)을 다시 한 켜 안친다.
7. 위와 같이 떡 안치듯 계속하여 켜켜로 고두밥(술밑)을 다 안치고, 날물이 들어가지 않도록 하여 맨 위에 누룩가루를 뿌려서 덮는다.
8. 술독은 단단히 밀봉하여 햇볕이 들지 않는 찬 곳에 두고 익힌다.

* 주방문에 "매 씻은 찹쌀을 하룻밤 물에 담갔다가 폭 찐다. 이튿날 찹쌀 1말에 누룩가루 7홉 정도를 섞고, 물 2병을 끓여 지에밥과 물을 다른 그릇에서 식혔다가 섞는다. 먼저 독 밑에 연잎을 깔고, 그 위에 지에밥과 누룩을 켜켜이 놓아 깔되, 절대로 날물을 들이지 말 것이다."고 하였다. 또 주방문 말미에 "날이 더우면 쉬어지니 반드시 서리 내리기 전, 잎이 채 마르지 않았을 때 담가야 향기와 맛이 기이하며, 비록 봄·여름을 지나더라도 변하지 않으니, 독을 기울여 따라 쓴 뒤에는 좋은 술을 대신 넣더라도 그 향기와 맛은 여전하다."고 하였다. <사시찬요보>를 인용하였다.

蓮葉酒

粘白米百洗浸水經宿蒸熟又明日計每斗入麴末七合熟水二瓶飯與水各器停冷和合先鋪蓮葉於甕底次下蒸鋪飯麴層層隔鋪切禁生水日熱則或味酸酒趁霜前葉未枯時而釀之香味異常雖過春夏不變傾甕取用後以好酒晉入香味依舊. <纂要補>.

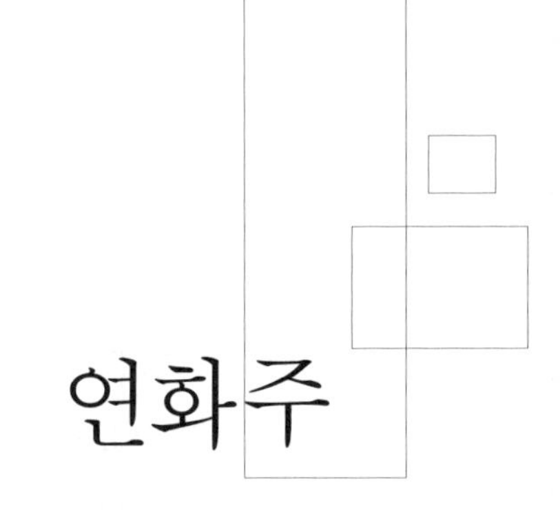

연화주

스토리텔링 및 술 빚는 법

술 빚는 일이 재미있는 이유 가운데 가장 흥미를 끄는 일은 그 술에 대한 묘사이다. 수십 종에 달하는 고문헌 중에는 직접 술을 빚어보고, 그 과정에서 느낀 점과 어려움, 술을 빚을 때 주의사항 등에 대해 기록한 주방문들을 목격하게 된다.

그런데 그 수많은 주방문 중에도 저자가 직접 빚어본 술인지 아닌지를 금방 알 수가 있다. 즉, 술의 발효과정이나 맛, 색깔, 발효상태 등에 대한 다양한 묘사를 보면, 그 주방문이 다른 기록들을 그저 옮긴 것인지 아니면 직접 경험한 바를 기록한 것인지 알 수 있기 때문이다. 무엇보다 주방문을 기록하는 방법이 다르다는 게 필자의 견해이다.

<조선무쌍신식요리제법(朝鮮無雙新式料理製法)>에는 엄밀하게 서문 형식의 '술 담그는 법(釀酒法)'을 비롯해 84가지의 주방문 외에도 누룩 만드는 법(造麯法) 9가지, 기타 4가지 주방문 등 총 98가지 주방문이 수록되어 있다. 그 수많은 주방문 가운데 하나가 유독 필자의 눈길을 끌었는데, 무엇보다 "향취는 제일이요, 운치는 갑등이라."고 한 이 한 구절의 주방문 후기 때문에 여러 날을 몸살 했다. 여

름이 되고 꽃이 피려면 아직 여러 날을 기다려야 했기 때문이다.

이 술을 빚기 위해 해남의 손아래 숙부에게 꽃의 개화 상태를 확인하고자 여러 차례 전화를 해댔는데, 며칠 만에 다시 들은 소식은 "꽃이 다 떨어져버렸다."는 것이었다. 해남은 남쪽이라 서울보다 훨씬 따뜻하여 개화 시기가 빠르다는 사실을 간과한 것이다. 이미 때를 놓치고 말아 후회가 밀물처럼 밀려왔다.

그렇게 또 한 해가 가고 다시 여름을 맞아 혼자만의 계획을 세웠다. 자정에 출발하여 이른 새벽 달려간 고향 연못에서는 다투어 꽃망울을 터트리는 연꽃의 '개화성(開花聲)'이 신기할 따름이었다. 저절로 혼잣말이 흘러나왔다.

"꽃이 피는 소리를 들을 수 있다니…… '개화성'이란 이런 것인가?"

난생처음 듣는 '개화성'도 뒤로하고 연꽃 몇 송이를 채취하여 가져간 술독에 매달아놓고, 서울로 달려오는 동안 내내 콧노래를 절로 흥얼거렸다. 술독을 방구석으로 옮겨놓고 이틀을 보냈다. 궁금증 때문에 기다림이 몹시 힘들었지만 이틀 만에 열어본 술독에서는 그야말로 환상적인 연꽃의 향연(饗宴)이 벌어졌다. 갖은 꽃을 다 사용하여 술을 빚어보았지만, 이 '연화주(蓮花酒)'처럼 매력있는 가향주(佳香酒)는 처음이었다.

<조선무쌍신식요리제법>의 '연화주'는 주배(酒醅)를 이용한 '화향입주법(花香入酒法)'의 가향주이다. 주방문 말미에도 "국화주(菊花酒) 담그는 것과 같이 하니라."고 하여 방법을 소개하고 있는데, <조선무쌍신식요리제법> 이전의 문헌에서는 찾아볼 수 없다.

아마도 어떤 호사가 또는 풍류객들이 화향입주법을 응용한 방법의 '연화주'를 빚어보고 그 흥취와 멋에 반했으리라. 그나마 이러한 주방문이 기록으로 남게 된 것을 무척 다행스럽게 여기는 한편 기록의 소중함도 깨닫게 되었다.

이후 필자는 어떤 편견 같은 게 생기기 시작했다. 술 빚는 일에서 '현장감'과 '기대감' 같은 게 생긴 것이다. 그리하여 <주방문(酒方文)>의 '연엽주'를 비롯해 연잎이나 연꽃으로 빚는 술이면 어떤 방법이든 다 술 빚기에 도전해 본 결과, 술을 빚는 흥취는 <조선무쌍신식요리제법>의 '연화주', 운치나 재미는 <주방문>의 살아 있는 연잎을 이용한 '연엽주(蓮葉酒)' 또는 '연엽양(蓮葉釀)', 그리고 향기는 채취한 연엽을 사용해 술밑을 싸서 발효시키는 <증보산림경제(增補山林經

濟)>의 '하엽주'가 가장 좋았다.

술 빚는 일이 두렵고 힘들지만 이런 맛에 계속 술을 빚고, 또 새로운 술 빚는 방법을 연구하게 되는지도 모른다. 그리고 이제야 옛 조상들의 술 빚는 일을 조금이나마 이해하게 되었다.

특히 보다 나은 술 향기와 맛, 음주에 따른 멋과 흥취를 살리려는 노력을 게을리 하지 않았던 옛 사람들의 정신을 다시 생각하게 된 것이다.

필자의 이런 작업도 누가 시켜서 하는 일이 절대 아니다. 스스로의 자각에 의해 몸소 몸을 던지고 인고의 시간을 감내하고 있다. 무엇보다 술 빚는 일이 재미있다는 이유 때문에 지금도 옛 사람들의 정신을 일깨우는 노력을 계속하고 있는 것이다.

연화주 <조선무쌍신식요리제법(朝鮮無雙新式料理製法)>

술 재료 : 연화(2~3송이), 술(숙성 중인 술덧), 명주베주머니 1장

술 빚는 법 :

1. (한여름에 연밭에 나가서 연꽃망울이 맺힐 기미가 보이면 술을 빚는다.)
2. (술은 상법대로 하되, 떡으로 빚는 방향주면 더욱 좋다.)
3. (술이 익어 밥알이 동동 떠오르기를 기다린다.)
4. (이른 아침 동트기 전 연밭에 나가 연화가 맺혀 있는 곳에 가서 기다리고 있으면, '퍼억' 소리가 난다. 연꽃이 개화했다는 신호이므로 이 개화성과 함께 막 꽃망울을 터트렸거든 더 벌어지기 전에 재빨리 송이째 채취한다.)
5. 연화의 꽃자루를 위로 향하게 하고, 물을 위에서 아래로 흘려보내면서 살짝 씻어 물기를 털어내고, 면보나 키친타월로 두드려가면서 물기를 제거한다.
6. 연화(2~3송이)를 명주 주머니에 담아서 술독 안 술 위에 손가락 한 마디만큼 매달아 놓는다.

7. 하룻밤이나 이틀 밤 지낸 뒤에 연화 주머니를 거두고 술을 떠서 마신다.

* 화향입주법(花香入酒法)의 '연화주(蓮花酒)'이다.

련화주(蓮花酒)

'련화주'도 '국화주' 하듯 하나 향취는 제일이요, 운치는 갑등이니라.

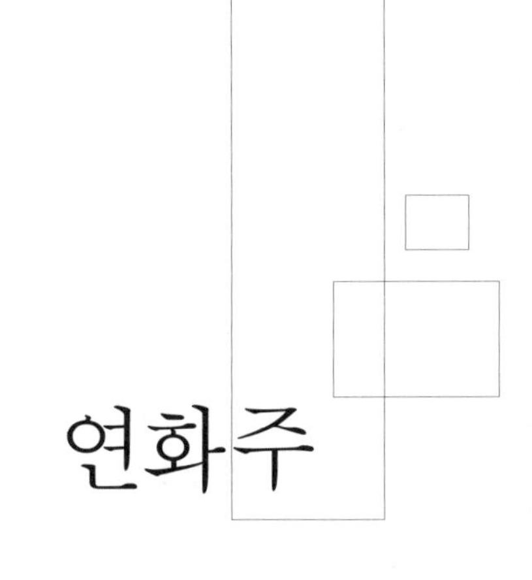

연화주

스토리텔링 및 술 빚는 법

우리나라 전통주에 대한 주방문을 수록하고 있는 옛 문헌으로 현재까지 가장 앞선 기록인 <산가요록(山家要錄)>과 <언서주찬방(諺書酒饌方)>, <역주방문(曆酒方文)>의 '연화주(蓮花酒)'는 발효효소제(醱酵酵素制)인 누룩(麯子)을 쓰지 않고 발효시키는 '무국주법(無麯酒法)'이라는 점에서 가장 특별한 주방문이라고 할 수 있다. <산가요록>과 <언서주찬방>에는 부제(副題)로 "일명 '무국주'라고 한다."고 하였다.

또한 주품명이 '연화주'이니 당연히 연화가 사용되었을 거라는 섣부른 생각을 불식시키는 이 술을 직접 빚어보지 않고서는 주품명에 얽힌 의미나 비밀을 찾을 수가 없다.

<임원십육지(林園十六志)>에 수록된 연화국(蓮花麴) 제조법과의 관련성도 살펴보았으나 역시 해답을 찾을 수 없었다. 한마디로 '연화주'와 '연화국'은 아무런 관련이 없다.

또한 조선시대 전기의 기록인 <산가요록>과 <언서주찬방>의 '연화주' 주방문

은 방법과 주원료의 양이 동일한데 비해, 후기의 기록인 <역주방문>에 수록된 '연화주' 주방문은 주원료의 비율이 다르다. 모든 문헌에서 술 이름에 따른 그 어떤 설명도 없어 부득이 실습을 해보아야 했다.

술 빚기에 앞서 마음가짐부터 새롭게 하는 한편 "왜 연(蓮)이나 하(荷) 자 등 연꽃과 관련된 글자가 있는 주품명의 술은 한결같이 술 빚기가 이렇게 까다롭고 힘들까?" 하는 생각을 떨치지 못했다.

분명 무슨 암시가 있을 것만 같은 느낌이었지만, "공부는 끝이 없구나." 하는 결론에 이르자 어깨에 힘이 빠지고 "생각이 많은 것도 병이다."는 자책과 후회가 물밀듯이 일었다.

어찌됐든 이 술 빚기를 통해서 내린 결론은 "두 번 다시 빚고 싶지 않은 술"이라는 생각밖에 없었다. '동정춘'을 빚으면서 가졌던 무던한 후회와 안타까움을 그대로 반복하고 있었다. 평소 입버릇처럼 되뇌었던 "술 빚는 사람은 좀 미련스러워야 한다."는 말이 떠올랐다.

다시 정리해서 말하면, '연화주'는 숙성된 술에서 초취(草臭)이자 방향(芳香)인 연꽃 향기가 난다. 술의 발효가 막 끝났을 때는 연꽃 향기보다는 연잎 냄새에 가깝다가 최소 15일 정도의 숙성을 거치면 비로소 연꽃 향기를 즐길 수 있는데, 이러한 예는 앞서 잠깐 언급한 연화곡에서와 같다.

먼저, 깊은 산속에 들어가 신선하고 깨끗한 청호(菁蒿)나 닥나무잎을 채취하여 벌레나 이물질 등을 깨끗하게 제거한 후 가지런하게 준비하고, 멥쌀은 가능한 한 깨끗이 씻어 불렸다가 푹 찌는데, 냉수를 뿌려서 질지 않고 무르게 고두밥을 쪄야 한다.

주재료가 준비되면 구들 위에 닥나무잎이나 청호를 펴고, 그 위에 고두밥을 펼쳐서 식히는데, 고두밥 위에 다시 닥나무잎을 두툼하게 덮어서 고두밥이 마르지 않도록 밀폐된 실내에 둔다. 가끔 뒤집어주고 7일 후에 술독에 담아 밀봉하여 따뜻한 곳에서 발효시키면 고두밥 표면에 누렇고 하얀 곰팡이가 자라면서 향긋하면서도 시큼한 쉰 냄새가 나는 입국(粒麴)처럼 마르게 된다. 누룩(밑술)이 완성되면, 이어 본격적인 술밑을 빚는데, 그 방법은 밑술과 같다.

술밑을 빚을 때는 불린 쌀을 시루에 안쳐서 고두밥을 짓되, 냉수를 흠씬 뿌려서 매우 부드럽고 무른 고두밥이 되도록 해야 한다. 고두밥이 익었으면 퍼내어 고루 펼쳐서 차게 식혀서 사용하는 것이 원칙이나, 술 빚는 일을 수월하게 하려면 고두밥을 온기가 남게 식혔다가 누룩을 합하고 고루 힘껏 치대어 술밑을 빚는다.

누룩(밑술)과 고두밥을 치대는데, 물을 사용하지 않는 까닭에 그 과정이 여간 힘든 게 아니다. 이 과정이 너무 힘들기 때문에 고두밥을 찔 때 냉수를 많이 뿌려서 부드럽고 무른 고두밥이 되도록 해야 한다. 여기에 보태어 온기가 남도록 식혀서 사용하면 누룩과 섞어 치대는 작업이 좀 더 수월해진다.

술밑은 인절미처럼 되는데, 한동안 치대다 보면 그릇 바닥에 고두밥이 묻지 않고 깨끗하게 떨어질 때가 있다. 그때 술독에 담아 안치고, 여러 겹의 면보자기를 씌워 김이 새나가지 않도록 단단히 밀봉해야 한다.

또 술독은 두텁게 이불로 싸맨 후, 따뜻한 곳에 두어 2~3일간 발효시킨다. 덧술을 빚은 지 2~3일 후에는 이불과 뚜껑을 벗겨 술독을 차갑게 식히는 등 서늘한 곳에 두어 감향주처럼 익히면 술의 향기가 비상할 뿐만 아니라 그 맛이 매우 감미롭다.

이러한 '연화주'는 여름철에 빚는 술임을 알 수 있다. 첫째, 누룩을 빚는 데 사용되는 초재인 청호와 닥나무잎은 한여름철이 아니면 술 빚기에 이용할 수 없다는 게 그 이유이다.

둘째, '연화주'는 물을 사용하지 않는다는 점이다. 여름철에 빚는 술의 상당수가 술을 빚는 데 사용하는 물의 양을 적게 하여 과발효를 억지하는 수단을 동원해 왔다. '연화주'는 초재(草材)의 야생(野生) 효모(酵母)를 이용하는 발효방식을 도입하여 일반 병곡(餠麴)과는 달리 발효력이 매우 떨어진다. 따라서 의도적으로 발효 장소의 온도를 높여 당화를 촉진시켜 줄 필요가 있으며, 동시에 농당상태를 유지해 저도주의 단점인 저장성을 높이기 위한 목적을 취하고 있다.

이처럼 옛 선조들의 양주기술은 가히 놀랄 만한 수준이라 하겠다.

1. 연화주 <산가요록(山家要錄)>

–일운 무국주(一云 無麴酒), 쌀 3말 3되 빚이

술 재료 : 누룩(멥쌀 3되, 닥나무잎, 청호), 술밑(멥쌀 1말)

술 빚는 법 :

* 누룩 :

1. 멥쌀 3되를 (백세하여 물에 담갔다가, 다시 씻어 건져서 물기를 뺀 후) 시루에 안쳐서 고두밥을 짓는다.
2. 쌀을 찌는 동안 베보자기 위에 청호(菁蒿, 쑥)를 깔고, 그 위에 닥나무잎(楮葉)을 펴놓는다.
3. 고두밥이 무르게 푹 익으면, 퍼서 닥나무잎 위에 펼쳐서 늘어놓고, 다시 닥나무잎과 쑥으로 덮어 (바람이 통하지 않는 밀폐되고 따뜻한 곳에서) 7일간 띄운다.
4. 7일 후 (밑술이 다 되었으면) 청호와 닥나무잎을 거두고 냄새가 가시기를 기다린다.
5. 밑술(누룩)을 술독에 담아 안치고, 3일간 숙성시킨다(고두밥이 삭아 흐물흐물해지고, 물이 생길 때까지 기다려야 한다).

* 술밑 :

1. 멥쌀 1말을 (백세하여 물에 담가 불렸다가 다시 씻어 건져서 물기를 뺀 후) 시루에 안치고 무른 고두밥을 짓는다.
2. 고두밥을 고루 펼쳐서 차게 식기를 기다린다.
3. 고두밥에 밑술(누룩)을 합하고, 고루 힘껏 치대어 술밑을 빚는다.
4. 술독에 술밑을 담아 안치고, 예의 방법대로 하여 발효시킨 후 익기를 기다려 채주한다.

* ‘주모(酒母)’나 일반적인 누룩을 사용하지 않고 쑥과 닥나무잎의 야생 곰팡이와 효모를 이용해 만든 부본(腐本, 酒本)에 덧술하여 빚은 술이다. 주방문 말미에는 “양의 많고 적고는 이 방법으로 맞추어 빚을 수 있으며, 연잎을 위아래에 묻어두어도 된다.”고 하였다. <역주방문>에 나와 있는 ‘연화주’도 동일하다.

蓮花酒

一云 無麴酒. 米一斗三升. 白米三升 熟蒸 先鋪艾草 次鋪楮葉 攤板於其上 又以楮葉艾草 覆之. 七日 去其覆草 歇氣吹正 盛器. 三日 白米一斗 爛蒸待冷 與前醅和合入瓮 經七日 開用. 多少 以此推之 蓮葉上下埋之 亦得.

2. 연화주 <언서주찬방(諺書酒饌方)>

–일명 무국주(一名 無麴酒)

누룩 재료 : 멥쌀 3되, 초재(닥나무잎, 쑥잎 각 약간)
술 재료 : 멥쌀 1말

누룩 빚는 법 :

1. 멥쌀 3되를 백세하여 (물에 담가 불렸다가, 다시 씻어 헹궈 건져서 물기를 뺀 후) 시루에 안쳐서 고두밥을 짓는다.
2. 돗자리나 고석에 쑥을 깔고, 닥잎을 덮어 깔아놓는다.
3. 고두밥이 익게 쪄졌으면 초재 위에 고루 펴서 닥나무잎으로 위를 덮고, 다시 쑥잎으로 덮어놓는다.
4. 고두밥(누룩밑)이 식고 뜨기를 반복하는데, 7일 후에는 위에 덮은 것을 벗겨낸다.
5. 고두밥(누룩밑)이 저절로 식고 냄새가 없어지기를 기다렸다가, 밥에 묻은 더

러운 것들을 깨끗하게 제거한 누룩을 얻는다.
6. 누룩을 그릇(독)에 담아 (뚜껑을 덮어) 3일을 지낸다.

술 빚는 법 :
1. 멥쌀 1말을 백세하여 (물에 담가 불렸다가, 다시 씻어 헹궈 건져서 물기를 뺀 후) 시루에 안쳐서 고두밥을 짓는다.
2. 고두밥이 (무르게) 익었으면 퍼내고, 고루 헤쳐서 차게 식기를 기다린다.
3. 고두밥과 누룩을 한데 섞고, 고루 버무려 술밑을 빚는다.
4. 술밑을 술독에 담아 안치고, 예의 방법대로 하여 7일 후에 채주한다.

* 닥잎과 쑥을 이용하여 곰팡이와 효모를 접종·배양시키는 방식으로, 술 빚기가 매우 힘들다. 필자의 경험으로는 고두밥을 질게 할 필요가 있으며, 끓여 식힌 물을 적당량 뿌려가면서 빚으면 발효가 잘 된다. 또한 고두밥이 따뜻할 때 누룩과 혼합하고 식기를 기다렸다가 술독에 넣는 방법도 강구할 수 있다.

년화쥬(蓮花酒)—일명 무국주
ᄇᆡᆨ미 서 되ᄅᆞᆯ ᄇᆡᆨ셰ᄒᆞ야 ᄃᆞᆷ갓다가 닉게 ᄧᅵ고 ᄆᆞᆫ져 ᄡᅮᆨ을 ᄭᆞᆯ고 버거 닥닙 ᄭᆞᆯ고 그 밥을 그 우희 펴고 그 우희 ᄯᅩ 닥닙 덮고 ᄯᅩ 그 우희 ᄡᅮᆨ으로 더펴 둣다가 닐웨 후에 더픈 거슬 다 업시 ᄒᆞ고 제 긔운이 다 ᄒᆞ고 내옴이 업거든 조히 취졍ᄒᆞ야 그르세 다마 삼일 후에 ᄇᆡᆨ미 ᄒᆞᆫ 말을 ᄇᆡᆨ셰ᄒᆞ야 닉게 ᄧᅧ ᄎᆞ거든 젼의 밥의 버므려 독의 녀허 닐웨 후제 ᄡᅳ라.

3. 연화주방 <역주방문(曆酒方文)>

술 재료 : 밑술 : 멥쌀 3되, 닥나무잎, 청호
덧술 : 멥쌀 3말

술 빚는 법 :

* 밑술 :

1. 멥쌀 3되를 물에 백세하여 (매우 깨끗하게 헹군 뒤) 새 물에 담가 불렸다가 다시 씻어 말갛게 헹궈서 물기를 뺀다.
2. 불린 쌀을 시루에 안쳐서 무른 고두밥을 짓는다.
3. (한갓진 곳에 멍석이나 볏짚을 두툼하게 깔고) 청호(菁蒿, 푸른 쑥)를 깔아 놓는다.
4. 고두밥이 익었으면, 청호 위에 쪄낸 고두밥을 고루 펼쳐 놓고, 고두밥 위에 닥나무잎을 펴서 덮고, 다시 청호를 덮은 뒤 이 상태로 7일간 지낸다.
5. 고두밥을 띄우기 시작한 지 7일 후에 청호와 닥나무잎을 거두고 냄새가 가시기를 기다렸다가, 고두밥을 깨끗한 술독에 담아 안치고 밀봉하여 3일간 발효시킨다.

* 덧술 :

1. 멥쌀 3말을 물에 백 번 씻어 매우 깨끗하게 헹군 뒤, 새 물에 담가 불렸다가 다시 씻어 말갛게 헹궈서 물기를 뺀다.
2. 불린 쌀을 시루에 안쳐서 고두밥을 짓는다(냉수를 흠씬 뿌려서 매우 부드럽고 무른 고두밥을 짓는다).
3. 고두밥이 익었으면 퍼내어 고루 펼쳐서 (온기가 남게 식혔다가) 밑술을 합하고, 고루 힘껏 치대어 술밑을 빚는다.
4. 술독에 술밑을 담아 안치고, (술독 주둥이에 묻은 것을 깨끗하게 씻어내고, 베보자기와 뚜껑을 덮은 다음) 발효시켜 익기를 기다려 채주한다.

* 주모나 누룩, 물을 사용하지 않고 청호와 닥나무잎의 야생곰팡이와 효모를 이용하여 만든 부본(주본)에 덧술하여 빚은 술이다. <산가요록>에는 "얼마든지 이 방법으로 빚을 수 있으며, 연잎을 위아래에 묻어두어도 된다."고 하였다.
* 청호는 쑥의 일종으로, 이렇게 해서 얻을 수 있는 맑은 술 '연화주'의 양은 고

작 6ℓ 정도이다. 나머지는 걸쭉한 '이화주' 형태의 탁주이며, 수저로 떠먹거나 냉수에 타서 마시면 심심한 막걸리를 즐길 수 있다.

蓮花酒方

白米三斗百洗浸水極出濃蒸作飯先布靑蒿蒿上攤飯飯上布楮葉楮葉上又覆靑蒿置之經七日後除去所覆蒿楮等物待其臭息移置淨器過三日後白米三斗百洗浸之濃蒸作飯合釀於上酒本.

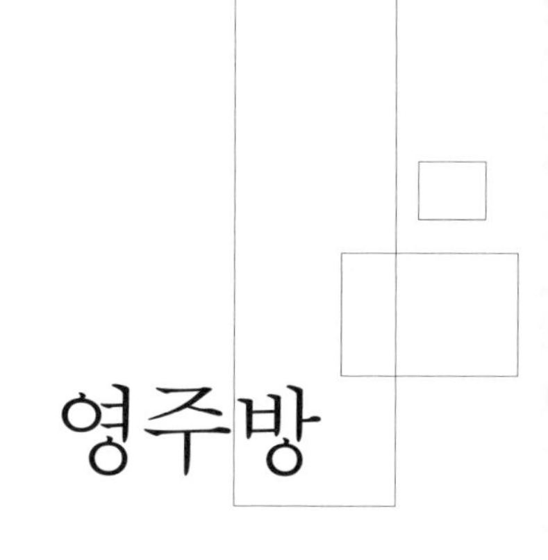

영주방

스토리텔링 및 술 빚는 법

<임원십육지(林園十六志, 高麗大本)>의 '영주방(酃酒方)'은 잡곡인 차조쌀로 빚는 술이다. 따라서 '속미주(粟米酒)'라는 이름이 더 적합해 보이는데, 왜 '영주(酃酒)'라는 주품명으로 기록되었을까?

'영주'의 '영'은 고을 이름 령(酃) 자를 따온 것으로 영주 지역의 토속주가 아니었을까 하는 생각과 함께 '영주'는 우리나라가 아닌 중국의 어느 지방 이름일 거라는 추측도 해보는데, 정확한 건 알 수 없다.

<임원십육지(고려대본)>의 '영주방'은 단양주법(單釀酒法)으로, 차조쌀을 주원료로 하여 빚는 술이다. 주방문을 보면 어떤 특이점이나 술 빚는 법에 있어 별다른 차이도 기교도 없다. 다만 "술밑을 연잎이나 대나무 껍질로 덮는다."고 한 데서 가향주법(加香酒法)으로 분류하는 게 맞지 싶다.

생각해 보면 우리나라 '가향주(佳香酒)'를 빚는 방법에서 술밑 위에 도화(桃花)나 두견화(杜鵑花)를 덮기도 하고, 연잎을 덮기도 하는 주방문들을 종종 목격할 수 있기 때문이다.

중국 문헌인 "<제민요술(齊民要術)>을 인용하였다."고 하였는데, <제민요술>에는 '영주'라는 주품명이나 주방문이 보이지 않는다. 때문에 '영주방'은 '화향입주법(花香入酒法)'을 참고한 것으로 보인다. '영주방' 주방문에 차조쌀 1석 6말을 고두밥으로 만들고 물 1석에 누룩 7근으로 수곡을 만든다고 했는데, 누룩 7근은 쌀 되로 8되 2홉에 해당하므로 적은 양이 아님을 알 수 있다.

다만 우리나라 술 빚기에서는 차조를 비롯한 잡곡들을 사용할 경우, 대부분의 주방문에서 죽을 쑤어 술을 빚는데, <임원십육지(고려대본)>의 주방문에서는 고두밥을 지어 수곡과 버무려 술을 빚어 차이가 있다.

이러한 방법의 주방문으로 이루어진 술의 특징은 술맛이 약간 시큼하고 도수가 낮다. 따라서 대개는 이양주(二釀酒)나 삼양주법(三釀酒法)으로 주방문이 이루어지는 것을 볼 수 있다.

<임원십육지(고려대본)>의 '영주방'의 경우, 이러한 시큼한 맛과 냄새를 보완하기 위해 "연잎이나 대나무 껍질로 덮고, 잎이 마르면 다시 새것으로 덮어준다." 고 했는지도 모른다.

물론 "연잎이나 대나무의 향기가 술에 밴다."고 한 건 맞지만, 기본적으로 술의 맛과 향기가 좋은 것을 으뜸으로 하고, 연잎이나 다른 부재료의 향기를 입히는 방법은 차선책이라는 게 필자의 평소 견해이다.

영주방 <임원십육지(林園十六志, 高麗大本)>

술 재료 : 차조쌀 1석 6말, 누룩 7근, 물 1석, 연잎이나 대나무 껍질

술 빚는 법 :

1. 차조쌀 1석 6말을 (백세하여 물에 담가 불렸다가, 다시 씻어 헹궈 건져서 물기를 뺀 후) 시루에 안쳐 고두밥을 짓는다.
2. 물 1석에 누룩 7근을 넣고 하룻밤 재워서 물누룩을 만들어놓는다.

3. 고두밥이 익었으면 퍼내고, 고루 펼쳐서 차게 식기를 기다린다.
4. 고두밥에 물누룩을 합하고, 고루 버무려서 술밑을 빚는다.
5. 술밑을 술독에 담아 안치고, 예의 방법대로 하여 연잎이나 대나무 껍질로 덮는다. 잎이 마를 경우 다시 새것으로 덮어주면 술에 향기가 밴다.
6. 술이 익기를 기다려 채주한다.

酃酒方

九月中取秫米一石六斗 炊作飯以水一石宿淸麴七斤炊飯令冷酘麴汁中覆甕多用荷箬令酒香燥復易之. <齊民要術>.

와송주

스토리텔링 및 술 빚는 법

'와송주(臥松酒)'는 <농정회요(農政會要)>와 <부인필지(夫人必知)>, <임원십육지(林園十六志)>, <증보산림경제(增補山林經濟)>, <한국민속대관(韓國民俗大觀)> 등 5개의 문헌에 주품명과 주방문이 수록되어 있다.

'와송주'에 대한 주방문으로 가장 자세히 기록된 문헌은 <농정회요>와 <한국민속대관>이다. <농정회요>와 <한국민속대관> 주방문을 보면 "비스듬히 누운 큰 소나무에 빚는 색다른 술로 제법은 다음과 같다. 스스로 누운 생소나무를 골라 몸통을 말밥통 모양으로 뚫어서 그 속에 술을 빚어 넣고, 소나무 판자로 뚜껑을 만들어 덮은 다음, 진흙으로 단단히 봉한다. 그 위에 풀을 덮어서 비가 들어가지 않게 하여, 익은 뒤에 먹으면 맑은 향기가 입을 가득히 채운다."고 하였다.

그런데 이 5개의 문헌에는 한 가지 공통점이 있다. 그건 바로 어떤 문헌에도 술밑을 빚는 데 따른 주방문이 없다는 것이다. '와송주'를 빚으려면 주원료와 가공방법, 누룩과 물 등으로 발효시킬 술밑을 빚어야 함에도 불구하고, 술밑을 어떤 용기에 발효시키는지에 대한 기록만 있을 뿐이다.

따라서 '와송주'는 평소 자주 빚는 술로, 술을 빚고자 하는 사람이 자신이 아는 방법으로 술밑을 빚어 술독이나 항아리 대신 옆으로 비스듬히 누운 소나무를 말구유처럼 파서 그 안에 술밑을 담아 안쳐 발효시키는 방법으로 '와송주'라는 주품명을 얻게 된 것으로 보인다.

이와 같은 방법으로 빚는 술을 이양주(異釀酒)라고 하는데, 같은 방법의 '신선벽도춘(神仙碧桃春)'이라는 주품명과 주방문이 <임원십육지>에 수록되어 있고, '와송주' 주방문에 앞서 기록되어 있다. 이들 두 주방문은 일반 소나무와 와송, 그리고 주원료와 술 빚는 과정의 유무에 따라 '신선벽도춘' 또는 '와송주'로 불린다는 사실을 확인할 수 있었다. 5개 문헌에 수록된 '와송주'에는 주원료와 술 빚는 과정을 뜻하는 주방문이 없다는 사실을 거듭 확인할 수 있다.

'와송주'와 같은 예는 '부의주(浮蟻酒)'와 '과하주(過夏酒)'에서도 찾아볼 수 있다. 다소 차이가 있긴 하지만, '부의주'를 빚는 과정에 증류식 소주를 첨가하여 발효시키면 '과하주'라는 주품명으로 바뀌고, '과하주'를 빚는 주방문에 향기가 좋은 한약재 5가지나 열매 5가지를 사용하여 빚게 되면 '오향소주(五香燒酒)'가 되기도 하고 '오종주(五種酒)'가 되기도 하는 이치인 것이다.

주지할 사실은 여러 가지의 이양주(異釀酒) 가운데 특히 '와송주'가 유명세를 얻게 된 까닭은 다름 아니라 '와송주'의 향기가 특별하기 때문이다.

'와송주'를 수록하고 있는 <농정회요> 등 다른 모든 문헌에서도 '와송주'의 향기에 대한 언급을 볼 수 있다. <농정회요>의 주방문 말미에 "익은 다음 꺼내어 마시면, 맑은 향내가 입안에 가득하다. 이 방법으로 유명한 술도 담글 수 있다."고 하였다. 특히 "청향(淸香)이 천하일품이라고 알려진 술이다."고 하였고, <부인필지>에서도 "술이 익으면 청향이 만구(가득하고 오래 감)하리라."고 하였다.

'와송주'를 빚어본 결과 술을 빚을 때 주의할 점은 술밑의 양이 너무 적어서도 안 되고, 술밑에 물을 많이 사용해서도 안 된다는 것이다. 술밑은 가능한 한 물을 적게 사용하고, 충분히 치대서 발효가 잘 이루어지도록 한 후에 안쳐야 하며, 뚜껑을 덮었을 때 그 틈새를 된 반죽으로 갠 깨끗한 황토흙을 발라 흙물과 공기가 들어가지 않도록 해야 실패가 없다. 또 비가 올 경우를 대비하여 쑥이나 풀을 베어다 덮고, 다시 비닐로 싸매서 새끼로 감아두면 좋다.

술이 익기까지 대략 한 달 정도가 소요되며, 추운 겨울철엔 90일까지도 걸릴 수가 있다. 물과 누룩의 양이 적었을 때 시간이 더 많이 걸리므로, 술밑의 비율을 잘 맞추어야 한다.

1. 와송주법 <농정회요(農政會要)>

술 재료 : 누운 소나무, 주재(멥쌀 1말, 누룩가루 2되 5홉, 물 5되)

술 빚는 법 :

1. (멥쌀 1말을 백세하여 하룻밤 불렸다가 다시 씻어 건져서 시루에 안치고, 쪄서 고두밥을 짓는다.)
2. (고두밥을 고루 펼쳐서 차게 식힌 뒤 물과 누룩을 합하고, 고루 버무려 술밑을 빚는다.)
3. 누운 소나무의 몸통 부분을 말구유처럼 긴 원통형으로 둥그렇게 판다.
4. 소나무를 판 곳에 술밑을 담아 안치고, 깎아낸 소나무 껍질로 뚜껑을 덮는다.
5. 황토를 되게 개어 뚜껑 부분에 두텁게 바른다.
6. 다시 기름종이로 싸매고 고무줄로 단단히 동여맨 다음, 풀을 뜯어다 위를 덮어 비가 들어가지 않게 한다.
7. 술이 익기를 기다렸다가 밀봉한 종이와 흙을 벗겨내고 채주한다.

* 주방문 말미에 "익은 다음 꺼내어 마시면 맑은 향내가 입안에 가득하다. 이 방법으로 유명한 술도 담글 수 있다."고 하였다. 특히 청향(淸香)이 천하일품이라고 알려진 술이다.

臥松酒法

取自臥生松身生鑿其上如馬槽形釀酒其中又以松木作盖吻合塗以黃泥以草覆

護勿令雨漏待熟取飮則淸香滿口雖名酒亦可釀之.

2. 와송주법 <부인필지(夫人必知)>

술 재료 : 가로 누운 큰 소나무, (멥쌀 5되, 누룩 1되, 끓인 물 3되)

술 빚는 법 :

1. 비스듬히 누운 큰 소나무의 편편한 부분에 구유와 같이 구멍을 파고, 구유를 팔 때 떼어낸 겉껍질을 구유의 덮개로 사용한다.
2. 구유를 판 곳에 술밑(상법대로 빚은 술밑)을 담아 안치고, 덮개를 덮는다.
3. 소나무 구유와 덮개 사이에 진흙을 이겨서 틈을 메워 밀봉한다.
4. 진흙을 바른 위에 빗물이 스며들지 않도록 풀을 베어다 덮는다(볏짚이나 끈으로 묶어놓는다).

* 주방문 말미에 "술이 익으면 청향이 만구(가득하고 오래 감)하리라."고 하였다. 주방문에는 술 재료나 비율, 빚는 법에 대한 언급이 없다.

와송쥬법

비슷이 누은 큰 솔나무를 구융파고 그 가운딕 슐을 비져 녓코 솔나무 쭈에 ᄒᆞ야 덥고 흙을 틈업시 발으고 풀노 덥허 빗물 들지 안케 ᄒᆞ야 닉히면 청향 만구ᄒᆞ니라.

3. 와송주방 <임원십육지(林園十六志)>

술 재료 : 누운 소나무, 주재(멥쌀 1말, 누룩가루 1되 5홉, 물 5되)

술 빚는 법 :

1. (멥쌀 1말을 백세하여 하룻밤 불렸다가 다시 씻어 건져서 시루에 안치고, 쪄서 고두밥을 짓는다.)
2. (고두밥을 고루 펼쳐서 차게 식힌 뒤 물 5되와 누룩가루 1되 5홉을 합하고, 고루 버무려 술밑을 빚는다.)
3. 누운 소나무의 몸통 부분을 구유처럼 긴 원통형으로 둥그렇게 판다.
4. 소나무를 판 곳에 술밑을 담아 안치고, 파낸 소나무 껍질로 뚜껑을 덮는다.
5. 황토를 되게 개어 뚜껑 부분에 두텁게 바른다.
6. (다시 기름종이로 싸매고, 새끼로 단단히 동여맨 다음) 풀을 뜯어다 위를 덮어 비가 들어가지 않게 한다.
7. 술이 익기를 기다렸다가 밀봉한 종이와 흙을 벗겨내고 채주한다.

* 주방문 말미에 "익은 다음 꺼내어 마시면 맑은 향내가 입안에 가득하다. 이 방법으로 유명한 술도 담글 수 있다."고 하였는데, '신선벽도춘'과 별반 차이가 없다.

臥松酒方

就自臥生松身上鑿其上如馬槽形釀酒其中又以松木作蓋吻合途泥黃泥以草穰覆護勿令兩漏待熟取飮則淸香滿口. 雖名酒亦可釀. <增補山林經濟>.

4. 와송주법 <증보산림경제(增補山林經濟)>

술 재료 : 누운 소나무, 주재(멥쌀 1말, 누룩가루 2되 5홉, 물 5되)

술 빚는 법 :

1. (멥쌀 1말을 백세하여 하룻밤 불렸다가 다시 씻어 건져서 시루에 안치고, 쪄서 고두밥을 짓는다.)
2. (고두밥을 고루 펼쳐서 차게 식힌 뒤 물과 누룩을 합하고, 고루 버무려 술밑을 빚는다.)
3. 누운 소나무의 몸통 부분을 구유처럼 긴 원통형으로 둥그렇게 판다.
4. 소나무를 판 곳에 술밑을 담아 안치고, 깎아낸 소나무 껍질로 뚜껑을 덮는다.
5. 황토를 되게 개어 뚜껑 부분에 두텁게 바른다.
6. 다시 기름종이로 싸매고 고무줄로 단단히 동여맨 다음, 풀을 뜯어다 위를 덮어 비가 들어가지 않게 한다.
7. 술이 익기를 기다렸다가 밀봉한 종이와 흙을 벗겨내고 채주한다.

* 주방문 말미에 "익은 다음 꺼내어 마시면 맑은 향내가 입안에 가득하다. 이 방법으로 유명한 술도 담글 수 있다."고 하였다. 특히 청향(淸香)이 천하일품이라고 알려진 술이다.

臥松酒法

取自臥生松身上鑿其上如馬槽形釀酒其中又以松木作盖吻合塗以黃泥以草覆護勿令雨漏待熟取飮則淸香滿口雖名酒亦可釀之.

5. 와송주 <한국민속대관(韓國民俗大觀)>

술 재료 : 누운 소나무, 주재(멥쌀 1말, 누룩가루 2되 5홉, 물 5되)

술 빚는 법 :

1. (멥쌀 1말을 백세하여 하룻밤 불렸다가 다시 씻어 건져서 시루에 안치고, 쪄서 고두밥을 짓는다.)
2. (고두밥을 고루 펼쳐서 차게 식힌 뒤 물과 누룩을 합하고, 고루 버무려 술밑을 빚는다.)
3. 누운 소나무의 몸통 부분을 구유처럼 긴 원통형으로 둥그렇게 판다.
4. 소나무를 판 곳에 술밑을 담아 안치고, 깎아낸 소나무 껍질로 뚜껑을 덮는다.
5. 황토를 되게 개어 뚜껑 부분에 두텁게 바른다.
6. 다시 기름종이로 싸매고 고무줄로 단단히 동여맨 다음, 풀을 뜯어다 위를 덮어 비가 들어가지 않게 한다.
7. 술이 익기를 기다렸다가 밀봉한 종이와 흙을 벗겨내고 채주한다.

와송주(臥松酒)

비스듬히 누운 큰 소나무에 빚는 색다른 술로 제법은 다음과 같다. 스스로 누운 생소나무를 골라 몸통을 말밥통 모양으로 뚫어서 그 속에 술을 빚어 넣고, 소나무 판자로 뚜껑을 만들어 덮은 다음, 진흙으로 단단히 봉한다. 그 위에 풀을 덮어서 비가 들어가지 않게 하여, 익은 뒤에 먹으면 맑은 향기가 입을 가득히 채운다.

유자 넣는 법·유자주

우리나라 전통술 가운데 조선시대 이래로 양주 관련 고식문헌에 등장하는 주류를 그 종류별로 분류해 보면 절대 다수가 순곡청주(純穀淸酒)이고, 가향주(佳香酒)·약용약주(藥用藥酒)가 30% 정도에 이른다.

증류식 소주로서 순곡소주(純穀燒酒)를 중심으로 한 혼성주(混成酒), 곧 약용소주(藥用燒酒)는 10% 미만을 차지한다. 그 외 '포도주'를 비롯한 '호도주', '백자주' 등 과실주가 3% 정도에 달한다.

따라서 전통적으로는 유자(柚子)도 과실로 분류하는 만큼 '유자주(柚子酒)'도 우리나라 과실주 가운데 포함시킬 수 있다. 경상도 남해 지방의 전승가양주인 '남해 유자주'가 유명하다. 이는 두 번 빚는 이양주(二釀酒)로 유자청과 채 썬 유자 껍질을 술덧에 직접 버무려 넣는 직접혼합법으로 빚는 유일한 술이다.

한편 양주 관련 문헌에서 찾을 수 있는 '유자주'는 연대와 저자 미상의 한글 기록인 <술방>과 1936년에 출판된 <조선무쌍신식요리제법(朝鮮無雙新式料理製法)>에 수록된 게 전부이다.

양주 관련 문헌인 <술방>과 <조선무쌍신식요리제법>에 수록된 '유자주'는 완성된 주배(酒醅)를 사용해 유자 껍질의 향기를 불어넣는 '화향입주법(花香入酒法)'이라는 점에서 '남해 유자주'와는 차별화된다.

다시 말해 고식문헌에 수록된 '유자주'는 술에 '유자 껍질을 사용해 향기를 불어넣는' 방법이므로 '화향입주법(花香入酒法)'의 '가향주(佳香酒)'로 분류할 수 있다.

유자는 예로부터 방향이 뛰어나 겨울철의 귀한 과실로 사랑받아 왔다. 특히 유자 껍질에는 매우 많은 양의 항산화물질과 폴리페놀, 플라보노이드가 함유되어 있다. 고혈압·동맥경화 등의 성인병과 중풍 및 뇌혈관 장애를 예방하는 데 효과적이라고 알려져 왔다.

실제로 숭의여대 식품영양과 유경미 교수는 냉동 건조된 유자를 가루로 만들어 전립선암을 앓고 있는 쥐에게 지속적으로 투여한 결과, 50%의 쥐에게서 종양 크기가 줄어들거나 암 조직의 성장이 억제되는 등 치료 효과가 나타났다. 또한 암 유발물질과 유자를 동시에 투여해 암의 예방효과가 있는지를 실험한 결과 70~80%의 예방효과가 있는 것으로 나타났다.

따라서 유 교수는 이 실험 결과를 바탕으로 "유자 껍질과 과육에 함유된 카로티노이드가 암세포 증식을 억제한다. 또한 유자의 풍부한 비타민 C와 항산화물질인 폴리페놀이 암의 원인으로 지목되는 활성산도의 체내 활동을 막기 때문에 암 예방에 효과적이다."고 발표했다.

유자에 들어 있는 헤스페리딘도 중요한 성분이다. 유자의 속살과 껍질에 많이 들어 있는 이 성분은 순환기계 질병을 예방하는 역할을 한다. 모세혈관의 저항력을 강화시켜 혈관이 파열되어 생기는 뇌출혈, 피하출혈 등을 방지한다. 바로 이러한 효과 때문에 겨울철 감기 예방으로 차(茶)와 방향제(芳香劑)로 사용되어 왔다.

하지만 고문헌에 수록된 '유자주'는 '유자의 껍질을 사용해 빚은 술'이므로 유자 속에 함유된 여러 가지 성분에 의한 질병예방과 치료효과를 크게 기대하기 어렵다.

그런 의미에서 유자의 효능을 얻기 위한 술로는 오히려 '남해 유자주'가 적합하다고 할 수 있겠다. <술방>과 <조선무쌍신식요리제법>의 주방문에 의한 '유자주'는 유자향기에 의한 심리적 치료효과와 함께 음주에 따른 계절감각을 즐기는 등 흥취를 얻는데 만족해야 할 것이다.

<술방>과 <조선무쌍신식요리제법>의 주방문에서 특히 유자 껍질이 술에 직접 닿지 않도록 강조한 까닭도 유자에 함유된 풍부한 유기산 때문이다.

유기산 중에도 구연산이 가장 많이 들어 있는데, 구연산은 피로를 일으키는 물질인 젖산이 근육에 쌓이지 않도록 분해시켜 피로 해소를 돕는 반면, 술맛을 시어지게 하고 기호를 떨어뜨리는 결과로 나타나기 때문이다.

1. 유자 넣는 법 <술방>

술 재료 : 멥쌀 1말, 누룩(1되 5홉~2되), (끓인 물 5되), 유자 껍질(2냥)

술 빚는 법 :

1. 쌀 1말을 백세하여 하룻밤 불렸다가, 새 물에 말갛게 헹궈서 소쿠리에 밭쳐 물기를 뺀다.
2. 불린 쌀을 시루에 안쳐서 무른 고두밥을 짓는다.
3. 고두밥에 누룩 1되 5홉 또는 2되와 끓인 물 5되를 섞고, 고루 버무려 술밑을 빚는다.
4. 술독에 술밑을 담아 안치고, 예의 방법대로 하여 21일 정도 발효시킨다.
5. 술이 익으면 생유자잎과 유자 껍질을 흐르는 물에 깨끗하게 씻어 물기를 제거한다.
6. 칼로 생유자잎과 유자 껍질을 (채) 썰어놓는다.
7. 채 썬 유자잎과 껍질을 전대에 담아 넣고 주둥이를 묶는다.
8. 유자를 넣은 전대를 술독 안에 넣되, 술에 닿지 않게 매단 후 밀봉하여 하룻밤을 재운다.
9. 다음날 베자루를 건져내면, 유자 향기가 배어 있는 좋은 술이 된다.

* 주방문에 "만일 유자 껍질이 술 속에 들어가면 미구에 술이 시어진다."고 하였다.

또 유ᄌ 넌는 법

싱뉴ᄌ겁질을 찌흐러 젼ᄃ의 너어 슐독 안의 달아 둘 거시니, 만일 겁질이 슐 쇽의 들면 미구의 맛시 셔어지니라.

2. 유자주 <조선무쌍신식요리제법(朝鮮無雙新式料理製法)>

술 재료 : 발효된 술, 유자 껍질(귤껍질) 적당량, 명주 주머니 1장

술 빚는 법 :

1. 술이 익어 밥알이 동동 떠올라 있으면, 술에 넣을 유자를 준비한다.
2. 유자는 껍질을 벗겨 (속은 따로 사용하고) 껍질만을 물에 깨끗하게 씻어 물기를 제거한다.
3. 씻어 준비한 껍질을 명주 주머니에 담아 술독 안 술 위에 손가락 한 마디만큼 매달아 놓는다.
4. (2~3일 지난 뒤) 명주 주머니를 거두고 술을 떠서 마신다.

* 주방문 말미에 "향취가 기이하니라. 만일 껍질을 술에 넣으면, 얼마 못 되어 술이 시어서 못 먹느니라."고 하였다. 껍질은 '화향입주법(花香入酒法)'에 한하여 이용할 것을 경계하였다.
* 유자 껍질 대신 귤껍질을 사용하면 '진피주(眞皮酒)'가 된다.

유자주(柚子酒)

유자를 술에 느흐면 맛이 시기 쉬우니 썹질만 벗겨 주머니에 느어 독 속에

한 손구락 높기만 하야 달면 향취가 기이하니라. 만일 껍질을 술에 느으면 얼마 못 되여 술이 시여서 못 먹나니라.

죽엽주

스토리텔링 및 술 빚는 법

'죽엽주(竹葉酒)'는 두 가지로 나뉜다. 순곡주(純穀酒)로서 '대나무잎의 술 색깔을 띤다'는 의미의 '죽엽주'와 주재료로 대나무잎인 죽엽(竹葉)을 사용한 가향주(佳香酒)로서의 '죽엽주'가 그것이다. 주품명을 다 같이 '죽엽주'로 표기하기 때문에 혼란을 초래할 수 있어, 여기서는 약용약주로서의 '죽엽주'를 구분하여 소개하고자 한다.

<임원십육지(林園十六志)>에는 이 두 가지 주방문이 함께 수록되어 있는데, 순곡주 '죽엽주'를 '죽엽춘(竹葉春)'으로 표기하여 구분하고 있다.

그런데 이러한 구분이 오히려 더 많은 혼란을 초래하고 있다. 이를테면 <임원십육지>의 '죽엽춘'과 동일한 주방문을 <산가요록(山家要錄)>, <언서주찬방(諺書酒饌方)>, <역주방문(曆酒方文)>에서는 '죽엽주'로 수록하고 있기 때문이다.

어찌됐든 여기서는 대나무잎을 주원료로 사용하는 '죽엽주'의 특징과 술 빚는 방법을 살펴보고자 한다. 주방문 말미에 "대나무잎을 따다 삶은 즙으로 보통 방법과 같이 술을 빚어 마신다. 방법은 '죽엽춘방'을 참조하라."고 하였다.

따라서 '죽엽주'는 순곡주인 '죽엽춘'을 빚는 과정에서 대나무잎을 추가했을 뿐이라는 사실을 알 수 있다. 결국 '죽엽주'와 '죽엽춘'의 특징은 밑술을 빚는 과정에서 대나무잎을 삶은 물을 사용하는 방법과 끓여 식힌 물을 사용하는 방법의 차이에서 생긴다는 결론을 내릴 수 있겠다.

'죽엽주'를 빚는 데 사용할 대나무잎은 2~3년생의 성숙한 대나무잎을 사용하는 게 햇대(新竹)의 것보다 향기와 약효가 좋다. 대나무잎은 깨끗한 것으로 골라서 흐르는 물에 깨끗하게 비벼 씻은 후, 물은 정해진 분량보다 그 양을 좀 더 늘려주어야 한다. 대나무잎을 넣고 삶다 보면 물의 양이 줄어들기 마련인데, 물의 양이 적을수록 나중에 술 빚기가 힘들어지기 때문이다.

대나무잎을 삶는 요령으로 주방문에서 언급한 향기와 약효를 얻고자 하면, 처음에는 물만 붓고 솟구치게 끓은 후에 대나무잎을 넣고, 대나무잎이 부드러워졌으면 물이 끓을 정도로 불을 줄여서 은근하게 삶되, 물의 색깔이 푸른빛을 띠면 넓은 그릇에 퍼내고 차게 식기를 기다려 대나무잎을 건져낸다.

그렇지 않고 술맛과 향기를 우선으로 하고자 하면, 솥의 물에 솟구치게 끓을 때 대나무잎을 넣고 계속하여 약 5~10분 정도 삶은 후 대나무잎을 건져낸다. 그런 다음 달인 물을 넓은 그릇에 퍼서 차게 식기를 기다려 사용한다.

술을 빚는 데 따른 요령은 순곡주 '죽엽주'나 '죽엽춘'을 참고하면 된다. 주방문에 '죽엽주'는 "풍과 열을 치료하고 마음을 맑게 하며 의지를 강하게 한다."고 하였다.

대나무의 효능과 더불어 대나무의 '차고 곧은 성질'이라는 상징적 의미 또한 내포하고 있다 하겠다.

죽엽주 <임원십육지(林園十六志)>

술 재료 : 밑술 : 멥쌀 1말, 죽엽(15근), 누룩가루 1되 5홉, 물 3병
덧술 : 멥쌀 5말

술 빚는 법 :

* 밑술 :

1. 생죽엽(15근)을 물에 깨끗이 씻어서 물기를 뺀 뒤, 잘게 썰어 물 3병에 넣고 무르게 삶은 뒤 죽엽을 건져내고 차게 식기를 기다린다.
2. 멥쌀 1말을 (백세하여 물에 담가 불렸다가, 다시 씻어 물기를 뺀 후) 세말한다.
3. 쌀가루를 시루에 안쳐 흰무리떡을 푹 쪄낸다(고루 펼쳐서 덩어리를 잘게 쪼갠 다음 차게 식기를 기다린다).
4. 죽엽 달인 물에 누룩가루 1되 5홉과 식은 흰무리떡을 한데 합하고, 고루 버무려서 술밑을 빚는다.
5. 술독에 술밑을 담아 안치고, 예의 방법대로 하여 발효시켜 익기를 기다린다.

* 덧술 :

1. 멥쌀 5말을 (백세하여 물에 담가 불렸다가, 다시 씻어 건져서 물기를 뺀 후) 시루에 안치고 흰무리떡을 짓는다.
2. 흰무리떡이 익었으면 시루에서 퍼낸다(고루 펼쳐서 뜨거운 김만 나가게 식힌다).
3. (따뜻한) 흰무리떡을 밑술에 섞고, 고루 버무려 술밑을 빚는다.
4. 술밑을 술독에 담아 안치고, 술독은 예의 방법대로 하여 김이 새지 않게 단단히 밀봉하여 발효시킨다.
5. 술 빚은 지 28일이 지나 맑아진 후 맑은 술을 따라내어 그릇에 보관하고, 또 맑아지면 따라내어 다른 그릇에 저장한다.
6. 청주를 떠낸 술찌꺼기는 '이화주'와 같으므로 물과 섞어 마신다.

* 주방문에 "죽엽춘방을 참고하라."고 하였으므로, 이에 주방문을 작성하였다.

竹葉酒

<本草綱目> 治風熱情心暢意淡竹葉煎汁如常釀酒飮. (案)竹葉春方上.

죽엽청방

스토리텔링 및 술 빚는 법

<임원십육지(林園十六志)>는 조선시대 전통주 관련 문헌 가운데 가장 많은 주품과 주방문을 수록하고 있다. 주품 230종, 누룩 23품, 총론 등 기타 내용이 10품으로, 모두 합치면 263품이나 된다.

이 230종에 달하는 주품 가운데 '죽엽주방'을 비롯해 '죽엽청방(竹葉淸方)', '죽엽춘방(竹葉春方)'이 함께 수록되어 있는데, '죽엽주'와 '죽엽청방'의 경계가 모호하다.

<임원십육지>의 '죽엽주(竹葉酒)'는 '약양제품' 편에 수록되어 있으며, "대나무잎을 따다 삶은 즙으로 보통 방법과 같이 술을 빚어 마신다. 방법은 '죽엽춘방'을 참조하라."고 하였다. 한편 '죽엽청방'은 '향양류' 편에 수록되어 있어 가향주로 분류하고 있음을 알 수 있다.

<임원십육지>의 '죽엽주' 주방문에는 "대나무잎 60근, 끓인 물 4석, 깨끗한 멥쌀 5말을 물에 담갔다가 고두밥을 쪄서 누룩가루를 적당량 섞어 술을 빚는다. 익으면 맑은 술을 술주자에 짠다."고 하여 '죽엽주'와 '죽엽청방'은 술 빚는 과정에 차

이가 없음을 알 수 있다.

다만 주방문 말미에 "<삼산방>을 인용하였다."고 하고, "술이 익으면 맑은 술을 술주자에 짠다. 진한 주홍색을 띠며"라고 하여 술 빛깔을 통해 막연하게나마 구분이 가능할 뿐이다.

다시 말해서 '죽엽청(竹葉淸)'을 만드는 방법을 알지 못하면, '죽엽청방'의 재현이나 복원이 불가능하다는 결론에 도달한다. 이때 죽엽청이란 조청처럼 진하게 달인 즙액 같은 것인지, 그냥 달인 대잎 삶은 물인지는 정확히 알 수 없다. 다만 '죽엽주'의 술 빛깔이 엷은 주홍색이라는 사실을 감안한다면, 죽엽을 진하게 달여서 사용하는 방법일 거라고 판단된다.

실제로 물의 양이 1/10로 줄어들 때까지 죽엽을 달여서 '죽엽청'으로 사용한 결과, 소기의 목적을 달성할 수 있었다. 숙성된 '죽엽청방'의 술 빛깔은 진한 보리차 색깔을 나타냈으며, 대나무잎 고유의 향기를 강하게 느낄 수 있었다.

결국 <임원십육지>의 '죽엽청방'이나 '죽엽주'는 가향주 또는 약용약주의 개념으로 이해할 필요가 있으며, 이를 뒷받침하는 근거로 주방문 말미에도 "감기(風邪)를 치료한다."고 하였다.

사실 대나무잎에 감기 치료나 예방의 효능이 있는지는 알 수 없으나, 술을 일컬어 '백약지장(百藥之長)'이라고 하듯이 반주(飯酒)로 적당량을 꾸준히 마시면 오히려 건강에 더 좋다고 한다.

그러나 '죽엽춘'이나 '죽엽주'와는 달리 '죽엽청방'의 탁주는 그 맛이 상대적으로 좋지 못하고, 특히 쓴맛을 강하게 느낄 수 있으므로, 청주를 뜨지 말고 한꺼번에 걸러두고 조금씩 즐기는 게 좋다.

죽엽청방 <임원십육지(林園十六志)>

술 재료 : 대나무잎 60근, 멥쌀 5말, 누룩가루 적당량(5되), 탕수 4석(40말)

술 빚는 법 :

1. 멥쌀 5말을 (백세하여) 물에 담가 불렸다가 (다시 씻어 헹궈 건져서 물기를 뺀 후) 시루에 안쳐서 고두밥을 짓는다.
2. 대나무잎 60근을 채취하여 잘게 썰어 물에 깨끗하게 씻어 건져서 이물질과 먼지 등을 제거한다.
3. 물 40말에 대나무잎을 넣고 팔팔 끓여(물이 4말이 되게 졸인 다음, 체에 걸러 댓잎을 제거하고) 넓은 그릇 여러 개에 나눠 담고 차게 식기를 기다린다.
4. 고두밥이 익었으면 퍼내고, 고루 펼쳐서 차게 식기를 기다린다.
5. 고두밥에 대나무잎 달인 물과 누룩가루 적당량(5되)을 합하고, 고루 버무려서 술밑을 빚는다.
6. 술독에 술밑을 담아 안치고, 예의 방법대로 하여 (서늘한 곳에 앉혀두고) 발효시켜 술이 익기를 기다린다.

* '죽엽청(竹葉淸)' 만드는 법을 알지 못한다. 이때의 죽엽청이 조청처럼 진하게 달인 즙액 같은 것인지, 그냥 달인 대나무잎을 삶은 물인지 알 수 없다는 것이다. 따라서 물의 양이 1/10로 줄어들 때까지 달인 즙액을 '죽엽청'으로 사용하였다.

竹葉淸方

竹葉剉六十斤和水四石煮取淸白米五斗爛烝麴末斟(酌)和釀待淸壓槽取滴(缺)眞珠紅治一切風邪. <三山方>.

준순주

스토리텔링 및 술 빚는 법

우리 술을 분류하는 방법 가운데 발효기간이 짧은 술을 '속성주(速成酒)' 또는 '준순주(浚巡酒)'라고 하는데, 술을 익히는 기간이 대략 10일 이내인 술로 한정한다. 엄밀하게는 속성주 가운데서도 특히 단기간에 빚어 마실 수 있는 술을 '준순주'라 지칭한다.

필자 또한 <오주연문장전산고(五洲衍文長箋散稿)>의 '준순주' 주방문을 대하기 전까지는 그 의미를 단순히 '빨리 익히는 술'로 알고 있었고, 술의 발효기간에 따른 일반적인 분류법으로만 이해했던 게 사실이다.

그런데 '준순주'라는 명확한 주품명이 지금까지 이해하고 있던 의미보다 훨씬 짧은 '순간'을 의미한다는 사실에 놀라지 않을 수 없었다.

<오주연문장전산고>에 수록된 '준순주'는 "술이 익기까지 단 몇 시간이면 족하다."는 사실적인 의미를 담고 있어, 속성주 가운데서도 특히 짧은 기간에 익힌 술을 상징하는 표현으로 여겨진다.

<오주연문장전산고>에는 '준순주 변증설(浚巡酒 辯證說)'이 수록되어 있는

데, 그 내용은 다음과 같다.

"흰쌀가루를 쳐서 떡을 만든다. 풍속에서는 백병(白餠)이라 하고 혹은 두병(豆餠)이라고도 한다. 백병의 낱개마다 희고 고운 누룩가루를 고루 섞어 쳐서 역시 떡 조각의 많고 적음을 보아 누룩가루를 떡의 10분지 1로 써서 따뜻한 구들에 솔잎을 한층 깔고, 그 다음 위에서 만든 흰떡을 늘어놓고, 차례차례로 깔고 덮는다. 솔잎으로 깔고 펼 때 필히 곡말을 떡 위에 뿌리고, 맨 마지막에 솔잎으로 두텁게 덮고, 솔잎 위에 바로 인해서 짚으로 만든 깔자리를 덮어서 바람이 들어가지 않게 한다. 가리워서 띄우기를 불을 때는 훈조법과 같이 해서 매번 칠일이 지내서 열어보면 떡 위에 술 빚는 꽃이 필 때 향기를 코로 맡아 술 향기가 나고 발효가 된다. 그 다음에 차례로 바꿔서 이칠일을 이와 같이 바꾸고 또 삼칠일을 지나면 떡에 술기운이 진하게 농숙되어 발효가 일어나면 매우 익은 것이다. 꺼내어 뜨거운 햇볕에 쬐어 하루를 말려서 누룩이 다 마른 후에 비단처럼 아주 곱게 갈아 환을 지어라."

위의 과정은 누룩을 만드는 방법임을 알 수 있으며, 특히 누룩을 띄울 때 솔잎을 사용하고 켜켜로 묻어 띄우는 방법으로 '백수환동주곡'이나 '이화곡'을 띄우는 과정과 흡사하다.

그러나 위의 과정에 따른 준순주곡(浚巡酒麯)의 특징은 쌀가루로 떡을 만들고 기존에 사용하던 쌀누룩을 섞어서 다시 누룩밑을 만들어 띄운다는 점에서 '백수환동주곡'이나 '이화곡'과는 다른 차이점을 확인할 수 있다.

'준순주'는 이 준순주곡을 사용해 빚는 술이다. <오주연문장전산고>에 "환약은 극히 도수가 높고 매운 소주를 섞어서 환을 짓고, 환의 크기는 엄지손가락 머리만 한 크기로 해서 그 환약을 기름 먹인 종이 주머니에 싸서 습기에 기운이 새나가지 않고 맛이 변하지 않게 하라. 환은 습기를 맞거나 기운이 세어서 맛이 변하게 하지 말라."고 하여 누룩을 보관하는 방법을 제시하고 있다.

한편 "만약에 한밤중 외롭고 고요한 즈음 흥취는 있고, 술이 없을 때를 당해서 술을 마시고자 하면, 따뜻한 물 한 사발에 환약 세 알과 누룩 1덩이를 집어넣어서 밀봉해 따뜻한 곳에 두면 잠깐 후에 마실 수 있다."고 하여 술 빚는 방법에 대해 설명하고 있다.

여기서 술 빚는 방법이란 누룩과 환약(浚巡酒麯)을 따뜻한 물에 담가놓는 게 전부이다. 이른바 '인스턴트 술'이라 할 만하다. 언제든지 즉석 제조가 가능한 술이라는 점에서 술 빚는 사람들의 호기심을 자극하기에 충분하다.

필자가 경험했던 '준순주'는 기대한 만큼의 맛과 향기에는 미치지 못했다. 그 맛이 시고 싱거워서 이렇다 할 평가를 내리기도 저어된다.

다만 주방문 말미에서처럼 "만약에 한밤중 외롭고 고요한 즈음 흥취는 있고, 술이 없을 때를 당해서 술을 마시고자 하면" 한 번쯤 시도해 볼 만한 가치가 있을 것 같다. 한 차례의 실험 양주에 그친 것이어서 '준순주'에 대한 꾸준한 연구가 필요하다는 생각도 들었다.

한편 <오주연문장전산고>의 '준순주 변증설' 말미에는 소주 내리는 법에 대해 언급하고 있다. 하지만 소주 맛 역시 싱겁고 이렇다 할 특징을 느낄 수 없다는 아쉬움을 느꼈다. 소줏고리가 등장하기 이전의 솥단지를 사용하는 원시적 방법이어서 물이 많이 섞이고, 솥바닥에 눋는 일이 잦아 좋은 방법은 못 되었다는 게 솔직한 고백이다.

다만 술찌꺼기를 버리지 않고 사용한 것은 찌꺼기를 제거했을 때보다 술맛이 더 진하게 느껴지고 독특한 향기를 느낄 수 있었다. 그 향이라 함은 바로 누룩을 띄울 때 사용했던 솔잎 향기였다.

'준순주'는 <임원십육지>에도 수록되어 있다. 주방문은 나와 있지 않고, "<본초강목(本草綱目)>을 인용하였다"고 하며 "허약한 것을 보하고 기운을 돋우어 주며, 모든 풍과 습기를 몰아낸다고 한다. 방법은 <보양지>를 참조하라."고 하였다.

따라서 '준순주'는 건강 도모와 질병예방을 목적으로 한 약용주의 성격을 지닌 술로 이해할 수 있겠다.

또한 그 성격이 <양주방>*의 "술맛이 입에 머금은 후에도 삼키기 아깝고, 사람에게 몹시 보익하여 온갖 병을 물리치고, 골수를 꽉 차게 하여 허약한 사람에게 좋으니 기운이 쇠한 이에게는 얻기 어려운 큰 약이다. 한 말에 '한 기(12년)의 수(壽)를 더한다.' 하였으니 한 기는 열두 해다. 하늘나라에서도 비밀 방문(方文)하니 너무 헛되게 전하여 세상의 더러운 사람으로 하여금 배우게 하지 말라."고 한 '백수환동주'의 효능과 유사하다는 것을 알 수 있다.

1. 준순주 <오주연문장전산고(五洲衍文長箋散稿)>

술 재료 : 흰쌀가루(1말), 백국(1되), 솔잎

술 빚는 법 :

1. 흰쌀가루를 체에 쳐놓는다(시루에 안쳐 흰무리떡을 찐다).
2. (쪄낸 흰무리떡을 절구통에 넣고 떡메로 쳐서) 백병을 만든다.
3. 백병에 다시 흰누룩가루를 넣고, 다시 쳐서 인절미 같은 술밑을 빚는다.
4. 다시 친 술밑을 둥글납작한 떡처럼 빚어놓는다.
5. 따뜻한 구들에 둥글납작한 인절미처럼 빚은 술밑을 한 켜 놓고, 누룩가루를 골고루 뿌려주고 솔잎을 한 켜 덮는다.
6. 다시 떡 한 켜, 누룩가루 한 켜, 솔잎 한 켜씩 켜켜이 덮어 층을 쌓는다.
7. 맨 마지막에 볏짚으로 두텁게 덮어서 바람이 들어가지 않게 한 다음, 훈조법(熏造法)과 같이 띄우기를 시작한다.
8. 띄우기 시작한 지 7일 후에 한 번씩 열어보고, 위의 떡을 맨 아래로 가게 하고, 중간의 떡을 맨 위로 가게 하여 바꿔쌓기를 해준다.
9. 이와 같이 7일 간격으로 바꿔 쌓기를 3회 반복하면, 떡에 술기운이 농축되어 떡이 뜨겁게 되는데, 떡 위에 곰팡이꽃이 피고 술 향기가 나면 다 익은 것이다.
10. 떡을 꺼내어 뜨거운 햇빛에 말려서 하루를 건조시킨 후, 절구통에 넣고 찧어서 가루로 만든다.
11. 떡가루로 환을 짓되, 독한 소주를 뿌려서 반죽을 하며, 환의 크기를 엄지손가락 머리만 하게 해서 두터운 기름먹인 종이에 싸놓는다.

* 주방문에 "환은 습기를 맞거나 기운이 세어서 맛이 변하게 하지 말라."고 하였다. 또 "따뜻한 물 1사발에 환약 3개와 누룩 1덩이를 넣고 밀봉해서 따뜻한 곳에 놓고, 좀 오래 두면 물이 전부 술이 되어 마실 만하다."고 하였다.

浚巡酒 辨證說

"다시 준순법이 있으니 그 방법은 먼저 흰쌀가루를 쳐서 떡을 만든다. 풍속에서는 백병(白餠)이라 하고 혹은 두병(豆餠)이라고도 한다. 백병의 낱개마다 희고 고운 누룩가루를 고루 섞어 쳐서 역시 떡조각의 많고 적음을 보아 누룩가루를 떡의 10분지 1로 써서 따뜻한 구들에 솔잎을 한층 깔고, 그 다음에 위에서 만든 흰떡을 늘어놓고, 차례차례로 깔고 덮는다. 솔잎으로 깔고 펼 때에 필히 곡말을 떡 위에 뿌리고, 맨 마지막에 솔잎으로 두텁게 덮고, 솔잎 위에 바로 인해서 짚으로 만든 깔자리를 덮어서 바람이 들어가지 않게 한다. 가리워서 띄우기를 불을 때는 훈조법과 같이 해서(뜨겁게) 매번 칠일이 지내서 열어보면 떡 위에 술 빚는 꽃이 필 때에 향기를 코로 맡아 술 향기가 나고 발효가 된다. 그 다음에 차례로 바꿔서 이칠일을 이와 같이 바꾸고 또 삼칠일을 지나면 떡에 술기운이 진하게 농숙되어 발효가 일어나면 매우 익은 것이다. 꺼내어 뜨거운 햇볕에 쬐어 하루를 말려서 누룩이 다 마른 후에 비단처럼 아주 곱게 갈아 환을 지어라. 환약은 극히 도수가 높고 매운 소주를 섞어서 환을 짓고, 환의 크기는 엄지손가락 머리만 한 크기로 해서 그 환약을 기름먹인 종이주머니에 싸서 습기에 기운이 새나가지 않고 맛이 변하지 않게 하라. 환은 습기를 맞거나 기운이 세어서 맛이 변하게 하지 말라.

만약에 한밤중 외롭고 고요한 즈음 흥취는 있고, 술이 없을 때를 당해서 술을 마시고자 하면, 따뜻한 물 한 사발에 환약 세 알과 누룩 1덩이를 집어넣어 밀봉해서 따뜻한 곳에 두면 잠깐 후에 마실 수 있다."고 하였다.

그리고 또 "그 술을 가지고 갑자기 소주 내리는 법은 빚은 술을 지게미와 찌끼까지 버리지 말고 고운 찌끼도 버리지 말고 막걸리를 전부 솥 안에 넣어서 솥 위의 뚜껑을 비스듬히 덮고 작은 틈을 만들어서 그 틈에 작은 죽통을 꼽아서 약불로 끓여 죽통 아래 빈병을 두고, 병은 항아리 안에 냉수를 넣고 그 위에 솥뚜껑을 뒤집어 덮어서 뚜껑의 뾰족한 부분이 솥 밑으로 가게 두고 대나무통을 솥 안에 들어가게 해서 반이 들어가게 해서 솥뚜껑 꼭지 부분에 해당되기를 지붕의 처마에서 물 흐르는데 잇대어 지도록 바쳐지게 해서 뚜껑에 이슬 떨어지는 것이 가장자리에 들어가게 하는 형세가 순리이다. 그 술이 주기가 구름같이 김이 올라와서 뚜껑에 부딪혀서 맺혀 이슬이 되고 뚜껑을 따라서 흐르는 술이 죽통의 솥 가운데 있는 그릇 속으로 물방울처럼 떨어져서 흘러 솥 밖의 빈 병 안으로 흘러 들어가면 시루 솥뚜껑의 외면을 비스듬히 다시 덮어서 냉수에 떨어지지 않게 해야 한다. 베보자기를 냉수에 담가서 쉬지 말고 솥뚜껑을 연달아 고루 문질러서 술기운이 위로 올라와 이슬이 맺혀 내려가게 한다. 이슬이 많고 적음은 이 방법의 잘잘못에 말미암으니, 그 이치는 솥 가운데 빈 병을 배치해서 웃뚜껑 뾰족한데 닿게 해서 이슬을 받게 하는 것과 같다. 그때는 약 만드는 노구솥이 없었으므로, 갑자기 노주를 받기가 이와 같이 구차스럽다."고 하여 '준순주(逡巡酒)'를 사용해 소주를 만들어 마실 수도 있다고 하였다.

2. 준순주 <임원십육지(林園十六志)>

허약한 것을 보하고 기운을 돋우어 주며 모든 풍과 습기를 몰아낸다고 한다. 방법은 <보양지>를 참조하라. <본초강목>을 인용하였다.

俊巡酒

<本草綱目> 補虛益氣去一切風痺濕氣. (案)方見 <葆養志>.

지주

스토리텔링 및 술 빚는 법

290년경의 <삼국지(三國志)> '고구려전(高句麗傳)'에 "고구려의 건국 초기인 28년에 '지주(旨酒)'를 빚어 한(漢)나라의 요동태수를 물리치는 등 양주기술이 뛰어났다."고 한 기록에서 고대 우리나라의 양주기술을 엿볼 수 있다.

전쟁에서 술이 어떻게 작용했는지는 알 수 없으나, 지주가 화합이나 화해에 필요한 매개물이었다는 사실은 부인할 수 없다.

그런데 <삼국지> '고구려전'에 등장하는 '지주'가 어떤 방식으로 제조된 술이었는지, 또 어떤 맛과 향기를 간직한 술인지에 대해서는 알려진 바가 없다.

뿐만 아니라 조선시대 기록인 <고사신서(攷事新書)>을 비롯해 <고사십이집(攷事十二集)>, <군학회등(群學會騰)>, <농정회요(農政會要)>, <민천집설(民天集說)>, <산림경제(山林經濟)>, <술방>, <임원십육지(林園十六志)>, <증보산림경제(增補山林經濟)>, <한국민속대관(韓國民俗大觀)> 등 총 10종의 문헌에 10차례 등장하는 '지주(地酒)'와 어떻게 다른지도 알 수 있는 방법이 없다.

따라서 술 이름과 관련해 음(소리)으로만 생각하면 <양주방>*의 '층층지주'

를 비롯해 <술 만드는 법>의 '여름디주', 그 밖에도 '하절지주'와 '동절지주' 등을 떠올릴 수 있겠다.

그렇다면 동일한 주품명을 옮기는 과정에서 한자 표기를 잘못했을 수도 있겠다는 생각에 이들 주방문을 비교해 보았지만, '지주(旨酒)'와 '지주(地酒)'는 주방문이 다르다는 사실로 미뤄볼 때 이 둘이 동일한 주품이라고 단정 짓기 힘들어 보인다.

여기에서 다루고자 하는 '지주(地酒)'라는 주품 또한 어떠한 유래와 의미를 갖고 있는지, 또 그 역사가 얼마나 되는지도 확신할 수 없다.

다만, <온주법(醞酒法)>에는 삼양주법(三釀酒法) '지주'와 이양주법(二釀酒法) '지주' 2품을 수록하고 있는데, 이양주법 '지주'는 <양주방>*을 비롯해 <술 만드는 법>이나 <고사신서>, <고사십이집>, <군학회등>, <농정회요>, <민천집설>, <산림경제>, <술방>, <온주법>, <임원십육지>, <증보산림경제>, <한국민속대관> 등의 '지주(地酒)'와는 다른 주방문을 보여주고 있어 구별되므로 따로 분류하기로 하였다.

<고사신서>을 비롯하여 <고사십이집>, <군학회등>, <농정회요>, <민천집설>, <산림경제>, <술방>, <임원십육지>, <증보산림경제>, <한국민속대관> 등 총 10종의 문헌에 10차례 등장하는 '지주'는 술 빚는 법에 있어 일반 가정에서 빚는 '송엽주'와 흡사하다.

<고사신서>를 비롯한 10종의 문헌에 등장하는 '지주'의 유래는 술맛이나 술향기, 부원료의 명칭 등의 다른 주품명과는 다르게 '발효시키는 방법'에 따른 표기라 하겠다. 즉, 빚은 술을 발효시키기 위해 땅속에 묻는 방법을 취하고 있는 데서 주품명을 '지주'로 명명하게 되었음을 알 수 있다.

그런데 이런 관점에서 생각해 볼 수 있는 건 '송하주'라고 하는 주품이다. 즉, '지주'가 술독을 땅속에 묻어 발효시키는 방법인 데 반해, '송하주'는 숙성된 술을 소나무 밑에 묻고, 그 소나무의 뿌리를 술독 속에 담그는 방법이라는 점에서 그 차이를 읽을 수 있다.

여기서 몇 가지 고려할 것은, 우선 솔잎을 사용하고 있다는 점에서 '송엽주'이고, 술독을 보관하는 방법으로 보면 '송하주'인 이 주방문을 문헌 외의 전승가양주법에서도 찾아볼 수 있다는 사실이다.

그 실례로 전북 완주 지방의 '송화백일주'를 들 수 있는데, 사찰 전승주이기도 한 '송화백일주'는 '지주'와 유사한 방법을 보인다. 솔잎을 비롯해 송화, 구기자 등 여러 가지 한약재가 사용된다는 차이가 있을 뿐 술독을 보관하는 방법에 있어서는 '지주'와 유사하다.

이러한 '지주'를 기록하고 있는 최고의 문헌으로는 <산림경제(山林經濟)>를 들 수 있다. 이후 등장하는 문헌은 대부분 조선 중기 및 중기 이후의 문헌으로서 <산림경제>와 동일한 한 가지 주방문이 존재한다는 공통점을 찾을 수 있다. 심지어 술 재료 중 물의 양이나, 쌀 가공방법에 대한 구체적인 언급이 어디에도 없다는 점이다.

이는 최초의 기록인 <산림경제>를 베껴 쓴 거라는 사실을 반증하고 있다. 문제는 '지주'가 단양주법인데도 불구하고 발효기간이 7개월에 달한다는 것이다. '지주'를 빚어 땅속에 묻어 발효시키는 데 있어 과연 기록대로 7개월이라는 시간이 필요한지 궁금증이 일었다.

우리 전통주 중에 '지주'처럼 7개월이 소요되는 장기발효주는 단 한 가지도 없거니와 '송하주'를 비롯한 '송화백일주' 등 땅에 묻어 발효시키는 다른 주품의 경우도 3~4개월이면 술의 발효가 끝난다. 이는 부재료로 들어가는 솔잎으로 인해 발효가 더디고, 특히 땅속에 묻어 발효시키는 저온 발효방법이라는 점에서 7개월이라 하였으나, 실제로는 기록과 달랐다.

그렇다면 주방문의 "7개월 후에 채주한다."고 하는 발효기간을 어떻게 이해해야 할까? 미루어 짐작컨대 7개월이란 발효기간은 술의 주발효가 끝나는 기간 외 숙성에 필요한 시간까지를 포함한 기간으로 이해해야 하지 않을까 싶다.

실제로 발효기간이 3~4개월에 그친 '지주'에서는 솔잎의 떫고 쓴맛으로 인해 그 맛이 반감하였으며, 특히 강한 솔향 때문에 오랫동안 마시기에는 거부감이 따른 데 비해 3~4개월의 숙성기간을 거친 '지주'의 향기는 더욱 순후해졌고, 특히 솔잎의 떫은맛이 감소하면서 향취와 풍미가 매우 좋은 '지주'를 얻을 수 있었다.

실로 "술은 묵혀야 한다."는 말의 참의미를 깨닫는 순간이었다.

1. 지주 <고사신서(攷事新書)>

술 재료 : 멥쌀 1말, 누룩가루 3되, 솔잎 1되, (물 2~3되)

술 빚는 법 :

1. 멥쌀 1말을 백세하여 (물에 하룻밤 담가 불렸다가, 다시 씻어 헹궈서 물기를 뺀 뒤) 시루에 안쳐 고두밥을 짓는다.
2. 불린 쌀을 시루에 안쳐서 찌다가, 뜨거운 김이 한창 오르면 (찬물을 한 바가지쯤 뿌려) 뜸을 들이고, 고두밥이 익었으면 퍼내어 고루 펼쳐서 차게 식기를 기다린다.
3. 솔잎을 (잘게 썰어 고두밥과 함께 시루에 찌거나, 끓는 물에 살짝 삶아내어 차게 식혀) 준비해 놓는다.
4. 고두밥에 솔잎과 누룩가루 3되, (물 2~3되를) 합하고, 고루 버무려 술밑을 빚는다.
5. 술독에 술밑을 담아 안치고, 예의 방법대로 단단히 밀봉한다.
6. 땅을 파고 뚜껑만 남게 술독을 묻은 뒤, 소나무 가지로 집을 지어 햇볕을 가린다.
7. 땅속에 묻은 지 7월(개월 만)에 술독을 파내어 채주한다.

* 주방문에는 쌀을 가공하는 방법이 언급되어 있지 않다. 또한 물도 사용하지 않은 것으로 되어 있다. 또한 7월에 꺼낸다고 하였는데, 술 빚는 시기를 정확히 알 수 없다. 게다가 7개월 만에 꺼내는 것이라면, 현존하는 전통주 중 발효기간이 가장 오래 걸리는 술이라고 할 수 있다. 따라서 양주에 물을 사용하지 않았을 경우, 7개월 만에 꺼내는 술이라는 예측을 할 수 있고, 물의 양이 누락되었다고 가정하여 물 2~3되를 사용했을 경우는 날씨가 풀리기 시작하는 3월에 빚기 시작하여 7월에 채주하는 술로 간주할 수 있겠다. <고사촬요>와 동일한 주방문이다.

地酒
白米一斗麴末三升松葉剉一升入缸蜜盖掘地以松枝四圍納缸覆土七月而出.

2. 지주 <고사십이집(攷事十二集)>

술 재료 : 멥쌀 1말, 누룩가루 3되, 솔잎 1되, (물 1~3되)

술 빚는 법 :

1. 멥쌀 1말을 백세한다(물에 하룻밤 담가 불렸다가, 다시 씻어 헹궈서 물기를 뺀 뒤 시루에 안쳐 고두밥을 짓는다).
2. (불린 쌀을 시루에 안쳐서 찌다가, 뜨거운 김이 한창 오르면 찬물을 한 바가지쯤 뿌려) 고두밥이 익었으면, 퍼내고 고루 펼쳐서 차게 식기를 기다린다.
3. 솔잎은 잘게 썰어놓는다.
4. 쌀(고두밥)에 솔잎과 누룩가루 3되, (물 1~3되를) 합하고, 고루 버무려 술밑을 빚는다.
5. 술독에 술밑을 담아 안치고, 예의 방법대로 단단히 밀봉한다.
6. 땅을 파고 소나무 가지로 집을 지어 뚜껑만 남게 술독을 묻은 뒤 흙으로 덮는다.
7. 땅속에 묻은 지 7월(개월 만)에 술독을 파내어 채주한다.

* 주방문에는 쌀을 가공하는 방법이 언급되어 있지 않다. 또한 물도 사용하지 않은 것으로 되어 있다. 또한 7월에 꺼낸다고 하였는데, 술 빚는 시기를 정확히 알 수 없다. 게다가 7개월 만에 꺼내는 것이라면, 현존하는 전통주 중 발효기간이 가장 오래 걸리는 술이라고 할 수 있다. 따라서 양주에 물을 사용하지 않았을 경우, 7개월 만에 꺼내는 술이라는 예측을 할 수 있고, 물의 양이 누락되었다고 가정하여 물 2~3되를 사용했을 경우는 날씨가 풀리기 시

작하는 3월에 빚기 시작하여 7월에 채주하는 술로 간주할 수 있겠다. <고사촬요>와 동일한 주방문이다.

地酒
白米一斗麴末三升松葉剉一升入缸蜜盖掘地以松枝四圍納缸覆土七月而出.

3. 지주법 <군학회등(群學會騰)>

술 재료 : 멥쌀 1말, 누룩가루 3되, 솔잎 썬 것 1되

술 빚는 법 :

1. 멥쌀 1말을 (백세하여 물에 하룻밤 담가 불렸다가, 다시 씻어 헹궈서 물기를 뺀 뒤) 시루에 안쳐 고두밥을 짓는다.
2. 솔잎은 (모엽을 제거하고 물에 깨끗하게 씻은 후) 잘게 썰어 고두밥과 함께 시루에 찌거나, 끓는 물에 살짝 삶아내어 차게 식기를 기다린다.
3. 시루에서 뜨거운 김이 한창 오르면 (찬물을 한 바가지쯤 뿌려준 뒤) 익은 고두밥을 퍼내 고루 펼쳐서 차게 식기를 기다린다.
4. 고두밥에 솔잎과 누룩가루 3되를 합하고, 고루 버무려 술밑을 빚는다.
5. 술독에 술밑을 담아 안치되 날물기를 조심하고, 예의 방법대로 하여 단단히 밀봉한다.
6. 땅을 파고 소나무 가지를 사방에 꽂고 집을 지어 그 속에 뚜껑만 남게 술독을 묻은 뒤, 흙으로 덮어서 햇볕을 가린다.
7. 땅속에 묻은 지 7개월 만에 술독을 파내어 채주한다.

* 주방문에는 쌀을 가공하는 방법이 언급되어 있지 않다. 또한 물도 사용하지 않은 것으로 되어 있다. 이에 <임원십육지>의 ‘지주’를 참고하였다.

地酒法
白米一斗麴末三升松葉剉一升如常法釀入缸密其封盖掘不出生水之地折松枝作巢坎中納缸覆土七月而出.

4. 지주법 <농정회요(農政會要)>

술 재료 : 멥쌀 1말, 누룩가루 3되, 솔잎 썬 것 1되, (물 1~3되)

술 빚는 법 :

1. 멥쌀 1말을 (백세하여 물에 하룻밤 담가 불렸다가, 다시 씻어 헹궈서 물기를 뺀 뒤) 시루에 안쳐 고두밥을 짓는다.
2. 솔잎은 (모엽을 제거하고 물에 깨끗하게 씻은 후) 잘게 썰어 고두밥과 함께 시루에 찌거나, 끓는 물에 살짝 삶아내어 차게 식기를 기다린다.
3. 고두밥이 익었으면 시루에서 퍼내고, 고루 펼쳐서 차게 식기를 기다린다.
4. 고두밥에 솔잎과 누룩가루 3되, (끓여 식힌 물 1~3되를) 합하고, 고루 버무려 술밑을 빚는다.
5. 술독에 술밑을 담아 안치되 날물기를 조심하고, 예의 방법대로 하여 단단히 밀봉한다.
6. 땅을 파고 소나무 가지로 집을 지어 그 속에 뚜껑만 남게 술독을 묻은 뒤, 흙으로 덮어서 햇볕을 가린다.
7. 땅속에 묻은 지 7개월 만에 술독을 파내어 채주한다.

* 주방문에는 쌀을 가공하는 방법이 언급되어 있지 않다. 또한 물도 사용하지 않은 것으로 되어 있다. 이에 전승가양주법의 '송순주'를 참고하였다.

地酒法

白米一斗麯末三升松葉剉一升如常法釀入缸密其封盖掘不出生水之地折松枝作巣坎中納缸覆土七月而出.

5. 지주 <민천집설(民天集說)>

술 재료 : 멥쌀 1말, 누룩가루 3되, 솔잎 1되, (물 1~3되)

술 빚는 법 :

1. 멥쌀 1말을 준비한다(백세하여 물에 하룻밤 담가 불렸다가, 다시 씻어 헹궈서 물기를 뺀 뒤 시루에 안쳐 고두밥을 짓는다).
2. (불린 쌀을 시루에 안쳐서 찌다가 뜨거운 김이 한창 오르고 고두밥이 익었으면, 퍼내어 고루 펼쳐서 차게 식기를 기다린다.)
3. 솔잎은 잘게 썰어 고두밥과 함께 시루에 찌거나, 끓는 물에 살짝 삶아내어 차게 식기를 기다린다.
4. 고두밥에 솔잎과 누룩가루 3되, (물 1~3되를) 합하고, 고루 버무려 술밑을 빚는다.
5. 술독에 술밑을 담아 안치고, 예의 방법대로 단단히 밀봉한다.
6. 땅을 파고 뚜껑만 남게 술독을 묻은 뒤, 소나무 가지로 집을 지어 햇볕을 가린다.
7. 땅속에 묻은 지 7개월 만에 술독을 파내어 채주한다.

* 주방문에는 쌀을 가공하는 방법이 언급되어 있지 않다. 또한 물도 사용하지 않은 것으로 되어 있다.

地酒

白米一斗曲末三升松葉剉一升蒸飯調和入缸密所掘地以杖松四圍(○)納缸覆

土七月內熟.

6. 지주 <산림경제(山林經濟)>

술 재료 : 멥쌀 1말, 누룩가루 3되, 솔잎 1되, (물 1~3되)

술 빚는 법 :

1. 멥쌀 1말을 백세하여 (물에 하룻밤 담가 불렸다가, 다시 씻어 헹궈서 물기를 뺀 뒤) 시루에 안쳐 고두밥을 짓는다.
2. 시루에서 뜨거운 김이 한창 오르면 (찬물을 한 바가지쯤 뿌려준 뒤) 익은 고두밥을 퍼내어 고루 펼쳐서 차게 식기를 기다린다.
3. 솔잎은 잘게 썰어 고두밥과 함께 시루에 찌거나, 끓는 물에 살짝 삶아내어 차게 식기를 기다린다.
4. 고두밥에 솔잎과 누룩가루 3되, (물 1~3되를) 합하고, 고루 버무려 술밑을 빚는다.
5. 술독에 술밑을 담아 안치고, 예의 방법대로 단단히 밀봉한다.
6. 땅을 파고 뚜껑만 남게 술독을 묻은 뒤, 소나무 가지로 집을 지어 햇볕을 가린다.
7. 땅속에 묻은 지 7개월 만에 술독을 파내어 채주한다.

* 주방문에는 쌀을 가공하는 방법이 언급되어 있지 않다. 또한 물도 사용하지 않은 것으로 되어 있다. 이에 <임원십육지>의 '지주'를 참고하였다.

地酒

白米一斗 麪末三升 松葉剉一升 入缸密蓋 掘地 以松枝四圍 納缸覆土 七月而出. <聞見方>.

7. 지주 <술방>

술 재료 : 멥쌀 1말, 누룩 3되, 물(3~4되), 솔잎 3되

술 빚는 법 :

1. 멥쌀 1말을 백세하여 담가 불렸다가, 새 물에 헹구고 소쿠리에 밭쳐 물기를 뺀다.
2. 불린 멥쌀을 시루에 안쳐서 고두밥을 짓고, 돗자리 위에 펼쳐서 얼음같이 차게 식힌다.
3. 솔잎을 따다가 모엽을 제거한 후, 물에 깨끗하게 씻은 뒤 물기를 뺀다.
4. 준비한 솔잎 중 3되 분량을 가위나 작두로 썰어놓는다.
5. 고두밥과 누룩 3되, (물 3~4되를) 섞고, 고루 버무려 술밑을 빚는다.
6. 술밑을 술독에 담아 안치고, 솔가지로 어리를 만들어 술독을 싸맨다.
7. 물이 없는 건조한 땅을 술독 키보다 깊게 파서 술독을 묻고, 흙으로 덮어준다.
8. 술독은 칠삭 동안 발효시킨 다음, 흙을 헤치고 뚜껑을 열어서 용수를 박아 놓고, 다시 흙으로 덮어둔다.
9. 발효를 시작한 지 (7개월 후에) 술이 말갛게 고이면 채주한다.

지쥬

ᄇᆡᆨ미 일 두 누룩 셔 되 솔닙 써으러 ᄒᆞᆫ 되ᄅᆞᆯ 예ᄉᆞ 법ᄃᆡ로 비져 항의 너허 봉ᄒᆞ고, 물업ᄂᆞᆫ ᄯᅡᄒᆞᆯ 파고 솔가지로 어리ᄅᆞᆯ ᄆᆡᆫ들고, 그 속의 항을 너코 흙을 덥허 칠삭 만의 ᄂᆡᆨᄂᆞᆫ니라.

8. 지주방 <임원십육지(林園十六志)>

술 재료 : 멥쌀 1말, 누룩가루 3되, 솔잎 1되

술 빚는 법 :

1. 멥쌀 1말로 술거리를 준비한다(백세하여 물에 담가 불렸다가, 다시 씻어 헹궈서 물기를 뺀 후, 시루에 안치고 고두밥을 짓는다).
2. (고두밥이 익었으면 퍼내고, 고루 펼쳐서 차게 식기를 기다린다.)
3. 솔잎은 (물에 깨끗하게 씻어 건져서 물기를 빼고) 잘게 썰어놓는다(고두밥과 함께 시루에 찌거나 끓는 물에 살짝 삶아내어 차게 식힌다).
4. 고두밥에 솔잎과 누룩가루 3되를 합하고, 힘껏 치대어 술밑을 빚는다.
5. 술독에 술밑을 담아 안치고, 예의 방법대로 단단히 밀봉한다.
6. 땅을 파고 소나무 가지로 사방을 둘러 집을 짓고, 그 안에 술독을 묻은 뒤 흙으로 덮어 햇볕을 가린다.
7. 땅속에 묻은 지 7개월 후에 술독을 파내어 채주한다.

地酒方

白米一斗麴末三升松葉剉一升入缸密蓋掘地以松枝四圍納缸覆土 七月而出.
<聞見方>.

9. 지주법 <증보산림경제(增補山林經濟)>

술 재료 : 멥쌀 1말, 누룩가루 3되, 솔잎 썬 것 1되, (물 1~3되)

술 빚는 법 :

1. 멥쌀 1말을 (백세하여 물에 하룻밤 담가 불렸다가, 다시 씻어 헹궈서 물기를 뺀 뒤) 시루에 안쳐 고두밥을 짓는다.
2. 솔잎은 (모엽을 제거하고 물에 깨끗하게 씻은 후) 잘게 썰어 고두밥과 함께 시루에 찌거나, 끓는 물에 살짝 삶아내어 차게 식기를 기다린다.
3. 시루에서 뜨거운 김이 한창 오르면 (찬물을 한 바가지쯤 뿌려준 뒤) 익은 고두밥을 퍼내어 고루 펼쳐서 차게 식기를 기다린다.
4. 고두밥에 솔잎과 누룩가루 3되, (물 1~3되를) 합하고, 고루 버무려 술밑을 빚는다.
5. 술독에 술밑을 담아 안치되 날물기를 조심하고, 예의 방법대로 하여 단단히 밀봉한다.
6. 땅을 파고 소나무 가지로 집을 지어 그 속에 뚜껑만 남게 술독을 묻은 뒤, 흙으로 덮어서 햇볕을 가린다.
7. 땅속에 묻은 지 7개월 만에 술독을 파내어 채주한다.

* 주방문에는 쌀을 가공하는 방법이 언급되어 있지 않다. 또한 물도 사용하지 않은 것으로 되어 있다. 이에 <임원십육지>의 '지주'를 참고하였다.

地酒法

白米一斗麴末三升松葉剉一升如常法釀入缸密其封盖掘不出生水之地折松枝作巢坎中納缸覆土七月而出.

10. 지주 <한국민속대관(韓國民俗大觀)>

지주(地酒)

술을 보통 방법으로 항아리에 빚어 담고, 항아리를 땅속 깊이 묻어 익히는 술을 말한다. 중국의 노주(老酒)와 같이 몇 해를 묵히는 것도 있다.

하양주

스토리텔링 및 술 빚는 법

'하양주(夏釀酒)'라는 주품명은 연대 미상의 문헌인 <침주법(浸酒法)>에 수록되어 있다. 그런데 이 주품을 '하양주(夏釀酒)'라는 주품 명칭 그대로 단독으로 분류할 것인지, '닥나무잎술(저주)'로 분류할 것인지, 아니면 '하향주'로 분류할 것인지 고민이 많았다.

술 이름인 주품명과 주방문으로 보면 '하향주'에 가깝고, 부재료인 닥나무잎이 사용된 것으로 보면 '닥나무잎술'이라야 하는데, '닥나무잎술'의 주방문과는 많은 차이가 있다.

주품명이나 술을 빚는 과정이 유사한 '하향주' 주방문은 대개 조선 초기에 많이 유행한 술로, '술의 향기가 연꽃 향기와 같다.'고 비유되는 술이다.

<조선무쌍신식요리제법(朝鮮無雙新式料理製法)>의 '하향주' 주방문은 "백미 한 되를 가루 낸 다음, 물송편을 만들고 삶아 식힌다. 거기에 누룩가루 다섯 홉을 섞어 풀고 그릇에 담아 사흘쯤 둔다. 따로 찹쌀 한 말은 물을 많이 뿌려 익게 찌고 잘 식혀서 밑술에 섞으면 3~7일로 익게 된다."고 하였다.

그리고 <양주방>*의 '닥나무잎술'은 "희게 쓿은 멥쌀 한 되를 씻고 또 씻어 가루 빻아 구무떡 만드라. 물 한 사발에 익게 삶아 물과 한데 퍼 식거든 누룩가루 7홉 섞어 (술밑을 빚고) 바가지에 닥잎을 깔고 그 위에 술밑을 얹은 다음, 다시 닥잎으로 덮어두었다가, 사흘 만에 찹쌀 한 말을 백세하여 고두밥을 쪄 익으면 가장 차게 식기를 기다렸다가, 밑술 내어 물 뿌려 걸러서 탁주를 만들어 섞어 세이레 후에 익거든 쓰라."고 하였다.

한편 <침주법>의 '하양주'는 "찹쌀 한 되를 백세하여 가루 빻아 구무떡 만드라. 물 한 사발에 익게 삶아 물과 한데 퍼 식거든 누룩 한 되 섞어 닥잎으로 덮어 두었다가 사흘 만에 찹쌀 한 말을 백세하여 오오로 쪄 익으면 물 사발 가웃 뿌려 섞어 가장 차게 식거든 밑술 내어 섞어 익거든 쓰라."고 하였다.

이로써 <침주법>의 '하양주'는 주품명으로 보면 '여름철 술 빚는 법'이라는 의미로 해석되고, 주방문으로 보면 '하향주'와 매우 유사하며, 닥나무잎이 사용된 점으로 보면 '닥나무잎술'과 유사하다는 것을 알 수 있다.

그런 의미에서 <침주법>의 '하양주'는 어느 쪽에도 속할 수 없는 '박쥐' 같다는 생각이 든다. 물론 엄밀하게 따지면, 주품명과는 무관하게 부재료가 사용되었기에 '닥나무잎술'로 보아야 마땅하지만, 이 두 주품을 한데 묶어 그 특징이나 술 빚는 법을 설명하기에 곤란한 점이 많다는 게 필자의 고민이었다.

따라서 우리 술 빚는 법의 다양성에 맞춰 그 차이를 설명하는 것에서 그치고, 여기에서는 독자적인 주방문으로 소개하기로 했다.

<침주법>의 '하양주'를 빚을 때 주의할 점은 덧술의 찹쌀고두밥에 끓는 물을 섞을 때, 한 손으로는 갓 퍼낸 고두밥을 뒤적이고, 다른 손으로는 끓는 물을 골고루 뿌려서 일부분도 질어지지 않게 하는 일이다.

또한 신속하게 그릇의 뚜껑을 덮어서 김이 새지 않도록 비닐 랩으로 그릇의 입술 사이를 칭칭 감아주면 더욱 좋다. 가능한 한 천천히 식기를 기다렸다가 술을 빚으면 실패하는 일이 없다.

이 밖에 구멍떡을 빚고 삶는 과정이나 밑술과 덧술을 혼화하는 일 등은 '하향주'나 '감향주', '점주' 등에서 수차례 언급하였으므로 각각의 주방문을 참고하면 된다.

하양주 <침주법(浸酒法)>

–한 말 빗이

술 재료 : 밑술 : 찹쌀 1되, 누룩 1되, 물 1사발, 닥나무잎
　　　　덧술 : 찹쌀 1말, 끓인 물 1사발 반

술 빚는 법 :

* 밑술 :

1. 찹쌀 1되를 백세하여 (물에 담가 불렸다가, 다시 씻어 건져서 물기를 뺀 다음) 가루로 빻는다.
2. 솥에 물을 끓이다가 뜨거워지면 물 1~2홉을 쌀가루에 골고루 뿌려가면서 고루 치대어 익반죽한 다음 구멍떡을 빚는다.
3. 솥에 물 1사발을 붓고 끓이다가 팔팔 끓는 김에 구멍떡을 넣고 삶는다.
4. 떡이 익어 떠오르면 물과 함께 (주걱으로 많이 짓이겨서) 차게 식기를 기다린다.
5. 구멍떡과 떡 삶은 물에 좋은 누룩 1되를 합하고, 고루 버무려 술밑을 빚는다.
6. 술밑을 술독에 담아 안치고 닥나무잎으로 덮은 뒤, 예의 방법대로 하여 3일간 발효시키고, 익기를 기다려 덧술을 준비한다.

* 덧술 :

1. 찹쌀 1말을 백세하여 (물에 하룻밤 불렸다가, 다시 씻어 건져) 물기를 빼놓는다.
2. 불린 쌀을 시루에 안쳐 고두밥을 오오로 찌고, 물 1사발 반을 끓인다.
3. 고두밥이 익었으면 그릇에 퍼내고, 끓인 물 1사발 반을 고두밥에 골고루 뿌려준 후, 그릇의 뚜껑을 덮어서 고두밥이 차디차게 식기를 기다린다.
4. 고두밥이 차게 식었으면 밑술과 합하고, 고루 버무려 술밑을 빚는다.
5. 술밑을 술독에 담아 안치고, 예의 방법대로 하여 (술독을 두텁게 싸매고 따

뜻한 곳에서) 발효시킨 후 술이 익기를 기다린다.

* 술 빚을 때 특히 주의할 점은 덧술의 찹쌀고두밥에 끓는 물 1사발 반을 골고루 뿌려서 김이 새지 않게 그릇의 뚜껑을 덮어 식기를 기다려야 한다는 것이다.

하양쥬(夏釀酒)—ᄒᆞᆫ 말

ᄎᆞᆸᄡᆞᆯ ᄒᆞᆫ 되ᄅᆞᆯ ᄇᆡᆨ셰ᄒᆞ야 ᄀᆞᄅᆞ 브아 구무 ᄯᅥᆨ ᄆᆡᆼ그라 믈 ᄒᆞᆫ 사바래 닉게 살마 믈와 한ᄃᆡ 퍼 식거든 죠ᄒᆞᆫ 누록 ᄒᆞᆫ 되 섯거 닥닙프로 더퍼 ᄃᆞᆺ더가 사ᄒᆞᆯ 만의 ᄎᆞᆸᄡᆞᆯ ᄒᆞᆫ 말을 ᄇᆡᆨ셰ᄒᆞ야 오오로 뼈 니근 믈 사발 가옷 ᄡᅳ려 섯거 ᄀᆞ장 식거든 밋술 내여 섯거 닉거든 ᄡᅳ라.

하엽주

스토리텔링 및 술 빚는 법

조선시대 양주 관련 고문헌에 수록된 주품들을 집성해 주품명별 분류작업을 하면서 가장 혼돈에 빠졌던 주품이 '연엽주'를 비롯해 '하엽주(荷葉酒)'와 같이 연잎을 사용해 빚는 주품들이었다.

따라서 여기에서는 혼란을 피하기 위해 주품명을 우선으로 하여 '하엽주'에 대해서만 다루기로 한다.

그리고 일반 양주법(釀酒法)이든 이양주법(異釀酒法)이든 '연엽(蓮葉)'을 주품명으로 한 '연엽주'와 '연엽양'은 '연엽주'로 묶어 '연엽주편'에서 상세히 다루었다.

주지하다시피 '이양법(異釀法)'이란 와송주(臥松酒)나 죽통주(竹筒酒)와 같이 술독을 발효용기로 사용하지 않는다는 특징을 나타낸다.

'이양법'으로서 '연엽주'와 '연엽양', '하엽주'는 모두 연잎이 발효용기가 되고 있다는 게 특징이다. 문헌에 따라 일반 양주법의 주방문도 함께 수록되어 있을 뿐이다.

우선, '하엽주'를 수록하고 있는 문헌으로는 <군학회등(群學會騰)>을 비롯해

<농정회요(農政會要)>, <술방>, <양주방>*, <증보산림경제(增補山林經濟)> 등 총 5종의 문헌에 6차례 등장한다.

시대적으로 가장 앞선 <증보산림경제>의 '하엽주법'은 "찹쌀 1되를 밥을 지어 흰누룩가루 약간을 섞고 끓인 물을 뿌려 버무린다. 식으면 연잎으로 감싸 빚고 나뭇가지를 좌우로 버티게 해둔다. 며칠 뒤에 익으면 비로소 연잎을 떼어낸다. 싼 연잎을 벗겨내고 맛을 보면 달콤한 향기가 입안에 가득하다."고 하는 이양주법(異釀酒法)과 "찹쌀 1되를 밥을 지어 흰누룩가루 약간을 섞고 끓인 물을 뿌려 버무린다. 식으면 술독에 연잎이나 인동초와 약쑥, 감국을 한 켜 깔고, 그 위에 술밑을 담아 안친다."고 하는 일반 양주법을 동시에 수록하고 있다.

<군학회등>을 비롯하여 <농정회요>, <술방>, <양주방>*의 '하엽주법'도 <증보산림경제>의 '하엽주법' 주방문과 동일하거나 유사하다는 것을 알 수 있다.

<술방>의 '하엽주' 주방문을 그대로 옮기면, "하엽주는 찹쌀 한 되 밥 지여 쌀누룩 셧거 더운데 물 뿌려 비져 식혀 년엽 우희 싸 비져 나뭇가지를 파 우로 고야다가 수일 만의 익거든 닙싸기를 따 싼 거슬 푸러 맛보면 달고 향기 입 가득하니라."고 하여 주원료의 배합비율이나 술 빚는 방법과 과정에 차이가 없음을 확인할 수 있다.

따라서 <증보산림경제>로부터 시작되는 '하엽주법'은 <군학회등>과 <농정회요>, <술방>, <양주방>*에 이르기까지 찹쌀 1되로 지은 고두밥과 흰누룩가루, 끓여 식힌 물을 뿌려서 술밑을 빚고, 연못의 살아 있는 연잎에 싸서 발효시키는 이양주법(異釀酒法)이 기본을 이룬다는 것을 확인할 수 있다.

그리고 이와 함께 찹쌀 1되로 지은 고두밥과 흰누룩가루, 끓여 식힌 물을 뿌려서 술밑을 빚고 술독에 연잎이나 인동초·감국·약쑥을 깔고, 그 위에 술밑을 안쳐 발효시키는 일반 양주법도 소개하고 있다.

여기에다 멥쌀 1말로 지은 고두밥에 흰누룩가루 7홉과 끓여 식힌 물 2병을 사용하여 술밑을 빚고 연잎에 싸서 발효시키는 이양주법(異釀酒法)을 더하면 세 가지 주방문을 접하게 되는데, 이들 양주법의 공통적인 특징은 누룩과 양주용수의 양이 매우 적게 사용된다는 점이다.

이는 햇볕이 내려쬐는 연못에서 연잎을 덮어 띄운다는 전제에서 비롯된 것으로, 연잎 위로 쏟아지는 태양의 높은 온도에 따른 대응방법이라 여겨진다.

한편으로는 편한 방법이기도 하지만, 또 다른 한편으로는 주질(酒質)에 있어 성공률이 매우 낮은 주방문이라는 점에서 술을 빚을 때 주의할 일들이 많다는 사실도 기억해야 할 것이다.

가장 먼저 유념할 일은 술 빚을 시기이다. 첫 서리가 내리기 전 연잎이 쇠기 시작할 무렵이라야 한다. 이 시기는 연잎의 수분 함량을 포함해 주변의 온도와 습도를 고려한 것이다. 한여름 다 지내고 가을로 접어들 무렵이면 연잎의 수분이 점점 줄어들면서 마른 듯하여 술을 빚으면 연잎 향이 좋아진다.

둘째, 술밑은 물이나 누룩이 적게 사용되므로 특히 물러지도록 버무려야 하고, 양주용수를 비롯해 그릇 등 일체의 날물이 들어가지 않도록 해야 하며, 술 빚는 일도 연잎의 서리가 다 마른 후에 마쳐야 한다. 또 술이 익었을 때 연잎 밖으로 흘러내리지 않도록 싸매는 등 세심한 주의가 요구된다.

우리 전통주의 가장 큰 특징을 꼽자면 종류와 술 빚는 방법의 다양성이라 할 수 있다. 더불어 또 다른 특징이라 할 수 있는 가향주(佳香酒)와 계절주(季節酒) 측면에서 이양주법의 '하엽주'는 단연 돋보인다고 하겠다.

1. 하엽주법 <군학회등(群學會騰)>

술 재료 : 찹쌀 1되, 흰누룩가루 약간, 끓인 물 적당량, 연잎

술 빚는 법 :

1. 찹쌀이나 멥쌀 1되를 (백세하여 물에 담가 불렸다가, 다시 씻어 건져서 물기를 뺀 후) 시루에 안쳐서 고두밥을 짓는다.
2. 고두밥이 무르게 익었으면, 시루에서 퍼낸다(돗자리에 고루 펼쳐서 뜨거운 김이 나가기를 기다린다).
3. 고두밥에 흰누룩가루를 조금 합하고, 끓인 물을 고두밥에 조금만 뿌려서 버

무린 후 술밑을 빚은 다음 차게 식기를 기다린다.
4. 연방죽에 가서 연잎에 술밑을 올리고, 온전히 감싸서 볏짚으로 싸맨 후 나뭇가지를 세워서 지지대를 만들어 쓰러지지 않게 고정시킨다.
5. 며칠(3~4일) 뒤 연잎을 따내고, 벗겨서 (체에 밭쳐) 탁주를 거른다.

* 주방문 말미에 "싼 연잎을 벗겨내고 맛을 보면 달콤한 향기가 입안에 가득하다."고 하였다.
* 이와 같은 방법으로 원하는 양만큼 빚어서 한꺼번에 채취하여 술을 걸러낸 후, 정치시키면 청주 연엽주가 되고, 체에 걸러 그대로 마시면 탁주 연엽주가 된다. 다른 기록에는 '하엽청(荷葉淸)' 또는 '연엽주(蓮葉酒)'라고도 하였다. 쌀 1말에 누룩가루 7홉, 물 2병의 비율로 빚는다고 하였다. 또 다른 방법으로 '술독에 연잎(또는 인동초와 약쑥, 감국)을 한 켜 깔고, 그 위에 술밑을 담아 안친다.'는 주방문도 있다.

荷葉酒法
粘米一升作飯和白麯末少許熟水洒調候冷取荷葉上包釀之 用木枝左右撑之 數日待熟始摘下荷葉皆包嘗之甘香滿口.

2. 하엽주법 <농정회요(農政會要)>

술 재료 : 찹쌀 1되, 흰누룩가루 약간, 연잎 적당량, 끓인 물 적당량

술 빚는 법 :
1. 찹쌀 1되를 (백세하여 물에 담가 불렸다가, 다시 씻어 건져서 물기를 뺀 후) 시루에 안쳐서 고두밥을 짓는다.
2. 고두밥이 무르게 익었으면, 시루에서 퍼낸다(돗자리에 고루 펼쳐서 뜨거운

김이 나가기를 기다린다).

3. 고두밥에 흰누룩가루를 조금 합하고, 끓인 물(2홉)을 고두밥에 뿌려 버무려 술밑을 빚은 뒤 차게 식기를 기다린다.
4. 연방죽에 가서 연잎에 술밑을 올리고, 온전히 감싸서 볏짚으로 싸맨다.
5. 연잎 주변에 나뭇가지를 세워서 지지대를 만들어 쓰러지지 않게 고정시킨다.
6. 며칠(3~4일) 뒤 연잎을 따내고, 벗겨서 (체에 밭쳐) 탁주를 거른다.

* 주방문 말미에 "싼 연잎을 벗겨내고 맛을 보면 달콤한 향기가 입안에 가득하다."고 하였다.

荷葉酒法
粘米一升作飯和白麯末少許熟水洒調候冷取荷葉上包釀之 用木枝左右撑之數日待熟始摘下荷葉皆包嘗之甘香滿口.

3. 하엽주 <술방>

술 재료 : 찹쌀 1되, 쌀누룩(3홉), 연잎(3장)

술 빚는 법 :

1. 찹쌀 1되를 물에 백세하여 8시간 정도 불린다.
2. 솥에 시룻물을 계량하여 붓고, 불을 지펴 끓인다.
3. 시루를 물에 깨끗이 씻어 30분 이상 완전히 잠기도록 물에 담가둔다.
4. 찹쌀이 불렸으면 다시 새 물에 헹군 후, 소쿠리에 밭쳐서 물기를 뺀다.
5. 시루밑물이 끓으면 시루를 씻어 솥에 얹고, 시루밑을 물에 적셨다가 짠 후 시루 안에 깐다.
6. 물기를 뺀 찹쌀을 시루에 안치고 뚜껑을 덮는다.

7. 고두밥이 쪄졌으면 돗자리를 펴고, 그 위에 얇게 펴서 따뜻하게 식힌다.
8. 고두밥이 따뜻하게 식었으면 쌀누룩가루 1되 정도를 넣고, 고루 버무려 술밑을 빚는다.
9. 술밑을 들고 연못으로 들어가서 연잎으로 싸고, 볏짚으로 열십자 모양으로 묶는다.
10. 술밑을 담아 싼 연잎 위에 연잎을 한 장 따서 모자처럼 덮어놓는다.
11. 술을 빚어둔 지 수일 만에 익는다.

* 술을 맛보면 "찹쌀 한 되 밥 지여"라고 되어 있으나, 이는 고두밥으로 보아야 한다. 그리고 "맛이 달고 향기가 입안에 가득하다."고 하였다.

하엽쥬

찹ᄊᆞᆯ ᄒᆞᆫ 되 밥 지여 ᄊᆞᆯ누룩 죠곰 섯거 더운데 물 ᄲᅮ려 비져 식혀 넌넙 우희 싸 비져 ᄂᆞ무가지ᄅᆞᆯ 좌우로 고야다가 슈일 만의 익거든 닙ᄊᆞ기ᄅᆞᆯ ᄡᅡ ᄡᆞᆫ 거ᄉᆞᆯ 푸러 맛보면 달고 향긔 입의 가득ᄒᆞ니라.

4. 합엽주 <양주방>*

술 재료 : 찹쌀 1되, 섬누룩 4홉, 엿기름가루(1홉), (끓여 식힌 물 2~3홉), 연잎

술 빚는 법 :
1. 연잎이 다 자라 세고 잎이 크며 구멍 없는 잎을 골라 줄기를 따라 옆에 작대기 같이 긴 나무 셋을 솔발같이 박아놓는다.
2. 식전에 깨끗한 찹쌀(1되)을 깨끗이 씻고 또 씻어(백세하여) 물에 담가 불렸다가, (다시 씻어 건져서 물기를 뺀 후) 시루에 안쳐서 고두밥을 짓는다.
3. (솥에 물 2~3홉을 팔팔 끓였다가 차게 식혀놓는다.)

4. 섬누룩 4홉과 곱게 빻은 엿기름가루(1홉)를 끓여 식힌 물에 담가 물누룩을 만들어놓는다.
5. 물누룩을 고운체에 걸러 찌꺼기를 제거한 누룩물을 만들어놓는다.
6. 고두밥이 무르게 지어졌으면 고루 펼쳐서 식히되, 덜 식어서 더운 김에 누룩물로 버무려 술밑을 빚는다.
7. 연못의 연잎에 술밑을 싸서 볏짚으로 단단히 묶어 나뭇가지 사이에 놓고 새끼로 매어놓는다.
8. 연잎을 한 장 덮어서 하루 종일 햇볕에 익히는데, 다음날 식전에 뜯어다가 체에 걸러내면 좋다.

* 주품명을 '합엽주'라 하였는데, '하엽주'의 사투리인 듯하다. 정양완 역 <양주방>에는 '연닢술'이라 하였으므로 '연엽주' 편에 수록하였다가, 최근 발굴된 한글 붓글씨본에는 '합엽주'로 되어 있어 '하엽주' 편으로 옮겨 수록하게 되었다. 일체의 날물이 들어가지 않게 하고, 연잎이 마르기 전 가을이 술 빚기에 향미가 좋다. 주방문에 "쌀의 양은 마음대로 하고, 누룩은 쌀 한 되에 너 홉을 넣으면 좋으니, 식전쯤 하여 한종일 볕에 익혀 그 이튿날 식전에 내면 좋고 향기롭다."고 하였다.

합엽쥬

년입 다 ᄌᆞ란 후 크고 구멍 업ᄉᆞᆫ 닙굴 희여 겻ᄒᆡ 장ᄃᆡᄀᆞᆺᄒᆞᆫ 긴 나므 솟발ᄀᆞᆺ치 셋만 박고 졍ᄒᆞᆫ 졈미ᄅᆞᆯ 밥 지여 안날 섬누록 ᄒᆞ고 녓기ᄅᆞᆷ 찌ᄒᆞᆫ 것 ᄒᆞ고 담갓다가ᄂᆞᆫ 쳬에 걸너 지은 밥을 더운 김의 그 물을 버무려 식전의 그 년닙희 싸 부리ᄅᆞᆯ 쥬 프러 ᄆᆡ야 작슈의 단단히 마야 두엇다가 이튼날 ᄂᆡ면 향긔롭니라. ᄊᆞᆯ 다소란 임의로 ᄒᆞ고 누록은 ᄊᆞᆯ ᄒᆞᆫ 되예 너 홉 너흐면 죠흐니 식젼 ᄒᆞ야 너허 종일 볏ᄒᆡ ᄂᆡᆨ혀 ᄂᆡ일 식젼 ᄂᆡ면 죠흐니라.

5. 하엽주법 <증보산림경제(增補山林經濟)>

술 재료 : 찹쌀 1되, 흰누룩가루 약간, 연잎, 끓인 물 적당량

술 빚는 법 :

1. 찹쌀 1되를 (백세하여 물에 담가 불렸다가, 다시 씻어 건져서 물기를 뺀 후) 시루에 안쳐서 고두밥을 짓는다.
2. 고두밥이 무르게 익었으면, 시루에서 퍼낸다(돗자리에 고루 펼쳐서 뜨거운 김이 나가기를 기다린다).
3. 고두밥에 흰누룩가루를 조금 합하고, 끓인 물(2홉)을 고두밥에 뿌려 버무려 술밑을 빚은 뒤, 차게 식기를 기다린다.
4. 연방죽에 가서 연잎에 술밑을 올리고, 온전히 감싸서 볏짚으로 싸맨 후 나뭇가지를 세워서 지지대를 만들어 쓰러지지 않게 고정시킨다.
5. 며칠(3~4일) 뒤 연잎을 따내고, 벗겨서 (체에 밭쳐) 탁주를 거른다.

* 주방문 말미에 "싼 연잎을 벗겨내고 맛을 보면 달콤한 향기가 입안에 가득하다."고 하였다.

荷葉酒法

粘米一升作飯和白麯末少許熟水洒調候冷取荷葉上包釀之 用木枝左右撑之 數日待熟始摘下荷葉皆包嘗之甘香滿口.

6. 하엽주법 <증보산림경제(增補山林經濟)>

술 재료 : 찹쌀 1되, 흰누룩가루 약간, 인동초와 약쑥, 감국, 끓인 물 적당량

술 빚는 법 :

1. 찹쌀 1되를 (백세하여 물에 담가 불렸다가, 다시 씻어 건져서 물기를 뺀 후) 시루에 안쳐서 고두밥을 짓는다.
2. 고두밥이 무르게 익었으면, 시루에서 퍼낸다(돗자리에 고루 펼쳐서 뜨거운 김이 나가기를 기다린다).
3. 고두밥에 흰누룩가루를 조금 합하고, 끓인 물(2홉)을 고두밥에 뿌려 버무린 후 술밑을 빚어 차게 식기를 기다린다.
4. 술독에 인동초와 약쑥, 감국을 한 켜씩 깔고, 그 위에 술밑을 담아 안친 후 예의 방법대로 하여 발효시킨다.
5. 며칠(3~4일) 뒤 연잎을 따내고, 벗겨서 (체에 밭쳐) 탁주를 거른다.

* 주방문 말미에 "싼 연잎을 벗겨내고 맛을 보면 달콤한 향기가 입안에 가득하다."고 하였다. 이와 같은 방법으로 원하는 양만큼 빚어서 한꺼번에 채취하여 술을 걸러낸 후, 정치시키면 '청주 연엽주'가 되고, 체에 걸러 그대로 마시면 '탁주 연엽주'가 된다.
* 대구광역시 달성군의 무형문화재로 지정된 '달성 하향주'와 유사하다.

荷葉酒法

粘米一升作飯和白麵末少許熟水洒調候冷取荷葉上包釀之 用木枝左右撐之數日待熟始摘下荷葉皆包嘗之甘香滿口.

하엽청방

스토리텔링 및 술 빚는 법

연잎을 주·부원료로 하여 발효시키는 주품들로, '연엽주'를 비롯해 '하엽주(荷葉酒)', '연엽양' 등이 있는데, 이들은 '연엽주'로 묶어 '연엽주' 편에서 상세히 다루었다. 그러나 '하엽청'이라는 주품명이 등장하면서 다시금 혼란을 야기하고 말았다.

이미 앞에서 이 혼란을 피하기 위해 주품명을 우선으로 하여 '하엽주'에 대해서만 다루기로 한 바 있다. 일반 양주법(釀酒法)이든 이양주법(異釀酒法)이든 '연엽(蓮葉)'을 주품명으로 하는 '연엽주'와 '연잎술' 또는 '연엽양'이라는 명칭의 주품명들을 한데 모아 '연엽주편'에 묶어 그 특징 및 술 빚는 법에 대한 설명을 하였다.

그리고 연잎을 주재료로 하여 빚는 주품이면서도 주품명을 달리하고 있는 '하엽주'와 '하엽청'에 대해서는 다른 항목으로 묶어 설명하기로 하였다.

연잎을 주재로 하는 주품명과 주방문들을 각각 분류하게 된 데는 <임원십육지(林園十六志)>의 분류법 때문이다. <임원십육지>에 '하엽청방(荷葉靑方)'을 비롯해 '연엽양방', '연엽양 일방' 등 3가지 주품명과 술 빚는 법을 수록하고 있는데,

이양주법의 '하엽주'나 '연엽양', '연엽주'와 일반 양주법의 '연엽주'의 경계가 모호했다.

다시 말해, <임원십육지>의 '하엽청방'은 일반적인 '연엽주' 주방문이고, '연엽양'은 다른 문헌에서는 술독을 사용하지 않는 이른바 '이양법(異釀法)'으로 분류되는 '하엽주' 또는 '연엽양'이기 때문에 다른 문헌의 '연엽양'이나 '하엽주'와 구별되지 않는다는 것이다.

특히 '연엽주'라는 주품명의 주방문과 '하엽주' 또는 '하엽청'이라는 주품명의 주방문을 비교했을 때 그 차이를 알 수 없다는 게 궁극적인 이유였다.

따라서 여기에서는 '하엽청방'의 주방문에 나타난 특징과 술 빚는 법에 대해서만 간략히 살펴보고자 한다.

<임원십육지>의 '하엽청방'은 <사시찬요보(四時纂要補)>를 인용한 것으로, "쌀 1말로 지은 고두밥에 누룩가루 7홉, 끓인 물 2병의 비율로 섞는다."고 하였다. 이는 여느 '연엽주'나 '연엽양'과 비교해도 누룩의 양이 특별히 많지도 적지도 않다.

'하엽청방'의 비율과 동일한 주품으로 '연엽주', '하엽주', '연엽양' 등 꽤 많다. 또 "고두밥을 지을 때는 어떤 물이든 용기에 가만히 두었다가 밥을 지어 식힌 후에 버무린다."고 하였는데, 이는 양주용수의 선택에 있어 정치시킨 물, 곧 '정화수'나 '숫물'의 개념임을 알 수 있다.

이러한 양주용수의 선택과 쌀 양보다 적은 양의 물을 사용하는 건 서리 맞기 전 연엽의 향기가 은은한 까닭에 가능한 한 잡맛을 없애기 위한 배려이자 조치이다. 특히 누룩의 양을 적게 사용하는 의도도 술의 향취와 관련이 깊다.

또 "먼저 항아리 바닥에 연잎을 깔고 밥, 누룩을 층층이 번갈아 담는다. 주의할 점은 날물이 들어가서는 안 되며, 연잎도 가을 서리가 내리기 전의 것을 사용해야 향기가 나고, 봄·여름이 지나도 변하지 않는다."고 하였는데, 이는 수분이 많은 연잎을 사용하게 되면 변질이나 산패할 가능성이 높기 때문이다.

이로써 <임원십육지>의 '하엽청방'을 통해서 간략하게나마 향기를 살리는 양주기술의 단면을 살펴보았다.

뿐만 아니라 "항아리를 기울여 술을 퍼낸 다음 좋은 술을 다시 넣어도 술맛이 향기롭고 처음 빚는 술과 같다."한 사실에서 '후주(後酒)'까지도 고려한 양주기법을 엿볼 수 있다.

<임원십육지>의 '하엽청방'은 실패율이 높은 주품이다. 주방문에서 보듯이 단양주임에도 누룩의 양이 7홉밖에 사용되지 않기 때문이다.

따라서 가능한 한 누룩은 법제를 많이 하고 가루를 만들어 사용하는 게 좋다. 그래야 누룩취가 아닌 연잎 고유의 향기와 발효에 따른 아로마 같은 방향(芳香)을 즐길 수 있다.

하엽청방 <임원십육지(林園十六志)>

술 재료 : 멥쌀 1말, 누룩가루 7홉, 연잎 2~3장, 끓여 식힌 물 2병

술 빚는 법 :

1. 멥쌀 1말을 백세하여 물에 담가 하룻밤 불린다(다시 씻어 헹궈 건져서 물기를 뺀 다).
2. 물을 길어다 그릇에 받아두었다가 가라앉으면 솥에 붓고, 불린 쌀을 시루에 안쳐서 고두밥을 짓는다.
3. 솥에 물 2병을 팔팔 끓여서 넓은 그릇에 퍼서 차게 식힌다.
4. 고두밥에 누룩가루 7홉과 끓여 식힌 물을 합하고, 고루 버무려 술밑을 빚는다.
5. 술독에 연잎을 한 켜 깔고, 그 위에 고두밥을 안치고, 다시 누룩가루를 한 켜 안친다.
6. 누룩을 안친 술밑 위에 다시 연잎과 고두밥을 켜켜로 안치고, 누룩가루를 한 켜 안치는 방법으로 술밑을 다 담아 안친다.
7. 술독은 예의 방법대로 하여 밀봉하고 (차지도 덥지도 않은 곳에 앉혀두어) 발효시킨다.
8. 술이 다 익었으면 용수를 박아 청주를 떠내고, 찌꺼기는 체로 걸러 탁주를

얻는다.

* 주방문 말미에 "주의할 점은 날물이 들어가서는 안 되며 연잎도 가을 서리가 내리기 전의 것을 사용해야 향기가 나고 봄·여름이 지나도 변하지 않는다. 항아리를 기울여 술을 퍼낸 다음 좋은 술을 다시 넣어도 술맛이 향기롭고 처음 빚는 술과 같다."고 하였다.

荷葉淸方

白米百洗浸經宿烝熟又明日許每斗入麴末七合熟水二瓶飯與水各器停冷和合先鋪蓮葉於瓮低次鋪飯麴層層隔鋪切忌生水日熟或味酸須趁霜前葉未枯時釀香味異常雖過春夏不變傾缸(瓮)取用後以好酒替入則味香依舊. <四時纂要補>.

황국화주

스토리텔링 및 술 빚는 법

1500년대 초기 문헌인 <수운잡방(需雲雜方)>에 수록된 '황국화주법(黃菊花酒法)'은 가향주(佳香酒)의 한 가지로서 주품명으로 보면 '황국화주법(黃菊花酒法)'이지만, 술을 빚는 과정이나 방법으로 보면 '화향입주법'이라 하겠다.

이러한 '화향입주법'을 처음 수록하고 있는 문헌으로는 성종(1469~1494년) 때 강희맹이 편찬한 것으로 알려지고 있는 <사시찬요초(四時纂要抄)>이다. 보다 앞선 기록인 <산가요록(山家要錄)>을 비롯해 <언서주찬방(諺書酒饌方)>은 물론이고, 비교적 오래된 기록인 <수운잡방>과 <음식디미방>에도 '황국화주법'과 같은 '화향입주법'은 등장하지 않는다.

따라서 조선 초기에는 '국화주(菊花酒)'나 '창포주', '진피주', '유자주', '매화주'와 같이 사용하는 원료의 명칭에 따라 주품명을 부여했으며, <사시찬요초>에도 '국화주'로 수록되고 있음을 확인할 수가 있다.

조선 중기의 기록인 <산림경제(山林經濟)>에 이르러서야 "감국(甘菊)이 흐드러지게 필 때 따서 볕에 말려, 술 1말을 독에 담고 감국 2냥을 생명주 주머니에 담아, 손가락 하나 너비쯤 떨어지게 술 위에 달아매고, 독 주둥이를 꼭꼭 봉한 뒤 하룻밤 지나 꽃주머니를 떼어내면, 마치 납매(臘梅, 섣달 매화)와 같이 국화 향기가 술에 밴다."고 하여 발효가 끝났거나 발효 중인 술덧, 곧 주배(酒醅)를 이용한 '화향입주법'이 수록되어 있는데, 이는 '국화주'라 해도 무방하다.

<산림경제> 이후 1600년대 말기의 여러 문헌 기록으로는 <간본규합총서(刊本閨閤叢書)>를 비롯하여 <감저종식법(甘藷種植法)>, <고려대규합총서(高麗大閨閤叢書, 異本)>, <고사신서(攷事新書)>, <군학회등(群學會騰)>, <규합총서(閨閤叢書)>, <농정회요(農政會要)>, <민천집설(民天集說)>, <술방>, <오주연문장전산고(五洲衍文長箋散稿)>, <의방합편(醫方合編)>, <음식방문>, <임원십육지(林園十六志)>, <주방문조과법(造果法)>, <주식시의(酒食是儀)>, <증보산림경제(增補山林經濟)>, <해동농서(海東農書)> 등에 '화향입주법'이 29회나 등장하는 것으로 보아, 이러한 방법의 양주와 음주문화가 매우 유행했음을 짐작할 수 있다. 이외 <고사십이집(攷事十二集)>을 비롯하여 <수운잡방>에 '국화주', '국화주 우법', <부인필지(夫人必知)>와 <주식방(酒食方, 高大閨壼要覽)>에 '국화주법'이라 하여 '국화주' 중심의 주품명을 싣고 있으나, 이는 '화향입주방'임을 알 수 있다.

결국 '국화주'로 표기된 주품명의 주방문은, 그 방법에 있어 '화향입주법' 또는 '화향입주방'일지라도 '국화주' 편에 수록하였으므로, <수운잡방>의 '황국화주법' 또한 별도의 해설을 곁들이게 되었음을 밝혀둔다.

따라서 <수운잡방>에서는 '화향입주법'이라는 양주방법이 등장하기 전이므로 '황국화주법'이라는 주방문을 수록하였다는 점에서 그 의미를 찾고자 한다.

황국화주법 <수운잡방(需雲雜方)>
–화향입주법

술 재료 : 황국화 3냥, 청주 1말, 생명주 주머니 1개

술 빚는 법 :

1. 황국은 향기롭고 맛이 단 것을 골라 따서 햇볕에 내어 말린다.
2. 황국화 2냥을 명주 주머니에 담고 주둥이를 묶는다.
3. 소독하여 준비한 술독에 청주 1말을 담아 안친다.
4. 생명주 주머니에 끈을 달고, 술의 표면에서 손가락 한마디 정도 떨어지게 술독 주둥이에 매단다.
5. 술독은 베보자기로 단단히 밀봉한다.
6. 하룻밤 지나서 꽃을 담은 베주머니를 들어낸 다음 떠서 마신다.

* 주방문 말미에 "술은 향기롭고 맛이 좋다. 모든 향기로운 꽃을 이와 같이 할 수 있다."고 하였다. '황국화주법'은 '화향입주법'임을 알 수 있는데, 주품명에 굳이 '황국화주법'이라 하였으므로 여기에 싣는다.

黃菊花酒法

揀黃菊嗅之香嘗之甘者摘下晒乾每淸酒一斗用菊花頭三兩生綃袋盛之懸於酒面上約離一指許密封甕口經宿去花其味有香而甘一切有香之花依此法爲也.

제2부
약용약주류

강주

스토리텔링 및 술 빚는 법

'강주(薑酒)'는 생강(生薑)이나 건조시킨 건강(乾薑)을 주원료로 하여 빚는 술로, '생강주(生薑酒)' 또는 '건강주(乾薑酒)'로도 불린다. '강주'는 여느 주품들처럼 일반화되지는 못한 듯하다.

'강주'는 조선시대 후기 기록인 <임원십육지(林園十六志)>에 <식료본초(食料本草)>를 인용하여 "편풍(偏風)을 치료하고 신장과 복부의 통증을 치료한다. 생강을 술에 담가 뜨겁게 데워서 1사발 마시면 좋다."고 하였다.

또 다른 방법으로 <본초강목(本草綱目)>을 인용하여 "생강즙과 누룩으로 술을 빚어서 항상 마시면 좋다."고 하였는데, 구체적인 주방문이 없다.

이후 1936년에 저술된 <조선무쌍신식요리제법(朝鮮無雙新式料理製法)>에는 생강 (적당량)과 흰누룩(白麯) 조금, (물 적당량), 미림(味淋) 적당량을 사용해 '강주'를 빚는 방법이 등장하는데, <조선무쌍신식요리제법>의 기록에도 구체적인 언급이 없다.

<임원십육지>에서 "편풍을 치료하고 신장과 복부의 통증을 치료한다."는 기록

을 근거로 그 배경을 추측해 보면 특정한 방법의 술 빚는 주방문이 있었던 게 아니라, 필요에 따라 상비주인 가양주(家釀酒)에 생강을 넣어 그 약효를 얻음으로써 질병치료와 예방에 이용해 왔음을 짐작할 수 있다.

<임원십육지>보다 좀 더 구체적인 <조선무쌍신식요리제법>의 주방문을 살펴보자. "먼저 생강을 물에 깨끗이 씻어 흙과 냄새를 제거한 뒤, 편(片)으로 썰어 준비한다. 흰누룩을 곱게 빻아 고운체에 쳐서 고운 가루만을 취하여 적당량을 생강편과 함께 냄비에 넣고 한 번 끓인다. 가는 베보자기에 넣고 주물러 짜서 얻은 생강즙에 미림을 적당량 넣고 잘 혼합하면 곧 술이 된다."고 하였다.

위의 주방문을 보면 '생강을 흰누룩가루와 함께 냄비에 넣고 끓여서 짜낸 즙을 얻는다.'고 하였는데, 끓이는 것인지 볶는 것인지 정확하지가 않다. 만약 끓이는 것이라면 생강편이 매우 많거나 물을 사용해야 하기 때문이다.

그런데 생강의 양이 많아지면 술맛이 쓰고 마시기 힘든 술이 되므로 물을 적당량 넣고 끓이는 방법이 적합해 보인다.

그도 그럴 것이 이렇게 만든 강즙(薑汁)에 미림을 섞는다고 했기 때문이다. 미림은 끈적일 정도로 방울방울 떨어지는 걸쭉한 형태의 술로, 이 두 가지를 섞어 놓았을 때 술이 되려면 강즙의 수분이 적당해야 한다.

'강주'를 만들 때 주의할 점은 강즙을 반드시 차게 식힌 후 미림과 섞어야 한다는 것이다. 또 미림의 양은 어느 정도가 좋은지 취향이나 목적, 용도 등에 따라 달라질 수 있다. 어떤 주질의 '강주'가 적당한지 정답이 없어 자신할 수는 없으나 생강 양과 동일한 양이라야 할 것으로 판단된다.

무엇보다 발효시키는 방법이 아닌 기존의 술을 섞어 마시는 방법이고, 또한 도수가 낮은 미림을 사용해 생강즙의 효과를 얻을 수 있어야 하기 때문이다.

1. 강주 <임원십육지(林園十六志)>

편풍(偏風)을 치료하고 신장과 복부의 통증을 치료한다. 생강을 술에 담가 뜨겁게 데워서 1사발 마시면 좋다. <식료본초>를 인용하였다.

또 다른 방법으로는 생강즙과 누룩으로 술을 빚어서 항상 마시면 좋다. <본초강목>을 인용하였다.

薑酒

<食療本草> 治偏風中惡疰忤心腹冷痛以薑浸酒暖服一椀即止. <本草綱目> 一法 用薑汁和麴造酒如常服之佳.

2. 생강주 <조선무쌍신식요리제법(朝鮮無雙新式料理製法)>

술 재료 : 생강(적당량), 흰누룩(白麯) 조금, (물 적당량), 미림(味淋) 적당량

술 빚는 법 :

1. 생강을 물에 깨끗이 씻어 흙과 이물질, 나쁜 냄새를 제거한 뒤, 편(片)으로 썰어놓는다.
2. 흰누룩을 곱게 빻아 고운체에 쳐서 고운 가루만을 취하여 적당량을 준비한다.
3. 냄비에 생강편과 흰누룩가루를 (물) 조금 넣고 한 번 끓인다.
4. 끓인 생강을 가는 베보자기에 넣고, 주물러 짜서 즙을 낸다.
5. 생강즙에 미림을 적당량 넣고 잘 혼합하면 곧 술이 된다.

생강주(生薑酒)

생강에다가 흔누룩(白麴)을 조곰 느코 끌린 뒤에 집을 내여 미림(味淋)을 타면 술이 곳 되나니라.

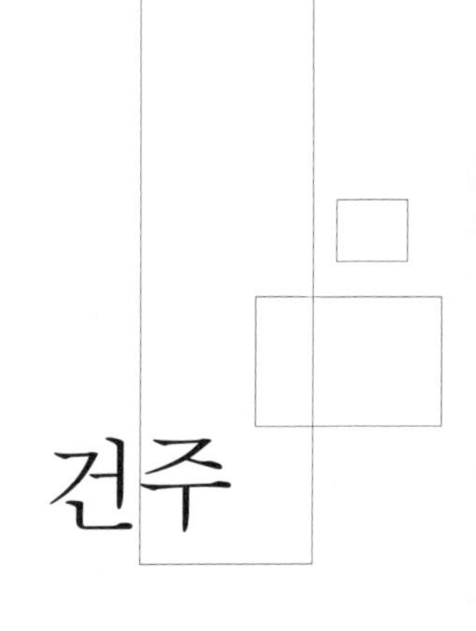

건주

스토리텔링 및 술 빚는 법

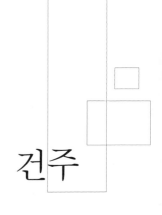

'건주법(乾酒法)'이라는 주품명과 주방문은 <수운잡방(需雲雜方)>의 기록이 유일하다.

주방문을 보면 한 번 빚는 단양주법(單釀酒法)의 전형적인 약용약주(藥用藥酒)임을 알 수 있다. 어떤 이유로 '건주(乾酒)'라는 이름의 주품명을 갖게 되었는지는 알 수가 없다.

다만 주방문대로 술을 빚어본 결과 술 빚기에 사용되는 찹쌀 5말에 비해 양주용수는 1말로 상대적으로 적고, 누룩의 양은 7근 반이라 나머지 약재들까지 합하면 술덧이 상당히 빽빽한 상태의 술밑이 되었다.

또한 주방문대로 빚은 술독에서 얻을 수 있는 술(약용약주)의 양은 2말 5되 정도로 술을 떠내고 남은 술찌꺼기는 푸석거릴 정도로 매우 건조한 상태가 되었다.

특히 찹쌀 5말로 빚는 술에서 얻은 술의 양이 2말 5되 정도면, 술 빚기에 사용된 찹쌀 양에 비해 그 수율이 많다고 할 수 없을 뿐 아니라, 여러 가지 약재 성분을 제대로 이용했다고 볼 수도 없다.

때문에 이 술찌꺼기를 점성이 많은 꿀과 반죽해 환을 만들어 다시 물에 타서 탁주를 걸러 마시는 방법을 취하고 있다. 바로 이러한 연유에서 '건주법'이라는 주품명을 붙인 게 아닌가 하는 추측을 할 뿐이다.

다시 말해 '건주'는 푸석푸석해져 건조한 상태의 술찌꺼기를 지칭하는 주품명이라는 것이다. 또한 환을 만들어 건조시켜 두었다가 필요할 때 물에 타서 마시는 술이기에 '건주법'이라는 명칭을 얻게 되었을 거라는 풀이도 가능하다는 것이다.

그렇지 않고서야 '오정주'·'백세주'·'자주'·'오가피삼투주' 등과 같이 여느 약용약주들에서 공통적으로 나타나는 약재의 종류나 효능에 따른 술 이름을 붙이지 않고, '건주법'이라는 생경하기 이를 데 없는 술 이름을 붙인 이유가 쉽게 설명되지 않는다.

어쨌든 '건주법'을 빚을 때 주의할 사항은 부재료로 사용되는 '부자'와 '생오두'는 독성이 매우 강한 약재들이므로 반드시 법제(法製)한 것을 사용해야 한다.

그리고 술덧의 발효기간을 길게 가져가지 말고 단시간에 발효를 끝내고, 술이 익으면 즉시 술을 떠서 따로 보관해 두고 사용해야 한다.

또 주방문 말미에 "술(청주)을 떠내고 난 후, 술지게미는 꿀에 반죽하여 달걀 크기만큼씩 환을 만든다. 물 1말에 술지게미로 만든 환을 넣으면 좋은 술을 얻는다."고 했듯이 나머지 찌꺼기는 반드시 제대로 된 꿀을 사용해 환을 만들어야 한다.

요즘엔 설탕물인 가짜 꿀이 많기에 선택에 유의해야 한다. 자연 상태의 정상적인 꿀이라야 약재의 독성을 중화시킬 수가 있고, 또 음주에 따른 주독도 다소나마 해소할 수 있다.

건주법 <수운잡방(需雲雜方)>

술 재료 : 찹쌀 5말, 누룩 7근 반, 약재(부자·생오두 5개, 생강(건강)·계피·촉산 각 5냥), (끓여 식힌 물 1말)

술 빚는 법 :

1. 찹쌀 5말을 (물에 깨끗이 씻어 담가 불렸다가, 다시 씻어 건져서 물기를 뺀 후) 시루에 안쳐 고두밥을 짓는다.
2. 쪄낸 밥(고두밥)을 고루 펼쳐서 차게 식기를 기다린다.
3. 준비한 분량의 좋은 누룩 7근 반, 부자와 생오두 각 5개, 생강(또는 건강)·계피·촉산 각 5냥을 각각 찧어 가루 내어 놓는다.
4. (차게 식은) 고두밥에 누룩과 준비한 약재가루, (끓여 식힌 물 1말)을 한데 합하고 고루 버무려 술밑을 빚는다.
5. 술독에 술밑을 담아 안치고, 예의 방법대로 술독을 밀봉하여 7일간 발효시킨다.
6. 술이 익었으면 (용수를 박아) 청주를 떠낸다.

* 주방문 말미에 "술(청주)을 떠내고 난 후, 술지게미는 꿀에 반죽하여 달걀 크기만큼씩 환을 만든다. 물 1말에 술지게미로 만든 환을 넣으면 좋은 술을 얻는다."고 하였다. 또 "봄(춘추)에 담그면 좋다."고 하고, 주방문 머리에 "백 가지 병을 다스리는 처방이다."고도 하였다.

乾酒法

乾酒治百病方 糯米五斗炊好麯七斤半附子五介生烏頭五介生乾薑桂皮蜀樬各五兩右件搗合爲末如釀酒法封頭七日酒成壓取糟蜜溲爲丸如鷄子大投一斗水中立成美酒春酒時造更好.

건창홍주

스토리텔링 및 술 빚는 법

<농정회요(農政會要)>와 <임원십육지(林園十六志)>에 수록된 '건창홍주(建昌紅酒)'는 동일한 주방문이다. 두 문헌의 등장 시기를 통해 '건창홍주'의 최초 등장시기도 확인할 수 있겠다.

'건창홍주'는 이 두 문헌 외의 기록에서는 찾아볼 수 없기 때문이다.

주지하다시피 <농정회요>는 1830년경 최한기에 의해 저술된 종합농서로 10책 22권으로 구성된 문헌이고, <임원십육지>는 서유구에 의해 1823년에 간행된 113권 52책으로 구성된 필사본이다. 〈임원경제지(林園經濟志)>로도 불리는 광의(廣義)의 농서이다.

따라서 이 두 문헌의 발간시기로 미뤄볼 때 <농정회요>는 서유구의 <임원십육지>의 기록을 그대로 옮겨 쓴 거라 여겨도 좋을 것이다. 이들 문헌이 비슷한 시기에 저술되었고, 특히 한문 기록에다 두 문헌의 주방문이 거의 같다는 사실 때문이다.

또한 <임원십육지>의 기록에 "<준팔생전>을 인용하였다."고 하여 주방문의 근거를 밝히고 있는 것과 달리 <농정회요>의 주방문에는 이와 같은 언급이 없다.

'건창홍주'라고 하는 주품과 주방문의 유래가 어디에 근거한 것이냐가 중요한 건 아니지만, 두 주방문이 너무 똑같기에 그 근원을 밝히려는 것이다.

'건창홍주'는 여느 술 빚기와 달리 매우 독특한 방법으로 이루어진다. 우선 술 재료에서 보듯이 찹쌀 1석 7말을 주재료로 하여 화초 1냥과 흰누룩 3근 5홉, 효모 3사발, 홍국 1되, 백단, 물 1석 2말(쌀 담근 물 8말)이다.

무엇보다 특이한 것은 단양주법(單釀酒法)의 주방문에서 누룩의 종류가 백국과 홍국, 그리고 효모가 함께 사용된다는 점이다.

또한 술 빚는 물도 방법을 달리하여 사용되는가 하면, 술 빚을 쌀도 두 가지 방법으로 가공해 사용한다는 점에서 매우 복잡하다는 게 특징이다.

구체적인 방법을 살펴보자. 주방문에 따르면 "좋은 찹쌀 1석을 도정하여 항아리에 담고 가운데를 오목하게 하여 물 1석 2말을 부어 담가놓는다. 다시 찹쌀 2말로 고두밥을 지은 후, 한 덩어리로 뭉쳐서 항아리 속 오목한 곳에 넣고 밥이 물 위로 떠오르면, 밥알과 물을 따라서 그릇에 담아놓는다. 다시 찹쌀 5말을 깨끗이 씻어 일어서 시루에 안치고, 찹쌀 위에 항아리의 찹쌀 1석을 고두밥을 쪄서 식힌다. 쌀 담갔던 물 8말에 화초 1냥을 끓여서 차게 식힌 후, 흰누룩 3근과 좋은 효모 3사발을 섞어 물누룩을 만들어놓는다."고 하여 술을 빚기 위한 준비과정과 원료 가공과정이 매우 복잡하다는 것을 알 수 있다.

그리고 발효용기로서 술독의 준비와 양주방법은 "짚으로 싸서 따뜻한 곳에 두고, 다음날 아침에 찐 밥을 5개의 술독에 나누어 담아 안치고, 홍국 1되와 흰누룩 5홉, 물누룩을 5등분으로 나누어 5개의 술독에 있는 고두밥과 섞어 3~5일 발효시킨다. 술이 괴어오르면 저어주고 뚜껑을 덮어두었다가, 다시 2일 후에 한 번 더 저어준다. 술덧의 표면이 두꺼우면 3~5일에 한 번 더 저어주고, 표면이 충분히 부풀어 오르면 다시 저어준 뒤 덮어둔다."고 하여, 술밑의 발효가 매우 활발하여 자칫 과발효와 괴어 넘칠 수 있어, 자주 저어준다는 사실을 암시하고 있다.

이상의 주방문에서 보듯이 쌀의 대부분은 오랜 시간 물에 담가 부식시킴과 동시에 찐 고두밥도 쌀과 함께 물에 넣어 부식시키고 있다. 나머지 쌀은 고두밥을 짓는데, 오랜 시간 부식시켰던 쌀을 함께 익혀서 술을 빚는다. 또 화초를 삶은 물로 흰누룩과 효모를 섞어 물누룩을 만들고, 나머지 흰누룩과 홍국은 술을 빚을 때 직접 투입하는 두 가지 방법으로 이루어지고 있다.

이러한 술 빚기는 부식시킨 쌀로 지은 고두밥과 정상적으로 증자한 고두밥의 당화와 발효에 따른 시간이 달라 이 과정에서 자칫 산패를 초래할 수 있으므로 온도 관리에 유의해야 한다.

따라서 이러한 산패 문제를 극복하기 위해서 술밑을 등분하여 여러 개의 술독에 나눠 담고 발효시키는 방법을 취하고 있다. 동시에 술의 발효가 정점에 도달하는 시간에 맞춰 저어주는 과정을 반복하고 있다. 즉, 고두밥의 가공방법에 따라 당화와 발효가 순차적·반복적으로 이루어지기 때문에 술이 3차례에 걸쳐 끓어오르는 과정을 반복하게 되고, 그때마다 과발효에 따른 산패를 방지하기 위해 저어주어 산소를 공급해 줌과 동시에 술독의 품온을 낮추어주는 요령과 관리가 요구되는 것이다. 주지하다시피 오랜 시간 침지한 쌀의 당화는 빠르지만 발효는 오히려 더뎌진다. 즉 농당(濃糖)에 의한 발효부진과 효모의 영양부족 등에 따른 감패를 초래하는 경우가 많아진다.

술 이름에서 알 수 있듯이 '건창홍주'가 된 배경은 술 빚기에 사용되는 홍국(紅麴) 때문이다. 일반에서 홍국으로 빚은 술을 '홍주(紅酒)'라고 부르는 것과도 관련이 있다. 홍국으로 빚은 술은 홍색의 술 빛깔을 띠는 현상에 기인한다.

주방문 말미에 덧붙이기를 "술덧의 발효기간은 11월에는 20일, 12월에는 한 달, 1월에는 20일이면 익는다."고 했는데, 왜 12월보다 더 추운 1월에 10일이나 빨리 익는지 솔직히 그 이유를 잘 모르겠다. 아마 음력 정월이 더 추운 까닭에 얼지 않도록 하기 위해 술독을 볏짚으로 싸매고 실내에 두어 발효시키기 때문이 아닐까 추측해 볼 뿐이다.

끝으로 덧붙이기를 "술독의 맑은 술을 걸러서 담아 안치고, 백단(白檀)을 조금 넣고 봉한 후 진흙을 발라둔다."고 하였다. 이는 백단이 예로부터 약효만이 아닌 향료로 사용되었던 만큼 술에 향기를 불어넣기 위한 것으로 짐작할 수 있겠다.

이로써 '건창홍주'는 우리 고유의 전통주가 아닌, 중국의 주방문이 전래된 것이라는 사실을 확인할 수 있으며, 그 과정이 매우 복잡다단하다는 것도 알 수 있다.

1. 건창홍주 <농정회요(農政會要)>

술 재료 : 찹쌀 1석 7말, 화초 1냥, 흰누룩가루 3근 5홉, 효모 3사발, 홍국 1되, 백단, 물 1석 2말, 쌀 담근 물 8말

술 빚는 법 :

1. 찹쌀 1석을 깨끗이 씻어 (백세하여 말갛게 헹궈서 건져 낸 뒤) 항아리에 담고 가운데를 오목하게 하여 물 1석 2말을 부어 담가놓는다.
2. 다시 찹쌀 2말로 (백세하여 물에 담가 불렸다가, 다시 씻어 맑은 물이 나올 때까지 말갛게 헹궈 건져서 물기를 뺀 후) 시루에 안쳐 고두밥을 짓는다.
3. 고두밥이 익었으면 고루 펼쳐서 차게 식기를 기다린다.
4. 고두밥을 한 덩어리로 뭉쳐 항아리 속 오목한 곳에 넣는다.
5. 20여 일 후 밥이 물 위로 떠오르면, 물을 따라서 그릇에 담아놓는다.
6. 다시 찹쌀 5말을 깨끗이 씻어 (백세하여 물에 담가 불렸다가, 다시 씻어 맑은 물이 나올 때까지 말갛게 헹궈 건져서 물기를 뺀 후) 시루에 깔아 놓는다.
7. 시루 찹쌀 위에 항아리 속 찹쌀 1석을 건져 안치고, 쪄서 고두밥이 익었으면 매우 차게 식혀서 항아리에 펴 담는다.
8. 쌀을 담갔던 물 8말에 화초 1냥을 끓여서 차게 식힌 후, 흰누룩 3근과 효모 3사발을 섞어 누룩물을 만들어놓는다.
9. 술독은 겨울철에는 짚으로 싸서 따뜻한 곳에 하룻밤을 둔다.
10. 다음날 아침에 찐 밥을 5개의 술독에 나누어 담아 안치고, 홍국 1되와 백국 5홉, 누룩물을 5등분으로 나누어 5개의 술독에 있는 고두밥과 섞어 술밑을 빚는다.
11. 술밑을 술독에 담아 안치고, 예의 방법대로 하여 3~5일 발효시킨 후, 술이 괴어오르면 저어주고 뚜껑을 덮어두었다가, 다시 2일 후에 한 번 더 저어준다.
12. 술덧의 표면이 두꺼우면 3~5일에 한 번 더 저어주고, 표면이 충분히 부풀

어 오르면 다시 저어준 뒤 덮어둔다.

13. 술덧의 발효기간은 11월에는 20일, 12월에는 한 달, 1월에는 20일이면 익는다.

* 주방문 말미에 "다른 달은 빚기에 마땅치가 않다. 맑은 술을 걸러서 백단(白檀)을 조금 넣고 싸서 진흙을 발라둔다. 처음 나온 술지게미에 끓인 물을 적당히 넣고 2일이 지나면 곧 거를 수 있다."고 하였다.

建昌紅酒

用好糯米一石淘淨傾缸內中留一窩內傾下水一石二斗另取糯米二斗煮飯攤冷作一團方窩內蓋(詐)待二十餘日飯浮漿酸漉去浮飯瀝乾浸米先漿米五斗淘淨鋪於甑底將濕米次第上去未熟略攤氣絶翻在缸內中蓋下取浸米漿八斗花椒一兩煎沸出鍋待冷用白麴三斤搥細好酵母三碗飯多少如常酒放酵法不要厚了天道極冷放煖處用草圍一宿明日早將飯分作五處每放小缸中用紅麴一升白麴半升取酵亦作五分每分和前麴飯同拌勻踏在缸內將餘在熟盡放面上蓋(宜)候二日打扒如面厚三五日打不遍打後面浮漲足再打一遍仍蓋下十一月二十日熟十二月一月熟正月二十日熟餘月不宜早搾取澄淸併入白檀少許包囊泥定頭糟用熟水隨意副入多二宿(便)可搾.

2. 건창홍주방 <임원십육지(林園十六志)>

술 재료 : 찹쌀 1석 7말, 화초 1냥, 흰누룩 3근 5홉, 효모 3사발, 홍국 1되, 백단, 물 1석 2말, 쌀 담근 물 8말

술 빚는 법 :

1. 좋은 찹쌀 1석을 도정하여 (깨끗하게 씻어서 일어) 항아리에 담고 가운데를

오목하게 하여 물 1석 2말을 부어 쌀을 담가놓는다.

2. 다시 찹쌀 2말로 (백세하여 물에 담가 불렸다가, 다시 씻어 맑은 물이 나올 때까지 말갛게 헹궈 건져서 물기를 뺀 후) 시루에 안쳐 고두밥을 짓는다.
3. 고두밥이 익었으면 고루 펼쳐서 차게 식기를 기다린다.
4. 고두밥을 한 덩어리로 뭉쳐서 항아리 속 오목한 곳에 넣고 20여 일 지낸다.
5. 20여 일 후 밥이 물 위로 떠오르면, 밥과 물을 따라서 각각 다른 그릇에 담아놓는다.
6. 다시 찹쌀 5말을 깨끗이 씻고 일어서 (백세하여 물에 담가 불렸다가, 다시 씻어 맑은 물이 나올 때까지 말갛게 헹궈 건져서 물기를 뺀 후) 시루에 깔아놓는다.
7. 시루의 찹쌀 위에 항아리 속 찹쌀 1석을 건져 안치고, 쪄서 고두밥이 익었으면 (시루째 떼어내 뚜껑을 덮어서) 밤을 재워 식기를 기다린다.
8. 쌀을 담갔던 물 8말에 화초 1냥을 끓여서 차게 식힌 후, 흰누룩 3근과 좋은 효모 3사발을 섞어 누룩물을 만들어놓는다.
9. 술독은 겨울철에는 짚으로 싸서 따뜻한 곳에 두고, 하룻밤을 지낸다.
10. 다음날 아침에 찐 밥을 5개의 술독에 나누어 담아 안치고, 홍국 1되와 흰누룩 5홉, 누룩물을 5등분으로 나누어 5개의 술독에 있는 고두밥과 섞어 술밑을 빚는다.
11. 술밑을 술독에 담아 안치고, 예의 방법대로 하여 3~5일 발효시킨 후, 술이 괴어오르면 저어주고 뚜껑을 덮어두었다가, 다시 2일 후에 한 번 더 저어준다.
12. 술덧의 표면이 두꺼우면 3~5일에 한 번 더 저어주고, 표면이 충분히 부풀어 오르면 다시 저어준 뒤 덮어둔다.
13. 술덧의 발효기간은 11월에는 20일, 12월에는 한 달, 1월에는 20일이면 익는다.
14. 술독에 청주를 떠서 담아 안치고, 백단을 조금 넣고 봉한 후 진흙을 발라둔다.

* 주방문 말미에 "다른 달은 빚기에 마땅치가 않다. 맑은 술을 걸러서 백단(白檀)을 조금 넣고 싸서 진흙을 발라둔다."고 하였다. 또 "처음 나온 술지게미에 끓인 물을 적당히 넣고 2일이 지나면 곧 거를 수 있다."고 하여 술찌꺼기에 후수(後水)하여 후주(後酒)를 얻는 방법을 소개하고 있다.

建昌紅酒方

用好糯米一石淘淨傾缸中留一窩內傾下水一石二斗另取糯米二斗煮飯攤冷作一團放窩內盖訖待二十餘日飯浮漿酸漉去浮飯瀝乾浸米先將米五斗淘淨鋪於甑底將濕米次第上去米熟畧　攤氣絶翻在缸內中蓋下取浸米漿八斗花椒一兩煎沸出鍋待冷用白麴三斤搥細好酵母三碗飯多少如常酒放酵法不要厚了天道極冷放煖處用草圍一宿明日早將飯分作五處每放小缸中用紅麴一升白麴半升取酵亦作五分每分和前麴飯同拌勻踏在缸內將餘在熟盡放面上蓋(空/空)候二日打扒如面厚三五日打不遍打後面浮漲足再打一遍仍盖下十一月二十日熟十二月一月熟正月二十日熟餘月不宜造榨取澄淸甁入白檀少許包囊泥(空/空)頭糟用熟水隨意副入多二宿便可榨. <遵生八牋>.

경각화준순주

스토리텔링 및 술 빚는 법

'경각화준순주(頃刻花浚巡酒)'는 전통주 주품명으로는 매우 생경하다. <오주연문장전산고(五洲衍文長箋散稿)>에서만 목격되는 주품명으로, 중국의 주품이 유입된 것으로 보인다. <오주연문장전산고>의 변증설에서도 "경각화준순주가 참으로 주방문이 있어서 <군방족보>에 나타나 있는데"라고 하여 중국의 기록에서 연유했음을 알 수 있다.

그리고 "준순주(浚巡酒)는 이시진의 <본초강목(本草綱目)>에 그 주방문이 묘하다. 또 고금에 비원과 그 의서에 나와 있으니, 사람을 기만하는 잡술 같지는 않다. <본초강목>의 '준순주방(浚巡酒方)'에 보면, 기를 보호하고 일체의 바람과 습기를 제하고 오래 살게 하고 늙음을 방지하고 얼굴빛을 좋게 한다고 하였다."고 언급하고 있다.

'경각화준순주'는 속성주 가운데 속성주라는 의미로 해석된다. 소위 '준순주'라는 것이 있는데, "우물쭈물하는 사이에 익는 술"이라는 뜻을 담고 있고, 거기다 '경각(頃刻)'은 "아주 짧은 시간"이란 의미를 담고 있다.

따라서 '경각화준순주'는 이 두 가지 의미를 합친 보다 강조된 의미의 주품명으로 이해하면 되겠다.

이렇듯 극히 짧은 시간에 빚어 마신다는 술의 주방문이 매우 궁금해 다른 어떤 주품보다 주의 깊게 주방문을 살피고, 그 속에 감춰진 비밀을 찾고자 노력했다.

결론부터 말하면, '경각화준순주'라는 술을 빚지 못했다. 술에 사용되는 '마란화'와 '지미화'가 어떤 종류의 꽃인지 도무지 알지도 찾지도 못했기 때문이다.

다시 말해 '경각화준순주'의 맛이나 향기를 경험해 보지 못한 입장이라 이 주품에 대해 설명하기가 매우 조심스럽다.

어쨌든 '경각화준순주'는 "즉석에서 조합하여 마시는 술"이라고 할 수 있다. '경각화준순국'이라는 전용 누룩을 만들어 술을 빚고, '비선국'이라고 하는 다른 또 한 가지 누룩을 사용함으로써 발효를 촉진하여 보다 다양한 맛과 향기를 얻고자 했다.

여기서 '경각화준순주국' 자체가 실질적으로 술덧의 역할을 겸하고 있다는 사실에 주목할 필요가 있다.

그 방법을 보면 "흰밀가루 10근에 도화 및 마란화, 지미화, 황감국을 한데 합하고, 독에 길어다 놓은 납수를 쳐가면서 절구통에 넣고 떡메로 찧는다. 밀가루반죽을 진흙처럼 만들어서 구슬 같은 환약 빚듯 누룩밑을 빚는데, 시렁에 매달아 49일간 띄운다."고 하였다.

여기서 눈여겨볼 대목은 누룩에 사용되는 꽃의 채취 시기이다. 3월 3일, 5월 5일, 6월 6일, 9월 9일처럼 숫자가 겹치는 날 꽃을 채취한다는 건 제철 산물을 사용한다는 의미와 함께 길일을 택해 재료를 채취하는 동양사상이 반영되어 있음을 알 수 있다.

'경각화준순주'는 이 전용 누룩을 환으로 빚어 가지고 다니다가, 술이 생각날 때 백비탕에 비선국과 함께 풀어 넣고, 잠깐 기다리면 환과 누룩이 녹아 술이 된다는 것이다.

함께 곁들여 사용하는 '비선국'이라는 누룩 역시 '경각화준순주국'과 유사하다. 온기가 있는 고두밥에 후추와 고양강, 계수나무꽃을 합해서 떡처럼 찧고, 다시 세말한 행인과 보릿가루를 합하고, 고루 타서 누룩밑을 빚은 후, 항아리에 안쳐서 띄운다. 이 누룩을 절구통에 넣고 3천 번 공이질을 해서 달걀처럼 크게 환을 만든 것이다. 이 '비선국' 역시 끓인 물에 넣어 풀어주면 1시간 내에 '비선주'가 된다.

이렇듯 '비선주'는 비선국만을 사용해 끓인 물과 섞어놓으면 술이 되지만, '경각화준순주'는 전용 누룩과 함께 비선국을 함께 사용함으로써 술이 보다 빨리 되고 도수 또한 '비선주'보다 높을 거라는 추측이 가능하다. 이 때문에 '경각화준순주'라는 이름으로도 불리게 되었을 것이다.

필자 개인적으로는 이러한 속성주가 적이 못마땅하지만, '빨리빨리'와 '급하게'를 추구하는 현대인들에게는 오히려 안성맞춤이 아닐까 하는 생각이 들기도 한다. 한편으론 세상에 공짜나 손쉬운 일은 하나도 없다는 진리를 거듭 깨닫게 해주는 술이 '경각화준순주'이기도 하다.

사실 '경각화준순주'는 "다투다시피 하여 빨리 마실 수 있는 술"이라는 뜻이긴 하지만, 이 술을 빚기 위한 누룩의 제조는 1년이라는 세월이 필요하다는 사실 때문이다.

술을 빚어두고 1시간이면 마실 수 있다는 '경각준순주'의 비밀이 바로 1년이 걸려 만들어지는 누룩에 있었던 것이다.

이토록 각고의 노력과 함께 '기다림의 미학'이 숨어 있다는 사실에 거듭 놀랍고, 술 공부가 그저 두려울 뿐이다.

경각화준순주 <오주연문장전산고(五洲衍文長箋散稿)>

누룩 재료 : 도화 3냥 3돈, 마란화 5냥 5돈, 지미화 6냥 6돈, 황감국 9냥 9돈, 납수 3말, 거피도인 49매, 흰밀가루 10근
술 재료 : 누룩 환약 1알, 누룩(비선국), 백비탕 1병

술 빚는 법 :

1. 삼월 삼진날(3월 3일) 도화 3냥 3돈을 채취하여 물에 깨끗이 씻어 이물질과

물기를 제거한 후 음건한다.

2. 5월 5일에 마란화 5냥 5돈을 채취하여 물에 깨끗이 씻어 이물질과 물기를 제거한 후 음건한다.
3. 6월 6일에 지미화 6냥 6돈을 채취하여 물에 깨끗이 씻어 이물질과 물기를 제거한 후 음건한다.
4. 9월 9일에 황감국 9냥 9돈을 채취하여 물에 깨끗이 씻어 이물질과 물기를 제거한 후 음건한다.
5. 12월 8일에 납수를 3말 길어다 독에 담고 춘분이 되기를 기다린다.
6. 춘분일에 도인 49매를 취해서 거피하고, 끄트머리를 제거해 놓는다.
7. 흰밀가루 10근에 도화 및 마란화, 지미화, 황감국을 한데 합하고, 독에 길어다 놓은 납수를 쳐가면서 절구통에 넣고 떡메로 찧는다.
8. 밀가루 반죽을 진흙처럼 만들어서 구슬 같은 환약 빚듯 누룩밑을 빚는다.
9 누룩밑을 한데 모아 종이에 싸서 (시렁에 매달아 놓고) 49일간 띄워 누룩을 만들어놓는다.
10. 술을 마시고 싶을 때, 백비탕 1병에 누룩 환약 1알, 비선국 1덩이를 넣고 밀봉해 놓는다.
11. 조금 있으면 술이 완성되는데, 만약 술이 싱거우면 누룩 환약을 1알 더 넣는다.

傾刻花浚巡酒 辯證說

근세에 우리 동방사람이 중국 연경에서 요술쟁이들을 봤는데, 복사꽃이 피고 조금 있다가 복숭아가 열리고 열매가 익어서 따먹었다. 그런데 따먹은 후에도 꽃과 열매가 가지에 다 있었다. 연암 박지원이 <열하일기(熱河日記)>에 그 일을 다 기록했으니, 아주 황당한 말은 아닌 것 같다.

그러나 이것이 다 환쟁이의 술법이다. '경각화준순주'가 참으로 주방문이 있어서 <군방족보>에 나타나 있는데, 그 책에 보면 즉, 연꽃 피는 법이 있고, 외꽃이 열리고 열매가 열리는 법이 있다. <박물지>에 경각 종류를 구별하는 법이 있으니, 일시적인 환희는(요술) 아닌 것 같다. '준순주'는 이시진의 <본

초강목(本草綱目)>에 그 주방문이 묘하다. 또 고금에 비원과 그 의서에 나와 있으니, 사람을 기만하는 잡술 같지는 않다. <본초강목>의 '준순주방(浚巡酒方)'에 보면, "기를 보호하고 일체의 바람과 습기를 제하고 오래 살게 하고 늙음을 방지하고 얼굴빛을 좋게 한다."고 하였다.

술 빚는 법은 삼월 삼짓날 도화 3냥 3돈을, 5월 5일에 마란화 5냥 5돈, 6월 6일에 지미화 6냥 6돈, 9월 9일에 황감국 9냥 9돈한 후, 음건해서 12월 8일에 납수를 3말 길어다가 춘분을 기다려서 도인 49매를 취해서 거피한다. 끄트머리를 제거하고, 흰밀가루 10근을 찧어서 진흙처럼 만들어서 누룩을 빚은 후, 합쳐서 종이에 싸서 49일간 싸놓는다. 쓸 때에 백비탕 1병과 누룩환약 1알 지금 누룩 1덩이를 넣고 봉한다. 조금 있으면 술이 완성된다. 만약 술이 싱거우면 다시 누룩환을 1알 더 넣어라. 박연암 일기에 써놓은 것을 보면 이것이 어찌 환쟁이의 기술로 사람을 속이는 법이라고 하겠느냐. 이것은 한상자라는 사람 개인의 법도 아니고, 세상에도 역시 이와 같은 기이한 방법이 있었다면, 그 허탕함과 진실로 참됨과 거짓을 논해 보면, 한상자의 술책보다 나은 것 같다.

경험오수주

스토리텔링 및 술 빚는 법

<동의보감(東醫寶鑑)>에 유일하게 등장하는 '경험오수주(經驗烏鬚酒)'는 주중지약법(酒中漬藥法) 또는 지약법(漬藥法)의 약용약주류이다.

<동의보감>에 <회춘(回春)>을 인용해 "能變白爲黑, 身輕體健, 功不可述(흰 것을 검게 하고, 몸이 가볍고 튼튼해진다. 그 효과를 이루 다 말할 수 없다)."고 한 것을 보더라도 치료 목적과 건강증진을 위한 처방약임을 확인할 수 있다.

또한 <동의보감>에 함께 수록된 '오수주(烏鬚酒)'와는 또 다른 주방문이라는 사실도 알 수 있다.

'오수주'는 "황미 3말로 지은 고두밥과 맥문동 3냥, 생지황·하수오 각 3냥, 천문동·숙지황·구기자·우슬·당귀 각 2냥, 인삼 1냥을 가루 낸 후 좋은 누룩과 섞는다. 밥과 버무려 일반적인 방법으로 술을 빚은 후 술이 숙성하면 청주로 떠서 매일 이른 새벽에 약간 취할 정도로 1~2잔씩 마신다."고 하여 발효주임을 확인할 수 있다.

반면, 주중지약법의 '경험오수주'는 주품명만 유사할 뿐 주원료의 종류나 술을 빚는 방법에서 '오수주'와 차이가 많기 때문에 전혀 다른 술이다. 그러나 그 효능이나 효과는 유사하다.

따라서 '오수주'를 대신한 간편한 방법으로 저자가 처방을 통해 치료효과를 경험해 본 주방문이라는 뜻에서 '경험오수주'가 아닌가 생각된다.

만약 이러한 추측이 맞다면 '경험오수주'를 처음 제조한 사람의 약재에 대한 지식과 실험정신을 높이 살 뿐만 아니라, 선험적 경험을 바탕으로 한 지식의 산물이 전승적 방법이나 과학적 이론보다 앞선다는 사실에 다시 한 번 놀랄 따름이다. '경험오수주'가 '오수주'보다 비교적 간편하면서도 손쉽게 활용할 수 있는 더 좋은 방법이기 때문이다.

술을 빚는 방법을 보면, "每年冬十月壬癸日, 面東採摘紅肥大枸杞子二升擣破(매년 겨울 10월 임계일이 동쪽을 향한 구기자나무 한 가지에서 살진 구기자 2되를 채취한 후 찧어서 분쇄한다)."고 하여 벽사 풍속의 한 단면을 볼 수 있다. 동향은 양기가 강한 방향으로 강한 양기를 띤 태양의 기운을 빌어 부정한 음기를 물리치고자 한 의식이 반영되었다.

그리고 "同好無灰酒, 同盛於磁器內 浸二十一日足 開封 添生地黃汁三升 攪勻(좋은 무회주 2되와 함께 자기 그릇에 담아 21일 동안 담가두었다가 항아리를 개봉하여 생지황즙 3되를 넣고 고루 저어준다)."고 했는데, 여기서도 '삼칠일'인 21일간 숙성시킨다 하여 음양사상의 하나인 기수 선호사상을 반영하고 있다.

또 "各以紙三層封其口 俱至立春前三十日開瓶 空心, 煖飮一盃 至立春後 鬚髮都黑, 勿食三白(항아리 종이로 입구를 3겹으로 밀봉하였다가, 입춘 30일 전에 항아리를 개봉하여 빈속에 데워서 1잔씩 마시는데, 입춘이 된 후에는 수염이 모두 검게 된다. 3가지 흰 것을 먹지 말아야 한다)."고 하였다.

여기서 '삼백(三白)'은 일반적으로 세 가지 흰 음식, 즉 '설탕', '소금', '밀가루'를 가리키는 건지 아니면 하얀색을 띤 세 가지 한약재, 즉 백하수오·백복령·백출을 같은 분량으로 술에 넣었다가 21일 만에 건져내는 '삼백주(三白酒)'의 '삼백'을 뜻하는지 잘 알 수 없으나, 아마도 술이 아닌 음식으로 판단하는 게 옳을 듯하다.

'경험오수주'를 빚을 때 주의할 점은 좋은 약재의 선택은 물론이고 '무회주'의 선택에 따라 술의 맛과 향, 효과가 달라진다는 사실을 염두에 두어야 한다.

주지하다시피 '무회주'는 "아무것도 섞이지 않은 순곡주이면서 농도가 진한 순수한 술"을 가리킨다. 여기서 "농도가 진한 순수한 술"이라 함은 찹쌀과 누룩으로 빚어서 순수한 곡주이자 청주(淸酒)를 가리키는 한편, 발효가 잘 되어서 알코올 도수가 높아야 하고, 향기도 뛰어난 술로서 잡맛이나 잡냄새 등 이취가 없어야 한다는 뜻이다.

'경험오수주'는 '무회주'를 기주(起酒)로 삼는 만큼 '무회주'의 높은 알코올로 인해 한약재의 약성 추출이 용이해지고, 세 가지 약재들의 조화로 치료 효과를 기대할 수 있다.

특히 중요한 작용을 하는 술에 다른 성분을 함유한 원료나 약재로 인해 약효나 약성의 변화를 염려한 것으로 보인다.

다만 '경험오수주'의 효능이나 치료 효과에 대한 지나친 기대는 하지 않는 게 좋다. 이 세상에 '경험오수주'와 같은 술의 힘을 빌려 "연년익수한다."거나 "백수환동(白首還童)·능변백수(能變白鬚)한다."는 말만 있지, 실제로 경험했다는 이야기를 들어보지도, 그런 사람을 만나보지도 못했기에 하는 말이다.

경험오수주 <동의보감(東醫寶鑑)>

술 재료 : 살진 구기자 2되, 좋은 무회주(無灰酒) 2되

술 빚는 법 :

1. 매년 겨울 10월 임계일이 동쪽을 향한 구기자나무 한 가지에서 살진 구기자 2되를 채취한다(물에 깨끗이 씻어 물기를 제거한 후, 절구에 넣고 찧어서 분쇄한다).
2. 자기그릇(항아리)에 분쇄한 구기자 2되와 좋은 무회주 2되를 함께 담아 밀봉하여 21일간 저장해 둔다.
3. 항아리를 개봉하여 생지황즙 3되를 넣고 고루 저어준 뒤, 항아리 종이로 입

구를 3겹으로 밀봉하였다가 입춘 30일 전에 항아리를 개봉하여 술을 떠내고 여과하여 맑은 술을 빈속에 데워서 1잔씩 마신다.

* 주중지약법(酒中漬藥法)의 '구기자주'라고도 할 수 있다.

經驗烏鬚酒

能變白爲黑, 身輕體健, 功不可述. 每年冬十月壬癸日, 面東採摘紅肥大枸杞子二升擣破 同好無灰酒二斗, 同盛於磁器內, 浸二十一日足, 開封, 添生地黃汁三升 攪匀, 各以紙三層封其口, 俱至立春前三十日開瓶. 空心, 煖飮一盃, 至立春後 鬚髮都黑, 勿食三白 <回春>.

계피주

스토리텔링 및 술 빚는 법

'계피주(桂皮酒)'는 한약재의 하나인 계피(桂皮)를 주재료로 빚는 술이다. 최초로 <조선무쌍신식요리제법(朝鮮無雙新式料理製法)>에 주방문이 수록되어 있다.

식품 저장기술의 하나인 '당장법(糖藏法)'에서 파생된 주품이 아닐까 한다.

<조선무쌍신식요리제법>의 주방문에 "이 술은 사철 좋은 것이니, 계피정(桂皮精) 네 그람(4g)과 단사리별(單舍利別) 한 그람(1g)과 물 백 그람(100g)과 한데 혼합하여 삼사일간만 꼭 봉하여 두면, 일등 '계피주'가 되나니라."고 하였다.

주방문에서 알 수 있듯이 '계피정'과 '단사리별', 그리고 물이 술 재료의 전부이다. 계피정을 설탕에 절이는 당장법에서 물을 추가하여 당의 농도가 나타나면 소위 '계피의 변질'이 일어나게 되는데, 이것이 술이 되는 셈이다.

바꿔 말하면 '계피의 변질'이 '발효제'인 효소와 효모 또는 누룩 없이 발효시키는 '자연발효법'이라고 할 수 있다. 실제로 발효를 통한 술을 마시게 된 배경이 이와 유사하다. 농익어 높은 당을 함유한 과실이 떨어져 과육이 찢어지고, 거기에 빗물이 들어가 섞이게 되면서 공기 중의 효모에 의한 발효가 이뤄진 것이다.

'포도주'의 배경도 마찬가지라 하겠다. 어디선가 좋은 향기가 나서 냄새를 쫓다 보니 발견하게 된 게 포도즙 같은 것이었고, 그것을 맛보니 감미롭고 기분이 좋아져 이후 포도를 으깨서 본격적인 '포도주'를 빚게 되었다고 한다.

또한 벌이 모아둔 벌꿀통에 빗물이 스며들어가 꿀의 농도가 낮아지고, 여기에 공기 중의 자연 효모균이 발효를 일으키게 된 '밀주'를 우연히 맛보고, 그 원인을 찾아 재현하게 된 게 양주(釀酒)의 시초라는 이야기도 있다.

그런 차원에서 보면 <조선무쌍신식요리제법>의 '계피주'도 자연발효주의 하나라고 할 수 있다. 계피라고 하는 향기 좋은 약재를 설탕에 재워두었다가 물을 타서 마시다가 남아서 보관하게 되었는데, 그것이 어느 날 발효되어 기분 좋게 취하는 마실거리가 된 거라는 추측이 가능하겠다.

하지만 '계피주'의 등장이 1926년에 간행된 <조선무쌍신식요리제법>이라는 문헌임을 고려할 때 설탕이 보편화된 시기였고, 당장법의 식품 저장기술이 일상적인 기술로 자리 잡았던 시기였으므로 '포도주'나 '밀주'의 발효방식을 차용한 것이라 여겨진다.

문제는 '계피주' 주재료인 단사리별이 무엇인지 잘 몰랐는데, 국어사전에 "흰 설탕 65%에 뜨거운 증류수 35%의 비율로 섞어 만든 시럽. 빛깔과 냄새가 없으며, 약제의 조미료로 쓴다."고 나와 있었다.

단사리별은 순수한 설탕 시럽을 가리키며, 포도당(葡萄糖) 대용의 당화액으로 본다면, 이 설탕물에 효모가 침입, 발효를 일으킨 것이고, 계피정은 약효와 향신료의 역할을 발휘한다고 하겠다.

결국 '계피주' 제조 비결은 다음과 같다. 흰 설탕 65g과 뜨거운 증류수 35g(㎖)을 섞은 후 계피정 4g을 넣고, 물 100g(㎖)으로 희석시키면, 뜨거웠던 증류수가 적당한 온도로 미지근해지면서 식는다.

따라서 이 비율로 섞어 병에 담고, 병을 여러 겹의 면보자기로 밀봉하여 덥지도 춥지도 않은 곳에 두면 3~4일 만에 향기 좋은 '계피주'를 얻을 수 있다.

술맛을 더 좋게 하려면 설탕 비율을 2~3% 정도만 높이고 증류수나 물의 양을 그만큼 줄이면 된다. 이 '계피주'는 실패하여 약간 산미가 있더라도 향기가 매우 좋고 마시기 나쁘지 않다.

계피주 <조선무쌍신식요리제법(朝鮮無雙新式料理製法)>

술 재료 : 계피정(桂皮精) 4g, 단사리별(單舍利別) 1g, 물 100g

술 빚는 법 :

1. 이 술은 사시사철 빚을 수 있다. 술을 빚고자 할 때마다 계피정 4g, 단사리별 1g을 장만한다.
2. 준비한 재료에 물 100g을 합하고, 고루 섞이도록 휘저어 놓는다.
3. 소독한 단지에 계피정 등 혼합한 재료를 담아 안친다.
4. 단지를 단단히 밀봉하여 상온에 두었다가, 면보에 여과하여 마신다.

게피주(桂皮酒)

이 슐은 사철에 다 조흔 것이니 게피정(桂皮精) 네 구람과 단사리별(單舍利別) 한 구람과 물 백 구람과 한데 혼합하야 삼사일간만 극 봉하야 두면 일등 '게피주'가 되나니라.

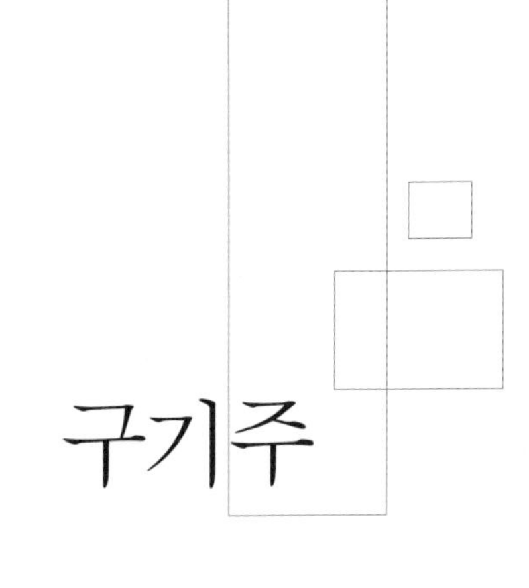

구기주

스토리텔링 및 술 빚는 법

"옛날 하서(河西) 지방에 사신 갔던 사람이 16~17세가량의 한 여자가 80~90세쯤 돼 보이는 백발 늙은이를 매질하고 있는 것을 보고 그 연유를 물었다. 젊은 여인이 늙은이를 가리키며, '이 아이는 내 셋째 자식인데, 약을 먹을 줄을 몰라서 나보다 먼저 머리가 희어졌소.'라고 하였다. 여인의 나이를 물으니, '내 나이 395세다.'고 하였다. 이에 사신이 말에서 내려 그 여인에게 절한 다음 '그 약이 무어냐?'고 물었더니 여인이 구기자주 빚는 법을 가르쳐주어 사신이 돌아와서 그 법대로 술을 빚어 마셨다. 13일을 먹으니 몸이 가벼워지고 기가 성해지더니 100일쯤엔 얼굴에 화색이 충만하고 고와졌으며, 백발이 검어지고 빠진 이가 돋아났다. 300년을 살았다."

조선시대 실학의 선구자인 이수광(李睟光, 1563~1628년)의 <지봉유설(芝峯類說)>에 실려 있는 '구기주(枸杞酒)' 유래에 얽힌 설화이다. <지봉유설>에 수록된 내용대로라면 '구기주'는 분명 '술'이 아닌 '불로장수약(不老長壽藥)'이요 '신선주(神仙酒)'가 분명하다.

이러한 '구기주'를 빚는 주방문을 보니 몇 가지 방법으로 나눌 수 있다. 가장 일반적인 방법은 구기자나무의 전초를 사용하는 주방문이 8회로 전체의 50%를 차지하고 있다.

그리고 다음으로 선호되는 주방문이 구기자를 찧어 달인 즙과 찹쌀고두밥, 누룩을 섞어 발효시키는 방법과 청주에 구기자를 볶아 넣어서 우려 마시는 방법이 각각 4회씩 25%를 차지한 것으로 조사되었다.

따라서 구기주 빚는 주방문은 크게 3가지 방법으로 이루어지고 있다 하겠다.

가장 널리 이용되었던 주방문은 "구기자를 술 담가 먹는 법(枸杞子漬酒服法)"이라고 하여, 구기자나무를 계절 변화에 따라 얻을 수 있는 부위별로 술에 담가 우려 마시는 방법이다.

문헌마다의 주방문에는 "정월(正月) 첫 번째 인일(寅日)에 뿌리를 캐서 가늘게 썰어 음지에서 말린다. 1되를 2월 첫째 묘일(卯日)에 청주 1말에 담근다. 7일이 되면 찌꺼기를 버리고 새벽에 복용한다. 4월 첫째 사일(巳日)에 잎을 따서, 5월 첫째 오일(午日)에 술에 담근다. 7월 첫째 신일(申日)에 꽃을 따서(줄기가 섞이지 않도록 한다), 8월 첫째 유일(酉日)에 술에 담근다. 10월 첫째 해일(亥日)에 열매를 따서 12월 첫째 지일(子日)에 술에 담근다. 먹는 법은 위의 방법과 같다."고 하였다.

다만, <승부리안주방문>에서는 '구기꽃'이 아닌 '구기줄기'를 채취한다고 적혀 있다.

어쨌든 이러한 방법은 소위 알코올을 이용한 '침출법(浸出法)'이다.

<고사십이집(攷事十二集)>을 비롯해 <고사신서(攷事新書)>, <농정찬요(農政纂要)>, <보감록>, <부인필지(夫人必知)>, <사시찬요초(四時纂要抄)>, <승부리안주방문>, <양주방>*, <온주법(醞酒法)>, <잡지(雜誌)>, <한국민속대관(韓國民俗大觀)> 등 여러 문헌에 25차례나 수록되어 있다.

특히 연대 미상의 <보감록> 주방문은 <규합총서(閨閤叢書)>을 그대로 인용해 주방문이 동일하다. 따라서 이는 조선 말기의 기록으로 여겨진다.

한편, 발효법(醱酵法)이라고 할 수 있는 '구기주' 주방문은 <고려대규합총서(高麗大閨閤叢書, 異本)>, <학음잡록(鶴陰雜錄)>, <고사신서(攷事新書)>, <고사십이집(攷事十二集)> 등에서 5차례 수록된 것을 볼 수 있다.

이들 문헌에는 “깨끗한 구기자를 씻어 건진 뒤 물에 달여 조청처럼 만들고, 거칠게 찧은 누룩가루 1되를 식은 구기자청에 넣고 고루 휘저어 누룩이 조청에 배어들게 한다. 이어 찹쌀을 조리로 일어서 건져 시루에 안치고 고두밥을 짓는데, 봄과 여름에는 차갑게 식히고, 가을과 겨울에는 조금 미지근한 상태에서 누룩 섞은 조청과 합하고, 술독에 담아 안쳐서 예의 방법대로 밀봉하여 발효시키되, 술독을 자주 살펴서 술덧이 뜨거워지지 않도록 한다. 여름에는 1주일, 봄과 겨울에는 10일 동안 발효시켜 익기를 기다린다.”고 하였다.

이러한 ‘구기주’가 얼마나 회자되었던지 소위 강정제·강장제로 알려진 약재, 즉 “오가피(五加皮), 지황(地黃), 백출(白朮), 천문동(天門冬) 등 모두 이 방법을 따른다.”고 하였고, “구기자 생것을 갈아 즙을 취한 뒤, 죽 1주발과 꿀을 조금 넣어 사용하면 신령스럽고 아름답다.”고도 하였다.

또 다른 별법(別法)으로는 “10월 임계일과 상해일에 동쪽에 있는 구기자 2되를 따서 질그릇 좋은 병에 좋은 술과 함께 넣어두었다가 37일 후에 생지황즙 3되를 고르게 섞어 밀봉한다. 입춘일 30일 전에 병을 열어 매일 따뜻하게 하여 빈속에 마시면 수염과 머리가 검어진다.”고 하였다.

끝으로 <동의보감(東醫寶鑑)>을 비롯해 <양주방>*, <규합총서>, <주찬(酒饌)> 등에는 “구기자 5되를 청주 2말에 담가 7일 동안 우렸다가, 꺼내어 찌꺼기를 제거하고 마신다. 처음에는 3홉으로 시작하여 나중에는 자기 주량대로 마신다.”고 하여 비교적 간단한 방법이 애용되었음을 알 수 있다.

이렇듯 ‘구기주’가 마치 ‘불로장생주’나 ‘만병통치약’ 또는 ‘신선주’처럼 인식되면서, 이를 응용한 여러 가지 약용약주들이 생겨나기 시작했다.

대표적인 예로 충청남도 지방의 가양주이자 무형문화재와 전통식품 명인으로 지정된 청양의 ‘둔송구기주’가 그것이다. ‘둔송구기주’는 멥쌀고두밥과 누룩, 물로 밑술을 빚고, 다시 찹쌀고두밥과 누룩, 청양 구기자, 구기잎, 구기자 뿌리, 두충피, 두충잎, 감초, 들국화 등을 보조 약재로 사용하되, 이들 약재를 달인 물을 양주용수의 일부로 사용한다는 점에서 문헌에 수록된 ‘구기주’와는 차이를 보인다.

그러나 아무리 ‘불로장생주’라 할지라도 “술은 술일 뿐”이다. 몸에 좋다고 많이 마시면 되레 몸을 해치는 건 만고의 진리이다.

1. 구기주 <고려대규합총서(高麗大閨閤叢書, 異本)>

술 재료 : 청주 1말, 구기뿌리(구기잎·구기꽃·구기자) 1근

술 빚는 법 :

1. 정월 첫 인일에 뿌리를 캐어 한 달 동안 그늘에 말려 한 근을 준비한다.
2. 이월 첫 묘일에 술독을 깨끗이 씻어 말린 뒤, 짚불 연기를 쏘여 소독하고 깨끗한 마른행주로 그을음을 씻어내어 준비한다.
3. 술독에 청주 1말과 준비한 지골피를 넣는다.
4. 술독은 밀봉하여 서늘한 곳에 두고, 7일 후에 찌꺼기 없이 걸러서 마시되 식후에는 마시지 않아야 한다.

* 4월 첫 사일(巳日)에 잎을 따서 오월 첫 오일(午日)에 술에 담그기를 위와 같이하여 마신다.
* 7월 첫 신일(辛日)에 꽃을 따서 팔월 첫 유일(酉日)에 위와 같이하여 마신다.
* 10월 첫 해일(亥日)에 열매를 따 십일월 첫 자일(子日)에 위와 같이하여 마신다.

구긔(주)

정월 샹인일의 ᄲᅮᆯ희ᄅᆞᆯ ᄏᆡ야 음건ᄒᆞ야 ᄒᆞᆫ 근을 이월 샹묘일의 청쥬 ᄒᆞᆫ 말의 담가 일에 되거든 ᄌᆞᆺ긔 업시ᄒᆞ고 먹으되 식후ᄂᆞᆫ 먹지 말고 ᄉᆞ월 샹ᄉᆞ일의 입흘 ᄏᆡ야 오월 샹오일의 술의 담그기을 몬져 법ᄃᆡ로 ᄒᆞ야 먹고 칠월 샹신일의 ᄭᅩᆺ칠 ᄯᅡ 팔월 샹유일의 젼법과 ᄀᆞᆺ치 ᄒᆞ야 먹고 십월 샹ᄒᆡ일의 열ᄆᆡ을 ᄯᅡ 십일월 샹ᄌᆞ의 여법히 먹ᄂᆞ니 하셔 녀ᄌᆞᄂᆞᆫ 산인 ᄇᆡᆨ산보의 ᄉᆡᆼ질이라 이 주방문을 어더 먹고 삼ᄇᆡᆨ구십 세예 안ᄉᆡᆨ이 십오뉵 쇼년 ᄀᆞᆺᄒᆞ니 한 젹 ᄉᆞ신이 만나 ᄎᆞ방을 어더 듯고 그 법ᄃᆡ로 먹언 지 ᄇᆡᆨ 일의 ᄇᆡᆨ발이 환흑ᄒᆞ고 낙치가 부ᄉᆡᆼᄒᆞ야 연연 블노ᄒᆞ다 ᄒᆞ니라.

2. 구기자지주복법 <고사신서(攷事新書)>

-구기자를 술 담가 먹는 법

술 재료 : 지골피 1되, 구기잎 1되, 구기꽃 1되, 구기자 1되, 청주 4말

* 지골피술 :

1. 정월보름 전 첫 호랑이날(寅日)에 구기자나무 뿌리(지골피)를 캐어 다듬는다.
2. 지골피를 물에 깨끗이 씻어 얇게 편으로 썰고, 1되를 마련하여 그늘에서 1개월 말려서 준비해 놓는다.
3. 2월 첫 토끼날(卯日)에 맑은 청주 1말과 준비한 지골피를 술독에 넣고, 밀봉하여 7일간 숙성시켜 여과한다.
4. 술은 새벽에만 마시고 식후에는 마시지 말라.

* 구기자잎술 :

1. 여름 4월 첫 뱀날(巳日)에 구기자잎을 따서 물에 씻어 물기를 뺀다.
2. 구기자잎을 가늘게 썰어서 그늘에 말려 1되를 준비한다.
3. 5월 첫 말날(午日)에 맑은 청주 1말과 구기자잎을 술독에 넣고, 밀봉하여 7일간 숙성시켜 여과한다.

* 구기자꽃술 :

1. 가을 7월 첫 원숭이날(申日)에 줄기가 섞이지 않도록 하여 구기자꽃을 따서 물에 씻어 물기를 뺀다.
2. 구기꽃을 가늘게 썰어 1되를 그늘에 말려 준비한다.
3. 8월 첫 닭날(酉日)에 맑은 청주 1말과 구기꽃을 술독에 넣고, 밀봉하여 7일간 숙성시켜 여과한다.

* 구기자술 :
1. 가을 10월 첫 돼지날(亥日)에 구기자를 따서 물에 씻어 물기를 뺀다.
2. 구기자를 그늘에 말려 1되를 준비한다.
3. 가을 12월 첫 쥐날(子日)에 맑은 청주 1말과 구기자를 술독에 넣고, 밀봉하여 7일간 숙성시켜 여과한다.

* 주방문 말미에 "하서(河西)의 여자가 이 술을 먹고 나이 395세까지 살았는데 16~17세 같았다. 한(漢)에 사신 갔던 사람이 이 방법을 배워 13일을 먹으니 몸이 가벼워지고 기(氣)가 성하여졌고, 100일에는 얼굴에 화색이 충만되고 고와졌으며 백발이 검게 되고 빠진 이가 돋아났으며, 300년을 살아도 늙지 않았다."고 하였다.

枸杞子漬酒服法

正月上寅日採根細切陰乾一升二月上卯日漬於淸酒一斗滿七日去滓晨服(勿於食後用之)四月上巳日採葉五月上午日漬酒七月上申日取花(恐作莖)八月上酉日漬酒 十月上亥日取實十一月上子日漬酒服 並與上法河西女子服此酒得年三百九十五而如十六七歲. 漢使者得其方服十三日身輕氣盛百日容顏充麗白髮還黑落齒更生得三百年不老.

3. 구기주(우법) <고사신서(攷事新書)>

구기(枸杞)는 봄, 여름에 잎을 따고 가을에 줄기와 열매를 딴다. 줄기와 같은 뿌리껍질(地骨皮)을 쓴다. 오랫동안 먹으면 몸이 가벼워지고 기(氣)를 돋운다.

枸杞酒(又法)

枸杞春夏採葉秋採莖實(莖當用根皮)久服輕身益氣.

4. 구기자지주복법(우법) <고사신서(攷事新書)>

–구기자주 담가 마시는 또 다른 법

술 재료 : 구기자 열매 생것 5되, 찹쌀 5되, 누룩가루 1되, 청주 2말

술 빚는 법 :

1. 깨끗한 구기자 5되를 씻어 건진 뒤, 맷돌에 갈아 즙액을 만든다.
2. 술독에 청주 2말을 담아 안친다.
3. 술을 안친 독에 구기자 즙액을 넣고, 밀봉하여 7일간 숙성시킨다.
4. 술이 숙성되었으면, 고운체에 밭쳐 찌꺼기를 제거한 뒤, 3홉씩 마시는 것으로 시작하여 점차 그 양을 늘리는데, 나중에는 제 주량에 맞춰 마시면 몸을 보하고 이롭게 할 수 있다.

枸杞子漬酒服法(又法)

拘杞子五升淸酒二斗硏搦浸七日去滓飮之初以三合爲始後則任性能補益.

5. 구기주 <고사십이집(攷事十二集)>

술 재료 : 구기자 열매 생것 5되, 찹쌀 5되, 누룩가루 1되, 물(2말)

술 빚는 법 :

1. 깨끗한 구기자 5되를 씻어 건진 뒤, 물(2말)에 달여 조청처럼 만들어 차게 식힌다.
2. 거칠게 찧은 누룩가루 1되를 식은 조청에 넣고, 고루 휘저어 누룩이 조청에 배어들게 한다.

3. 찹쌀 5되를 (깨끗하게 씻어서 불렸다가, 다시 씻어서) 조리로 일어서 건져 소쿠리에 밭쳐 물기를 뺀다.
4. 불린 쌀을 시루에 안치고 불을 때서 고두밥을 짓는데, 봄과 여름에는 차갑게 식히고, 가을과 겨울에는 조금 미지근한 상태에서 누룩 섞은 조청과 합한 후 고루 버무려 술밑을 빚는다.
5. 술밑을 술독에 담아 안쳐서 예의 방법대로 밀봉하여 발효시키되, 술독을 자주 살펴서 술덧이 뜨거워지지 않도록 한다.
6. 술 빚은 지 여름에는 1주일, 봄과 겨울에는 10일 동안 발효시켜 익기를 기다렸다가 숙성되면 용수박고 여과하여 마신다.

* 오가피(五加皮), 지황(地黃), 백출(白朮), 천문동(天門冬) 모두 이 방법을 따른다. 다른 기록에 "좋은 구기자 열매 5되를 물에 깨끗하게 씻어 물기를 제거한 다음, 그늘에서 물기가 가시게 건조시킨 후 좋은 술 1말 2되를 술독에 담고, 준비한 구기자를 헤어지지(상처 나지) 않게 담고, 술독은 밀봉하여 서늘한 곳에 두었다가, 이레 만에 건더기는 건져버리고 마시면, 기운을 보하고 폐병과 피로를 낫게 한다."고 하였다.

枸杞酒

枸杞子煎五升如稀餳浸麤擣麴末一升以糯米五升淘洗晒乾炊飮春夏冷下秋冬稍溫和勻入甕夏七日勤省勿令熱春冬十日密封閉之待熟榨濾用之.

6. 구기주(우법) <고사십이집(攷事十二集)>

술 재료 : 지골피 1되, 구기잎 1되, 구기꽃 1되, 구기자 1되, 청주 4말

* 지골피술 :

1. 정월보름 전 첫 호랑이날(寅日)에 구기자나무 뿌리(지골피)를 캐어 다듬는다.
2. 지골피를 물에 깨끗이 씻어 얇게 편으로 썰고, 1되를 마련하여 그늘에서 1개월 말려서 준비해 놓는다.
3. 2월 첫 토끼날(卯日)에 맑은 청주 1말과 준비한 지골피를 술독에 넣고, 밀봉하여 7일간 숙성시켜 여과한다.
4. 술은 새벽에만 마시고 식후에는 마시지 말라.

* 구기자잎술 :
1. 여름 4월 첫 뱀날(巳日)에 구기자잎을 따서 물에 씻어 물기를 뺀다.
2. 구기자잎을 가늘게 썰어서 그늘에 말려 1되를 준비한다.
3. 5월 첫 말날(午日)에 맑은 청주 1말과 구기자잎을 술독에 넣고, 밀봉하여 7일간 숙성시켜 여과한다.

* 구기자꽃술 :
1. 가을 7월 첫 원숭이날(申日)에 구기자꽃을 따서 물에 씻어 물기를 뺀다.
2. 구기자꽃을 가늘게 썰어, 1되를 그늘에 말려 준비한다.
3. 8월 첫 닭날(酉日)에 맑은 청주 1말과 구기자꽃을 술독에 넣고, 밀봉하여 7일간 숙성시켜 여과한다.

* 구기자술 :
1. 가을 10월 첫 돼지날(亥日)에 구기자를 따서 물에 씻어 물기를 뺀다.
2. 구기자를 그늘에 말려 1되를 준비한다.
3. 가을 12월 첫 쥐날(子日)에 맑은 청주 1말과 구기자를 술독에 넣고, 밀봉하여 7일간 숙성시켜 여과한다.

* 기록에 "구기자를 술 담가 먹는 법(枸杞子漬服法)"이라고 하여 "정월(正月) 첫 번째 인일(寅日)에 뿌리를 캐서 가늘게 썰어 음지에서 말린다. 1되를 2월 첫째 묘일(卯日)에 청주 1말에 담근다. 7일이 되면 찌꺼기를 버리고 새벽에

복용한다(식후에 복용하라). 4월 첫째 사일(巳日)에 잎을 따서 5월 첫째 오일(午日)에 술에 담근다. 7월 첫째 신일(申日)에 꽃을 따서 줄기가 섞이지 않도록 한다. 8월 첫째 유일(酉日)에 술에 담근다. 10월 첫째 해일(亥日)에 열매를 따서 12월 첫째 지일(子日)에 술에 담근다. 먹는 법은 위의 방법과 같다."고 하였다.

* <지봉유설(芝峯類說)>에 구기자주에 얽힌 설화를 다음과 같이 소개하고 있다. "옛날 하서(河西) 지방에 사신 갔던 사람이 16, 17세가량의 한 여자가 백발의 80~90세로 보이는 늙은이를 매질하고 있는 것을 보고 그 연유를 물으니, 젊은 여인이 늙은이를 가리키며 '이 아이는 내 셋째 자식인데, 약을 먹을 줄을 몰라서 나보다 먼저 머리가 희어졌소.'라고 하여 여인의 나이를 물으니, '내 나이 395세다.'고 하였다. 이에 사신이 말에서 내려와 그 여인에게 절한 다음, '그 약이 무어냐?'고 물었더니 여인이 구기자주 빚는 법을 가르쳐주어, 사신이 돌아와서 그 법대로 술을 빚어 마셨는데, 13일을 먹으니 몸이 가벼워지고 기(氣)가 성하여졌고, 100일에는 얼굴에 화색이 충만되고 고와졌으며 백발이 검게 되고 빠진 이가 돋아났으며, 300년을 살았다."
* 별법으로 "구기자 5되를 갈아 청주 2말에 담가두고, 7일 후 찌꺼기를 제거한 다음 마신다. 처음에는 3홉으로 시작하여 후에는 성(性)에 맞추어 먹으면 몸을 보익할 수 있다."고 하였다.
* 구기자가 우리나라에 들어온 시기는 <동의보감>의 기록을 근거로 조선조 초기 광해군 8년으로 추정하고 있다.

枸杞酒(又法)

枸杞子正月上寅日採根細切陰乾一升二月上卯日漬於淸酒一斗滿七日去滓晨服(勿於食後用之)四月上巳日採葉五月上午日漬酒七月上申日取花(恐作莖)八月上酉日漬酒十月上亥日取實十一月上子日漬酒服淮南坑中記載西河文子服此酒得年三百九十五而如十六七歲琦氏懸一老人傳此方服之壽百餘歲行走如飛髮白反黑齒落更生陽事强健盖此藥春采名天精草夏采名長生草秋采名枸杞子冬采名地骨皮陰乾四十九晝夜取日精月華服食家良藥也.

7. 구기주 <규합총서(閨閤叢書)>

술 재료 : 청주 4말, 구기나무 뿌리·구기잎·구기꽃·구기자 각 1근

술 빚는 법 :

1. 정월 첫 인일(上寅日)에 구기나무 뿌리를 캐어 깨끗이 씻은 뒤, 그늘에 말려서 1근을 준비한다.
2. 2월 첫 묘일(上卯日)에 청주 1말에 담가 7일이 되면 찌꺼기를 제거한 후에 마신다.
3. 4월 첫 사일(上巳日)에 구기잎을 따서 5월 첫 오일(上午日)에 술에 담그기를 먼저 방법대로 하여 마신다.
4. 7월 첫 신일(上申日)에 구기꽃을 따서 8월 첫 유일(上酉日)에 먼저 방법으로 같이 하여 마신다.
5. 10월 첫 해일(上亥日)에 구기자를 따서 상법과 같이 하여 11월 첫 자일(上子日)에 마신다.

* 주방문에 "식후에는 먹지 말라."고 하였다. 또 이르기를 "하서(河西) 지방의 한 여자가 이 주방문대로 먹고 390세에 얼굴빛이 15~16세의 소년과 같으니 '한나라 때 사신이 이 주방문을 얻어 (구기주를) 마신 지 100일 만에 흰머리가 도로 검어지고 빠진 이가 다시 나고 불로장생하였다'고 한다."고 하였다.

구긔(주)

졍월 샹인일의 ᄲᅮᆯ희를 ᄏᆡ야 음건ᄒᆞ야 ᄒᆞᆫ 근을 이월 샹묘일의 쳥쥬 ᄒᆞᆫ 말의 담가 일에 되거든 즛긔 업시ᄒᆞ고 먹으되 식후ᄂᆞᆫ 먹지 말고 ᄉᆞ월 샹ᄉᆞ일의 입흘 ᄏᆡ야 오월 샹오일의 술의 담그기을 몬져 법ᄃᆡ로 ᄒᆞ야 먹고 칠월 샹신일의 ᄭᅩᆺ칠 싸 팔월 샹유일의 젼법과 ᄀᆞᆺ치 ᄒᆞ야 먹고 십월 샹ᄒᆡ일의 열ᄆᆡ을 싸 십일월 샹ᄌᆞ의 여법히 먹ᄂᆞ니 하셔 녀ᄌᆞ도 산인 ᄇᆡᆨ산보의 ᄉᆡᆼ질이라 이 주방문을 어더 먹고 삼ᄇᆡᆨ구십 세예 안ᄉᆡᆨ이 십오뉵 쇼년 ᄀᆞᆺᄒᆞ니 한 젹 ᄉᆞ신이 만나 ᄎᆞ방을 어더 듯고 그 법ᄃᆡ로 먹언 지 ᄇᆡᆨ 일의 ᄇᆡᆨ발이 환흑ᄒᆞ고 낙치가 부ᄉᆡᆼᄒᆞ야 연연 블노ᄒᆞ다 ᄒᆞ니라.

8. 구기자지주복법 <농정찬요(農政纂要)>

술 재료 : 지골피 1되, 구기잎 1되, 구기꽃 1되, 구기자 1되, 청주 4말

* 지골피술 :

1. 정월보름 전 첫 호랑이날(寅日)에 구기자나무 뿌리(지골피)를 캐어 다듬는다.
2. 지골피를 물에 깨끗이 씻어 얇게 편으로 썰고, 1되를 마련하여 그늘에서 1개월 말려서 준비해 놓는다.
3. 2월 첫 토끼날(卯日)에 맑은 청주 1말과 준비한 지골피를 술독에 넣고, 밀봉하여 7일간 숙성시켜 여과한다.
4. 술은 새벽에만 마시고 식후에는 마시지 말라.

* 구기자잎술 :

1. 여름 4월 첫 뱀날(巳日)에 구기자잎을 따서 물에 씻어 물기를 뺀다.
2. 구기자잎을 가늘게 썰어서 그늘에 말려 1되를 준비한다.
3. 5월 첫 말날(午日)에 맑은 청주 1말과 구기자잎을 술독에 넣고, 밀봉하여 7일간 숙성시켜 여과한다.

* 구기자꽃술 :

1. 가을 7월 첫 원숭이날(申日)에 구기자꽃을 따서 물에 씻어 물기를 뺀다.
2. 구기자꽃을 가늘게 썰어, 1되를 그늘에 말려 준비한다.
3. 8월 첫 닭날(酉日)에 맑은 청주 1말과 구기자꽃을 술독에 넣고, 밀봉하여 7

일간 숙성시켜 여과한다.

* 구기자술 :
1. 가을 10월 첫 돼지날(亥日)에 구기자를 따서 물에 씻어 물기를 뺀다.
2. 구기자를 그늘에 말려 1되를 준비한다.
3. 가을 12월 첫 쥐날(子日)에 맑은 청주 1말과 구기자를 술독에 넣고, 밀봉하여 7일간 숙성시켜 여과한다.

* 기록에 "구기자를 술 담가 먹는 법(枸杞子漬服法)"이라고 하여 "정월(正月) 첫 번째 인일(寅日)에 뿌리를 캐서 가늘게 썰어 음지에서 말린다. 1되를 2월 첫째 묘일(卯日)에 청주 1말에 담근다. 7일이 되면 찌꺼기를 버리고 새벽에 복용한다. (식후에 복용하라.) 4월 첫째 사일(巳日)에 잎을 따서 5월 첫째 오일(午日)에 술에 담근다. 7월 첫째 신일(申日)에 꽃을 따서 줄기가 섞이지 않도록 한다. 8월 첫째 유일(酉日)에 술에 담근다. 10월 첫째 해일(亥日)에 열매를 따서 12월 첫째 지일(子日)에 술에 담근다. 먹는 법은 위의 방법과 같다."고 하였다.
* "옛날 하서(河西) 지방에 사신 갔던 사람이 16, 17세가량의 한 여자가 백발의 80~90세로 보이는 늙은이를 매질하고 있는 것을 보고 그 연유를 물으니, 젊은 여인이 늙은이를 가리키며 '이 아이는 내 셋째 자식인데, 약을 먹을 줄을 몰라서 나보다 먼저 머리가 희어졌소.'라고 하여 여인의 나이를 물으니, '내 나이 395세다.'고 하였다. 이에 사신이 말에서 내려와 그 여인에게 절한 다음, '그 약이 무어냐?'고 물었더니 여인이 구기자주 빚는 법을 가르쳐주어, 사신이 돌아와서 그 법대로 술을 빚어 마셨는데, 13일을 먹으니 몸이 가벼워지고 기(氣)가 성하여졌고, 100일에는 얼굴에 화색이 충만되고 고와졌으며 백발이 검게 되고 빠진 이가 돋아났으며, 300년을 살았다."고 하는 <지봉유설>의 구기자주에 대한 설화를 소개하고 있다.

枸杞子漬酒服法

正月上寅日採根細切陰乾一升二月上卯日漬於淸酒一斗滿七日去滓晨服(勿於食後用之)四月上巳日採葉五月上午日漬酒七月上申日取花(恐作莖)八月上酉日漬酒 十月上亥日取實十一月上子日漬酒服 並與上法河西女子服此酒得年三百九十五而如十六七歲. 漢使者得其方服十三日身輕氣盛百日容顔充麗白髮還黑落齒更生得三百年不老.

9. 구기주 <달생비서(達生秘書)>

허(虛)한 것을 보하고, 사람을 살찌고 튼튼하게 한다. (처방은 잡방문에 나온다.)

枸杞酒
補虛, 肥健人. <方見雜方>.

10. 구기자주 <동의보감(東醫寶鑑)>

술 재료 : 구기자 5되, 청주 2말

술 빚는 법 :
1. 깨끗한 구기자(枸杞子) 5되를 물에 씻어 건진 뒤, 햇볕에 널어 완전히 건조시킨다.
2. 건조시킨 구기자를 절구에 넣고 거칠게 찧어 파쇄한다(베주머니에 담고 끈으로 묶어놓는다).
3. 구기자 주머니를 술독에 담아 안치고 청주 2말을 붓는다.
4. 술독은 예의 방법대로 밀봉하여 7일 동안 담가 우렸다가, 주머니를 건져내

고 여과하여 마신다.

* 허(虛)한 것을 보하고, 사람을 살찌고 튼튼하게 한다.

枸杞子酒

能補益. 拘杞子五升, 淸酒二斗, 硏弱, 浸七日取出, 去滓飮之. 初以三合爲始, 後則任性. <本草>.

11. 구기주 <보감록>

술 재료 : 청주 4말, 구기나무 뿌리 1근, 구기잎 1근, 구기꽃 1근, 구기자 1근

술 빚는 법 :

1. 정월 첫 인일(上寅日)에 구기나무 뿌리를 캐어 깨끗이 씻은 뒤, 그늘에 말려서 1근을 준비한다.
2. 2월 첫 묘일(上卯日)에 청주 1말에 담가 7일이 되면 찌꺼기를 제거한 (식전에) 마시되 식후에는 마시지 않는다.
3. 4월 첫 사일(上巳日)에 구기잎을 따서 5월 첫 오일(上午日)에 술에 담그기를 먼저 방법대로 하여 마신다.
4. 7월 첫 신일(上申日)에 구기꽃을 따서 8월 첫 유일(上酉日)에 먼저 방법으로 같이 하여 마신다.
5. 10월 첫 해일(上亥日)에 구기자를 따서 상법과 같이 하여 11월 첫 자일(上子日)에 마신다.

* 주방문 말미에 "식후에는 먹지 말라."고 하였다. 또 이르기를 "하서(河西) 지방의 여자 백산보의 생질이다. 이 주방문을 얻어 먹고 삼빅구십 세에 안색이

십오륙 소년 같으니 한나라 때 사신이 만나 처방을 얻어듣고 그 법대로 먹었는데 백일에 백발이 검은 머리로 돌아오고 빠진 이가 다시 돋아 연년불로한다 하니라."고 하였다. <규합총서(閨閤叢書)>와 동일하다.

구기쥬

정월 샹인일의 뿔히를 ᄏᆡ야 음건ᄒᆞ야 ᄒᆞᆫ 근을 이월 샹묘일의 쳥쥬 ᄒᆞᆫ 말의 담가 니레가 되거던 쥬기 업시 ᄒᆞ고 먹으ᄃᆡ 식후는 먹지 말고 ᄉᆞ월 샹ᄉᆞ일의 입흘 ᄏᆡ야 오월 샹오일의 몬져 법ᄃᆡ로 슐의 ᄃᆞᆷ가 먹고 칠월 상신일의 솟출 싸 팔월 샹유일의 젼법ᄃᆡ로 ᄒᆞ야 먹고 십월 샹사일의 여법히 먹ᄂᆞ니 하셔 녀ᄌᆞ는 산인 ᄇᆡᆨ산보의 ᄉᆡᆼ딜이라. 이 주방문을 어더 먹고 삼ᄇᆡᆨ구십 셰에 안ᄉᆡᆨ이 십오뉵 소년 갓흐니 한 젹 ᄉᆞ신이 만나 ᄎᆞ 방을 어더 듯고 그 법ᄃᆡ로 먹은 졔 ᄇᆡᆨ일의 ᄇᆡᆨ발이 환흑ᄒᆞ고 낙치가 ᄇᆞᄉᆡᆼᄒᆞ여 연연불노ᄒᆞ다 ᄒᆞ니라.

12. 구기주법 <부인필지(夫人必知)>

술 재료 : 지골피 1되, 구기잎 1되, 구기꽃 1되, 구기자 1되, 청주 4말

* 지골피술 :

1. 정월 첫 인일(호랑이날)에 구기나무 뿌리(지골피)를 캐어 다듬는다.
2. 구기나무 뿌리(지골피)를 물에 깨끗이 씻어 얇게 편으로 썰고, 1근을 응달에 말려서 준비해 놓는다.
3. 2월 첫 묘일(토끼날)에 맑은 청주 1말과 준비한 구기나무 뿌리(지골피)를 술독에 넣고, 밀봉하여 7일간 숙성시켜 여과한다.
4. 술은 새벽에만 마시고, 식후에는 마시지 말라.

* 구기자잎술 :

1. 4월 첫 사일(뱀날)에 구기잎을 따고, 물에 깨끗이 씻어 물기를 뺀다.
2. 구기잎을 가늘게 썰어, 그늘에 1되를 말려 준비한다.
3. 5월 첫 오일(말날)에 맑은 청주 1말과 구기잎을 술독에 넣고, 밀봉하여 7일간 숙성시켜 여과한다.

* 구기자꽃술 :
1. 7월 첫 상신(원숭이날)에 구기꽃을 따서 물에 씻어 물기를 뺀다.
2. 구기꽃 1되를 그늘에 말려 준비한다.
3. 8월 첫 유일(닭날)에 맑은 청주 1말과 구기꽃을 술독에 넣고, 밀봉하여 7일간 숙성시켜 여과한다.

* 구기자술
1. 가을 10월 첫 자일(쥐날)에 구기자를 따서 물에 씻어 물기를 뺀다.
2. 구기자를 그늘에 말려 1되를 준비한다.
3. 가을 11월 첫 쥐날에 맑은 청주 1말과 구기자를 술독에 넣고, 밀봉하여 7일간 숙성시켜 여과한다.

* 주방문 말미에 "모든 술은 구기자 뿌리로 빚는 법과 같이 하여 먹으면 장생불로하는 신선방이라 하느니라."고 하였다.

구긔쥬법

뎡월 상인일에 구긔나무ᄲᅮ리ᄅᆞᆯ 캐셔 음건ᄒᆞ야 ᄒᆞᆫ 근을 이월 상묘일에 청쥬 ᄒᆞᆫ 말에 담가 칠일 만에 먹으되 식후에 먹지 말며 사월 상ᄉᆞ일에 닙을 ᄏᆡ야 오월 상오일에 슐에 담그고 칠월 상신일에 ᄭᅩᆺ을 ᄏᆡ야 팔월 상유일에 슐에 담그고 십월 상자일에 열ᄆᆡᄅᆞᆯ ᄏᆡ야 십일월 상자일에 담것다가 봄에 ᄒᆞ든 법과 갓치ᄒᆞ야 먹으면 장ᄉᆡᆼ불로ᄒᆞᄂᆞᆫ 신션방이라 ᄒᆞᄂᆞ니라.

13. 구기주 <사시찬요초(四時纂要抄)>

9일에 구기자를 채취해서 술에 담가 마시면 늙지 않고 머리가 세어지지 않으며 일체의 풍을 제거할 수 있다.

枸杞酒
(九月)九日收枸杞子浸酒飮不老不白去一切風.

14. 구기주법 <승부리안주방문>

술 재료 : 구기뿌리 1되, 구기잎 1되, 구기줄기 1되, 구기자 1되, 술 4말

술 빚는 법 :
* 지골피술 :
1. 춘정월 보름 전 첫 호랑이날(上寅日)에 구기 뿌리(지골피)를 캐어 다듬는다.
2. 지골피를 물에 깨끗하게 씻어 잘게 썰고, 1되를 마련하여 그늘에서 말려 준비해 놓는다.
3. 2월 첫 토끼날(上卯日)에 맑은 약주 1말과 준비한 구기뿌리(지골피)를 술독에 넣고, (밀봉하여) 7일 만에 여과한다.
4. 술은 새벽에만 마시고 식후에는 마시지 말라.

* 구기잎술 :
1. 여름 4월 첫 뱀날(上巳日)에 구기잎을 따서 물에 씻어 물기를 뺀다.
2. 구기잎을 가늘게 썰어서 그늘에 말려 1되를 준비한다.
3. 5월 첫 말날(上午日)에 맑은 청주 1말과 구기잎을 술독에 넣고, (밀봉하여) 7일간 숙성시켜 여과한다.

4. 술은 새벽에만 마시고 식후에는 마시지 말라.

* 구기줄기술 :
1. 가을 7월 첫 원숭이날(上申日)에 줄기를 따서 물에 씻어 물기를 뺀다.
2. 구기줄기를 가늘게 썰어, 1되를 그늘에 말려 준비한다.
3. 8월 첫 닭날(上酉日)에 맑은 청주 1말과 구기줄기를 술독에 넣고, (밀봉하여) 7일간 숙성시켜 여과한다.
4. 술은 새벽에만 마시고 식후에는 마시지 말라.

* 구기자술 :
1. 겨울 10월 첫 돼지날(上亥日)에 구기자를 따서 물에 씻어 물기를 뺀다.
2. 구기자를 그늘에 말려 1되를 준비한다.
3. 겨울 11월 첫 쥐날(上子日)에 맑은 청주 1말과 구기자를 술독에 넣고, (밀봉하여) 7일간 숙성시켜 여과한다.
4. 술은 새벽에만 마시고 식후에는 마시지 말라.

* "십삼일을 먹으며 몸이 가ᄇᆡ엽고 긔운이 청ᄒᆞ고 ᄇᆡᆨ일을 먹으면 용안이 고아지고 ᄇᆡᆨ발이 검고 낙치가 다시 나고 신션이 되ᄂᆞ니라. 이 법을 힝ᄒᆞ여 이ᄃᆡ로 ᄒᆞ여 먹으니 과연 삼ᄇᆡᆨ년을 늙지 아니 ᄒᆞ더라."

구긔쥬법

츈경월망 젼 첫 인일의 구긔ᄌᆞ 쌜희을 싸여 음건ᄒᆞ여 두엇다가 가늘게 싸흐라 ᄒᆞᆫ 되 되게 ᄒᆞ여 이월 첫 묘일의 약쥬 청쥬 ᄒᆞᆫ 말의 ᄃᆞᆷ갓다가 칠일 되거든 거ᄌᆡᆨᄒᆞ고 새벽마다 먹고 식후ᄂᆞᆫ 먹지 말나. 하ᄉᆞ월 첫 ᄉᆞ일의 입흘 싸 ᄒᆞᆫ 되을 가늘게 싸흐라. 음건ᄒᆞ여 두엇다가 오월 첫 오일의 청쥬 ᄒᆞᆫ 말의 ᄃᆞᆷ가 일칠만의 젼ᄃᆡ로 먹고 츄칠월 첫 신일의 줄기울 ᄀᆞ야 음건 ᄒᆞ엿다가 팔월 첫 유일의 청쥬 ᄒᆞᆫ 말의 ᄃᆞᆷ갓다가 젼ᄃᆡ로 먹으라. 종십월 첫 ᄒᆡ일의 열ᄆᆡ을 싸 ᄒᆞᆫ 되을 음건ᄒᆞ여 십일월 첫 ᄌᆞ일의 청쥬 ᄒᆞᆫ 말의 ᄃᆞᆷ갓다가 칠일만 젼 법ᄃᆡ로 먹으

라. 십삼일을 먹으며 몸이 가ᄇᆡ엽고 긔운이 청ᄒᆞ고 ᄇᆡᆨ일을 먹으면 용안이 고아지고 ᄇᆡᆨ발이 검고 낙치가 다시 나고 신션이 되ᄂᆞ니라. 이 법을 ᄒᆡᆼᄒᆞ여 이ᄃᆡ로 ᄒᆞ여 먹으니 과연 삼ᄇᆡᆨ년을 늙지 아니 ᄒᆞ더라.

15. 구기자술 <양주방>*

술 재료 : 구기자 열매 생것 5되, 좋은 술 1말 2되

술 빚는 법 :

1. 구기자 열매로 빚는데, 좋은 구기자 열매 5되를 물에 깨끗하게 씻어 물기를 제거한 다음, 그늘에서 물기가 가시게 건조시킨다.
2. 좋은 술 1말 2되를 술독에 담고, 준비한 구기자를 헤어지지(상처 나지) 않게 담아놓는다.
3. 술독은 밀봉하여 서늘한 곳에 두었다가 7일 만에 건더기를 제거하고, (한지로) 여과하여 마신다.

* 주방문 말미에 "이레 만에 건더기는 건져 버리고 마시면, 기운을 보하고 폐병과 피로를 낫게 한다."고 하였다.

구기자술

구기자풀 열매로 빚는데 좋은 술 말 두 되에 생구기자 닷 되를 헤어지지 않게 담갔다가 이레 만에 건져 버리고 먹으면 기운을 보하고 폐병과 피로를 낫게 한다.

16. 구기자주 <양주방>*

술 재료 : 구기자 뿌리 1되, 구기잎 1되, 구기꽃 1되, 구기자 1되, 청주 4말

술 빚는 법 :

* 구기자 뿌리 :

1. 정월 15일 전 첫 호랑이날에 구기자나무 뿌리(지골피)를 캐어 다듬는다.
2. 구기자 뿌리를 물에 깨끗하게 씻고 얇게 편으로 썰어 1되를 마련하여 햇볕에 1개월 말려서 준비해 놓는다.
3. 2월 첫 토끼날에 맑은 청주 1말과 준비한 구기자 뿌리를 술독에 넣고, 밀봉하여 7일간 숙성시켜 여과한다.
4. 술은 새벽에만 마시고 식후에는 마시지 않는다.

* 구기잎술 :

1. 여름 4월 첫 뱀날에 구기자잎을 따서 물에 씻어 물기를 뺀다.
2. 구기잎을 가늘게 썰어 1되를 그늘에 말려 준비한다.
3. 5월 첫 말날에 맑은 청주 1말과 구기잎을 술독에 넣고, 밀봉하여 7일간 숙성시켜 여과한다.
4. 술을 새벽에만 마시고 식후에는 마시지 않는다.

* 구기꽃술 :

1. 가을 7월 첫 원숭이날에 구기꽃을 따서 물에 씻어 물기를 뺀다.
2. 구기꽃을 가늘게 썰어, 1되를 그늘에 말려 준비한다.
3. 8월 첫 닭날에 맑은 청주 1말과 구기꽃을 술독에 넣고, 밀봉하여 7일간 숙성시켜 여과한다.
4. 술을 새벽에만 마시고 식후에는 마시지 말라.

* 주방문 말미에 “이 술을 마시면 늙지도 않고 죽지도 않아 참으로 이상한 약이다. 오래 두고 마신 사람이 300살이나 되었으되, 얼굴빛이 열여섯 일곱쯤 된 소년 같더란다. 시월 첫 돼지날에 열매를 따서 십일월 첫 쥐날에 법대로 먹어라.”고 하였다. 또한 “이 주방문은 <지봉유설>에 있으니 옛 이조판서 이수광으로 이성구와 이만구의 부친이다.”고 하여 출전 근거를 밝히고 있는데, 주방문대로 이수광이나 그의 아들들이 불로불사하고 장수하였다는 사실을 확인할 수는 없었다.

구긔ᄌᆞ쥬

츈뎡월 망 전 샹인일에 구긔ᄌᆞ불희ᄅᆞᆯ ᄏᆡ야 셰졀ᄒᆞ야 ᄒᆞᆫ 되ᄅᆞᆯ 움건ᄒᆞ얏다가 이월 샹묘일의 쳥쥬 ᄒᆞᆫ 말의 담갓다가 칠일 되거든 거ᄌᆡᆨᄒᆞ고 새벽만 먹고 식후ᄂᆞᆫ 먹지 말나.하ᄉᆞ월 샹ᄌᆞ일의 구긔ᄌᆞ닙흘 ᄯᅡ 셰졀ᄒᆞᆼ야 ᄒᆞᆫ 되ᄅᆞᆯ 음건ᄒᆞ야다가 오월 샹오일의 쳥쥬 ᄒᆞᆫ 말의 감가다가 칠일 되거든 먹으라. 추칠월의 ᄭᅩᆺ출 ᄯᅡ ᄒᆞᆫ 되ᄅᆞᆯ 음건ᄒᆞ야 팔월 샹유일의 쳥쥬 ᄒᆞᆫ 말의 담가다가 칠일 후 먹으라. 이 술을 먹으면 불노불ᄉᆞᄒᆞ야 긔이ᄒᆞᆫ 약이라. 댱(장)복ᄒᆞᆫ 사ᄅᆞᆷ이 삼ᄇᆡᆨ 여 셰ᄅᆞᆯ 사되 안ᄉᆡᆨ이 십뉵칠 쇼년 ᄀᆞᆺ더라. 동십월 샹ᄒᆡ일의 열ᄆᆡᄅᆞᆯ 셰졀ᄒᆞ야 ᄒᆞᆫ 되ᄅᆞᆯ 두엇다가 웃법 ᄀᆞᆺ치 먹으면 열ᄉᆞ흘만 먹어도 몸이 가ᄇᆡ얍고 긔운이 셩ᄒᆞ고 먹언지 ᄇᆡᆨ 일이면 용안이 듕녀ᄒᆞ고 ᄇᆡᆨ발이 환흑ᄒᆞ고 낙치 부ᄉᆡᆼᄒᆞ야 가히 지샹 선이 되ᄂᆞ니라. 이 주방문은 지봉뉴셜의 이ᄉᆞ니 넷 니조판셔 니슈광이니 졍승 니셩구 니만구의 부친이니라.

17. 구기자주 <양주방>*

구기ᄌᆞ쥬

구긔초 열ᄆᆡᄅᆞᆯ ᄉᆡᆼ으로 죠흔 술 말 두 되예 구긔ᄌᆞ 닷 되ᄅᆞᆯ ᄒᆞ야 (지지) 아니케 담갓다가 칠일 만의 건져 ᄇᆞ리고 먹으면 긔운을 보ᄒᆞ고 인분병이 업ᄂᆞ니라.

18. 구기자주 <온주법(醞酒法)>

술 재료 : 구기자나무 뿌리(지골피) 1되, 구기잎 1되, 구기꽃 1되, 구기자 1되, 청주 4말

술 빚는 법 :

* 지골피술 :

1. 정월 보름 전 첫 호랑이날(寅日)에 구기자나무 뿌리(지골피)를 캐어 다듬는다.
2. 지골피를 물에 깨끗하게 씻어 얇게 편으로 썰고, 1되를 마련하여 그늘에서 1개월 말려서 준비해 놓는다.
3. 2월 첫 토끼날(卯日)에 맑은 청주 1말과 준비한 구기자나무 뿌리(지골피)를 술독에 넣고, 밀봉하여 7일간 숙성시켜 여과한다.
4. 술은 새벽에만 마시고 식후에는 마시지 말라.

* 구기잎술 :

1. 여름 4월 첫 뱀날(巳日)에 구기자잎을 따서 물에 씻어 물기를 뺀다.
2. 구기잎을 가늘게 썰어서 그늘에 말려 1되를 준비한다.
3. 5월 첫 말날(午日)에 맑은 청주 1말과 구기잎을 술독에 넣고, 밀봉하여 7일간 숙성시켜 여과한다.

* 구기꽃술 :

1. 가을 7월 첫 원숭이날(申日)에 구기꽃을 따서 물에 씻어 물기를 뺀다.
2. 구기꽃을 가늘게 썰어, 1되를 그늘에 말려 준비한다.
3. 8월 첫 닭날(酉日)에 맑은 청주 1말과 구기꽃을 술독에 넣고, 밀봉하여 7일간 숙성시켜 여과한다.

* 구기자술 :

1. 가을 10월 첫 돼지날(亥日)에 구기자를 따서 물에 씻어 물기를 뺀다.
2. 구기자를 그늘에 말려 1되를 준비한다.
3. 가을 12월 첫 쥐날(子日)에 맑은 청주 1말과 구기자를 술독에 넣고, 밀봉하여 7일간 숙성시켜 여과한다.

* 주방문 말미에 "13일을 먹으면 몸이 가벼워지고 기(氣)가 성하여졌고, 100일에는 얼굴에 화색이 충만되고 고와졌으며 백발이 검게 되고 빠진 이가 돋아났으며, 170일을 먹으니 가히 신선이 되니라. 이 주방문이 <지봉유설(芝峯類說)>에 있다."고 하였다. 구기자주에 대한 설화로 <지봉유설>에 "옛날 하서(河西) 지방에 사신 갔던 사람이 16, 17세가량의 한 여자가 백발의 80~90세로 보이는 늙은이를 매질하고 있는 것을 보고 그 연유를 물으니, 젊은 여인이 늙은이를 가리키며 '이 아이는 내 셋째 자식인데, 약을 먹을 줄을 몰라서 나보다 먼저 머리가 희어졌소.'라고 하여 여인의 나이를 물으니, '내 나이 395세다.'고 하였다. 이에 사신이 말에서 내려와 그 여인에게 절한 다음, '그 약이 무어냐?'고 물었더니 여인이 구기자주 빚는 법을 가르쳐주어, 사신이 돌아와서 그 법대로 술을 빚어 마셨는데, 300년을 살았다."고 하였다.

구긔ᄌᆞ듀

츈뎡월 망젼 샹일의 구긔ᄌᆞ 쁠희늘 캐여 셰졀ᄒᆞ야 ᄒᆞᆫ 되를 음건ᄒᆞ엿다가 이월 샹묘일의 쳥듀 ᄒᆞᆫ 말의 ᄃᆞᆷ가 칠일 만의 거ᄌᆡᆨᄒᆞ고 ᄉᆡᆨ벽의 먹고 ᄉᆡᆨ젼의 반듀로 ᄒᆞ지 말나 하ᄉᆞ월의 닙흘 ᄡᅡ 셰졀ᄒᆞ야 음건ᄒᆞ여다가 오월 샹오닐의 쳥듀 ᄒᆞᆫ 말의 여허 칠일 만의 시작ᄒᆞ여 먹기도 우과 ᄀᆞᆺ치 ᄒᆞ라 츄칠월 샹신일의 ᄀᆞᆺ찰 ᄡᅡ ᄒᆞᆫ 되를 음건ᄒᆞ여 팔월 샹유일의 일두듀의 ᄃᆞᆷ과 칠일 만의 먹으라 동십월 샹히일의 녈ᄆᆡ를 ᄡᅡ ᄒᆞᆫ 되를 음건ᄒᆞ여다가 십일월 상ᄌᆞ일의 일두듀에 ᄃᆞᆷ가다가 칠일 만의 먹으라 십삼일을 먹으면 몸이 가바얍고 긔운이 쇄셩ᄒᆞ고 ᄇᆡᆨ일을 먹으면 뇽안이 츙녀ᄒᆞ고 ᄇᆡᆨ발이 환흑ᄒᆞ고 낙치 ᄀᆡᆼᄉᆡᆼᄒᆞ여 가히 지샹션이 되니라.

이 주방문이 지봉뉴셜의 이시니 지봉은 니조(판셔) 니슈광이니 니조참판 민구의 부친이라. ᄒᆞᆫ ᄉᆞ재 길히셔 보니 뉵칠 셰 쇼ᄋᆡ 팔구십 ᄇᆡᆨ발 노옹을 치거늘 ᄉᆞ재 문 왈 너ᄂᆞᆫ ᄒᆞᆫ 어린 녀ᄌᆡ 어늘 엇지 노인을 치ᄂᆞᆫ다 그 아희 ᄃᆡ왈 이ᄂᆞᆫ ᄂᆡ 졔 삼ᄌᆡ니 약 먹을 줄 몰나 몬져 늘거시ᄆᆡ 괘심ᄒᆞ여이다 ᄉᆞ재 왈 그ᄃᆡ 나히 몃치뇨 ᄃᆡ왈 삼ᄇᆡᆨ구십오 셰로소이다. ᄉᆞ재 하마 ᄇᆡ복ᄒᆞ여 쟝ᄉᆡᆼ불ᄉᆞᄒᆞᄂᆞᆫ 약을 무ᄅᆞ니 그 녀ᄌᆡ 구긔ᄌᆞ듀법을 ᄀᆞ라치니 도라가 그(대)로 ᄎᆡ복ᄒᆞ여 나히 삼ᄇᆡᆨ이 되ᄃᆡ 늙지 아니터라.

19. 구기주 <임원십육지(林園十六志)>

허약한 체질을 보하고 정기에 이로우며 냉풍을 제거하고, 허리와 다리를 튼튼하게 한다. 감주산 구기자를 끓여 찧어서 즙으로 만들고 누룩과 버무려 보통 방법으로 술을 빚는다. 또 구기자와 생지황을 자루에 담아 술에 담가 끓여서 마신다. <본초강목>을 인용하였다.

枸杞酒
<本草綱目> 補虛弱益精氣去冷風壯陽道止目淚建腰脚用甘州拘杞子煮爛搗汁和麴米釀酒 或以子同生地黃袋盛浸酒煮飮. (案)方見 <葆養志>.

20. 구기자술 <잡지(雜誌)>

술 재료 : 구기자 뿌리 1되, 구기잎 1되, 구기꽃 1되, 구기자 1되, 술 4말

술 빚는 법 :
* 지골피술 :

1. 정월 보름 전 첫 호랑이날(上寅日)에 구기자나무 뿌리(지골피)를 캐어 다듬는다.
2. 지골피를 물에 깨끗하게 씻어 잘게 썰고, 1되를 마련하여 그늘에서 1개월 말려서 준비해 놓는다.
3. 2월 첫 토끼날(上卯日)에 맑은 청주 1말과 준비한 지골피를 술독에 넣고, 밀봉하여 7일 만에 여과한다.
4. 술은 새벽에만 마시고 식후에는 마시지 말라.

* 구기잎술 :
1. 여름 4월 첫 뱀날(上巳日)에 구기잎을 따서 물에 씻어 물기를 뺀다.
2. 구기잎을 가늘게 썰어서 그늘에 말려 1되를 준비한다.
3. 5월 첫 말날(上午日)에 맑은 청주 1말과 구기잎을 술독에 넣고, 밀봉하여 7일간 숙성시켜 여과한다.

* 구기꽃술 :
1. 가을 7월 첫 원숭이날(上申日)에 구기꽃을 따서 물에 씻어 물기를 뺀다.
2. 구기꽃을 가늘게 썰어 1되를 그늘에 말려 준비한다.
3. 8월 첫 닭날(上酉日)에 맑은 청주 1말과 구기꽃을 술독에 넣고, 밀봉하여 7일간 숙성시켜 여과한다.

* 구기자술 :
1. 겨울 10월 첫 돼지날(上亥日)에 구기자를 따서 물에 씻어 물기를 뺀다.
2. 구기자를 그늘에 말려 1되를 준비한다.
3. 겨울 11월 첫 쥐날(上子日)에 맑은 청주 1말과 구기자를 술독에 넣고, 밀봉하여 7일간 숙성시켜 여과한다.

구기자술

정월 첫 인일의 구기자 불희 캐여 잘게 써흐라 유상하되, 말이워 이월 상묘일의 청쥬 한 말 하여다가 칠일만의 걸어 쇠벽 먹고 식후의 먹지 말고, 하사월 상사일의 구기자잎흘 뜨더 잘게 써흐라 유냉하되, 말이워 한 되를 오월 상오일의 술 한 말의 비져 담가다가 칠일만의 먹고, 추 칠월 상신일에 구기자곳츨 유산하되, 말이워 팔월 상유일의 술 한 말의 담가다가 칠일만의 먹고, 동상월 상해일의 구기자열매를 잘게 구흐라 유산하되, 말이워 한 되를 생일월 상자일의 술 한 말의 담가다가 칠일만의 먹으면, 몸이 가븨(옵고) 기운이 명하고 백…(불분명)….

21. 구기자주법 <주식시의(酒食是儀)>

술 재료 : 구기뿌리(1근), 구기잎(1근), 구기꽃(1근), 구기자(1근), 청주 4말

술 빚는 법 :

1. 정월 첫 인일에 구기뿌리를 캐어 낸다(물에 깨끗하게 씻어서 흙과 이물질을 제거한다).
2. 구기뿌리를 절구에 넣고 찧어 가루로 만든 다음, 그늘에 널어서 건조시킨다.
3. 이월 첫 묘일에 맑은 술 1말을 소독하여 준비한 술독에 담아 안치고, 구기뿌리가루를 넣는다.
4. 술 빚은 지 7일 후에 찌꺼기를 걸러서 제거하고, 새벽에 먹고(마시고) 식후에는 마시지 않는다.
5. 사월에는 구기잎을 따서 준비한다(물에 깨끗하게 씻어서 흙과 이물질을 제거한 후, 그늘에 널어서 건조시킨다).
6. 오월 첫 오일에 먼저 법대로 하고, (맑은 술 1말을 소독하여 준비한 술독에 담아 안치고) 구기잎을 넣는다.
7. (술 빚은 지 7일 후에 찌꺼기를 걸러서 제거하고, 새벽에 먹고(마시고) 식후에는 마시지 않는다).
8. 칠월 첫 신일에 구기꽃을 따서 준비한다(물에 깨끗하게 씻어서 흙과 이물질

을 제거한 후, 그늘에 널어서 건조시킨다).

9. (8월 첫 유일에 맑은 술 1말을 소독하여 준비한 술독에 담아 안치고, 구기꽃을 넣는다.)
10. 술 빚은 지 7일 후에 찌꺼기를 걸러서 제거하고, 새벽에 먹고(마시고) 식후에는 마시지 않는다.
11. 시월 첫 해일에 구기자를 따서 준비한다(물에 깨끗하게 씻어서 흙과 이물질을 제거한 후, 그늘에 널어서 건조시킨다).
12. 납월 첫 자일에 맑은 술 1말을 소독하여 준비한 술독에 담아 안치고, 준비한 구기자를 넣는다.
13. 술 빚은 지 7일 후에 찌꺼기를 걸러서 제거하고, 새벽에 먹고(마시고) 식후에는 마시지 않는다.

* 주방문 말미에 "이른바 '신선주'라." 하였다.

구긔ᄌᆞ쥬법

뎡월 첫 인일(寅日)의 구긔ᄌᆞ ᄲᅧ리을 ᄏᆡ여셔 작말하여 ᄒᆞᆫ 되짐 그늘의 말여 이월 첫 묘일(卯日)의 말근 술 ᄒᆞᆫ 말 ᄒᆞ려 ᄒᆞ면 구긔ᄌᆞ 말인 것슬 담가 칠 일 된 후의 먹을 ᄶᅴ ᄶᅵ기ᄂᆞᆫ 다 발이고 ᄉᆡ벽의 먹고 식후난 먹지 안난이라. ᄉᆞ월의ᄂᆞᆫ 구긔ᄌᆞ 입흘 ᄯᆞ셔 오월 첫 오일(午日)의 먼져 법ᄃᆡ로 말근 술 담가 먹고 칠월 첫 신일(申日)의 구긔ᄌᆞ ᄭᅩᆺ셜 ᄯᅡ 팔월 첫 유일(酉日)의 젼과 갓치 말근 술의 담거 먹고 지월 첫 ᄒᆡ일(亥日)의 구긔ᄌᆞ 열ᄆᆡ을 ᄯᆞ 납월(臘月) 첫 ᄌᆞ일(子日)의 말근 술의 담가 먹기을 젼법ᄃᆡ로 ᄒᆞ난니 이른바 '신션쥬'라.

22. 구기주 <주찬(酒饌)>

술 재료 : 생구기자 5되, 좋은 술 2말, 명주자루

술 빚는 법 :

1. 생구기자 5되를 따고, 물에 깨끗이 씻어 물기를 제거한다.
2. 준비한 구기자 5되를 절구에 담아 짓찧어 놓는다.
3. 짓찧은 구기자를 명주 주머니에 담고 끝을 묶어놓는다.
4. 좋은 술 2말을 술단지에 붓는다.
5. 술을 담은 단지에 구기자 주머니를 넣고, 기가 새지 않도록 단단히 밀봉하여 서늘한 곳에 두어 14일간 숙성시킨다.
6. 구기자 주머니를 제거하고 임의대로 취하도록 마신다.

* 주방문 머리에 "허약하고 피로한 것을 보하고, 살을 찌게 하며 안색을 좋게 한다. 비건해지며 간허, 충척, 하루를 치료한다."고 하였다.

枸杞酒

補虛去勞熱長肥肉益顔色肥健治肝虛沖戚下淚 用生枸杞子五升搗破絹袋盛浸好酒二斗中蜜封勿泄氣二七日服之任性勿醉.

23. 구기주 <주찬(酒饌)>

술 재료 : 생구기자 2되, 생지황즙 3되, 좋은 청주 1말, 명주자루

술 빚는 법 :

1. 10월 임계일과 상해일에 동쪽에 열려 있는 생구기자 2되를 따고, 물에 깨끗이 씻어 물기를 제거한다.
2. 준비한 구기자 2되를 좋은 질그릇병에 담아놓는다.
3. 구기자를 담은 질그릇병에 좋은 술 1말을 붓는다.
4. 술병은 기가 새지 않도록 단단히 밀봉하고, 서늘한 곳에 두어 37일간 숙성

시킨다.

5. 생지황을 물에 깨끗하게 씻어 물기를 닦아낸 후, 절구에 넣고 많이 짓찧는다.
6. 짓찧은 지황을 베보자기에 밭쳐 3되의 즙을 얻는다.
7. 지황즙 3되를 구기자를 넣은 질그릇병에 담고, 고루 저어서 밀봉하여 입춘일 30일 전에 여과한 후 빈속에 뜻대로 마신다.

* 주방문에 "10월 임계일 또는 상해일에 동쪽에 있는 구기자 2되를 따서 질그릇 좋은 병에 좋은 술과 함께 넣어두었다가 37일 후에 생지황즙 3되를 고르게 섞어 밀봉해 준다."고 하고, "입춘일 30일 전에 병을 열어 매일 따뜻하게 하여 빈속에 마시면 수염과 머리가 검어진다."고 하였다.

枸杞酒

變白耐老輕身. 枸杞子二升十月壬癸日或上亥日面東採之以好酒次瓦瓶內浸三七日乃添生苄汁三升攪勻密封至立春前三十日開瓶每空心煖飮一盞至立春後髭髪却黑勿食韮薤葱蒜. 枸杞子五升淸酒二斗硏浸七日取出去滓飮之初以三合後則任性大能補益.

24. 구기주(별법) <주찬(酒饌)>

술 재료 : 생구기자 5되, 좋은 청주 2말, 명주자루

술 빚는 법 :

1. 생구기자를 물에 깨끗이 씻어 물기를 제거한다.
2. 구기자를 절구에 넣고 찧어 명주자루에 담는다.
3. 술단지에 좋은 술 2말을 붓고, 약재 담은 명주자루를 넣는다.
4. 술단지는 술기운이 새지 않도록 단단히 밀봉하고, 서늘한 곳에 두어 14일간

숙성시킨다.

5. 뜻대로 마시되 취해서는 안 된다.

* 주방문 머리에 "10월 임계일과 상해일에 동쪽에 있는 구기자 2되를 따서 질그릇 좋은 병에 좋은 술과 함께 넣어두었다가 37일 후에 생지황즙 3되를 고르게 섞어 밀봉해 준다."고 하고, "입춘일 30일 전에 병을 열어 매일 따뜻하게 하여 빈속에 마시면 수염과 머리가 검어진다."고 하였다.
* 부추, 흰 비름, 파, 마늘을 먹지 않는다.

枸杞酒(別法)

變白耐老輕身. 枸杞子二升十月壬癸日或上亥日面東採之以好酒次瓦瓶內浸三七日乃添生苄汁三升攪匀密封至立春前三十日開瓶每空心煖飮一盞至立春後鬚髮却黑勿食韮莧葱蒜. (別法) 枸杞子五升淸酒二斗研浸七日取出去滓飮之初以三合後則任性大能補益.

25. 구기주 <한국민속대관(韓國民俗大觀)>

구기(枸杞)는 한방(漢方)에서 강장제(强壯劑)로 널리 쓰여 왔는데, 이 구기(枸杞)를 청주에 넣고 우린 술이다.

26. 구기주 <학음잡록(鶴陰雜錄)>

술 재료 : 구기자 열매 생것 5되, 찹쌀 5되, 누룩가루 1되, 물(2말)

술 빚는 법 :

1. 깨끗한 구기자(枸杞子) 5되를 씻어 건진 뒤, 물에 달여 조청처럼 만든다.
2. 거칠게 찧은 누룩가루 1되를 식은 조청에 넣고, 고루 휘저어 누룩이 조청에 배어들게 한다.
3. 찹쌀 5되를 (깨끗하게 씻어서 불렸다가, 다시 씻어서) 조리로 일어서 건져 소쿠리에 밭쳐 물기를 뺀다.
4. 불린 쌀을 시루에 안치고 불을 때서 무른 고두밥을 짓는데, 봄과 여름에는 차갑게 식히고, 가을과 겨울에는 조금 미지근한 상태에서 누룩 섞은 조청과 합한 후 고루 버무려 술밑을 빚는다.
5. 술밑을 술독에 담아 안쳐서 예의 방법대로 밀봉하여 발효시키되, 술독을 자주 살펴서 술덧이 뜨거워지지 않도록 한다.
6. 술 빚은 지 여름에는 1주일, 봄과 겨울에는 10일 동안 발효시켜 익기를 기다렸다가 숙성되면 용수박고 여과하여 마신다.

* 주방문 말미에 "오가피(五加皮), 지황(地黃), 백출(白朮), 천문동(天門冬) 모두 이 방법을 따른다."고 하였다. 또 "구기자 생것을 갈아 즙을 취한 뒤, 죽 1주발과 꿀을 조금 넣어 사용하면 신령스럽고 아름답다."고 하였다.

枸杞酒

枸杞子煎五升如稀餳浸麤擣麯末一升以糯米五升淘洗晒乾炊飮春夏冷下秋冬稍溫和匀入甕夏七日勤省勿令熱春冬十日密封閉之待熟榨濾用之.

구도주

스토리텔링 및 술 빚는 법

'구도주'는 1925년에 쓰인 저자 미상의 한글 붓글씨본인 <주방문조과법(造果法)>이 유일한 기록이다. <산가요록(山家要錄)> 이후 어떤 문헌에서도 '구도주'는 목격되지 않기 때문이다.

'구도주'는 이양주법(二釀酒法)으로, 덧술 과정에 도인(桃仁)을 구워서 사용하며, 엄밀하게는 약용약주(藥用藥酒)로 분류할 수 있다. 복숭아씨는 한방에서 '도인(桃仁)'이라 일컫고, 파혈(破血)을 비롯하여 어혈·해소·변비 치료에 사용하는 약재이다. 이 도인을 사용하는 것과 관련해 '도인주(桃仁酒)'나 '핵도주(核桃酒)'의 주방문과 비교하면서 그 연관성을 찾고자 하였으나, '구도주'의 주방문과는 전혀 다른 것으로 밝혀져 '구도주'의 의미를 찾을 수 없었다.

다만 주방문을 통해서 '구도주'가 다른 문헌에 수록된 주품들과 어떠한 차이가 있는지 비교분석을 함으로써 '구도주'의 특징과 의미를 부여하고자 한다.

우선, '구도주'는 밑술과 덧술에 사용되는 쌀 양 대비 누룩의 양이 각각 25%에 이른 반면, 밀가루의 양은 상대적으로 적은 0.6%밖에 안 된다. 덧술에 한 차례 사용되는데, 물의 양은 150% 비율로 사용된다는 점에서 누룩이 특히 많이 사용된다는 걸 알 수 있다.

'구도주'와 같은 경우 덧술에 누룩을 사용하지 않는다 해도, 덧술을 빚는 데 어떤 문제도 초래되지 않을 것으로 여겨진다. 따라서 25%에 달하는 누룩을 사용하게 된 배경에는 밑술에 있다 하겠다. 밑술을 담(범벅)을 만들어 사용하는 데 따른 문제인 것이다.

'구도주' 주방문에 "백미 서 말 백셰하야 밤 자여 가든(가루) 지허 글힌 믈을 쌀 한 말애(에) 한 말 가웃식 혜여 합하야 너 말 가웃애 담 개여 차거든"이라고 하였으므로, 쌀 3말을 작말하여 만든 쌀가루를 끓는 물 4말 5되로 담(범벅)을 쑤기가 결코 쉽지 않았을 터이다. 쌀 3말로 만든 쌀가루의 양은 6말에 가까우므로, 끓는 물 4말 5되로 담(범벅)을 개다 보면 반생반숙 형태도 아닌 생쌀가루가 많이 남을 수 있기 때문이다.

담(범벅)은 쌀가루가 50% 정도 익었다는 뜻이지, 50%의 쌀가루는 익히고 나머지 50% 쌀가루는 생쌀가루로 사용한다는 뜻은 아니다.

때문에 주방문에서 보듯 밑술을 하여 "날이 더운 때어든 밋술 한 (지) 사흘 만의 덧(하)고 날이 치온 때어든 닷쇄 만의 덧하되, 몃(밑)술이 괴면 난가(넘을가) 시브거든(싶으거든) 덧흘 안날 미리 백미 서 말을 (백)셰하여"라고 한 것을 볼 수 있다.

여기서 일반적인 덧술 시기보다 하루 앞서 덧술을 하라고 한 이유는 덧술의 술밑이 끓어 넘치는 것을 막기 위한 조치라고 여겨진다. 즉, 밑술의 발효기간을 하루 더 길게 가져가면 자칫 덧술의 발효력이 떨어져 술밑이 술독 밖으로 넘칠 수 있기 때문이다.

따라서 덧술을 하려면 밑술을 하루 일찍 식혀야 하고, 덧술의 고두밥은 미리 끓여서 차게 식혀둔 물을 사용함으로써, 덧술을 일찍 해 넣은 데 따른 초기 발효의 품온 상승을 예방하기 위한 조치가 덧술 과정에 안배되어 있는 것이다.

다시 말하면 "덧흘 안날 미리 백미 서 말을 (백)셰하여 밤 자여 이튼날 살수를 서너 차례 하여"라고 하여 무른 고두밥을 만들어 사용할 것을 당부하고 있음을 볼 수 있다.

그런가 하면 고두밥을 찔 때 물을 서너 번이나 뿌려 찌게 되면 알코올 도수가 낮아질 수 있으므로, 재차 누룩을 사용해 알코올 도수는 최대한 끌어올리고, 많은 양의 누룩을 사용하는 데 따른 술의 쓴맛과 덧술의 술덧이 끓어 술독 밖으로 넘치는 것을 해소하기 위해 덧술에도 밑술과 동일한 양의 끓여 식힌 물을 사용하는 조치를 취하고 있다.

이상 '구도주' 주방문을 통해 알 수 있는 분명한 사실은 밑술의 과정이 얼마나 중요한가이다.

앞서 설명한 문제점들을 해소하기 위한 방법을 다시 말하자면, 쌀가루와 끓는 물을 각각 3등분하여 세 차례에 걸쳐 담(범벅)을 쑨다. 가장 팔팔 끓는 상태의 물을 한 바가지씩 퍼 부어가면서 주걱으로 고루 개어 쌀가루를 한 덩어리로 만들고, 나머지 물을 사용하여 한 덩어리의 반죽을 다시 풀되, 이때에도 물은 팔팔 끓고 있는 상태라야 한다.

물을 끓일 때는 큰 주전자를 사용하는 것이 물을 가장 뜨거운 상태에서 쌀가루에 부을 수 있어 가장 바람직하다. 담(범벅)은 양이 많고 물이 적게 사용될수록 반드시 뚜껑을 덮어 스스로 차디차게 식을 때까지 기다렸다가 사용해야 실패를 줄일 수 있고, 술을 버무릴 때도 힘이 덜 들고 수월하다는 사실을 명심할 일이다.

이와 같이 문제점을 해소하기 위한 방법들을 동원하면, 우선 밑술이나 덧술이 끓어서 술독 밖으로 넘치는 일이 없고, 발효 시 과도한 품온 상승으로 인한 산패를 줄일 수 있다.

또한 덧술에 누룩을 사용하지 않아도 되고, 술의 향기는 더욱 좋아지며 누룩취와 술 빛깔이 검어지는 것을 막을 수 있다.

'구도주'의 특징은 복숭아씨를 구워서 술독에 맨 먼저 안치는 데 있으며, 가향주의 한 가지인 '연엽주' 주방문과 유사하다는 것이다. 따라서 복숭아씨는 숯불에 굽되, 어떤 불이라도 좋으나 타지 않도록 볶고, 껍질은 벗겨낼 수 있으면 제거하는 게 좋다.

'구도주 엿 말 빗이' 주방문 말미에는 "더온 김이 아니나게 덥허 온항의 그 김이 어윈가시브거든 즉시 밥을 녀러(열어) 두면, 열흘 후의 수 되니"라고 하여 술독은 김이 나가지 않게 싸서 발효시키되, 덧술의 술밑이 발효되면서 술독 전체가 더운 듯하게 느껴지면, 즉시 술독 뚜껑과 싼 것을 벗겨서 차게 식혀두어야 탈 없이 술이 익는다는 걸 얘기하면서, 술독의 관리요령에 대해 자세히 설명하고 있다.

한편 '구도주' 주방문 말미에 "열 말 비지어든 처어매(처음에) 백미 닷 말애 글힌 믈 닐곱 말가웃과 지흔(찧은) 누록 열두 되가웃이 들고, 덧흘 적의 백미 닷 말애 글힌 믈 닐곱 말가웃과 지든(찧은) 누록 열두 되가웃과 진가든(루) 칠 홉과 복셩씨 네 대여서시나(넷다섯 여섯이나) 드나니라."고 하여 '구도주 열 말 빗이법'의 주방문도 함께 소개하였다.

'구도주 열 말 빗이법'은 쌀 양이 늘어난 데 따라 누룩과 밀가루, 물의 양이 비율적으로 늘어난 주방문이라는 사실 외에는 특별한 의미는 없다. 술 빚는 법 또한 앞의 설명과 동일하다.

1. 구도주 <주방문조과법(造果法)>

–엿 말 빚이법

술 재료 : 밑술 : 멥쌀 3말, 누룩가루 6되~7되 5홉, 끓는 물 4말 5되
덧술 : 멥쌀 3말, 누룩가루 7되 5홉, 밀가루 4홉, 끓여 식힌 물 4말 5되, 복숭아씨(도인) 3~4개

술 빚는 법 :

* 밑술 :

1. 멥쌀 3말을 백세하여 물에 담가 밤재워 불렸다가 (다시 씻어 헹궈서) 가루로 빻는다.
2. 솥에 물 4말 5되를 붓고 팔팔 끓여 쌀가루에 고루 나눠 붓고, 주걱으로 고루 개어 담(범벅)을 쑨다.
3. 담(범벅)을 그릇 여러 개에 나눠 담고, (뚜껑을 덮어서) 차게 식기를 기다린다.
4. 차게 식은 담(범벅)에 누룩을 빻은 후, 어레미로 쳐서 고운 것으로 6되~7되

5홉을 합하고, 고루 치대어 술밑을 빚는다.

5. 술밑을 술독에 담아 안치고, 예의 방법대로 하여 날이 더울 때는 3일, 추울 때는 5일간 발효시켜 술밑이 괴어오르면 덧술을 한다.

* 덧술 :

1. 밑술을 빚은 지 2~4일 되는 날 술밑을 보아가며, 멥쌀 3말을 백세하여 물에 담가 밤재워 불렸다가 (다시 씻어 헹궈서 물기를 뺀 후) 시루에 안쳐 고두밥을 짓는다.
2. 솥에 물 4말 5되를 팔팔 끓여서 차게 식혀놓는다.
3. 고두밥에서 한 김 나면 찬물을 뿌려서 뜸을 들이는데, 3~4차례 살수하여 무르익은 고두밥을 짓는다.
4. 고두밥이 익었으면 큰 그릇에 퍼내고, 차게 식혀놓은 물 4말 5되를 합하고, 고루 얼음같이 차게 식기를 기다린다.
5. 차게 식은 고두밥에 누룩가루 7되 5홉과 밀가루 4홉, 밑술을 한데 섞고, 고루 버무려 술밑을 빚는다.
6. 복숭씨 3~4개를 (깨끗하게 씻어 불린 뒤, 씨아를 제거하고) 숯불에 구워서 술독에 먼저 안치고, 이어 술밑을 담아 안친다.
7. 술독은 예의 방법대로 하여 더운 김이 나가지 않게 덮어서 발효시키되, 더운 김이 술덧 전체에 어우러지기를 기다렸다가 즉시 술독을 열어서 차게 식기를 기다린다.
8. 술독을 열어둔 지 10일 후에 술이 익는데, 청주 1동이 남짓 얻을 수 있고, 맛이 맹렬하다.

구도쥬

엿 말 비지법. 백미 서 말 백셰하야 밤 자여 가른 지허 글힌 믈을 쌀 한 말애(에) 한 말가웃식 혜여 합하야 너 말가웃애 담 개여 차거든 누록 지터 어러미로 쳐 쌀 한 말마(다) 두 되가웃식 혜여 합하야 닐곱 되가웃 녀흐되, 누록이 됴 커든 쌀 한 말의 두 되 남즉 녀허도 됴흐니라. 날이 더운 때어든 밋술

한(지) 사흘 만의 덧(하)고 날이 치온 때어든 닷쇗 만의 덧하되 몃 술이 괴면 난가 시브거든 덧흘 안날 미리 백미 서 말을 (백)셰하여 밤 자여 이튼날 믈을 서너 번이나 쁠려 가장 닉게 쪄, 누록 지되 닐곱 되가웃과 진가른 너 홉과 글힌 물 너 말가웃 채와 밥 골와 밋술을 다 내여 가장 고그게 섯거 녀흘 때예 복셩씨 서너히나 구어 밋술항의 몬져 녀흐되 더온 김이 아니나게 덥허 온항의 그 김이 어윈가시브거든 즉시 밥을 녀러 두면 열흘 후의 수 되니 그테(때) 두 말애 청쥬 한 동희나 여수되 가장 맹렬하니라. 열 말 비지어든 처어매 백미 닷 말애 글힌 믈 닐곱 말가웃과 지흔 누록 열 두 되 가웃이 들고, 덧흘 적의 백미 닷 말애 글힌 믈 닐곱 말 가웃과 지든 누록 열 두 되 가웃과 진가른 칠 홉과 복셩씨 네 대여서시나 드나니라.

2. 구도주 <주방문조과법(造果法)>

–열 말 빗이법

술 재료 : 밑술 : 멥쌀 5말, 누룩 12되 5홉, 끓는 물 7말 5되
덧술 : 멥쌀 5말, 누룩가루 12되 5홉, 밀가루 7홉, 끓여 식힌 물 7말 5되, 도인 4~6개

술 빚는 법 :

* 밑술 :

1. 멥쌀 5말을 백세하여 물에 담가 밤재워 불렸다가, (다시 씻어 헹궈서) 가루로 빻는다.
2. 솥에 물 7말 5되를 붓고 팔팔 끓여 쌀가루에 고루 나눠 붓고, 주걱으로 고루 개어 담(범벅)을 쑨다.
3. 담(범벅)을 그릇 여러 개에 나눠 담고, (뚜껑을 덮어서) 차게 식기를 기다린다.
4. 차게 식은 담(범벅)에 누룩을 빻은 후, 어레미로 쳐서 고운 것으로 12되 5홉

을 합하고, 고루 치대어 술밑을 빚는다.
5. 술밑을 술독에 담아 안치고, 예의 방법대로 하여 날이 더울 때는 3일, 추울 때는 5일간 발효시켜 술밑이 괴어오르면 덧술을 한다.

* 덧술 :
1. 밑술을 빚은 지 2~4일 되는 날 술밑을 보아가며, 멥쌀 5말을 백세하여 물에 담가 밤재워 불렸다가 (다시 씻어 헹궈서 물기를 뺀 후) 시루에 안쳐 고두밥을 짓는다.
2. 솥에 물 7말 5되를 팔팔 끓여서 차게 식혀놓는다.
3. 고두밥에서 한 김 나면 찬물을 뿌려서 뜸을 들이는데, 3~4차례 살수하여 무르익은 고두밥을 짓는다.
4. 고두밥이 익었으면 큰 그릇에 퍼내고, 차게 식혀놓은 물 7말 5되를 합하고, 고루 얼음같이 차게 식기를 기다린다.
5. 차게 식은 고두밥에 누룩가루 12되 5홉과 밀가루 7홉, 밑술을 한데 섞고, 고루 버무려 술밑을 빚는다.
6. 복숭씨 4~6개를 (깨끗하게 씻어 불린 뒤, 씨아를 제거하고) 숯불에 구워서 술독에 먼저 안치고, 이어 술밑을 담아 안친다.
7. 술독은 예의 방법대로 하여 더운 김이 나가지 않게 덮어서 발효시키되, 더운 김이 술덧 전체에 어우러지기를 기다렸다가, 즉시 술독을 열어서 차게 식기를 기다린다.
8. 술독을 열어둔 지 10일 후에 술이 익는데, 청주 1동이 남짓 얻을 수 있으며, 맛이 맹렬하다.

구도주
열 말 비지법. "열 말 비지어든 쳐어믜 빅미 닷 말애 글힌 믈 닐곱 말가옷과 지흔 누록 열두 되가옷이 들고 덧흘 적의 빅미 닷 말애 글힌 믈 닐곱 말 가옷라(과) 지든 누록 열두 되가옷과 진ᄀᆞ른 칠 흡과 북싱씨 네대여시나 드는니라.

구황주·천금주

스토리텔링 및 술 빚는 법

과거 가뭄이나 홍수로 인한 흉년이 들면 초근목피로 연명하던 시절이 있었다. 풀잎은 물론이고 풀뿌리며 나무껍질까지 벗겨 먹어도 허기를 달래기 힘든 시절의 마실거리와 먹을거리들을 '구황식(救荒食)'이라고 한다.

그리고 그 구황식이 배고픈 시절에는 연명(延命)을 위한 수단이었지만, 현대인들에게는 오히려 '건강식'이니 '웰빙식품'으로 인식되고 있다.

전통주에도 이러한 구황식 개념의 술이 있으며, '구황주(救荒酒)'와 '천금주(千金酒)' 두 가지 형태로 나뉜다.

1613년 어숙권이 저술한 <고사촬요(故事撮要)>의 "구주법(救酒法)"에 '구황주'가 처음 목격되었고, 1691년에 간행된 <치생요람(治生要覽)>과 16~17세기에 간행된 <구황촬요(救荒撮要)>, <양주방>*, <임원십육지(林園十六志)>, <주찬(酒饌)>에도 '구황주'와 '천금주' 주방문이 등장한다.

<고사촬요>의 '구황주' 주방문을 보면, "먼저 찰볏짚을 물로 진하게 달여 볏짚은 버리고, 그 물에 붉나무 껍질을 넣고 다시 달인다. 잠시 후 식으면 항아리에 넣

고, 대충 짐작하여 누룩가루를 섞고 다음날 쌀죽을 넣는다. 술이 익으면 윗부분이 맑아지고 맛이 좋다. 부기(浮氣)를 없애는 데 신통한 효험이 있어서 '천금주'라고도 한다. 보통 빚는 양은 물 2말, 쌀 1되로 죽을 쑤어 섞는다."고 하였다.

<고사촬요>보다 후기의 기록인 <치생요람>에서는 "멥쌀 1되(<주찬>은 멥쌀 1되 5홉)를 가루로 빻아 물 4말로 끓여 죽을 쑨 다음, 누룩가루 3되를 합하고, 고루 버무려 술밑을 빚는다. 여름 3일~겨울 5일간 발효시킨 후, 찹쌀 1말을 고두밥 지어 밑술과 합하고, 3일간 발효시킨다. 익으면 그 맛과 향이 매우 좋다."고 하였다.

<주찬>에도 "덧술 빚은 지 3~4일이 지나 술독이 뜨거워지면 복용하는데, 그 맛이 매우 좋고 독하다."고 하였다.

이처럼 각 문헌에 주품명은 다르지만 주방문은 동일하다는 사실과 함께 <고사촬요> 이후 '구황주'와 '천금주'가 구분되었음을 알 수 있다.

특히 '구황주'는 "쌀 1말 1되에 술 4말 5되가량 얻는다."고 했듯이 이렇게 수율이 좋은 술이 없고, 식사 대용이라면 온 식구가 몇날 며칠 배고픔을 면할 수도 있었을 것이다. 이러한 '구황주'는 술을 잘 빚는 사람이 빚을 수 있는 술이다.

한편 '구황주'의 효능에 대해 <주찬>에는 "그 맛이 매우 좋고 독하다."고 했으나, '천금주'의 효능에 대해 <양주방>*에서는 "이레 만에 따라서 쓰거나 건지째 먹거나 아침마다 빈속에 거나하게 취할 만큼 마시면 병이 덜하고, 두 말 빚은 양을 다 마시면 병이 또 이분이 덜하고, 세 말째 마시면 일신에 든 병이 다 낫는다."고 하였다. 또 <임원십육지>에서는 "술이 익은 후, 등청하면 맛이 달고 아름답다."고 하면서 "보통 물 2동이와 멥쌀 1되로 죽을 쑤어 술을 빚는다. 술맛이 감미롭고 상복(常服)하면 종기를 치료한다."고 하였다. 이렇듯 두 주품의 효능과 관련해서는 뚜렷한 차이가 있다는 것도 확인할 수 있다.

다만 <양주방>*을 비롯한 <구황촬요>와 <임원십육지>, <주찬>, <치생요람> 등의 '천금주'를 <고사촬요>에서 '구황주'로 표기한 기록과 관련해 한 가지 사실을 추측해 볼 수 있겠다.

사람이 끼니를 자주 굶거나 조섭을 제대로 하지 못하면 살가죽이 누렇게 부어오르는 '부황'이나 황달 현상이 생기는데, 이런 질병을 치료할 목적으로 사용하였기에 '구황주'라는 주품명을 붙이게 된 거라 여겨진다.

'천금주'는 두 가지 주방문이 전해 온다. 찰볏짚을 사용하는 경우와 찰볏짚 대신 쌀의 양을 많이 하여 빚는 경우로 나뉜다. 찰볏짚을 사용할 경우, 갈퀴로 훑어서 흙과 먼지가 많이 묻은 겉부분을 제거하고 깨끗한 속볏짚을 사용한다.

또한 천금목피(千金木皮)는 찰볏짚 3근 또는 쌀 1말에 대해 3근을 넘지 않도록 해야 발효시킬 수 있으며, 누룩도 그 양을 최대 3근(되)을 넘지 않아야 좋다.

1. 구황주 <고사촬요(故事撮要)>

–<구주법(救酒法)>

술 재료 : 찰볏짚(1단), 쌀 1되(말), 붉나무 껍질, 누룩가루(1~2되), 물 2말(2~3되)

술 빚는 법 :

1. 깨끗한 찰볏짚(1단)을 (갈퀴로 다듬어) 물 2말에 넣고 진하게 삶아서 건져낸다.
2. 붉나무 껍질을 잘게 썰어 넣고 재차 달여 (1말이 되게) 만든다.
3. 약 달인 물을 넓은 그릇에 펴서 차게 식기를 기다린다.
4. 약 달인 물에 누룩가루(1~2되)를 풀어 넣고, 하룻밤 불려서 수곡을 만들어놓는다.
5. 쌀 1되를 (백세하여 물에 담가 불렸다가) 씻어 건져서 물(2~3되)을 섞고 끓여서 죽을 쑨다(차게 식기를 기다린다).
6. 술독의 수곡에 쌀죽을 합하고, 고루 저어준 뒤 밀봉하여 발효시킨다.
7. 술이 익어 윗물이 맑아지면 채주하여 마신다.

* <구주법(救酒法)>에 나와 있다. 천금목(千金木)을 흔히 북목(北木)이라고 한다. 주방문에 "부기를 없애는 데 신통한 효험이 있어서 '천금주(千金酒)'라

한다."고 하였다. 볏짚의 양이나 누룩의 양이 언급되지 않아 상법의 주방문을 참고하였다.

救荒酒

先以糯稈於鍋中濃煮後去稈次入千金木皮再煮一二沸待冷入瓮斟酌和麯末次日入米粥待醞釀成酒蒸淸則味甘美服之消飢腫神驗　凡釀量水二盆米一升作粥醞之.

2. 천금주법(붉나모술비즐법) <구황촬요(救荒撮要)>

술 재료 : 멥쌀 1되, 누룩가루(2되), 볏짚(3근), 천금목피(1근), 물 2동이

술 빚는 법 :

1. 솥에 물 2동이 찹쌀 볏짚(3근)을 넣고 오래 삶다가, 볏짚이 우러나면, 볏짚을 건져낸다.
2. 볏짚 삶은 물에 천금목피(1근)를 넣고 한소끔 끓이길 한두 차례 한 후, 약재를 건져내고 차게 식힌다.
3. 멥쌀 1되를 백세하여 하룻밤 물에 불렸다가, 다시 씻어 건져서 물(1~2되)에 넣고 끓여서 죽은 쑨다.
4. 죽을 넓은 그릇에 담아서 차게 식기를 기다린다.
5. 약 달인 물에 누룩가루를 넣고 고루 주물러 두었다가, 죽과 섞어 술밑을 빚는다.
6. 술독에 술밑을 담아 안치고, 예의 방법대로 하여 발효시킨다.
7. 술이 익었으면 술을 걸러서 맑게 가라앉기를 기다려 마시면 좋다.

* 주방문 말미에 "술맛이 감미롭고 상복(常服)하면 종기를 치료한다."고 하였다.

千金酒法(븕나모술비즐법)

先以糯稈於鍋中濃煮後去稈次入千金木皮再煮一二沸待冷入瓮斟酌和麵末次日入米粥待醞釀成酒蒸淸則味甘美服之消飢腫神驗 凡釀量水二盆米一升作粥醞之.

한글본 : 몬져 찰우켓딥홀 키마예 므르 녹게 달힌 후에 그 딥홀 건뎌ᄇᆞ리고 버거 븕나못거프를 녀허 다시 ᄒᆞᆫ소솜 두소솜만 글혀 시겨 ᄎᆞ거든 도게 녀코 누록ᄀᆞᄅᆞᆯ 짐작ᄒᆞ야 섯고 이틋날 ᄡᆞᆯ죽을 녀허괴요 믈기 들워 ᄆᆞᆰ 안자면 미시ᄃᆞᆯ오됴ᄒᆞ니 마그면 굴머 브은데ᄂᆞ 초미 신기로이 효험나ᄂᆞ니라. 달힌믈 두 동희예 ᄡᆞᆯ ᄒᆞᆫ 되만 쥭수워 비즈라.

3. 천금주 <양주방>*

술 재료 : 북나무 껍질(1말), 찹쌀 1말, 누룩가루 4되, 밀가루 4되, 물

술 빚는 법 :

1. 북나무 껍질을 많이 벗겨서 물에 깨끗하게 씻어 준비한다.
2. 솥에 물을 많이 붓고 북나무 껍질을 넣어 오랜 시간 은근한 불에서 진하게 달여 졸인다.
3. 북나무 껍질 달인 물을 고운체에 받쳐 찌꺼기를 제거한다.
4. 찹쌀 1말을 물에 깨끗이 씻고 또 씻어(백세하여) 물에 담가 불렸다가 (다시 씻어 헹궈 건져서) 물기를 뺀다.
5. 불린 쌀을 북나무 껍질 달인 물과 함께 솥에 안치고, 끓여서 밥을 짓는다.
6. 밥은 뜸이 푹 들게 익었으면, 물을 알맞게 고루 뿌려 밥이 차게 식기를 기다린다.
7. 밥이 식었으면 밀가루와 누룩가루 4되를 합하고, 고루 버무려 술밑을 빚는다.

8. 술밑을 술독에 담아 안치고, 면보로 단단히 밀봉한 다음 7일간 발효, 숙성시킨다.

* 주방문에 "이레 만에 따라서 쓰거나 건지째 먹거나 아침마다 빈속에 거나하게 취할 만큼 마시면 병이 덜하고, 두 말 빚은 양을 다 마시면 병이 또 이분이 덜하고, 세 말째 마시면 일신에 든 병이 다 낫는다."고 하였다.

천금쥬
북나므겁질을 만히 벗겨 물 만히 부어 진케 달혀 체예 바타 졈미 ᄒᆞᆫ 말 빅셰하야 달인 물노 밥 짓고 믈을 알마초 골나 식거든 진국 너 되 너허 섯거 구지 봉ᄒᆞ야 두엇다가 일 칠일 만의 ᄂᆡ야 드리우거나 건지재 먹거나 아ᄎᆞᆷ마다 공심의 건들이 취ᄒᆞᆯ 만치 먹으면 병이 덜나고 두 말 비ᄌᆞᆫ 거술 먹으면 병이 ᄯᅩ 이분이 덜 나고 서 말 비ᄌᆞᆫ거술 먹으면 일신의 든 병이 다 업ᄂᆞ니라.

4. 천금주 <임원십육지(林園十六志)>

술 재료 : 멥쌀 1되(말), 누룩가루(2되), 찹쌀볏짚(3근), 천금목피(1근), 물 4말

술 빚는 법 :
1. 솥에 물 2말과 찹쌀볏짚 3근을 넣고 삶다가, 볏짚이 우러나면 볏짚을 건져낸다.
2. 볏짚 삶은 물에 천금목피 1근을 합하여 넣고 끓인 후, 약재를 건져내고 차게 식힌다.
3. 멥쌀 1되(말)를 백세하여 하룻밤 물에 불렸다가, 다시 씻어 건져서 물 2말에 넣고 끓여서 죽을 쑨다.
4. 죽을 넓은 그릇에 담아서 차게 식기를 기다린다.

5. 천금목 달인 물에 죽과 누룩가루를 넣고, 고루 버무려서 술밑을 빚는다.
6. 술독에 술밑을 담아 안치고, 예의 방법대로 하여 발효시킨다.
7. 술이 익었으면 술을 걸러서 맑게 가라앉기를 기다려 마시면 좋다.

* 다른 문헌의 주방문에는 "술이 익은 후, 등청하면 맛이 달고 아름답다."고 하고, "보통 물 2동이와 멥쌀 1되로 죽을 쑤어 술을 빚는다. 술맛이 감미롭고 상복(常服)하면 종기를 치료한다."고 하였다.

千金酒

<山林経濟補>　先以糯稈入鎬中濃煎後去稈次入千金木皮再煎一二沸待冷入甕斟酌和麴末次日入米粥醞釀成酒澄淸則甘美服之銷肌腫神驗凡水二盆米一升作粥釀之.

5. 천금주 <주찬(酒饌)>

술 재료 : 찹쌀 1말, 천금목피(붉나무 껍질 벗긴 것) 3근, 누룩 3되, 물(2말)

술 빚는 법 :
1. 천금목을 껍질 벗겨 물에 씻어 놓는다.
2. 물(2말)에 껍질 벗긴 천금목을 잘라서 넣고, 오랫동안 달여 물 1말을 얻으면 차게 식힌다.
3. 찹쌀 1말을 백세하여 (물에 담가 불렸다가, 다시 씻어 건져서 물기를 뺀 후) 시루에 안쳐서 고두밥을 짓는데, 천금목 달인 물을 시루밑물로 사용한다.
4. 고두밥이 익었으면 퍼내고, 시루밑물에 말아서 차게 식기를 기다린다.
5. 고두밥이 식었으면 누룩 3되와 합하고, 고루 버무려 술밑을 빚는다.
6. 술독에 술밑을 담아 안치고, 예의 방법대로 하여 7일간 발효시킨다.

* 주방문에 “아침에 공복에 마신다.”고 하고, “연이어 쌀 3말을 빚어서 다 마시면 습증이 치료된다.”고 하였다. 또 “약 달인 물로 밥을 지으라.”고 하였는데, 필자는 약 달인 물을 시루밑물로 하여 고두밥을 짓고, 그 물에 말아서 식으면 술을 빚는 것으로 해석하였다.

千金酒

千金木皮割取多少猛煎篩漉白米一斗百洗以其煎漉水作飯後又調於煎漉水麯三升合調釀七日後見之熟則每朝空心服之三斗連釀盡服則濕症爲療也.

6. 천금주 <치생요람(治生要覽)>

술 재료 : 찰볏짚(1단), 쌀 1되(말), 누룩가루(1~2되), 물 2말

술 빚는 법 :

1. 깨끗한 찰볏짚(1단)을 (갈퀴로 다듬어) 물 2말에 넣고 진하게 삶아서 건져낸다.
2. 천금목피(붉나무 껍질)를 잘게 썰어 넣고 재차 달인다(1말이 되게 만든다).
3. 약 달인 물을 넓은 그릇에 퍼서 차게 식기를 기다린다.
4. 약 달인 물에 누룩가루(1~2되)를 풀어 넣고, 하룻밤 불려서 수곡을 만들어놓는다.
5. 쌀 1되를 (백세하여, 물에 담가 불렸다가) 씻어 건져서 물 2말 섞고 끓여서 죽을 쑨다(차게 식기를 기다린다).
6. 술독의 수곡에 쌀죽을 합하고, 고루 저어준 뒤 밀봉하여 발효시킨다.
7. 술이 익어 윗물이 맑아지면 채주하여 마시는데 그 맛이 달다.

* 주방문에 볏짚의 양이나 누룩의 양이 언급되지 않아 상법의 주방문을 참고

하였다.

* <고사촬요>에는 '구황주(救荒酒)'라고 되어 있다.

千金酒

先以粘稿草鍋○釜濃煎去稿次入千金木皮(俗名北木)再煎沸濃待冷入缸斟和曲末○酌次日水二斗米一升稀粥入待熟澄清味甘救荒酒浮○○○○○○○○○○○○○○.

도소주

스토리텔링 및 술 빚는 법

술은 본디 성인(成人)들이 즐기는 기호음료이다. 그런데 어린아이에서부터 노인에 이르기까지 함께 마실 수 있는 술이 있다.

설날 세시주(歲時酒)인 '도소주(屠蘇酒)'가 그것이다. 도소주는 설날 아침에 차례(茶禮)를 마치고 온 가족이 둘러앉아 함께 나눠 마시는 술로 세시주로 분류된다.

술 이름을 풀이하자면 '잡을 도(屠)', '사악한 기운 소/깨어날 소(蘇)', '술 주(酒)'이니 '사악한 기운을 잡는 술' 또는 '사악한 기운을 몰아내는 술', '악귀를 물리치는 술'쯤으로 해석할 수 있다. 따라서 도소주는 설날의 제의풍속(祭儀風俗)과 벽사풍속이 결합되어 발생한 술이다.

예부터 우리 조상들은 설날을 새해 새 날 새 시간을 맞이한다는 의미에서 매우 신성하게 맞으려 정성을 다했다. 설날의 어원을 '낯설다'에서 찾기도 하는데, 이는 다가올 미래에 대한 불안감이 오히려 겸허하고 순결한 마음자세를 갖게 함으로써 천지신명과 조상신에 대한 보은과 감사의 제사를 올리게 된 것이라는 풀이다.

한편 옛날에는 과학과 의술, 교통이 발달하지 못했기 때문에 질병(전염병)에 대한 두려움과 공포가 가장 컸다.

그러므로 새해 첫 날을 맞이하는 시간에 가족 모두가 일 년 내내 무병하고 건강하게 지내고자 하는 바람을 갖게 되었고, 그 처방으로 도소주를 만들어 마시게 된 것이라 여겨진다.

동양문명의 발상지가 중국이라는 사실과 관련해서 '도소주'도 중국 후한 대 화타(華陀)라는 성의(聖医)가 처방했다는 설과 당대(唐代)의 손사막(孫思邈)이 처방했다는 두 가지 설이 양대(梁代)의 종름(宗懍)이 쓴 <형초세시기(荊楚歲時記)>에 전해 오고 있다. '광운(廣韻)' 편에는 "도소주원단음가제암기(屠蘇酒元旦飲家際癌氣)"라 하여 '설날에 도소주를 마시면 질병을 물리칠 수 있다.'는 기록을 엿볼 수 있어 '도소주'의 제조 목적과 용도를 짐작할 수 있다.

이러한 기록을 근거로 한 풍속이 우리나라에 들어오게 된 것이 당나라와 교류가 깊었던 통일신라시대로 여겨지나 정확한 시기는 알 수 없다.

그런가 하면 <오주연문장전산고(五洲衍文長箋散稿)>에서는 '도소주'의 유래에 대해 다른 설을 제기하고 있다.

설인즉, "옛날에 어떤 사람이 움막에 거주하면서 해마다 제야가 되면 사람들에게 약 1첩을 주어 그들로 하여금 주머니에 담아서 우물 가운데에 잠기게 하였다가 새해 아침 일찍 물을 취하여 술통(술두루미)에 넣고 이름을 '도소주'라 하였다."는 내용이다.

<동문선(東文選)>에는 "정조설(正朝雪)"이란 시에 "제야에 내린 눈이 설날 아침에 이르러, 불어오는 봄바람에 어쩔 수 없이 녹네. 쌍궐(雙闕)의 의장기는 그림자도 희미한데, 오문교(五門橋)에는 벌써 가죽신 소리가 들리네. 늘어선 정조 축하 의식 반열의 조회에 옷이야 젖어도, 춤추는 악공들의 소매에 어울리네. 금년 새해엔 곧 서기가 많아, 초주(椒酒)를 가득 따라 올리고 민요도 함께 바치네."라고 하여 설날 아침에 왕께 초주를 올려 하례하는 풍속이 있었음을 알 수 있다.

'초주'는 '도소주'와 같은 의미에서 마시는 술로 우리의 '도소음(屠蘇飮)' 풍속이 민간에서만 행해졌던 풍속이 아님을 엿볼 수 있다.

또한 <수열양세시기(氵列陽歲時記)>의 '정월설날조' 기록에 김창협(金昌協)의 시를 인용하여 "고관 집에서는 손님의 명함을 사흘 동안 받아들이는데, 푸른 잔의 도소주가 손님의 흥을 돋운다." 하였으며, '사민월령(四民月令)'에는 "술잔을 올리는 차례가 어린이부터 시작된다." 하여 연소자에게 먼저 잔을 받아 마신다고 풀이하고 있다.

조선시대 문인이었던 소세양(1486~1562년)의 <양곡선생집> 7권에 있는 "병진년 제석(丙辰除夕)"이란 시(詩)에는 반가와 사대부들 사이에서도 '도소음'이 성행하였고, 나이 많은 사람이 늦게 마시는 술이 '도소주'였음을 알 수 있는 내용이 나온다.

金鼓連村鬪(징소리가 연달아 마을에 시끄럽고)
驅儺聚小兒(구나에 아이들이 모이네.)
駸駸迫年序(해의 차례가 빨리빨리 이르니)
故故屆春時(자주 봄에 이르네.)
只要誇新健(단지 새로움을 자랑하려 하는데)
何妨守舊癡(어찌 옛날의 어리석음을 지키려는가?)
屠蘇須滿酌('도소주'를 가득 따라서 나중에 마신들)
後飮更何辭(다시 어떤 말을 하겠는가?)

조선조 문신 서거정(徐居正, 1420~1488년)의 <사가시집(四佳詩集)>에 나오는 "원일(元日)"이라는 제하의 시(詩)에도 "사십은 강사(强仕)인데, 이제 또 두 번의 봄을 더하였네. 도소주는 마땅히 남보다 뒤에 마시는데, 노병은 이미 남보다 앞서네. 신세는 무엇을 탐하는가? 생애는 감히 가난을 꺼리네. 근면은 1년의 일을 풍부히 하니, 매화와 버들 또한 마음을 아름답게 하네."라고 하여 반가와 사대부들 사이에서 설날 아침에 도소주를 마시는 풍속과 나이 많은 사람이 늦게 마시는 술이 도소주라는 사실을 엿볼 수 있다.

뿐만 아니라 후일에 이르러서는 '一人飮之一家無疫, 一家飮之一鄕無疫'이라 하여 "한 사람이 마심으로써 한 집안에 병이 없고, 한 집안이 마심으로써 온 고을에 질병이 발생하지 않았다."고 여기게 될 만큼 도소음의 풍속이 성행했다고 전한다.

<오주연문장전산고>에서도 도소음의 유래에 대해 언급하고 있다. "동원의 '도소주'는 반드시 어린아이부터 먼저 마시게 하고 노인에 이르게 하였으니, 이것은 무슨 의미인가?" 하고 물으니 "어린 자는 세월을 얻고, 늙은 자는 해를 잃는 것이다."라 하여 도소음의 유래에 대한 맥락을 같이하고 있음을 알 수 있다.

'도소주'에 대한 우리나라의 문헌으로는 <동의보감(東醫寶鑑)>을 비롯해 <고사촬요(故事撮要)>, <민천집설(民天集說)>, <오주연문장전산고>, <의방합편(醫方合編)>, <임원십육지(林園十六志)>, <조선고유색사전(朝鮮固有色辭典)>, <주찬(酒饌)>, <한국음식대관(韓國飮食大觀)> 등에 주방문이 수록되어 있으며, <동국세시기>를 비롯한 조선시대 사대부들의 여러 문집에서도 '도소음'에 대한 글을 읽을 수 있다.

조선조 중엽의 의학 관련 문헌인 <동의보감>에 "백출, 대황, 천초, 거목, 길경, 호장근, 오두거피를 주머니에 넣어서 12월 회일(晦日) 우물에 넣고, 정월 초일 평명(平明)에 꺼내 술에 넣어 잠깐 끓여서 동쪽으로 향하여 마시면 1년 내내 질병이 없다."고 기록되어 있다.

또한 "이 풍속이 나중에는 보통의 술도 '도소주'라 하여 온 가족이 모두 둘러앉아서 마시었는데, 특이한 것은 어린 사람부터 먼저 마시기 시작하여 차례로 나이가 많은 사람 순서로 마신다."고 했다.

도소주의 주방문을 수록하고 있는 국내 최고의 기록은 1611년에 저술된 <동의보감>으로 대황(大黃)·천초(川椒去目)·길경(桔梗)·호장근(虎杖根)·오두거피(烏頭去皮)·백출(白朮) 등 6가지 약재가 사용되었는데, 이는 1613년의 <고사촬요>에도 동일하다. 이후 <임원십육지>에는 '창출·계심·방풍·수유·촉초(蜀椒)·도라지·대황·오두·팥' 등이 사용된 주방문과 '일방(一方)'이라 하여 대황·도라지·천초·계심·오두·백출·수유·방풍 등 8가지가 사용된 두 가지 주방문을 싣고 있다.

이로써 약재가 상당 부분 바뀌고 늘어났음을 알 수 있다. <민천집설>에는 6가지(백출·대황·천초거목·길경·호장근·오두거피)가 사용되었고, <주찬>과 <의방합편>에는 7가지(백출·대황·천초·지모·도라지·호장근·거피오두), <오주연문장전산고>에서는 백미(白米)·대황·길경·계심·호장근(虎杖根)·천오(천초)가 사용되었다.

한편 일본인이 저술한 <조선고유색사전>에는 산초·방풍·육계·길경 등 4가지로 약재 사용이 줄었고, 가장 후기 기록인 <한국음식대관>에는 멥쌀·대황·천초(거목)·길경·호장근·오두(거피) 등 6가지가 사용된 것으로 미뤄볼 때 시대의 흐름에 따라 도소주에 사용되는 재료의 종류와 양의 변화가 있었음을 알 수 있다.

이러한 사실은 이른바 '도소음'이 유행하면서 지역이나 사는 형편에 따라 조달할 수 있는 약재를 사용하였고, '도소음'의 의미를 새기는 하나의 풍속 또는 문화로 뿌리내렸음을 암시한다 하겠다.

술을 빚을 때 주의할 점은 거론된 약재 가운데 '오두(烏頭)'와 '천초(川椒)'와 같이 독성이 매우 강한 재료도 있어 그 사용 양을 지키는 게 중요하다. 특히 오두를 사용할 때는 반드시 껍질을 벗기고, 천초는 속심을 제거한 후에 사용해야 한다.

'도소주'에 들어가는 재료는 대략 10가지로 독성이 강한 약재가 일부 들어가지만 술맛은 순하다. '도소주'는 과연 어떤 술일까 궁금하던 차에 2004년 KBS와 함께 설 특집 "설날 이야기"란 주제로 '도소주'의 재현과정과 시음풍속을 방송한 바 있었다.

'도소주'의 주재(主材)가 되는 순곡청주를 먼저 빚어놓고, 그 술이 익기를 기다려 부재료인 오두거피를 비롯한 대황·거목·길경·호장근 등 10가지 약재를 베주머니에 넣어 자정 무렵 동네 우물에 매달아 두었다가, 이튿날 새벽 4시경(平明)에 약재 주머니를 건져 올리고, 빚어둔 술에 넣어 잠깐 끓여내니 '도소주'가 완성되었다.

'도소주'가 맥이 끊긴 지 실로 몇 십 년 만에 재현되는 순간이었다. 제작진은 물론 동참했던 제자들까지 '도소주' 제조과정을 지켜보았던 만큼 호기심에서라도 반응이 좋으리란 기대를 가졌으나, 어느 누구도 그 맛을 음미하려 들지 않았다.

'도소주'에 들어간 약재 중에 사약에 사용되는 '오두' 등 독성이 강한 약재들이 두 가지나 포함되어 있다고 설명했기 때문이다.

어쩔 수 없이 필자가 먼저 시음을 했고, 아무런 탈이 없음을 확인하고 나서야 모두 달려들어 한 방울도 남기지 않고 마셨던 기억은 지금 생각해도 재미있다.

실제로 '도소주'는 술의 향기가 무척 좋고, 그 맛이 매우 부드러우며, 어린아이가 마시기에도 거슬림이 없을 정도로 순하다. 때문에 집안 어른이 주전자를 들고 아이들에게 술 한 잔을 따라주며 "일 년 내내 건강해라." "무병하고 공부 잘해라." 등 덕담을 나눠주셨고, 어른들이 가장 나중에 '도소주'를 마시면 아이들도 "할아버지 할머니 건강하세요." 하고 인사를 드렸다.

'도소음' 풍속에는 여러 의미가 담겨 있다. 첫째, '도소주'에 들어가는 약재가 거의 기운을 돋궈주는 자양강장제 또는 각기병, 피부병, 혈관계 질환을 다스리는 약재라는 사실이다. 그리고 사용되는 약재 거의가 붉은색을 띤다는 사실이다. 붉은색은 바로 벽사풍속(辟邪風俗)과 밀접한 관련이 있다.

둘째, 사용 약재의 약성이나 형태 파악이 안 된 상태여서 단언할 수는 없지만, 거피오두와 대황의 사용은 아주 흥미롭다. 오두나 대황은 다 같이 아주 독성이 강해 전문가가 아니면 처방할 수 없는 약재들이라는 점에서 전염병과 같은 무서운 질병에 대해 '이독치독(以毒治毒)의 효과'를 얻고자 했던 것으로 생각된다.

'도소주'는 대체로 길경·육계·방풍·산초·백출 등이 그 재료로 이용되며, 중국 풍속의 전래로 우리나라에서도 일찍부터 상류층에서 빚어 마시면서 민가에 퍼졌고, 고려시대 이후 매우 일반화되었던 것으로 보인다.

셋째, 약재를 설날 회일(晦日, 그믐) 우물에 담근다는 점이다. 우물은 온 마을 사람들이 다 같이 사용하는 것이므로 약재를 우물에 담가두어 온 마을 사람들이 다 같이 나눠 마심으로써 약재 성분이 우물물에 침출되어 그 약성으로 인해 온 마을에 질병이 없기를 바라는 의미가 담겨 있다.

또한 우물은 동적(動的)으로 독에 길어둔 정적(靜的)인 물에 반해 양(陽)으로 비유되는 만큼 양기를 받아들임으로써 사악한 기운인 음(陰)을 물리치고자 했다.

음력 선달 회일(그믐) 또한 저무는 해의 마지막 달, 마지막 날로서 음일(陰日)을 가리키는 데 반해, 정월 초하루 평명(平明)은 솟아오르는 해(陽年)가 동트는 시간, 곧 양(陽)의 시간에 우물에 담가둔 약재를 꺼냄으로써 양의 기운을 얻고자 했던 것이다.

넷째, '도소주'는 집안에서 가장 나이가 어린 사람부터 마신다는 점이다. 나이가 어린 아이일수록 질병이나 전염병에 약하기 때문에 '나이 많은 어른들의 배려'

에서 비롯된 풍속이라 하겠다. 또 이런 기회를 통해 어른들 앞에서 술 마시는 법과 예절을 가르치고자 했던 사실도 엿볼 수 있다.

'도소음'은 전염병 같은 질병에 대한 두려움 못지않게 온 가족이 같은 시간 한 자리에 모여, 그것도 나이가 어린 아이부터 마시는 풍속이었기에 자연히 '술 마시는 데 따르는 예절'을 가르치려는 의도가 있었을 것이다. 궁중에서도 왕이 신하들에게 하사하는 술로 한 자리에서 이루어지는 공음풍속이 있었듯이.

음주로 인한 사회적 병폐가 수위를 넘어서고 있고, 음주 연령층이 초중등학생까지 확대되었다는 뉴스가 심심치 않게 들려오는 시점에서 부모나 어른들 앞에서 술을 배우게 하려는 조상들의 세심한 배려가 새삼스럽기까지 하다.

게다가 안타깝게도 이러한 여러 의미와 상징이 담긴 도소음의 풍속이 이젠 거의 사라지고 없다.

이번 명절에는 온 가족이 모여 가족 건강 기원은 물론 아이들 앞에서 술 마시는 법과 예절을 보여주며 우리 전통의 기운을 살려보는 건 어떨까.

1. 도소주 <고사촬요(故事撮要)>

술 재료 : 백출(白朮) 1냥 8전, 대황(大黃)·심을 제거한 천초(川椒)·길경(桔梗) 각 1전 반, 호장근(虎杖根) 1냥 1전, 오두거피(烏頭去皮) 6전, 술(청주 2~3되), 베주머니 1장

술 빚는 법 :

1. 12월 그믐날에 백출 1냥 8전, 대황·심을 제거한 천초·길경 각 1전 반, 호장근 1냥 1전, 오두거피(껍질 벗긴 오두) 6전을 매우 깨끗하게 씻어 물기를 뺀다.
2. 생사로 된 주머니에 넣고 씻어 준비한 약재를 넣고 새어나오지 않게 끈으로 주둥이를 묶는다.
3. 12월 회일(晦日, 그믐날) (밤)에 우물 속에 넣어 담가두었다가, 다음날 정월

초하룻날 동틀 무렵(正月 初日, 平明)에 꺼낸다.
4. 맑은 술(2병)에 우물에 우린 약재 주머니를 넣고 잠깐 끓였다가, 다시 끓이길 몇 차례 반복한다.
5. 약재 주머니를 꺼내고, 술이 차게 식기를 기다렸다가 베주머니는 건져 내고, 3일 후에 다시 우물 속에 담가둔다.
6. 차례를 지내고 난 후 온 가족이 둘러 앉아 도소주를 마시는데, 나이가 어린 사람부터 차례로 동쪽을 향해 마신다.

* 주방문 말미에 "술을 끓이고 건져낸 약재 주머니를 우물 중앙에 넣어두었다가, 3일 후에 꺼낸다." 하고, "동쪽을 향해 나이가 어린 사람부터 마시기 시작해서 나이가 많은 사람이 가장 늦게 마신다."고 하였다. 또 "약재를 우렸던 우물물을 한 사람이 마시면 한 집안이 병이 없고, 한 집안이 마시면 한 마을에 질병이 없다."고 하였다.

屠蘇酒

白朮一兩八戔大黃川椒去目吉更各一兩半虎杖根一兩一戔烏頭去皮六戔精挫盛于縫囊十二月晦日懸於井中沉之泥底正月初一日平明取出投酒同煎數沸向東服之徙少至老爲次其滓三日後還投井中一人飮之一家無疫一家飮之一鄕無疫.

2. 도소주 별법 <고사촬요(故事撮要)>

술 재료 : 대황 1전, 길경 1전 5푼, 천초 1전 5푼, 계심 1전 8푼, 포백출 1전 8푼, 수유 1전 2푼, 방풍 1냥, 술(청주 2~3되), 베주머니 1장

술 빚는 법 :

1. 12월 회일(그믐날)에 대황(大黃) 1전과 길경(桔梗) 각 1전 5푼, 심을 제거한 천초(川椒) 1전 5푼, 계심 1전 8푼, 포백출 1전 8푼, 수유 1전 2푼, 방풍 1냥을 매우 깨끗하게 씻어 물기를 뺀다.
2. 생사로 된 주머니에 넣고 씻어 준비한 약재를 넣고, 새어나오지 않게 끈으로 주둥이를 묶는다.
3. 12월 회일 자정에 우물 속에 넣어 담가두었다가, 다음날 정월 초하룻날 동틀 무렵(正月 初日, 平明)에 꺼낸다.
4. 맑은 술(2~3되)에 우물에 우린 약재 주머니를 넣고 잠깐 끓였다가, 다시 끓이길 몇 차례 반복한다.
5. 약재 주머니를 꺼내고, 술이 차게 식기를 기다렸다가 베주머니는 건져내고, 3일 후에 다시 우물 속에 담가둔다.
6. 차례를 지내고 난 후 온 가족이 둘러 앉아 도소주를 마시는데, 나이가 어린 사람부터 차례로 동쪽을 향하면서 먼저 마신다.

屠蘇酒 別法

大黃 一戔, 桔梗 一戔 五分, 川椒 一戔 五分, 桂心 一戔 八分, 布白朮 一戔 八分, 茱萸 一戔 二分, 防風 一兩 釀之.

3. 도소음 <동의보감(東醫寶鑑)>

술 재료 : 백출 1전 8푼, 대황·길경·천초·계심 각 1전 5푼, 호장근 1전 2푼, 천오 6전, 술(청주) 2병, 붉은 베주머니 1장

술 빚는 법 :

1. 12월 회일(그믐날)에 백출 1전 8푼, 대황·길경·천초·계심 각 1전 5푼, 호장근 1전 2푼, 천오 6전을 매우 깨끗하게 씻어 물기를 뺀다.

2. 생사로 된 붉은 베주머니에 씻어 준비한 약재를 넣고, 새어나오지 않게 끈으로 주둥이를 묶는다.
3. 12월 회일 자정에 우물 속에 넣어 담가두었다가, 다음날 정월 초하룻날 동틀 무렵(正月 初日, 平明)에 꺼낸다.
4. 맑은 술 2병에 우물에 우린 약재 주머니를 넣고 잠깐 끓였다가, 다시 끓이길 몇 차례 반복한다.
5. 약재 주머니를 꺼내고, 술이 차게 식기를 기다렸다가 베주머니는 건져내고, 베주머니를 다시 우물 속에 담가둔다.
6. 차례를 지내고 난 후에 온 가족이 둘러앉아 이 도소주를 마시는데, 나이가 어린 사람부터 차례로 동쪽을 향하면서 먼저 마신다.

* 주방문 머리에 "온역의 기운을 물리쳐서 온 병에 전염되지 않게 한다."고 하였다. 또 "나이 어린 아이부터 노인까지 한 잔씩 마시고, 찌꺼기는 다시 우물에 담가두고, 그 물을 마신다."고 하였다. <천금>을 인용하였다.

屠蘇飮

辟疫氣. 令人不染瘟病. 白朮一兩八錢, 大黃, 桔梗, 川椒, 桂心 各 一兩半, 虎杖根一兩二錢, 川烏六錢, 右剉, 盛底囊, 十二月晦日中沈井中, 正月朔日早曉出藥, 入二瓶淸酒中, 煎數沸, 東向飮之, 從少至老飮一盃, 其滓還沈井中, 取水飮之, <千金>.

4. 도소주 <민천집설(民天集說)>

술 재료 : 청주(2되), 백출 1전 8푼, 대황·천초(심 제거)·길경 각 1전 5푼, 호장근 1전 1푼, 오두(껍질 벗긴 것) 1전 5푼

술 빚는 법 :

1. 예의 방법대로 빚은 청주를 준비한다.
2. 준비한 분량의 약재를 베로 만든 주머니에 담는다.
3. 12월 회일(晦日, 그믐)에 약재 담은 주머니를 동네 우물에 담그고, 하룻밤 지냈다가 다음해인 정월 초하루 평명(平明, 새벽 4시)에 건져낸다.
4. 솥에 준비한 분량의 청주(2되)를 붓고, 우물에서 건져낸 약재 주머니를 넣은 뒤 잠깐 끓였다가 식히길 2차례 반복한다.
5. 약재가 차게 식으면 찌꺼기를 걸러낸 다음, 나이가 어린 사람부터 동쪽을 향하면서 마신다.
6. 사용하고 남은 약재는 3일 후 다시 우물에 담가놓아 동리 사람들이 우물물을 마심으로써 온 고을에 질병이 없기를 기원했다.

* 주방문 말미에 "一人飮之家無疫一家飮之一鄕無疫(한 사람이 마심에 한 집안에 병이 없고, 한 집안이 마심에 한 고을에 질병이 없다)."고 하였다.

屠蘇酒

白朮一兩八戔 大黃 川椒(去目) 吉更 各一兩半 虎杖根一斤六戔 烏頭(去皮) 六戔 精挫盛入岱囊十二月晦日懸於井上沉之泥底正月初一日平明取出投酒同煎數沸向東服之徙少至老爲次其滓三日後還投井中一人飮之一家無疫一家飮之一鄕無疫.

5. 도소주 <오주연문장전산고(五洲衍文長箋散稿)>

술 재료 : 백미(白米)·대황·길경·계심 각 1냥 8돈, 호장근(虎杖根) 1냥 1돈, 천초 6돈, 술(청주) 2병, 붉은 베주머니 1장

술 빚는 법 :

1. 12월 회일에 백미(白米)·대황·길경·계심 각 1냥 8돈, 호장근(虎杖根) 1냥 1돈, 천초 6돈을 매우 깨끗하게 씻어 물기를 뺀다.
2. 약재를 잘게 썰어서 생사로 된 붉은 주머니에 넣고, 새어 나오지 않게 끈으로 주둥이를 묶는다.
3. 12월 회일(晦日, 그믐날)에 약재 주머니를 우물 속에 넣어 담가두었다가, 다음날 정월 초하룻날 동틀 무렵(正月 初日, 平明)에 약재 주머니를 꺼낸다.
4. 맑은 술 2병에 우물에 우린 약재 주머니를 넣고 잠깐 끓였다가, 다시 끓이길 한 차례 반복한다.
5. 약재 주머니를 꺼내고, 술이 차게 식기를 기다린다.
6. 차례를 지내고 난 후 온 가족이 둘러 앉아 도소주를 마시는데, 나이가 어린 사람부터 차례로 동쪽을 향하면서 먼저 마신다.
7. 약재 주머니는 다시 우물 속에 담가두고, (사람들로 하여금) 우물물을 떠서 마신다.

屠蘇酒 辨證說

'도소(屠蘇)'는 암자의 이름이니 '도소'라는 명칭은 전에 이미 변증하였다. 손사막의 저서 <천금방>에 도소주법(屠蘇酒法)류의 글이 있고, 또 '도소주'가 처음 시작된 설도 있다. 그러므로 다시 분별을 해서 도소주류의 글을 상고하고, 열람할 수 있는 글을 갖추어 놓았다. "옛날에 어떤 사람이 움막에 거주하면서 해마다 제야가 되면 사람들에게 약 1첩을 주어 그들로 하여금 주머니에 담아서 우물 가운데에 잠기게 하였다가, 새해 아침 일찍 물을 취하여 술통(술두루미)에 넣고 이름을 '도소주'라 하였다."고 한다. 온가족이 그것을 마시면 역병을 물리친다고 한다. 혹자가 묻기를 "동원의 '도소주'는 반드시 어린 아이부터 먼저 마시면서 노인에 이르게 하였으니, 이것은 무슨 의미인가?" 하고 물으니 "어린 자는 세월을 얻고 늙은 자는 해를 잃는 것이다."라고 하였다. 그러므로 소동파(蘇東坡)가 시(詩)에 이르기를 "다만 생활이 궁핍하고 근심이 많더라도 건강하게 오래 살아서 마지막까지 '도소주' 마시는데 방해가 되지 않게 하라." 하였다.

'도소주' 빚는 방법은 백미 일냥 팔돈, 대황, 길경, 계심 각 일냥 반돈, 호장근 일냥 이돈, 천오(천초) 육돈의 약재를 썰어서 붉은 주머니에 담아서 12월 그믐 중에 우물 가운데에 담갔다가 정월 초하루 아침 새벽에 약을 꺼내어 청주 2병에 넣고 두어 차례 끓도록 달여서 동쪽을 향하여 그것을 마시는데, 어린 아이부터 노인에 이르고 1잔씩 마신다. 그 찌끼는 다시 우물 가운데에 담갔다가 물을 취하여 그것을 마신다고 하였다. 이것이 <천금방>에 나왔고, 또 이시진의 <본초강목(本草綱目)>에 나왔는데, 그 중에 한 군데에서는 '도소음(屠蘇飮)"이라고 하였다.

6. 도소주 <의방합편(醫方合編)>

술 재료 : 백출 1냥 8전, 대황·천초·거목·길경 각1냥 반, 호장근 1냥 1전, 오두거피 6전

술 빚는 법 :

1. 준비한 분량의 약재를 베로 만든 주머니에 담는다.
2. 12월 회일(晦日)에 약재를 담은 주머니를 우물에 담갔다가, 다음날인 정월 초하루 새벽 평명(平明)에 건져낸다.
3. 솥에 준비한 분량의 청주를 붓고, 우물에 건져낸 약재 주머니를 넣은 뒤 잠깐 중탕하였다가 식힌다.
4. 술이 차게 식으면 찌꺼기를 걸러낸 다음 동쪽을 향하여 이 술을 마시는데, 나이가 어린 사람부터 마시기 시작하여 나이가 많은 사람이 가장 나중에 마신다.
5. 3일 후 약재 주머니를 다시 우물 정중앙에 담가두면, '한 사람이 마심에 한 집안에 병이 없고, 한 집안이 마심에 한 고을에 역병이 없다.'고 하였다.

* 수유 : 수유나무 열매 껍질(해열제, 강장제)
* 천초 : 조피나무 열매 껍질
* 계심 : 계수나무의 속껍질(허한증, 종기, 중병 치료)
* 방풍 : 방풍나물의 묵은 뿌리(거담약)
* 대황 : 대황의 뿌리(대소변 불통, 어혈 푸는 약)
* 촉초 : 산초 열매 껍질
* 창출 : 삽주의 덩이지기 전의 어린 뿌리. 따뜻한 성질
* 길경 : 열을 다스리고 설사를 멎게 한다.
* 백출 : 삽주의 덩이진 뿌리. 따뜻한 성질(비위를 돕고 소화불량, 구토, 설사 치료)
* 창출 : 삽주의 덩이지지 않은 뿌리
* 오두 : 중국 약재. 바곳의 원뿌리. 손바닥 모양의 잎. 늦여름에 투구 모양의 청자백 꽃. 덩이뿌리로 독이 있다.
* 팥 : 신장병, 각기병, 변비 치료. 붉은색은 벽사 의미

屠蘇酒

白朮一兩八戔大黃川椒去目吉更各一兩半虎杖根一兩一戔烏頭去皮六戔精挫盛于縫囊十二月晦日懸於井中沉之泥底正月初一日平明取出投酒同煎數沸向東服之徙少至老爲次其滓三日後還投井中一人飮之一家無疫一家飮之一鄕無疫.

7. 도소주 <임원십육지(林園十六志)>

술 재료 : 청주(1말), 적출, 계심 각 7전 5분, 방풍 1냥, 수유 5전, 촉초(蜀椒), 도라지, 대황 각각 5전 7분, 오두(烏頭) 2전 5분, 팥 14알

술 빚는 법 :

1. 예의 방법대로 빚어 잘 익고 맛 좋은 청주를 준비한다.
2. 준비한 분량의 약재를 베로 만든 주머니에 담는다.
3. 12월 회일에 약재 담은 주머니를 우물에 담그고, 하룻밤 지냈다가 다음날 아침인 정월 초하루 평명(平明)에 건져낸다.
4. 솥에 준비한 분량의 청주를 붓고, 우물에 우린 베주머니를 넣은 뒤 잠깐씩 한두 차례 끓였다가 식힌다.
5. 약재가 차게 식으면 찌꺼기를 걸러낸 다음, 동쪽을 향하면서 마신다.

屠蘇酒

<陳氏小品方> 此華陀方也元朝飮之辟疫癘一切不正之氣造法用赤朮桂心七錢五分防風一兩菝葜五錢蜀椒桔梗大黃五錢七分烏頭二錢五分赤小豆十四枚以三角絲囊盛之除夜懸井元朝取出置酒中煎數沸擧家東向從少至長次第飮之藥滓還投井中歲飮此水一世無病. <本草綱目>.

8. 도소주 우방 <임원십육지(林園十六志)>

술 재료 : 청주(1말), 대황 1전, 도라지, 천초 각각 1전 5분, 계심 1전 8분, 오두 6분, 백출 1전 8분, 수유 1전 2분, 방풍 1냥

술 빚는 법 :

1. 예의 방법대로 빚어 잘 익고 맛 좋은 청주를 준비한다.
2. 준비한 분량의 약재를 베로 만든 주머니에 담는다.
3. 12월 회일에 약재 담은 주머니를 우물에 담그고, 하룻밤 지냈다가 다음날 아침인 정월 초하루 평명(平明)에 건져낸다.
4. 솥에 준비한 분량의 청주를 붓고, 우물에 우린 베주머니를 넣은 뒤 잠깐씩

한두 차례 끓였다가 식힌다.
5. 약재가 차게 식으면 찌꺼기를 걸러낸 다음 동쪽을 향하면서 마신다.

* <준생팔전>을 인용하여, 주방문 말미에 "<진씨방>과는 차이가 있다."고도 하였다. 주방문 머리에 "소회(蘇魄)는 귀신의 이름이다. 이 약은 귀신(鬼爽)을 잡아 죽이므로 이런 이름이 붙은 것이다. 어떤 이는 초막(草庵)의 이름이라고 한다."고 하였다. 도소주라는 주품명의 해석에 대한 차이를 엿볼 수 있다.

屠蘇酒 又方

蘇魄鬼名此藥居割鬼爽故名 或云 草庵名地. (案)<遵生八牋> 載屠蘇酒方大黃一錢拮梗川椒各一錢五分桂心一錢八分烏頭六分炮白朮八分茱萸一錢二分防風一兩. 與<陳氏方> 小異.

9. 도소주 <조선고유색사전(朝鮮固有色辭典)>

도소주(屠蘇酒)

도소주, 토소주. "도소주는 산초, 방풍, 육계, 길경 등을 혼합한 술. 설날 이것을 마시면 감기를 물리친다고 하여 연소자가 연장자보다 먼저 마신다."고 하였다.

10. 도소주 <주찬(酒饌)>

술 재료 : 백출 1냥 8전, 대황·천초·지모·도라지 각 1냥 반, 호장근 1냥 1전, 거피오두 6전, 청주(2~3되)

술 빚는 법 :

1. 준비한 약재를 모두 잘게 썬다.
2. 명주자루에 약재를 담는다.
3. 선달 그믐날 약재자루를 샘에 넣어 바닥에 닿게 드리워 놓는다.
4. 정월 초하루 아침(새벽, 평명)에 자루를 건져낸다.
5. 솥에 약재자루와 청주 2~3되를 넣고 한소끔 끓인 다음, 차게 식혀 자루를 건져 낸다.
6. 설날 차례를 마치고 가족끼리 둘러 앉아 나이 어린 사람부터 동쪽을 향해 마신다.

* 주방문 말미에 "한 사람이 마시면 한 집안에 병자가 없고, 일가족이 마시면 한 고을에 질병이 없다(一人飮之 一家無疫, 一家飮之 一鄕無疫)."고 하였다.

屠蘇酒

白朮一兩八戔大黃川椒知母桔梗各一兩半虎杖根一兩一戔烏頭去皮六戔合精切盛入絳囊十二月晦懸於井中沈至泥底正月初一日平調取出投酒內數沸向東服之浞少至老爲次其滓則三日後還投井中. 一人飮之一家無疫一家飮之一鄕無疫.

11. 도소주 <한국음식대관(韓國飮食大觀)>

술 재료 : 멥쌀(白米), 대황(大黃), 천초(川椒), 거목(去目), 길경(桔梗), 호장근(虎杖根), 오두거피(烏頭去皮) 적당량

술 빚는 법 :

1. 12월 회일(晦日)에 멥쌀·대황·천초·거목(去目)·길경·호장근·오두 거피(去

皮) 적당량을 생사로 된 주머니에 넣고, 새어나오지 않게 끈으로 주둥이를 묶는다.

2. 12월 회일(晦日, 그믐날) (밤)에 우물 속에 넣어 담가두었다가, 다음날 정월 초하룻날 동틀 무렵(正月 初日, 平明)에 꺼낸다.
3. 맑은 술(1말)에 우물에 우린 약재 주머니를 넣고 잠깐 끓인다.
4. 약재 주머니를 꺼내고, 술이 차게 식기를 기다렸다가 (차례를 지내고 난 후에 온 가족이 들러 앉아 나이가 어린 사람부터 차례로) 동쪽을 향하면서 먼저 마신다.

도소주(屠蘇酒)

정월 초하루에 마시는 술로 고려 후기 안축(安軸, 1282~1348년)의 시문집 <근재집(謹齋集)>에 '도소주'를 마시고 읊은 시문이 있다. <동의보감(東醫寶鑑)>에 보면, 백미·대황·천초·거목·길경·호장근·오두 거피를 주머니에 넣어서 12월 회일에 우물 속에 넣었다가 정월 초일 평명에 꺼내어 술을 넣어 잠깐 끓인 것을 동쪽을 향하면서 마시면 질병이 없다고 한다.

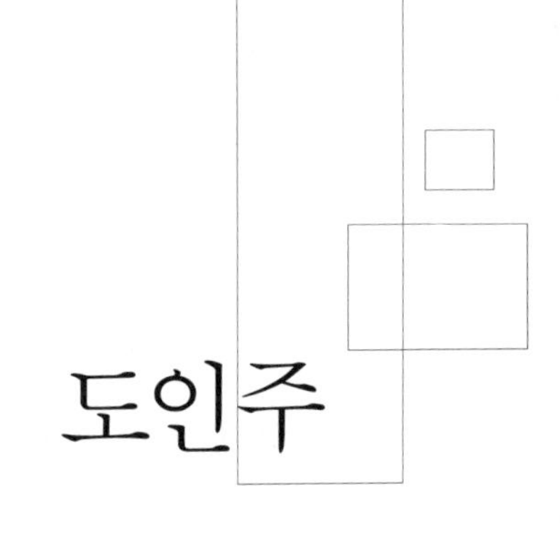

도인주

스토리텔링 및 술 빚는 법

'도인주(桃仁酒)'는 고문헌 <수운잡방(需雲雜方)>, <윤씨(尹氏)음식법>, <주찬(酒饌)>에 3회 등장한다. <수운잡방>과 <주찬>에 수록된 '도인주'와 <윤씨음식법>에 수록된 '도인주'는 주재료나 술 빚는 방법이 비슷하다.

<수운잡방>과 <윤씨음식법>, <주찬>에 수록되어 있는 주방문은 복숭아씨, 즉 '도인(桃仁)'을 사용한 약용약주(藥用藥酒)라고 할 수 있다.

'도인주'는 <수운잡방>과 <윤씨음식법>, <주찬> 이외의 문헌에서는 찾아볼 수 없는데, 이는 '도인주'가 대중화되지 못했다는 얘기이기도 하다. 술 빚는 과정을 경험해 보고서야 그 이유를 알 것 같았다.

<수운잡방>과 <윤씨음식법>, <주찬>의 '도인주' 제조방법은 비슷하다. 다만 기본적으로 도인의 양에서 차이가 있을 뿐이다.

<주찬>의 '도인주' 주방문을 보면 "도인 1,500근을 쌍둥이와 배아를 없앤 후 물에 담가 껍질을 벗겨낸다. 체에 밭쳐 물기를 뺀 다음 찹쌀술 9되를 섞어 맷돌이나 믹서에 곱게 간다. 된죽처럼 엉키면 백자항아리에 담아 안치는데, 찹쌀술 6

되를 더 붓는다. 백자 항아리를 물솥에 넣고 술이 9되가 될 때까지 중탕한다."고 하였다.

<윤씨음식법>의 '도인주'도 "복셩화씨 이빅 개를 솔마 겁질과 보리 어우렁이 업시ᄒᆞ고 사그릇시 갈아 청쥬 노하 업도록 ᄀᆞ라 헝것시 ᄡᅡ고 사항청쥬 셔 말 ᄒᆞᆫᄃᆡ 너허 ᄉᆞᆺ틔 너허 살마 비치 ᄂᆞ오거든"고 하여 <주찬>과 동일한 과정으로 이루어지고 있음을 알 수 있다.

'도인주'의 실험양주는 <주찬>의 주방문을 선택했다. 술의 양이 많으면 술맛이 좋다는 경험에서 나온 발상이었다.

<주찬>의 '도인주' 주방문을 보면 알 수 있듯이 복숭아씨를 물에 불려서 껍질을 벗겨내야 하는데, 그 과정이 결코 만만치가 않았다.

지금이야 복숭아씨의 껍질을 벗겨내는 장비도 있고, 약간의 돈만 주면 쉽게 구할 수 있지만, 복숭아씨를 구할 수 없는 경우라면 생각이 달라진다.

복숭아 1,500근(斤)도 많은데 씨앗만 1,500근이니 그 양부터 감이 오질 않았다. 도인을 주문하기 전까지 실감을 못하다가 택배로 배달된 도인을 목격하고서는 깜짝 놀랐다. 실로 엄청나게 많은 양이었다.

물에 깨끗하게 씻어 불결한 것과 쌍둥이, 배아를 제거하는 일로도 하루가 모자랐다. 다음날까지 작업은 계속되었고, 햇볕에 내어 물기를 제거한 후 술을 부어주면서 커다란 양푼 안에 맷돌을 놓고 갈아지는 대로 고운체에 밭쳐서 속껍질을 제거했다.

도인을 술에 담가 불린 후, 맷돌에 갈아야 잘 갈리고 일이 수월했을 텐데 편리한 방법이라 여겨 불리는 과정을 생략했던 것이다.

결과부터 말하자면 술맛이 영 아니었다. 아린 맛은 물론이고 술이 떫고 텁텁하기가 이를 데 없었다. 그래서 도인의 양이 더 적은 <수운잡방>의 주방문을 근거로 다시 재현을 해보았지만, 도인의 아리고 비린 맛이 가시지는 않았다. 아까운 술만 버렸다는 생각을 떨칠 수가 없었다.

나름 '도인주'가 대중화되지 못한 이유라고 판단하고, 술 빚는 것을 그만두었다.

<수운잡방>의 주방문 말미에 "마실 때 술빛이 누르스름한 것이면 좋은 것이라 한다. 매일 아침에 한 종지씩 데워서 마신다. 껍질을 벗길 때 물에 담가서 불렸

다가 벗기면 한결 수월하다."고 하였고, <주찬>의 '도인주' 주방문 말미에도 "빈속에 마시며, 그 양을 마실 수 있는 만큼 임의대로 한다."고 하였다.

그런데 <우음제방(禹飮諸方)>에 "ᄒᆞ로 두 번식 먹으면 사름의 낫빗치 늙지 아니코 몸의 잡병이 업ᄂᆞ니라."고 하여 마치 무병장수의 상약으로 소개하고 있음을 확인하고 나서야 도인 1,500근의 양을 술 빚기에 사용하는 이유를 깨닫게 되었다.

일반적으로 알려진 도인의 효능에는 "어혈과 혈폐로 인한 혈행이 나쁜 것을 치료"하며, "가루로 빻아 사용하면 효과가 더 좋다."고 하였다. 한방에서는 "혈의 움직임을 활발히 하며 어혈을 없애므로, 생리불순과 생리통에 주로 쓰인다. 장을 윤활히 하여 배변을 도와 변비에 효과가 있다. 피부가 가렵고 건조하거나 기미나 주근깨 등에 바르면 좋다."고 하였다.

따라서 이러한 목적과 용도로 '도인주'가 개발되었을 거라는 추측이 가능해진다. 특히 술과 함께 복용하면 알코올의 순기능으로 인해 그 효과를 배가시킬 수 있거니와 약은 꾸준하고 오랫동안 복용해야 효과가 있다. 술 한 병 비운다고 그 효능을 기대할 수는 없을 것이다.

하지만 필자는 여전히 "도인주(桃仁酒) 역시 술이므로, 술은 술이라야 한다."고 생각한다. '도인주'를 약으로 마시려면 술맛이나 향을 포기해야 하고, 술을 술로 즐기려면 약효나 효능을 버려야 한다. 두 가지 목적을 다 이룰 수 없는 법이다.

따라서 무병장수의 효능을 빌고자 한다면, 꾸준하고 오랫동안 반주(飯酒)로 삼되 술의 향취를 기대해선 안 될 것이다.

1. 도인주 <수운잡방(需雲雜方)>

술 재료 : 도인 500개, 청주 3병

술 빚는 법 :

1. 도인(복숭아씨) 500개를 껍질을 벗긴다.

2. 도인의 뾰족한 곳의 배아를 떼어내고, 쌍둥이는 가려낸다.
3. 도인을 마쇄기에 넣고, 청주 3병을 부어가면서 물갈기를 한다.
4. 물갈기한 도인가루를 고운 명주베로 걸러 찌꺼기를 제거한다.
5. 밭쳐낸 도인가루 물을 새지 않는 독에 담아 안치고, 주둥이를 밀봉한다.
6. 물솥에 독을 안치고 중탕한다.

* 주방문 말미에 "마실 때 술빛이 누르스름한 것이면 좋은 것이라 한다. 매일 아침에 한 종지씩 데워서 마신다. 껍질을 벗길 때 물에 담가서 불렸다가 벗기면 한결 수월하다."고 하였다.

桃仁酒

桃仁五百箇法皮尖雙仁淸酒三甁爲水碾磨細絹漉下納不津缸封口浮於釜中煮之用時酒色黃則爲好每溫服一鍾 法皮浸水爲易.

2. 도인주 <윤씨(尹氏)음식법>

술 재료 : 도인 200개, 청주 3병

술 빚는 법 :
1. 도인(복숭아씨) 200개 껍질을 벗긴다.
2. 도인의 뾰족한 곳의 배아를 떼어내고, 쌍둥이는 가려낸다.
3. 도인을 사기로 된 마쇄기에 넣고, 청주(1되)를 부어 함께 갈아서 무거리가 없도록 한 다음, 베보자기에 넣고 짜서 즙을 낸다.
4. 사기로 된 단지나 항아리에 도인즙을 담고, 다시 청주 3말 1되를 붓는다.
5. 끓는 물솥에 도인즙과 청주를 부은 단지나 항아리를 안치고 중탕한다.
6. 물갈기한 도인가루를 고운 명주베로 걸러 찌꺼기를 제거한다.

7. 술빛이 나오면 중탕을 끝내고, 명주베로 걸러 차게 식혀서 하루 2차례씩 음용한다.

* 술빛이 누르스름한 것이면 좋은 것이라 한다. 주방문 말미에 "하루 두 번씩 먹으면 사람의 낯빛이 늙지 않고 몸의 잡병이 없다."고 하였다.

도인듀

복셩화ᄡᅵ 이ᄇᆡᆨ 개ᄅᆞᆯ ᄉᆞᆯ마 겁질과 보리 어우렁이 업시ᄒᆞ고 사그릇ᄉᆡ 갈아 청쥬 노하 업도록 ᄀᆞ라 헝것ᄉᆡ ᄧᆞ고 사항청쥬 셔 말 흔ᄃᆡ 너허 ᄉᆞᆺᄐᆡ 너허 살마 비치 ᄂᆞ오거든 ᄒᆞ로 두 번식 먹으면 사ᄅᆞᆷ의 낫빗치 늙지 아니코 몸ᄋᆡ 잡병이 업ᄂᆞ니라.

3. 도인주 <주찬(酒饌)>

술 재료 : 도인 1,500근, 찹쌀술 1말 5되, 백자 항아리

술 빚는 법 :

1. 도인 1,500근을 쌍둥이와 배아를 없앤 후 물에 담가 껍질을 벗겨낸다.
2. 도인을 체에 밭쳐서 물기를 뺀다.
3. 도인에 찹쌀술 9되를 붓고, 맷돌이나 믹서에 곱게 갈아 된죽처럼 엉키면, 백자 항아리에 담아 안친다.
4. 백자 항아리에 다시 찹쌀술 6되를 더 붓고, 물솥에 넣어 중탕한다.
5. 중탕하여 9되가 될 때까지 졸여서 내어둔다.

* 주방문 말미에 "빈속에 마시며, 그 양을 마실 수 있는 만큼 임의대로 한다."고 하였다.

桃仁酒

桃仁一千五百斤不用雙仁不用尖觜水浸去皮後細磨於粘米酒九升中交凝而盛於白磁缸後又揷表其中以知九升之限界後又以粘米酒六升添灌則酒合爲一斗五升也乃重湯煎至九升後出置每空心服之量九任意服之.

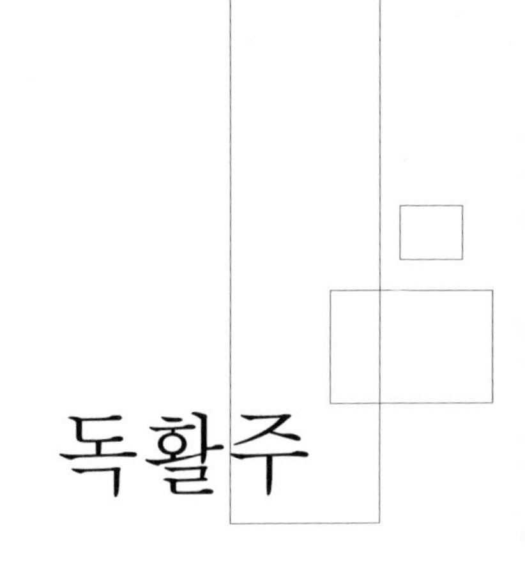

독활주

스토리텔링 및 술 빚는 법

'독활주(獨活酒)'는 <동의보감(東醫寶鑑)>에 처음 등장한다. 순전히 치료 목적의 약용약주류이면서 자주법(煮酒法)으로 빚는 술이다.

'독활주'에 대한 효능은 <동의보감> 부인편(婦人偏)에서 찾아볼 수 있다. "산후풍(産後風)을 치료한다."고 하여 순전히 임산부 산후조리를 위한 목적에서 생겨난 술임을 알 수 있다.

<동의보감>에 "독활·백선피 각 5돈을 썰어서 술 2되에 넣고, 술이 1되가 될 때까지 달여서 2번에 나누어 먹는다."고 하였다.

여기서 독활이 주재료이고, 백선피는 보조약재로 사용되었다. 독활의 성분과 효능을 강화시키기 위해 백선피와 술을 사용하며, 누구나 쉽게 만들 수 있을 만큼 비교적 간단한 방법으로 이루어진다는 사실도 알 수 있다.

'독활(獨活)'은 오갈피나무과에 속하는 다년생 풀로 줄기는 굵고 털이 있으며, 잎자루가 길며 깃털모양의 복엽인 땅두릅의 뿌리를 가리킨다. 바람에도 움직이지 않고 강하게 자란다는 뜻에서 독활이라는 이름을 얻었을 정도로 생장력이 강하다.

우리나라 산지의 그늘에서 자생하는데, 독활의 어린 줄기와 잎은 쓰고 매운 맛이 있으나 향기가 좋아 데쳐서 나물이나 절임음식으로도 즐겨 먹는다.

뿌리인 독활은 가을에 채취하며 두통, 전신통, 하지신경통, 진통, 피부염, 치통, 관절염, 중풍 등 소염제로 사용한다.

<동의보감>에 "모든 적풍(賊風)과 백절의 통풍(痛風)에 신구를 묻지 않고 다스리니 중풍의 실음(失音)과 와사 및 온몸의 마비와 근골의 종통을 다스린다."고 되어 있다.

또한 독활과 함께 사용되는 백선피(白鮮皮)는 '봉삼(鳳蔘)'이라는 약용식물의 한약명이다. 백선피는 알레르기 비염을 비롯해 기침, 천식 등 기관지 치료에 효능이 있다고 알려져 있다. 특히 위염, 장염, 기관지염, 비염 등 각종 염증에 좋은 효과를 발휘해 물에 끓여서 차처럼 하루 2~3잔 정도 마시면 알레르기 비염이나 기침, 천식에 매우 좋은 효능을 볼 수 있다고 한다.

다시 말해 독활은 바람(風)을 내보내는 효과가 있고, 백선피는 각종 염증에 대한 치료효과가 높아 이들 약재를 함께 사용하면 출산 후 쇠약해진 임산부들에게 걸리기 쉬운 각종 질환과 감염, 즉 소위 산후풍(産後風)이라는 질병 및 질환 치료에 효과가 좋다고 하여 개발된 술이 '독활주'인 셈이다.

이렇듯 간단한 방법과 약간의 지식만으로도 각종 질병에 대한 예방과 치료 목적의 훌륭한 약용약주를 개발할 수 있음을 '독활주'를 통해서 경험하였다.

독활주 <동의보감(東醫寶鑑)>

산후의 풍치를 치료한다. 독활·백선피 각 5돈을 썰어서 술 2되에 넣고 술이 1되가 될 때까지 달여서 2번에 나누어 먹는다.

獨活酒

治産後風疾. 獨活·白鮮皮 各五錢. 右剉 酒二升煎取一升, 分二服.

동과주

스토리텔링 및 술 빚는 법

'동과주(冬瓜酒)'는 <음식방문(飮食方文)>에서만 찾아볼 수 있는 특이한 술이다. '동과주'는 '동과(冬瓜)' 또는 '동아'라고 하는 채소를 사용한 술로, <주찬(酒饌)>의 '청주(菁酒)'라는 주품과 유사하다.

'청주'도 채소가 주원료이며, 무를 얇게 썰어 물과 함께 삶아낸 물로 빚는 술이기 때문이다.

하지만 <음식방문>의 '동과주'가 일반적으로 빚은 술과 동아의 속을 버무려 동아 속에 넣고 삶아낸 후 마신다는 점에서 '청주'와는 다른 주방문을 보여주고 있다.

'동과주'는 다이어트와 치료 목적으로 빚는 술이다. 주방문 말미에 "남성 한 사람은 담이 올라도 없고 기운이 내리고 화를 삭히되, 너무 나리오기의(기운을 가라앉게 하여) 여윈 사람은 해롭고, 부종(浮腫)이나 창증(脹症) 있는 사람은 좋으리라."고 하여 '동과주'가 다이어트와 피부미용에 좋은 약주임을 알 수 있다.

'동과주'에 사용되는 동과는 "30~40여 년 전만 해도 아주 흔했던 가을 채소로

늦가을에 수확해서 서리 내린 후에 먹었기 때문에 동과(冬瓜)라고 흔히 불렸다. 표준어로는 '동아'라고 하는데, 보통 50~60cm 크기에 20kg 정도의 무게이나 1m 이상 자라나 40~50kg에 달하는 것도 심심찮게 볼 수 있다. 과육은 물론 껍질과 속·씨·잎·덩굴에 이르기까지 버릴 것이 하나 없다.

<동의보감(東醫寶鑑)>을 비롯하여 <향약채취월령(鄕藥採取月令)>, <본초강목(本草綱目)> 등의 의서에 따르면 "당뇨와 이뇨(利尿)·해열(解熱)·간 보호·항암(抗癌)·소염(消炎)·각기병·치질 등에 좋다."고 하였다.

동과의 맛은 무와 조금 비슷한데, 무미(無味)에 가까울 정도로 담백하여 어떤 음식에 넣어도 잘 어울리고, 칼로리가 극히 적어 현대인들 사이에서 웰빙식품으로 인기가 높아지고 있다.

동과를 이용한 전통음식으로 '동아정과'는 진상품(進上品)이었을 정도로 유명하였으며, 동아를 이용한 건강보조식품도 다양하게 개발되어 있는 실정이다.

필자는 호기심에서 <주찬>의 '동과주'를 빚어보곤 했는데, 그 맛이 그리 좋지는 않았다. "술이 아깝다."는 생각이 들기도 했지만 한편으로는 "호기심이 많은 사람들에게는 매우 특별한 술일 수도 있겠구나." 하는 생각도 들었다.

<주찬>의 '동과주'를 빚으면서 주의할 점은 술밑을 다시 동아 속에 채워 넣고, 잘라냈던 꼭지 부분을 마개로 덮는 일이다. 이때 마개 덮은 자리를 밀(황랍)을 녹여서 발라 술이 새지 않도록 막아야 실패가 없다.

그리고 기주(起酒)가 될 술의 선택이 중요하다. 다 숙성된 술이냐, 이제 막 빚은 술이냐, 아니면 익고 있는 술이냐 중 어떤 걸 선택해야 할지 몰라 세 가지 방법을 다 시도해 보았다.

필자가 경험한 바로는 발효가 완전히 끝나 단맛이 많은 술이 제일 좋고, 숙성되기 직전의 단맛이 있는 술밑도 좋다. 익은 지 오래된 농숙한 술밑을 사용하면, 끓는 물에 넣고 삶을 때 자칫 신맛이 날 수도 있다.

특히 '동과주'는 '자주(煮酒)'처럼 끓는 솥에 넣고 중탕을 하는 만큼 이 과정에 있어 실수가 없어야 한다.

주방문에 보이듯, 동아 속에 술밑을 담고 마개를 막는데, 밀랍을 녹여 술이 새지 않도록 하는 것이 중요하다. 하지만 아무리 밀랍을 녹여 붙인다지만, 동아 과육의 수분이 있어 밀랍으로 틈새를 붙이기도 쉽지 않거니와 끓는 물속에서는 밀랍이 녹을 수도 있어, 술밑이 물과 함께 끓고 있는 경우가 허다하게 발생한다. 요인은 동아 과육의 수분 때문이다.

따라서 단지나 항아리 한 개를 준비하는데, 단지나 항아리의 주둥이는 술밑을 안친 동과의 둘레 지름보다 약간 크고, 키(높이)는 동아의 길이보다 약간 작은 것을 선택하는 게 좋다. 그 안에 술밑을 안친 동아의 마개 부분이 위로 향하게 세워 담고, 물을 가득 채운 뒤 물솥에 안쳐 중탕해서 술밑이 새어나오거나 솥의 물이 동아 속으로 스며드는 것을 막는 게 가장 바람직한 방법으로 보인다.

어쨌든 '동과주'는 목적을 두고 빚는 술이다. 목적을 두고 빚는다는 말은 기호음료로서의 술이라기보다는 치료나 예방 목적의 약용주라는 개념이 더 크다는 뜻이다. 보다 쉽게 말해서 끓인 술은 그 맛과 향이 좋을 리 만무하다는 얘기다.

동과주 <음식방문(飮食方文)>

술 재료 : 씨동아(동과) 1개, 예삿술(쌀, 누룩, 물 적당량), 밀(밀랍, 황랍)

술 빚는 법 :

1. 멥쌀이나 찹쌀(1~2되)을 백세하여 물에 담가 불렸다가, 다시 씻어 건져서 물기를 뺀 후 시루에 안쳐서 고두밥을 짓는다.
2. 고두밥이 익었으면 퍼내고 고루 헤쳐서 차게 식힌다.
3. 고두밥에 누룩가루(3홉)와 물(1되)을 합하고 고루 버무려 술밑을 빚는다.
4. 술밑을 술독에 담아 안치고, 예의 방법대로 하여 (5~7일간) 발효시킨다.
5. 가장 크고 좋은 (단단하고 깨끗하며 상처 없이 잘 여문) 씨동아 1개의 꼭지 부분을 잘라내고, 속을 후벼 파내어 씨와 부드러운 속살을 발라낸다.
6. 발라낸(씨를 제거한) 동아 속과 예삿술(빚어둔 술)을 함께 버무려 술밑을 빚는다.

7. 술밑을 다시 동아 속에 채워 넣고, 잘라냈던 꼭지 부분을 마개로 덮는다.
8. 마개 덮은 자리를 밀(황랍)을 녹여서 발라 술이 새지 않도록 막는다.
9. 솥에 물을 적당량 붓고 끓이다가 술을 채운 동아를 넣고 (많이) 달여서 차게 식으면 (여과하여) 마신다.

* 주방문 말미에 "남성 한 사람은 담이 올라도 없고 기운이 내리고 화를 삭히되, 너무 나리오기의(기운을 가라앉게 하여) 여윈 사람은 해롭고, 부종(浮腫)이나 창증(脹症) 있는 사람은 좋으리라."고 하여 동과주가 피부미용에 좋은 약주임을 알 수 있다.

동과쥬

씨동아 가장 조흔 거슬 머리를 버히고 속을 우부여 바리고 예수 숡노 범으려 골 셰 너코 버힌 싹지를 맛초와 덥고 틈 업시 밀을 녹여 막아 두엇다가 닉게닉게 달혀 닉여 먹은즉 조코담 셩흔 샤름은 담이 하나도 업고 긔운이 나리오고 화를 치되 너모 나리오 기의 여윈 사름은 히롭고 부증 창증 잇는 사름은 조흐니라.

무술주·황구주

스토리텔링 및 술 빚는 법

'무술주(戊戌酒)'는 단백질이 주성분인 육류를 사용하여 발효시킨 보양주 개념의 술이다. 천간(天干) 중 다섯 번째인 '무(戊)'와 원료로서 지간(支干)의 11번째인 개를 상징하는 한자 표기 '술(戌)'을 조합한 주품명이다.

'무술주'와 같이 동물성 원료를 사용해 빚는 술로 '양고주(羊羔酒, 양고기)' '치황주(雉黃酒, 꿩고기와 쇠고기)', '호골주(虎骨酒, 호랑이뼈)', '우방주(牛蒡酒, 소심장)', '우담주(牛膽酒, 소 쓸개)', '미골주(麋骨酒, 고라니뼈)', '고아주(羔兒酒, 어린 양고기)', '녹두주(鹿頭酒, 사슴 머리)' 등 종류가 적지 않다.

물론 전통주의 전체 비율로 따지면 동물성 원료를 사용한 주품의 수가 많다고는 볼 수 없지만, 그 역사는 매우 오래되었다고 한다.

한편, '무술주'는 '황구주(黃狗酒)'로도 기록되어 있다.

'무술주'에 대한 기록과 주방문은 1400년대 초기 이퇴계 수적본(手蹟本)으로 알려진 <활인심방(活人心方)>을 비롯하여 허준 선생의 <동의보감(東醫寶鑑)>, <고사신서(攷事新書)>, <고사십이집(攷事十二集)>, <민천집설(民天集說)>, <산림

경제(山林經濟)>, <양주방>*, <우음제방(禹飮諸方)>, <의방합편(醫方合編)>, <이씨(李氏)음식법>, <임원십육지(林園十六志)>, <주찬(酒饌)>, <학음잡록(鶴陰雜錄)>, <감저종식법(甘藷種植法)>, <홍씨주방문> 등 15권의 고문헌에 16회나 수록되어 있을 정도로, 동물성원료를 사용한 주품 가운데 '무술주'가 가장 널리 퍼졌던 것 같다.

과거 약주류들을 보면 술의 개념보다는 약을 섭취하기 위한 방편으로 인식하여 술 빚는 주방문을 보여주고 있다. 특히 '무술주'는 사대부와 부유층 사이에서 인기가 높았다.

우선 <본초강목>에 이르기를 "무술주는 보양하고, 음허와 냉병을 없애 준다."고 하였고, <동의보감>에는 "빈속에 한 잔씩 복용하면 능히 양기(陽氣)를 크게 보한다. 원기회복과 노인에게 좋다."고 하였다.

전하기로는 은진 송씨 가문의 기록으로 알려진 <우음제방>에는 "허약한 사람과 자식을 낳으려는 여성이 먹으면 좋다."고 하였다.

이러한 '무술주'의 술 빚는 방법은 크게 세 가지로 요약된다.

첫째는 개고기를 삶은 후 짓찧어서 나온 육즙을 양주용수로 하여 찹쌀과 함께 누룩으로 발효시키는 방법이다.

둘째는 개고기를 물에 넣고 뭉그러지게 삶아 달인 물을 양주용수로 하여 역시 찹쌀과 누룩으로 발효시키는 방법이다.

셋째는 예외적인 방법으로 <양주방>*에 "누렁개 한 마리를 잡아 껍질과 내장을 제거하고, 네 동강을 낸 다음 알맞은 독에 넣고, 찹쌀 1말이나 1말 5되를 쪄서 누룩가루를 알맞게 섞어 독에 담아 안친 다음, 1년간 땅에 묻어 익힌다. 이듬해 돌아오는 날(1년 되는 날) 뚜껑을 열어보면 고기가 다 녹아 말갛고 맛이 맑고 톡 쏘는 술이 되어 있다."고 하여 다른 문헌과는 확연히 다른 방법으로 발효시키는 주방문도 등장한다.

'무술주'를 빚을 때 주의할 점은 몇 가지로 요약된다. 문헌마다의 주방문 말미에 언급되어 있듯이 첫째, 개고기를 삶되 고기가 흐물흐물해질 정도로 무르게 삶아야 실패가 없다.

둘째, 고기를 삶아 물 위에 뜨는 기름을 건져내야 한다. 기름을 걷어내지 않으면 곧바로 산패하게 되고, 발효를 시켜도 마실 수가 없다.

고기를 삶을 때는 뭉근한 불에 오랫동안 삶되, 물이 절반으로 줄어들면 삶기를 그친다. 냉장고에 넣어두고 차게 식기를 기다렸다가 위에 뜬 기름이 굳으면, 기름덩이에 구멍을 내 고기국물만을 살짝 따라내는 방법이 좋다.

셋째, "개를 깨끗하게 씻지 않으면 술빛이 맑지 않다."고 했는데, 이는 개를 잡을 때 털을 불로 태워 제거하는 경우가 많으므로, 가능한 한 솔과 수세미를 사용해 깨끗하게 닦아내는 게 요령이다. 개를 씻다 보면 씻어낸 물에 기름기가 떠 있는데, 이러한 기름기가 생기지 않을 때까지 깨끗하게 씻어 헹구고 물기를 닦아내야 한다.

넷째, 주방문에 "개를 잡아 피를 씻지 말아야 한다."고 했다. 피가 빠진 고기를 사용한 경우, 발효가 용이하지 못할 뿐만 아니라 약효가 떨어지기 때문이다.

따라서 개를 잡아서 어느 정도 시간이 경과해 피가 굳어진 후에 칼질을 해야 피가 빠져나가는 일이 없다.

또한 <양주방>*의 '별법 무술주'처럼 생고기를 사용해 술을 빚고자 할 경우, 가능한 한 누룩을 가루 형태로 술밑을 빚어 넣는 게 좋다.

그리고 "술 빚던 날을 적어두어 돌이 되거든 꺼내야 한다."고 했듯이 가능하면 술독을 저온저장고나 땅속에 묻어 주변의 온도 변화나 기후의 영향을 받지 않고 서서히 발효·숙성되도록 관리하는 요령이 필요하다.

잘 익은 '무술주'는 개고기 맛이나 냄새가 전혀 나지 않고, 일반 약주와 별반 차이가 없다.

특히 술 빛깔이 맑고 밝은 것이 특징이라 할 정도로 순곡주보다 더 담백한 맛과 향이 있다.

1. 무술주 <감저종식법(甘藷種植法)>

술 재료 : 찹쌀 3말, 수캐(황구) 1쌍, 백곡 2냥

술 빚는 법 :

1. 누런 수캐 1쌍을 잡아 껍질과 내장을 제거한다.
2. 개고기를 물에 푹 삶고, 익으면 건져내어 절구에 넣고 흠씬 찧어서 반대기처럼 만든 다음 힘껏 짜서 즙을 낸다.
3. 찹쌀 3말을 백세하여 (물에 담가 불렸다가, 다시 씻어 헹궈서 물기를 뺀 후) 무른 고두밥을 짓는다.
4. 고두밥이 익었으면, 돗자리에 퍼내고 고루 펼쳐 차게 식기를 기다린다.
5. 삶은 고기를 찧어 짜낸 즙액에 고두밥과 흰누룩 2냥을 합한 다음, 힘껏 고루 치대어 술밑을 빚는다.
6. 술독에 술밑을 담아 안치고, 예의 방법대로 하여 14일간 발효시킨다.
7. 술이 익으면 떠서 빈속에 한 잔씩 마시는데, 상주(보통 술) 1병보다 낫다.

* 주방문 말미에 "원기를 돋우는 데 매우 좋으며, 노인에게 더욱 좋다."고 하였다. <본초강목(本草綱目)>에 "무술주는 보양하고, 음허와 냉병을 없애 준다."고 하였다.

戊戌酒

糯米三斗蒸熟黃犬碓一雙去皮腸煮一伏時候極爛搗爲泥連汁與飯同拌勻用白麴三兩和勻釀之二七日候熟空心飮一杯勝常酒一瓶補養元氣老人尤佳.

2. 무술주 <고사신서(攷事新書)>

술 재료 : 찹쌀 3말, 수캐(황구) 1마리, 백곡 2냥

술 빚는 법 :

1. 복날에 누런 수캐 1마리를 잡아 껍질과 내장을 제거한다.

2. 개고기를 물에 푹 삶고, 익으면 건져내어 절구에 넣고 흠씬 찧어서 반대기처럼 만든 다음 힘껏 짜서 즙을 낸다.
3. 찹쌀 3말을 백세하여 (물에 담가 불렸다가, 다시 씻어 헹궈서 물기를 뺀 후) 무른 고두밥을 짓는다.
4. 고두밥이 익었으면, 돗자리에 퍼내고 고루 펼쳐 차게 식기를 기다린다.
5. 삶은 고기를 찧어 짜낸 즙액에 고두밥과 흰누룩 2냥을 합한 다음, 힘껏 고루 치대어 술밑을 빚는다.
6. 술독에 술밑을 담아 안치고, 예의 방법대로 하여 14일간 발효시킨다.

* 다른 기록에는 "누렁개 한 마리를 잡아 껍질과 내장을 제거하고, 네 동강을 낸 다음, 알맞은 독에 넣고, 찹쌀 1말이나 1말 5되를 쪄서 누룩가루를 알맞게 섞어 독에 담아 안친 다음, 1년간 땅에 묻어 익힌다. 이듬해 돌아오는 날(1년 되는 날), 뚜껑을 열어보면 고기가 다 녹아 말갛고 맛이 맑고 톡 쏘는 술이 되어 있다. 주의할 일은 개를 잡아 피를 씻지 말아야 하며, 술 빚던 날을 적어두어 돌이 되거든 꺼내야 한다."고 하였다. '별법'으로 "좋은 누렁개를 잡아 네 토막을 친 다음, 물 6말 정도를 붓고 국물이 3말 될 때까지 삶아낸 다음, 고기와 물 위에 뜨는 기름을 건져내고, 그 물에 찹쌀 3말을 넣어 익히는 방법이 있다. 이때 기름을 걷어낸 물은 온중한 맛이 나는데, 개를 깨끗하게 씻지 않으면 술빛이 맑지 않다."고 하였다.

戊戌酒

糯米三斗蒸熟黃碓犬一雙去皮腸煮一伏時候極爛擣爲泥連汁與飯同拌勻用白麴三兩和勻釀之二七日候熟空心飮一杯勝常酒一瓶鋪養元氣老人尤佳.

3. 무술주 <고사십이집(攷事十二集)>

술 재료 : 찹쌀 3말, 수캐(황구) 1마리, 백곡 2냥

술 빚는 법 :

1. 복날에 누런 수캐 1마리를 잡아 껍질과 내장을 제거한다.
2. 개고기를 물에 푹 삶고, 익으면 건져내어 절구에 넣고 흠씬 찧어서 반대기처럼 만든 다음 힘껏 짜서 즙을 낸다.
3. 찹쌀 3말을 백세하여 (물에 담가 불렸다가, 다시 씻어 헹궈서 물기를 뺀 후) 무른 고두밥을 짓는다.
4. 고두밥이 익었으면, 돗자리에 펴내고 고루 펼쳐 차게 식기를 기다린다.
5. 삶은 고기를 찧어 짜낸 즙액에 고두밥과 흰누룩 2냥을 합한 다음, 힘껏 고루 치대어 술밑을 빚는다.
6. 술독에 술밑을 담아 안치고, 예의 방법대로 하여 14일간 발효시킨다.

* 주방문 말미에 "14일 지나 술이 익으면 떠서 빈속에 한 잔씩 마시는데, 상주(보통 술) 1병보다 낫다. 원기를 돋우는 데 매우 좋으며, 노인에게 더욱 좋다."고 하였다.

戊戌酒

糯米三斗蒸熟黃雄犬一雙去皮腸煮一伏時候極爛擣爲泥連汁與飯同拌匀用白麴三兩和匀釀之二七日候熟空心飲一杯勝常酒一瓶鋪養元氣老人尤佳<本草綱目>曰戊戌酒太補元陽其性大熱陰虛無冷病人不宜飲之.

4. 무술주 <달생비서(達生秘書)>

양기(陽氣)를 크게 보한다. (처방은 잡방문에 나온다.) <활인심방>을 인용하였다.

戊戌酒
極能補養元氣, 老人无佳 <活心>.

5. 무술주 <동의보감(東醫寶鑑)>

술 재료 : 찹쌀 3말, 수캐(황구) 1마리, 백곡 2냥

술 빚는 법 :

1. 복날에 누런 수캐 1마리를 잡아 껍질과 내장을 제거한다.
2. 개고기를 물에 푹 삶고, 익으면 건져내어 절구에 넣고 흠씬 찧어서 반대기처럼 만든 다음 힘껏 짜서 국물을 낸다.
3. (찹쌀 3말을 백세하여 물에 담가 불렸다가, 다시 씻어 헹궈서 물기를 뺀 후 무른 고두밥을 짓는다.)
4. (고두밥이 익었으면, 돗자리에 퍼내고 고루 펼쳐 차게 식기를 기다린다.)
5. 삶은 고기를 찧어 즙액과 함께 찹쌀(고두밥)과 흰누룩 2냥을 합한 다음, 힘껏 고루 치대어 술밑을 빚는다.
6. 술독에 술밑을 담아 안치고, 예의 방법대로 하여 14일간 발효시킨다.

* 주방문에 "찹쌀 3말을 시루에 안치고 쪄서 수컷 황구 한 쌍을 껍질과 내장을 제거하고 삶아 하루 동안 푹 무르게 삶아 질게 절구에 찧고, 국물째로 고두밥과 백국 3냥을 함께 고루 버무려 술을 빚는다."고 하고, "빈속에

한 잔씩 복용하면 능히 양기(陽氣)를 크게 보한다. (처방은 잡방문에 나온다.) 원기회복과 노인에게 좋다."고 하였다.

戊戌酒

糯米三斗蒸熟, 黃雄犬一雙去皮腸, 煮一伏時 後極爛, 擣爲泥, 連汁與飯同拌勻, 用白麴三兩和勻釀之. 空心, 飮一盃. 極能補養元氣, 老人尤佳. <活心>.

6. 무술주 <민천집설(民天集說)>

술 재료 : 찹쌀 3말, 수캐(황구) 1마리, 백곡 3냥

술 빚는 법 :

1. 복날에 누런 수캐 1마리를 잡아 껍질과 내장을 제거한다.
2. 개고기를 물에 푹 삶고, 익으면 건져내어 절구에 넣고 흠씬 찧어서 반대기처럼 만든 다음 힘껏 짜서 즙을 낸다.
3. 찹쌀 3말을 백세하여 (물에 담가 불렸다가, 다시 씻어 헹궈서 물기를 뺀 후) 무른 고두밥을 짓는다.
4. 고두밥이 익었으면, 돗자리에 펴내어 고루 펼쳐 차게 식기를 기다린다.
5. 삶은 고기를 찧어 짜낸 즙액에 고두밥과 흰누룩 3냥을 합한 다음, 힘껏 고루 치대어 술밑을 빚는다.
6. 술독에 술밑을 담아 안치고, 예의 방법대로 하여 14일간 발효시킨다.

* 주방문 말미에 "14일 지나 술이 익으면 매일 한 잔씩 마시는데, 원기를 돋우는 데 매우 좋으며, 노인에게 더욱 좋다."고 하였다. <본초강목>에 이르기를 "무술주는 보양하고, 음허와 냉병을 없애 준다."고 하였다.

戊戌酒
糯米三斗蒸熟, 黃雄犬一雙去皮腸, 煮一伏時 後極爛, 擣爲泥, 連汁與飯同拌勻, 用白麴三兩和勻釀之. 空心, 飮一盃. 極能補養元氣, 老人尤佳.

7. 무술주 <산림경제(山林經濟)>

술 재료 : 누런 개 1마리, 찹쌀 3말, 흰누룩가루 3냥

술 빚는 법 :

1. 눈청까지 온통 누런 개 1마리를 잡아 잘 다루어(마른행주로 깨끗하게 씻고 이물을 제거한다), 가죽을 벗기고, 머리와 내장을 제거한다(피를 씻지 말고, 물도 쓰지 않는 것이 좋다).
2. 개고기를 극히 부드럽게 짓찧어 진흙처럼 이겨서 즙을 만들어놓는다
3. 찹쌀 3말을 (깨끗이 씻고 또 씻어 물에 담가 불렸다가, 다시 씻어 건져서 물기를 뺀 후) 시루에 안쳐 무른 고두밥을 짓는다.
4. 고두밥이 익었으면 퍼낸다(고루 헤쳐서 차게 식기를 기다린다).
5. 찹쌀고두밥과 고기즙을 한데 합하고, 많이 치대어 술거리를 만들고, 다시 흰 누룩가루 3냥을 합하고, 고루 치대어 술밑을 빚는다.
6. 술밑을 술독에 퍼 담아 안치고, 술독 주둥이를 기름종이로 여러 겹으로 밀봉한다.
7. 술은 예의 방법대로 하여 14일간 발효시킨다.
8. 술이 익었으면 고기가 다 녹아 술이 되어 말갛고, 맛이 달고 콕 쏘거든 양대로 두고두고 떠서 마신다.

* 주방문 말미에 "공복에 한 잔씩 먹으면 좋고, 계속해서 한 병을 마시면 능히 원기를 돋우고 특히 노인에게 좋다."고 하였다.

戊戌酒

糯米三斗蒸熟黃雄犬一雙去皮腸煮一伏時候極爛擣爲泥連汁與飯同拌勻用白麴三兩和均釀之二七日候熟空心腹一杯勝飮常酒一瓶能補養元氣老人尤佳.

8. 무술주 <양주방>*

술 재료 : 누런 개 1마리, 찹쌀 3말, 누룩가루(3되), 고기 삶은 물 3말

술 빚는 법 :

1. 좋은 누런 개를 잡아 잘 다루어 (물에 깨끗하게 씻고 핏물을 제거하여), 네 동강을 내놓는다.
2. 솥에 물(4말)을 붓고 다듬어 놓은 개고기를 넣은 후, 장작불을 모아 노그라지게(물러지게) 삶는다.
3. 고기 삶은 국물이 3말이 안 되면, 국물을 퍼내고 물을 다시 부어 뭉그러지게 삶아 국물이 3말 되게 만들어놓는다.
4. 고기가 충분히 삶아졌으면 건져내고, 고기 삶은 물을 체에 밭쳐서 찌꺼기를 제거한다.
5. 고기 삶은 물을 차게 식히고, 식은 후 위에 뜬 기름을 제거한다.
6. 찹쌀 3말을 깨끗이 씻고 또 씻어(백세하여) 물에 담가 불렸다가 (다시 씻어 건져서 물기를 뺀 후) 시루에 안쳐 고두밥을 짓는다.
7. 고두밥이 익었으면 퍼내고, 고루 헤쳐서 차게 식기를 기다린다.
8. 고기 삶은 물에 누룩가루(3되)를 넣고, 풀어질 때까지 두어서 누룩물을 만든다.
9. 누룩물에 고두밥을 넣고, 고루 버무려 술밑을 빚는다.
10. 술밑을 술독에 담아 안치고, 예의 방법대로 발효시켜 익는 대로 따라 마신다.

* 주방문 말미에 "익거든 따라 마시면 아주 보한다. 특히 늙은 분에게 더 좋다. 개국의 기름을 걷어낸 뒤에 쓰면 맛이 박하나 기름을 넣어 많이 달여 술을 빚으면 온중한 맛이 나고, 개를 씻지 않으면 더 유익하되, 술의 맑기가 씻어서 하느니만 못하다."고 하였다.

무슐쥬

죠흔 황구 잡아 ᄉᆞ각 써 잘 달하 농난이 살마 살믄 물이 서 말 못ᄒᆞ거든 국 프고 물 곳쳐 부어 난만이 살마 살믄 물의 ᄯᅳᆫ 기름을 죄 건져 ᄇᆞ리고, 그 물의 법으로 졈미 서 말을 비져 닉거든 드리워 먹으면 보ᄒᆞ니 노인의게 더 조흐니라. 개국 기름 거른 후 쑥 ᄒᆞᆫ 가지 너허 ᄌᆞ져 슐 비ᄌᆞ면 온듕ᄒᆞ고 개ᄅᆞᆯ 죄 씻지 아니ᄒᆞ면 더 유익ᄒᆞᄃᆡ 술 졍ᄒᆞ기 씨ᄉᆞ니만 못ᄒᆞ니라.

9. 무술주 우일방 <양주방>*

술 재료 : 누런 개 1마리, 찹쌀 1말~1말 5되, 누룩가루(3되)

술 빚는 법 :

1. 눈청까지 온통 누런 개를 잡아 잘 다루어 (마른행주로 깨끗하게 씻고 이물을 제거하여), 가죽을 벗기고, 머리와 내장을 제거한다.
2. 가죽을 벗긴 개를 네 동강을 내놓는다(물을 쓰지 않는 것이 좋다).
3. 알맞은 크기의 술독에 다듬어 놓은 개고기를 뼈째 생으로 쟁여 넣는다.
4. 찹쌀 1말~1말 5되를 깨끗이 씻고 또 씻어(백세하여) 물에 담가 불렸다가, (다시 씻어 건져서 물기를 뺀 후) 시루에 안쳐 고두밥을 짓는다.
5. 고두밥이 익었으면 퍼낸다(고루 헤쳐서 차게 식기를 기다린다).
6. 술독을 볏짚으로 옷을 만들어 싸맨 뒤, 진흙을 발라놓는다.
7. 고두밥에 좋은 누룩가루(3되)를 넣고, 고루 버무려서 술밑을 빚는다.

8. 술밑을 술독의 고기 위에 펴 담아 안치고, 술독 주둥이를 기름종이로 여러 겹으로 싸매 밀봉한다.
9. 질소래기로 술독을 덮고, 흙을 짓이겨서 독 뚜껑의 빈틈을 매워서 찬 기운이나 물이 들어가지 않게 한다.
10. 물기 없고 깨끗한 땅을 술독 키 높이로 파서 술독을 묻는데, 독 묻은 주변을 긴 작살로 울타리를 만들어 세워서 바람벽을 삼고, 흙으로 덮어 놓는다.
11. 술 빚은 지 1년이 되는 날 술독을 파내면, 고기가 다 녹아 술이 되어 말갛고 맛이 달고 콕 쏘거든 양대로 두고두고 떠서 마신다.

* 주방문에 "개 3마리가 한 제이니, 미리 누런 개를 또 얻어두었다가 곧 두 돌째 다시 빚어 묻고, 그 다음 해에 또 하여 거푸 3마리만 먹으면 온갖 병이 다 떨어지고 기운을 극히 보한다. 개를 잡아 피를 씻지 말아야 하며, 술 빚던 날을 기록하여 두었다가 제 돌이 되거든 내어라."고 하였다.
* 누룩가루의 양을 '알맞춰'라고 한바, 그 양을 쌀 양과 물의 양을 감안하여 3되로 산정하였다.

무슐쥬 우일방

진황구를 ᄒᆞ나홀 거피ᄒᆞ야 미리 ᄂᆡ장만 ᄇᆞ리고 ᄉᆞ각 ᄲᅧ 알마ᄌᆞᆫ 독의 왼ᄀᆡ 고기 ᄲᅢ 조차 ᄉᆡᆼ으로 독의 졍여 너코 졈미 일 두 혹 일 두 반 ᄇᆡᆨ셰ᄒᆞ야 담갓다가 ᄂᆡᆨ게 ᄡᅧ 조흔 국말 알마초 물 말고 마르니로 밥의 고로고로 섯거 고기 우ᄒᆡ 펴 너허 초출 ᄒᆞᆫ ᄡᅡ흘 파ᄃᆡ 그 독이 묫치일만치 파 독을 드려노코 독부리예 마치 마ᄌᆞᆫ 질소ᄅᆞ로 식기 우흘 덥고 독이 ᄉᆡ여 지기 쉬우니 뷘 독젹의 삿기로 독 몸이 나지 아니ᄒᆞ게 얽어 ᄃᆞᆫᄃᆞᆫ이 ᄒᆞ얏다가 슐 비져 ᄡᅡᄒᆡ 무드ᄃᆡ 흙 니겨 ᄇᆞ라고 흙 쳐 무드ᄃᆡ 독 밧글 ᄉᆞ면의 긴 작슈 ᄡᅡ 밧거 박아 ᄇᆞᄅᆞᆷ ᄒᆞ얏다가 명년 무더던 ᄃᆞᆯ ᄉᆡ 고기 다 녹아 슐이 되야 ᄆᆞᆰ아 ᄒᆞ고 맛시 청녈ᄒᆞ거든 냥ᄃᆡ로 두고 먹으라. 개 세 마리가 ᄒᆞᆫ 졔니 미리 황구를 ᄯᅩ 어더 두엇다가 즉시 ᄌᆡ 슌 비져 뭇고 ᄒᆞᆺᄒᆡ예 ᄯᅩ ᄒᆞ야 년 셰 마리만 먹으면 ᄇᆡᆨ

병이 다 물너지고 긔운을 극히 보ᄒᆞᄂᆞ니라. 독 무든 일 철을 긔록ᄒᆞ얏다가 돌시 되거든 파ᄂᆡ라.

10. 황구주 <우음제방(禹飮諸方)>

–무술주(戊戌酒)

술 재료 : 찹쌀 2말, 황구 1마리, 누룩 2두레(덩어리)

술 빚는 법 :

1. 털 빛깔이 누런 개 1마리를 산 채로 끈으로 묶어 물에 잠기게 넣어 죽인다.
2. 다시 끈으로 고쳐 묶고, 황토를 짓이겨 몸에 빈틈없이 발라서 모닥불에 굽는다.
3. 털이 없이 잘 구워졌으면 긁어내고 똥은 털어서 제거한다.
4. 물 2동이에 개를 넣고 뼈와 살이 분리되도록 오랫동안 삶아서 체에 걸러 뼈와 찌꺼기를 제거한 개소주를 만든다.
5. (개소주를 넓은 그릇에 퍼 담고 차게 식기를 기다린다.)
6. 찹쌀 2말을 (백세하여 물에 담가 불렸다가, 다시 씻어 헹궈서 물기를 뺀 후) 무른 고두밥을 짓는다.
7. (고두밥이 익었으면 돗자리에 펴내고, 고루 펼쳐 차게 식기를 기다린다.)
8. 개소주에 고두밥과 누룩 2두레(덩이)를 합하고, 고루 버무려 술밑을 빚는다.
9. 술독에 술밑을 담아 안치고, 예의 방법대로 하여 발효시켜 익기를 기다린다.

* 주방문 머리에 "허약한 사람과 자식을 낳으려는 여성이 먹으면 좋다."고 하였다.

황구주

허핑ᄒᆞᆫ 사ᄅᆞᆷ과 구ᄉᆞᄒᆞᄂᆞᆫ 녀편ᄂᆡ 먹으면 죠ᄒᆞ니라. 황구ᄅᆞᆯ 산 이로 동혀 ᄆᆞᆯ의 너허 죽거든 고쳐 동혀 죠흔 황토로 틈 업시 ᄇᆞᆯ나 모닥블의 구어 털 업시 ᄒᆞ고 ᄯᆞᆼ ᄡᅥ러 ᄇᆞ리고 ᄆᆞᆯ 두 동의 부어 ᄲᅧ가 졀노 ᄲᅡ지도록 고와 쳬예 걸너 그 즙의 출ᄡᆞᆯ 두 말 누록 두 두레 너허 빗ᄂᆞ니라.

11. 무술주 <의방합편(醫方合編)>

술 재료 : 누렁개 1마리, 찹쌀 5말, 백곡가루 3냥, 물(4말)

술 빚는 법 :

1. 가죽을 제거한 누렁개 1마리를 껍질과 내장을 제거하고 토막을 친다.
2. 가마솥에 다듬은 개와 함께 물(4말)을 붓고, (국물이 3말이 될 때까지) 푹 삶는다(국물 위에 뜨는 기름을 건져 제거한다).
3. 찹쌀 5말을 백세하여 하룻밤 불렸다가 건져서 물기를 뺀다.
4. 찹쌀을 시루에 안쳐 고두밥을 짓고, 고루 펼쳐서 차게 식힌다.
5. 삶은 개를 건져서 찧어 즙을 낸다.
6. 고두밥과 백곡가루 3냥을 넣고, 고루 휘저어 술밑을 빚는다.
7. 술독에 술밑을 담아 안치고, 예의 방법대로 하여 7일간 발효시켜 익는 대로 채주한다.

* 주방문 말미에 "빈속에 1사발만 마시면 일상의 술 1병보다 좋다. 원기를 보충하고 길러주므로 더욱 좋다."고 하였다. 고기를 삶는 데 필요한 물의 양이 나와 있지 않아 다른 주방문을 참고하였다.
* <고사십이집>과 <양주방>*에는 '별법(別法)'으로 "누렁개 1마리를 가죽을 벗기고 내장을 제거한 후, 4등분하여 술독에 넣고, 찹쌀 1말~1말 5되를 고두

밥 지어 누룩가루와 함께 섞어 술독에 안친다. 술독은 땅에 묻어 익힌다. 이듬해 묻은 지 1년 되는 날 술독 뚜껑을 열면 고기는 녹아 맑고 톡 쏘는 술이 된다고 한다. 노인에게 좋으며, 3마리분을 먹으면 온갖 병이 없어지고 기운을 보한다고 한다. 개를 잡을 때 피를 씻지 말아야 한다."고 하였다.

戊戌酒
糯米五斗蒸熟黃犬一隻去皮腸煮一伏時候拯爛搗爲泥出汁與拌同半均用白曲三兩和勻釀之二七日候熟空心飮一盃勝常一瓶補養元氣.

12. 무술주 <이씨(李氏)음식법>

술 재료 : 찹쌀 3말, 수캐(황구) 1마리, 백곡 2냥

술 빚는 법 :
1. 황구를 잡아서 각을 떠놓는다(껍질과 내장을 제거한다).
2. 개고기를 물에 푹 삶고, 기름기가 뜨면 낱낱이 제거한다.
3. (고기가 익으면 건져내어 절구에 넣고 흠씬 찧어서 반대기처럼 만든 다음, 힘껏 짜서 즙을 낸다.)
4. (찹쌀 3말을 백세하여 물에 담가 불렸다가, 다시 씻어 헹궈서 물기를 뺀 후 무른 고두밥을 짓는다.)
5. (고두밥이 익었으면 돗자리에 퍼내고, 고루 펼쳐 차게 식기를 기다린다.)
6. 삶은 고기를 찧어 짜낸 즙액에 고두밥과 흰누룩 2냥을 합한 다음, 힘껏 고루 치대어 술밑을 빚는다.
7. 술독에 술밑을 담아 안치고, 예의 방법대로 하여 (서늘한 곳에서) 발효시키고 익기를 기다린다.

* 주방문에 술 빚는 법과 재료의 양이 구체적으로 언급되어 있지 않아 주방문이 유사한 <감저종식법> 주방문을 참고하였다. 주방문 말미에 "먹으면 극히 보하나니라. 개를 덜 씻으면 유익하되, 술이 찌근치 못하고 맛게 쓰지 못하니라."고 하였다. <본초강목>에 "무술주는 보양하고, 음허와 냉병을 없애준다."고 하였다.

무슐쥬
됴흔 황구 ᄌᆞ바셔 각을 ᄶᅥ 눅난이 살마 살문 물의 기름 ᄯᅳ거든 낫낫치 거더 바리고 약쥬방문으로 셔 말 비져 익거든 먹으면 극히 보ᄒᆞ난이라. ᄀᆡ을 들 씨스면 유익ᄒᆞ되 슐이 ᄶᅵ근지 못ᄒᆞ고 맛시 쓰지 못ᄒᆞ니라.

13. 무술주 <임원십육지(林園十六志)>

원기를 돋운다. <식료본초>를 인용하였다.

戊灰酒
<食療本草> 大補元氣. (案)方見 <葆養志>.

14. 무술주 <주찬(酒饌)>

술 재료 : 찹쌀 3말, 수캐(황구) 1마리, 백곡 2냥

술 빚는 법 :
1. 복날에 누런 수캐 1마리를 잡아 껍질과 내장을 제거한다.
2. 개고기를 물에 푹 삶고, 익으면 건져내어 절구에 넣고 흠씬 찧어서 반대기

처럼 만든다.
3. 찹쌀 3말을 백세하여 (물에 담가 불렸다가, 다시 씻어 헹궈 건져서 물기를 뺀 후) 시루에 안쳐서 고두밥을 짓는다.
4. 고두밥이 익었으면 퍼내고, 고루 펼쳐서 차게 식기를 기다린다.
5. 고기 삶은 물에 고두밥과 반대기를 지은 고기와 흰누룩 2냥을 합한 다음, 고루 치대어 술밑을 빚는다.
6. 술독에 술밑을 담아 안치고, 예의 방법대로 하여 14일간 발효시킨다.
* 주방문 말미에 "14일 지나 빈속에 한 잔씩 마시는데, 원기를 돋우는 데 매우 좋으며, 노인에게 더욱 좋다."고 하였다.

戊戌酒
糯米三斗烝熟黃雄犬一隻去皮腸煮一伏時候極爛搗爲泥連汁與飯同拌匀用白曲二兩和均釀之二七日熟空心飮一盃極能養元氣老人尤好.

15. 무술주 <학음잡록(鶴陰雜錄)>

술 재료 : 찹쌀 3말, 수캐(황구) 1마리, 백곡 2냥

술 빚는 법 :
1. 복날에 누런 수캐 1마리를 잡아 껍질과 내장을 제거한다.
2. 개고기를 물에 푹 삶고, 익으면 건져내어 절구에 넣고 흠씬 찧어서 반대기처럼 만든 다음 힘껏 짜서 즙을 낸다.
3. 찹쌀 3말을 백세하여 (물에 담가 불렸다가, 다시 씻어 헹궈서 물기를 뺀 후) 무른 고두밥을 짓는다.
4. 고두밥이 익었으면 (돗자리에 퍼내고 고루 펼쳐) 차게 식기를 기다린다).
5. 삶은 고기를 찧어 짜낸 즙액에 고두밥과 흰누룩 2냥을 합한 다음, 힘껏 고

루 치대어 술밑을 빚는다.
6. 술독에 술밑을 담아 안치고, 예의 방법대로 하여 14일간 발효시킨다.

* 주방문 말미에 "14일 지나 술이 익으면 떠서 빈속에 한 잔씩 마시는데, 원기를 돋우는 데 매우 좋다."고 하였다.

戊戌酒

糯米三斗蒸熟黃雄犬一雙去皮腸煮一伏時候極爛擣爲泥連汁與飯同拌勻用白麴三兩和勻釀之二七日候熟空心飮一杯勝常酒一瓶鋪養元氣老人尤佳<本草綱目>曰戊戌酒太補元陽其性大熱陰虛無冷病人不宜飮之.

16. 무술주 <활인심방(活人心方)>

술 재료 : 찹쌀 3말, 수캐(황구) 1마리, 백곡 2냥

술 빚는 법 :
1. 복날에 누런 수캐 1마리를 잡아 껍질과 내장을 제거한다.
2. 개고기를 물에 푹 삶고, 익으면 건져내어 절구에 넣고 흠씬 찧어서 반대기처럼 만든 다음 힘껏 짜서 즙을 낸다.
3. 찹쌀 3말을 백세하여 (물에 담가 불렸다가, 다시 씻어 헹궈서 물기를 뺀 후) 무른 고두밥을 짓는다.
4. 고두밥이 익었으면, 돗자리에 퍼내고 고루 펼쳐 차게 식기를 기다린다.
5. 삶은 고기를 찧어 짜낸 즙액에 고두밥과 흰누룩 2냥을 합한 다음, 힘껏 고루 치대어 술밑을 빚는다.
6. 술독에 술밑을 담아 안치고, 예의 방법대로 하여 14일간 발효시킨다.

* 주방문 말미에 "14일 지나 술이 익으면 떠서 빈속에 한 잔씩 마시는데, 상주(보통 술) 1병보다 낫다. 원기를 돋우는 데 매우 좋으며, 노인에게 더욱 좋다."고 하였다.

戊戌酒

每糯米三斗蒸熟,用犬一隻煮一伏時,候極爛,搗爲泥,連汁與飯同拌要勻,方下白麴.候熟,但空心只飮一盃,勝飮常酒一瓶.極能補養元氣,老人飮之尤佳.

문장주

스토리텔링 및 술 빚는 법

고문헌 속 전통주 주방문을 찾다가 <고사십이집(攷事十二集)>의 '문장주(文章酒)'에 눈길이 머물렀다. '문장주'란 주품명이 몹시도 인상 깊고 매력적으로 느껴졌을 뿐 아니라 지금까지 수십 권의 고문헌을 뒤졌지만 '문장주'란 주품명은 처음 목격되었기 때문이다. 그러나 이내 실망하고 말았다.

'문장주'가 다름 아닌 '오가피주(五加皮酒)'였고, 주방문을 유심히 관찰해 보니 <고사신서(攷事新書)>를 비롯해 <농정회요(農政會要)>, <민천집설(民天集說)>, <학음잡록(鶴陰雜錄)> 등의 주방문과도 동일했기 때문이다.

그렇다면 왜 '오가피주'를 '문장주'라고 했을까? <고사신서>를 비롯해 <임원십육지(林園十六志)>와 <규합총서(閨閤叢書)>에 이르기까지 서명응(徐命膺)의 계보(系譜)를 잇는 문헌에는 모두 '오가피주'로 수록하고 있는데, 오직 <고사십이집>에서만 '문장주'로 기록한 이유가 무엇일까?

그건 바로 <고사신서>, <임원십육지>, <규합총서>보다 기록이 앞선 <고사십이집>의 저자가 서명응이기 때문이다. 나중에야 그 이유가 "<고사십이집>은

<고사촬요(故事撮要)>를 베껴 재구성한 저서"라는 사실을 알게 되었고, <고사신서>에서 비로소 '오가피주'라는 정식 주품명으로 수록되었음을 알 수 있다.

또한 <고사신서>에서 <고사십이집>에 '문장주'로 수록하게 된 배경을 찾을 수 있다. <고사신서>의 '오가피주' 주방문 말미에 "오가(五加)를 일명 문장초(文章草)라고 한다. 문장(文章)으로 술을 만들지언정 금(金)이 귀하다고 말하지 않겠다. 오가피(五加皮)는 대개 상품에 드는 영약(靈藥)이다."고 하였다.

<규합총서>에서도 "오가피는 일명 금염(金鹽)이요, 일명은 문장초다. 위로 오차성(五車星)의 정기를 응했기 때문에 잎이 다섯이 나왔다."고 하고, "옛 사람이 이르기를, '만일 한 줌의 오가피를 얻으면 옥(玉)이 수레에 가득한 것보다 낫다.'고 하였다. 또 이르기를, '문장초로 술을 빚으면 금을 귀하다고 이르지 못하리라. 옛날 중국 고담(古談)에는 맹작이란 사람이 평생을 두고 오가피 술을 장복하였더니, 나이 삼백을 살고 아들을 서른 명이나 낳았으니, 지금 사람은 병이 있고 그 수가 단명하므로, 모름지기 백사 다 버리고 이 술을 마실지어다.'라고 기록되어 있다."고 하였다.

<고사십이집>의 '문장주' 주방문에 따른 술 빚는 요령이나 주의사항 등에 대해서는 '오가피주'를 참조하기 바란다.

다만 주방문 말미에 "맛있게 하려면 밑술을 할 때 오가피 달인 물을 3병을 사용하라."고 하였다. 또 주방문 말미에 "오가피 달인 물과 누룩은 무릇 그 양을 알맞게 조절하여 빚으라."고 한 기록을 참고할 만하다.

결국 오가피를 달인 물의 양에 따라 누룩의 양을 조절하여 맛을 맞추라는 이야기로, 이는 술을 마시는 사람의 취향에 따라 그 양을 가감하여 기호를 따르라는 말과 같다. 그리고 '문장주 우법(又法)'은 오가피를 넣어 빚은 발효주를 증류하여 '오가피소주'를 얻고, 다시 오가피 달인 물을 사용해 빚은 술에 먼저 만들어 둔 '오가피소주'를 넣어 발효·숙성시키는 혼양주법(混釀酒法)이라는 점에서 차이가 있다 하겠다.

다시 말해 발효주이자 약용약주(藥用藥酒)로서의 '문장주'와 혼양주로서의 '문장주'가 동시에 수록된 경우도 매우 예외적이라는 점에서 본 주방문은 주목할 필요가 있다.

1. 문장주 <고사십이집(攷事十二集)>

술 재료 : 밑술 : 오가피 1근(마른 것 10냥), 멥쌀 1말, 누룩가루 5홉, 밀가루 5홉, 부본 1되, 물 10병
덧술 : 멥쌀 2말(오가피 5냥, 물 5되)

술 빚는 법 :

* 밑술 :

1. 4~5월에 물이 오른 오가피 줄기를 많이 채취하여 외피(겉껍질)를 제거한다.
2. 오가피 줄기 1근(건조시킨 것은 10냥)을 물 10병에 넣고 달여서 물이 5병이 되면 찌꺼기(건더기)는 제거한다.
3. 멥쌀 1말을 백세작말하여 오가피 달인 물 5병(또는 3병)에 넣고, 팔팔 끓여서 죽을 쑨 후 넓은 그릇에 퍼서 차게 식기를 기다린다.
4. 오가피죽에 누룩가루 5홉과 밀가루 5홉, 부본 1되를 합하고, 고루 버무려 술밑을 빚는다.
5. 술독에 술밑을 담아 안치고, 예의 방법대로 하여 발효시킨다.

* 덧술 :

1. 멥쌀 2말을 백세하여 (물에 담가 불렸다가, 다시 씻어 건져서 물기를 뺀 후) 시루에 안쳐서 고두밥을 짓는다.
2. 외피(겉껍질)를 제거한 오가피 줄기 1근(건조시킨 것은 10냥)을 물 10병에 넣고 달여서 찌꺼기(건더기)는 제거한 오가피물 6병을 준비한다.
3. 고두밥이 익었으면, 넓은 그릇에 퍼내어 끓고 있는 오가피물을 합하고, 주걱으로 헤쳐서 고두밥이 물을 다 먹기를 기다린다.
4. 고두밥을 여러 개의 그릇에 나눠 차게 식기를 기다린다.
5. 오가피 달인 물에 불린 고두밥과 밑술을 합하고, 고루 버무려 술밑을 빚는다.

6. 술독에 술밑을 담아 안치고, 예의 방법대로 하여 발효시키고 익기를 기다린다.

文章酒

五加皮四五月去外皮用一斤(乾則十兩)冬月則并外皮倍入水十瓶煎至五瓶用白米一斗百洗作末以五加煎水三瓶(欲作旨酒用二瓶半)乘沸調和待冷麴末五合真末五合腐本一升調勻入甕爛熟後以白米二斗百洗熟蒸以五加水六瓶調和待冷與本釀同和以釀待熟上槽.雖釀累斗煎水用麴倣此爲例且凡調水時切勿用他水.

2. 문장주(우법) <고사십이집(攷事十二集)>

술 재료 : 밑술 : 오가피 1근(마른 것 10냥), 멥쌀 1말, 누룩가루 4되, 물 10병
덧술 : 멥쌀 2말(오가피 5냥, 물 5되)

술 빚는 법 :

* 밑술 :

1. 4~5월에 물이 오른 오가피 줄기를 많이 채취하여 외피(겉껍질)를 제거한다.
2. 오가피 줄기 1근(건조시킨 것은 10냥)을 물 10병에 넣고 달여서 물이 4~5병이 되면, 찌꺼기(건더기)는 제거한다.
3. 멥쌀 1말을 백세작말하여 오가피 달인 물 4~5병에 넣고, 팔팔 끓여서 죽을 쑨 후 넓은 그릇에 퍼서 차게 식기를 기다린다.
4. 오가피죽에 누룩가루 4되를 합하고, 고루 버무려 술밑을 빚는다.
5. 술독에 술밑을 담아 안치고, 예의 방법대로 하여 발효시킨다.
6. 술이 익었으면 소줏고리를 이용해 증류하여 노주(露酒)를 받아놓는다.

* 덧술 :

1. 찹쌀 5되를 백세하여 (물에 담가 불렸다가, 다시 씻어 건져서 물기를 뺀 후) 고운 가루로 빻는다.
2. 외피(겉껍질)를 제거한 오가피 줄기 1근(건조시킨 것은 10냥)을 물 10병에 넣고 달여서 찌꺼기(건더기)는 제거한 오가피물 3병을 준비한다.
3. 쌀가루를 넓은 그릇에 담아 끓고 있는 오가피물을 합하고, 주걱으로 고루 개어서 범벅을 쑨 후 차게 식기를 기다린다.
4. 오가피죽에 누룩 7홉을 합하고, 고루 버무려 술밑을 빚는다.
5. 술독에 술밑을 담아 안치고, 예의 방법대로 하여 발효시키고 익기를 기다린다.
6. 술 빚은 지 3~4일이 되어 술맛을 보아 단맛이 적고 매운 맛이 나면, 받아둔 노주를 항아리 가운데 붓고 젓지 않는다.
7. 술독을 기름종이로 밀봉하여 약간 따뜻한 곳(微溫)에 안쳐두고, 7~8일간 발효 숙성시킨 다음 주조에 올려 짜낸다.

* 주방문에 "맛있게 하려면 밑술을 할 때 오가피 달인 물을 3병을 사용하라." 고 하였다. 또 주방문 말미에 "오가피 달인 물과 누룩은 무릇 그 양을 알맞게 조절하여 빚으라."고 하였다. 결국 오가피를 달인 물 양에 따라 누룩의 양을 조절하여 맛을 맞추라는 말로 이해하면 된다.
* 주방문 말미에 "<촉이물지(蜀異物志)>에 '문장초로 술을 빚으면 그 맛을 이룰 수 있다. 금으로 문장초를 구매해도 귀하다고 말하지 않는다.' 장자성(張子聲), 양건시(楊建始), 왕숙아(王叔牙), 우세언(于世彦) 등은 모두 이 술을 마셔서 성관계를 끊지 않고 300년의 수를 누렸다. 산(散)으로 만들면 차를 끓여 마시는 것을 대신할 수 있다."고 하여 '문장주'의 효능에 대해 언급하고 있는데, <고사신서>에는 없는 내용이다

文章酒(又法)

白米一斗,百洗,入麴末四升,以五加煎水四五瓶,釀酒,熬作露酒.又以粘米五升,百洗,入細末麴七合,用五加水三瓶,釀酒.待其味少甘多烈,以露酒注于其中,以油紙封,置微溫處,過七八日,上槽.(五加皮一名 文章草. <陶氏弘景> 曰 "煮根莖釀酒飮,益人.道家用此作灰煮石,與地楡幷有秘法." <唐氏愼微> 曰 "東華眞人 <煮石經> 云 '昔有西域眞人王屋山人王常云:何以得長久?何不食石蓄金塩?毋何以得長壽,何不食石用玉豉.玉豉,地楡也.金塩,五加也.'孟綽子,董士固相與言云 '寧得一把五加,不用金玉滿車.寧得一斤地楡,不用明月寶珠.'" 又 <蜀異物志> "文章作酒,能成其味.以金買草,不言其貴." 張子聲楊建始王叔牙于世彦等,皆服此酒,而房室不絶,得壽三百年.亦可爲散以代湯茶.

밀온투병향

스토리텔링 및 술 빚는 법

'밀온투병향(蜜醞透瓶香)'은 1823년경에 발행된 것으로 알려진 <임원십육지(林園十六志)>에 유일하게 수록된 주품이다. '밀온투병향'은 '밀주(蜜酒)'와 유사한 주품이라고 할 수 있다. 왜냐하면 두 가지 다 꿀을 녹여서 사용하기 때문이다.

다만 <고사신서(攷事新書)>에 수록된 '밀주'는 밀(蜜) 4되에 술 9되를 섞고 중탕하여 밀이 녹으면 식혀서 누룩가루 4냥과 백효(白酵) 1냥, 용뇌(龍腦, 10알)을 섞어 발효시키는데, 부재료로 용뇌가 사용된다.

반면, '밀온투병향'은 벌꿀을 물과 섞고 끓여서 녹인 후 누룩가루로 발효시키되, 부재료로 관계(육계)·후추·좋은 생강·홍두·축사인 등 여러 가지 약재를 사용하고 있다. 두 주방문의 차이가 부재료에 달려 있음을 알 수 있다.

이 외에도 술을 발효시키고, 술독을 관리하는 방법에서도 다소 차이가 있긴 하다. '밀온투병향'은 주방문에도 나와 있듯이 "꿀물을 4등분하여 4회에 걸쳐 나눠서 담아 안치고, 약재가루 8전과 누룩가루 4냥을 넣는다. 술단지를 유지로 봉하고, 대나무잎으로 7겹을 밀봉하여 겨울에는 20일, 봄·가을에는 10일, 여름에는 1

주일 발효시키면 술이 익는다."고 하고, '밀주(蜜酒)'에서는 "종이 7겹으로 술단지를 덮는다. 하루에 종이 1장씩을 제거하여 1주일이면 술이 다 된다. 땅 기운에 가까이 하지 말아야 맛이 달고 순하다."고 하였다.

여기서 중요한 점은 '밀온투병향'의 "술단지를 유지로 봉하고, 대나무잎으로 7겹을 밀봉하여"라는 부분이다. '완주 송죽오곡주'와 '제주 오메기술' 등 가양주 빚는 과정에서 '대나무잎'을 사용해 술이 지나치게 끓어 산패하는 걸 예방한다거나, 전라도 지방에서 '백김치'를 담글 때 김치가 빨리 시어지는 것을 예방하고, 동시에 시원한 맛을 강화하기 위해 대나무잎을 사용하는 걸 보면서 '대나무잎'의 용도를 짐작해 볼 수 있겠다. 즉, 대나무잎의 찬 성질을 이용해 술이 지나치게 끓는 것을 예방하기 위한 조치라고 보여진다.

또 "종이 7겹으로 술단지를 덮는다."거나 "대나무잎으로 7겹을 밀봉하여"라고 한 이유는 아마도 발효 초기 단단히 밀봉하여 김이 새어나가지 않게 할 목적과 함께 하루 한 겹씩 벗겨내 '7일간 발효시키려는 목적'이리라.

'밀온투병향'은 꿀을 주재료로 하며, 여러 가지 향성분이 뛰어난 약재를 사용함으로써 술 이름 끝에 향(香) 자를 붙였고, '밀주'보다 고급화된 주방문이라고 여겨진다.

왜냐하면 '밀온투병향'은 중국 문헌인 "<거가필용(居家必用)>을 인용하였다."는 사실과 함께 <임원십육지>와 <군학회등(群學會騰)> 등 1800년대 초기에서 중기 이후의 다른 문헌에서 '밀주'가 목격되지 않는다는 사실 때문이다.

다시 말해 '밀온투병향'은 중국의 주방문을 인용해 우리나라의 '밀주'와 차별화시킨 주방문일 거라고 추론되나 확실하지는 않다.

어찌됐든 '밀온투병향'은 '밀주'보다 향기 측면에서 뛰어나다는 건 확실하다.

다만, '밀온투병향'은 여름철에는 장기저장이 어려운 만큼 단기간에 걸쳐 소비하거나 저온저장고나 냉장고에 보관해 두고 마셔야 한다.

밀온투병향방 <임원십육지(林園十六志)>

술 재료 : 벌꿀 2근, 물 1말, 누룩가루 4냥, 관계(또는 육계)·후추·좋은 생강·홍두·축사인 각 8전

술 빚는 법 :

1. 벌꿀 2근을 물 1말과 합쳐 풀어지게 저어주고, 솥에 담아 꿀이 녹도록 끓인다.
2. 끓이면서 거품이 생기면 닭의 깃털로 걷어낸 후, 다시 거품이 없어질 때까지 끓여낸다.
3. 관계와 후추·좋은 생강·홍두·축사인(축사의 씨 부분)을 등분으로 나누어서 맷돌에 갈아 가루로 만들어 8전을 준비한다.
4. 술단지에 꿀물을 4등분하여 4회에 걸쳐 나눠서 담아 안치고, 준비한 약재가루 8전과 누룩가루 4냥을 넣는다.
5. 술단지를 유지(기름종이)로 봉하고, 대나무잎으로 7겹을 밀봉하여 겨울에는 20일, 봄·가을에는 10일, 여름에는 1주일 발효시키면 술이 익는다.

蜜醞透瓶香方

用蜜二斤半以水一斗慢火熬及　百沸鷄翎凉去沫再熬沫盡爲度官桂胡椒良薑紅豆縮砂仁己上各等分碾細爲末右將熬下蜜水依四時下之先下前藥末八錢次下乾麴末四兩後下蜜水用油紙封箬葉七重密封冬二十日奉秋十日夏七日熟<居家必用>.

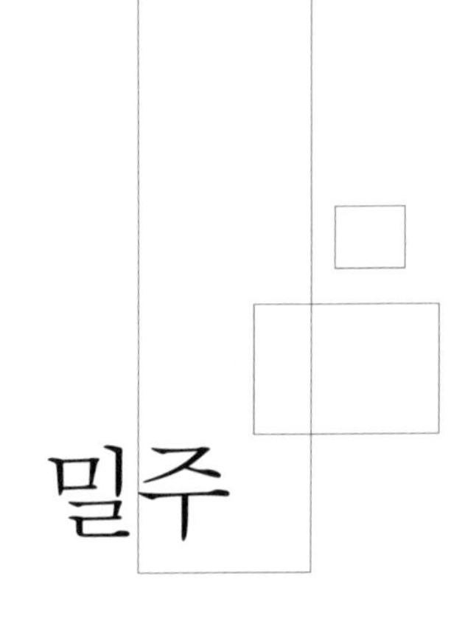

밀주

스토리텔링 및 술 빚는 법

'밀주(蜜酒)'란 "꿀을 발효시켜 빚은 술"이란 뜻이다. 원시형태의 술 가운데 하나이며, 서양의 '과실주(果實酒)'나 동양의 '곡주(穀酒)' 기원과도 같은 자연 상태의 천연효모에 의해 발효된 술이다.

따라서 어떤 의미에서는 지구상에서 가장 바람직한 양주의 원형을 담고 있으며, 그 어떤 주류보다 순수하고 뛰어나다고 할 수 있다.

'밀주'에 대한 유래로는 벌꿀에 빗물이 들어갔거나, 꿀에 물을 타서 마시고 남은 것을 방치해 두었더니 자연적으로 발효되어 알코올 도수가 낮긴 하나 술이 되어 있었다는 설(說)이 유력하다.

'밀주'에 대한 우리나라의 기록을 보면, 누룩을 이용한 발효주로 제조해 왔음을 알 수 있다. '밀주' 관련 문헌으로는 <동의보감(東醫寶鑑)>, <고사신서(攷事新書)>, <고사십이집(攷事十二集)>, <군학회등(群學會騰)>, <달생비서(達生秘書)>, <산림경제(山林經濟)>, <임원십육지(林園十六志)>, <조선무쌍신식요리제법(朝鮮無雙新式料理製法)>, <해동농서(海東農書)> 등 9종에 14차례 등장하고 있다.

가장 앞선 기록인 <동의보감>에서는 "좋은 꿀 2근에 물 1사발을 섞어 꿀이 녹도록 풀어놓고, 거품을 걷어낸 다음 차게 식힌다. 꿀물에 백국 1되 반과 건조 효모 3냥을 넣어 풀어주고, 매일 3차례씩 교반하여 주면 3일이면 익는데 술이 아름답다."고 기록되어 있다.

<고사십이집>에는 "꿀 4되, 술 9되를 함께 끓여서 거품은 걷어낸다. 여름철에는 아주 차게, 겨울에는 조금 따뜻하게 하여 누룩가루 4냥, 백효(白酵, 누룩 만들 때 밀가루를 뽑지 않고 만든 것) 1냥과 용뇌(龍腦)를 콩알만큼 집어넣는다. 종이 7겹으로 그것을 덮는다. 하루에 종이 1장씩을 제거하여 1주일이면 술이 다 된다. 땅 기운에 가까이 하지 말아야 한다. 맛이 달고 순하다."고 하여 <동의보감>보다 좀 더 구체적인 방법이 수록되어 있다.

이후 기록인 <산림경제>를 비롯한 <임원십육지>와 <고사신서>, <조선무쌍신식요리제법>, <해동농서>의 '밀주' 제조법도 <산가요록(山家要錄)>과 비슷하다.

한편 <산림경제>의 '밀주 일방(一方)'은 "꿀 2근에 물 1사발을 같이 끓여 거품은 걷어내고, 흰누룩(白麴) 1되 반, 좋은 건효(乾酵) 3냥을 넣어 날마다 세 번씩 저으면 사흘이면 익어 아주 좋다."고 하여 앞의 '밀주' 주방문과 다른 주방문을 함께 수록하고 있다. 이는 <동의보감(섭생편)>을 인용한 것이다.

이로써 '밀주'를 빚는 방법으로 크게 세 가지가 있음을 알 수 있다. 술과 꿀, 누룩을 사용하는 방법과 이를 기본으로 용뇌(龍腦) 등의 한약재를 이용한 방법, 그리고 <임원십육지>에 수록된 밀과 쌀을 함께 사용해 발효시키는 우리 고유의 '밀주' 양주기법이 그것이다.

<임원십육지(약양제품편)>에서는 <천금방>을 인용해 "풍진·풍사를 치료한다. 사밀(沙密) 1근, 찹쌀밥 1되, 누룩 5냥, 끓인 물 5되 등을 함께 병에 담고 밀봉하면 1주일 후 술이 익는다. 보통 술에 꿀을 넣어도 좋다."고 하여 쌀을 함께 사용하는 주방문을 볼 수 있다. 이와 유사한 주방문으로 '포도주' 주방문을 떠올릴 수 있다.

한편 <고사신서>를 비롯해 <고사십이집>, <산림경제>, <임원십육지>, <해

동농서> 등 '밀주'를 수록하고 있는 문헌 모두 2가지 방법을 함께 싣고 있으며, 이들 가록이 다 한문 기록의 주방문이라는 공통점이 있다.

이는 '밀주' 주방문이 모두 치료나 질병예방을 목적으로 작성된 <동의보감>의 기록을 인용한 거라 여겨진다.

<동의보감>은 <천금방>을 비롯해 <신은(神恩)> 등을 참고하였고, <고사촬요(故事撮要)>는 <동의보감>, <신은>, <천금방>을 참고하였으며, <고사신서>와 <고사십이집>, <임원십육지>, <조선무쌍신식요리제법>, <해동농서> 등은 "<고사촬요>를 인용하였다"고 밝히고 있어 '밀주' 주방문의 연결고리를 짐작케 한다.

'밀주'를 빚는 데 따른 별다른 어려움은 없다. 다만 꿀(밀)의 사용량이 많으면 오히려 좋지 않고, 발효 시 주변 온도가 차거나 지나치게 낮아도 좋지 않다.

사람이 생활하는 데 불편하지 않을 정도의 실내 온도에서 발효시키면 좋다. 술이 완성되면 술 향기가 정말 매력적이라는 느낌을 받게 될 것이다. 또한 맛이 뛰어나게 좋다. 단맛이 있어 과음하면 크게 취하므로 주의해야 한다.

오늘날의 '허니문(Honey moon)'이라는 결혼여행 풍속이 바로 이러한 맛과 향기의 '밀주'와도 관련이 깊다. '벌꿀 술(mead)'은 'Honey Wine'이라고 부른 데서 유래했다는 설이 있다.

중세 영국에서는 신혼부부가 아이를 빨리 갖도록 하기 위해 외부 출입을 금하고, 한 달 동안 마실 수 있는 벌꿀 와인(mead, Honey Wine)을 주었다고 한다.

어원상으로 볼 때 '허니(honey)'는 '벌꿀', '귀여운 여자', '여보'라는 뜻이고, 문(moon)은 달(1개월, 짧은 기간)을 말한다. 즉, 허니문(honeymoon)은 감미롭고 행복한 신혼 기간을 의미한다.

이러한 벌꿀 술은 고고학 조사에서도 등장한다. 기원전 7000년경 중국 북부 지방에서 벌꿀 술, 쌀, 그리고 여러 과일들이 섞여 있는 항아리가 발견되었고, 유럽에서도 기원전 1800년 이전에 존재했던 '벨비커 문화(the Bell Beaker Culture) 유적'의 깨진 도자기에서 화분의 흔적이 발견되었다. 이는 당시 벌꿀 술을 즐겼다는 사실을 확인시켜 준다 하겠다.

1. 밀주 <고사신서(攷事新書)>

술 재료 : 밀 4되, 술 9되, 누룩가루 4냥, 백효(白酵) 1냥, 용뇌(10알)

술 빚는 법 :

1. 밀(황랍) 4되와 술 9되를 함께 단지에 담아 안치고 중탕하듯 삶아 식히는데, 여름철에는 극히 차게 식히고, 겨울철에는 약간 온기가 있게 식힌다.
2. 밀을 중탕한 술에 누룩가루 4냥과 백효 1냥, 용뇌 10알을 함께 술독에 담아 안친다.
3. 큰 종이로 술독을 7겹으로 싸서 발효 숙성시키는데, 매일 한 장씩 벗겨내어 7일째가 되면 술이 숙성된다.
4. 술을 발효시킬 때는 땅의 기운이 범접하지 못하도록 하고, 겨울철에는 불을 지펴 따뜻하게 해서 얼지 않게 하면 맛이 달고 부드럽다.

蜜酒

蜜四升酒九升同煮掠去沫夏月極冷冬月少溫入麴屑四兩白酵一兩龍腦 豆大紙七重掩之日去一紙七日酒成勿近地氣冬月須用火溫勿今凍味甘軟.

2. 밀주 우법 <고사신서(攷事新書)>

술 재료 : 밀 2근, 가루누룩 1되 반(5홉), 건효(乾酵) 3냥, 물 3사발

술 빚는 법 :

1. 밀 2근과 물 1사발을 함께 단지에 붓고, 중탕하듯 삶아(달여) 밀이 녹으면 밀찌꺼기를 제거한다.

2. 밀 중탕한 물에 흰누룩가루(분곡, 백곡) 1되 반(5홉)과 좋은 건효 3냥을 단지에 넣는다.
3. 단지를 종이로 밀봉하여 따뜻한 데 두고 매일 3차례씩 교반해 주는데, 이를 3일간 반복한다.
4. 술이 숙성되면 맛이 심히 아름답다.

* <고사촬요>와 동일한 주방문이다.

蜜酒 又法

蜜二斤水一椀同熬去沫下白麴一升半好乾酵三兩每日三攪三日熟甚佳.

3. 밀주 <고사십이집(攷事十二集)>

술 재료 : 밀 4되, 술 9되, 누룩가루 4냥, 백효(白酵) 1냥, 용뇌(10알)

술 빚는 법 :

1. 밀 4되와 술 9되를 함께 단지에 담아 안치고 중탕하듯 삶아 식히는데, 여름철에는 극히 차게 식히고, 겨울철에는 약간 온기가 있게 식힌다.
2. 밀을 중탕한 술에 누룩가루 4냥과 백효 1냥, 용뇌 10알을 함께 술독에 담아 안친다.
3. 큰 종이로 술독을 7겹으로 싸서 발효 숙성시키는데, 매일 한 장씩 벗겨내어 7일째가 되면 술이 숙성된다.
4. 술을 발효시킬 때는 땅의 기운이 범접하지 못하도록 하고, 겨울철에는 불을 지펴 따뜻하게 해서 얼지 않게 하면 맛이 달고 부드럽다.

* <고사촬요>와 동일한 주방문이다.

蜜酒

蜜四升酒九升同煮掠去沫夏月極冷冬月少溫入麴屑四兩白酵一兩龍腦　大紙七重掩之日去一紙七日酒成勿近地氣冬月須用火溫勿今凍味甘軟.

4. 밀주(우법) <고사십이집(攷事十二集)>

술 재료 : 밀 2근, 가루누룩 1되 반(5홉), 건효(乾酵) 3냥, 물 3사발

술 빚는 법 :

1. 밀 2근에 물 1사발을 함께 단지에 붓고, 중탕하듯 삶아(달여) 밀이 녹으면 밀찌꺼기를 제거한다.
2. 밀 중탕한 물에 흰누룩가루(분곡, 백곡) 1되 반(5홉)과 좋은 건효 3냥을 단지에 넣는다.
3. 단지를 종이로 밀봉하여 따뜻한 데 두고 매일 3차례씩 교반해 주는데, 이를 3일간 반복한다.
4. 술이 숙성되면 맛이 심히 아름답다.

* <고사촬요>와 동일한 주방문이다.

蜜酒(又法)

蜜二斤水一椀同熬去沫下白麴一升半好乾酵三兩每日三攪三日熟甚佳.

5. 밀주법 <군학회등(群學會騰)>

술 빚는 법 :

1. 밀주는 2잔만 마셔도 크게 취한다.
2. 맛이 매운 소주를 얻으면, 꿀을 녹여 섞어두었다가 여름철에는 급히 얼음 조각을 띄워 마시면 그 맛이 뛰어나게 청쾌해진다.
3. 노주를 얻으면(내려서 받으면) 단단히 밀봉하여 김이 새지 않게 두고, 항상 따뜻한 곳에 두고 익히면 변하지 않는다.
4. 노주를 담은 병 주둥이는 날오이나 비름나물로 막지 말아야 한다. 하룻밤 지나면 맛이 싱거워진다.
5. 여름에 꿀을 탄 맛이 독한 노주에다 얼음 조각을 넣고 급히 저어 차게 해서 마시면 맛이 아주 맑고 시원하다. 노주에 초를 타서 마시면 한 잔만 마셔도 대번에 몹시 취한다.

* '밀주법(蜜酒法)'이라고 하였으나 '노주소독방'이다.

蜜酒法

燒出時以蜜塗于承露甁底則消毒味佳 若蜜多則太甘 少則無效量意塗之. 承露甁口安苧片以桂皮砂糖末置於苧上則味殊絶色欲紫可芝根欲黃加梔子於苧片上. 又以新好當歸剉置甁內而承露則烈性稍緩味亦佳. 凡露酒頭適者味太烈甚損人味亦不好取井華水斟量調之 少頃飮之佳. 欲以劣酒燒露酒則必先以他露酒少許灌合而燒之則味頗烈不甚醉人. 取露酒堅封勿泄氣常置溫處凡露酒甁口勿以生瓜及莧菜塞之經夜味則淡矣. 取味烈露酒調蜜者夏月投氷片急手攪冷而飮之味絶淸爽 露酒和醋飮之一盃輒大醉

6. 밀주 <달생비서(達生秘書)>

보(補)하고 풍진(風疹)을 치료한다. (처방은 잡방문에 나온다.)

密酒

補益, 療風疹. <方見雜方>.

7. 밀주 <동의보감(東醫寶鑑)>

술 재료 : 좋은 꿀(밀) 2근, 흰누룩 1되 반(5홉), 건효(乾酵) 3냥, 물 1사발

술 빚는 법 :

1. 좋은 꿀(밀) 2근과 물 1사발을 한데 섞고, 솥에 담아 끓인다.
2. 거품이 생기면 걷어낸다.
3. (차게 식힌 후) 꿀물에 흰누룩 1되 5홉, 건조효모 3냥을 넣고 고루 저어준다.
4. 술단지에 술밑을 담아 안치고, 한지로 밀봉한 다음 (차지도 덥지도 않은 곳에) 놓아둔다.
5. 술단지를 하루에 세 번씩 저어주면 3일 만에 술이 된다.

* 주방문에 "좋은 꿀 2근에 물 1사발을 섞어 꿀이 녹도록 풀어놓고, 거품을 걷어낸 다음 차게 식힌다. 꿀물에 백국 1되 반과 건조 효모 3냥을 넣어 풀어주고, 매일 3차례씩 교반하여 주면 3일이면 익는데 술이 아름답다. 보(補)하고 풍진(風疹)을 치료한다. (처방은 잡방문에 나온다.)"고 하였다.
* 여름에는 아주 차게, 겨울에는 따뜻하게 하여 얼리지 않아야 하며, 맛이 달고 연하다.

蜜酒

好蜜二斤 水一椀, 白麴一升半, 好乾酵三兩, 右先熟蜜水, 去沫, 令極冷, 下麴酵, 每日三攪, 三日熟, 甚佳 <元戎>.

8. 밀주 <산림경제(山林經濟)>

술 재료 : 벌꿀 4근, 술 9되, 누룩가루 4냥, 백효 1냥, 용뇌 1알

술 빚는 법 :

1. 꿀 4근과 술 9되를 한데 합하고, 꿀이 녹도록 풀어서 솥에 끓인다.
2. 끓이면서 거품이 생기면 걷어낸다.
3. 꿀을 녹인 술은 여름에는 아주 차게 식히고, 겨울에는 조금 따뜻하게 식혀 단지에 담아놓는다.
4. 술에 누룩가루 4냥, 백효 1냥, 팥알 크기 용뇌 1알을 넣고, 한지로 7겹 밀봉한 후 (차지도 덥지도 않은 곳에) 놓아둔다.
5. 술단지에 씌운 한지를 날마다 한 겹씩 벗겨내면 7일 후에 술이 익는다.

* 꿀은 사밀(沙蜜)을 가리키며, 술과 꿀을 끓이고 나서 여름철은 차게, 겨울철에는 온기가 남게 냉각시킨다.
* 건효, 백효 : 흰누룩(백국)을 가리킨다.
* 주방문 말미에 "흙내(地氣)를 가까이 하지 말아야 한다. 겨울에는 불로 따뜻하게 하여 얼리지 않으면 맛이 달고 연하다."고 하였다.

蜜酒

蜜四斤酒九升 同煮掠去沫 夏月極冷 冬月少溫 入麴屑四兩 白酵一兩 龍腦豆許大 紙七重捲之 日去一紙 七日酒成 勿近地氣 冬月 須用火溫勿令凍 味甘軟 <神隱>.

9. 밀주 일방 <산림경제(山林經濟)>

술 재료 : 벌꿀 2근, 물 1사발, 흰누룩 1되 5홉, 건효 3냥

술 빚는 법 :

1. 꿀 2근과 물 1사발을 한데 섞고, 솥에 담아 끓인다.
2. 거품이 생기면 걷어낸다.
3. 꿀물에 흰누룩 1되 5홉, 건효 3냥을 넣고 고루 저어준다.
4. 술단지에 술밑을 담아 안치고, 한지로 밀봉한 다음 (차지도 덥지도 않은 곳에) 놓아둔다.
5. 술단지를 하루에 세 번씩 저어주면 3일 만에 술이 된다.

* 여름에는 아주 차게, 겨울에는 따뜻하게 하여 얼리지 않아야 하며, 맛이 달고 연하다. 주방문 말미에 "구기(枸杞)·지황(地黃)·오가피(五加皮)·천문동(天門冬)·백출(白朮)·무술(戊戌) 등으로 만드는 술은 그 빚는 법이 <동의보감(섭생편)>에 있다."고 하였다.

蜜酒 一方

蜜二斤水一椀 同熬去沫 下白麴一升半 好乾酵三兩 每日三攪 三日熟甚佳. <寶鑑>.

10. 밀주방 <임원십육지(林園十六志)>

술 재료 : 벌꿀 4되, 술 9되, 누룩가루 4냥, 백효 1냥, 용뇌 1알

술 빚는 법 :

1. 벌꿀 4되와 술 9되를 한데 합하여 풀어지게 저어주고, 꿀이 녹도록 솥에 끓인다.
2. 끓이면서 거품이 생기면 걷어낸다.
3. 꿀을 녹인 술은 여름에는 아주 차게 식히고, 겨울에는 조금 따뜻하게 식혀 단지에 담아놓는다.
4. 술에 누룩가루 4냥, 백효 1냥, 팥알 크기 용뇌 1알을 넣고, 한지로 7겹 밀봉한 후 (차지도 덥지도 않은 곳에) 놓아둔다.
5. 술단지에 씌운 한지를 날마다 한 겹씩 벗겨내면 7일 후에 술이 익는다.

* 주방문 말미에 "흙내(地氣)를 가까이 하지 말아야 한다."고 하고, 술과 꿀을 끓이고 나서 "여름철은 차게, 겨울철에는 온기가 남게 냉각시켜 단지에 담는다."고 하였다. 또 "겨울에는 불로 따뜻하게 하여 얼리지 않으면 맛이 달고 연하다."고 하였다.
* 꿀은 사밀(沙蜜)을 가리키며, '건효'와 '백효'는 흰누룩(백국)을 가리킨다.

蜜酒方

用蜜四斤酒九升同煮凉去沫夏月極冷冬月少溫入麴屑四兩白酵一兩龍腦豆大紙七重捲之日去一紙一層七日酒成勿近地氣冬月須用火溫勿令凍沫味甘軟 <臞仙神隱書>.

11. 밀주 <임원십육지(林園十六志)>

술 재료 : 찹쌀 1되, 사밀 1근, 누룩 5냥, 끓여 식힌 물 5되

술 빚는 법 :

1. 사밀 1근과 물 5되를 한데 섞고, 솥에 담아 끓인다.
2. 거품이 생기면 걷어낸다.
3. 찹쌀 1되를 (백세하여 물에 담가 불렸다가, 다시 씻어 헹궈서 물기를 뺀 후) 시루에 안쳐서 고두밥을 짓는다.
4. 고두밥이 익었으면 퍼내고, 고루 펼쳐서 차게 식기를 기다린다.
5. 고두밥에 사밀 달인 물과 누룩 5냥을 넣고 고루 저어준다.
6. 술단지에 술밑을 담아 안치고, 한지로 밀봉한 다음 (차지도 덥지도 않은 곳에) 놓아두면 7일 만에 술이 된다.

* 주방문에 "풍진·풍사를 치료한다."고 하였다.

蜜酒

<千金方> 治風疹風癖用沙蜜一斤糯飯一升麵麴五兩熟水五升同入瓶內封七日成酒尋常以蜜入酒代之亦良.

12. 우(又) 포도주 <조선무쌍신식요리제법(朝鮮無雙新式料理製法)>

술 재료 : 꿀 3근, 백효 2냥, 누룩가루 2냥, 물 1말

술 빚는 법 :

1. 꿀 3근과 물 1말을 한데 달여서 병에 담아놓는다.
2. 병의 꿀물이 따뜻할 때, 누룩가루와 술밑(白酵, eaest) 각 2냥을 넣는다.
3. 병을 젖은 종이로 밀봉하고, 정한(깨끗한) 곳에 놓아두면, 봄·가을에는 5일, 여름에는 3일, 겨울에는 7일 만에 자연 발효되어 아름답게 익는다.

* 주방문 말미에 "행공도인(行功導引, 무슨 일을 도모하고 직접 행함)할 때 한

두 잔 마시면 일백 맥이 흘러 화창하고 기운이 막힘이 없으며, 조도(助道)에 폐치 못할 것이니라."고 하였으나 '포도주'가 아닌 '밀주(蜜酒)' 주방문이라는 판단에서 '밀주' 편에 수록하게 되었음을 밝혀둔다.

포도주(葡萄酒) 쏘 법
술 서 근과 물 한 말을 한테 대려 병에 붓고 싸뜻할 째에 누룩가루와 술밋(白酵) 각 두 량중식 느은 후에 저진 종희로 봉하야 정한 곳에 노아두면 봄가을에는 닷세요 여름에는 사흘이요 겨울에는 닐혜 만이면 자연 술이 아름답게 되나니 행공도인(行功導引)할 째에 한두 잔 마시면 일백 맥이 흘러 화창하고 긔운(氣運)이 맥히미 업스며 조도(助道)에 폐치 못할 것이니라.

13. 밀주 <해동농서(海東農書)>

술 재료 : 밀 4되, 술 9되, 누룩가루 4냥, 백효(白酵) 1냥, 용뇌 7알

술 빚는 법 :

1. 밀(황랍) 4되와 술 9되를 함께 단지에 담아 안치고 중탕하듯 삶아 식히는데, 여름철에는 극히 차게 식히고, 겨울철에는 약간 온기가 있게 식힌다.
2. 밀을 중탕한 술에 누룩가루 4냥과 백효 1냥, 용뇌 7알을 함께 술독에 담아 안친다.
3. 종이로 술독을 7겹 싸서 발효 숙성시키는데, 매일 한 장씩 벗겨내어 7일째가 되면 술이 숙성된다.
4. 술을 발효시킬 때는 땅의 기운이 범접하지 못하도록 하고, 겨울철에는 불을 지펴 따뜻하게 해주어 얼지 않게 하면, 맛이 달고 부드럽다.

* 주방문 말미에 "땅 기운에 가까이 하지 말아야 한다. 맛이 달고 순하다."고 하

였다. 이 술(밀주)은 단기간에 마셔서 없애거나 냉장고에 보관해야 한다. 자칫 시어지기 쉽기 때문이다. <신은(神恩)>을 인용하였다.

蜜酒

蜜四升酒九升同煮掠出抹夏月極冷冬月少溫入麴屑四兩白酵一兩龍腦 大紙七重掩之日去紙七日酒成勿近地氣冬月須用火溫勿今凍味甘軟. <神恩>.

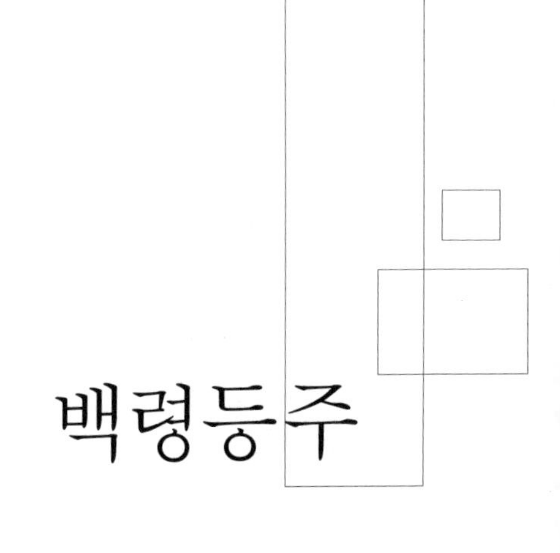

백령등주

스토리텔링 및 술 빚는 법

'백령등주(百靈藤酒)'는 1823년 간행된 서유구 선생의 저술 <임원십육지(林園十六志)>에 수록된 유일한 주품이다.

'백령등주'는 '백령등(百靈藤)'이라고 하는 한약재를 사용함으로써 약성에 따른 치료와 예방을 위해 작성된 주방문인데, '백령등'의 정체가 불분명하다.

<임원십육지>에 "백령등 10근을 물 1석과 끓여 즙이 3말이 되도록 졸이고, 찹쌀 3말, 신국 9근을 보통 술 빚는 방법과 같이 빚는다. 3~5일 후 다시 찹쌀로 밥을 지어 덧술하고, 마실 때 땀이 나면 효력이 있다."고 하였다.

하여 정통 한의학 관련 서적이나 인터넷에 자료를 검색해 보고, 민간의학 전문가들에게 자문을 구하는 등 약재에 대한 정보를 얻기 위해 온갖 수단을 다 동원했으나, '백령등'에 대해서는 찾을 수가 없었다.

또한 <임원십육지>에 '백령등주' 주방문을 소개하면서 주방문 머리에 <태평성혜방>을 인용하여 "모든 풍증을 치료한다."고 하고, 주방문 말미에는 "마실 때 땀이 나면 효력이 있다."고 하였다.

추측컨대 소나무나 참나무, 등나무의 줄기나 가지에 둥그렇게 부풀어 오른 '혹'을 '백령등'이라 지칭한 것이 아닌가 한다.

민간에서는 이 혹을 등나무가 암을 앓는다고 표현하는데, 이는 등나무에 독나방이 알을 까놓으면 알이 부화해 유충이 성장하면서 등나무를 갉아먹게 되고, 등나무는 이를 이기기 위해 여러 가지 항암물질을 만들어내게 된다고 여겼다는 것이다.

따라서 이러한 등나무 줄기를 물과 달여서 복용하게 되면 암을 치료할 수 있다고 봤다. 물론 확신할 수는 없다. 그렇다 해도 <임원십육지> 번역본의 '백령슬주'는 '백령등주'의 오기가 아닐까 한다.

'백령등'의 정확한 약성이나 효능을 언급할 수 없지만, 이 약재가 독성이 매우 강한 약재라는 것만은 확실하다. 주방문을 보면, 밑술을 빚을 때 찹쌀 3말에 신국(神麴) 9근을 사용한다고 되어 있다.

이와 같이 많은 양의 누룩을 사용하는 예가 극히 드물기도 하거니와 약재 '백령등'을 가공하는 데 있어 물 10말에 '백령등' 10근을 넣고 물이 3말이 되도록 오랫동안 달인다는 것은, 약재가 갖고 있는 약성에 따른 부작용을 해소하기 위한 조치라고 생각된다.

물론, 그렇게 가공을 한 후에도 신국(神麴)이 9근이 사용된다는 건 매우 많은 분량임에 틀림없다. 부피로 환산했을 때 1말 4되에 해당되기 때문이다.

주방문에 덧술의 쌀 양이 나와 있지 않아서 확신할 수는 없지만, 덧술 쌀을 최소 3말로 산정할 경우 23%에 해당되기 때문에 결코 좋은 술이 될 수 없다.

따라서 술맛도 좋고 약효도 배가시키려면, 덧술의 찹쌀을 6말 정도는 사용해야 한다고 판단하여 양주를 해본 결과 일반적인 약용약주의 맛을 느낄 수는 있었으나 약 냄새가 많이 났다.

주지하다시피 <임원십육지>의 '백령등주'는 치료를 위한 약용약주에 해당한다. 따라서 가능한 한 약재의 독성을 완전히 해소하고, 부작용을 없애려면 완전한 발효가 일어나 숙성된 이후에 마실 것을 권한다.

약재를 많이 사용한 주품에서 완전발효와 숙성을 거치지 않은 채 과음한 결과 후유증에 시달리는 사례를 수없이 목격하였기에 이르는 말이다.

백령등주 <임원십육지(林園十六志)>

술 재료 : 밑술 : 찹쌀 3말, 신국 9근, 백령등 10근, 물 1석
덧술 : 찹쌀(3~6말)

술 빚는 법 :

1. 백령등 10근을 깨끗하게 씻어 준비한 후, 물 1석에 넣고 끓여 달인 물이 3말 되도록 졸인다.
2. 찹쌀(3~6말)을 (백세하여 물에 담가 불렸다가, 다시 씻어 헹궈서 물기를 뺀 후) 시루에 안쳐서 고두밥을 짓는다.
3. 고두밥이 익었으면 퍼내고, 고루 펼쳐서 차게 식기를 기다린다.
4. 고두밥에 백령등 달인 물과 신국 9근을 합하고, 고루 버무려서 술밑을 빚는다.
5. 술밑을 술독에 담아 안치고, 예의 방법대로 하여 (따뜻한 곳에서) 3~5일간 발효시킨다.

* 덧술 :

1. 찹쌀(3말)을 (백세하여 물에 담가 불렸다가, 다시 씻어 헹궈서 물기를 뺀 후) 시루에 안쳐서 고두밥을 짓는다.
2. 고두밥이 익었으면 퍼내고, 고루 펼쳐서 차게 식기를 기다린다.
3. 고두밥에 밑술을 합하고, 고루 버무려서 술밑을 빚는다.
4. 술밑을 술독에 담아 안치고, 예의 방법대로 하여 발효시킨다.

* 이효지 등의 <임원십육지(林園十六志)> 번역본에 '백령슬주'로 되어 있는데, '백령등주'의 오기인 듯하나 확신할 수 없다. '백령슬'에 대한 자료가 없기도 하거니와, 관계 전문가들도 자료를 구할 수 없다 하였다.

百靈藤酒

<太平聖惠方> 治諸風百靈騰十斤水一石煎汁三斗入糯米三斗神麴九斤如常釀成三五日更炊糯飯投之卽熟澄淸日飮以汗出爲效.

백자인주

스토리텔링 및 술 빚는 법

전통적으로 과실주는 '포도주'를 비롯하여 '머루주', '백자주(잣술)'와 '호도주', '도인주'가 있다. 여기에 측백나무 열매인 백자인(柏子仁)을 사용하면 '백자인주(柏子仁酒)'가 되므로, 과실주에 포함시킬 수도 있다.

'백자인주'는 고려대학교 민족문화연구소가 전국을 대상으로 지방별 근대 민속생활과 향토음식 등을 조사하여 1985년에 간행한 보고서 성격의 <한국민속대관(韓國民俗大觀)>에 처음 등장한다.

잣나무 열매인 백자(栢子)를 사용한 '백자주'와 혼동될 수 있다. 백자인을 주원료로 한 발효주로서 '백자인주'의 뿌리는 '방문주'와 '백자주'에서 찾아볼 수 있다.

다시 말하면 '방문주'를 빚는 과정에서 백자를 사용하면 '백자주'가 되고, 백자인을 사용하면 '백자인주'가 된다.

<한국민속대관>에서는 '백자주(柏子酒)'로 표기하면서 주원료는 백자인을 사용하고 있다. <한국민속대관>의 '백자주' 주방문을 보면, "백자인주라고도 하는데, 백자인 즉 측백나무 열매를 이용한 술의 이름이다. 쌀 한 말을 빚으려면 백

자인 한 되를 갈아서 질게 만들고, '방문주'의 술덧에 섞어서 빚어 마시면 사람에 이롭다. 서양 사람들이 즐겨 마시는 진(Gin)과 향이 비슷하며, 독특한 향을 갖는다."고 하였다.

그런데 <한국민속대관>보다 간행시기가 훨씬 앞선 <증보산림경제(增補山林經濟)>를 비롯해 <농정회요(農政會要)> 등의 '백자주' 주방문 말미에 "방문주 주본을 넣어 빚으면 3일이면 마실 수 있는데, 몸에 세 가지가 이롭다."고 하였다.

따라서 '백자인주'의 유래를 추측하건대, '백자주'의 백자를 백자인으로 잘못 기록했거나, 양주과정에서 '백자'를 백자인으로 대체한 게 아닐까 싶다.

다시 말해 <한국민속대관>의 '백자인주'는 '백자주'에서 변형된 주방문이라고 할 수 있으며, <증보산림경제>를 비롯하여 <농정회요> 등에 수록된 '백자주'를 그대로 옮기는 과정에서 백자를 백자인으로 기록했을 가능성이 유력해 보인다.

이를테면 백자(잣)는 귀하고 비싸기 때문에 좀 더 값이 싸고 흔한 측백나무 열매인 백자인을 사용했을 수도 있다는 얘기이다.

측백나무는 예부터 신선이 되는 나무로 알려져 귀하게 대접받았다. 사당이나 묘지, 절간, 정원 등에 즐겨 심었는데, 특히 중국 사람한테 사랑받았다. 측백나무 잎이나 열매를 먹고 신선이 되었다거나 몇 백 년을 살았다는 얘기가 많다.

이를테면 "옛날 진나라 궁녀가 산으로 도망쳐서 선인(仙人)이 가르쳐주는 대로 소나무와 측백나무 잎만 먹고 살았더니, 추위와 더위를 모르게 되었을 뿐 아니라, 온몸에 털이 난 채로 2백 년 이상을 살았다."고 하고, "적송자(赤松子)라는 사람이 측백나무 씨를 먹었는데, 빠졌던 이가 다시 나왔다."고도 하며, "백엽선인은 측백나무 잎과 열매를 8년 동안 먹었더니, 몸이 불덩이처럼 되고 종기가 온몸에 돋았다가 깨끗이 나았는데, 그 뒤로 몸이 가벼워지고 얼굴에서 빛이 나더니 결국 신선이 되어 우화등선했다."는 이야기들이 전해 내려온다.

한편 측백나무에는 무덤 속의 시신에 생기는 벌레를 죽이는 힘이 있다. 좋은 자리에 묻힌 시신에는 벌레가 생기지 않지만, 나쁜 자리에 묻힌 시신에는 진딧물을 닮은 자잘한 벌레가 생겨 시신을 갉아 먹는 염라충이 생긴다. 때문에 측백나무를 묘지 옆에 심는 관습이 생겨났다.

측백나무 씨앗인 백자인은 예로부터 자양강장제로 이름 높았다. 가을에 백자인을 따서 햇볕에 말렸다가, 단단한 겉껍질을 없앤 뒤에 쓴다. 심장을 튼튼하게 하고 정신을 안정시키며, 신장과 방광의 기능을 좋게 하고 대변을 잘 보게 하는 효능이 있다.

몸이 허약하여 식은땀을 자주 흘리거나 변비로 고생하고 뼈마디가 아픈 질병 등에 씨앗을 가루 내어 한 숟갈씩 따뜻한 물에 타서 복용하면 효과가 있으며, 오래 복용하면 강철처럼 몸이 튼튼해진다고 한다.

이러한 백자인을 사용해 술을 빚고자 할 때는, 백자인 특유의 떫은맛을 주는 탄닌과 지방성분을 어떻게 분해할 것인가에 성패가 달려 있다. 결국 기주(起酒)가 되는 '방문주'가 제일 중요하다는 결론에 이른다.

<한국민속대관>에 수록된 '방문주'의 주방문을 보면, "백미 아홉 되를 잘 씻고, 물에 담가 불렸다가, 이튿날 빻아서 끓여 식힌 물 두 되 한 홉을 붓고, 범벅과 같이 개어서 차게 식힌다. 술항아리는 잘 우려서 군내가 안 나고 물기가 없도록 닦고, 볏짚을 태워서 그 내를 쏘이게 한 다음에 쓰도록 한다. 가루누룩 두 되를 흰무리떡에 골고루 잘 섞어 항아리에 담는다. 술이 괴게 되면 덧술을 해서 넣는다. 이때 백미 서 말을 잘 씻어 지에밥을 쪄 더운 김에 냉수(아홉 사발)를 뿌리게 되는데, 뿌린 물이 다 먹혀들었으면 헤쳐서 차게 식힌다. 이것을 밑술에 빚어 넣고, 술이 한창 괴고 나서 밀가루 한 되를 넣는다. 술항아리는 빚어 넣고 괼 때까지는 덥게 하고, 괸 다음에는 즉시 차게 해야 한다."고 하여 '방문주'를 변용한 '백자주' 주방문임을 알 수 있다.

이 '방문주' 주방문에 "쌀 한 말을 빚으려면 백자인 한 되를 갈아서 질게 만들고, 방문주의 술덧에 섞어서 빚어 마시면 사람에게 이롭다."고 하였다.

주지하다시피 밑술은 효모를 증식시키는 과정으로, 이를 통해 덧술의 원활한 발효를 위해 빚는 술이다. 쌀 9되를 백세작말하여 끓는 물 2되 1홉으로 반생반숙의 범벅을 쑤는 것으로 되어 있어 그 과정이 예삿일이 아님을 짐작할 수 있다.

결국 '백자인주'는 밑술의 성패에 따라 덧술 여부가 결정되는데, 물이 적게 사용되는 까닭에 밑술의 발효상태가 여의치 못할 경우, 덧술에 백자인 즙액을 사용할 수 없게 된다.

따라서 <시의전서(是議全書)>의 '방문주 별방'을 참고하여 '백자인주'의 밑술에 사용되는 끓는 물의 양을 3그릇(7되들이)으로 기준 삼는 것이 좋겠다.

다시 말해 <한국민속대관>의 '방문주' 주방문보다 <시의전서>의 '방문주 별방'을 참고할 필요가 있으며, 기주가 되는 '방문주'의 밑술을 빚는 일에 무엇보다 주의를 기울여야 한다.

또한 밑술이 가장 활발하게 발효되고 있을 때 덧술을 해 넣는데, 특히 백자인은 미리 미지근한 물에 충분히 불려서 떫은맛을 우려내고, 속껍질과 고깔, 물기를 완전히 제거해야만 한다.

이러한 '백자인주'는 고소한 맛과 함께 약간 떫은맛을 느낄 수 있으나, 유일하게 이양주법(二釀酒法)으로 빚는 만큼 그 향이 매우 뛰어나다.

다만 발효 중에 주면(酒面)에 떠 있는 기름을 반드시 제거해야만 산패를 예방할 수 있다.

백자인주 <한국민속대관(韓國民俗大觀)>

술 재료 : 밑술 : 멥쌀 9되, 가루누룩 2되, 끓는 물 2되 1홉(2말 1되)
덧술 : 멥쌀 3말, 밀가루 1되, 냉수 9사발, 백자인 1되

술 빚는 법 :

* 밑술 :

1. 멥쌀 9되를 백세하여 하룻밤 불렸다가 (다시 씻어 헹궈서 물기를 뺀 뒤) 빻는다(작말하여 넓은 그릇에 담아놓는다).
2. 쌀가루에 끓여서 식힌(끓는) 물 2되 1홉을 붓고, 주걱으로 고루 개어 범벅을 만든 다음(흰무리떡을 찐 다음), 차게 식힌다(식기를 기다린다).
3. 범벅(흰무리떡)에 가루누룩 2되를 넣고, 고루 버무려 술밑을 빚는다.
4. 술독에 술밑을 담아 안치고, 예의 방법대로 하여 술밑이 끓어오를 때까지 (3~6일간) 발효시킨다.

* 덧술 :

1. 밑술이 괴면, 멥쌀 3말을 잘 씻어 (백세하여 하룻밤 물에 담가 불렸다가, 다시 씻어 헹궈서 물기를 뺀 후) 시루에 안쳐서 고두밥을 짓는다.
2. 고두밥이 더운 김에(뜨거울 때) 찬물 9사발을 붓고, 고두밥이 물을 다 빨아 들였으면 고루 펼쳐서 차게 식기를 기다린다.
3. 백자인 한 되를 맷돌에 갈아서 즙액을 질게 만들어놓는다.
4. 고두밥에 밑술과 백자인 즙액을 쏟아 붓고, 고루 버무려 술밑을 빚는다.
5. 술독에 술밑을 담아 안치고, 예의 방법대로 하여 발효시킨다.
6. 술덧이 한창 괴어오르면 밀가루 1되를 넣고 고루 뒤적여준 다음, 다시 밀봉하여 서늘한 곳으로 술독을 옮겨 익기를 기다린다.

* <시의전서>의 '방문주 별방'에서는 끓는 물 3그릇(7되들이)으로 되어 있어, <한국민속대관>과는 다르다는 것을 알 수 있다.

백자주(柏子酒)

'백자인주(柏子仁酒)'라고도 하는데, 백자인 즉 측백나무 열매를 이용한 술의 이름이다. "쌀 한 말을 빚으려면 백자인 한 되를 갈아서 질게 만들고, 방문주의 술덧에 섞어서 빚어 마시면 사람에게 이롭다."고 소개되어 있다. 서양 사람들이 즐겨 마시는 진(Gin)과 향이 비슷하고, 독특한 향을 갖는다.

백자주

스토리텔링 및 술 빚는 법

'백자주(柏子酒, 栢子酒)'에 대한 기록은 <고사촬요(故事撮要)>를 시작으로 <감저종식법(甘藷種植法)>, <고사신서(攷事新書)>, <고사십이집(攷事十二集)>, <군학회등(群學會謄)>, <농정회요(農政會要)>, <민천집설(民天集說)>, <산림경제(山林經濟)>, <수운잡방(需雲雜方)>, <양주집(釀酒集)>, <역주방문(曆酒方文)>, <온주법(醞酒法)>, <요록(要錄)>, <의방합편(醫方合編)>, <주찬(酒饌)>, <증보산림경제(增補山林經濟)>, <침주법(浸酒法)>, <학음잡록(鶴陰雜錄)>, <한국민속대관(韓國民俗大觀)>, <해동농서(海東農書)> 등 20종의 다양한 문헌에서 찾을 수 있고, 주방문이 27차례나 수록되어 있는 걸 확인할 수 있다.

백자(栢子)란 잣나무의 열매인 실백(實柏), 곧 잣을 가리킨다. 따라서 '백자주'는 잣을 이용해 빚은 술로, 전통적으로는 과실주(果實酒)로 분류된다. 가장 오래된 우리나라 과실주 중 한 가지로 알려지고 있다.

'백자주'가 빚어진 시기는 고려시대 명종 때부터라고 하며, 자세한 기록은 알 수 없지만 "명종이 허약하여 보양과 원기를 돋우기 위해 즐겨 마셨다."고 전한다.

'백자주'에 대한 주방문은 <수운잡방>이 최초의 기록으로, 주방문 말미에 "신중(腎中)과 방광(膀胱)이 냉한 것을 치료하고, 두풍(頭風)과 백사(百邪), 귀매(鬼魅) 들린 것을 없앤다."고 하여 예로부터 약용약주로 빚어 왔음을 알 수 있다.

또한 <군학회등>과 <증보산림경제> 등의 주방문 말미에 "이 술은 사람의 백병에 마시면 몸에 좋다."거나 "사람의 온갖 병을 없애준다."고 하는 '백자주'의 효능을 기술하고 있다. <양주집>에서는 "7일 후 공복에 마시라."고 하여 음용방법에 대해서도 언급하고 있다.

'백자주'를 수록하고 있는 문헌에 따라 술 빚는 방법의 몇 가지 유형이 발견된다.

첫째, <고사촬요>를 중심으로 <감저종식법>, <고사신서>, <고사십이집>, <민천집설>, <산림경제>, <의방합편>, <주찬>, <침주법>, <학음잡록>에서와 같이 '향온주' 또는 '내국향온'을 기주(起酒)로 사용하는 방법이 있다.

'백자주'는 멥쌀에 찹쌀을 섞어 지은 고두밥에 끓는 물을 합하여 진고두밥을 만들고, 여기에 잣을 누룩가루와 섞어 짓찧어 주본(석임)을 함께 사용하여 빚는 방법이 주류를 이루고 있다.

따라서 '백자주'의 원형은 '향온주' 또는 '내국향온'을 기주(起酒)로 한 양주방법임을 알 수 있다. 이후 '백자주'가 어떻게 변화와 다양화로 이어지는지를 추적할 수 있는 기준이 된다고 하겠다.

다만 '향온주' 또는 '내국향온'은 특수 누룩인 향온곡 또는 녹두곡을 사용해야 하는 만큼 민가에서는 '향온주' 또는 '내국향온'의 양주가 여의치 못했을 것이다. 그래서 '방문주'를 기주로 하고, '주본(酒本)'이나 '석임' 대신 일반 누룩가루를 사용하는 방법으로 변화했을 거라는 추측이 가능해진다.

둘째, <온주법>, <군학회등>, <농정회요>, <양주집>, <증보산림경제>에서와 같이 쌀가루와 잣가루, 물을 함께 끓인 잣죽 또는 잣범벅을 사용하고, 누룩가루를 섞어 빚는 방법이 있다.

이와 같은 양주법은 가장 일반적으로 이루어지는 기술에 잣을 추가하는 방법이라고 할 수 있다. 비슷한 예로 <음식디미방> 등에 등장하는 '송화주(松花酒)'를 들 수 있다.

셋째, <수운잡방>이나 <역주방문>에서는 흰무리떡과 백자수(柏子水, 잣 끓인 물)를 섞어 만든 술거리에 누룩가루를 섞어 빚는 방법이 있다. 백자수 역시 잣죽 또는 잣범벅과 같이 매우 오래도록 끓인 잣물 또는 잣죽의 형태라는 점에서 '백비탕(白沸湯)'이나 '구증구포(九蒸九鋪)'의 원리를 생각하면 술 빚기에 도움이 될 것이다.

넷째, <농정회요>, <온주법>, <증보산림경제>, <해동농서>의 '백자주' 주방문에는 반생반숙법(半生半熟法)의 범벅에 잣가루나 잣, 누룩을 섞어 빚는 방법도 있다.

하지만 이와 같은 방법보다는 잣을 베주머니에 넣거나 술독 밑에 먼저 안친 후 술밑을 안치는 '화향입주법(花香入酒法)'이나 '지약주중법(漬藥酒中法)'이 보다 안전한 발효를 도모할 수 있다는 점도 고려해볼 일이다.

왜냐하면 이들 문헌에서 제시한 방법에서는 발효가 진행될수록 노란색의 잣기름이 주면을 뒤덮어 발효를 억지시키고, 자칫 변패를 초래할 수 있기 때문이다.

이 외에도 고두밥이나 진고두밥에 잣과 누룩을 섞어 빚는 법, 청주(淸酒)에 잣을 넣고 우려서 마시는 '지약주중법'과 같은 간단한 방법도 있다.

하지만 '백자주'와 같은 술 빚기에서 문제가 되는 것은 잣을 가루로 만들 때 생기는 기름성분이다. 잘 발효된 술에서는 고소한 맛을 주기도 하지만, 이상발효를 일으키는 원인이 되어 술맛을 나쁘게 하는 원인이기 때문이다.

따라서 예의 다양한 주방문에서 보듯 잣의 양과 누룩의 양이 동일하게 사용되는 것을 알 수 있다. 일반적인 술에 비해 상대적으로 누룩이 많이 들어가고, 잣과 누룩을 한데 섞어서 짓찧는 방법을 동원하는 이유가 그만큼 잣의 지방성분이 발효를 나쁘게 하므로 원활한 발효를 위한 조치라는 것이다.

또한 <수운잡방>의 쌀가루와 잣가루를 섞고 끓여서 죽을 쑤어 빚는 방법에 있어서는 가능한 한 죽을 오랫동안 끓이는 '탕약법(湯藥法)을 이용함으로써 그 고민을 해결하는 과정을 엿볼 수 있다.

충분히 익힌 잣을 사용함으로써 잣의 약효나 성질이 크게 달라져서 술맛에 결정적인 영향을 미치지 않으면서, 술의 발효가 원활해지고 체내 흡수가 빨라진다는 점이 권장할 만한 방법이라는 생각이 든다.

그런가 하면 술 이름에 따른 특징과 의미를 부여할 수도 있겠다. 다만 '백자주'

의 맛과 향기를 아름답게 하기 위해서는 무엇보다 술 빚기에 사용되는 누룩의 품질이 매우 좋아야 한다.

실제로 빚어본 '백자주'는 매우 엷은 미황색의 술 빛깔을 띠며, 알코올 도수가 낮지만 맛이 담백하면서도 고소한 향기를 간직하고 있었다.

1. 백자주 <감저종식법(甘藷種植法)>

술 재료 : 실백자 2말, 멥쌀 10말, 찹쌀 1말, 누룩가루 1말, 부본 1병, 물 15병

술 빚는 법 :

1. 멥쌀 10말과 찹쌀 1말을 한데 섞어 물에 깨끗이 씻은 뒤, 하룻밤 불렸다가 (다시 씻어 헹군 후 건져서) 시루에 안쳐 고두밥을 짓는다.
2. 고두밥이 익었으면 퍼낸다(넓은 그릇 여러 개에 나눠 담아놓는다).
3. 물 15병을 팔팔 끓여 고두밥에 골고루 나눠 붓고, 고두밥이 물을 다 먹어 윤기가 돌면 돗자리에 고루 펼쳐서 차게 식기를 기다린다.
4. 고두밥에 부본 1병을 한데 합하고, 고루 버무려 술밑을 빚는다.
5. 고깔을 떼어낸 실백자(잣) 2말을 누룩가루 1말과 함께 절구에 넣고 짓찧어 술밑과 합하고, 다시 버무려 놓는다.
6. 술독에 술밑을 담아 안치고, 예의 방법대로 하여 발효시킨 뒤 술이 익었으면 용수 박아 채주한다.

* '내국향온(內局香醞)' 주방문 말미에 "잣 2말에 원 누룩가루 1말을 칼에 짓빻아서 술밑을 빚는다."고 하였다.

栢子酒

造麴以麥磨之不篩其末每一圓入一斗碎菉豆一合調和造作. 白米十斗粘米一

斗百洗蒸出用熱水十五瓶調和待其水盡入于蒸飯然後鋪於簟上寒之良久麴末一斗五升腐本一瓶調和釀之. 實栢子二斗與厚入麴末一斗同擣爛入是爲栢子酒.

2. 백자주 <고사신서(攷事新書)>

술 재료 : 잣 2말, 멥쌀 10말, 찹쌀 1말, 누룩가루 1말, 부본 1병, 물 15병

술 빚는 법 :

1. 멥쌀 10말과 찹쌀 1말을 한데 섞어 물에 깨끗이 씻은 뒤, 하룻밤 불렸다가 (다시 씻어 헹군 후 건져서) 시루에 안쳐 고두밥을 짓는다.
2. 고두밥이 익었으면 퍼낸다(넓은 그릇 여러 개에 나눠 담아놓는다).
3. 물 15병을 팔팔 끓여 고두밥에 골고루 나눠 붓고, 고두밥이 물을 다 먹어 윤기가 돌면 돗자리에 고루 펼쳐서 차게 식기를 기다린다.
4. 고두밥에 부본 1병을 한데 합하고, 고루 버무려 술밑을 빚는다.
5. 고깔을 떼어낸 잣 2말을 누룩가루 1말과 함께 절구에 넣고 짓찧어 술밑과 합하고, 다시 버무려 놓는다.
6. 술독에 술밑을 담아 안치고, 예의 방법대로 하여 발효시킨 뒤 술이 익었으면 용수 박아 채주한다.

栢子酒

釀法如香醞而但以實栢子二斗與厚入麴末一斗同擣爛入酒本調和釀之.

3. 백자주 <고사십이집(攷事十二集)>

술 재료 : 잣 2말, 멥쌀 10말, 찹쌀 1말, 누룩가루 1말, 부본 1병, 물 15병

술 빚는 법 :

1. 멥쌀 10말과 찹쌀 1말을 한데 섞어 물에 깨끗이 씻은 뒤, 하룻밤 불렸다가 (다시 씻어 헹군 후 건져서) 시루에 안쳐 고두밥을 짓는다.
2. 고두밥이 익었으면 퍼낸다(넓은 그릇 여러 개에 나눠 담아놓는다).
3. 물 15병을 팔팔 끓여 고두밥에 골고루 나눠 붓고, 고두밥이 물을 다 먹어 윤기가 돌면 돗자리에 고루 펼쳐서 차게 식기를 기다린다.
4. 고두밥에 부본 1병을 한데 합하고, 고루 버무려 술밑을 빚는다.
5. 고깔을 떼어낸 잣 2말을 누룩가루 1말과 함께 절구에 넣고 짓찧어 술밑과 합하고, 다시 버무려 놓는다.
6. 술독에 술밑을 담아 안치고, 예의 방법대로 하여 발효시킨 뒤 술이 익었으면 용수 박아 채주한다.

* 주방문에 “향온법(香醞法)과 같되, 다만 잣 2말에 원 누룩가루 1말을 칼에 짓빻아서 술밑에 넣어 섞어서 빚는다.”고 하였다. 주방문 말미에 “신중(腎中)과 방광(膀胱)이 냉한 것을 치료하고, 두풍(頭風)과 백사(百邪), 귀매(鬼魅) 들린 것을 없앤다.”고 하였다.<고사촬요>와 같다.

栢子酒

釀法如香醞而但以實栢子二斗與厚入麴末一斗同擣爛入酒本調和釀之. <綱目> 云 栢子仁主治驚○益氣除風濕安五臟久服令人潤澤美顔色耳目聰明不飢不 老 輕身延年與陽道去百邪安塊定魄.

4. 백자주 <고사촬요(故事撮要)>

술 재료 : 잣 2말, 멥쌀 10말, 찹쌀 1말, 누룩가루 1말, 부본 1병, 물 15병

술 빚는 법 :

1. 멥쌀 10말과 찹쌀 1말을 한데 섞어 물에 깨끗이 씻은 뒤, 하룻밤 불렸다가 (다시 씻어 헹군 후 건져서) 물기를 뺀 다음, 시루에 안쳐 고두밥을 짓는다.
2. 물 15병을 팔팔 끓이고, 고두밥이 익었으면 넓은 그릇 여러 개에 나눠 담는다.
3. 뜨거운 고두밥에 끓고 있는 물을 골고루 나눠 붓고, 고두밥이 물을 다 먹어 윤기가 돌면 돗자리에 고루 펼쳐서 차게 식기를 기다린다.
4. 고두밥에 부본 1병을 한데 합하고, 고루 버무려 놓는다.
5. 고깔을 떼어낸 잣 2말을 누룩가루 1말과 함께 절구에 넣고 짓찧어 술밑과 합하고, 다시 버무려 술밑을 빚는다.
6. 술독에 술밑을 담아 안치고, 예의 방법대로 하여 발효시킨 뒤 술이 익었으면 용수 박아 채주한다.

* 주방문 머리에 "술 빚는 법은 '향온주' 빚는 법과 같다."고 하였다.

栢子酒

醸法如香醞而但以實栢子二斗與源入麴末一斗同擣爛入酒本調和醸之.

5. 백자주 <군학회등(群學會騰)>

술 재료 : 멥쌀 1말, 잣 1말, (누룩가루 1말), 물 1말 1되

술 빚는 법 :

1. 겉껍질과 속껍질을 모두 벗긴 잣 1되를 깨끗하게 씻어 물에 담가 하룻밤 불려놓는다.
2. 멥쌀 1말을 백세하고 (물에 백 번 씻어 새 물에 담가 불렸다가, 다시 씻어 말갛게 헹궈서 물기를 뺀 후) 세말하여(고운 가루로 빻아) 그릇에 담아놓는다.
3. 불린 잣을 짓찧어 진흙같이 만들어, 물 1말 1되에 넣고 1말이 되게 달여서 찌꺼기를 제거한 즙을 취한다.
4. 잣 달인 물 1말을 끓이다가 쌀가루를 합하고, 주걱으로 고루 섞어 (반생반숙/범벅을 만들어 뚜껑을 덮고) 차게 식기를 기다린다.
5. (잣 범벅에 누룩가루 2되를 한데 섞고 고루 버무려 술밑을 빚는다).
6. 술독에 잣죽(술밑)을 안치고, 예의 방법대로 하여 (여러 겹 종이로 밀봉한 뒤) 10일간) 발효시켜 마신다.

* 주방문 말미에 "신중(腎中)과 방광(膀胱)이 냉한 것을 치료하고, 두풍(頭風)과 백사(百邪), 귀매(鬼魅) 들린 것을 없앤다."고 하면서, 다른 기록과는 달리 "부본이나 누룩가루를 사용하라"고 하였다. 따라서 다른 기록인 <고사촬요>와 <산림경제> 등 단양주법의 누룩 양을 감안하여 주방문을 작성하였다. 주방문에 누룩에 대한 언급이 없어 누락된 것으로 여겨 다른 기록의 누룩 양을 참고하여 주방문을 작성하였다.

栢子酒

釀法如香醞而但以實栢子二斗與厚入麴末一斗同擣爛入酒本調和釀之. <綱目> 云栢子仁主治驚○益氣除風濕安五臟夂服今人潤澤美顔色耳目聰明不飢不老. 輕身延年與陽道去百邪安塊定魄.

6. 백자주 별법 <군학회등(群學會騰)>

술 재료 : 멥쌀 1말, 잣 1되, 방문주 밑술(1되), 끓는 물 3병

술 빚는 법 :

1. 멥쌀 1말을 백세하고 (물에 백 번 씻어 새 물에 담가 불렸다가, 다시 씻어 말갛게 헹궈서 물기를 뺀 후) 작말하여(가루로 빻아) 그릇에 담아놓는다.
2. 껍질을 모두 벗긴 잣 1되를 절구에 넣고 짓찧어 놓는다.
3. 물(3병)을 팔팔 끓이다가 잣가루를 넣고 팔팔 끓여 잣죽을 쑨 후, 쌀가루에 붓고, 주걱으로 고루 개어 (반생반숙의 잣 범벅을 만들어) 차게 식기를 기다린다.
4. 잣 범벅에 방문주 주본(밑술)을 합하고, 매우 치대어 술밑을 빚는다.
5. 술독에 술밑을 안치고, 예의 방법대로 하여 (밀봉한 뒤 3일간) 발효시킨다.

* 주방문 말미에 "'방문주' 주본을 넣어 빚으면 3일이면 마실 수 있는데, 몸에 세 가지가 이롭다."고 하였다. 참고로 '방문주'의 밑술은 다음과 같이 "멥쌀 1말을 백세작말하여 물 3병을 팔팔 끓여 쌀가루에 붓고, 반생반숙/범벅을 만들어 차게 식힌 후에 누룩가루 1되 5홉과 밀가루 1되 5홉을 넣고, 3일(~4일)간 발효시킨다."고 했는데, 이 밑술의 양을 다 넣는지는 불분명하다. 따라서 상법(常法)대로 한다면 '방문주' 밑술 1되 또는 1병 정도를 사용하는 게 좋다. 주방문 말미에 "신중(腎中)과 방광(膀胱)이 냉한 것을 치료하고, 두풍(頭風)과 백사(百邪), 귀매(鬼魅) 들린 것을 없앤다."고 하였다.

栢子酒

釀法如香醞而但以實栢子二斗與厚入麴末一斗同擣爛入酒本調和釀之. <綱目> 云栢子仁主治驚○益氣除風濕安五臟夊服今人潤澤美顔色耳目聡明不飢不老 輕身延年與陽道去百邪安塊定魄.

7. 백자주법 <농정회요(農政會要)>

술 재료 : 멥쌀 1말, 잣 1되, 누룩가루 1되 5홉, 끓는 물 2병 반

술 빚는 법 :

1. 멥쌀 1말을 백세하고 (물에 백 번 씻어 새 물에 담가 불렸다가, 다시 씻어 말갛게 헹궈서 물기를 뺀 후) 작말하여(가루로 빻아) 그릇에 담아놓는다.
2. 물 3병을 팔팔 끓여 쌀가루에 붓고, 주걱으로 고루 섞어 (반생반숙/범벅을 만들어 뚜껑을 덮고) 차게 식기를 기다린다.
3. 겉껍질과 속껍질을 모두 벗긴 잣 1되를 절구에 넣고 짓찧어 놓는다.
4. 술밑에 찧은 잣가루와 누룩가루 1되 5홉을 합하고, 매우 치대어 술밑을 빚는다.
5. 술독에 술밑을 안치고, 예의 방법대로 하여 (여러 겹 종이로 밀봉한 뒤 14일간) 발효시킨다.

* 주방문에 "쌀 1말을 빚고자 하면, 잣 1되를 진흙처럼 으깨어 방문주의 밑술을 섞어 빚는다."고 하여 술 빚는 법을 설명하고, "이 술은 사람 몸에 좋다."고 하였다. 다른 기록과는 달리 '방문주' 밑술을 사용하라고 하였다. 따라서 단양주(單釀酒)인지 이양주법(二釀酒法)인지는 불분명하다. 다른 기록인 <고사촬요>와 <산림경제> 등에서는 단양주법임을 감안해 주방문을 작성하였다.

柏子酒法

欲釀米一斗取栢子仁一升磨碎如泥調方文酒之本而釀之飮之益人.

8. 백자주 우법 <농정회요(農政會要)>

술 재료 : 멥쌀 1말, 잣 1되, (누룩가루 1되 5홉), 물 2말 1되

술 빚는 법 :

1. 겉껍질과 속껍질을 모두 벗긴 잣 1되를 깨끗하게 씻어 물에 담가 밤재워 불린다.
2. 불린 잣을 다시 깨끗하게 고쳐 씻어 절구에 넣고 짓찧어 진흙처럼 만들어 놓는다.
3. 물 2말 1되에 짓찧은 잣을 넣고 오랫동안 끓여 1말이 되게 만든 다음, 고운 체에 걸러 찌꺼기를 제거한다.
4. 멥쌀 1말을 백세하고 (새 물에 담가 불렸다가, 다시 씻어 말갛게 헹궈서 물기를 뺀 후) 작말하여(가루로 빻아) 그릇에 담아놓는다.
5. 잣 달인 물에 쌀가루를 합하고, 주걱으로 고루 저어가면서 잣죽을 쑨 후 뚜껑을 덮고 차게 식기를 기다린다.
6. (누룩가루 1되 5홉을 합하고) 잣죽을 고루 버무려 술밑을 빚는다.
7. 술독에 술밑을 안치고, 예의 방법대로 하여 10일간 발효시킨다.

* 주방문 말미에 "곡말이나 주본을 섞어 빚는다."고 하였다.

柏子酒 又法

柏子仁一升浸水經宿淨洗磨成泥用水二斗一升煎至一斗去滓白米一斗百洗細末和栢子煎水納瓮十日後飮之祛人百病(此方似或與麯末與腐本和釀而無其言疑有闕(誤).

9. 백자주 <민천집설(民天集說)>

술 재료 : 잣 2말, 멥쌀 10말, 찹쌀 1말, 누룩가루 1말, 부본 1병, 물 15병

술 빚는 법 :

1. 멥쌀 10말과 찹쌀 1말을 한데 섞어 (백세하여 물에 담가 불렸다가, 다시 씻어 건져서 물기를 뺀 후) 시루에 안쳐 고두밥을 짓는다.
2. 고두밥이 익었으면 퍼낸다(넓은 그릇 여러 개에 나눠 담아놓는다).
3. 물 15병을 팔팔 끓여 고두밥에 골고루 나눠 붓고, 고두밥이 물을 다 먹어 윤기가 돌면 돗자리에 고루 펼쳐서 차게 식기를 기다린다.
4. 고두밥에 부본 1병을 한데 합하고, 고루 버무려 술밑을 빚는다.
5. 고깔을 떼어낸 잣 2말을 누룩가루 1말과 함께 절구에 넣고 짓찧어 술밑과 합한 후 다시 버무려 놓는다.
6. 술독에 술밑을 담아 안치고, 예의 방법대로 하여 발효시킨 뒤 술이 익었으면 용수 박아 채주한다.

栢子酒

釀法如香醞而但以實栢子二斗與厚入麴末一斗同擣爛入酒本調和釀之.

10. 백자주 <산림경제(山林經濟)>

술 재료 : 잣 2말, 멥쌀 10말, 찹쌀 1말, 누룩가루(녹두곡) 1말, 부본 1병, 물 15병

술 빚는 법 :

1. 멥쌀 10말과 찹쌀 1말을 한데 섞어 물에 깨끗이 씻은 뒤, 하룻밤 불렸다가 (다

시 씻어 헹군 후 건져서) 시루에 안쳐 고두밥을 짓는다.
2. 고두밥이 익었으면 퍼낸다(넓은 그릇 여러 개에 나눠 담아놓는다).
3. 물 15병을 팔팔 끓여 고두밥에 골고루 나눠 붓고, 고두밥이 물을 다 먹어 윤기가 돌면 돗자리에 고루 펼쳐서 차게 식기를 기다린다.
4. 고두밥에 부본 1병을 한데 합하고, 고루 버무려 술밑을 빚는다.
5. 고깔을 떼어낸 잣 2말을 누룩가루 1말과 함께 절구에 넣고 짓찧어 술밑과 합하고, 다시 버무려 놓는다.
6. 술독에 술밑을 담아 안치고, 예의 방법대로 하여 발효시킨 뒤 술이 익었으면 용수 박아 채주한다.

栢子酒
釀法如香醞, 而但以實柏子二斗, 與原入麴末一斗, 同擣爛入酒本, 調和釀之.
上同.

11. 백자주 <수운잡방(需雲雜方)>

술 재료 : 껍질 깐 잣 1말, 멥쌀 1말 5되, 찹쌀 1말 5되, 가루누룩 3되, 물 4말

술 빚는 법 :
1. 껍질을 깐 잣 1말을 흐르는 물에 극세한다(매우 깨끗하게 씻어 오랫동안 담가서 기름기와 떫은맛을 뺀다).
2. 씻어 건진 잣을 매우 많이 찧은 후, 물 4말을 넣고 체에 밭쳐 찌꺼기와 껍질을 제거한다.
3. 잣가루 밭친 물을 솥에 붓고, 소쿠라치게 많이 끓여 잣 끓인 물(잣죽)을 만든다(차게 식기를 기다린다).
4. 멥쌀과 찹쌀 각 1말 5되를 백세하여 (물에 담가 불렸다가, 다시 씻어 헹궈 건

져서 물기를 뺀 후) 세말한다(고운 가루를 만든다).
5. 쌀가루를 시루에 안치고 쪄서 익힌 흰무리떡을 준비한다.
6. 쪄낸 흰무리떡에 잣 끓인 물(잣죽)을 섞고 차게 식기를 기다렸다가, 가루누룩 3되를 섞어 고루 버무려 술밑을 빚는다.
7. 술독에 술밑을 담아 안치고, 예의 방법대로 발효시켜 맑게 익으면 술주자에 올려 짠다.

* 주방문 말미에 "신중(腎中)과 방광(膀胱)이 냉한 것을 치료하고, 두풍(頭風)과 백사(百邪), 귀매(鬼魅) 들린 것을 없앤다."고 하였다.

栢子酒
治腎中冷膀胱冷法頭風百邪鬼魅. 柏子一斗極洗細擣水四斗篩漉之法皮滓沸湯白米一斗五升粘米一斗五升百洗細末熟蒸和右湯水四斗作醅待冷麴末三升和納瓮待淸上槽.

12. 백자주 <양주집(釀酒集)>

술 재료 : 피백자(껍질 벗긴 잣) 1말, 멥쌀 6말, 누룩 1말, 진말 5홉, 끓는 물 6말

술 빚는 법 :
1. 껍질 벗긴 잣 1말을 가장 실한 것으로 골라 깨끗이 씻고 또 씻어 방아에 짓찧어 가루를 만들어놓는다.
2. 베(삼베)자루에 (깨끗하게 씻어 물기를 말린 돌멩이 한 개와 함께) 짓찧은 잣가루를 담고, 주둥이를 묶어 준비한 술독에 담는다.
3. 멥쌀 6말을 백세하여 (물에 담가 불렸다가, 새 물에 다시 씻어 맑게 헹궈 건져서 물기를 뺀 후) 작말한다(가루로 빻는다).

4. 솥에 물 6말을 붓고 끓여, 쌀가루에 골고루 붓고 주걱으로 개어 담(범벅)을 쑤어 넓은 그릇에 담아 가장 차게 식기를 기다린다.
5. 담(범벅)에 누룩 1말과 진말 5홉을 넣고, 고루 힘껏 치대어 술밑을 빚는다.
6. 술독에 술밑을 담아 안치고, 예의 방법대로 하여 7일간 발효시켜 술이 익었으면 채주한다.

栢子酒

皮栢子 一斗 ᄀᆞ장 시어 방아ᄋᆡ ᄌᆞᆺ 지허 뵈쟈로ᄋᆡ 녀허 독 밋ᄐᆡ 녀코 白米 六斗 百洗 作末ᄒᆞ야 ᄭᅳᆯ인 믈 엿 말ᄋᆡ ᄀᆞ여 ᄀᆞ장 ᄎᆞ거든 曲子 一斗 眞末 五合에 섯거다가 七日 만ᄋᆡ ᄡᅳ라.

13. 우(又) 백자주 <양주집(釀酒集)>

술 재료 : 피백자(껍질 깐 잣) 1되, 멥쌀 6되, 누룩 5홉, 진말 3홉, 물(1말)

술 빚는 법 :
1. 껍질 벗긴 잣 1되를 가장 실한 것으로 골라 깨끗이 씻고 또 씻어 절구를 이용하여 마구 찧어 가루를 만든다.
2. 멥쌀 6되를 백세하여 (물에 담가 불렸다가, 새 물에 다시 씻어 맑게 헹궈 건져서 물기를 뺀 후) 세말한다(고운 가루로 빻는다).
3. 솥에 물 1말을 붓고 끓이다가 물이 뜨거워지면 쌀가루와 잣 찧은 것을 한데 넣고, 오랫동안 끓여서 죽을 쑨다.
4. 죽을 넓은 그릇에 펴서 차게 식기를 기다린다.
5. 죽에 누룩 5홉과 진말 3홉을 넣고, 고루 버무려 술밑을 빚는다.
6. 술독에 술밑을 담아 안친다.
7. 술독은 예의 방법대로 하여 14일간 발효시켜 술이 익으면 체에 걸러 마신다.

* 주방문에 “피백자 1되를 가장 시어 막고 찧허……”라고 하였는데, 이를 “가장 깨끗이 씻어 마구 찧는다.”로 해석하였다.

又 栢子酒
皮栢子 一升를 ᄀᆞ장 시어 막고 찌허 白米 六升 百洗 細末ᄒᆞ야 죽 쑤어 ᄎᆞ거든 曲子 五合 眞末 三合에 섯거 둣다가 二七日 지나거든 쓰라.

14. 약백자주 <양주집(釀酒集)>

술 재료 : 피백자(껍질 벗긴) 잣 2되, 찹쌀 1말, 누룩(1~2되), 물 3말 5되

술 빚는 법 :
1. 껍질 깐 잣 2되를 물에 담갔다가 깨끗이 씻고 또 씻어 건져서 가루로 빻는다.
2. 물 3말 5되에 잣가루를 넣고, 물이 1말이 되게 달여서 차게 식기를 기다린다.
3. 찹쌀 1말을 백세하여 (물에 담가 불렸다가, 새 물에 다시 씻어 맑게 헹궈 건져서 물기를 뺀 후) 시루에 안쳐서 고두밥을 짓는다.
4. 고두밥이 익었으면 퍼내고, 고루 펼쳐서 차게 식기를 기다린다.
5. 잣 달인 물에 고두밥과 보통 술 빚듯이 누룩(1~2되)을 풀어 넣고, 고루 치대어 술밑을 빚는다.
6. 술독에 술밑을 담아 안치고, 예의 방법대로 하여 술독 둘레를 싸매되 김이 나가지 않게 하여 7일간 발효시킨다.
7. 술이 익었으면 채주하여 공복에 마신다.

* 주방문에 “독가이 싸매되 김나지 아니케 하였다가, 7일 후에 공복에 마시라.”고 하였다.

藥栢子酒

皮栢子 二升를 믈ᄋᆡ ᄃᆞᆷ가다가 ᄀᆞ장 시어 ᄉᆞᆸᄋᆞ지게 ᄢᅵ허 믈 서 말 닷 되를 달혀 믈이 ᄒᆞᆫ 말이 되거ᄃᆞᆫ 됴ᄒᆞᆫ 粘米 一斗 百洗ᄒᆞ야 닉게 밥 ᄶᅧ ᄀᆞ장 ᄎᆞ거ᄃᆞᆫ 栢子를 달힌 믈ᄋᆡ 고로 플고 누록을 논샹 녜술 빗ᄃᆞ시 너허 버무려 닉은 항ᄋᆡ 녀코 ᄀᆞ장 독가이 ᄡᆞ미되 김나지 아니케 ᄒᆞ여다가 過七日 後ᄋᆡ 空心腹ᄒᆞ라.

15. 백자주방 <역주방문(曆酒方文)>

술 재료 : 백자 1말, 물 4말, 창호지(한지) 여러 장, 멥쌀 1말 5되, 누룩가루 3되, 물 4말

술 빚는 법 :

1. 백자 1말을 따로 깨끗이 씻어 면보를 사용하여 물기를 없앤 뒤 고깔을 떼어 낸다.
2. 깨끗이 씻은 백자를 곱게 찧어놓는다(창호지나 한지를 깔고 그 위에 잣가루를 올린 뒤, 다시 한지나 창호지를 덮고 두드려서 가능한 한 기름기를 많이 빼낸다).
3. 물 4말에 잣가루를 풀고 고운체에 밭쳐 체 안에 남은 껍질과 찌꺼기를 제거한다.
4. 잣가루 거른 물을 백비탕으로 끓여서 백자수를 만들어놓는다.
5. 멥쌀 1말 5되를 백세하여 (물에 백 번 씻어 매우 깨끗하게 헹군 뒤, 새 물에 담가 불렸다가 다시 씻어 말갛게 헹궈서) 물기를 뺀 뒤 작말한다(가루로 빻는다).
6. 쌀가루를 시루에 안쳐서 백설기를 찌고, 익었으면 퍼내어 백자수와 합한 뒤 골고루 치대어 죽처럼 만들어 차게 식기를 기다린다.
7. 차게 식은 떡에 누룩가루 3되를 합하고, 고루 버무려 술밑을 빚는다.

8. 소독하여 준비한 술독에 술밑을 담아 안친 다음 (술독 주둥이에 묻은 것을 깨끗하게 씻어내고, 베보자기와 뚜껑을 덮어) 발효시키는데, 익은 뒤에 사용한다.

栢子酒方
栢子一斗另洗猛擣之以四斗水用篩承之去其皮滓以其水百沸更取白米一斗五升百洗作末爛蒸以上百沸栢子水調匀按摩候冷曲末三升納之瓮中待釀熟用.

16. 백자주 <온주법(醞酒法)>

술 재료 : 찹쌀 1말, 실백자 3되, 누룩가루 3되, 끓는 물 3말

술 빚는 법 :

1. 찹쌀 1말을 백세하여 (물에 담가 불렸다가, 다시 씻어 건져서) 시루에 안쳐 고두밥을 찐다.
2. 실백자 3되를 물에 깨끗이 씻어 건져서 (꾸들꾸들하게 말린 다음) 가루로 빻는다.
3. 물 3말을 팔팔 끓여서 모시베에 밭쳐 백자가루를 거른다.
4. 백자 거른 물을 갓 퍼낸 고두밥에 합하고, 고두밥이 물을 다 빨아들이면 고루 펼쳐 차게 식힌다.
5. 차게 식힌 백자고두밥에 누룩가루 3되 섞고, 고루 버무려 술밑을 빚는다.
6. 술독에 술밑을 담아 안치고, 예의 방법대로 하여 발효시킨다.

ᄇᆡᆨᄌᆞ쥬
뎜미 일두 ᄇᆡᆨ셰ᄒᆞ여 ᄶᅵ고 피ᄇᆡᆨᄌᆞ 서 되 조히 씨서 작말ᄒᆞ여 탕슈 세 사발의 ᄇᆡᆨᄌᆞ 걸너 모시 헝거ᄉᆡ 거ᄌᆡᄒᆞ고 국말 서 되 섯거 비ᄌᆞ라.

17. 백자주 또 한 법 <온주법(醞酒法)>

술 재료 : 멥쌀 6되, 피백자 1되, 누룩가루 5홉, 밀가루 3홉, 물(1말)

술 빚는 법 :

1. 멥쌀 6되를 백세하여 (물에 담가 불렸다가, 다시 씻어 건져서) 작말한다.
2. 피백자 1되를 물에 깨끗이 씻어 건져서 (꾸들꾸들하게 말린 다음) 가루로 빻는다.
3. 솥에 물(1말)을 붓고 끓이다가 쌀가루와 피백자가루를 한데 합하고, 주걱으로 고루 저어가면서 (된)죽을 쑨 다음, (넓은 그릇에 퍼서) 차게 식기를 기다린다.
4. 차게 식힌 백자죽에 누룩가루 5홉과 밀가루 3홉을 섞고, 고루 버무려 술밑을 빚는다.
5. 술독에 술밑을 담아 안치고, 예의 방법대로 하여 발효시킨다.

* 주방문에는 물의 양이 나와 있지 않은데, 누룩의 양이 5홉인 점을 감안해 물의 양을 1말로 산정하여 주방문을 작성하였다.

ᄇᆡᆨᄌᆞ쥬 ᄯᅩ ᄒᆞᆫ 법

피ᄇᆡᆨᄌᆞ ᄒᆞᆫ 되 작말ᄒᆞ고 ᄇᆡᆨ미 엿 되 ᄇᆡᆨ셰작말ᄒᆞ여 쥭 쑤워 ᄎᆡ와 국말 ᄃᆞ 습 진말 서 홉 비저 칠일 후 쓰라.

18. 백자주 또 한 법 <온주법(醞酒法)>

술 재료 : 청주 1병, 실백자 두 줌(홉), 모시베

술 빚는 법 :

1. 항아리에 청주 1병을 담아놓는다.
2. 실백자 2홉을 물에 깨끗이 씻어 건져서 물기를 닦아놓는다.
3. (자배기 위에 쳇다리를 걸치고, 체를 올려 그 안에 모시베를 펼쳐놓는다.)
4. 실백자를 (곱게) 갈아가면서 모시베로 즙을 짜고 찌꺼기를 제거한다.
5. 백자즙을 항아리의 술에 넣고, 예의 방법대로 밀봉하여 두었다가 마신다.

빅ᄌᆞ쥬 ᄯᅩ ᄒᆞᆫ 법

청쥬 ᄒᆞᆫ 병의 실빅ᄌᆞ 두 줌 ᄀᆞ라 모시에 즙을 밧쳐 가며 ᄀᆞ라 ᄐᆞ면 빅ᄌᆞ쥬 ᄀᆞ트니라.

19. 백자주 <요록(要錄)>

술 재료 : 잣 1되, 멥쌀 1말, 누룩 2되, 주본 1되, 끓는 물 1~1.5병

술 빚는 법 :

1. 잣 1되를 물에 담가 하룻밤 불리고 씻어서 준비한다.
2. 멥쌀 1말을 백세하여 하룻밤 담가 불렸다가, 다시 씻어 건져서 물기를 뺀다.
3. 불린 쌀을 시루에 안쳐서 무르게 고두밥을 짓고, 물 1~1.5병을 팔팔 끓여서 고두밥에 붓는다.
4. 잣과 누룩을 한데 섞고 짓찧어, 진흙 같은 잣누룩을 만들어놓는다.
5. 고두밥이 물을 다 빨아들였으면, 넓게 펼쳐서 차게 식기를 기다린다.
5. 고두밥에 준비한 잣누룩과 주본 1되를 섞고, 고루 버무려 술밑을 빚는다.
6. 술독에 술밑을 담아 안치고, 예의 방법대로 하여 (15일간) 발효시킨다.

* 술 빚는 법과 비율은 '향온법'을 인용하였다.

栢子酒

白米若一斗實栢子一升和麴同搗釀之後法釀酒香溫

20. 백자주 <의방합편(醫方合編)>

술 재료 : 잣 2말, 멥쌀 10말, 찹쌀 1말, 누룩가루 1말, 부본 1병, 물 15병

술 빚는 법 :

1. 멥쌀 10말과 찹쌀 1말을 한데 섞어 물에 깨끗이 씻은 뒤, 하룻밤 불렸다가 (다시 씻어 헹군 후 건져서) 물기를 뺀 다음 시루에 안쳐 고두밥을 짓는다.
2. 물 15병을 팔팔 끓이고, 고두밥이 익었으면 넓은 그릇 여러 개에 나눠 담는다.
3. 뜨거운 고두밥에 끓고 있는 물을 골고루 나눠 붓고, 고두밥이 물을 다 먹어 윤기가 돌면 돗자리에 고루 펼쳐서 차게 식기를 기다린다.
4. 고두밥에 부본 1병을 한데 합하고, 고루 버무려 놓는다.
5. 고깔을 떼어낸 잣 2말을 누룩가루 1말과 함께 절구에 넣고 짓찧어 술밑과 합하고, 다시 버무려 술밑을 빚는다.
6. 술독에 술밑을 담아 안치고, 예의 방법대로 하여 발효시킨 뒤 술이 익었으면 용수 박아 채주한다.

* 주방문 머리에 "술 빚는 법은 '향온주' 빚는 법과 같다." 고 하였다.

柏子酒

釀法如香醞以但以實柏子二斗與原入曲末一斗同爲搗爛入酒本調和釀之.

21. 백자주 <주찬(酒饌)>

술 재료 : 멥쌀 10말, 찹쌀 1말, 실백자 1말, 누룩가루 1말, 석임 1되, 끓는 물 15병

술 빚는 법 :

1. 멥쌀과 찹쌀을 한데 섞어 백세한 뒤 5~6시간 불렸다가 (다시 씻어 헹궈 건져서 물기를 뺀 후) 시루에 안쳐 고두밥을 짓는다.
2. 솥에 물 15병(5말)을 팔팔 끓인다.
3. 고두밥이 무르게 익었으면 퍼내어 넓고 큰 그릇 여러 개에 나눠 담고, 팔팔 끓는 물 15병(5말)을 뿌려주고, 주걱으로 고루 섞는다.
4. 고두밥이 물을 다 빨아 먹었으면, 돗자리에 고루 펼쳐서 차게 식기를 기다린다.
5. 실백자 1말을 물에 깨끗이 씻어 건져서 (햇볕에 내다) 꾸들꾸들하게 말린다.
6. 실백자를 누룩가루 1말과 섞고, 절구에 매우 찧어서 반대기를 만든다.
7. 고두밥에 실백자 반대기와 석임을 한데 합하고, 고루 버무려 술밑을 빚는다.
8. 술독에 술밑을 담아 안치고, 예의 방법대로 하여 발효시킨다.

栢子酒

其法香醞而但以實栢子二斗原入曲末一斗同爲爛搗入酒本調和釀之.

22. 백자주법 <증보산림경제(增補山林經濟)>

술 재료 : 멥쌀 1말, 잣 1되, 방문주 주본(1되 또는 1병), 끓는 물 3병

술 빚는 법 :

1. 멥쌀 1말을 백세하고 (물에 백 번 씻어 새 물에 담가 불렸다가, 다시 씻어 말갛게 헹궈서 물기를 뺀 후) 작말하여(가루로 빻아) 그릇에 담아놓는다.
2. 물 3병을 팔팔 끓여 쌀가루에 붓고, 주걱으로 고루 섞어 (반생반숙/범벅을 만들어 뚜껑을 덮고) 차게 식기를 기다린다.
3. 겉껍질과 속껍질 모두 벗긴 잣 1되를 방문주 주본(1되 또는 1병)과 함께 절구에 넣고 짓찧어 놓는다.
4. 범벅에 방문주 술밑, 잣 찧은 것을 한데 합하고, 매우 치대어 술밑을 빚는다.
5. 술독에 술밑을 안치고, 예의 방법대로 하여 (여러 겹 종이로 밀봉한 뒤 14일간) 발효시킨다.

* 다른 기록과는 달리 '방문주' 밑술을 사용하라고 하였다. 따라서 단양주인지 이양주법인지는 불분명하다. 다른 기록인 <고사촬요>와 <산림경제> 등에서는 단양주법임을 감안하여 주방문을 작성하였다.

柏子酒法

欲釀米一斗取栢子仁一升磨碎如泥調方文酒之本而釀之飮之益人.

23. 백자주법 <증보산림경제(增補山林經濟)>

술 재료 : 잣 1되, 멥쌀 1말, (누룩가루 1되 5홉 또는 주본 1병), 끓는 물 2말 1되

술 빚는 법 :

1. 겉껍질과 속껍질을 모두 벗긴 잣 1되를 물에 씻어 하룻밤 불린 뒤, 다시 씻어 건져서 물기를 빼고 갈아서 진흙같이 된 반죽을 만든다.
2. 멥쌀 1말을 백세하고 (물에 백 번 씻어 새 물에 담가 불렸다가, 다시 씻어 말갛게 헹궈서 물기를 뺀 후) 작말하여(가루로 빻아) 그릇에 담아놓는다.

3. 솥에 물 2말 1되와 잣 반죽을 풀어 넣고 오랫동안 끓이는데, 잣을 달인 물이 1말이 될 때까지 달인다.
4. 쌀가루 그릇 위에 쳇다리와 술체를 올리고, 팔팔 끓고 있는 잣 달인 물을 부어 잣 찌꺼기를 제거하면서 쌀가루에 골고루 붓고, 주걱으로 고루 개어 (반생반숙/범벅을 만들어) 놓는다.
5. 잣범벅을 담은 그릇은 뚜껑을 덮어두고, 저절로 차게 식기를 기다린다.
6. 잣범벅이 차게 식었으면 (누룩가루 1되 5홉 또는 주본 1병을) 한데 합하고, 고루 버무려 술밑을 빚는다.
7. 술밑에 범벅을 합하고, 매우 치대어 술밑을 빚는다.
8. 술밑을 술독에 담아 안치고, 예의 방법대로 하여 (여러 겹 종이로 밀봉한 뒤) 10일간 발효시킨다.

* 주방문 말미에 "사람의 온갖 병을 없애준다."고 하였다. 또 주방문 말미에 "이 방법은 밀술이나 혹은 누룩가루를 섞어 빚는 방법이다. 그런데 그런 말이 없으니 빠졌거나 잘못된 것이 아닐까 생각된다."고 하였으므로, 앞의 '백자주' 주방문을 참고하여 누룩 양을 산정하였다.

柏子酒法
柏子仁一升浸水經宿淨洗磨成泥用水二斗一升煎至一斗去滓白米一斗百洗細末和栢子煎水納甕十日後飮之 祛人百病(此方 似與腐本或與麯末和釀而無其言疑有闕誤).

24. 백자주 <침주법(浸酒法)>

술 재료 : 멥쌀 10말, 찹쌀 1말, 가루누룩(향온곡) 1말, 서김(석임/부본) 3되, 백자 2말, 끓는 물 15병

술 빚는 법 :

1. 멥쌀 10말과 찹쌀 1말을 백세하여 (물에 담가 불렸다가, 다시 씻어 건져서 물기를 뺀 후) 시루에 안쳐 고두밥을 짓는다.
2. 솥에 물 15병(4말 5되)을 팔팔 끓인다.
3. 고두밥이 무르게 익었으면 퍼내고, 팔팔 끓는 물을 뿌려 고루 섞는다.
4. 고두밥이 물을 다 빨아 들였으면, (뚜껑을 덮어 밤재워) 차게 식기를 기다린다.
5. 잘 익은 백자 2말을 물에 살짝 씻어 고깔을 떼어내고 물기 없이 하여 건조시킨다.
6. 가루누룩 1말에 백자 2말을 한데 섞은 후, 석임 3되와 함께 고두밥에 합하고, 고루 버무려 술밑을 빚는다.
7. 술밑을 술독에 담아 안치고, 예의 방법대로 하여 발효시켜 익기를 기다려 채주한다.

ᄇᆡᆨ자쥬(栢子酒)—열ᄒᆞᆫ 말

빈ᄂᆞᆫ 법이 향온과 ᄀᆞᆺ치 ᄒᆞ되 다ᄆᆞᆫ 실ᄒᆞᆫ ᄇᆡᆨᄌᆞ 두말을 선입 누록ᄀᆞᄅᆞ ᄒᆞᆫ 말과 ᄒᆞᆫᄃᆡ 녀허 섯거 술밋틔 녀허 죠화ᄒᆞ야 비ᄌᆞ라.

25. 백자주 <학음잡록(鶴陰雜錄)>

술 재료 : 멥쌀 1말, 잣 2되, 누룩가루 1말, 끓는 물 1병 반

술 빚는 법 :

1. 멥쌀 1말과 찹쌀 1되를 백세하여 (물에 백 번 씻어 새 물에 담가 불렸다가, 다시 씻어 말갛게 헹궈서 물기를 뺀 후) 시루에 안쳐서 고두밥을 짓는다.
2. 물 1병 반을 팔팔 끓여 쪄낸 고두밥에 붓고, 주걱으로 고루 섞어 고두밥이 물

을 다 먹기를 기다렸다가, 삿자리에 펼쳐서 차게 식기를 기다린다.

3. 겉껍질과 속껍질을 모두 벗긴 잣 2되를 누룩가루 1되와 함께 절구에 넣고 짓찧어 놓는다.
4. 고두밥에 잣과 누룩 찧은 것을 한데 합하고, 매우 치대어 술밑을 빚는다.
5. 술독에 술밑을 안치고, 예의 방법대로 하여 발효시킨다.

* 주방문에 "향온(주) 빚는 법과 같다. 다만 잣 2되와 누룩 1말을 함께 찧어서 술밑에 섞어 빚는다."고 하였다.

栢子酒

釀法如香醞而但以實栢子二斗與厚入麴末一斗同擣爛入酒本調和釀之.

26. 백자주 <한국민속대관(韓國民俗大觀)>

백자주(栢子酒)

'백자인주'라고도 하는데, 백자인 즉 측백나무 열매를 이용한 술의 이름이다. 쌀 한 말을 빚으려면 백자인 한 되를 갈아서 질게 만들고, 방문주의 술덧에 섞어서 빚어 마시면 사람에 이롭다고 소개되어 있다. 서양 사람들이 즐겨 마시는 진(Gin)과 향이 비슷하고, 독특한 향을 갖는다.

27. 백자주 <해동농서(海東農書)>

술 재료 : 멥쌀 1말, 잣 1되, 누룩가루 1되 5홉, 끓는 물 3병

술 빚는 법 :

1. 멥쌀 1말을 백세하고 (물에 백 번 씻어 새 물에 담가 불렸다가, 다시 씻어 말갛게 헹궈서 물기를 뺀 후) 작말하여(가루로 빻아) 그릇에 담아놓는다.
2. 물 3병을 팔팔 끓여 쌀가루에 붓고, 주걱으로 고루 섞어 (반생반숙/범벅을 만들어 뚜껑을 덮고) 차게 식기를 기다린다.
3. 겉껍질과 속껍질을 모두 벗긴 잣 1되를 누룩가루 1되 5홉과 함께 절구에 넣고 짓찧어 놓는다.
4. 술밑에 범벅을 합하고, 매우 치대어 술밑을 빚는다.
5. 술독에 술밑을 안치고, 예의 방법대로 하여 (여러 겹 종이로 밀봉한 뒤, 14일간) 발효시킨다.

* 주방문에 "쌀 1말을 빚고자 하면, 잣 1되를 진흙처럼 으깨어 방문주의 밑술을 섞어 빚는다."고 하여 술 빚는 법을 설명하고, "이 술은 사람 몸에 좋다."고도 하였다. 다른 기록과는 달리 방문주 밑술을 사용하라고 하였다. 따라서 단양주인지 이양주법인지는 불분명하다. 다른 기록인 <고사촬요>와 <산림경제> 등에서는 단양주법임을 감안해 주방문을 작성하였다.

栢子酒

釀法 如香醞. 而但以實柏子二斗. 與原入麴末一斗. 同擣爛入酒本. 調和釀之. 上同.

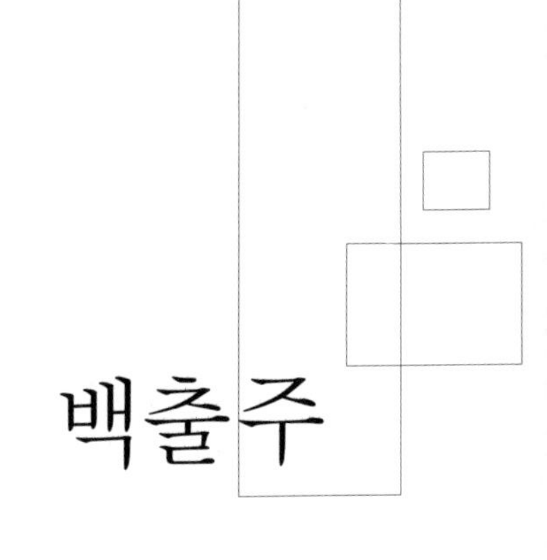

백출주

스토리텔링 및 술 빚는 법

'백출주(白朮酒)' 또는 '삽주뿌리술'은 '삽주'라는 한약재를 주재료로 해 빚는 술을 뜻한다. '백출주'처럼 단일 재료를 사용해 빚는 약용약주의 경우, 주재료의 이름을 반영한 명칭을 쓰는 게 일반적이다.

'백출주'는 조선시대 기록인 한글 붓글씨본 <언서주찬방(諺書酒饌方)>을 비롯해 <수운잡방(需雲雜方)>, <농정회요(農政會要)>, <요록(要錄)>, <임원십육지(林源十六志)> 등 한문 판각본과 필사본에 수록되어 있다.

술 빚는 방법으로는 두 가지 방법이 전해 온다. 백출을 짓찧어서 우린 물을 양주용수로 사용하는 경우와 말린 백출가루를 직접 빚는 술에 넣어 사용하는 경우이다.

'백출주'의 주방문이 가장 상세하게 나와 있는 기록은 <수운잡방>과 <요록>이며, 한글 붓글씨본인 <언서주찬방>과 <농정회요>에는 삽주를 가공하는 방법만 언급되어 있을 뿐 술 빚는 방법이 나와 있지 않다. 또 <임원십육지>에도 "병을 없애주고 수명을 연장시키며 머리가 희어지지 않고 치아를 튼튼하게 한다."고 하였을 뿐 주방문은 나와 있지 않다.

<요록>에 "창출을 씻어서 적당하게 분쇄하여 새지 않는 그릇(단지)에 담고, 동류수(東流水) 30말을 부어 불려둔다. 7일이 지나면 창출을 눌러 짜서 찌꺼기를 제거하고, 그 즙액을 사기로 된 그릇에 담아놓는다. 밤에 유성(流星)이 지나갈 때 자기 성명을 기록하여 창출즙에 넣어둔다. 밤 오경쯤 되어 즙이 피와 같이 변하면, 이때를 기다려 누룩을 넣어두고 술을 빚는다." 하고, "술을 빚는 방법은 앞서의 온법(醞法, 향온법인 듯)과 같이 하여 술독에 담아 안치고, 예의 방법대로 하여 발효시킨다."고 하였다.

이렇듯 '백출주'는 술을 빚는 주방문이 언급되지 않은 문헌이 많아 아쉬움이 남지만, 앞의 예에서 보듯 특별한 방법이 있어 보이진 않는다.

<언서주찬방>을 비롯하여 <수운잡방>, <농정회요>, <요록>, <임원십육지> 등 모든 문헌에서 공통적으로 나타나는 사실은 '백출주'를 단양법(單釀法)으로 양주한다는 것이다. 흐르는 물을 길어다 백출을 담가서 7~20일 정도 우린 후 그 물이 산화되기를 기다렸다가 고두밥과 누룩을 함께 넣고 버무려 넣거나, 백출가루를 사용해 술을 빚는다는 사실이다.

이러한 방법은 여느 약용약주에서 나타나는 달인 즙액이나 탕약 형태로 술을 빚는 것과는 다르다.

술을 빚는 데 관건은 백출을 물에 우릴 때 그 기간이 오랠수록 발효가 잘 일어난다는 점이다. 이는 백출 우린 물이 공기와의 접촉에 따른 산화과정을 통해서 약재의 독성을 약화시키거나, 산화 환원작용에 의한 성분 변화를 유도한 것으로 판단된다.

또한 누룩은 절대적으로 중요하다. 주재료로 사용되는 쌀 양의 12% 이상이라야 한다.

여기서 간과하지 말아야 할 것은 '누룩'과 '누룩가루'는 분명히 다르다는 점이다. '누룩가루'를 사용할 경우는 10% 이상, '누룩'을 사용할 경우는 최소 12% 이상 16% 정도를 사용해야 한다. 아니면 <요록>에서처럼 '부본(腐本, 서김)'을 사용하는 게 가장 안전하다.

주지하다시피 '백출주'처럼 주재료인 약재가 많이 사용될 경우 발효가 원활하지 못하여 산패를 초래하는 경우가 허다하다.

특히 전통누룩을 사용할 경우는 더욱 심하다. 따라서 약재를 사용할 경우, 평소보다 누룩의 양을 더 늘려서 빚는 것이 안전한 방법임을 잊지 말아야 한다.

이러한 '백출주'는 기호음료로서 술의 향이나 맛을 즐기기보다는 약재가 갖는 질병예방 목적이나 치료효과, 또는 보양과 보기의 목적으로 사용하는 경우가 많다.

<언서주찬방>의 주방문 말미에 덧붙이기를 "10일 복용하면 모든 병이 없어지고, 100일 복용하면 백발이 검어지고, 빠졌던 이가 다시 나고, 얼굴이 광택이 나고, 오래도록 복용하면 수명이 연장되고, 노쇠하지 않는다." 하고, "오얏(자두)이나 참새고기를 피해야 한다."고 하였다.

<농정회요>의 주방문 말미에도 "오랫동안 복용하면 병이 없어지고 연년수명하며, (하얀) 머리카락이 (검게) 변한다. 이가 튼튼해지고 안색이 좋아진다."고 하였고, <임원십육지>에서도 "병을 없애주고 수명을 연장시키며, 머리가 희어지지 않고 치아를 튼튼하게 한다."고 하였다.

물론 이와 같은 내용을 액면 그대로 받아들일 순 없다. '백출주'의 효능대로라고 하면, 늙어서 병들어 죽는 이가 없었을 것이고, 아마도 '백출주'가 세계적인 브랜드로 그 위상을 떨쳤거나 가정마다 장수약으로 뿌리를 내렸을 법도 한데, 그런 사례를 듣도 보도 못했으니 말이다.

술은 술일 뿐이다. 약주(藥酒)에 대한 과신과 과음은 오히려 몸을 해칠 수 있다.

1. 백출주 <농정회요(農政會要)>

술 재료 : 백출 25근, 쌀(5말), 누룩(1말), 물 2석(20말)

술 빚는 법 :

1. 백출 25근을 편으로 잘게 썰어 동류수(동쪽으로 흐르는 물) 2석(20말)과 함

께 큰 술독에 담가 20일간 불린다.
2. 20일 후 체에 걸러 찌꺼기를 제거한 후 큰 동이에 담아 우물 가운데 띄워두고, 5일 동안 밤이슬을 맞힌다.
3. 백출물이 핏빛으로 변하면 누룩을 담가 불렸다가, 이 누룩물로 술을 빚는다.
4. 술이 익어 맑아지면 채주하여 맑은 청주를 마신다.

* 주방문 말미에 "오랫동안 복용하면 병이 없어지고 연년수명하며, (하얀) 머리카락이 (검게) 변한다. 이가 튼튼해지고 안색이 좋아진다."고 하였다.
* 별법으로 백출을 진하게 달인 물에 고두밥을 섞어 빚어도 좋고, 쑥을 달인 물로 빚어도 좋다. 술을 빚는 주방문에 대한 언급이 없어 아쉬움이 남는데, 다른 기록의 백출주방문과 백출의 양을 참고하면, 쌀 5말로 고두밥이나 약재 달인 물로 죽을 쑤고, 누룩 1말 정도를 넣어 빚는 방법이 좋을 듯하다.

白朮酒

白朮二十五斤凡以東流水二石五斗浸缸中二十日去滓傾汁大盆中夜露天井中五夜汁變成血取以浸麯作酒取清服除病延年變髮堅齒○有光澤久服長年.

2. 백출주 <수운잡방(需雲雜方)>

술 재료 : 멥쌀 3말, 백출가루 5되, 누룩 5되

술 빚는 법 :
1. 멥쌀 3말을 백세하여 물에 하룻밤 담가 불렸다가, (다시 씻어 헹궈 건져서 물기를 뺀 후) 시루에 안쳐서 술거리(고두밥)을 만든다.
2. 술거리(고두밥)가 익었으면 퍼내고, 고루 펼쳐서 차게 식기를 기다린다.
3. 준비한 백출 5되를 물에 깨끗이 씻은 뒤, 볕에 바짝 말렸다가 고운 가루로

빻는다.

4. 고두밥에 백출가루 5되와 누룩 5되를 한데 합하고, 힘껏 치대어 술밑을 빚는다.
5. 술밑을 술독에 담아 안치고, 예의 방법대로 하여 발효시킨다.
6. 술이 익거든 술주자에 올려 짜서 채주하고, 물을 적당량 타서 마신다.

* 주방문 말미에 "별법(別法)으로 백출을 진하게 달인 물에 고두밥을 섞어 빚어도 좋고, 쑥을 달인 물로 빚어도 좋다."고 하였다.

白朮酒

白米三斗百洗浸水一宿翌日更洗作醅白朮末五升麴五升和納甕待熟上槽和水

飯之白朮濃煎水和飯造釀. 亦妙艾煎水和飯造酒亦通.

3. 삽주뿌리술 <언서주찬방(諺書酒饌方)>

술 재료 : (멥쌀 10말, 누룩가루 1말), 삽주 우린 물(삽주뿌리 10근, 동류수 1섬)

술 빚는 법 :

1. 삽주뿌리를 껍질 벗겨 10근을 준비하고, 물에 깨끗하게 씻어 물기를 제거한다.
2. 삽주뿌리를 방망이로 많이 두드려 으깨어 놓는다.
3. 동류수(동쪽으로 흐르는 물) 1섬을 쇠지 않은 술독에 붓고, 그 물에 삽주뿌리를 20일간 담가놓는다.
4. 20일 후에 삽주뿌리를 건져내고, 그 물을 고쳐 고운체에 밭쳐 술독에 담아 놓는다.
5. 멥쌀 10말을 백 번 씻어서 물에 담가 불렸다가, 다시 씻어 헹궈 건져서 물기

를 뺀 후, 시루에 안쳐서 고두밥을 짓는다.
6. 고두밥이 익었으면 퍼내고, 고루 펼쳐서 차게 식기를 기다린다.
7. 고두밥에 누룩가루 1말과 삽주뿌리 우린 물 1섬을 한데 합하고, 고루 치대어 술밑을 빚는다.
8. 술밑을 술독에 담아 안치고, 예의 방법대로 하여 3일간 발효시킨 후 용수 박아 채주한다.

* 삽주뿌리를 '백출(白朮)'이라고 하므로, '백출주'에 포함시켰다.
* 주방문 말미에 "이 술 먹을 때는 복숭아, 자두와 고수와 마늘과 새고기, 조개, 청어젓을 먹지 말라."고 하였다.

삽듑불휘술

삽듑불휘롤 거플 벗겨 열 슨을 죄 시서 즛두드려 동뉴슈 ᄒᆞᆫ 셤을 ᄉᆡ디 아닌 독의 ᄃᆞᆷ가 스므날 만의 건져 ᄇᆞ리고 그 믈을 고텨 바타 항의 다마 두고 이 믈로 술을 비저 머그면 온갓 병이 다 업고 ᄆᆡ양 머그면 댱슈ᄒᆞ고 늙디 아니ᄒᆞᄂᆞ니 이 술 머글 제ᄂᆞᆫ 복숑와 외얏과 고싀와 마ᄂᆞᆯ과 새고기 죠개 쳥어젓슬 먹디 말라.

4. 출주 <요록(要錄)>

술 재료 : 창출(백출) 30근, 쌀 10말, 누룩 1말 3되, 주본 1병, 동류수 30말

술 빚는 법 :
1. 창출(백출) 30근을 준비해 누런 껍질을 벗긴다.
2. 창출을 씻어서 적당하게 분쇄하여 새지 않는 그릇(단지)에 담고, 동류수 30말을 부어 불려둔다.

3. 7일이 지나면 창출을 눌러 짜서 찌꺼기를 제거하고, 그 즙액을 사기로 된 그릇에 담아놓는다.
4. 밤에 유성(流星)이 지나갈 때 자기 성명을 기록하여 창출즙에 넣어둔다.
5. 밤 오경쯤 되어 즙이 피와 같이 변하면, 이때를 기다려 누룩을 넣어두고 술을 빚는다.
6. 술을 빚는 방법은 앞서의 온법(醞法, 향온법인 듯)과 같이 하여 술독에 담아 안치고, 예의 방법대로 하여 발효시킨다.

* 온법(醞法, 향온법) : 멥쌀 10말을 백세하여 고두밥을 짓고, 끓는 물 15병(45되)을 퍼낸 고두밥에 붓고, 차게 식은 고두밥에 누룩가루 13되, 주본 1병을 섞어 고루 버무려 술밑을 빚는다.
* 주방문 말미에 "10일 복용하면 모든 병이 없어지고, 100일 복용하면 백발이 검어지고, 빠졌던 이가 다시 나고, 얼굴이 광택이 나고, 오래도록 복용하면 수명이 연장되고, 노쇠하지 않는다."고 하고 "오얏이나 참새고기를 피해야 한다."고 하였다.

朮酒一二朮無妙

朮三十斤玄黃皮淨洗搗碎以東流水三石抄不備花中涪之廿日壓濾(去)滓以汁扞(瀘)器中盛貯夜間後流星過時(扦)自己姓名置○汁中如五更其汁當竟如血能取汁浸麴如常醞法造酒酒熟任性服之十日萬病除百日白髮再黑落齒更生面有光澤久服延年不老忌桃李(鵲)肉.

5. 백출주 <임원십육지(林園十六志>

병을 없애주고 수명을 연장시키며 머리가 희어지지 않고 치아를 튼튼하게 한다. <준생팔전>을 인용하였다. <보양지>에서 찾아볼 수 있다.

白朮酒

<遵生八牋> 除病廷年變髮堅齒. 方見 <葆養志>.

백화사주

스토리텔링 및 술 빚는 법

'백화사주(白花蛇酒)'는 <동의보감(東醫寶鑑)>에서만 찾아볼 수 있다. 백화사(白花蛇)는 무애뱀을 가리키며, 이 백화사를 사용해 술을 빚는 방법이다.

'백화사주'는 두 가지 방법이 수록되어 있다. 하나는 백화사를 술에 담갔다가 술과 함께 뱀고기를 가루 내어 먹는 침주법(浸酒法)으로, 이 방법의 '백화사주'는 모든 풍으로 인한 와사·반신불수·통증에 따른 치료약으로 사용되고 있다.

다른 하나는 술을 빚을 때 술밑에 백화사를 넣고 발효·숙성시키는 일반적인 방법, 곧 발효법(醱酵法)으로, 이는 침주법의 '백화사주'와는 조금 다른 용도로 쓰였다. 침주법의 '백화사주'와 함께 <동의보감>에 수록된 발효법의 '백화사주'는 "치대풍옹저(治大風癰疽)"라고 하여, 모든 풍으로 인한 와사·반신불수·통증을 비롯하여 매독 등 창질(瘡疾)과 큰 종기 등 옹저(癰疽)를 치료하는 데 사용되고 있음을 볼 수 있다.

근래에 와서 뱀을 비롯한 야생동물의 포획이나 사냥이 금지되어 '백화사주'와 같은 주방문을 재현하기도 어렵거니와, 자칫 비난에 휩싸일 소지가 다분하여 이렇다 저렇다 평가하기가 곤란하다.

게다가 가능한 한 빨리 소기의 목적을 이루고 치료효과를 기대하는 현대인들의 속성상 병원이나 양약에 의존하는 경향이 큰 상황에서 '백화사주'와 같은 처방이 얼마나 효과를 얻을 수 있을지 의구심이 없지 않다.

다만 병원의 치료법이나 양약의 부작용 및 내성에 따른 문제를 고려한다면, <동의보감>의 '백화사주'와 같은 술을 이용한 처방이나 치료방법도 강구해 볼 일이다.

<동의보감>의 '백화사주'를 빚는 주방문은 분명하지가 않다. 주방문에 "白花蛇一條, 先蒸糯米二斗, 缸底先安酒麴, 次將蛇以絹袋盛之, 頓於麴上, 然後以糯飯和勻, 頓於蛇上, 以紙封缸口, 候三七日, 開取酒(백화사 1마리 준비한다. 먼저 찐 찹쌀 2말, 항아리 밑바닥에 먼저 넣고 그 위에 누룩을 두툼하게 덮은 후, 뱀을 담은 비단 주머니를 술밑 위에 놓는다. 찹쌀밥을 고르게 섞어 뱀 주머니 위에 넣고, 종이로 항아리 입구를 봉한다. 21일 만에 열어서 술을 채주한다)."고 하였다.

고두밥과 누룩, 양주용수를 섞어서 사용되지 않고, 술항 밑에 주국(酒麴)을 안치라고 하였으나, 이때의 주국이 단순히 누룩을 가리키는 것인지 아니면 석임과 같은 술밑이나 별도로 빚은 밑술을 가리키는 것인지 불분명하다.

또한 "然後以糯飯和勻(그런 다음에 찹쌀고두밥을 고루 섞어)"라고 하였으나, 누룩이나 양주용수가 없으므로 무엇과 섞으라는 것인지 알 수 없다는 점에서 정확한 분석이 어렵다.

주방문에 누룩 양과 양주용수의 양에 대한 언급이 없어 자칫 찹쌀고두밥과 누룩만으로 빚는 술로 생각할 수도 있겠지만, 21일 만에 채주한다는 걸로 봐서 양주용수가 사용되었을 것으로 판단된다.

또한 "술을 채주하고 남은 술찌꺼기는 떡을 만들어 먹는다."고 하였기에 소량의 양주용수가 사용되고, 누룩도 찌꺼기가 없는 흰누룩(백곡)이 사용되어야 할 것으로 생각되어, 아래와 같은 주방문을 작성하였음을 밝혀둔다.

술을 빚을 때 주의할 일은, 백화사는 상처가 없이 살아 있는 것이라야 하고, 양주용수가 적게 사용되므로 찹쌀고두밥은 질지 않고 무르게 쪄야 한다. 또한 술을 떠내고 난 후에 술찌꺼기를 짓이겨서 떡을 만들어 먹을 수 있다는 점에서 누룩은 백국(白麴)을 사용하거나, 조곡(造麯)을 사용하되 수곡(水麯)을 만들어두었다가 주물러 짠 후 고운체에 밭쳐서 누룩찌꺼기를 제거한 누룩물로 빚어야 한다는 점에서 주의가 요구된다.

완성된 '백화사주'는 매우 깨끗한 향기가 있다.

일반적인 방법으로 빚은 순곡주(純穀酒)의 방향과는 다른 청신(淸新)한 향기를 즐길 수 있는데, 이는 아마도 뱀독에 의한 것으로 생각된다.

백화사주 <동의보감(東醫寶鑑)>

술 재료 : 백화사 1마리, 술밑(찹쌀 2말, 흰누룩 2되, 끓여 식힌 물 5되)

술 빚는 법 :

1. 먼저 찹쌀 2말을 (백세하여 물에 담가 불렸다가, 다시 씻어 헹궈서 물기를 뺀 뒤) 시루에 안쳐서 고두밥을 짓는다.
2. 고두밥이 익었으면 펴내고, 고루 펼쳐서 차게 식기를 기다린다.
3. 고두밥으로 (흰누룩 2되와 끓여 식힌 물 5되를 한데 섞고, 고루 버무려) 술밑을 빚는다.
4. 백화사 1마리를 비단 주머니에 담아 밖으로 나오지 못하게 끈으로 묶어놓는다.
5. 술밑을 등분하여 술독에 안친 후, 그 위에 뱀 주머니를 올려놓는다.
6. 다시 남은 술밑을 마저 안치고, 종이로 술독 주둥이를 한지로 2~3겹 씌워 밀봉한다.
7. 술독은 덥지도 차지도 않은 곳에 두고 21일간 발효시킨다.
8. 술이 익었으면 술을 떠내고, 뱀 주머니를 꺼내어 가죽과 뼈를 제거한 후, 불에 구워 말려둔다.
9. 뱀고기를 절구나 분쇄기를 사용하여 가루로 빻고, 채주하여 둔 백화사주를 따뜻하게 데워서 술 한 잔에 뱀가루 1숟가락을 함께 먹는다.

10. 술찌꺼기는 버리지 말고 뭉쳐서 치대어 떡을 만들어 먹는다.

* 주방문에 누룩의 양과 양주용수의 양에 대한 언급이 없다. 찹쌀고두밥과 누룩만으로 빚는 술로 생각할 수도 있겠으나, 21일 만에 채주한다고 하였으므로 양주용수가 사용되었을 것으로 판단된다. 또한 '술찌꺼기는 떡을 만들어 먹는다.'고 하였으므로, 양주용수가 사용되지 않거나 소량이 사용되고, 누룩도 찌꺼기가 없는 흰누룩(백곡)이 사용되어야 할 것으로 생각된다.
* 주방문 말미에 <본초>를 인용하여 "검은 뱀으로 빚는 술도 같은 방법으로 한다."고 하였다. <제창(諸瘡)>에 나온다.
* <동의보감>에는 별도의 <본초>를 인용하여 백화사에 대한 효능을 밝히고 있는데, 이를 참고하면, "모든 풍으로 인한 와사·반신불수·통증을 치료한다. 뱀을 잡아 술에 담갔다가, 그 술을 마시고 뱀의 고기는 가루 내어 술과 섞어 먹는다. 풍을 치료하는 데에는 검은 뱀이 더욱 좋다."고 하였다.

白花蛇酒

治大風癰疽 白花蛇一條, 先蒸糯米二斗, 缸底先安酒麴, 次將蛇以絹袋盛之, 頓於麴上, 然後以糯飯和勻, 頓於蛇上, 以紙封缸口, 候三七日, 開取酒, 將蛇去皮骨, 焙乾爲末 每溫酒一盞, 調蛇末一匙服之. 仍以酒脚幷糟做餠食之. 烏蛇釀酒法, 亦同上.

白花蛇

治一切風, 喎斜, 癱瘓, 疼痛, 取蛇, 浸酒, 取酒飮, 又 肉作末,和酒服之. 烏蛇, 治風尤勝. <本草> <風>.

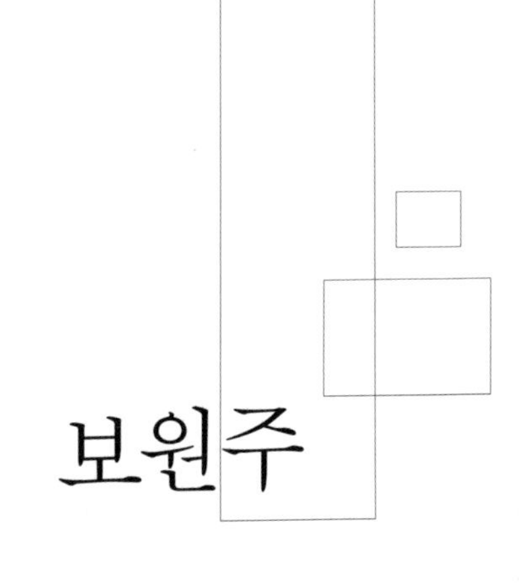

보원주

스토리텔링 및 술 빚는 법

'보원주'는 <봉접요람>이라고 하는 문헌에서 처음 목격된 주품이다.

그간에는 전혀 알려지지 않았던 주품이다. 그런 의미에서 매우 희소가치가 높은 주품으로, 그 종류는 약용약주로 분류할 수 있다.

<봉접요람>은 최근 궁중음식연구원장 한복려(중요무형문화재 궁중음식 기능보유자) 선생에 의해 발굴된 한글 붓글씨본으로, 그 사본을 필자에게 건네주어서 입수하게 되었다.

<봉접요람>은 조선시대 반가 여인의 필체임을 한눈으로도 확인할 수 있다. 표지가 매우 닳아서 간신히 책의 제목을 알아볼 수 있을 정도이고, 그나마 뒷부분 몇 장은 누락되어 있다.

<봉접요람>은 목차 없이 맨 앞부분부터 주방문을 수록하고 있다. '두견주' 주방문을 시작으로 '보원주' 등 총 18품의 가양주를 수록하고 있는데, '과하주' 주방문이 수록된 걸로 미뤄볼 때 아무리 소급해 추정하더라도 1670년에 간행된 <음식디미방> 이후의 기록으로 여겨진다.

<봉접요람>의 '보원주'는 찹쌀 1말에 꿀·대추·건강·실백자·황률 각 1되의 약재가 주원료이다. 오갈피 삶은 물을 사용해 증미를 하고, 또 양주용수로도 사용하는 매우 특이한 주방문이다.

'보원주'는 한 번 빚는 단양주(單釀酒)이며, 고두밥을 찔 때 오가피 달인 물을 시루밑물로 사용하고, 또 양주용수로도 사용한다는 점을 제외하고는 전형적인 약용약주 빚는 법을 따르고 있다.

주방문 말미에 "노인 비허로(脾虛勞)와 담(痰)에 좋고 보혈(補血) 보비위(補脾胃)하나니라."고 하였다.

이로써 '보원주'가 노인들의 질병치료와 예방을 목적으로 이루어진 주방문임을 확인할 수 있다. 주재료로 사용된 꿀·대추·건강·실백자·황률 등의 약재가 눈에 익어 다른 주품들의 주방문을 살폈더니, <음식방문(飮食方文)>의 '보혈익기주'와 유사하다는 사실을 알 수 있었다.

<음식방문>의 '보혈익기주'는 '황률·실백자·호도·건시·대추·생청(꿀) 각 1되와 건강말(생강가루) 5홉, 찹쌀 1말, (누룩가루 2되), 정화수 1말'로 이루어진 주방문으로, <봉접요람>의 '보원주'에 비해 '호도'와 '건시(곶감)' 등이 추가되어 가짓수가 더 많다. 또 정화수를 양주용수로 사용해 빚는 일반적인 양주과정을 보여주고 있다.

따라서 두 주방문의 차이는 약재의 가짓수와 양주용수의 차이라고 할 수 있으므로, 비록 두 문헌의 주품 명칭이 다르다 해도 한 가지 술이라는 추측을 가능케 한다. 특히 <음식방문>의 '보혈익기주' 주방문 말미에도 "부인은 보혈·수태하고, 남자는 총명·보신·익기하느니라."고 하여 '보원주'의 효능과 별반 차이가 없다는 사실이 이런 추론에 힘을 실어주고 있다 하겠다.

'보원주'의 주방문을 살피면서 느낀 한 가지 사실은 '보원주' 역시 약용약주인 점을 감안하면 쌀 양에 비해 부수적으로 사용하는 약재의 양이 너무 많다는 생각이었다.

특히 약재의 법제에 대한 언급이 전혀 없고, 오가피를 삶는 데 사용되는 물의 양에 대한 언급 없이 '달인 물의 양이 1말 되게 하라.'고만 나와 있다.

심지어 가장 중요한 누룩의 양도 나와 있지 않다. 따라서 다른 약용약주들의 주방문을 참고하여 오가피를 달일 때 물과 누룩의 양을 산정했음을 먼저 밝혀둔다.

'보원주'를 빚을 때 주의할 일은 오가피를 달일 때 물은 최대한 넉넉하게 붓고, 약한 불에서 오랫동안 달여야 한다는 점이다.

또한 안전한 발효를 위해서라도 약재 가운데 건강(생강 말린 것)과 실백자(잣)의 양을 가능한 한 많이 줄이고, 특히 실백자는 고깔을 다 제거한 후에 사용하길 권한다.

아무리 "노인 비허로(脾虛勞)와 담(痰)에 좋고 보혈(補血) 보비위(補脾胃) 하는" 치료와 예방, 원기를 돕고자 하는 약주(藥酒)라 하더라도, 무엇보다 발효가 제대로 이루어져야 하기에 하는 말이다.

보원주법 <봉접요람>

술 재료 : 찹쌀 1말, 누룩(1~2되), 꿀·대추·건강·실백자·황률 각 1되, 오갈피 삶은 물(1말)

술 빚는 법 :

1. 오가피를 많이 채취하여 겉껍질을 벗겨 물(2말)에 넣고 삶되, 삶은 물이 1말이 되게 달인 후, 건더기를 제거한 다음 차게 식기를 기다린다.
2. 대추(씨를 뺀)와 건강·실백자·황률 각 1되를 물에 깨끗하게 씻어 이물질과 불순물과 물기를 제거한 후, 분마기에 넣고 가루를 만들어놓는다.
3. 찹쌀 1말을 (백세하여 물에 담가 불렸다가) 시루에 안쳐 고두밥을 짓는데, 이때 솥에 오가피 달인 물 가운데 일부를 시룻물로 안친다.
4. (고두밥이 익었으면 퍼내고, 고루 펼쳐서 차게 식기를 기다린다.)
5. 나머지 오가피 달인 물에 고두밥과 꿀 1되, 대추 등의 준비한 약재가루와 누룩(1~2되)을 한데 합하고, 고루 버무려 술밑을 빚는다.
6. 술밑을 술독에 담아 안치고, (차지도 덥지도 않은 곳에 앉혀두고) 21일간 발

효시킨다.

* 주방문 말미에 "노인 비허로와 담에 좋고 보혈보비위 하나니라."고 하였다. <음식방문>의 '보혈익기주'와 유사하다.

보원쥬법

ᄡᆞᆯ ᄒᆞᆫ 되 ᄃᆡ초 ᄒᆞᆫ 되 건강 ᄒᆞᆫ 되 실ᄇᆡᆨᄌᆞ ᄒᆞᆫ 되 황뉼 ᄒᆞᆫ 되을 합ᄒᆞ여 작말ᄒᆞ여 오갈피을 만이 살마 그 물의 졈미 일 두 밥 무르게 찌고 누룩 그 물의 살마 비졋다가, 삼칠일 후 쓰라. 노인네 허노와 담의 조코 보혈보비 위ᄒᆞᄂᆞ니라.

보혈익기주

스토리텔링 및 술 빚는 법

조선시대 초기 1400년대 <활인심방(活人心方)>을 시작으로 우리나라 전통 가양주의 주방문이 등장하는데, 이후 <산가요록(山家要錄)>을 중심으로 수십 권의 양주 관련 문헌들이 쏟아져 나온다.

<활인심방>을 비롯하여 <산가요록>, <수운잡방(需雲雜方)>, <언서주찬방(諺書酒饌方)>, <음식디미방>, <산림경제(山林經濟)>, <증보산림경제(增補山林經濟)>, <김승지댁주방문(金承旨宅廚方文)>, <음식방문(飮食方文)>, <임원십육지(林園十六志)>와 <주식시의(酒食是儀)> 등에 수록된 500여 주품과 1천여 가지가 넘는 주방문이 수록되어 있는데, 이들 주방문의 공통점이 한 가지가 있다.

쌀과 누룩, 물을 중심으로 하는 순곡주류도 마찬가지지만, 특히 한약재를 사용하는 약용약주류의 경우, 주재료의 분량은 물론이고 누룩과 양주용수의 분량이 누락되어 있거나 애매모호한 부분이 너무 많다는 사실이다.

과연 그 이유가 무엇일까? 갖가지 생각이 많았는데 <음식방문>의 '보혈익기주'

주방문을 다루면서 문득 떠오른 한 가지 생각이 있었다.

술 빚는 주방문과 음식을 만드는 음식방문을 수록한 문헌들 대부분이 사대부나 양반가의 가승기록이라는 점이다.

일부 어떤 음식이나 주품들은 출가하는 자녀들도 집안 어른의 승낙 없이는 필사나 그 문건을 가지고 나갈 수 없었고, 설사 익혀서 알고 있는 내용이라도 그 비법을 사가나 친정에 알려서는 안 된다는 불문율이 있었다고 한다. 그것이 한 가문의 선천적 체질이나 유전적인 문제에 따른 비방이었을 때는 더욱 그랬다.

<음식방문>의 '보혈익기주'가 그런 유형의 비법 또는 비방이라 여긴 근거도 이 같은 사실에서 찾을 수 있다.

'보혈익기주' 또한 보약주(補藥酒)로 "부인은 보혈·수태하고, 남자는 총명·보신·익기 하느니라."고 하여, 특히 부인네들과 노인들의 원기회복을 위한 약용약주였던 것이다.

그러기에 술 빚는 일을 관장하는 안주인만이 그 비법을 체득하고 있으면서, 외부 유출을 염려해 구체적인 주방문 작성을 일부러 자제했을지도 모른다는 확신을 갖게 되었다.

이러한 추론의 사실 여부는 뒤로하고, 일단 <음식방문>의 '보혈익기주' 주방문을 살펴보자. 찹쌀 1말과 정화수 1말, 그리고 가장 중요한 주재료라 할 수 있는 황률·실백자·호도·건시·대추·생청(꿀) 각 1되와 건강말(생강가루) 5홉으로 되어 있다. 술을 발효시켜는 데 필요한 누룩의 양은 언급되어 있지 않다.

한편 이와 유사한 주방문을 보이는 주품으로 <봉접요람>의 '보원주'를 들 수 있다. '보원주'는 황률·실백자·대추·건강, 그리고 생청(꿀) 각 1되가 사용되고, 오가피를 달인 물로 고두밥을 찌고 양주용수로도 사용하는 과정이 특징인데, 여기서도 오가피를 달이는 데 사용하는 물의 양이 나와 있지 않다.

따라서 '보원주'의 핵심은 무엇보다 오가피 달인 물에 있는 만큼 물 양을 얼마로 잡느냐가 그 집안의 진정한 비법이라고 할 수 있을 것이다.

그에 비해 '보혈익기주'는 일반적인 양주과정으로 일반 약용약주류의 주방문과 비교할 때 특별할 것이 전혀 없다.

다만, <봉접요람>의 '보원주'에 비해 '호도'와 '건시(곶감)' 등이 추가되어 약재의 가짓수가 더 많고, 정화수를 양주용수로 사용한다는 차이가 있을 뿐 결국 두 문헌의 주품이 명칭은 달라도 한 가지 술이라는 추측을 가능케 한다.

특히 <음식방문>의 '보혈익기주' 주방문 말미에는 "부인은 보혈·수태하고, 남자는 총명·보신·익기 하느니라."고 하여 '보원주'의 효능과 별반 차이가 없다는 사실이 필자의 이런 추론에 힘을 실어주고 있다 하겠다.

<봉접요람>의 '보원주'에서도 언급하였지만, '보혈익기주' 주방문 역시 사용되는 약재 가운데 호도와 잣의 분량을 줄일 필요가 있다.

'호도주'나 '백자주'를 빚어본 경험이 있는 사람이라면 누구나 알듯이 발효주에 잣이나 호도의 기름이 주면(酒面)을 뒤덮게 되어 산패를 초래하기 때문이다.

따라서 미리 면보나 한지 등을 사용해 잣가루와 호도가루의 기름기를 어느 정도 제거해야 하고, 발효 중에는 술덧을 자주 저어주어야 할 필요가 있다.

보혈익기주 <음식방문(飮食方文)>

술 재료 : 찹쌀 1말, 황률·실백자·호도·건시·대추·생청(꿀) 각 1되, 건강말(말린 생강가루) 5홉, (누룩가루 2되), 정화수 1말

술 빚는 법 :

1. 찹쌀 1말을 백 번 찧어(도정하여) 백세한다(물에 담가 불렸다가 다시 씻어 건져서 물기를 뺀 후, 시루에 안쳐서 고두밥을 짓는다).
2. (불린 쌀을 시루에 안쳐서 고두밥을 짓고, 익게 쪄졌으면 넓은 그릇에 퍼내고 고루 헤쳐서 차게 식기를 기다린다.)
3. 황률·실백자·호도 각 1되씩을 (물에 깨끗하게 씻어서 물기를 뺀 뒤 볕에 말려서) 가루로 빻는다.
4. 건시(곶감) 1되를 잘라서 씨를 빼낸다.
5. 대추 1되를 돌려깎기 하여 씨를 발라내고 가늘게 썰어놓는다.

6. 건강을 가루로 빻은 것 5홉과 생청(꿀) 1되를 준비한다.
7. (고두밥에) 준비한 분량의 약재가루, 건시, 대추 썬 것, 생청, (누룩가루 2되), 정화수 1말을 한데 합하고, 고루 버무려 술밑을 빚는다.
8. 술밑을 (물기 없는) 술독에 담아 안치고, 예의 방법대로 하여 단단히 싸매 서늘한 곳에 앉혀서 (21일 이상) 발효시킨다.

* 주방문 말미에 "부인은 보혈·수태하고, 남자는 총명·보신·익기 하느니라."고 하였다. 또 술 빚는 방법에 대해서는 구체적인 언급이 없고, 또한 누룩의 양도 언급되어 있지 않아 상법(常法)의 주방문을 참고하였다.

보혈익긔쥬

황뉼 호도 실ᄇᆡᆨᄌᆞ 각각 작말ᄒᆞ고 건시를 씨 ᄲᅢ고 ᄃᆡ초 셰졀ᄒᆞ고 ᄉᆡᆼ쳥 각 ᄒᆞᆫ 되 건강말 닷 곱 ᄎᆞᆸ쌀 ᄇᆡᆨ도 ᄇᆡᆨ셰 졍화슈 각 ᄒᆞᆫ 말 합ᄒᆞ여 ᄉᆞᆯ을 비져 먹은즉 부인은 보혈 슈ᄐᆡᄒᆞ고 남ᄌᆞᄂᆞᆫ 총명 보신 익긔ᄒᆞᄂᆞ니라.

봉래춘

스토리텔링 및 술 빚는 법

술 이름 끝에 '춘(春)' 자가 붙게 되면, 관례상 흔히 삼양주(三釀酒)와 같은 고급주류로 분류하여 이른바 '고급 청주', 또는 '명주(銘酒)'로 인식해 왔다.

유명 춘주류로는 '동정춘'을 비롯해 '도화춘(桃花春)' '경액춘(瓊液春)' '광릉춘(廣陵春)', '호산춘(壺山春)' '약산춘(藥山春)' 등 이루 다 말할 수 없이 많다.

그런데 단양주(單釀酒)이면서 '춘' 자가 붙은 술로는 <임원십육지(林園十六志)>의 '춘주(春酒)' 외에도 '봉래춘(逢來春)'이라는 주품이 등장하여 눈길을 끈다.

'봉래춘'은 <임원십육지>와 <조선무쌍신식요리제법(朝鮮無雙新式料理製法)>의 두 문헌에 수록되어 있다.

두 문헌의 주방문이 유사한 것으로 미루어 <조선무쌍신식요리제법>이 <임원십육지(대판본)>의 기록을 그대로 옮긴 것으로 보이나 확신할 수는 없다.

두 문헌에 수록된 '봉래춘'의 주방문을 보면, 어떤 주품과 매우 유사하다는 생각이 들게 된다.

이를테면 '봉래춘'의 주방문에 "황랍 7푼과 후추 1전을 가루로 만들어 청주 1말에 넣고 밀봉하여 물솥에 넣고 중탕하여 마신다." 하고, "가을·겨울에는 천남성 9알, 봄·여름에는 대나무잎을 넣는다."고 하였다.

그런데 시대적으로 가장 앞선 기록인 <산가요록(山家要錄)>의 '자주(煮酒)'라는 주방문에 "좋은 밀랍 2전 5푼, 백단향 8리 3호, 목향 1푼, 후추 2푼 5호, 계피 1푼 1리 4호, 진피 1푼 1리 4호, 정향 1푼 1리 4호를 베주머니에 넣고 약주 5병에 담근 뒤 중탕한다."고 하였고, <음식디미방>의 '자주법(煮酒法)'에도 "좋은 술 1병에 대추 20개, 실백자 20개, 후추 30개, 밀 1돈, 계피 적량을 넣고 밀봉하여 중탕한다."고 되어 있음을 볼 수 있다.

결국 '봉래춘'과 '자주'는 주재료의 차이가 있을 뿐, 동일한 방법과 과정으로 이루어지는 '자주류(煮酒類)'의 한 가지 술임을 알 수 있다.

이러한 주장을 뒷받침하는 근거를 '봉래춘'의 유래에서도 찾아볼 수 있다.

<임원십육지>의 '봉래춘' 주방문에 의하면, <삼산방>을 인용해 "<거가필용(居家必用)>에 의하면 '동양온자법(東陽醞煮法)'은 술 1말에 황랍 2전, 대나무잎 5편, 천남성(天南星) 반 알을 넣는다."고 하였다.

이는 '봉래춘'이 '동양온자법'에서 유래된 술로, "동양주에 이들 약재를 넣고 중탕하여 마시는 술"인 '동양온자법의 주방문이 <임원십육지>를 통해 '봉래춘'이라고 하는 전혀 다른 주품명으로 바뀌었다는 사실이 입증된 셈이다.

환언하면, '봉래춘'이라고 하는 주품은 "동양주(東陽酒)라고 하는 특별히 향기가 좋은 술에 황랍 7푼과 후추 1전을 녹여 그 향기와 맛을 보탠 술"로, '동양주'를 사용하지 않고 다른 청주나 약주를 사용했을 경우, 일반 '자주'와 별반 차이가 없다는 사실을 확인할 수 있다.

주지하다시피 '봉래춘'을 비롯한 자주류는 물솥에 넣고 중탕을 하는 까닭에 원료주가 갖고 있었던 알코올 함량을 유지하기 어려워 저장성이 떨어진다.

<조선무쌍신식요리제법>의 '봉래춘' 주방문 말미에 "오래 두면 맛이 변하니라. 물을 끓여 중탕할 때 솥 안의 물이 한 되쯤 남짓하게 졸거든 끓여 먹는다."고 하였다. 또 "매 1말에 밀(蜜) 2돈중과 죽엽 5쪽(장)과 천남성 둥근 것 반(알)을 넣나니, 가을·겨울철이면 천남성을 쓰고, 봄·여름철이면 밀과 죽엽을 넣느니라."고 한 것을 볼 수 있다.

이렇듯 계절마다 사용하는 약재가 달라지는 까닭도 저장성과 밀접한 관련이 있음을 반증한다 하겠다.

1. 봉래춘방 <임원십육지(林園十六志)>

술 재료 : 청주 1병(1말), 황랍 7푼(2전), 후추 1전

술 빚는 법 :

1. 좋은 청주 1병(1말)을 술독에 담는다.
2. 황랍 7푼(여름에는 황랍 2전), 후추 1전(여름에는 후추 대신 대나무잎 5편과 천남성 1/2알)을 절구에 짓찧는다.
3. 술을 담은 술독에 찧은 약재가루를 넣고 기름종이로 밀봉한다.
4. 솥에 물을 담고 강한 불로 끓이다가 술독을 안친다.
5. 불을 계속 지펴서 하루 종일 김(수증기)을 쏘인다.
6. 겨울에는 짚으로 옷을 해서 술독을 싸고, 여름에는 차갑게 하여 두되, 오래 두면 맛이 변하므로 1~2일 사이에 다 마셔야 한다.

* <거가필용(居家必用)>에 의하면 "동양온자법(東陽醞煮法)은 술 1말에 황랍 2전, 대나뭇잎 5편, 천남성(天南星) 반 알을 넣는다."고 기록되어 있으며, "가을·겨울에는 천남성 9알, 봄·여름에는 대나무잎을 넣는다."고 하였다.

蓬萊春方

清酒一瓶黃蠟七分胡椒一錢碎和盛缸厚封油紙注水於鼎重湯以索縣缸空中猛火沸湯自朝至暮乃出冬則以藁衣缸夏則照氷用之一二日盡用久則味變案居可必用. 東陽醞煮法每斗入蠟二錢竹葉五片官局天南星圓半粒秋冬用天南星丸春夏用蠟並竹葉. <三山方>.

2. 봉래춘 <조선무쌍신식요리제법(朝鮮無雙新式料理製法)>

술 재료 : 청주 1말, 황랍 7푼, 후추 1돈

술 빚는 법 :

1. 좋은 청주 1말을 술독에 담는다.
2. 밀(황랍) 7푼, 후추 1전을 두드려 부수거나 절구로 찧어 가루를 만든다.
3. 술을 담은 독에 밀과 찧은 후춧가루를 넣고, 유지를 여러 겹으로 하여 두껍게 덮어 밀봉한다.
4. 솥에 물을 많이 붓고, 술독을 솥물에 잠기게 하여 매달아 놓아 강한 불로 아침부터 저녁까지 끓여 중탕한다.
5. 술독을 꺼내고, 겨울에는 짚으로 옷을 해서 술독을 싸고, 여름에는 얼음에 채워 차갑게 하여 두되, 1~2일 사이에 다 마셔야 한다.

봉래춘(蓬萊春)

맑은 술 한 병에 밀(黃蠟) 칠 푼즁과 호초 한 돈즁을 부스질러 합하야 항아리에 느코 둑겁게 유지로 봉하고 솟헤 물 붓고 중탕하는데 항아리는 공중에 달고 불을 만이 피여 물을 끌이되 앗침부타 하야 제녁 되거든 끄내여 먹나니 만일 겨울이면 집흐로 항아리를 싸고 열음이면 어름에 채여 쓰되 한두 날에 다 먹나니 오래되면 맛이 변하나니라. 물을 끄려 중탕할 제 물이 한 되 남짓하게 줄거든 끄려 먹나니라.

3. 봉래춘 우법 <조선무쌍신식요리제법(朝鮮無雙新式料理製法)>

술 재료 : 청주 1말, 황랍 7푼 2전(여름), 대나무잎 5편(봄·여름), 천남성 1/2알(가을·겨울)

술 빚는 법 :

1. 좋은 청주 1말을 술독에 담는다.
2. 여름이면 밀(황랍) 7푼 2전과 대나무잎 5편, 봄과 가을이면 밀7푼과 천남성 1/2을 두드려 부수거나 절구로 찧어 가루를 만든다.
3. 술을 담은 독에 밀(황랍)과 찧은 대나무잎·천남성가루를 넣고, 유지를 여러 겹으로 하여 두껍게 덮어 밀봉한다.
4. 솥에 물을 많이 붓고, 술독을 솥물에 잠기게 하여 매달아 놓아 강한 불로 아침부터 저녁까지 끓여 중탕한다.
5. 술독을 꺼내고, 겨울에는 짚으로 옷을 해서 술독을 싸고, 여름에는 얼음에 채워 차갑게 하여 두되, 1~2일 사이에 다 마셔야 한다.

봉래춘(蓬萊春) 또

매말에 밀 두 돈중과 죽엽 다섯 쪽과 천남성(天南星) 둥군 거 반을 늣나니 추동이면 천남성을 쓰고 춘하면 밀과 죽엽을 늣나니라.

비선주

스토리텔링 및 술 빚는 법

19세기 실학자 이규경이 조선 백성을 계도하기 위한 목적으로 중국을 비롯한 서양의 문명과 기술에 대한 글을 썼는데, <오주연문장전산고(五洲衍文長箋散稿)>라는 저술이 바로 그것이다.

<오주연문장전산고>의 특징으로 고증을 원칙으로 하여 자신의 주관적 견해가 피력된 변증설의 형식에 있다고 학계에서는 평하고 있다.

이규경은 <오주연문장전산고>를 통해 외국 술에 대한 기록과 저자 자신이 직접 실험한 양주경험에 대한 견해를 수록하고 있는데, '비선주(飛仙酒)' 또한 같은 맥락이라고 할 수 있다. 단 '비선주'가 중국술이라는 사실이 유감스럽기는 하다.

<오주연문장전산고>에서 '비선주'에 대해 수록하기를 "비선국(飛仙麴)이 있는데, 고운 밀가루 4근에 찹쌀가루 1말을 쪄서 떡을 만들어 후추, 고양강 3냥, 계화(계수나무 꽃), 만약 계화가 없으면 계수나무 가지와 세신(감기약 약초)을 4냥하고, 행인 500알을 보릿가루 반 되에 함께 갈아서 나머지 약재들과 합해 찧은 후 위에 세말한 것과 합쳐 고루 타서 항아리 안에 다시 넣는다. 항아리에 집어넣고

두꺼운 종이로 항아리 주둥이를 단단히 봉해 차지도 덥지도 않은 곳에 놓아두는데 봄·여름에는 7일, 가을·겨울에는 반달을 둔 후에 해 돋을 때 항아리 주둥이를 열어서 알맹이를 꺼내 뜨겁도록 찧어 (3천 번을 공이질을 해서) 다시 환을 짓는다. 무릇 닭알처럼 크게 해서 아침묘시에 말려 저녁까지 말려서 저장해 둔다." 고 하고, "매번 1알을 물 두 대접에 끓여서 끓은 물에 누룩을 집어넣으면 1시간을 기다리지 않아서도 문득 술이 완성된다."고 하였다.

다시 말해 '비선주'는 비선국이라는 누룩을 만들어두었다가, 술을 마시고 싶을 때 끓인 물에 이 누룩을 넣어두면 술이 된다는 것이다.

결국 '비선주'의 성패는 '비선국'에 달려있으므로 이 '비선국'을 잘 만드는 게 비법이라 하겠다.

<오주연문장전산고>의 '비선국' 주방문을 정리해 보면, "1) 밀가루 4근을 찹쌀가루 1말과 함께 시루에 안쳐서 떡을 찐다. 2) 후추와 고양강 각 3냥, 계수나무 꽃이나 세신 4냥을 가루로 빻는다. 3) 보릿가루 5홉과 행인 500알을 함께 갈아 가루를 만든다. 4) 행인과 보릿가루 간 것에 준비한 약재가루를 쪄낸 떡과 한데 섞어서 절구에 넣고 다시 찧어 누룩밑을 만든다. 5) 항아리에 찧은 누룩밑을 담아 안치고, 두꺼운 종이로 밀봉하여 덥지도 차지도 않은 곳에 놓는다. 6) 봄과 여름에는 7일, 가을과 겨울에는 15일간 띄운다. 7) 아침 해가 뜰 무렵에 꺼내어 절구에 넣고 3천 번 정도 짓찧어서 환을 짓는데, 크기는 달걀만 하게 만든다. 8) 누룩을 띄우기 시작한 지 7일 또는 15일 만인 아침 묘시에 꺼내고, 누룩밑을 건조시키기 시작하여 저녁 묘시에 거둬들여서 보관해 두고 사용한다."고 하였다.

이러한 과정을 거친 누룩이 비선국인데, 이 비선국이라는 명칭은 술을 만들어 마시는 과정에서 생겨난 것으로 추측할 수 있다.

이 비선국을 끓인 물에 넣고 기다리면 잠깐 동안에 술이 된다는 사실을 깨닫고, '잠깐 사이'라는 뜻의 '비선(飛仙)'이라는 단어를 떠올렸을 법하다.

사실 '잠깐 사이'라는 뜻으로 '비선'이라는 단어를 떠올렸다는 사실도 기발하거니와, 누룩을 따뜻한 물에 넣어두면 잠깐 사이에 술이 될 것이라는 기발한 착상과 함께 그에 따른 양주기술이야말로 참으로 대단하다고 하지 않을 수 없다.

한마디로 '비선주'는 누룩과 물을 섞어두고 잠깐 기다리면 술이 되는, 현장에서 즉석으로 제조해 마시는 '인스턴트 술'이다.

비록 '비선주'가 중국의 술로 이 땅에서는 꽃을 피우지 못했지만, 우리가 공부하고 연구해야 할 대상이 아닌가 하는 생각을 가져본다.

한 차례 실험양주에 그친 '비선주'는 비선국을 만드는 작업이 그리 녹록치 않았다는 기억뿐이다. 밀가루와 섞어 찐 찹쌀떡은 인절미 상태였고, 계수나무 꽃을 대신하는 세신, 행인, 후추는 조달이 어렵지 않았으나, '양강'이 무엇을 가리키는지 알 수 없어 생강을 달인 즙액(生薑膏)으로 대신했는데, 그 맛이 지나치게 맵고 쓴맛이 강해 좋은 술이라는 느낌을 받지 못했다.

비선주 <오주연문장전산고(五洲衍文長箋散稿)>

누룩 재료 : 고운 밀가루 4근, 찹쌀가루 1말, 후추와 고양강 3냥, 계수나무 꽃(만약 계화가 없으면 계수나무 가지와 세신) 4냥, 껍질 벗긴 행인 500알, 보릿가루 5홉

누룩 빚는 법 :

1. 고운 밀가루 4근에 찹쌀가루 1말을 합하고 고루 섞은 후, 시루에 안쳐서 떡을 찐다.
2. 떡이 익었으면 퍼내고, 고루 펼쳐서 따뜻하게 식기를 기다린다.
3. 후추와 고양강 3냥, 계수나무 꽃(만약 계화가 없으면 계수나무 가지와 세신) 4냥을 깨끗하게 씻어 준비한다.
4. 껍질 벗긴 행인 500알과 보릿가루 5홉을 돌확에 넣고 갈아서 가루로 만든다.
5. 온기가 있는 식은 떡에 후추와 고양강 3냥, 계수나무 꽃(만약 계화가 없으면 계수나무 가지와 세신) 4냥과 합해서 떡처럼 찧는다.
6. 찧은 떡에 세말한 약재가루를 합하고, 고루 타서 누룩밑을 빚는다.
7. 누룩밑을 독에 안치고, 두꺼운 종이로 독 주둥이를 단단히 봉해서 차지도

덥지도 않은 곳에 놓아두는데, 봄·여름에는 7일, 가을·겨울에는 반 달(보름)을 둔다.
8. 해 돋을 때 독 주둥이를 열어서 알맹이를 꺼내 뜨겁도록 찧어(3천 번을 공이질을 해서) 다시 환을 짓는다.
9. 환은 달걀처럼 크게 만들고, 아침 묘시에 시작하여 저녁까지 말려서 저장해 둔다.

술 빚는 법 :
1. 솥에 물 2대접을 끓여서 병에 퍼 담는다.
2. 끓인 물에 비선국 1알을 집어넣고 기다린다.
3. 비선국을 넣은 지 1시간이 되지 않아서 문득 술이 완성된다.

* 주방문에 "매번 1알을 물 두 대접에 끓여서 끓은 물에 누룩을 집어넣으면 1시간을 기다리지 않아서도 문득 술이 완성된다."고 하므로, '비선주' 주방문을 작성하였다.

飛仙麴
고운 밀가루 4근에 찹쌀가루 1말을 쪄서 밥을 만들어 후추 고양강 3냥 계화(계수나무 꽃) 만약 계화가 없으면 계수나무 가지와 세신(감기약 약초)을 4냥하고 행인 500알을 보리가루 반 되에 함께 갈아서 나머지는 앞의 약과 합해서 찧어서 위에 세말한 것과 합쳐서 고루 타서 항아리 안에 다시 넣는다. 항아리에 집어넣고 두꺼운 종이로 항아리 주둥이를 단단히 봉해서 차지도 덥지도 않은 곳에 놓아두는데 봄·여름에는 7일 가을·겨울에는 반 달은 둔 후에 해 돋을 때에 항아리 주둥이를 열어서 알맹이를 꺼내어 뜨겁도록 찧어서 (3천 번을 공이질을 해서) 다시 환을 짓는데 무릇 닭알처럼 크게 해서 아침 묘시에 말려 저녁까지 말려서 저장해 둔다. 매번 1알을 물 두 대접에 끓여서 끓은 물에 누룩을 집어넣으면 1시간을 기다리지 않아서도 문득 술이 완성된다.

사마주

스토리텔링 및 술 빚는 법

어느 해인가 기억이 까마득한데 나무판자를 짜 맞춘 술통 하나를 구했다. 양주장에서 사용해 온 탁주용 배달통으로 보이는 이 술통에 '마서주(馬西酒)'라는 페인트 글씨가 쓰여 있었다.

양주장 제도가 본격적으로 도입되면서 생겨난 술 배달용 술통에 새겨진 주품명으로, '마서주'라는 상품이 유통되었음을 확인할 수 있겠다는 판단이었으나, 이후 몇 십 년이 지나도록 '마서주'에 대한 자료나 기록을 찾지 못하고 있어 안타까움으로 남아 있다.

그러다가 <한국민속대관(韓國民俗大觀)>에서 '사마주(四馬酒)'에 대한 기록을 발견하게 되었고, 이 '사마주'에 대한 시(詩)를 접하면서 이들 주품들이 모두 '말(馬)'과 관련이 깊다는 사실을 깨닫게 되었다.

우선 <한국민속대관>의 '사마주'에 대한 기록에 "오일(午日)만을 택해 네 번에 걸쳐 술을 담그기 때문에 생긴 말이다. 대개 용안육(龍眼肉)이나 진피(眞皮)가 들어가고, 또 엿기름가루를 넣어 단맛을 돋운다. 만드는 데 한 달 이상 걸리고, 다시 3개월 이상 땅속에 묻어두어야 한다. 환절기가 되면 자칫 입맛을 잃기 쉬운데, 그런 때에 좋은 술로 알려져 있다."고 하여, '사마주'라는 명칭의 유래가 "오일(午日)만을 택해 네 번에 걸쳐 술을 담그기 때문이다."는 사실을 확인할 수 있다.

따라서 '사마주'가 "정월 첫 오일(午日)을 택해 술을 빚기 시작하여 돌아오는 오일에 거듭 두세 차례 덧술을 한다."고 하는 '사오주(四午酒)'와 유사하다는 사실과 함께 더러 용안육이나 진피 등 한약재를 사용해 빚는 약용약주(藥用藥酒)로 양주(釀酒)되기도 했음을 알 수 있다.

조선조 문신이었던 이안눌(1571~1637년)의 <동악선생집(東岳先生集)> 권17 "동천록"에 "남궁적의 '사마주'를 마시다(飮南宮績四馬酒)"라는 시(詩)가 있는데, 그 시에 "사마주는 4월 오일에 거듭 담근 술로 봄이 지나야 익고, 1년이 지나도 부패하지 않는다(用四午日 重釀酒 經春乃熟 周歲不敗)"는 부제(副題)를 달았다.

여기서 '사마주'는 <한국민속대관>의 기록과는 달리 "4월 오일(午日)에 첫술을 빚기 시작하여 돌아오는 오일(午日)마다 거듭 덧술을 한다."고 하여 술을 빚는 시기가 한겨울이 아닌 봄 중순이라는 사실도 알 수 있다.

또한 시 내용을 보면 주질에 대한 면면을 생각해 볼 수 있다.

君家名酒貯經年(그대 집의 이름난 술 1년을 갈무리하니)
釀法應從玉薤傳(만드는 법은 아마 '옥해주'에서 전해졌으리.)
纔引一觴心已曠(그저 한 잔을 마셨는데 마음이 확 트이고)
輒傾三杓語方顚(세 잔을 막 기울이자 말이 흔들리기 시작하네.)
飄飖身世崑崙上(두둥실 이 몸이 곤륜산 위에 있고)
浩蕩人寰混沌前(호탕하게 세상이 혼돈의 앞에 있네.)
若使楚纍知此味(초나라 죄인이 이 맛을 알았다면)
懷沙何必赴湘淵(어찌 회사부를 지으며 연못에 뛰어 들었으랴.)

이처럼 "남궁적의 '사마주'를 마시다"라는 시에서 '사오주'가 수록된 <수운잡방(需雲雜方)> 외 다른 문헌들보다 '사오주'에 대한 자세한 내력을 읽을 수 있다. 즉 '사오주' 주품명에 대한 일반적인 해석은 "말날을 '오일(午日)'이라고 하므로, 음력 정월 첫 오일(上午日)에 술을 빚기 시작하여 돌아오는 오일(午日)마다 네 차례에 걸쳐 빚는 술"이라는 것이다.

반면 '사마주'는 "4월 오일(午日)에 술을 빚기 시작하여 돌아오는 오일(午日)마다 거듭 덧술을 한다."는 의미를 담고 있어 '사오주'와 구별된다고 하겠다.

따라서 <한국민속대관>에 수록된 "오일(午日)만을 택해 네 번에 걸쳐 술을 담그기 때문에 생긴 말이다."고 한 '사마주'는 이안눌의 시 "남궁적의 '사마주'를 마시다"에서 밝힌 '사마주'와는 다른 의미로 해석해야 한다.

시의 부제에서 보듯이 "1년이 지나도 부패하지 않는다."는 내용에서 '사마주'는 양주기간 1개월과 숙성기간 3개월의 장기발효주로서, 술을 마시는 시기가 가을로 접어들 무렵임을 알 수 있다.

이로써 '사마주'의 양주과정이 얼마나 까다로울지 짐작할 수 있다. 즉, 더워지는 시기에 술을 빚기 시작해 여름철 내내 숙성기간을 거쳐야 하므로 알코올 도수를 비롯해 맛과 향기에 있어서도 그 과정의 수고로움이 만만치 않았을 것이다.

그런데 <한국민속대관>의 '사마주'에는 양주에 따른 주방문이 없다는 게 아쉬울 따름이다.

사마주 <한국민속대관(韓國民俗大觀)>

사마주(四馬酒)

오일(午日)만을 택해 네 번에 걸쳐 술을 담그기 때문에 생긴 말이다. 대개 용안이나 진피가 들어가고, 또 엿기름가루를 넣어 단맛을 돋우는데, 만드는 데 한 달 이상 걸리고, 다시 3개월 이상 땅속에 묻어두어야 한다. 환절기가 되면 자칫 입맛을 잃기 쉬운데, 그런 때에 좋은 술로 알려져 있다.

사미주

스토리텔링 및 술 빚는 법

'사미주'는 <온주법(醞酒法)>에 처음 등장하는 주품으로, 다른 문헌이나 어떤 기록에서도 찾아볼 수 없다.

따라서 <온주법>을 저술했던 가문의 가양주로, 그 가문에만 비전되어온 특수한 목적의 술이라고 할 수 있다.

'사미주'는 "네 가지 쌀(四米)로 빚는다."고 하는 가설과 "네 가지 맛이 나는 약재의 맛(四味)을 갖는 술이다."는 가설, 또는 주원료와 부원료가 각각 4가지씩 사용된 데 따른 명칭이라는 가설이 있는데, 모두 확신할 수는 없다.

'사미주'라는 주품명의 유래에 대한 첫 번째 가설, 즉 주원료의 종류에 따른 이름이라는 가설은 주원료의 종류가 '찹쌀'을 비롯해 '멥쌀', '기장', '수수' 등 4가지가 사용되므로, "사미(四米)"를 가리킨다는 주장이다.

물론 이 가운데 특히 수수는 '고량(膏粱)'이라고 하여 쌀로 분류하지 않는 것으로 되어 있으나, 우리나라 사람들은 수수도 쌀로 여겨 온 만큼 문화적인 해석의 차이를 받아들여야 할 것이다.

어떻든 이 4가지 쌀을 사용해 죽을 쑤고 여기에 누룩을 넣어 발효시킨 후, 증류하여 소주를 얻는데, 이 소주를 '사미주(四米酒)' 또는 '사미소주(四米燒酒)'라고 했을 것이라는 가설이다.

세계의 모든 술은 사실 당질의 종류에 따른 분류를 하고 있으므로, 주재료에 따른 명칭을 부여했다는 가설은 매우 설득력을 갖는다.

하지만 우리 문화에서는 쌀로 빚는 술에 대해 '미주(米酒)'라는 명칭을 사용하지 않고, '청주(淸酒)'라고 한다는 사실을 잊어서는 안 된다.

한편 <온주법>의 '사미주'는 주방문에서 보듯이 발효주가 아닌 증류주이자 약용소주이다. 즉, 소주를 받는 수기 안에 '건강가루'와 '후춧가루', '백자가루', '생꿀' 등 네 가지 약재들을 밭쳐놓음으로써, 소주가 이들 약재를 통과하는 과정에서 네 가지 재료의 맛과 향, 색, 그리고 약성을 갖게 되므로 결국 본래의 소주 맛이나 색, 향기와는 다른 '네 가지 맛(四味)'을 간직한 '약용소주'가 얻어진다고 하는 가설도 무시할 수는 없다.

<온주법>의 '사미주'는 주품명에 대한 유래가 어떻든 간에 '관서감홍로'나 '죽력고', '이강고' 또는 '감홍주', '계당주'와 같이 증류를 할 때 '꿀'을 사용해 소주독을 해소하는 한편, '건강과 후추, 백자' 등에서 유리된 맛과 향, 약성(藥性)을 얻고자 하는 목적에서 생겨난 주방문이라는 사실을 확인할 수 있다.

끝으로 '사미주'는 앞의 두 가지 가설을 모두 포함한 의미를 담고 있다는 것이다. 즉, '4가지 쌀과 4가지 부원료'가 사용된 데 따른 4가지 맛을 갖는다는 의미에서 '사미주(四味酒)'라는 이름이 부여되었을 거라는 가설이다.

결론적으로 이러한 주품은 일반 여염집에서 갖춰 마시기는 어려운, 어느 정도 여유가 있는 반가(班家)나 부유층(富裕層)의 가전비주라고 생각된다.

<온주법>의 '사미주'는 술밑의 준비에 남다른 신경을 써야 하는 술이다.

우선 주재료의 세미(洗米) 과정이 중요한데, '잡곡주'에서 강조하였듯이 특히 기장과 수수를 잘 씻어야 한다. 이들 재료는 한꺼번에 씻지 말고 각각 따로 씻어야 하며, 특히 기장과 수수는 백세(百洗)에 철저를 기해야만 실패를 줄일 수 있고, 숙취를 없앨 수 있다.

사미주 <온주법(醞酒法)>

술 재료 : 사미 2말(찹쌀, 멥쌀, 기장, 수수 각 5되), 누룩가루(3되), 물(4말), 건강가루 5홉, 후춧가루 5홉, 백자가루 1되, 생꿀 1되

술 빚는 법 :

1. 찹쌀 5되를 비롯하여 멥쌀 5되, 기장쌀 5되, 수수쌀 5되 등 4가지 쌀(四米)을 준비한다.
2. 네 가지 쌀을 (백세하여 물에 담가 불린 후) 다시 씻어 헹궈 건져서 물기를 빼놓는다.
3. 솥에 물(4말)을 끓이다가 쌀을 합하고 팔팔 끓여 죽을 쑨 다음, 넓은 그릇에 펴서 차게 식기를 기다린다.
4. 사미죽에 누룩가루를(3되 정도) 한데 섞고, 고루 버무려 술밑을 빚는다.
5. 술독에 술밑을 담아 안치고, 예의 방법대로 하여 (5~7일간) 발효시킨다.
6. 발효가 끝난 술덧을 체에 걸러 탁주를 만든다.
7. 소주를 받을 그릇(受器)에 건강가루 5홉, 후춧가루 5홉, 백자가루 1되, 생꿀 1되를 합하여 넣고 달여 놓는다.
8. 가마솥에 불을 지피고 물 2~3사발과 탁주를 안친 후, 소줏고리를 올려 소주를 내린다.
9. 약재와 꿀을 달여 놓은 그릇(受器)을 소줏고리 귀때 밑에 받쳐서 소주를 받는다.
10. 약재 달인 청이 뜨거운 때 소주와 섞인 대로 더운 데(따뜻한 데) 묻어둔다.

* '사미주'는 <온주법>에 처음 등장하는데, 다른 기록에서는 찾아볼 수 없다. 술 빚는 법에 있어 누룩의 양이나 물의 양, 그리고 증류하여 얻은 소주의 양이 언급되어 있지 않다. 따라서 '잡곡주'나 죽으로 밑술을 하는 주방문을 참고하여 물의 양과 누룩의 양을 산정하여 주방문을 작성했음을 밝혀둔다.

* 주방문 머리에 "냉(冷)으로 앓는 흉복통에 먹는다."고 하였다. 또 주방문 말미에 "더운 데 묻어두고 수방하여 먹으라. 회충 흉복통에는 황백 달여 먹느니라."고 하였다.

ᄉᆞ미쥬

ᄂᆡᆼ으로 알ᄂᆞᆫ 흉복통의 먹ᄂᆞ니라 뎜미 오 승 ᄇᆡᆨ미 오 승 츄ᄆᆡᆨ미 오 승 슐쏠 닷 되 술 비저 환쇼쥬 고을 제 건강 말 ᄃᆞ ᄉᆞᆸ 후쵸 말 다 ᄉᆞᆸ ᄇᆡᆨᄌᆞᄀᆞ로 ᄒᆞᆫ 되 ᄉᆡᆼ청 ᄒᆞᆫ 되 다 합ᄒᆞ여 항의 너코 항을 다혀 쇼쥬 바다 더운 (ᄌᆡ) 무더 두고 슈(량)ᄒᆞ여 먹으라 □ 회츙 흉복통의ᄂᆞᆫ 황ᄇᆡᆨ 달혀 먹ᄂᆞ니라.

산우주·서여주

스토리텔링 및 술 빚는 법

산약초 가운데 참마라는 게 있다. 이 참마를 '서여(薯蕷)' 또는 '산우(山芋)'라고 하는데, 이 참마를 주원료로 하여 만든 술이 '서여주(薯蕷酒)'와 '산우주(山芋酒)'이다.

우리나라 술을 수록한 문헌으로 최고의 기록이라 할 수 있는 1400년대 초엽의 <활인심방(活人心方)>에는 '서여주'라 하였고, <활인심방>보다 400년 후의 기록인 <농정회요(農政會要)>에는 '산우주' 라고 하여 각각 다른 주품명으로 기록되어 있다.

처음에는 이들 문헌의 '서여주'와 '산우주'가 다른 주품으로 알고 있었으나, 주방문을 분석하는 과정에서 주품명만 다를 뿐 동일한 주품이라는 사실을 확인할 수 있었다. 이러한 경우는 흔치 않지만, 참마와 같이 동일한 약재를 '참마', '산우', '서여' 등 여러 가지 이름으로 부르는 데서 기인했을 거라 짐작해 본다.

<활인심방>에 "서여는 산약(山藥)이다. 일명 산서라고 한다. 그 맛은 달고 따뜻하며 독이 없고, 허로를 보하고, 잡병을 물리치며 오장을 충실하게 한다."고 하

였고, <농정회요>에는 '산우주'라는 주품명과 함께 "산약 1근, 수유 3냥, 연육 3냥, 빙편(용뇌향) 반 푼을 함께 갈아 탄알처럼 만든다. 술 한 병에 1~2알을 넣어 뜨겁게 마시면 유익하다."고 하였다.

이로써 '서여주'와 '산우주'가 부유층과 사대부가에서 노인들의 보양주(補陽酒)로 자리 잡았다는 사실을 확인할 수 있다.

그 예로 수유나 용뇌 등은 서민층에서 접근하기 힘든 귀한 식품이었고, 특히 빙편(용뇌향)은 누구나 접할 수 없는 귀한 재료였기 때문이다.

평소 이러한 귀한 재료들을 가공하여 산약환(山藥丸)을 준비해 두었다가, 술을 마실 때 즉석에서 넣어 마심으로써 건강을 돕고자 했던 즉석 양주(釀酒)라는 사실도 확인할 수 있었다.

'서여주'와 '산우주'가 즉석 제조주라는 사실은 주원료인 참마를 사용해 직접 술을 빚는 것이 아니라 산약환을 만들어두었다가 즉석에서 술에 넣어 마신다는 사실 때문이다.

정리하면, 참마를 주원료로 하고 수유, 즉 타락죽에 찐 참마를 넣고 갈아서 탄알처럼 둥근 산약환을 만드는데, 이때 빙편을 반 푼 넣는다. 빙편은 꿀과 수유, 연육 등이 산약가루와 어우러질 때 약성과 함께 술의 향기를 부여하는 역할을 한다.

한편 <활인심방>의 '서여주'와 <농정회요>의 '산우주'는 사용하는 약재 종류가 약간 다르다는 것을 알 수 있다.

시대가 앞선 <활인심방>에서는 참마와 수유만을 사용할 뿐인데, 후기의 <농정회요>에서는 참마와 '빙편(氷片)'이라고 하는 용뇌(龍腦)가 함께 사용됨으로써 약효가 강화된 것을 엿볼 수 있다.

우리 술에는 초근목피(草根木皮)를 비롯해 과실과 열매 등 여러 가지 생약재를 사용해 빚은 술들이 많다. 이를 모두 칭하여 '향·약주(香·藥酒)' 또는 '가향주(佳香酒)'와 '약용약주(藥用藥酒)'라고 구분하여 부르기도 한다.

따라서 이 같은 재료들을 사용하여 빚은 술은 수백 가지에 달할 수 있다. 이들 약재를 단독으로 쓰는 경우도 있지만 몇 가지 약재를 취사선택하여 빚기도 하고, 꽃과 한약재를 함께 섞어 빚기도 하기 때문이다.

이러한 가향주나 약용약주들에 대한 우리 기록으로 최고 오래된 문헌은 이퇴계 선생의 수적본(手迹本)으로 알려진 <활인심방>이다. <활인심방>에는 '서여주', '지황주(地黃酒)', '무술주' 등 3가지 주품이 수록되어 있다.

그리고 <신은(神恩)>에도 '국화주'를 비롯해 '지황주', '서여주'가 등장하는데, '서여주'를 '산서주'라고 부른다는 내용을 확인할 수 있다.

이들 두 문헌에 수록된 주품들은 가향주이거나 약용약주라는 점에서 당시 사대부들의 가문에서 전승되고 있거나 음용되어 왔던 술의 성격들을 짐작할 수 있다.

조선 초기에는 가양주들이 뿌리내리기 시작할 무렵으로, 민간에서는 술 빚는 법이나 양주기술에 대한 체계가 확립되지 못했을 것이다.

어떻든 이들 가향주와 약용약주 가운데, '서여주'와 '산우주'로, <활인심방>을 비롯해 <임원십육지(林園十六志)>에서 찾아볼 수 있는데, 한결같이 주방문보다는 술의 효능에 대한 내용이 중심을 이룬다.

시대적으로 가장 앞선 기록인 <활인심방>에서 '서여주'는 "山薯蒸熟去皮一斤, 酥三兩, 同研丸如雞子大. 投沸酒中, 一枚用酒半升. 薯山生者佳, 取曝十餘日皮乾可用之(참마를 익혀서 껍질을 제거한 것 1근을 연유 3냥과 함께 갈아 계란 크기의 환을 만든다. 사용할 때에는 끓는 술에 넣는데, 하나당 술 반 되를 쓴다. 참마는 산에서 난 것이 좋고, 캐서 열흘 정도 볕에 말려 껍질이 마르면 사용할 수 있다)."고 하여 술을 빚는 방법에 대한 내용이 간단하고 구체적이지 못한 반면, 나머지 내용은 거의가 '서여주', '산서주'의 효능에 대해 언급하고 있다.

그 내용은 "薯蕷卽山藥, 一名山芋. 味甘溫無毒. 補虛勞羸瘦, 充五藏除煩熱, 強陰. 久服耳目聰明, 輕身不饑延年(서여는 산약이며 산우라고도 한다. 맛은 달고 성질은 따뜻하고 독이 없다. 허로와 파리한 증상을 보하고, 오장을 채우고 번열을 제거하며, 음을 강하게 한다. 오래 복용하면 이목이 총명해지고, 몸이 가벼워지며 배가 고프지 않고 장수한다)."고 하였다. '서여주'·'산우주'가 반가와 사대부들의 보양주로 자리 잡았다는 사실을 확인할 수 있다.

한편 <활인심방>보다 후기의 기록인 <임원십육지>에는 주방문 없이 '서여주'의 효능에 대해서만 간단히 언급하고 있다.

참마를 사용한 술 빚기에서 생것은 술을 빚기가 어렵다. 따라서 껍질을 벗겨 건조시키거나 익혀서 사용하는 것이 가장 바람직하다.

<활인심방>의 주방문처럼 '서여주'를 빚어 마시거나 소주에 침출하여 마시는 것도 한 방법이다.

'서여주'·'산우주'가 1400년대 초엽 <활인심방>에 등장한 이래 <농정회요> 이후 문헌에서는 주방문을 찾아볼 수 없게 된 까닭은 정확하진 않지만, 무엇보다 산약환을 만들 수 있는 우유 보급이 원활치 못했기 때문일 거라는 막연한 추측을 해볼 뿐이다.

1. 산우주 <농정회요(農政會要)>

술 재료 : 산약 1근, 수유(酥油) 3냥, 빙편(용뇌) 반 푼, 얼음조각 반 푼, 술 1병

술 빚는 법 :

1. 산마를 물에 깨끗하게 씻어 물기를 닦은 후, 시루에 안치고 쪄서 껍질을 벗기고 무르익게 쪄서 차게 식힌 산약 1근을 준비한다.
2. 타락죽(수유, 酥油)을 만들어 3냥을 준비한다.
   1) 꿀 2숟갈과 우유 1종지를 섞고 끓여서 푹 익힌다.
   2) 쌀 1홉을 물에 깨끗하게 씻어 불렸다가, 다시 깨끗하게 헹궈서 물기를 뺀 후 가루로 빻는다. 쌀가루를 체에 내려 무거리를 제거한 후 물 2(되)의 비율로 죽을 끓이다가 한 번 끓어올라서 죽이 어우러지기를 기다린다.
   3) 우유와 쌀죽을 한데 섞고, 재차 끓여서 한데 어우러지면 차게 식힌다.
3. 연육(연밥의 살) 3냥을 물에 깨끗이 씻어 말려서 물기를 제거한 뒤, 심을 제거한다.
4. 빙편(용뇌) 반 푼, 산약 1근, 수유 3냥, 얼음조각 반 푼을 함께 갈아서(짓이겨서) 고약같이 되면 달걀만 한 둥근 산약환을 만든다.
5. 둥글게 만든 환을 술과 함께 술독에 담아 안치는데, 산약환 1~2개당 술 1병의 비율로 숙성시켜서 마실 때 따뜻하게 사용한다.

* 주방문에 "산약 1근, 수유 3냥, 연육 3냥, 얼음조각 반 푼을 함께 갈아 탄알 처럼 만든다. 술 한 병에 1~2알을 넣어 뜨겁게 마시면 유익하다."고 하였다.

山芋酒
用山藥一斤, 酥油三兩, 蓮肉三兩, 氷片半分, 同研如彈. 每酒一壺, 投藥一二丸, 熱服有益.

2. 서여주 <임원십육지(林園十六志)>

모든 풍증을 치료하며 정수를 이롭게 하고 비장과 위를 튼튼하게 한다. <본초강목>을 인용하였다.

薯蕷酒
<本草綱目> 治諸風寒眩運益精髓壯脾胃 (案)方見 <葆養志>.

3. 서여주 <활인심방(活人心方)>

술 재료 : 산약(껍질 벗긴 것) 1근, 타락죽(쌀 1홉, 물 2되, 꿀 2순갈, 우유 1종지) 3냥, 술(1말)

술 빚는 법 :
1. 산약 1근을 물에 깨끗하게 씻어 물기를 닦은 후, 시루에 안치고 쪄서 껍질을 벗기고 무르익게 쪄서 차게 식힌 것으로 1근을 준비한다.
2. 타락죽을 만든다(꿀 2순갈과 우유 1종지를 섞고 끓여서 푹 익힌다).
3. (쌀 1홉을 물에 깨끗하게 씻어 불렸다가, 다시 깨끗하게 헹궈서 물기를 뺀 후,

가루로 빻는다. 쌀가루를 체에 내려 무거리를 제거한 후, 물 2(되)의 비율로 죽을 끓이다가, 한 번 끓어올라서 죽이 어우러지기를 기다린다.)

4. (우유와 쌀죽을 한데 섞고, 재차 끓여서 한데 어우러지면 차게 식기를 기다린다.)
5. 쪄서 짓찧은 산약과 타락죽 3냥을 함께 갈아서(짓이겨서) 고약같이 되면 달걀만 한 둥근 환을 만든다.
6. 둥글게 만든 환을 술과 함께 술독에 담아 안치는데, 산약환 1개당 술 반 되(5홉)의 비율로 숙성시켜서 사용한다.

薯蕷酒

薯蕷卽山藥, 一名山芋. 味甘溫無毒. 補虛勞羸瘦, 充五藏除煩熱, 強陰. 久服耳目聰明, 輕身不饑延年. 山薯蒸熟去皮一斤, 酥三兩, 同硏丸如雞子大. 投沸酒中, 一枚用酒半升. 薯山生者佳, 取曝十餘日皮乾可用之. 書云: "薯涼補於狗, 大有益於補養.

상실주·상심주

스토리텔링 및 술 빚는 법

한때 복분자(覆盆子)를 주원료로 발효시킨 술을 '과실주'라고 한 적이 있었다. '복분자 와인(bokboonja Wine)'이라는 것이다.

이것은 술을 모르고 하는 소리다. 복분자가 어떻게 과실이 될 수 있는가?

이를테면 복분자가 과일이냐 한약재냐 하는 본질적인 문제에서 복분자는 치료와 약리 목적의 한약재료라는 얘기다. 그런 복분자로 빚은 술이 '와인'과 유사한 색과 맛을 가졌다고 '복분자 와인'이라 부르며 국제적 사기를 친 것이다.

더 큰 문제는 술병 라벨에 '복분자주(覆盆子酒)'를 '복분자 와인'으로 표기할 수 있도록 묵인 또는 허용해 준 당국의 시각에 있다고 본다. 그리고 지금도 '복분자주'를 '복분자 와인'으로 인식하는 사람들이 많다는 게 문제다.

복분자는 예로부터 한약재로 사용되어 왔다. 한약재로 빚은 술을 '와인'이라고 강조하려다 보니, 설탕 범벅이 되고, 심지어 프랑스 와인 효모까지 들여와 자꾸 와인 흉내를 내기에 이르렀다.

하지만 '복분자주'는 결코 '복분자 와인'이 될 수 없었다.

필자는 '복분자 와인'이 아니라 오히려 한국의 술로서 전통과 차별성을 담은 '복분자주'를 만들어야 한다고 끊임없이 강변해 왔었다. 전통의 '복분자주'는 설탕이나 과당이 아닌 쌀과 복분자를 주원료로 한 '복분자주'라야 하고, 특히 '와인'과 차별화된 '복분자 와인'이라야 오래도록 살아남을 수 있다고 주장해 왔다.

하지만 지금의 '복분자주'는 그 명성을 잃은 채 재기의 기회를 놓치고 말았으니 안타깝기 그지없다.

오디를 사용한 술의 경우도 마찬가지이다. 오디로 빚은 술은 '상실주(桑實酒)'로 불렸는데, 도토리를 주원료로 빚은 '상실주(橡實酒)'와는 다른 주품이다. 그런데도 '상실주(桑實酒)' 하면 운(韻)이 같기 때문에 자칫 혼동할 수도 있다.

따라서 도토리로 빚은 술은 '도토리술' 또는 '상실주(橡實酒)'로, 오디로 빚은 술은 '오디주' 또는 '상심주(桑椹酒)'로 명칭을 통일할 것을 제안하고 싶다.

어쨌든 '상실주'는 <군학회등(群學會騰)>을 비롯하여 <동의보감(東醫寶鑑)>과 <임원십육지(林園十六志)>에 수록되어 있다. <임원십육지>에는 <군학회등>과는 다른 방법의 '상실주'가 수록되어 있어 우리 술 빚기의 다양성과 가치를 다시금 눈여겨볼 필요가 있어 보인다.

시대적으로 가장 앞선 기록인 <동의보감>에는 술 빚는 법은 없고, '상실주'의 효능에 대해 언급하고 있을 뿐이다.

<임원십육지>에는 뽕나무의 열매인 오디의 즙액을 주원료로 한 '상실주' 주방문을 싣고, 그 효능과 특징을 설명하고 있다.

특히 <임원십육지>의 '상실주'는 오디를 달여서 당농도를 높인 오디즙을 멥쌀고두밥과 누룩을 섞어 발효시키는 방법으로, 이러한 방법의 주방문은 처음 목격되고 있다.

반면, <군학회등>의 '상실주' 주방문은 <수운잡방(需雲雜方)>의 '포도주' 주방문과 동일한 과정으로 이루어진다. 오디를 짓찧어서 씨와 찌꺼기를 제거한 순수한 오디즙액에 찹쌀고두밥과 누룩을 섞어 발효시키는 방법으로 이루어지는데, 술이 완성되었을 때 고유의 술 색깔을 갖는 게 특징이다. 전문가가 아니면 '포도주'라고 할 만큼 아름다운 술 빛깔을 자랑한다.

<임원십육지>의 '상실주'는 발효가 잘 이루어지고 발효되었을 때 부드러운 맛

과 함께 알코올 도수도 비교적 높은 술이 되지만, 향기나 풍미는 많이 떨어진다. 그에 비해 <군학회등>의 '상실주'는 신맛이 많은 단점과 함께 오디의 당도가 낮아지면 산패가 초래되기는 하나, 풍미가 좋고 향기도 훨씬 좋다. 찹쌀로 빚은 까닭에 부드러운 맛이 있어 <임원십육지>의 '상실주'보다 전체적인 기호가 좋았다.

<군학회등>의 '상실주'를 빚을 때는 찹쌀을 백세한 후, 충분히 불려서 고두밥을 짓되, 고두밥이 질어지지 않도록 하고, <임원십육지>의 '상실주'는 멥쌀을 백세한 후, 충분히 불렸다가 고두밥을 짓는데, 찬물을 많이 뿌려서 무른 고두밥을 지어야 실패하지 않는다는 사실을 염두에 두어야 한다.

자칫 멥쌀고두밥이 되게 쪄지거나 덜 익게 되면 아까운 오디즙만 버리게 되고, 쌀 양이 많으면, 오디가 갖고 있는 본연의 술 색깔이 나타나지 않는다. 즉, 쌀 양이 오디즙보다 많으면, '상실주'의 특징인 포도주 같은 술 색깔을 살릴 수 없다는 얘기다.

이처럼 '상실주'는 고유의 풍미도 중요하지만, 오디가 갖고 있는 효능적인 측면에서도 '와인'이 따라오지 못할 상당한 매력을 지니고 있다.

<군학회등>의 주방문 말미에 "보오장명이복(간장, 심장, 비장, 폐장, 신장과 눈과 귀를 밝게 한다.)"고 하고, <동의보감>에서는 "오장을 보하고, 귀와 눈을 밝게 한다."고 하였다. 또 <임원십육지>의 주방문 말미에는 "오장을 보호하고, 귀와 눈은 밝게 하며, 수종(水腫)을 다스린다."고 하였다.

'상실주'는 현대인들의 각종 성인병 예방은 물론이고, 피부미용에 좋고, 노화된 귀와 눈을 밝게 해주는 효능을 발휘하므로 보다 많은 연구와 기술개발, 홍보에 주력할 필요가 있다고 판단된다.

1. 상심주 <군학회등(群學會騰)>

–補五臟明耳目 取汁釀酒

술 재료 : 찹쌀(1말), 가루누룩(흰누룩, 분곡 1되 5홉), 오디즙(1말)

술 빚는 법 :

1. 오디와 같은 양의 찹쌀을 (1말을 물에 깨끗이 씻어 하룻밤 불렸다가, 다시 씻어 건져서 물기를 뺀 다음) 준비한다.
2. 솥에 물을 붓고 끓이다가 시루를 올리고, 불린 찹쌀을 안쳐서 고두밥을 익게(무르게) 찐다.
3. (잘 익은 오디를 깨끗한 행주나 면보로 깨끗하게 씻어낸 후, 알알이 따서 줄기를 제거한다.)
4. 오디를 알알이 손으로 으깨 (주물러 체에 밭쳐서 찌꺼기를 제거한) 오디즙을 만들어놓는다.
5. (고두밥이 익었으면, 자리에 퍼내 고루 펼쳐서 차게 식기를 기다린다.)
6. 찹쌀고두밥에 흰가루누룩(1되 5홉)과 준비한 분량의 좋은 오디즙을 한데 합하고, 고루 버무려 술밑을 빚는다.
7. 술밑을 술독에 담아 안치고, 예의 방법대로 하여 발효시키는데 (21~30일이면) 자연히 술이 된다(익는다).

* 주방문에 "보오장명이복(간장, 심장, 비장, 폐장, 신장과 눈과 귀를 밝게 한다.)"고 하고, "즙을 취하여 술을 빚는다."고 하였다. 이에 '포도주'법을 참고하여 주방문을 작성하였다.

桑椹酒

補五臟 明耳目 取汁釀酒(上同－葡萄酒).

2. 상심주 <달생비서(達生秘書)>

오장을 보하고, 귀와 눈을 밝게 한다. 오디의 즙을 짜서 술을 빚는다.

桑椹酒

補五臟, 明耳目, 取汁釀酒也.

3. 상심주 <동의보감(東醫寶鑑)>

오장을 보하고, 귀와 눈을 밝게 한다. 오디의 즙을 짜서 술을 빚는다.

桑椹酒
補五臟, 明耳目, 取汁釀酒也.

4. 상심주 <임원십육지(林園十六志)>

오장을 보하고 눈, 귀를 밝게 하며 수종을 치료하는 효과가 있다. <본초강목>을 인용하였다.

桑棋酒
<本草綱目> 補五臟明耳目治水腫. (案)方見 <葆養志>.

소자주

스토리텔링 및 술 빚는 법

'소자주(蘇子酒)'는 계임(桂荏)이라고 하는 차조기씨를 넣어 숙성시킨 약용주의 하나이다. 차조기씨를 소자(蘇子)라고도 하는데, 한방에서 소담(消痰)과 거풍(擧風)의 약재로 사용한다.

이 차조기씨 한 되를 잠깐 볶아서 생깁으로 된 주머니에 담아 맑은 술에 넣었다가 3일 만에 건져내 그 술을 자주 마시면 가슴의 가쁜 기운이 없어져서 시원하고, 오방에 보익하여 기운이 저절로 나서 체기를 고치고 담증도 없어진다고 한다.

이러한 '소자주'는 <군학회등(群學會騰)>을 비롯하여 <김승지댁주방문(金承旨宅廚方文)>, <농정회요(農政會要)>, <술방>, <승부리안주방문>, <양주방>*, <역주방문(曆酒方文)>, <온주법(醞酒法)>, <임원십육지(林園十六志)>, <주방문조과법(造果法)>, <주식방(酒食方, 高大閨壺要覽)>, <주찬(酒饌)>, <증보산림경제(增補山林經濟)>, <한국민속대관(韓國民俗大觀)> 등 14종의 문헌에 14차례 등장하고, 사대부가에서 널리 즐겼음을 확인할 수 있다.

'소자주'를 기록하고 있는 문헌 가운데 시대적으로 가장 앞선 <온주법>의 기록을 보면, "차조기씨 3되를 준비하여 차조기씨의 본성이 너무 익지 않게 중간 불에 살짝 볶아 생깁 주머니에 담고, 술단지에 청주 3말과 함께 차조기씨를 넣은 주머니를 담가 3일 후 자루를 건져내 조금씩 자주 마신다."고 하였는데, 다른 문헌에도 동일한 분량과 방법으로 술을 빚고 있음을 알 수 있다.

또한 '소자주'의 효능도 문헌마다 다소 차이는 있으나, 거의 대부분 일치한다. <주식방(고대규곤요람)>의 주방문 말미에 "쭉 마시면 가슴에 가래 낀 것을 시원하게 하고 오장의 기를 보하며, 허한 것을 내리치고, 사람을 살찌게 한다. 심기와 체, 거죽 없이하며, 담을 삭히게 하나니라."고 하였고, <역주방문>에는 "구토증이나 트림하는 것을 고쳐주고, 오장을 보호하여 주며, 허약한 기운을 보하여 사람으로 하여금 살찌고 건강하게 하여주고, 담을 제거하여 준다."고 하였다.

'소자주'를 빚을 때 주의할 일은 차조기씨를 볶는 과정에서 불에 볶을 때 기름기가 없는 솥이나 프라이팬에 볶아야 하고, 설익거나 지나치게 익어 탄 냄새가 나지 않도록 조심해야 한다.

<온주법>에서 "차조기씨의 본성이 너무 익지 않게 중간 불에 살짝 볶아"라고 하여 비교적 자세하게 설명하고 있다. 차조기씨는 지방이 많은 재료로 설익으면 비린 맛과 냄새가 심하고, 타게 볶으면 맛이나 효능이 떨어지며, 지나치게 오랫동안 담가두면 술맛을 버리게 되는 등 여러 가지 단점이 초래될 수 있다.

따라서 이러한 단점을 해소하려면, 차라리 독한 소주에 볶은 차조기씨를 함께 복용하는 게 더 좋은 효과를 얻을 수 있지 않을까 생각된다.

1. 소자주법 <군학회등(群學會騰)>

술 재료 : 차조기씨 1되, 비단 주머니 1장, 청주 3말

술 빚는 법 :

1. 잘 여문 차조기 씨앗 1되를 물에 깨끗하게 씻어 건조시킨다.

2. (돌멩이 1개를 깨끗하게 씻어 물기가 남지 않게 준비한다.)
3. 준비한 차조기 씨앗 1되를 살짝 갈아서 타지 않게 볶아 차게 식혀놓는다.
4. 볶은 차조기씨 가루를 씻어 놓은 돌멩이와 함께 명주로 만든 주머니에 담고, 주둥이를 끈으로 묶어놓는다.
5. 차조기씨가루를 넣은 비단 주머니를 술독에 먼저 넣는다.
6. 준비한 분량의 청주 3말을 술독에 담아 안친다.
7. 하루가 지난 후에 비단 주머니를 꺼내고, 밀봉하여 조금씩 떠서 복용한다.

* 주방문에 주품명을 밝히고 있는데, 차조기를 가리키는 '소' 자를 '되살릴 소, 차조기 소' 자를 사용했는데, 자전에서 찾기 힘들어 흔히 사용하는 소(蘇) 자를 채용하였다. 그리고 주방문 말미에 "조금씩 마시면 기를 보하며, 가래를 다스리고 사람을 살찌게 한다."고 하였다.
  다른 기록인 <역주방문>에는 "3일간 담가둔다."고 하고, "구토증이나 트림하는 것을 고쳐주고, 오장을 보호해 주며, 허약한 기운을 보하여 사람으로 하여금 살찌고 건강하게 하여주고, 담을 제거하여 준다."고 하였다.

蘇子酒法
取蘇子一升微炒研細盛絹帶浸於三斗清酒經宿細細飮之 下氣補氣治痰肥人.

2. 소자주 <김승지댁주방문(金承旨宅廚方文)>

술 재료 : 소자 1되, 비단 주머니 1장, 청주 3말

술 빚는 법 :
1. 잘 여문 소자(차조기 씨앗) 1되를 물에 깨끗하게 씻어 건조시킨다.
2. (돌멩이 1개를 깨끗하게 씻어 물기가 남지 않게 준비한다.)

3. 준비한 소자를 (기름기 없는 프라이팬에) 잠깐 볶아서 차게 식힌 후 찧어서 가루를 만든다.
4. 볶은 소자가루와 돌멩이를 생명주로 만든 주머니에 담고, 주둥이를 끈으로 묶어놓는다.
5. 비단 주머니를 술독에 먼저 넣고, 준비한 분량의 청주 3말을 술독에 담아 안친다.
6. 3일이 지난 후에 비단 주머니를 꺼내고, 밀봉하여 조금씩 떠서 복용한다.

* 주방문 말미에 "그 술 작작(지나치지 않게) 마시면 가슴 가래 기운이 시원하고 오장이 보익하고 기운이 나래치고 체기를 바로 하고 담풍이 없느니라." 고 하였다.
* 다른 기록인 <역주방문>에는 "구토증이나 트림하는 것을 고쳐주고, 오장을 보호하여 주며, 허약한 기운을 보하여 사람으로 하여금 살찌고 건강하게 하여주고, 담을 제거하여 준다."고 하였다.

소ᄌᆞ쥬
ᄎᆞ조기 씨 ᄒᆞᆫ 되를 잠간 불가 찌허 ᄉᆡᆼ깁 주머니의 너허 청쥬 서 말 너ᄒᆞᆫ 항의 너헛다가 사ᄒᆞᆯ 만의 건져 내어 짜 ᄇᆞ리고 그 슐 작작 먹으면 가슴 ᄀᆞ된 기운이 시원ᄒᆞ고 오장이 ᄇᆞ악ᄒᆞ고 기운이 ᄂᆞ리치고 체기를 발오 ᄒᆞ고 담증이 업ᄂᆞ니라.

3. 소자주법 <농정회요(農政會要)>

술 재료 : 소자 1되, 비단 주머니 1장, 청주 3말

술 빚는 법 :

1. 잘 여문 소자(차조기 씨앗) 1되를 물에 깨끗하게 씻어 건조시킨다.
2. (돌멩이 1개를 깨끗하게 씻어 물기가 남지 않게 준비한다.)
3. 준비한 소자를 기름기 없는 프라이팬에 타지 않게 볶아낸다.
4. 볶은 소자와 돌멩이를 명주로 반든 주머니에 담고, 주둥이를 끈으로 묶어 놓는다.
5. 소자 주머니를 술독에 먼저 넣고, 준비한 분량의 청주 3말을 술독에 담아 안친다.
6. 하루가 지난 후에 비단 주머니를 꺼내고, 밀봉하여 조금씩 떠서 복용한다.

* 주방문 말미에 "조금씩 마시면 기를 내리고 기를 보하며, 가래를 다스리고 사람을 살찌게 한다."고 하였다.
* 다른 기록인 <역주방문>에는 "3일간 담가둔다."고 하고, "구토증이나 트림하는 것을 고쳐주고, 오장을 보호하여 주며, 허약한 기운을 보하여 사람으로 하여금 살찌고 건강하게 하여주고, 담을 제거하여 준다."고 하였다.

蘇子酒法
取蘇子一升微炒研細盛絹帶浸於三斗淸酒經宿細細飮之 下氣補氣治痰肥人.

4. 소자주 <술방>

술 재료 : 차조기 열매 1되, 술 3말

술 빚는 법 :
1. 차조기 열매를 물에 깨끗하게 씻어 물기를 뺀다.
2. 솥에 불을 지피고 차조기 열매를 넣은 뒤, 주걱으로 저어주면서 타지 않게 살살 볶아낸다.

3. 차조기가 다 볶아졌으면, 분마기나 절구에 넣고 고운 가루로 빻는다.
4. 가는 베로 만든 전대에 볶은 차조기가루를 넣고 밀봉한다.
5. 좋은 술 3말을 독에 담고, 전대를 넣는다.
6. 술독은 서늘한 곳에 자리를 잡아 앉혀놓고 하룻밤을 지낸다.

* 술을 “조금씩 떠서 마시면 기운을 차리고, 담을 치료하고, 기를 보하며, 사람이 살이 찐다.”고 하였다.

쇼자쥬

차즈기 열ᄆᆡ ᄒᆞᆫ 되ᄅᆞᆯ 죠곰 복가 셰말ᄒᆞ여 가ᄂᆞᆫ 젼ᄃᆡ의 너어 셔 말 슐의 담가다가 밤 잔 후, 죠곰식 마시면 긔운을 다라울 치담ᄒᆞ고 보긔ᄒᆞᆯ ᄉᆞᄅᆞᆷ이 ᄉᆞᆯ지ᄂᆞ니라.

5. 소자주방문 <승부리안주방문>

술 재료 : 차조기 씨 1되, 좋은 술 3말, 비단 주머니

술 빚는 법 :
1. 차조기씨 1되를 채취하여 물로 깨끗이 씻어 물기를 뺀다.
2. 차조기씨를 기름기 없는 철판에 살짝 볶아서 차게 식힌 다음, 절구에 넣고 공이로 찧어 가루를 만든다.
3. 비단 주머니에 차조기씨가루를 넣고, 주둥이를 묶는다.
4. 약주(맑은 술) 3말을 술독에 붓고, 차조기씨 담은 주머니를 넣는다(밀봉한다).
5. 3일 만에 약재 주머니를 건져내고 (한지로 여과하여) 마신다.

* 주방문 말미에 "그 술을 작〻 먹으면 가슴의 ᄀᆞ리 ᄭᅵᆫ 긔운이 싀훤ᄒᆞ고 오장을 보익ᄒᆞ고 긔운을 노리치고 심긔와 쳬긔을 죠케ᄒᆞ고 담을 업게 ᄒᆞ노니라." 고 하였다.

소ᄌᆞ쥬방문

ᄎᆞ조기씨 ᄒᆞᆫ 되을 잠간 복가 찌허 ᄉᆡᆼ깁주머니의 너허 약쥬 청쥬 서 말을 항의 담고 주머니을 너헛다가 삼일 만의 건져내고 그 술을 작〻 먹으면 가슴의 ᄀᆞ리 ᄭᅵᆫ 긔운이 싀훤ᄒᆞ고 오장을 보익ᄒᆞ고 긔운을 노리치고 심긔와 쳬긔을 죠케ᄒᆞ고 담을 업게 ᄒᆞ노니라.

6. 소자주 <양주방>*

술 재료 : 차조기씨 1되, 좋은 술 3말, 비단 주머니

술 빚는 법 :

1. 차조기씨 1되를 채취하여 물로 깨끗이 씻어 물기를 뺀다.
2. 차조기씨를 기름기 없는 철판에 슬쩍 볶아서 차게 식힌 다음, 절구에 넣고 공이로 찧어 가루를 만든다.
3. 비단 주머니에 차조기씨가루를 넣고, 주둥이를 묶는다.
4. 맑은 술 3말을 술독에 붓고, 차조기씨 담은 주머니를 넣고 밀봉한다.
5. 4일 만에 약재 주머니를 건져내고 (한지로 여과하여) 마신다.

* 주방문 말미에 "조금씩 조금씩 마시면, 가슴에 가리 끼운 기운이 시원해지고, 오장을 보하여 기운을 내리치며, 허한 것을 보하며 살이 찌고 건장해지며, 심지와 체지를 조화케 하고 담증을 없앤다."고 하였다.

쇼ᄌᆞ쥬

ᄎᆞ죠기씨 ᄒᆞᆫ 되를 잠간 복가 찌허 ᄉᆡᆼ깁 쥼치의 너허 청쥬 서 말 너흔 항의 담가 두엇다가 삼일 만의 건져ᄂᆡ고 작작 먹으면 가 ᄉᆞᆷ의 ᄀᆞ리 찌인 긔운이 싀훤ᄒᆞ고 오장을 보익ᄒᆞ여 긔운을 ᄂᆞ리치며 허ᄒᆞᆫ 거ᄉᆞᆯ 보하며 ᄉᆞᆯ ᄶᅵ고 건장ᄒᆞ며 심지와 쳬지를 죠화케 ᄒᆞ고 담증이 업ᄂᆞ니라.

7. 소자주방 <역주방문(曆酒方文)>

술 재료 : 소자 1되, 비단 주머니 1장, 청주 3말

술 빚는 법 :

1. 잘 여문 소자 1되를 (물에 깨끗하게 씻어 건조시킨 후) 타지 않게 볶아 놓는다.
2. (돌멩이 1개를 깨끗하게 씻어 물기가 남지 않게 준비한다.)
3. 준비한 소자와 돌멩이를 비단 주머니에 담고, 주둥이를 끈으로 묶어놓는다.
4. 소자 주머니를 술독에 먼저 넣는다.
5. 준비한 분량의 청주 3말을 술독에 담아 안친다.
6. 3일이 지난 후에 비단 주머니를 꺼내고, 밀봉하여 조금씩 떠서 복용한다.

* 소자(蘇子) : 차조기 씨앗
* 주방문 말미에 "구토증이나 트림하는 것을 고쳐주고, 오장을 보호하여 주며, 허약한 기운을 보하여 사람으로 하여금 살찌고 건강하게 하여주고, 담을 제거하여 준다."고 하였다.

蘇子酒方

蘇子一升微炒盛于絹帒納어淸酒三斗瓮三日後拔出畧之服通利之服噎噦之氣

補五臟除氣補唐能令人肥健(祛)痰.

8. 소자주 <온주법(醞酒法)>

술 재료 : 들깨(소자) 3되, 청주 3말, 생깁 주머니 1장

술 빚는 법 :

1. 차조기씨 3되를 준비한다(물에 깨끗하여 씻어 건져서 물기를 뺀다).
2. 기름기 없는 프라이팬에 차조기씨를 올리고, (차조기씨의 본성이 너무 익지 않게)중간 불에 살짝 볶는다.
3. 볶은 차조기씨를 생깁 주머니에 담고 끈으로 묶어놓는다.
4. 술단지에 청주 3말을 붓고, 차조기씨를 넣은 주머니를 담가둔다.
5. 3일 후 자루를 건져내고 조금씩 자주 마신다.

* 주방문 말미에 "이 술을 먹으면 살지고 연상하고 오장을 보익하고 가슴이 체인 기운이 수월하고 심기 체기(滯氣) 낫고 담도 넘나니라."고 하여 살찌고, 오장과 하기(下氣)를 보하며, 담증을 치료하는 술로 소개하고 있다.

소ᄌᆞ듀

ᄎᆞ족시 서 되ᄅᆞᆯ 잠간 복가 제 본셩이 너무 닉지 아니케 ᄒᆞ야 ᄉᆡᆼ깁주머니에 너허 쳥듀 서 말의 ᄃᆞᆷ가 사ᄒᆞᆯ 만의 건디나 그 술을 쟉쟉 더여 먹으면 살지고 건장ᄒᆞ고 오장을 보익ᄒᆞ고 가ᄉᆞᆷ의 ᄢᅵ인 긔운이 싀훤ᄒᆞ고 심긔 톄긔 낫고 담도 업ᄂᆞ니라.

9. 소자주 <임원십육지(林園十六志)>

술 재료 : 소자 1되, 비단 주머니 1장, 청주 3말

술 빚는 법 :

1. 잘 여문 소자(차조기 씨앗) 1되를 물에 깨끗이 씻어 기름기 없는 프라이팬에 볶는다.
2. 볶은 차조기씨를 절구에 넣고 짓찧어서 가루를 만든 후 냉각시킨다.
3. (돌멩이 1개를 깨끗하게 씻어 물기가 남지 않게 준비한다.)
4. 준비한 소자가루와 돌멩이를 명주로 만든 주머니에 담고, 주둥이를 끈으로 묶어놓는다.
5. 약재 주머니를 술독에 먼저 넣고, 준비한 분량의 청주 3말을 술독에 담아 안친다.
6. 3일이 지난 후에 약재 주머니를 꺼내고, 밀봉하여 조금씩 떠서 복용한다.

蘇子酒

<三山方> 蘇子微炒搗碎以絹帒盛納淸酒中三日小小飮之主銷疾下氣調中補虛.

10. 소자주법 <주방문조과법(造果法)>

술 재료 : 차조기씨 1되, 청주 3말, 명주 주머니 1장

술 빚는 법 :

1. 알이 잘 여문 차조기씨 1되를 물에 깨끗하게 씻어 물기를 빼놓는다.

2. 기름기 없는 프라이팬을 뭉근한 불에 올려 달구고, 차조기씨를 넣어서 타지 않게 잠깐 볶는다.
3. 갓 볶은 차조기씨를 차게 식힌다.
4. 명주 주머니에 (주먹만 한 돌멩이와 함께) 볶은 차조기씨를 넣어 주둥이를 묶어놓는다.
5. 술독에 청주 3말을 담고, 차조기주머니를 넣어 2~3일간 담가놓았다가 건져서 짜낸다.
6. 술을 (한지로 여과하여) 적당량씩 꾸준히 음용한다.

* 주방문 말미에 "가슴의 가린 기운(체기, 滯氣)을 고쳐주고, 오장을 보호하여 주며, 허약하고 찬 기운을 보하여 건강하게 하고, 담을 제거하여 준다."고 하였다.

소자쥬법

차조기씨 한 되 잠간 봇가셔 허(쳐) 생깁 주머니예 (담아) 청주 서 말 녀 항의 담갓다가, 짜 내고 그 술을 젹젹 머그면 가슴의 가린 기운 마늬 훤하고 노(오)장을 보익하고 긔운을 나되 치고 폐기를 본하고 담증이 업나니라.

11. 소자주 <주식방(酒食方, 高大閨壼要覽)>

술 재료 : 소자 1되, 비단 주머니 1장, 청주 3말

술 빚는 법 :
1. 잘 여문 차조기씨 1되를 물에 깨끗하게 씻어 건조시킨다.
2. 건조시킨 차조기씨를 잠깐 (타지 않게) 볶아서 차게 식힌다.
3. (돌멩이 1개를 깨끗하게 씻어 물기가 남지 않게 준비한다.)

4. 준비한 차조기씨를 (돌멩이와 함께) 명주로 만든 주머니에 담고, 주둥이를 끈으로 묶어놓는다.
5. 차조기주머니를 술독에 먼저 넣는다.
6. 준비한 분량의 청주 3말을 술독에 담아 안친다.
7. 3일이 지난 후에 비단 주머니를 꺼내고, 밀봉하여 조금씩 떠서 복용한다.

* 주방문 말미에 "쭉 마시면 가슴에 가래를 낀 것을 시원하게 하고 오장의 기를 보하며, 허한 것을 내리치고, 사람을 살찌게 한다. 심기와 체, 거죽 없이 하며, 담을 삭히게 하나니라."고 하였다. 다른 기록인 <역주방문>의 '소자주'와 동일하다. <역주방문>에는 "구토증이나 트림하는 것을 고쳐주고, 오장을 보호하여 주며, 허약한 기운을 보하여 사람으로 하여금 살찌고 건강하게 하여주고, 담을 제거하여 준다."고 하였다.

쇼ᄌᆞ쥬
차조기씨 ᄒᆞᆫ ᄃᆡ 잠간 복가 ᄶᅵ혀 ᄉᆡᆼ깁 줌치예 너허 청쥬 서 말 항의 너코 담가 두엇다가 사흘 만의 건뎌 ᄂᆡ고 족족 먹으면 가슴의 가리ᄭᅵᆫ 긔운 싀훤ᄒᆞ고 오쟝이 보익ᄒᆞ고 허한 긔운 나리치고 살 ᄶᅵ게 ᄒᆞ고 심긔와 톄긔를 업게 ᄒᆞ며 담증을 업게 ᄒᆞᄂᆞ니라.

12. 소자주 <주찬(酒饌)>

술 재료 : 들깨(소자) 1되, 청주 2말, 명주자루

술 빚는 법 :
1. 들깨 1되를 물에 깨끗하여 씻어 건져서 물기를 뺀다.
2. 기름기 없는 프라이팬에 들깨를 올리고, 중간 불에 살짝 볶는다.

3. 볶은 들깨로 절구에 넣고 찧은 뒤, 명주자루에 담고 끈으로 묶는다.
4. 술단지에 청주 2말을 붓고, 들깨가루 넣은 자루를 담가둔다.
5. 3일 후 자루를 건져내고 조금씩 자주 마신다.

* 뇌중(腦中)과 체기(滯氣)를 없앤 오장과 하기(下氣)를 보하며 담증을 치료한다.

蘇子酒
蘇子一升微炒搗碎以紬袋盛之浸於淸酒二斗中三日浸漉出去紬袋仍飮之少許式飮則却腦中滯氣補五臟下氣療痰症.

13. 소자주법 <증보산림경제(增補山林經濟)>

술 재료 : 소자 1되, 비단 주머니 1장, 청주 3말

술 빚는 법 :
1. 잘 여문 소자(차조기 씨앗) 1되를 물에 깨끗하게 씻어 건조시킨다.
2. (돌멩이 1개를 깨끗하게 씻어 물기가 남지 않게 준비한다.)
3. 준비한 소자와 돌멩이를 명주로 만든 주머니에 담고, 주둥이를 끈으로 묶어놓는다.
4. 비단 주머니를 술독에 먼저 넣는다.
5. 준비한 분량의 청주 3말을 술독에 담아 안친다.
6. 하루가 지난 후에 비단 주머니를 꺼내고, 밀봉하여 조금씩 떠서 복용한다.

* 주방문 말미에 "조금씩 마시면 기를 내리고 기를 보하며, 가래를 다스리고 사람을 살찌게 한다."고 하였다. 다른 기록인 <역주방문>에는 "3일간 담가둔

다."고 하고, "구토증이나 트림하는 것을 고쳐주고, 오장을 보호하여 주며, 허약한 기운을 보하여 사람으로 하여금 살찌고 건강하게 하고, 담을 제거하여 준다."고 하였다.

蘇子酒法
取蘇子一升微炒研細盛絹帶浸於三斗淸酒經宿細細飮之 下氣補氣治痰肥人.

14. 소자주 <한국민속대관(韓國民俗大觀)>

술 재료 : 소자 1되, 비단 주머니 1장, 청주 3말

술 빚는 법 :
1. 잘 여문 소자(차조기 씨앗) 1되를 물에 깨끗하게 씻어 건조시킨다.
2. 기름기 없는 프라이팬에 타지 않게 소자를 잠깐 볶아서 차게 식힌다.
3. (돌멩이 1개를 깨끗하게 씻어 물기가 남지 않게 준비한다.)
4. 준비한 소자와 돌멩이를 명주로 만든 주머니에 담고, 주둥이를 끈으로 묶어놓는다.
5. 비단 주머니를 술독에 먼저 넣는다.
6. 준비한 분량의 청주 3말을 술독에 담아 안친다.
7. 3일이 지난 후에 비단 주머니를 꺼내고, 밀봉하여 조금씩 떠서 복용한다.

소자주(蘇子酒)
계임(桂荏)의 씨가 소자(蘇子)인데, '차조기주'라고도 한다. 소자 한 되를 잠깐 볶아서 생사(生絲)로 만든 주머니에 넣어 청주 서 말을 담은 항아리에 넣었다가 3일 만에 건져내어 마신다.

송자주

스토리텔링 및 술 빚는 법

송자(松子)는 '잣' 또는 '백자(栢子)', '실백', '해송자(海松子)' 등 여러 이름으로 불린다.

<본초강목(本草綱目)>에 "송자의 성질은 조금 따뜻하고(小溫), 그 맛은 달며(甘), 독(毒)이 없다. 골절풍(骨節風)과 풍비증(風痺證), 어지럼증 등을 치료하며, 피부를 윤이 나게 하고, 오장(五臟)을 좋게 하며, 허약하고 여위어 기운이 없는 것을 보(補)한다."고 하였다.

송자나 잣을 사용해 빚는 술로 조선시대 문헌에는 '백자주(栢子酒)'와 '송자주(松子酒)'라는 주품명으로 나뉘어 수록되어 있는데, 그 차이를 알 수 없다.

다시 말해 술 빚는 방법에서 그 차이를 알 수 없을 뿐 아니라, 동일한 주방문이 자주 목격되는데도 굳이 다른 주품명으로 수록하고 있는 까닭을 알 수 없다는 말이다.

그럼에도 '송자주'를 '백자주'와 구분해서 수록한 까닭은 '백자주'가 수록된 문헌의 수가 20종에 이르고 주방문도 27가지나 된다는 사실 때문이다.

그에 비해 '송자주'를 수록하고 있는 문헌은 4종에 총 6가지 주방문을 볼 수 있다. 한편 <요록(要錄)>에서는 '백자주'와 함께 '송자주'도 수록하고 있어 혼란을 피하고자 했음을 짐작케 한다.

'송자주'를 수록하고 있는 문헌으로는 <요록>을 비롯하여 <임원십육지(林園十六志)>, <조선무쌍신식요리제법(朝鮮無雙新式料理製法)>, <한국민속대관(韓國民俗大觀)>이 있다. <임원십육지>와 <조선무쌍신식요리제법>에 각각 2가지 주방문을 수록하고 있어, 모두 6가지 주방문이 실려 있다.

이들 6가지 주방문을 분석해 보면 '송자주'는 크게 세 가지 양주방법으로 나뉜다.

먼저 <요록>의 '송자주'는 "쌀가루에 팔팔 끓인 물 5사발을 골고루 합하고, 주걱으로 개어 술거리(범벅)를 만든 뒤, 차게 식기를 기다렸다가 술거리에 잣즙과 누룩가루 2되를 넣고 술밑을 빚는다."고 하여 잣즙을 사용하는 방법이다.

<임원십육지>에는 "향온법(香醞法)과 같되, 다만 잣 2말에 원 누룩가루 1말을 칼에 짓빻아서 술밑에 넣어 섞어서 빚는다."고 하였으며, 또 <임원십육지>와 <조선무쌍신식요리제법>의 '송자주'는 "빚는 방법은 '향온법'과 같다. 잣 2되를 껍질을 벗기고, 누룩가루 1말과 같이 찧어서 밑술에 넣어 빚는다."고 하여 '향온주' 주방문을 인용하고 있음을 알 수 있다.

한편, <조선무쌍신식요리제법>에서 보듯이 "이 법이 누룩과 '서김'도 없이 화하여 빚는다는 것이 빠진 것(누룩, 석임)이 있는 듯하다."고 하여 논란이 있을 수 있기는 하나, "물 1말 1되에 잣 1되를 가루로 만들어 넣고 물 1말이 되게 끓인다. 찌꺼기를 제거한 잣 달인 물과 멥쌀 1말을 백세작말하여 한데 합하고, 팔팔 끓여서 죽을 쑨 다음, 넓은 그릇에 펴서 차게 식기를 기다렸다가 (부본 1종지, 누룩가루 2되를 넣고, 고루 버무려 술밑을 빚는다.) 항아리에 담는다."고 한 <임원십육지>와 <조선무쌍신식요리제법>의 '송자주 우방(又方)'과 <한국민속대관>의 '송자주'와 같은 주방문 등 이렇듯 세 가지 방법을 보이고 있다.

주지하다시피 송자의 주성분은 지방 64.2%, 단백질 18.6%, 수분 5.5%, 당질 4.3% 회분 1.5%, 기타 섬유질, 칼슘, 인, 철분, 비타민(B1, B2, B3)을 포함하고 있다. 특히 지방은 올레인산, 리놀산, 팔미틴산 같은 필수지방산이다.

또한 칼로리가 높은 식품이면서 비만예방과 미용효과, 심신강화의 3요소를 갖추고 있다. 이는 잣 속에 함유되어 있는 감마리놀렌산의 역할로 알려지고 있다.

이 밖에도 잣에는 탄수화물, 단백질, 여러 종류의 불포화지방산을 포함한 영양성분과 비타민 A, 비타민 B1, 비타민 B2, 비타민 E, 철분, 칼슘, 마그네슘, 인 등이 함유된 고열량 산성식품으로 기운이 없거나 입맛이 없을 때, 특히 아픈 사람이 조금만 먹어도 밥 한 공기 먹은 만큼의 열량을 발휘할 수 있다.

잣에는 비타민 B가 풍부하고 호두나 땅콩에 비해 철분을 많이 함유하고 있어 빈혈 치료나 예방에 좋다고 알려져 있다. 또 거친 피부를 매끄럽게 하고 혈압을 내리며, 체력을 강화시키고 마음을 안정시켜 주며, 불면증과 피부의 가려움증, 빈혈, 잦은 입병으로 입안이 헐거나 혓바늘이 돋는 증상을 치료하는 데 효과가 있다.

뿐만 아니라 잣 성분 중에는 피부 신진대사를 활발히 하는 비타민 B2, E, 철분이 함유되어 있어 하루 10개 정도씩 먹으면 1개월 만에 변비가 낫고, 2개월 정도면 잔주름이 없어지고, 피부가 젊어진다고 한다.

그러나 이렇듯 다양한 구성성분은 사실 발효를 억제하여 부패와 변질, 역취를 초래하는 원인이 될 수밖에 없다. 술 빚는 재료로는 부적합하다고 말할 수밖에 없다. 따라서 주성분인 지방을 어떻게 제거하고 분해하여 발효가 용이해지도록 이끌 것인가 하는 고민을 해야 한다.

가능한 한 지방을 제거할 수 있는 모든 방법을 도모할 수밖에 없는데, 그 중 한 가지가 잣을 물과 함께 오랫동안 달여 잣물을 만들고, 다시 쌀가루와 함께 끓여서 죽을 쑤는 방법이다.

그리고 잣의 양이 적으면 많은 양의 누룩가루와 함께 섞어 죽이 되도록 짓찧는 방법이 동원될 수 있다.

하지만 후자보다는 전자가 술 빚기에 효율적이고 발효도 잘 이루어진다는 점에서 선호된다고 할 수 있겠다.

1. 송자주 <요록(要錄)>

술 재료 : 잣 2홉, 멥쌀 1말, 누룩가루 2되, 끓는 물 5사발

술 빚는 법 :

1. 멥쌀 1말을 백세하여 (물에 담가 하룻밤 불렸다가, 다시 씻어 건져서 물기를 뺀 뒤) 가루로 빻는다.
2. 잣 2홉을 물에 깨끗이 씻어 물기를 뺀 뒤 (고깔을 떼어내고) 절구에 찧어 즙을 짜고 찌꺼기를 제거한다.
3. 쌀가루에 팔팔 끓인 물 5사발을 골고루 합하고, 주걱으로 개어 술거리(범벅)를 만든 뒤 차게 식기를 기다린다.
4. 술거리에 잣즙과 누룩가루 2되를 넣고, 고루 버무려 술밑을 빚는다.
5. 술독에 술밑을 담아 안치고, 예의 방법대로 하여 7일간 발효시켜 마신다.

松子酒

白米一斗洗末水五鉢作醅待冷松子二合細末汁取麴末二升和入瓮七日後用之.

2. 송자주방 <임원십육지(林園十六志)>

술 재료 : 해송자(잣) 2되, 멥쌀 10말, 찹쌀 1말, 누룩가루 1말, 부본 1병, 물 15병

술 빚는 법 :

1. 해송자(잣)를 껍질을 벗기고 고깔을 떼어낸 다음 2되를 물에 담가 불렸다가, 다시 씻어 건져서 누룩가루(향온국) 1말과 함께 절구에 넣고 짓찧어 놓는다.
2. 멥쌀 10말과 찹쌀 1말을 백세하여 물에 담가 불렸다가, 다시 씻어 헹궈 건져

서 물기를 뺀 후 시루에 안쳐서 고두밥을 짓는다.
3. 솥에 물 15병을 팔팔 끓이다가 고두밥이 익었으면 퍼서 끓는 물과 고루 합하고, 고두밥이 물을 다 먹으면 그릇 여러 개에 나눠 담고 밤재워 차게 식기를 기다린다.
4. 진고두밥에 잣과 함께 짓찧은 누룩, 부본 1병을 한데 합하고, 고루 버무려 술밑을 빚는다.
5. 술독에 술밑을 담아 안치고, 예의 방법대로 하여 발효시킨다.

* 주방문에 "빚는 방법은 '향온법'과 같다. 잣 2되를 껍질 벗기고, 누룩가루 1말과 같이 찧어서 밑술에 넣어 빚는다."고 하여 '향온주' 주방문을 인용해 주방문을 작성하였다.

松子酒方
釀法如香醞而海松子去殼皮二升與原入麯末一斗同搗煖入酒本和釀. <聞見方>.

3. 송자주 우방 <임원십육지(林園十六志)>

술 재료 : 멥쌀 1말, 해송자 1되, (누룩가루 1되 5홉), 물 1말 1되

술 빚는 법 :
1. 겉껍질과 속껍질을 모두 벗긴 해송자(잣) 1되를 물에 담가 하룻밤 담갔다가, 다시 씻어 (고깔을 떼어 내고) 건진다.
2. 멥쌀 1말을 백세하여 (물에 백 번 씻어 새 물에 담가 불렸다가, 다시 씻어 말갛게 헹궈서 물기를 뺀 후) 작말하여(가루로 빻아) 그릇에 담아놓는다.
3. 씻어 건져놓은 해송자 1되를 맷돌에 갈아 가루를 만들고, 물 1말 1되와 함께

끓여서 달인 물이 1말이 되면, 체에 걸러 찌꺼기를 제거한다.
4. 해송자 달인 물과 쌀가루를 합하고, 다시 팔팔 끓여 죽을 쑨 후 넓은 그릇에 펴서 차게 식기를 기다린다.
5. 해송자죽에 (누룩가루 1되 5홉을 합하고), 고루 버무려 술밑을 빚는다.
6. 술독에 술밑을 안치고, 예의 방법대로 하여 10일간 발효시킨다.

* 주방문에 누룩이 사용되지 않았으나, 누락된 것으로 여겨진다. 주방문 말미에 "마시면 모든 병을 쫒아낸다"고 하였다.
* 한편 <증보산림경제>를 인용하였다고 했는데, <증보산림경제>에는 '백자주법'으로 되어 있다. "쌀 1말을 빚고자 하면, 잣 1되를 진흙처럼 으깨어 '방문주'의 밑술을 섞어 빚는다."고 하여 술 빚는 법을 설명하고 있다. 주방문의 차이가 있으나 쌀 1말에 누룩가루의 양은 1되 5홉으로 되어 있어 이를 참고하였다.

松子酒方
海松子仁一升浸水經宿淨細磨成泥用水一斗一升煎至一斗去滓白米一斗百洗細末和해松子煎水納瓮十日後飮之袪人百病(此方無腐本麴末和釀之文疑有闕誤. <增補山林經濟>.

4. 송자주 <조선무쌍신식요리제법(朝鮮無雙新式料理製法)>

술 재료 : 향온법(멥쌀 10말, 찹쌀 1말, 끓는 물 15병, 석임 1병), 향온곡 1말, 잣 2되

술 빚는 법 :
1. 향온주법과 같이 하여 술밑을 준비한다(멥쌀 10말과 찹쌀 1말을 백세하여 물에 담가 불렸다가, 다시 씻어 건져서 물기를 빼 시루에 안치고, 고두밥을

짓는다. 물 15병을 팔팔 끓여 고두밥에 퍼붓고, 주걱으로 고루 헤쳐서 광주리에 담아 차게 식기를 기다린다).

2. 실백(해송자)을 껍질 벗겨 2되를 마련하여 물에 깨끗하게 씻은 뒤, 면보로 물기를 제거하여 준비해 둔 향온곡 1말과 같이 절구에 넣고 짓찧는다.
3. 고두밥에 누룩 짓찧은 것과 석임 1병을 한데 섞고, 고루 버무려 술밑을 빚는다.
4. 술밑을 술독에 담아 안치고, 예의 방법대로 하여 차지도 덥지도 않은 곳에 두고 발효시켜 익기를 기다린다.
5. 술이 익어 밥알이 떠올라 있으면 주자에 올려 짜고 정치시켜 마신다.

송자주(松子酒)

빗는 것은 향온(香醞)과 가티 만들고 실백(海松子)을 썹질 벗겨 두 되를 원넛는 누룩가루 한 말과 함께 찌여 술밋헤 느코 화하야 빗나니라.

5. 송자주 우방 <조선무쌍신식요리제법(朝鮮無雙新式料理製法)>

술 재료 : 멥쌀 1말, 잣 1되, (부본 1종지, 누룩가루 2되), 물 1말 1되

술 빚는 법 :

1. 실백(잣) 1되를 물에 깨끗하게 씻어 이물질이나 속껍질을 제거한다.
2. 쌀뜨물에 준비한 잣을 담가 하룻밤 불렸다가, 다시 씻어 물에 헹군 후 짓찧고 고운체에 내려 고운 가루를 만든다.
3. 물 1말 1되에 잣가루를 넣고, 물이 1말이 되게 끓여 찌꺼기를 제거한다.
4. 멥쌀 1말을 백세하여 (하룻밤 불렸다가, 다시 씻어 건져서 물기를 뺀 뒤) 고운 가루로 빻는다.
5. 쌀가루를 잣 달인 물과 합하고 팔팔 끓여서 죽을 쑨 다음, 넓은 그릇에 퍼

서 차게 식기를 기다린다.
6. (식은 잣죽에 부본 1종지, 누룩가루 2되를 넣고, 고루 버무려 술밑을 빚는다.)
7. 술독에 잣죽(술밑)을 담아 안치고, 예의 방법대로 하여 10일간 발효시킨다.

* 원료 배합비율과 방법이 구체적으로 기록되어 있지 않아 다른 문헌의 '호도주', '상실주', '백자주'를 참고로 하였다. 주방문 말미에도 "백 가지 병을 물리친다."고 하고, "이 법이 누룩과 서김도 없이 화하여 빚는다는 것이 빠진 것(누룩, 석임)이 있는 듯하다."고 하였다.

송자주(松子酒) 쏘
실백 한 되를 하로밤 물에 당갓다가 정이 씨서 가라 질게 하야 물 한 말 한 되에 대려 한 말이 되거든 찍기를 버리고 흔쌀 한 말을 백 번 씨서 세말하야 실백 다린 물과 합하야 독에 느엇다가 열흘 후에 마시면 백 가지 병을 물리치나니라. 이 법이 누룩과 서김도 업시 화하야 빗는단 것이 싸진 것이 잇는 듯 하노라.

6. 송자주 <한국민속대관(韓國民俗大觀)>

술 재료 : 잣 1되, 멥쌀 1말, 누룩가루 2되, 물 1말 1되

술 빚는 법 :
1. 잣 1되를 물에 담가 하룻밤 불렸다가, 다시 깨끗이 씻어서 맷돌에 갈아 가루를 만든다.
2. 물 1말 1되와 잣가루를 함께 끓여서 1말이 되면 찌꺼기를 걸러낸다.
3. 멥쌀 1말을 백세하여 (물에 담가 불렸다가, 다시 씻어 건져서 물기를 뺀 후) 작말한다.

4. 잣 달인 물 1말에 멥쌀가루를 넣고, 팔팔 끓여 죽을 쑨 후 차게 식기를 기다린다.
5. 잣죽에 누룩가루 2되를 섞고, 고루 버무려 술밑을 빚는다.
6. 술독에 술밑을 담아 안치고, 예의 방법대로 하여 10일간 발효시킨다.

* 다른 기록에 "조선 중엽 이후의 문헌에 송자주(松子酒)가 나오는데, 이는 해송자(海松子), 즉 잣을 이용하여 빚은 술이다."고 하고, "이 제법을 보면 잣죽에 버무려 넣는데, 백미를 다른 술과는 달리 익히지 않고 날가루를 쓰고 있고, 누룩도 안 쓰는 것이 특색이다. 이론으로 보면 술이 잘 빚어지지 않는 것으로 되어 있다."고 하였는데, 역자가 잘못 옮겨 쓴 것임을 알 수 있다. 원인은 잣 달인 죽에 누룩을 넣고 빚는 것인데 누룩을 넣는 과정을 빠트린 것이라 할 수 있다. 이와 유사한 주방문으로 <요록>의 기록을 보면 알 수 있어 이를 참고하였다.

송자주(松子酒)

잣 한 되를 물에 담가 하룻밤 불리고 씻어서 갈고, 물 한 말 한 되와 함께 끓여서 한 말이 되면 찌꺼기를 걸러내고, 백미 한 말을 씻어 가루 내어 끓인 잣 달인 물과 섞어 (범벅을 쑤고 식은 후, 누룩 2되를 한데 섞어서) 항아리에 담으면 열흘 만에 먹을 수 있다.

송절주

스토리텔링 및 술 빚는 법

'송순주'를 비롯하여 '송엽주', '송화주'와 함께 소나무를 주재로 한 전통주 가운데 비교적 널리 알려진 주품이 '송절주(松節酒)'이다.

'송절주'는 <고려대규합총서(高麗大閨閤叢書, 異本)>를 비롯해 <고사십이집(攷事十二集)>, <규합총서(閨閤叢書)>, <달생비서(達生秘書)>, <동의보감(東醫寶鑑)>, <보감록>, <부인필지(夫人必知)>, <술 빚는 법>, <음식방문니라>, <이씨(李氏)음식법>, <임원십육지(林園十六志)>, <주찬(酒饌)> 등의 문헌에서 목격된다. 유일하게 민간의 전승가양주로는 서울시 무형문화재 제2호로 지정된 '서울 송절주'가 있다.

'송절주'의 유래는 술 빚기에 사용되는 주재(酒材)가 '송절(松節)'이라는 데서 찾을 수 있다. '송절'에 함유된 갖가지 성분과 효능을 얻고자 함이 양주 목적이므로, 결국 '송절주'는 질병예방과 치료 목적으로 빚는 약용약주(藥用藥酒)의 한 가지라는 결론에 이른다.

<동의보감>, <달생비서>, <임원십육지>에는 주방문 없이 '송절주'의 효능에

대해서만 언급하고 있다. <동의보감>과 <달생비서>에는 "역절풍(歷節風)을 치료한다."고 하였고, <임원십육지>에서는 <본초강목(本草綱目)>을 인용하여 "냉풍과 허약함을 치료하고 근육과 골격의 마비, 각기병을 완화한다."고 하였다.

'송절주'는 단양주법(單釀酒法)과 이양주법(二釀酒法) 주방문이 존재한다. 단양주법 주방문으로는 <고사십이집>이 가장 앞선 기록이다.

<고사십이집>에 "송절을 삶아 그 달인 즙액을 같은 양의 누룩과 쌀로 술을 빚어 마신다. 송엽을 달여서 만든 즙으로도 가능하다."고 하였다.

<이씨음식법>에서는 멥쌀 1말로 지은 고두밥에 누룩 4되와 물 3말, 송절 2말을 한데 섞고, 고루 버무려 술밑을 빚는데 멀겋게 익기를 기다렸다가 소주를 고되, 냉각수를 갈지 말고 장작을 때서 증류한다는 것으로 미뤄볼 때 약용증류주(藥用蒸溜酒)임을 알 수 있다.

따라서 단양주법 '송절주'는 <고사십이집>과 <이씨음식법>이 서로 다른 방법으로 이루어지며, 주종(酒種)도 발효주(醱酵酒)와 증류주(蒸溜酒)로 각각 다르다는 것을 확인할 수 있다. 이에 <이씨음식법>의 '송절주'는 증류주 편에 수록하였음을 밝혀둔다.

한편, 이양주법 '송절주'는 <고려대규합총서(이본)>을 비롯해 <규합총서>, <보감록>, <부인필지>, <술 빚는 법>, <음식방문니라>의 주방문이 비교적 일치한다는 것을 알 수 있다.

<고려대규합총서(이본)>와 <규합총서>의 주방문을 보면, 실질적인 술 빚는 방법이 매우 복잡하고 까다롭다.

주방문을 보면, "희게 쓴 멥쌀 닷 되를 씻고 또 씻어 담갔다가, 가루 만들어 쌀 된 되로 물 닷 되를 끓여 개어 얼음같이 식힌 뒤, 누룩가루 한 되·밀가루 칠 홉을 넣어 버무려 단단히 매어 차도 덥도 않은 곳에 두었다가, 소나무마디 두 말을 깨끗이 씻어 물을 부어 진하게 고아 채우고, 일전 희게 쓴 멥쌀 닷 되, 찹쌀 한 말을 씻고 또 씻어 물에 담갔다가 각각 지에를 찌되, 쌀 된 되로 소나무마디 고은 물 두 말을 되어 메밥에는 그 물을 많이 주어가며 폭 쪄내어 얼음같이 차게 식힌 후, 술밑을 고루고루 섞어 소나무마디 달인 건지를 항아리 밑에 넣은 후, 메밥 버무린 것을 밑에 넣고 찰밥은 위에 넣어 굳게 매어, 날씨의 차고 더움을 보아 차도 덥도

않게 알맞추어 익히되, 가을이거든 국화를 위에 넣고, 봄이거든 진달래를 넣고, 겨울이거든 유자 껍질을 잠그지 말고 우에 달아 익히면, 꽃향기와 솔향기가 입에 가득하여 맛이 기이하고, 풍담을 없이 하고 원기를 보익하여 팔다리를 못 쓰던 사람도 신기한 효험을 본다."고 하여 매우 구체적인 방법을 볼 수 있다.

<보감록>의 '송절주'는 <규합총서>의 '송절주'와 술 빚는 과정이 동일하나 덧술의 원료비율이 좀 다르다.

한편, '서울 송절주'는 두 차례에 걸쳐 송절과 희첨·당귀 삶은 물을 양주용수로 하며, 밑술은 멥쌀로 지은 고두밥과 누룩을 사용해 발효시키고, 밀가루가 사용되지 않는다는 점에서도 차이가 있다. 덧술은 멥쌀과 찹쌀을 반반씩 섞어 지은 고두밥을 사용함으로써 앞의 고문헌에 수록된 주방문과는 다르게 변화하였음을 엿볼 수 있다.

이로써 <동의보감> 등 고문헌에 수록된 '송절주'는 주로 밑술을 범벅을 개어 얼음같이 식힌 뒤 누룩가루 한 되, 밀가루 칠 홉을 넣어 버무려 빚고, 덧술은 멥쌀과 찹쌀을 씻고 또 씻어 물에 담갔다가 각각 지에를 찌되, 메밥에는 송절 달인 물을 많이 주어 푹 쪄내고 얼음같이 차게 식힌 후, 술밑을 빚어 안치는데 소나무마디 달인 건지를 항아리 밑에 넣은 후, 메밥 버무린 것을 밑에 넣고 찰밥은 위에 넣어 발효시키는 방법을 기본으로 한다.

또한 계절마다 그때그때 얻어지는 가향재를 추가하는 '화향입주법'이 동원되고 있음을 알 수 있다.

그런가 하면 <주찬>에서는 '송엽주(松葉酒)'라 하였지만, 송엽이 아닌 송절이라는 사실에서 '송절주'로 표기하였다. 그 방법은 밑술과 덧술을 찹쌀고두밥을 지어 사용하는데, 밑술 쌀의 10배가 덧술에 사용되고, 밑술의 쌀 양과 동량의 누룩이 한 차례 쓰이며, 술 빚기에 사용하는 물은 백비탕을 만들어 사용하는데, 덧술에 사용하는 송절도 백비탕처럼 끓이고 달인 물을 사용한다는 점에서 밑술은 다르지만, 덧술을 빚는 방법에서는 유사성을 띠고 있다.

'송절주'의 주방문을 수록하고 있는 <고사십이집>을 비롯한 대부분의 문헌이 조선 중기 이후의 기록들이라는 사실에서 '송절주'의 등장 시기를 짐작할 수 있다.

필요에 따라 주원료의 배합비율과 술 빚는 횟수를 달리하기도 하지만, 송절을 사용하는 방법에서는 공통점을 보인다는 점에서 '송절주'의 특징을 찾을 수 있다.

즉, 송절은 오랫동안 끓임으로써 송진으로부터 유리되는 탄닌과 지방성분 등 발효를 억제하는 성분의 화학적 변화를 유도한 뒤, 술을 빚는다는 점에서 옛 선조들의 지혜로운 양주기술을 목격하게 된다.

특히 뛰어난 향취는 '백화주' 못지않다는 점에서 다양한 상품개발의 필요성이 대두된다고 하겠다.

1. 송절주 <고려대규합총서(高麗大閨閤叢書, 異本)>

술 재료 : 밑술 : 멥쌀 5되, 누룩가루 1되, 송절 2말, 밀가루 7홉, 물 3말
덧술 : 멥쌀 5되, 찹쌀 1말

술 빚는 법 :

* 밑술 :

1. 멥쌀 5되를 백세하여 물에 담갔다가 (다시 씻어 건져서 물기를 뺀 후) 작말하여 넓은 그릇에 담아놓는다.
2. 물 5되를 팔팔 끓여 쌀가루에 붓고, 주걱으로 골고루 개어 범벅을 만들어 얼음같이 차게 식기를 기다린다.
3. 범벅에 누룩가루 1되와 밀가루 7홉을 합하고, 고루 버무려 술밑을 빚는다.
4. 술밑을 소독하여 마련해 둔 술독에 담아 안치고, 단단히 봉하여 차지도 덥지도 않은 곳에 앉혀놓는다.
5. 소나무 마디(송절)를 물에 깨끗이 씻어 물(2말 5되)을 붓고 진하게 달여 차게 식힌 뒤, 3되 정도를 술독에 부어 독을 85% 정도 채운다.

* 덧술 :

1. 멥쌀 5되와 찹쌀 1말을 각각 백세하여 물에 담가 불렸다가 (다시 씻어 건져

서 물기를 뺀 후) 시루에 안쳐서 고두밥을 짓는다.
2. 쌀 된 되로 송절 달인 물 2말을 계량하였다가 메밥에 많이 뿌려가면서 찌고, 익으면 퍼내어 얼음같이 차게 식힌다.
3. 고두밥 각각에 밑술을 비율대로 합하고, 고루 버무려 술밑을 빚는다.
4. 소독해 준비해 둔 술독에 송절 건더기를 건져 먼저 안치고, 메밥을 안친 다음 찰밥을 안친다.
5. 날씨가 차고 더운지를 보아 차지도 덥지도 않은 곳에 술독을 앉히고 예의 방법대로 하여 발효시킨다.

* 주방문 말미에 "가을이면 국화, 봄이면 진달래를 위에 안치고, 겨울이면 유자를 매달아 두면 꽃향기와 솔향기가 입에 가득하여 맛이 기이하고, 풍담을 없이 하고, 원기를 보익하여 팔다리를 못 쓰던 사람도 신기한 효험을 본다."고 하였다.

숑졀쥬

ᄇᆡᆨ미 닷 되 ᄇᆡᆨ셰ᄒᆞ야 ᄃᆞᆷ가다가 작말ᄒᆞ야 ᄡᆞᆯ 된 되로 믈 닷 되을 ᄭᅳᆯ혀 ᄀᆡ야 어름ᄀᆞᆺ치 ᄎᆞᆫ 후 국말 일 승 진말 칠 홉 너허 범므려 ᄃᆞᆫᄃᆞᆫ이 ᄆᆡ야 블한블열ᄒᆞᆫ ᄃᆡ 두엇다가 숑졀 두 말을 졍히 ᄡᅵ긔 믈을 부어 진히 고아 ᄎᆡ오고 일젼의 ᄇᆡᆨ미 오 승 졈미 일 두을 ᄇᆡᆨ셰ᄒᆞ야 믈의 담가다가 각각 지에를 ᄶᅵ되 ᄡᆞᆯ 되로 숑졀 고은 물 두 말을 되야 뫼밥의ᄂᆞᆫ 그 믈을 무슈히 쥬어 가며 희스이 ᄶᅧ ᄂᆡ여 어름ᄀᆞᆺ치 ᄎᆞᆫ 후 술밋출 고로고로 섯거 숑졀 달힌 건지을 항 밋ᄒᆡ 너흔 후 뫼밥 버믈린 거ᄉᆞᆫ 밋히 넛코 ᄎᆞᆯ밥은 우ᄒᆡ 너허 굿게 ᄆᆡ야 일긔 한난은 보아 온ᄂᆡᆼ을 맛쵸아 닉히되 ᄀᆞ을이여든 국화을 우ᄒᆡ 너코 봄이녀든 두견을 너코 겨을이여든 유ᄌᆞ 겁질을 즘그지 말고 우ᄒᆡ ᄃᆞ라 닉히면 화향과 숑향 만구ᄒᆞ야 마시 긔이ᄒᆞ고 풍 담을 업시ᄒᆞ고 원긔을 보닉ᄒᆞ야 비각이 불인ᄒᆞ던 ᄉᆞ름도 신효을 보니라.

2. 송절주 <고사십이집(攷事十二集)>

술 재료 : 송절(1자루, 1말), 멥쌀(찹쌀) 1말, 물(1말)

술 빚는 법 :

1. 깊은 산에 들어가서 송절을 많이 꺾어다 솔잎과 불순물을 제거한 후, 물에 깨끗하게 씻어 소쿠리에 건져서 물기를 빼놓는다.
2. 솥에 물을 가득 붓고 씻어둔 송절 1말을 담아 안치고, 중불로 오랫동안 달여서 물이 5되로 졸아들 때까지 달인다.
3. 송절을 건져내고 고운 천이나 체에 밭쳐서 찌꺼기를 제거한 후, 차게 식기를 기다린다.
4. (물 5되를 팔팔 끓여서 넓은 그릇 여러 개에 나눠 담고, 차게 식기를 기다린다.)
5. 멥쌀이나 찹쌀을 (1말을 백세하여 물에 담가 불렸다가, 다시 씻어 헹궈서 소쿠리에 밭쳐 물기를 뺀 다음) 시루에 안쳐서 고두밥을 짓는다.
6. (고두밥이 익었으면 시루에서 퍼내고, 돗자리에 고루 펼쳐서 차게 식기를 기다린다.)
7. (차게 식은 송절 달인 물에 누룩가루 5되와 고두밥을 한데 합하고, 고루 버무려 술밑을 빚는다.)
8. 술독에 술밑을 담아 안치고, 예의 방법대로 하여 밀봉한 다음 흙을 덮어 (1년간) 발효시킨다.
9. (술 빚은 지 1년 후에 술독을 열어보면 향기가 아름다운 송액주가 익었을 것이므로, 용수 박아 채주하여 마신다.)

* 주방문에는 구체적인 재료의 비율이나 방법을 알 수 없다. 따라서 상법의 술 빚는 법으로 주방문을 작성하였다. 기록 말미에 <본초강목>을 인용하여 "송절주는 냉풍과 허약함을 치료하고, 근육과 골격의 마비, 각기병을 완화한

다."고 하였다.

松節酒
松節煮汁同麴米釀酒飮松葉煎汁亦可(本草綱目曰松節酒治冷風虛弱筋骨穿病脚氣緩痹.

3. 신증(新增) 송절주 <규합총서(閨閤叢書)>

술 재료 : 밑술 : 멥쌀 5되, 누룩가루 7홉, 밀가루 7홉, 물 5되(2되 5홉)
덧술 : 멥쌀 1말, 찹쌀 1말, 송절 2말, 송절 달인 물 2말(쌀되)

술 빚는 법 :
* 밑술 :
1. 멥쌀 5되를 백세하여 물에 담가 불렸다가 (다시 씻어 헹군 후 건져서 물기를 빼고) 작말한 다음, 넓은 그릇에 담아놓는다.
2. 쌀되로 물 5되를 팔팔 끓여 쌀가루에 붓고, 주걱으로 고루 개어 범벅을 만들어 얼음같이 차게 식기를 기다린다.
3. 범벅에 누룩가루 7홉, 밀가루 7홉을 섞어 넣고, 고루 버무려 술밑을 빚는다.
4. 술독에 술밑을 담아 안치고, 이불로 단단히 싸매서 덥지도 차지도 않은 곳에 둔다.

* 덧술 :
1. 송절 2말을 깨끗이 씻어 쌀되로 물을 (3말 넣고, 2말이 되게) 진하게 달여서 차게 식힌 다음, 술독에 담아 (밤재워) 차게 식기를 기다린다.
2. 하루 전에 멥쌀 1말과 찹쌀 1말을 백세하여 물에 하룻밤 담갔다가 (다음날 아침에 다시 씻어 건져서 물기를 뺀 후) 각각 고두밥을 짓는다.

3. 이때 쌀되로 송절 달인 물 2말을 계량하여 멥쌀고두밥에 무수히 주어 흠씬 찌고, 익었으면 얼음같이 차게 식힌다.
4. 송절 달인 물에서 건진 송절을 술독에 먼저 담아 안친다.
5. 각각의 고두밥에 밑술을 합하고, 고루 버무려 술밑을 빚는다.
6. 소독하여 둔 술독에 메밥을 먼저 안치고, 그 위에 찰밥을 안친다.
7. 술독은 이불로 단단히 싸매고, 덥고 찬 것을 맞추어 익힌다.
8. 술독에 가을이면 국화, 봄이면 진달래꽃, 겨울이면 유자 껍질을 잠기지 않게 매달아 익힌다.

* 주방문 말미에 "꽃향기와 솔향기가 입안에 가득하고, 맛이 좋을 듯할 뿐더러 풍질(風疾)을 없애고 원기를 보익하여 팔다리를 못 쓰던 사람도 신효하다." 고 하였다. <규합총서>의 주방문을 베낀 것으로 여겨진다.

숑졀쥬

ᄇᆡᆨ미 닷 되 ᄇᆡᆨ셰ᄒᆞ야 ᄃᆞᆷ가다가 작말ᄒᆞ야 ᄡᆞᆯ 된 되로 믈 닷 되을 ᄭᅳᆯ혀 ᄎᆡ야 어름ᄀᆞᆺ치 ᄎᆞᆫ 후 국말 일 승 진말 칠 홉 너허 범므려 ᄃᆞᆫᄃᆞᆫ이 ᄆᆡ야 블한블열ᄒᆞᆫ ᄃᆡ 두엇다가 숑졀 두 말을 졍히 ᄲᅡ긔 믈을 부어 진히 고아 ᄎᆡ오고 일젼의 ᄇᆡᆨ미 오 승 졈미 일 두을 ᄇᆡᆨ셰ᄒᆞ야 믈의 담가다가 각각 지예를 ᄶᅵ되 ᄡᆞᆯ 되로 숑졀 고은 물 두 말을 되야 ᄆᆡ밥의ᄂᆞᆫ 그 믈을 무슈히 쥬어 가며 희스이 ᄶᅧ ᄂᆡ여 어름ᄀᆞᆺ치 ᄎᆞᆫ 후 술밋출 고로고로 섯거 숑졀 달힌 건지을 항 밋히 너흔 후 ᄆᆡ밥 버믈린 거ᄉᆞᆫ 밋히 넛코 출밥은 우희 너허 굿게 ᄆᆡ야 일긔 한난은 보아 온ᄂᆡᆼ을 맛쵸아 닉히되 ᄀᆞ을이여든 국화을 우희 너코 봄이녀든 두견을 너코 겨을이여든 유ᄌᆞ 겁질을 ᄌᆞᆷ그지 말고 우희 ᄃᆞ라 닉히면 화향과 숑향 만구ᄒᆞ야 마시 긔이ᄒᆞ고 풍 담을 업시ᄒᆞ고 원긔을 보닉ᄒᆞ야 비각이 불인ᄒᆞ던 ᄉᆞ름도 신효을 보니라.

4. 송절주 <달생비서(達生秘書)>

역절풍(歷節風)을 치료한다. (처방은 풍문에 나온다.)

松節酒
治曆節風. <方見風門>.

5. 송절주 <동의보감(東醫寶鑑)>

역절풍(歷節風)을 치료한다. (처방은 풍문에 나온다.)

松節酒
治曆節風. <方見風門>.

6. 송절주 <보감록>

술 재료 : 밑술 : 멥쌀 5되, 누룩가루 7홉, 밀가루 7홉, 물 5되
덧술 : 멥쌀 5되, 찹쌀 2말, 송절 2말, 송절 달인 물 2말, 꽃(국화, 진달래꽃, 유자 껍질)

술 빚는 법 :
* 밑술 :
1. 멥쌀 5되를 백세하여 물에 담가 불렸다가 (다시 씻어 헹군 후 건져서 물기를 뺀 후) 작말한 다음, 넓은 그릇에 담아놓는다.
2. 물 5되를 팔팔 끓여 쌀가루에 붓고, 주걱으로 고루 개어 범벅을 만들어 얼

음같이 차게 식기를 기다린다.

3. 범벅에 누룩가루 1되와 밀가루 7홉을 섞어 넣고, 고루 버무려 술밑을 빚는다.
4. 술독에 술밑을 담아 안치고, 이불로 단단히 싸매 덥지도 차지도 않은 곳에서 발효시킨다.

* 덧술 :

1. 송절 2말을 물에 깨끗이 씻어 쌀되로 물을 (3말 넣고, 2말이 되게) 진하게 달여서 차게 식힌 다음, 술독에 담아 (밤재워) 차게 식기를 기다린다.
2. 하루 전에 멥쌀 5되와 찹쌀 2말을 (백세하여 물에 하룻밤 담갔다가, 다음날 아침에 다시 씻어 건져서 물기를 뺀 후) 각각 고두밥을 짓는다.
3. 이때 쌀되로 송절 달인 물 2말을 계량하여 멥쌀고두밥에 무수히 주어 흠씬 다시 찌고, 각각의 고두밥이 익었으면 퍼내고 고루 펼쳐서 얼음같이 차게 식힌다.
4. 소독해 둔 술독에 송절을 술독에 먼저 담아 안치고, 각각의 고두밥에 밑술을 합하여 고루 버무려 술밑을 빚는다.
5. 송절을 안친 술독에 메밥을 먼저 안치고, 그 위에 찰밥을 안친다.
6. 술독은 이불로 단단히 싸매고, 덥고 찬 것을 맞추어 익힌다.

* 송절주를 빚을 때 꽃을 넣기도 하는데, "ᄀᆞ을이어든 국화를 우의 너코 봄이여든 두견화을 너코 겨울이어든 유ᄌᆞ 겁질을 ᄉᆞᆯ의 담그지 말고 우희 ᄃᆞ라 닉히면 화향과 송향이 만구ᄒᆞ야 맛시 긔이ᄒᆞᆫ 맛 풍담을 업시 ᄒᆞ고 원긔를 보익ᄒᆞ야 비각이 불인ᄒᆞ던 사람도 신효랄 보ᄂᆞᆫ이라."고 하였다. <규합총서>의 '송절주'와 술 빚는 법은 동일하나 덧술의 원료비율이 좀 다르다. <규합총서>의 주방문을 베낀 것으로 여겨진다.

송졀쥬

ᄇᆡᆨ미 닷 되을 ᄇᆡᆨ세 ᄇᆡᆨ셰ᄂᆞᆫ 히게 씬난단 말이라ᄒᆞ야 담가다가 작말ᄒᆞ야 물 닷 되를 ᄉᆞᆯ혀 ᄀᆡ야 어름갓치 찬 후 국말 일 승 진말 칠 홉 너허 버무려 단단이

ᄆᆡ야 불한불열ᄒᆞᆫ ᄃᆡ 두엇다가 송졀 두 말을 정히 씨셔 물을 부어 진히 고아 식히고 일젼의 ᄇᆡᆨ미 오 승 졈미 일 두을 ᄇᆡᆨ셰ᄒᆞ여 ᄃᆞᆷ갓다가 각각 지에를 찌ᄃᆡ 송졀 고은 물 두 말을 되야 뫼밥의ᄂᆞᆫ 두 말 물의 주어 어름갓치 식혀 술밋출 고로고로 섯거 송졀 달히 건지를 항밋희 몬져 녀흔 후 뫼밥 버무린 거산 밋희 넛코 출밥은 우의 너허 ᄀᆞᆺ게 뫼야 일기 ᄒᆞᄂᆞᆫ 걸 보아 온ᄂᆡᆼ을 맛추어 닉히되 ᄀᆞ을이어든 국화를 우의 너코 봄이여든 두견화을 너코 겨울이어든 유ᄌᆞ 겁질을 슐의 담그지 말고 우희 ᄃᆞ라 닉히면 화향과 송향이 만구ᄒᆞ야 맛시 긔이홀 맛 풍담을 업시 ᄒᆞ고 원긔를 보익ᄒᆞ야 비각이 불인ᄒᆞ던 사람도 신효랄 보ᄂᆞᆫ이라.

7. 송절주법 <부인필지(夫人必知)>

술 재료 : 밑술 : 멥쌀 5되, 누룩가루 7홉, 밀가루 7홉, 물 5되
덧술 : 멥쌀 1말, 찹쌀 1말, 송절 2말, 송절 삶은 물 2말

술 빚는 법 :

* 밑술 :

1. 멥쌀 5되를 정히 씻어 (백세하여 물에 담가 불렸다가, 다시 씻어 건져서 물기를 뺀 후) 작말한다.
2. 물 5되를 팔팔 끓여 쌀가루에 골고루 합하고, 주걱으로 개어 범벅을 쑨 후, 넓은 그릇에 펴서 차게 식기를 기다린다.
3. 범벅에 누룩가루 7홉과 밀가루 7홉을 한데 섞고, 고루 버무려 술밑을 빚는다.
4. 술밑을 술독에 담아 안친 다음, 예의 방법대로 하여 덥지도 차지도 않은 곳에 두어 발효시킨다.

＊덧술 :

1. 한마디씩 꺾어 다듬은 송절 2말을 정히 씻어, 물(2말)에 넣고 삶아 진하게 달여 체에 밭쳐 송절을 건져 따로 모아두고, 송절 달인 물은 차게 식힌다.
2. 멥쌀과 찹쌀 각 1말을 정히 씻어 (백세하여 물에 담가 불렸다가, 다시 씻어 건져서 물기를 뺀 후) 각각 시루에 안쳐서 고두밥을 짓는다.
3. 시루에서 한 김 나면, 송절 달인 물 2말을 골고루 뿌려가면서 무른 고두밥을 쪄낸다.
4. 고두밥이 익었으면 시루에서 퍼내고, 각각 고루 펼쳐서 차게 식기를 기다린다.
5. 찹쌀고두밥과 멥쌀고두밥에 밑술을 각각 따로 합하고, 고루 버무려 술밑을 빚는다.
6. 건져낸 송절을 술독 맨 밑에 먼저 안치고, 멥쌀고두밥 술밑을 먼저 안치고, 찹쌀고두밥 술밑을 나중에 안친다.
7. 술독은 예의 방법대로 하여 단단히 밀봉하는데, 봄에는 진달래꽃을, 가을에는 황국, 봄에는 진달래, 겨울에는 유자 껍질을 줌치(베주머니)에 넣어 매달아 놓는다.
8. 술독은 일기를 보아 맞춰서 하되, 따뜻한 때에는 서늘한 곳에, 추운 때에는 따뜻한 곳에 두고 발효시킨다.

＊주방문 말미에 '송절주'는 "풍담(風痰)을 없이 해주는 약주니라."고 하였다.<규합총서>의 주방문을 베낀 것으로 여겨진다.

송졀쥬법

ᄇᆡᆨ미 닷 되 정히 씨서 작말ᄒᆞ야 물 닷 되 ᄭᅳᆯ여 ᄀᆡ야 식여 녹말 칠 홉 진말 칠 홉 너어 버무려 단ː히 봉ᄒᆞ야 불ᄒᆞᆫ불열ᄒᆞᆫ데 두엇다가 송졀ᄆᆡ즙에 ᄒᆞᆫ 마듸식 취ᄒᆞ야 두 말을 정히 씨서 물 부어 고아 식이고 ᄇᆡᆨ미와 졈미 물 두 말을 되야 지에에 ᄲᅮ려 쪄서 식여 슐밋을 고루 석거 송졀 다린 건지를 항 밋헤 넛코 메밥을 먼져 넛코 찰밥 나종 너어 단ː히 봉ᄒᆞ야 일긔 온ᄂᆡᆼ을 보아 마쵸와 닉히되 가을이어든 황국을 넛코 봄이어든 두견화를 넛코 겨울이어든 유자 겁즐

을 죰치에 너어 달아 닉히면 풍담을 업시 ᄒᆞᆫ 약쥬니라.

8. 송절주 <술 빚는 법>

술 재료 : 밑술 : 멥쌀 5되, 누룩가루 1되, 밀가루 7홉, 물 5되(쌀되)
덧술 : 멥쌀 5되, 찹쌀 1말, 송절 2말, 송절 달인 물 2말(쌀되)

술 빚는 법 :

* 밑술 :

1. 멥쌀 5되를 백세하여 물에 담가 불렸다가 (다시 씻어 헹군 후 건져서 물기를 뺀 후) 작말한 다음, 넓은 그릇에 담아놓는다.
2. 쌀되로 물 5되를 팔팔 끓여 쌀가루에 붓고, 주걱으로 고루 개어 범벅을 만들어 얼음같이 차게 식기를 기다린다.
3. 범벅에 누룩가루 1되와 밀가루 7홉을 섞어 넣고, 고루 버무려 술밑을 빚는다.
4. 술독에 술밑을 담아 안치고, 이불로 단단히 싸매서 덥지도 차지도 않은 곳에 두고 발효시킨다.

* 덧술 :

1. 송절 2말을 깨끗이 씻어 쌀되로 물을 (3말 넣고, 2말이 되게) 진하게 달여서 차게 식힌 다음, 술독에 담아 (밤재워) 차게 식기를 기다린다.
2. 하루 전에 멥쌀 5되와 찹쌀 1말을 각각 백세하여 물에 (하룻밤) 담갔다가, (다음날 아침에 다시 씻어 건져서 물기를 뺀 후) 각각 고두밥을 짓는다.
3. 이때 쌀되로 송절 달인 물 2말을 계량하여 멥쌀고두밥에 무수히 주어 흠씬 찌고, 익었으면 얼음같이 차게 식힌다.
4. 각각의 고두밥에 밑술을 합하고, 고루 버무려 술밑을 빚는다.

5. 송절 달인 물에서 건진 송절을 술독에 먼저 담아 안친 다음, 그 위에 메밥 술밑을 먼저 안치고, 그 위에 찰밥 술밑을 안친다.
6. 고두밥이 익었으면 퍼내되, (쌀되로) 송절 달인 물 2말을 계량하여 멥쌀고두밥에 붓고, 얼음같이 차게 식기를 기다린다.
7. 각각의 고두밥에 밑술을 합하고, 고루 버무려 술밑을 빚는다.
8. 송절을 건져서 술독에 먼저 담아 안친 다음, 그 위에 메밥 술밑을 먼저 안치고, 그 위에 찰밥 술밑을 안친다.
9. 가을이면 국화, 봄이면 진달래꽃을 술밑 위에 얹어 익히고, 겨울이면 유자 껍질을 잠기지 않게 매달아 놓는다.
10. 술독은 예의 방법대로 하여 이불로 단단히 싸매고, 날씨가 덥고 찬 것을 맞추어 익힌다.

* 주방문 말미에 "화향과 솔향기가 입안에 가득하고, 맛이 기이하니라. 원기를 보하고 풍담과 수족 불편한 사람은 더욱 좋으니라."고 하였다. <규합총서>의 주방문을 베낀 것으로 여겨진다.

숑졀주

ᄇᆡᆨ미 닷 되 ᄇᆡᆨ세허여 담가 작말ᄒᆞ여, 살 되든 되로 물 닷 되을 글리여 ᄂᆡ여 어름갓치 식은 후, 국말 일 승 진말 일곱 홉 너허 범우려 단단니 ᄉᆞᄆᆡ여, 불한불열 져 두엇다가, 숑졀 두 말을 졍이 씨셔 물을 붓고 진히 고아 ᄎᆡ오고, 하로젼 긔허여 ᄇᆡᆨ미 오 승 졈미 일 두 ᄇᆡᆨ셰허여 담가다가, 각각 지예을 져서 살 된 되로 숑졀 두 말 물 고은 물을 되어, 뫼밥의는 그 물을 무수이 주어 희치희치 허 ᄂᆡ여 어름갓치 식인 후, 술밋츨 고로고로 셕거 숑졀 다린 건지을 독 밋틔 너흔 후, 뫼밥 범우린 거슬 밋틔 넛코 찰밥 버무린 거슨 우히 너허 둣겹게 싸ᄆᆡ여, 일기 한난을 보아 온ᄂᆡᆼ을 맛초와 익키되, 가을히면 국화을 우회 언고, 봄이면 두견을 언고, 계울은 ᄆᆡ화을 언고, 혹 유ᄌᆞ 겁질을 술의 잠으지 말고 우히 달아 익키면, 화향과 숑향 과이 만구허여 맛시 긔이헌니라. 원긔을 보호고 풍담과 수족 불인헌 ᄉᆞ람은 더욱 조흔니라.

9. 송절주법 <음식방문니라>

술 재료 : 밑술 : 멥쌀 5되, 누룩가루 1되, 밀가루 7홉, 물 5되(쌀되)
덧술 : 멥쌀 5되, 찹쌀 1말, 송절 2말, 송절 달인 물 2말(쌀되)

술 빚는 법 :

* 밑술 :

1. 멥쌀 5되를 백세하여 물에 담가 불렸다가 (다시 씻어 헹군 후 건져서 물기를 뺀 후) 작말한 다음, 넓은 그릇에 담아놓는다.
2. 쌀되로 물 5되를 팔팔 끓여 (쌀가루에 붓고, 주걱으로 고루 개어 범벅을 만들어) 얼음같이 차게 식기를 기다린다.
3. 범벅에 누룩가루 1되와 밀가루 7홉을 섞어 넣고, 고루 버무려 술밑을 빚는다.
4. 술독에 술밑을 담아 안치고, 이불로 단단히 싸매서 덥지도 차지도 않은 곳에 두고 발효시킨다.

* 덧술 :

1. 송절을 꺾어다 2말을 깨끗이 씻어 쌀되로 물을 (3말 넣고, 2말이 되게) 진하게 달여서 차게 식힌 다음, 술독에 담아 (밤재워) 차게 식기를 기다린다.
2. 하루 전에 멥쌀 5되와 찹쌀 1말을 각각 백세하여 물에 (하룻밤) 담갔다가, (다음날 아침에 다시 씻어 건져서 물기를 뺀 후) 각각 고두밥을 짓는다.
3. 고두밥이 익었으면 퍼내되 (쌀되로) 송절 달인 물 2말을 계량하여 멥쌀고두밥에 붓고, 얼음같이 차게 식기를 기다린다.
4. 각각의 고두밥에 밑술을 합하고, 고루 버무려 술밑을 빚는다.
5. 송절을 건져서 술독에 먼저 담아 안친 다음, 그 위에 메밥 술밑을 먼저 안치고, 그 위에 찰밥 술밑을 안친다.
6. 가을이면 국화, 봄이면 진달래꽃을 술밑 위에 얹어 익히고, 겨울이면 유자 껍질을 잠기지 않게 매달아 놓는다.

7. 술독은 예의 방법대로 하여 이불로 단단히 싸매고, 날씨가 덥고 찬 것을 맞추어 익힌다.

* 주방문 말미에 "화향과 솔향기가 입안에 가득하고, 맛이 기이하니라. 원기를 보하고 풍담과 수족 불편한 사람은 더욱 좋으니라."고 하였다. <규합총서>의 주방문을 베낀 것으로 여겨진다.

숑절주법

ᄇᆡᆨ미 닷 되 ᄇᆡᆨ셰ᄒᆞ야 당거다가 작말ᄒᆞ야 물 닷 되을 ᄭᅳᆯ여 ᄂᆡ여 어름 갓치 식히 후 곡말 일 승 진말 칠 승 홉 너허 버무려 단〻니 ᄆᆡ여 불한불열한 ᄃᆡ 두엇다가 숑절 두 말을 정히 씨셔 믈을 부워 진허게 고와 ᄎᆡ우고 그 젼의 ᄇᆡᆨ미 오 승 졈미 일 두을 당거다 각〻 찌되 숑절 고은 물을 되여 메밥의도 두 말 물을 셕거 쪄 어름 갓치 식혀 슐밋츨 고로고로 셕거 숑절 달인 건지을 항 밋ᄐᆡ 먼져 너흔 후 메밥 버무린 것슬 밋ᄐᆡ다 너코 찰밥을 우희다 너허 굿게 ᄆᆡ여 국화을 우희 덥고 봄니여던 두견을 덥고 겨울니여던 뉴ᄌᆞ겁질을 슐의 ᄌᆞᆼ기지 말고 우희다 너허 익히면 화향과 숑향니 가득ᄒᆞ야 맛시 긔히할 ᄲᅮᆫ 아니라 풍담을 업시하고 원긔을 보익ᄒᆞ야 비각니 불인ᄒᆞ던 ᄉᆞ람도 신효을 보리라.

10. 송절주 <임원십육지(林園十六志)>

냉풍과 허약함을 치료하고 근육과 골격의 마비, 각기병을 완화한다. <본초강목>을 인용하였다.

松節酒

<本草綱目> 治冷風虛弱筋骨攣痛脚氣緩痺. (案)方見 <葆養志>.

11. 송엽(절)주 <주찬(酒饌)>

술 재료 : 밑술 : 찹쌀 2되, 누룩 2되, 물 1말
덧술 : 찹쌀 2말, 송절 3되 5홉, 목과(모과가루) 2냥, 물 1말

술 빚는 법 :

* 밑술 :

1. 찹쌀 2되를 백세하여 (물에 담가 불렸다가, 다시 씻어 건져서 물기를 뺀 후) 시루에 안쳐서 고두밥을 짓는다.
2. 솥에 물 1말을 붓고 매우 오랫동안 끓여서 5되가 되면 넓은 그릇에 펴서 차게 식힌다.
3. 고두밥이 익었으면 퍼내고, 고루 펼쳐 차게 식기를 기다린다.
4. 끓여 식힌 물에 고두밥과 누룩 2되를 합하고, 고루 버무려 술밑을 빚는다.
5. 술독에 술밑을 담아 안치고, 예의 방법대로 하여 7일간 발효시킨다.

* 덧술 :

1. 찹쌀 2말을 백세하여 (물에 담가 불렸다가, 다시 씻어 건져서 물기를 뺀 후) 시루에 안쳐서 고두밥을 짓는다.
2. 물 1말에 송절 3되 5홉을 넣고, 매우 오래 끓여서 5되가 되면 차게 식힌다.
3. 고두밥이 익었으면 퍼내고, 고루 펼쳐 차게 식기를 기다린다.
4. 송절 달인 물에 고두밥과 목과(모과가루) 2냥, 밑술을 합하고 고루 버무려 술밑을 빚는다.
5. 술독에 술밑을 담아 안치고, 예의 방법대로 하여 익을 때까지 (14일간) 발효시킨다.

* 밑술에서 쌀의 처리법을 언급하지 않아 고두밥으로 하였다. 덧술에서는 쌀을 밥 지으라고 하였으나, 그 양이 언급되지 않아 그 양을 1말로 하고, 고두

밥(烝飯)으로 풀이하였다. 주명(酒名)은 '송엽주'인데, 주방문을 보면 '송절주' 주방문이다.

松葉(節)酒

水一斗煎半粘米二升麯二升調釀七日後作粘米飯入之而松節三丞五合水一斗煎半木果末二兩合釀過二七日後用之合三七日後用也若未熟則至熟置之.

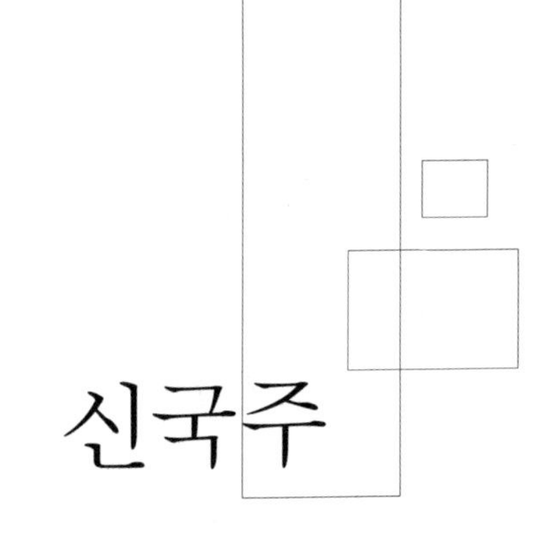

신국주

스토리텔링 및 술 빚는 법

'신국주(神麴酒)'라는 주품명을 대하고 있으면, 술에 대한 어떤 '깊은 함정(陷穽)' 같은 것을 느끼게 된다. 신국(神麴)은 누룩을 가리킨다.

따라서 '신국주'는 신국(神麴)으로 빚은 술로 이해하는 게 당연해 보인다.

게다가 이와 같은 주품명으로 '향온곡'을 사용해 빚은 '향온주' 또는 '내국향온'이 있고, '유화국'으로 빚은 '유화주', '백수환동곡'으로 빚은 '백수환동주', '백료곡'으로 빚은 '백료주', '이화곡'으로 빚은 '이화주' 등이 있기 때문이다.

우선, 신국은 동양사상에서 "청룡(青龍)·백호(白虎)·주작(朱雀)·현무(玄武)·등사(螣蛇)·구진(句陳) 등 여섯 신(神)들이 모여 회의하는 날인 6월 6일에 여섯 신을 상징하는 색깔의 곡물 및 초재(草材) 등 여섯 가지 재료를 사용해 빚고 띄워서 완성된 누룩"을 가리키며, "6월 6일이 지나서 띄운 누룩은 신국이 아니다."고 할 정도로 누룩을 디디고 띄우는 시기를 중요하게 여긴다.

여기서 여섯 신을 상징하는 곡물 및 약재는 청호 생즙(청룡)·기울 섞인 하얀 밀가루(백호)·붉은 팥을 삶아 찧은 것(주작)·가루로 빻은 살구씨 가루(현무)·들여뀌 생즙(등사)·도꼬마리 생즙(구진)을 가리킨다.

그러나 '신국주'는 신국으로 빚은(발효시킨) 술이 아니다. 소위 '주중지약법' 또는 '지약법'을 활용한 혼성주(混成酒)의 성격을 지닌다.

누룩(麯子)은 본디 술의 발효(醱酵)·효소제(酵素劑)이나 한방에서는 누룩의 한 가지인 신국을 소화제(消化劑)로 활용하고 있으니, 약재라고도 할 수 있다.

<동의보감(東醫寶鑑)>에 '신국주'가 처음 등장하는데, 주방문(처방법)을 보면 "治挫閃腰痛, 神麴一塊約如拳大, 燒令通赤, 好酒二大盞, 淬酒中, 便飮之令盡, 仰臥少頃卽安(좌섬요통을 치료한다. 주먹만 한 신국 한 덩어리를 벌겋게 굽는다. 이것을 좋은 술 큰 잔으로 2잔에 담갔다가 모두 마시고, 잠시 동안 반듯하게 누워 있으면 편안해진다)."고 하였다.

신국을 불에 굽고 술에 담갔다가, 신국 찌꺼기를 제거하고 그 술을 마시면 "좌섬요통을 치료한다."고 하였으니, 치료를 목적으로 하는 술임을 확인할 수 있다.

또한 <동의보감>의 '신국주'는 여타의 약용약주들과는 매우 차별화되고 특별하다. 술을 빚는 데 사용되는 누룩을 치료 목적에 활용하고 있기 때문이다.

물론 소화제로 쓰이는 누룩이 불에 구워졌을 때 나타나는 성분변화와 함께 술과 이루는 조화를 구체적으로 규명할 수는 없다.

그럼에도 불구하고 좌섬요통(挫閃腰痛)이라고 하여 평소에는 특별한 증상이 없다가 앉거나 일어설 때 갑자기 발생하는 요통에 적용할 수 있는 치료제가 '신국주'라는 사실이 오히려 놀라울 따름이다.

그야말로 오랜 세월 치료에 활용해 왔다는 점에서 뛰어난 경험방이라고 하겠다.

신국주 <동의보감(東醫寶鑑)>

좌섬요통을 치료한다. 주먹만 한 신국 한 덩어리를 벌겋게 굽는다. 이것을 좋은 술 큰 잔으로 2잔에 담갔다가 모두 마시고, 잠시 동안 반듯하게 누워 있으면 편안해진다. 혹 이 술에 청아원을 먹으면 더욱 묘하게 낫는다. <득효(得效)>를 인용하였다. <요(腰)>에 나온다.

神麯酒

治挫閃腰痛, 神麯一塊約如拳大, 燒令通赤, 好酒二大盞, 淬酒中, 便飮之令盡, 仲臥少頃卽安, 或以此酒呑靑娥元, 尤妙.

신선고본주

스토리텔링 및 술 빚는 법

'신선고본주(神仙固本酒)'는 약용약주류(藥用藥酒類)의 한 가지이다. <군학회등(群學會騰)>을 비롯하여 <동의보감(東醫寶鑑)>, <민천집설(民天集說)>, <임원십육지(林園十六志)>, <주찬(酒饌)> 등 조선 중기 이후의 문헌에서 찾아볼 수 있다.

특히 이들 문헌의 공통점은 한문으로 쓰인 주방문이라는 사실과 함께 주방문이 대체로 동일하다는 점이다.

시대적으로 가장 앞선 기록인 <동의보감>의 등장 이후, 여러 문헌에서 인용한 것으로 여겨진다. 왜냐하면 사용 약재의 종류와 비율이 동일하고, 특별히 '신선고본주'를 위한 주방문이 존재하지 않는다는 사실 때문이다.

<민천집설>의 주방문을 제외하고, 예외 없이 동일한 방법의 주방문을 수록하고 있는데, 이러한 경우는 다른 약용약주에서도 자주 목격할 수 있다.

이는 우리나라 전통주로서 약용약주의 특징이자 공통점이라 할 수 있다.

<동의보감> 출간 이전에는 약용약주류의 종류가 많지도 않았거니와. 약용약

주라고 하더라도 약재의 종류가 한두 가지 정도에 그쳤다.

그런데 <동의보감> 등장 이후 약용약재의 종류가 다양해지고 더불어 약용약주의 종류도 눈에 띄게 많아졌다. 특히 전승가양주의 경우에는 약용약주류 중심으로 발달해 왔다.

그도 그럴 것이 <동의보감> 같은 방대한 양의 한문 기록을 접할 수 있었던 부류는 사대부(士大夫)와 부유층이었다.

특히 <동의보감(잡병편)> 등에는 초근목피(草根木皮) 등 한약재(韓藥材)나 동·식물과 광물성 약재에 이르기까지 전처리방법과 그에 따른 법제(法製) 등 사용방법이 구체적으로 소개되면서, 사대부와 부유층에서 반주(飯酒)와 질병예방, 보양, 치료 목적의 가용(家用) 약용약주를 빚어 마시게 되었던 것이다.

그러면서 자연스럽게 이들 보약주(補藥酒) 또는 보양주(補養酒) 개념의 가양주들이 가문비법으로 전승되었을 것으로 여겨진다.

게다가 당시의 한약은 일반 서민들이 흔히 접할 수 있는 값싼 재료가 아니었고, 전문적인 지식 없이는 사용할 수도 없었다. 상민들이나 서민들의 경우 '신선고본주'에 들어가는 인삼과 계피가 귀하고 비싼 약재여서 조달이 쉽지 않았을 것이다.

특히 <동의보감>의 '신선고본주'는 "백발을 변화시켜 검은 머리가 되게 하고 노인을 어린아이로 되돌아가게 한다."며 그 효능을 밝히고 있는데, 거의 모든 문헌에서 똑같이 묘사하고 있다.

이미 사대부와 부유층에서 반주와 질병예방, 보양, 치료 목적의 가양주로 자리 잡았을 것이라는 추측을 가능케 한다.

'신선고본주'는 두 가지 주방문으로 나뉜다. 하나는 <동의보감>을 비롯하여 <민천집설>, <임원십육지>에서 보듯이 차게 식은 찹쌀고두밥과 누룩, (끓여서 차게 식힌 물), 가루로 빻은 분량의 약재를 넣고 고루 버무려 빚는 '직접혼합법(直接混合法)'이다.

반면, 다른 하나는 <군학회등>과 <주찬>에서처럼 가루로 빻아 준비한 분량의 약재를 씻어 불린 찹쌀과 함께 섞고 시루에 쪄서 사용하는 '증숙법(蒸熟法)' 또는 '증자법(蒸煮法)'이 있다.

따라서 시대적으로 가장 앞선 기록인 <동의보감>의 등장 이후 <동의보감>에 수록된 '신선고본주' 주방문을 옮겨 쓰는 과정에서 생긴 오기(誤記)이거나, 직접 양주(釀酒)를 해보면서 보다 실제적이고 효율적인 양주방법 또는 양주기술을 개발함으로써 '직접혼합법'에서 '증숙법' 또는 '증자법'으로 변화되었을 가능성도 점쳐 볼 수 있겠다.

술을 빚어본 사람이면 '직접혼합법'보다 '증숙법' 또는 '증자법'이 발효가 잘 되고 술맛도 한결 좋다는 것을 알 수 있기 때문이다.

실제로 인삼을 비롯 도라지, 더덕과 같은 약재는 직접 버무려 넣어서는 잘 발효되지도 않거니와 술을 망칠 수도 있다는 점에서 주의가 요구된다.

결국 <동의보감>의 '신선고본주' 주방문이 보양과 질병예방 목적의 약방문이었다면, 가양주(家釀酒)로서 '신선고본주'는 보양과 질병예방 목적과 더불어 기호음료로서의 술로도 작용해야 했기에 술 빚는 방법이 자연스럽게 변화했을 것으로 이해할 수 있겠다. 다만, 필자의 경험을 말하면 <군학회등>이나 <주찬>의 주방문과 같은 증숙법을 이용하더라도, 부재료로 첨가되는 약재의 분량을 최대한 줄여서 사용하는 게 완전발효됨으로써 더욱 좋은 효과를 볼 수 있다.

특히 이러한 약용약주는 두고두고 일정 양을 꾸준히 음용하는 것이 최선책이라는 점에서, 오랫동안 꾸준히 마시기 위해서라도 약재의 양을 줄이는 게 바람직하다.

술은 무엇보다 완전발효를 시켜야 부작용이 없다. 약재가 많이 사용될수록 완전발효가 어렵거니와 숙성될수록 부재료의 특성이 살아나고 맛이 강해지므로 그에 따른 거부감을 해소하려면 약재의 양에 주의를 기울여야 한다.

1. 신선고본주법 <군학회등(群學會騰)>

술 재료 : 찹쌀 2말, 백면 2되, 약재(우슬 8냥, 하수오 녹말 6냥, 구기자 가루 4냥, 천문동 2냥, 맥문동 2냥, 숙지황 2냥, 생지황 2냥, 당귀 2냥, 인삼 2냥, 육계 1냥), 흰누룩 2되, 물 2말

술 빚는 법 :

1. 찹쌀 2말을 (백세하여 물에 담가 불렸다가, 다시 씻어 건져서 물기를 뺀 후) 준비한다.
2. (물 2말을 팔팔 끓여서 차게 식힌다.)
3. 불린 쌀과 준비한 분량의 약재를 한데 섞고, 시루에 안쳐서 고두밥을 짓는다.
4. (고두밥과 약재가 익었으면, 시루에서 퍼내고 돗자리에 고루 헤쳐서 차게 식기를 기다린다.)
5. 자배기에 고두밥과 준비한 흰누룩 2되, 끓여 식힌 물 2말을 한데 합하고, 고루 버무려 술밑을 빚는다.
6. 술독에 술밑을 담아 안치고, 예의 방법대로 하여 (삼칠일간) 발효시킨다.

* <신선복식방(神仙服飾方)>, <임원십육지(林園十六志)>에도 수록되어 있다.
* 주방문 말미에 "늙어도 흰 머리가 검어지고 노인이 동안으로 되돌아간다."고 하였다.

神仙固本酒法

牛膝八兩, 何首烏麤末六兩, 拘杞子擣碎四兩, 天門冬·麥門冬·熟地黃生地黃·當歸·人蔘 各二兩, 肉桂一兩, 糯(米)二斗, 白麴二升, 蒸熟和藥末, 如常法則能變白髮, 返老還童矣.

2. 신선고본주 <동의보감(東醫寶鑑)>

술 재료 : 찹쌀 2말, 백면 2되, 약재(우슬 8냥, 하수오 녹말 6냥, 분쇄한 구기자 4냥, 천문동 2냥, 맥문동 2냥, 숙지황 2냥, 생지황 2냥, 당귀 2냥, 인삼 2냥, 육계 1냥), 흰누룩 2되, (끓여 식힌 물 2말)

술 빚는 법 :

1. 찹쌀 2말을 준비한다(백세하여 물에 담가 불렸다가, 다시 씻어 건져 헹궈서 물기를 뺀 뒤, 시루에 안쳐서 고두밥을 짓는다).
2. (고두밥이 익었으면 시루에서 퍼내고, 고루 펼쳐 차게 식기를 기다린다.)
3. 흰누룩(백국)을 절구에 찧고, 고운체에 거듭 쳐서 고운 가루누룩을 만들어 (법제하여) 놓는다.
4. 약재는 분량대로 준비하여 절구에 찧어 거친 가루를 만들어놓는다.
5. 자배기에 고두밥과 법제하여 준비한 가루누룩, 약재가루, (끓여 식힌 물 2말을) 한데 합하고 고루 버무려 술밑을 빚는다.
6. 술독에 술밑을 담아 안치고, 예의 방법대로 하여 (21일간) 발효시킨다.

* 주방문에 "백발을 변화시켜 검은 머리가 되게 하고, 노인을 어린아이로 되돌아가게 한다."고 하였다. "우슬 8냥, 하수오 파쇄한 것 6냥, 분쇄한 구기자 찧어서 가루 낸 것 4냥, 천문동 2냥, 맥문동 2냥, 숙지황 2냥, 생지황 2냥, 당귀 2냥, 인삼 2냥, 육계 1냥을 찹쌀 2말과 백국 2되를 쪄낸 다음, 함께 섞어 상법(常法)대로 빚는다."고 하였다. 술 빚는 물의 양이 언급되어 있지 않아 끓여서 식힌 물을 쌀 양만큼 산정하여 주방문을 작성하였다. <군학회등>, <민천집설>, <임원십육지>, <주찬>에도 수록되어 있다.

神仙固本酒

能變白髮, 返老還童, 牛膝八兩, 何首烏麤末六兩, 枸杞子擣碎四兩, 天門冬, 麥門冬, 生地黃, 熟地黃, 當歸, 人蔘 各二兩, 肉桂一兩, 糯米二斗, 白麴二升,蒸熟和藥末, 釀如常法. <仙方>.

3. 고본주 <동의보감(東醫寶鑑)>

술 재료 : 생건지황·숙지황·천문동(심을 제거한 것)·오미자·백복령 각 2냥, 인삼 1냥, 좋은 술 10병

술 빚는 법 :

1. 천문동을 깨끗하게 씻어 중심부의 심을 제거한 것으로 2냥을 준비한다.
2. 생건지황과 숙지황, 오미자, 백복령도 깨끗한 것으로 2냥을 분비한다.
3. 인삼을 깨끗한 것으로 1냥을 준비한다.
4. 준비한 분량의 약재를 얇게 썰어서 사기 항아리에 담고, 좋은 술 10병을 붓는다.
5. 술을 부은 사기 항아리는 (김이 새지 않게 밀봉하여) 3일간 지낸다.
6. 술과 약재를 솥에 담고 중간 불로 약 달이듯 하여 2~4시간 정도 졸이고, 색깔이 검어지면 약재를 건져내고, 찌꺼기를 여과하여 빈속에 3~5잔씩 마신다.

* <동의보감>을 비롯해 여러 문헌에 등장하는 '신선고본주'와는 다른 주방문으로, '고본주(固本酒)' 주방문은 <동의보감>에서만 찾아볼 수 있다.

固本酒

治勞補虛, 益壽延年 烏鬚髮, 美容顔 生乾地黃·熟地黃·天門冬幷去心·白茯苓 各二兩, 人蔘一兩, 右剉 用磁缸盛好酒十壺, 浸藥三日, 文武火煮一二時, 以酒黑色爲度. 空心, 服三五盃.

4. 신선고본주 <민천집설(民天集說)>

술 재료 : 찹쌀 2말, 우슬 8냥, 하수오 분말 5냥, 구기자가루 4냥, 천문동·맥문동·생지황·숙지황·당귀·인삼 각 5냥, 육계 1냥, 백곡(가루누룩) 2되, (끓여 식힌 물 2말)

술 빚는 법 :

1. 찹쌀 2말을 (백세하여 물에 담가 불렸다가, 다시 씻어 헹궈서 물기를 뺀 후) 무른 고두밥을 짓는다.
2. 준비한 분량의 약재를 물에 깨끗하게 씻어 물기를 빼놓는다.
3. 우슬은 편으로 잘게 썰어 8냥, 하수오는 거칠게 찧어서 가루로 만들어 5냥, 구기자는 마자나 분쇄기에 거칠게 파쇄하여 4냥, 천문동·맥문동·생지황·숙지황·당귀·인삼은 편으로 잘게 썰어 각 5냥씩, 육계는 잘게 분쇄하여 1냥을 준비한다.
4. 고두밥이 익었으면, 돗자리에 퍼내고 고루 펼쳐 차게 식기를 기다린다.
5. 술밑은 상법(常法)에 따라 빚는데, 고두밥에 준비한 분량의 한약재와 백곡(가루누룩) 2되, (끓여 식힌 물 2말을) 한데 합하고, 고루 버무려 빚는다.
6. 술독에 술밑을 담아 안치고, 예의 방법대로 하여 (14~21일간) 발효시킨다.

* 주방문 말미에 "백발이 다시 검어지고 노안이 다시 동안으로 젊어진다."고 하였으므로, 백수환동주(白首還童酒)와 그 의미가 같다. 술 빚는 물의 양이 언급되어 있지 않아, 끓여서 식힌 물을 쌀 양만큼 산정하여 주방문을 작성하였다.
* <동의보감>을 비롯하여 <군학회등>, <임원십육지>, <주찬>에도 수록되어 있다.

神仙固本酒

牛膝八兩何首烏䴸末六兩拘杞子擣碎四兩天門冬·麥門冬·生地黃·熟地黃·當歸·人蔘 各二兩肉桂一兩糯米二斗白曲二升蒸熟和藥末釀之如常法服之. 能變白髮返老還童.

5. 신선고본주 <임원십육지(林園十六志)>

머리를 검게 하고 늙지 않으며 젊어지는 효능이 있다. 방법은 <보양지>를 참조하라.

* <동의보감>을 비롯하여 <군학회등>, <민천집설>, <주찬>에도 수록되어 있다.

神仙固本酒
<神仙服食方> 變白髮返老還童. (案)方見 <葆養志>.

6. 고본주 <임원십육지(林園十六志)>

피로를 치료하고 허를 보하며 장수하게 하고 머리카락을 검게 하며, 미용에 효력이 있다. 방법은 <보양지>를 참조하라. <위생편>을 인용하였다.

固本酒
<衛生編> 治勞補虛益壽延年烏鬚髮美容貌. (案)方見 <葆養志>.

7. 신선고본주법 <주찬(酒饌)>

술 재료 : 찹쌀 2말, 백곡 2되, 약재(우슬 8냥, 하수오 6냥, 구기자 찧은 것 4냥, 천문동 2냥, 생지황 2냥, 당귀 2냥, 숙지황 2냥, 인삼 2냥, 육계 1냥), 물 2말

술 빚는 법 :

1. 찹쌀 2말을 백세하여 물에 하룻밤 불렸다가, (다시 씻어 헹궈 건져서 물기를 뺀 후) 밭쳐놓는다.
2. 우슬 등 약재를 물에 깨끗하게 씻어 햇볕에 내어 말렸다가 함께 가루로 빻는다.
3. 찹쌀과 약재가루를 한데 합하고, 시루에 안쳐 무른 고두밥이 되게 쪄서 익었으면 퍼내고 고루 펼쳐서 차게 식기를 기다린다.
4. 고두밥에 백곡 2되와 물 2말을 함께 섞고, 고루 버무려 술밑을 빚는다.
5. 술독에 술밑을 담아 안치고, 예의 방법대로 하여 발효시킨다.

* 주방문에 "보통의(常法) 술 빚기대로 한다."고 되어 있으나, 물의 양이 나와 있지 않고, 특히 "분곡(흰누룩)을 고두밥 찔 때 약재가루와 함께 찐다."고 되어 있는데, 이는 오기(誤記)인 것 같다. 따라서 술 빚을 때 넣는 것으로 주방문을 작성하였다. 또 주방문 말미에 "백발을 검게 하며 늙음을 젊게 할 수 있다."고 하였다.
* <동의보감>을 비롯하여 <군학회등>, <민천집설>, <임원십육지>에도 수록되어 있다.

神仙固本酒法

能變白返老還童牛膝八兩何首烏麤末六兩枸杞子搗碎四兩天門冬麥門冬生地黃熟地黃當歸人蔘各二兩肉桂一兩糯米二斗白曲二升烝熟和藥末釀如常法.

신선주

스토리텔링 및 술 빚는 법

'신선주(神仙酒)'라는 주품명은 예로부터 있어 왔다. 사람에게는 오래 살고 싶은 본능이 있다. 특히 술과 관련해 '신선주'라는 명칭이 자주 등장한다.

얼핏 스쳐가는 주품명만 하더라도 담양지역의 '제세팔선주'를 비롯하여 청원과 남원, 함양의 '신선주', 부안지역의 '신선대 팔선주', '풍랑 팔선주', 영주의 '오정주' 가 있다.

이들 신선주류는 가전비법의 토속주들로, 전부 발효방법에 의한 주품들이다. 반면 조선시대 양주 관련 문헌에 소개된 신선주류는 많지가 않다.

가전비법의 신선주류처럼 '신선(神仙)'의 의미를 담고 있는 주품들로는, <술 만드는 법>의 '삼선주'와 <임원십육지(林園十六志)>의 '신선벽도춘' <군학회등(群學會騰)>의 '신선고본주' <김승지댁주방문(金承旨宅廚方文)>의 '적선소주', <규중세화>의 '이적선효주' 등을 떠올릴 수 있다.

<임원십육지>의 '신선주'는 <동의보감(東醫寶鑑)>을 인용했으며, 주방문에 "중풍과 기운이 없고 사지가 떨리고 풍습에 걸려서 심각한 사람은 꼭 복용하여야 한

다."고 하고, "오가피 2냥을 오가피 심째로 또는 심만을 썰어 흙은 제거한 것, 자금피를 뼈와 함께 썰고 흙을 제거한 것, 당귀 잔뿌리 6전씩 깨끗하게 씻어 썬 것 등을 술 1병에 3일간, 여름에는 1일 담갔다 마신다. 마실 때 좋은 술 1병을 잔에 따라 섞어서 오랫동안 마시면 신효(神効)가 있다."고 하였다.

<임원십육지>의 '신선주' 주방문은 "오가피 2냥을 오가피 심째로 또는 심만을 썰어 흙은 제거한 것, 자금피를 뼈와 함께 썰고 흙을 제거한 것, 당귀 잔뿌리 6전씩 깨끗하게 씻어 썬 것 등을 술 1병에 3일간, 여름에는 1일 담갔다 마신다."는 게 전부인데, 여느 주품처럼 발효방법이 아닌 '침출방식'임을 알 수 있다.

침출방식이 발효방식보다 약성을 추출하는 효과가 뛰어나고 시간이 짧게 걸린다는 점에서 선호되기도 하지만, 침출방식이 사용되는 약성을 효율적으로 활용하는 방법이고, 발효방식은 발효과정에서 생성되는 미량의 화합물에 의한 효능을 강조하고 있기 때문에 그 목적이 다르다 할 수 있다.

예를 들면, '레드와인'의 항산화 효과 등이 그것으로 원료인 포도에는 없었던 항산화 물질이 발효과정에서 생성되어 항암 효과를 갖는다는 주장을 비롯하여 막걸리의 항암 효과, 피부재생 효과, 노화억제 효과 등도 마찬가지이다.

따라서 <임원십육지>의 '신선주'가 갖는 의미는 매우 간단하다. 그 핵심은 "중풍과 기운이 없고 사지가 떨리고 풍습에 걸려서 심각한 사람은 꼭 복용하여야 한다."는 약리적 효능이다.

이 효능을 임상학적·과학적으로 밝힐 수 있었으면 하는 바람이다.

신선주 <임원십육지(林園十六志)>

술 재료 : 오가피 2냥, 자금피 6전, 당귀 6전, 청주 1병

술 빚는 법 :

1. 오가피를 물에 깨끗하게 씻어 얇게 편으로 썰고, 1되를 마련하여 그늘에서

1개월 말려서 준비해 놓는다.

2. 자금피를 뼈와 함께 썰고, 흙을 제거한다.
3. 당귀 잔뿌리 6전씩 깨끗하게 씻어 썰어놓는다.
4. 맑은 청주 1병에 준비한 오가피와 자금피, 당귀를 술독에 넣고, 밀봉하여 3일간(여름에는 1일간) 담갔다가 건져내고 술을 여과한다.
5. 마실 때 좋은 술 1병을 잔에 따라 섞어서 오랫동안 마시면 신효(神效)가 있다.

* 주방문에 "중풍과 기운이 없고 사지가 떨리고 풍습에 걸린 사람이 마시면 좋다고 한다. 풍과 습에 걸려서 심각한 사람은 꼭 복용하여야 한다."고 하고, "마실 때 좋은 술 1병을 잔에 따라 섞어서 오랫동안 마시면 신효(神效)가 있다."고 하였다.

神仙酒

<居家必用>專醫癱瘓四肢拳攣風濕感博重者宜服之五加皮二兩幷心剉去土紫金皮幷骨剉去土當歸鬚六錢洗浄剉右件咬咀用酒一瓶浸三宿夏一宿更用好酒一瓶取酒一盞八末浸酒一盞每日兩盞煖服兩瓶酒盡時自有神效. <東醫寶鑑>.

안정주

스토리텔링 및 술 빚는 법

'안정주'는 '도라지술'이다. '도라지술' 하면 으레 "소주에 담가 우려 마시는 술"이라는 침출(浸出) 방식의 도라지술을 떠올린다.

이처럼 도라지를 비롯해 평소 구하기 힘든 약재를 얻었거나, 산과 들에서 직접 채취한 약용약재들의 장기저장법 가운데 하나로 '소주'에 담가 마시는 혼성주(混成酒) 또는 약용주(藥用酒)가 일상에 파고든 지는 오래되었다.

요즘도 가정마다 한두 가지씩의 혼성주들이 집안 어딘가에 자리를 차지하고 있는 모습을 쉽게 발견할 수 있다.

지금은 전문가의 영역으로만 간주되었던 한약재에 대한 정보가 넘쳐나고, 각종 다양한 기능성 식품들이 등장하면서 약용약재에 대한 접근이 쉬워졌다. 게다가 '웰빙'을 비롯한 자연식 개념의 건강한 먹거리에 대한 인식이 확산되면서, 그간 부정적이었던 한약에 대한 인식도 많이 바뀐 게 사실이다.

'안정주'는 <온주법(醞酒法)>에 처음 등장하며, 다른 문헌에서는 찾아볼 수 없다. 특히 <온주법>의 '안정주'처럼 도라지를 단독으로 사용해 발효시키는 개념이 없었기 때문에 더욱 의미가 있다 하겠다.

더러 야생의 수년 묵은 도라지를 직접 채취했거나 구한 경우, 그 약성을 효율적으로 이용하기 위한 방법으로 '희석식 소주'를 사용해 우려내서 마시는 약용주 개념이 당시 '도라지술'의 주류를 이루고 있었기에 이러한 개념에서 벗어나고자 한 의도를 <온주법>의 '안정주'에서 살필 수 있을 것 같다.

<온주법>의 '안정주'는 쌀과 누룩을 섞어 발효시키는 주방문을 보여주고 있으며, 그 주방문이 특별한 건 없다. 깨끗하게 씻은 도라지를 오랫동안 물에 담가 도라지 특유의 쓴맛을 제거한 후, 백세하여 불린 쌀과 함께 시루에 쪄서 누룩과 섞어 빚는다는 것이다.

그러나 <온주법>의 주방문에는 쌀의 양은 물론이고 도라지와 누룩의 양, 물의 사용여부에 대한 언급이 없다.

경험에 의지하여 빚는 방법밖에는 없거니와 주원료인 도라지의 특성을 잘 알지 못하면 성공할 수 없는 술이다.

도라지는 인삼이나 더덕과 매우 유사한 성분으로 구성되어 있는 재료로, 특히 도라지의 주성분 가운데 하나인 '사포닌'은 발효되지 않는 성분으로 알려져 있다. 달리 표현하면, 도라지나 인삼, 더덕 등은 잘 발효되지 않는 재료로 술을 빚어 발효시키기에는 적합하지 않다는 얘기이다.

그래서 오랜 경험을 필요로 한다. 가장 좋은 방법으로는 도라지를 쪄서 사용하는 증자(蒸煮) 또는 증숙(蒸熟) 방법이라고 할 수 있다.

마치 인삼을 수차례 쪄서 홍삼을 만들면 인삼 본래의 성분이 바뀌는 원리와 같다. 쌀과 함께 찌되 가능한 한 오랜 시간 무르게 쪄서 사용하는데, 술맛 또한 좋아야 하므로 쓴맛을 제거하는 게 우선이다.

'안정주'라는 주품명은 "눈이 밝아진다."는 '안정(眼睛)'에서 유래한 것으로 여겨진다. 주방문에 "허약ᄒᆞᆫ ᄉᆞ람이 츙실ᄒᆞ고 '눈 ᄇᆞᆰ고'ᄒᆞᆫ년의 됴ᄒᆞ니라."는 기록을 근거로 하였다.

안정주 <온주법(醞酒法)>

술 재료 : 멥쌀(1말), 도라지(1되), 누룩가루(2되), 끓여 식힌 물(1말)

술 빚는 법 :

1. 좋은 도라지(1되/근)를 거피하여 물에 깨끗하게 씻어 오랫동안 물에 담가 쓴맛을 우려낸다.
2. 멥쌀(1말)을 백세하여 (물에 담가 불렸다가, 다시 씻어 건져서 물기를 뺀 후) 작말한다.
3. 쓴맛을 뺀 도라지와 함께 시루에 안쳐서 고두밥을 짓는다.
4. 고두밥이 익었으면 시루에서 퍼낸다(고루 펼쳐서 차게 식기를 기다린다).
5. 고두밥에 누룩가루 2되와 끓여 식힌 물(1말)을 한데 합하고, 고루 버무려 술밑을 빚는다.
6. 술독에 술밑을 담아 안치고, (베보자기로 덮어 밀봉한 후, 덥지 않고 바람기 없는 곳에서 21일간) 발효시킨다.

* 주원료에 대한 사용비율이 언급되어 있지 않다. 따라서 상법(常法)에 의하여 주방문을 작성하였다.
* '안정주'는 "눈이 밝아진다."는 의미를 담은 주품명으로 여겨진다. 주방문에 "허약ᄒᆞᆫ ᄉᆞ람이 츙실ᄒᆞ고 눈 ᄇᆰ고 흉년의 됴흐니라."는 기록을 근거로 한 것이다.

안정쥬

됴흔 도랏 데쳐 거피ᄒᆞ야 쓴맛 업시 우루어 ᄇᆡᆨ미 ᄇᆡᆨ셰작말ᄒᆞ야 ᄒᆞᆫᄃᆡ 써 술 비저 먹은면 허약ᄒᆞᆫ ᄉᆞ람이 츙실ᄒᆞ고 눈 ᄇᆰ고 흉년의 됴흐니라.

약계명주

스토리텔링 및 술 빚는 법

"저녁에 빚어 다음날 새벽닭이 울 때까지는 다 익는다."고 하여 이름 붙여진 술이 '계명주(鷄鳴酒)'이다. '계명주'의 최초 등장은 <제민요술(齊民要術)>로, 중국의 현존하는 종합농서(綜合農書)로서 가장 오래된 기록인데, 532~549년경에 북위(北魏)의 고양(高陽 : 山東省) 태수(太守) 가사협(賈思勰)이 편찬한 것으로 알려지고 있다.

또 원대(元代) 초엽의 <거가필용(居家必用)>에서도 '계명주'와 그 주방문을 볼 수 있다.

국내 문헌으로는 1596년(선조 29년)부터 편찬하여 1610년(광해 2년)에 편찬된 <동의보감(東醫寶鑑)>을 비롯하여 <임원십육지(林園十六志)>에 '계명주' 주방문이 수록된 것으로 미루어, 국내에서도 이미 1500년대 이전부터 빚어 마셔 왔음을 알 수 있다.

'계명주'는 <동의보감>을 시작으로 조선 후기의 <임원십육지(고려대본)>와 <오주연문장전산고(五洲衍文長箋散稿)>에서 찾아볼 수 있다. 매우 단기간에 걸쳐 이뤄지는 속성주로 크게 두 가지 주방문이 수록되어 있다.

그리고 <임원십육지(고려대본)>와 <오주연문장전산고>에는 '계명주 우법(又法)'이라고 하여, '약계명주법(藥鷄鳴酒法)'이 병기(竝起)되어 있는데, '계명주'와는 주방문이 다르다.

'계명주'는 순곡탁주(純穀濁酒) 또는 엿탁주라고 불리는 반면, '약계명주'는 계피를 비롯한 여러 가지의 한약재가 사용됨으로써 약용약주(藥用藥酒)의 성격을 지닌다. '약계명주'는 '계명주'보다 늦게 개발된 주품이나 술을 빚는 방법은 동일하다.

<임원십육지(고려대본)>에 수록된 '약계명주' 주방문을 살펴보면, 찹쌀 3되를 주재료로 누룩 반 근(斤)과 사탕 2냥(兩), 효모 1초(鈔, 1되의 천분의 일 혹은 소량), 엿기름(2홉 정도), 그리고 계피(桂皮)·후추(川椒)·좋은 생강(生薑)·세신(細辛)·감초(甘草)·천오(川烏)·포(炮)·천궁(川芎)·정향(丁香) 각각 반 전(錢), 물 6되가 사용되어 '가괄법(歌括法)의 계명주'와 동일한 방법으로 빚되, 계피 등 여러 가지 약재가 사용됨으로써 '약계명주'로 지칭하였음을 알 수 있다.

한편 <오주연문장전산고>에서는 <임원십육지>와 같이 중국의 '가괄(歌括)'이라는 노래집의 기록을 근거로 '계명주'와 '약계명주'를 다 같이 소개하고 있다. '약계명주'의 경우, 찹쌀 3되·누룩 3냥·묽은 엿 2냥·엿기름(1홉 정도)·계피·후추·건강·감초·천오·천궁(또는 축사, 행인, 곽향, 오수유, 당귀)·정향·사상자 각 반 돈으로 주방문에 있어서는 사뭇 다르다.

다만, 두 문헌에서 살필 수 있는 한 가지 사실은 <임원십육지(고려대본)>에서 볼 수 있는 '효모(酵母)'와 '사탕(砂糖)'이 <오주연문장전산고>에는 빠진 것을 볼 수 있는데, 이는 당시 상황이 '효모'와 '사탕'의 조달과 사용이 용이하지 않았을 거라 판단된다.

또한 <오주연문장전산고>에서는 저자가 직접 양주를 해보고 경험에 따른 의견을 제시하고 있다. "내 생각에 천궁은 냄새가 매우 아름답지 않으니 그 냄새를 싫어하는 자는 구역질이 나려고 한다. 축사, 행인, 곽향, 오수유, 당귀로서 대신하는 것이 좋다."는 내용이 그것이다.

이렇듯 '계명주'는 크게 누룩으로만 빚는 일반적인 속성주법을 기본으로 엿기름이나 조청이나 사탕을 넣어 당화를 촉진하는 방법과 효모를 이용한 속성주법 등 두 가지 주방문이 존재한다.

여기에 특별한 목적에 따라 여러 가지 약재를 첨가한 '약계명주'가 빚어졌을 거라는 추측이 가능하다.

'계명주'와 '약계명주'의 주방문을 통해 우리가 확인할 수 있는 한 가지 분명한 사실은, 지금으로부터 1,500년 전인 북위(北魏) 532~549년경에 이미 속성(速成) 양주(釀酒)를 위한 '효모'와 '사탕'이 사용되고 있었다는 점이다.

더불어 <임원십육지>의 등장을 전후로 조선시대 일반에서 '효모'와 '사탕'을 사용한 양주가 가능했는지는 확인할 수 없으나, <오주연문장전산고>에 '효모'와 '사탕'이 빠져 있다는 사실이 여러 가지 생각을 낳게 한다.

1. 약계명주법 <오주연문장전산고(五洲衍文長箋散稿)>

술 재료 : 찹쌀 3되, 누룩 3냥, 묽은 엿 2냥, 엿길금(1홉 정도), 약재(계피·후추·좋은 건강·감초·천오·천궁(또는 축사·행인·곽향·오수유·당귀), 정향, 사상자 각 반 돈, 좋은 샘물 6되

술 빚는 법 :

1. 찹쌀 3되를 백세하여 물에 담가 불렸다가 (다시 씻어) 깨끗하게 일어 건져낸다.
2. 솥에 좋은 샘물 6되를 끓이다가 불린 쌀을 넣고 끓여서 된죽을 쑨 다음, 넓은 그릇에 퍼 담아놓는다.
3. 죽은 여름은 차게 식히고, 봄·가을은 따뜻하게, 겨울은 조금 뜨겁게 식기를 기다린다.
4. 준비한 분량의 누룩 3냥과 엿길금 한 움큼(1홉 정도)을 절구에 찧어 가루로 빻아놓는다.

5. 관계(계피), 후추, 양강(좋은 건강) 각 반 돈을 가루로 빻는다.
6. 감초와 천오(川烏) 각 반 돈을 불에 굽는다.
7. 천궁(川芎), 정향(丁香), 사상자 각 반 돈을 맷돌에 갈아서 가루로 빻는다.
8. 죽에 누룩 등 준비한 약재가루를 한데 합하고, 고루 버무려 술밑을 빚는다.
9. 술밑을 술독에 담아 안치고, 예의 방법대로 하여 겨울은 5일, 봄가을은 3일, 여름은 2일간 발효시킨다.

鷄鳴酒 辨證說

한 가지 법이 또 있으니, 관계(계피) 호초, 양강을 가늘게 가루 내고 감초, 천오는 구어서 천궁 정향 사상자 각 반 돈을 맷돌에 갈아서 곱게 한 후 죽과 섞어서 동시에 흔들어 집어넣으면 그 맛이 더욱 묘하고 향이 크게 다르다고 말했다.

그런데 내 생각에 천궁은 냄새가 매우 아름답지 않으니 그 냄새를 싫어하는 자는 구역질이 나려고 한다. 축사, 행인, 곽향, 오수유, 당귀로서 대신하는 것이 좋다.

2. 계명주 우법 <임원십육지(林園十六志)>

–약계명주법(藥鷄鳴酒法)

술 재료 : 찹쌀 3되, 누룩 반 근, 사탕 2냥, 효모 1초(鈔, 1되의 천분의 일 혹은 소량), 엿기름(2홉 정도), 계피·후추·좋은 생강·세신·감초·천오·포(炮)·천궁·정향 각각 반 전, 물 6되

술 빚는 법 :

* 밑술 :

1. 찹쌀 3되를 백세하여 물에 담가 불렸다가, (다시 씻어) 깨끗하게 일어 건져

낸다.

2. 솥에 맑은 물 6되를 끓이다가, 불린 쌀을 넣고 끓여서 된죽을 쑨 다음, 넓은 그릇에 펴 담아놓는다.
3. 죽은 여름은 차게 식히고, 봄·가을은 따뜻하게, 겨울은 조금 뜨겁게 식기를 기다린다.
4. 준비한 분량의 누룩 반 근 사탕 2냥, 효모 1초(鈔, 1되의 천분의 일 혹은 소량), 엿기름(2홉 정도)을 절구에 찧어 가루로 빻는다.
5. 계피, 후추, 좋은 생강, 세신(細辛), 감초, 천오(川烏), 포(炮), 천궁(川芎), 정향(丁香) 각각 반 전을 가루로 빻는다.
6. 죽에 누룩 등의 준비한 가루를 합하고, 고루 버무려 술밑을 빚는다.
7. 술밑을 술독에 담아 안치고, 예의 방법대로 하여 겨울은 5일, 봄가을은 3일, 여름은 2일간 발효시킨다.

鷄鳴酒 又法

就此料內加官桂胡椒良薑細辛甘草川芎(炮)川芎丁香各半錢碾爲細末和粥時同攪匀在內其味尤妙香味異常. <居家必用>.

양고주

스토리텔링 및 술 빚는 법

우리 술의 다양성을 얘기할 때 주원료인 쌀의 종류나 배합비율, 술 빚는 횟수, 누룩의 종류, 부재료의 사용 여부 등에 따라 천차만별의 맛과 향기를 간직한 주품들의 생산이 가능하다는 이야기를 여러 차례 한 바 있다.

그리고 이러한 전통주는 전분을 주성분으로 한 쌀을 주원료로 사용하며, 이게 바로 우리 술의 특징이자 공통점이라고 강조해 왔다.

물론 전분이 주성분인 곡물 외에도 '개고기(戊戌)'나 '소 염통(牛蒡)', '호골(虎骨, 호랑이 뼈)', '미골(麋骨, 고라니 뼈)', '물개(膃肭)', '소 쓸개(우담, 牛膽)', '꽃뱀(花蛇, 화사)' 등 동물성 원료를 주재(酒材)로 하여 발효시키는 방법과 '무(菁)'나 '해초(海藻)'로 빚는 술도 있어 우리 술의 다양성은 가히 말로 형용하기 어려울 정도이다.

<농정회요(農政會要)>와 <임원십육지(林園十六志)>에 수록된 '양고주(羊羔酒)'도 동물성 식품인 양(羊)이나 염소(羔)고기를 주원료로 발효시킨 술을 가리킨다.

<임원십육지>에 <선화성전진방(宣和成殿眞方)>을 인용하여 "원기를 돋우고 위장과 비장을 건강하게 하며 허리와 신장에 이롭다."고 하여 건강 도모를 목적으로 한 보양주(補養酒)의 한 가지임을 알 수 있고, 중국의 양주기법이 도입되었음을 짐작할 수 있다.

'양고주'에 대한 주방문은 <농정회요>에서 찾아볼 수 있다. <농정회요>에만 '양고주'의 주방문이 등장하는 게 매우 특별한 의미가 있는 이유는 <농정회요>에 수록된 대부분의 주방문은 <임원십육지>나 <증보산림경제(增補山林經濟)>에서도 목격되기 때문이다.

어쨌든 <농정회요>의 '양고주' 주방문을 보면, 양고기 외에 찹쌀이 주원료로 함께 사용되고 있다. 양고기에는 전분이나 당이 없기 때문이다.

주방문에 "맛을 보면 매우 달고 부드럽다."고 하여, 알코올 도수가 그리 높지 않은 술이며, 그 과정이 '무술주'나 '치황주'와 유사하다는 사실도 알 수 있다.

주방문을 보면, 찹쌀 1석과 양고기 7근을 주원료로 하여 누룩 14냥, 행인 1근이 사용되는데, '무술주'에서와 같이 양고기를 삶은 물을 술 빚는 물로 사용하는 점이 특징이라 하겠다.

이는 다른 동물성 원료를 사용하는 주품들과의 차별성이기도 하다.

<농정회요>의 '양고주'를 빚는 데 따른 주의사항은, 가능한 한 양고기 특유의 냄새가 나지 않도록 하는 일이다. 그러려면 양고기를 삶는 게 좋다.

술 빚을 찹쌀을 씻을 때 생기는 쌀뜨물을 버리지 말고 따로 받아두었다가, 쌀뜨물 1말 정도를 팔팔 끓이고, 기름기를 제거한 양고기 7근을 넣고 한 차례 푹 끓여서 고기에 들어 있는 기름기와 비린내가 다 빠지도록 푹 삶은 후, 고기 삶은 물을 따라서 버린다. 다시 쌀뜨물 8말 정도를 붓고, 삶은 양고기를 다시 넣어 재차 삶는데, 고기가 물러지도록 끓여야 한다.

불은 중불 정도로 하여 가능한 한 오랜 시간 끓이고, 물이 7말 정도가 되면 고기는 건져낸 다음, 고기 삶은 물을 여러 개의 그릇에 나눠서 차게 식기를 기다린다. 기름기가 떠 있으면 걷어서 남지 않게 제거하는데, 반드시 차게 식기를 기다렸다가 위에 굳어 있는 기름기를 제거하면 쉽다.

찹쌀고두밥도 한 김 날 때 주걱으로 뒤집어주고 가장 센 불로 뜸을 들이는데,

찬물을 골고루 뿌려서 뜸을 들여 고루 익힌 후, 삿자리에 고루 펼쳐서 차디차게 식은 다음에 사용해야 실패가 없다.

<농정회요>의 '양고주'는 산패할 확률이 매우 높은 술이다. 왜냐하면 쌀 양이 10말인 데 비해 누룩의 양이 14냥으로, 되(升)로 환산하면 1되 2홉 5작밖에 되지 않기 때문이다. 따라서 누룩은 최상의 것을 사용하고, 법제를 많이 해야 한다. 그럼에도 불구하고 성공 여부를 미리 알 수 없는 일이다.

쌀 10말에 누룩 1되 2홉 5작은 1.25%밖에 되지 않아 10말의 쌀을 삭히지 못한 데서 오는 문제가 가장 많고, 특히 행인의 양이 많다는 것도 큰 요인이 될 수 있다.

그래서 찹쌀고두밥과 양고기 삶은 물을 미지근하게 식혀서 술을 빚는 방법도 시도해 보았으나, 발효가 되지 않는 것은 마찬가지였다.

결국 여러 문헌의 '무술주'와 '치황주' 빚는 법, '도인(桃仁) 사용법' 등을 응용하여 재차 술 빚기를 시도하였고, 다행히 만족할 만한 결과를 얻을 수 있었다.

성공 요령은 이렇다. 행인은 기름기 없는 프라이팬에 살짝 볶아 비린맛과 얇은 껍질을 제거한 것으로 1근을 준비하고, 누룩은 고운 깁체에 쳐서 고운 가루로 14냥(1되 2홉 5작)을 준비하되, 술밑을 빚을 때 거품이 생길 때까지 매우 고루 치대주어야 발효가 잘 되고 술맛도 좋았다.

이런 방법으로 '양고주'를 빚었는데도 산패하였거나, 자신이 없는 사람은 양고기 삶는 시간을 더 길게 하고, 차게 식힌 후에 굳은 기름기를 제거해 사용한다. 또 술을 빚을 때 석임을 1되가량 섞어서 빚으면 발효상태가 더욱 좋아지며, 이때도 누룩은 줄이지 말아야 한다.

잘 익은 '양고주'는 그 빛깔이 의외로 맑고 깨끗하며, 담백한 맛과 깔끔한 향기를 자랑한다. '무술주'와 별반 차이를 느낄 수 없을 정도로 맛이 유사하다.

<임원십육지>에 '양고주'의 효능으로 "원기를 돋우고 위장과 비장을 건강하게 하며, 허리와 신장에 이롭다."고 하였는데, 그 효과가 있는지는 확신할 수 없다.

1. 양고주 <농정회요(農政會要)>

술 재료 : 찹쌀 1석, 양고기 7근, 누룩 14냥, 행인 1근, 양고기즙 7말

술 빚는 법 :

1. 찹쌀 1석(10말)을 상법으로 하여 준비한다(쌀을 백세하여 물에 담가 불렸다가, 다시 씻어 건져서 물기를 뺀다).
2. 솥에 쌀 불렸던 물을 많이 붓고, 양고기 7근을 함께 넣고 오랫동안 삶은 후 고기는 건져내고 물을 버린다.
3. 다시 동일한 방법으로 양고기를 많이 넣고 끓여서 물러지게 익힌 뒤, 같은 방법으로 고기는 건져내고 남은 즙 7말을 얻는다.
4. (불린 찹쌀을 시루에 안치고 쪄서 고두밥을 짓고, 고두밥이 익었으면 시루에서 퍼내고, 고루 펼쳐서 차게 식기를 기다린다.)
5. 차게 식은 양고기즙 7말에 찹쌀고두밥과 누룩 14냥, 행인 1근을 한데 합하고, 고루 버무려 술밑을 빚는다.
6. 술밑에 다시 목향 1냥을 섞고, 술독에 술밑을 담아 안친 후, 예의 방법대로 하여 김이 새지 않도록 발효시킨다.

* 주방문 말미에 "맛을 보면 매우 달고 부드럽다."고 하였다.

羊羔酒

糯米一石如常法浸漿肥羊肉七斤麯十四羊杏仁一斤煮去滓水又同羊肉多湯煮爛留汁七斗拌前米飯加木香一兩同醞不消○水十日可吃味極甘(滑).

2. 양고주 <임원십육지(林園十六志)>

원기를 돋우고 위장과 비장을 건강하게 하며 허리와 신장에 이롭다. <선화성전진방(宣和成殿眞方)>을 인용하였다.

羊羔酒

<宣和成殿眞方> 大補元氣健脾胃益腰腎 (案)方見 <葆養志>.

연수함춘주

스토리텔링 및 술 빚는 법

‘연수함춘주’는 <음식방문(飮食方文)>에 수록되어 있다. 이 명칭을 두고 술(酒)로 볼 것인지 아니면 약(藥)이나 음식(飮食)으로 볼 것인지 고민을 많이 했다. 다음의 몇 가지 이유들 때문이었다.

첫째, ‘연수함춘주’의 주방문 말미에 “하로 두세 환씩 먹으면 늙지 아니하고, 주리지 아니하고, 백발이 환흑(다시 검어짐)하느니라.”고 하여, 술이 아닌 ‘환약(丸藥)’ 임을 알 수 있다. 그런데도 명칭은 ‘연수함춘주’라는 주품명으로 기록되어 있다.

둘째, <봉접요람>의 ‘보원주’와 <음식방문>의 ‘보혈익기주’라는 주품의 주방문과 유사하나, 문제는 술이 되려면 절대적이라 할 수 있는 누룩이 사용되지 않았다는 점이다.

예를 들면, <음식방문>의 ‘보혈익기주’는 ‘황률·실백자·호도·건시·대추·생청(꿀) 각 1되와 건강말(생강가루) 5홉, 찹쌀 1말, (누룩가루 2되), 정화수 1말’로 이루어진 반면, <봉접요람>의 ‘보원주’는 누룩과 ‘호도’와 ‘건시(곶감)’ 등이 추가되어 가짓수가 더 많다는 사실과 함께 정화수를 양주용수로 사용해 빚는 일반적인 양주과정을 보여주고 있다.

바꾸어 말하면, <봉접요람>의 '보원주'가 <음식방문>의 '보혈익기주'와 다른 점은, 호도와 건시 대신에 오가피를 사용하며, 양주용수를 정화수가 아닌 오가피 달인 물로 사용한다는 점이다.

따라서 '연수함춘주'와는 다소 차이가 있으나, 약재 종류와 효능 면에서 매우 유사하다. <음식방문>의 '연수함춘주' 주방문 말미에 "하로 두세 환씩 먹으면 늙지 아니하고 주리지 아니하고 백발이 환흑(다시 검어짐)하느니라."고 하였는데, <봉접요람>의 '보원주' 주방문 말미에도 "노인 비·허로와 담에 좋고 보혈보비위 하나니라."고 하였고, <음식방문>의 '보혈익기주' 주방문 말미에 "부인은 보혈·수태하고, 남자는 총명·보신·익기 하느니라."고 하였다.

이들 주방문에 나타난 술의 효능 측면에서도 역시 '연수함춘주'는 약이자 술이라는 생각을 떨칠 수가 없으나, 누룩의 사용 여부를 확신할 수 없어 단언하기 어렵다.

어떻든 <음식방문>의 '연수함춘주'는 황률 각 10냥을 비롯하여 씨를 뺀 대추와 건시 1접(100개), 그리고 연육·백자·산약 각 5냥, 호도 3냥, 건강 2냥, 행인 2냥을 가루 내어 생청(꿀)과 함께 짓찧어 환약(丸藥)처럼 만들어 사용하는 것이다.

이 환약을 만들 때 주의할 점은 씨를 뺀 건시(곶감)와 대추의 과육에 있는 수분으로 연육을 비롯한 약재가루를 엉키게 하고, 부족한 수분을 생청으로 보충하는 방법이라는 것이다.

처음부터 생청을 사용하게 되면 절구에 짓찧을 때 곶감과 대추의 과육에 함유된 수분으로 인해 반죽이 늘어져 환약이 뭉쳐지지 않는다는 점을 유의해야 한다.

그리고 <음식방문>의 '연수함춘주' 주방문에서 보듯이 "늙지 아니하고, 주리지 아니하고, 백발이 환흑(다시 검어짐)하느니라."고 하여, 주품명의 의미를 "수명을 늘리는 향이 좋은 춘주"로 해석할 수 있을 것 같다.

이상의 과정으로 미루어 짐작할 때 '연수함춘주'의 특징은 '비선주'나 '경각준순주'와 같이 즉석에서 제조하여 마시는 인스턴트식 술의 의미로 해석할 수 있겠다.

우리 전통주의 다양성을 고려할 때 기능성을 최대화할 수 있다는 점에서 건강에 민감한 현대인들에게 충분히 호감을 불러일으킬 수 있다고 생각된다.

연수함춘주 <음식방문(飮食方文)>

술 재료 : 대추·황률 각 10냥, 건시 1접(100개), 연육·백자·산약 각 5냥, 호도 3냥, 건강 2냥, 행인 2냥, 생청(꿀)

술 빚는 법 :

1. 대추와 황률 각 10냥을 물에 깨끗이 씻어 물기를 제거한 후 햇볕에 말린다.
2. 건시 1접(100개)을 마른수건으로 깨끗하게 닦고, 꼭지와 씨를 제거하여 찢어놓는다.
3. 연육과 백자·산약 각 5냥, 호도 3냥, 건강 2냥, 행인 2냥을 물에 깨끗하게 씻어 껍질과 이물질을 제거하고, 물기를 닦은 후 햇볕에 말려서 건조시켜 놓는다.
4. 준비한 대추와 황률·건시·연육·백자·산약·호도·건강·행인을 한데 합하여 절구에 담고, 절굿공이로 많이 찧어 범벅처럼 만들어놓는다.
5. 절구에 찧은 약재 반죽에 생청을 섞어가면서 된반죽을 만들고, 탄자(탄환)처럼 둥근 환을 빚는다.

* 주방문 말미에 "하로 두세 환씩 먹으면, 늙지 아니하고, 주리지 아니하고, 백발이 환흑(다시 검어짐)하느니라."고 하여 술이 아닌 '환약법'임을 알 수 있다.

연수함츈쥬

ᄃᆡ초 황율 각 열 냥 건시 ᄒᆞᆫ 접 연육 ᄇᆡᆨᄌᆞ 산약 각닷 냥 호도 석냥 건강 두 냥 ᄒᆡᆼ인 두 냥 합ᄒᆞ여 찌어 ᄉᆡᆼ청의 화ᄒᆞ여 탄ᄌᆞ만치 작환ᄒᆞ여 ᄒᆞ로 두세 환 식 먹으면 늙지 아니코 쥬리지 아니코 ᄇᆡᆨ발이 환흑ᄒᆞᄂᆞ니라.

오가피삼투주

스토리텔링 및 술 빚는 법

'오가피삼투주(五加皮三透酒)'와 '구기오가피삼두주(拘杞五加皮三酘酒)'는 <농정회요(農政會要)>와 <오주연문장전산고(五洲衍文長箋散稿)>에 등장하는 약용약주로, 중국의 술이 조선에 유입된 것으로 보인다.

<농정회요>와 <오주연문장전산고>에 수록된 주품의 상당수가 <임원십육지(林園十六志)>와 같이 중국의 기록을 토대로 한 주방문임을 확인할 수 있기 때문이다.

<농정회요>와 <오주연문장전산고>에 등장하는 '오가피삼투주'와 '구기오가피삼두주' 또한 중국 문헌인 "<준팔생전>을 인용하였다(欽定四庫全書 遵生八牋 卷十二 明高濂撰)."는 내용이 언급되어 있다.

우리나라 문헌에 등장하는 중국술의 공통점은 "술의 효능에 대해 과장이 심하다."는 것이다. '오가피삼투주'와 '구기오가피삼두주'에서도 지나치게 과장된 내용을 목격할 수 있다. <임원십육지>에서는 "마시면 풍노와 냉기, 몸속의 적체와 숙질을 제거하고, 사람을 살찌고 건강하게 하여 다리는 말처럼 다니게 하고 효험은

더욱 많다."고 하였고, <오주연문장전산고>에서도 "내가 풍비(風痹, 류머티즘)로 고생을 하고, 다리가 저리고 약하여 매양 걷지를 못하여 근심하던 차에 주경(酒經)을 상고하다가, '구기오가피삼두주'가 풍증, 하로증, 기운이 찬 것을 제거하고 사람으로 하여금 살이 찌고 건강하게 되어서 달리는 것이 마치 말이 달리는 것에 미친다.'고 하는 것을 듣고, 부러워함을 이기지 못하여 강력하게 기록해서 자세히 풀어 썼다."고 하였다. '구기오가피삼두주'에 대한 관심이 매우 컸음을 알 수 있는데, 직접적인 체험 결과에 대한 언급은 없다.

<농정회요>에는 '오가피삼투주'라 하였고, <오주연문장전산고>에는 '구기오가피삼두주'라 하였는데, 이들 문헌에 수록된 주방문이 동일한 것으로 미루어 견해에 따라 '오가피'를 주재로 보기도 하고, '구기'를 주재로 보기도 한 것으로 생각된다.

따라서 '오가피삼투주'와 '구기오가피삼두주'는 오가피나 구기뿌리를 주장(主張)으로 사용한 데서 주품명을 붙인 것이다. 밑술에서는 오가피 외 우슬, 단삼, 구기뿌리(지골피), 금은화(인동꽃), 송절, 탱자나무 가지, 탱자잎 등 오가피의 효능을 돕는 약재를 보조재료로 사용하고, 덧술에는 우엉 뿌리, 2차 덧술에는 참깨를 쌀과 함께 사용한 것을 볼 수 있다.

매번 술을 빚을 때마다 부재료가 사용된 경우는 '오가피삼투주'와 '구기오가피삼두주'가 유일한 주품이 아닌가 생각된다.

게다가 '오가피삼투주'와 '구기오가피삼두주'는 유일하다 싶을 정도로 약재의 사용량이 많은 술에 속한다. 쌀 양 12말에 오가피 등의 부재료가 12말이 사용되는 반면, 술을 빚는 데 사용되는 물의 양은 6말로 약재를 달인 물이라는 점에서 '오가피삼투주'의 향기나 술맛을 연상해 볼 수 있겠다.

특히 주목할 점은 <농정회요>와 <오주연문장전산고>에 수록된 두 주방문이 동일하며, 둘 모두 누룩의 양을 언급하고 있지 않다는 사실이다. <농정회요>에 "약 달인 물에 누룩(1말 2되~2말)을 섞고 불려놓는다."고 하였고, <오주연문장전산고>에는 "무릇 물 양에 따라서 누룩을 담그고……"라고 되어 있을 뿐이다.

단, 두 문헌에 "술이 차서 발효가 되지 않으면 누룩가루를 더하여 넣어주며, 맛이 쓰고 못하면 다시 쌀 2말로 밥을 하여 넣어주며, 밥이 말라서 발효가 되지 않으면 여러 약재 달인 물을 얻어 뜨거운 김에 넣어준다."는 언급이 있으나, 술을 직접 빚어보고 쓴 내용이 아니라 그저 <준팔생전>을 인용해 적은 것이다.

술을 직접 빚어본 경험을 빌리자면, '오가피삼투주'와 '구기오가피삼두주'는 밑술에 한 차례 사용된 누룩으로는 온전한 발효를 기대할 수 없거니와 약인지 술인지 구별할 수 없을 정도로 그 맛이 썩 좋지 않았다. 특히 알코올 도수가 낮고 맛이 써서 마시고 싶은 마음이 전혀 들지 않았다.

따라서 온전한 술을 기대하려면 2차 덧술에서 참깨를 짓찧을 때 누룩을 함께 절구에 넣고 힘껏 찧어서 사용하면 좋다. 덧술에서도 우엉을 찧을 때 누룩을 추가하면 더욱 좋은 술맛을 기대할 수 있을 것이다.

주지하다시피 대마자(참깨)는 지방이 주성분으로 알코올 발효에는 최악의 재료라는 점에서 마지막 덧술을 빚을 때 그 양을 줄이고, 누룩의 힘을 빌려올 수밖에 없다. 또 짓찧을 때에도 가능한 한 죽처럼 될 때까지 많이 찧어서 사용해야 맛을 최대한 살릴 수 있다.

물론 이와 같이 하더라도 일반 주품들의 맛과 향기에는 미치지 못한다는 것을 감안해야 한다.

필자가 경험한 '오가피삼투주'와 '구기오가피삼두주'의 맛이나 향기에 대한 반감과 달리 <오주연문장전산고>에 "집집마다 빚어 쓰는 구기오가피삼두주방(拘杞五加皮三酘酒方)은"이라고 기록되어 있는 걸 보면, 사대부나 반가에서 원기 회복과 건강 도모를 위해 생각보다 널리 빚어 마셨던 것으로 생각된다.

1. 오가피삼투주 <농정회요(農政會要)>

술 재료 : 밑술 : 멥쌀 5말(大斗), 누룩(1말 2되), 약재(우슬, 오가근경, 단삼, 구기근, 인동, 송절, 기각기엽), 물 3석

덧술 : 멥쌀 5말(大斗), 우엉 2말(大斗),

2차 덧술 : 멥쌀 3말(大斗), 대마자 1말(大斗)

술 빚는 법 :

* 밑술 :

1. 오가피나무의 줄기와 뿌리를 비롯하여 우슬, 단삼, 구기나무 뿌리, 금은화 송절, 탱자나무 가지와 잎, 열매, 껍질 각 1말(大斗)를 물에 깨끗하게 씻어 이물질과 부유물을 제거한다.
2. 큰 솥에 물 3석(大石)을 담아 끓이는데, 중간 불로 오랜 시간 달여 물이 6말(大斗)이 되면 찌꺼기를 걸러내고 차게 식힌다.
3. 약 달인 물에 누룩(1말 2되)을 섞고 불려서 수곡을 만들어놓는다.
4. 멥쌀 5말(大斗)을 (백세하여 물에 담가 불렸다가, 다시 씻어 건져서 물기를 뺀 후) 시루에 안치고, 부드러운 고두밥을 지어 익힌다(고두밥이 익었으면 고루 펼쳐서 차게 식기를 기다린다).
5. 생지황 1말을 물에 깨끗하게 씻어 흙과 이물질을 제거한 후, 잘게 썰어 절구에 넣고 짓찧어 진흙처럼 이겨 놓는다.
6. 약 달인 물에 고두밥과 지황 찧은 것, 수곡을 한데 섞고, 고루 버무려 술밑을 빚는다.
7. 술독에 술밑을 담아 안치고, 예의 방법대로 하여 (5~7일간) 발효시킨다.

* 덧술 :

1. 멥쌀 5말을 (백세하여 물에 담가 불렸다가, 다시 씻어 헹궈 건져서 물기를 뺀 후)시루에 안쳐서 무른 고두밥을 짓는다.
2. (고두밥이 익었으면 퍼내고, 고두 펼쳐서 차게 식기를 기다린다.)
3. 우엉 2말을 물에 깨끗하게 씻어 흙과 이물질을 제거한 뒤, 칼로 잘게 썰어 절구에 넣고 짓찧어 진흙처럼 만든다.
4. 짓찧은 우엉에 고두밥과 밑술을 한데 섞고 고루 버무려 술밑을 빚는다.
5. 술독에 술밑을 담아 안치고, 예의 방법대로 하여 발효시킨다.

* 2차 덧술 :

1. 멥쌀 2말을 (백세하여 물에 담가 불렸다가, 다시 씻어 헹궈 건져서 물기를 뺀

후) 시루에 안쳐서 무른 고두밥을 짓는다.
2. (고두밥이 익었으면 퍼내고, 고두 펼쳐서 차게 식기를 기다린다.)
3. 아주까리 씨 2말(大斗)을 물에 깨끗하게 씻어 흙과 이물질을 제거한 뒤, 기름기 없는 프라이팬에 볶은 뒤, 절구에 넣고 짓찧어 진흙처럼 만든다.
4. 짓찧은 아주까리 씨와 고두밥, 덧술을 한데 섞고 고루 버무려 술밑을 빚는다.
5. 술독에 술밑을 담아 안치고, 예의 방법대로 하여 발효시킨다.

* 술이 익지 않으면 누룩가루를 더 넣고, 술맛이 쓰면 멥쌀 2~3말로 고두밥을 지어 더 넣는다.
* 주방문 말미에 "약간 열을 식혀서 오로지 일반적인 방법대로 한다. 술맛이 좋으면 바로 술지게미를 제거해 마시고, 술이 차서 발효가 되지 않으면 누룩가루를 더하여 넣어주며, 맛이 쓰고 못하면 다시 쌀 2말로 밥을 하여 넣어주며, 밥이 말라서 발효가 되지 않으면 여러 약재 달인 물을 얻어 뜨거운 김에 넣어준다. 익기를 기다려 술지게미를 제거하고 때때로 늘 적당량 마셔 항상 술기운이 있게 한다. 남녀 모두 마실 수 있고 꺼리는 것도 없다. 마시면 풍노와 냉기, 몸속의 적체와 숙질을 제거하고 사람을 살찌고 건강하게 하여 다리는 말처럼 다니게 하고 효험은 더욱 많다."고 하였다.

五加皮三骰酒

法用五加根莖·牛膝·丹參·枸杞根·金銀花·松節·枳殼枝葉, 各用一大斗, 以水三大石, 於大釜中煮取六大斗, 去滓澄清水, 準凡水數浸麯. 即用米五大斗炊飪, 取生地黃一斗, 搗如泥, 拌下. 二次用米五斗炊飪, 取牛蒡子根細切二斗, 搗如泥, 拌飯下. 三次用米二斗炊飯, 大萆蔴子一斗, 熬搗令細, 拌飯下之. 候稍冷熱, 一依常法. 酒味好, 即去糟飲之; 酒冷不發, 加以麯末投之; 味苦薄, 再炊米二斗投之; 若飯乾不發, 取諸藥物煎汁熱投. 候熟去糟, 時常飲之多少, 常令有酒氣. 男女可服, 亦無所忌. 服之去風勞冷氣, 身中積滯宿疾, 令人肥健, 行如奔馬, 功妙更多. (欽定四庫全書 遵生八牋卷十二 明高濂撰 飲饌服食牋中 醞造類 五加皮三骰酒). <遵生八牋>.

2. 구기오가피삼두주 <오주연문장전산고(五洲衍文長箋散稿)>

–'투(骰)'의 음을 '두(酘)'라 했음

술 재료 : 밑술 : 멥쌀 5말(大斗), 누룩(1말 2되~2말), 약재(오가피나무 줄기, 오가피 뿌리, 우슬, 단삼, 구기 뿌리, 금은화, 송절, 탱자나무 가지, 탱자잎, 탱자 껍질, 생지황 각 1말), 물 2석

덧술 : 멥쌀 5말(大斗), (누룩 5되), 우엉 2말(大斗)

2차 덧술 : 멥쌀 2말(大斗), (누룩 5되), 화마자 1말(大斗)

술 빚는 법 :

* 밑술 :

1. 오가피나무의 줄기와 뿌리를 비롯하여 우슬, 단삼, 구기나무 뿌리, 금은화, 송절, 탱자나무 가지와 잎, 열매, 껍질 각 1말(大斗)를 물에 깨끗하게 씻어 이물질과 부유물을 제거한다.
2. 큰 솥에 물 2석(大石)과 준비한 분량의 약재를 함께 담아 끓이는데, 중간 불로 오랜 시간 달여 물이 6말(大斗)이 되면 찌꺼기를 걸러내고 차게 식힌다.
3. 약 달인 물에 누룩(1말 2되~2말)을 섞고 불려서 수곡을 만들어놓는다.
4. 생지황 1말을 물에 깨끗하게 씻어 흙과 이물질을 제거한 후, 잘게 썰어 절구에 넣고 짓찧어 진흙처럼 이겨 놓는다.
5. 멥쌀 5말(大斗)을 (백세하여 물에 담가 불렸다가, 다시 씻어 건져서 물기를 뺀 후) 시루에 안치고, 부드러운 고두밥을 짓는다.
6. 고두밥이 익었으면 퍼내고, 고루 펼쳐서 차게 식기를 기다린다.
7. 약 달인 물에 고두밥과 지황 찧은 것, 수곡을 한데 섞고, 고루 버무려 술밑을 빚는다.
8. 술독에 술밑을 담아 안치고, 예의 방법대로 하여 (5~7일간) 발효시킨다.

* 덧술 :

1. 멥쌀 5말을 (백세하여 물에 담가 불렸다가, 다시 씻어 헹궈 건져서 물기를 뺀 후)시루에 안쳐서 무른 고두밥을 짓는다.
2. (고두밥이 익었으면 퍼내고, 고두 펼쳐서 차게 식기를 기다린다.)
3. 우엉 2말을 물에 깨끗하게 씻어 흙과 이물질을 제거한 뒤, 칼로 잘게 썰어 절구에 넣고, (누룩 5되와 함께) 짓찧어 진흙처럼 만든다.
4. 짓찧은 우엉에 고두밥과 밑술을 한데 섞고 고루 버무려 술밑을 빚는다.
5. 술독에 술밑을 담아 안치고, 예의 방법대로 하여 발효시킨다.

* 2차 덧술 :
1. 멥쌀 2말을 (백세하여 물에 담가 불렸다가, 다시 씻어 헹궈 건져서 물기를 뺀 후)시루에 안쳐서 무른 고두밥을 짓는다.
2. (고두밥이 익었으면 퍼내고, 고두 펼쳐서 온기가 남게 식기를 기다린다.)
3. 화마자(참깨) 1말(大斗)을 물에 깨끗하게 씻어 흙과 이물질을 제거한 뒤, 기름기 없는 프라이팬에 볶은 다음 (누룩 5되와 함께) 절구에 넣고 짓찧어 진흙처럼 만든다.
4. 짓찧은 화마자와 고두밥, 밑술을 한데 섞고, 고루 버무려 술밑을 빚는다.
5. 술독에 술밑을 담아 안치고, 예의 방법대로 하여 발효시킨다.

* <임원십육지>의 '오가피삼투주'와는 술 빚는 방법은 같으나, 원료의 양에서 약간 차이가 있다. 주방문(변증설) 말미에 "약간 열을 식혀서 오로지 일반적인 방법대로 한다. 술맛이 좋으면 바로 술지게미를 제거하고 마시며, 술이 차서 발효가 되지 않으면 누룩 가루를 더하여 넣어주며, 맛이 쓰고 못하면 다시 쌀 2말로 밥을 하여 넣어주며, 밥이 말라서 발효가 되지 않으면 여러 약재 달인 물을 얻어 뜨거운 김에 넣어준다. 익기를 기다려 술지게미를 제거하고 때때로 늘 적당량 마셔 항상 술기운이 있게 한다. 남녀 모두 마실 수 있고 꺼리는 것도 없다. 마시면 풍노와 냉기, 몸속의 적체와 숙질을 제거하고 사람을 살찌고 건강하게 하여 다리는 말처럼 다니게 하고 효험은 더욱 많다."고 하였다.

* '오가피삼투주 변증설(五加皮三骰酒 辯證說)'에서 "내가 생각하건대, 원문의 '투(骰)'는 '두(酘)'의 오자(誤字)가 아닐까 한다."고 하였다.

枸杞五加皮三骰酒 辨證說

내가 풍비(風痹, 류머티즘)로 고생을 하고 다리가 저리고 약하여 매양 걷지를 못하여 근심하던 차에 주경(酒經)을 상고하다가, 구기오가피삼두주가 풍증, 하로증, 기운이 찬 것을 제거하고 사람으로 하여금 살이 찌고 건강하게 되어서 달리는 것이 마치 말이 달리는 것에 미친다고 하는 것을 듣고, 부러워함을 이기지 못하여 강력하게 기록해서 자세히 풀어 썼다. 집집마다 빚어 쓰는 구기오가피삼두주방은 우슬, 오가피 뿌리와 줄기, 단삼, 구기나무 뿌리, 인동초, 송절, 탱자나무 가지와 잎(注 : 오른쪽 것)들을 각각 썰어서 대두 1말과 물 2섬을 큰솥에 넣고 끓여서 여섯 말을 만들어 찌끼를 제거하고, 맑고 깨끗한 물 정도가 되게 한다. 무릇 물 양에 따라서 누룩을 담그고, 쌀 대두 5말을 불을 때서 익힌다. 가늘게 자른 생지황 1말을 진흙처럼 찧어서 밥과 같이 섞어서 삭히기를 마친다. 세 번째 빚을 때에는 쌀 2말을 불을 때서 밥을 하고 화마자(참깨) 1말을 볶아서 아주 곱게 찧어서 밥과 함께 섞고, 조금 차거나 따뜻하기를 기다려 항상 하는 법에 의지한다(예의 방법대로 한다). 술맛이 좋아지기를 기다려 찌끼를 제거하고 마신다. 술이 차서 괴지 않으면 누룩가루를 조금 넣고 빚는다. 만약 맛이 쓰고 박하면 다시 2~3말의 쌀을 불을 때서 익혀 그것을 빚는다. 만약 밥이 말라서 술이 괴지 않으면 모든 재료의 다소 양을 나누어 즙을 내서 빚고, 그 술이 익기를 기다려 찌끼를 제거하고 마시되, 자기의 성품을 헤아려서 마시는데, 술 양의 많고 적음은 항상 마시는 이로 하여금 술기운이 있을 정도가 되게 마셔라. 노소남녀가 모두 마실 수 있으며, 또한 가려야 할 바가 없다. 살이 찌고 건강해져서 달리는 것이 말이 달리는 것에 미친다고 하였다. 내가 생각하건대, 원문의 '투(骰)'는 '두(酘)'의 오자(誤字)가 아닐까 한다. 서(書)에서 '두(酘)'는 중양주이다.

오가피주

스토리텔링 및 술 빚는 법

<고사신서(攷事新書)>에 "고인(古人)들은 '한 잔의 오가주(五加酒)를 얻을지언정 금과 옥(金玉)을 수레(車)에 채우지 않겠다.'라 하였다. 또 '오가(五加)를 일명 문장초(文章草)라고 한다.'고 하고, '문장으로 술을 만들지언정 금이 귀하다고 말하지 않겠다.'고 하였다. 오가피는 대개 상품에 드는 영약(靈藥)이다."는 기록을 본 사람이면 '오가피주(五加皮酒)'에 대한 매력을 떨치기 힘들 것이다.

<농정찬요(農政纂要)>에 <고사촬요(攷事撮要)>와 <산림경제(山林經濟, 治膳/釀酒)>를 인용하여 "採五加皮, 曬乾作酒, 令人房室不絶得壽多子也. 昔魯定公母服此酒也. 造酒吉日 丁卯庚午癸未甲午己未(오가피를 캐서 볕에 말려 술을 빚으면 방사가 끊어지지 않고 장수하며 자녀가 많다. 옛날 노나라 정공의 어머니가 이 술을 마셨다)."는 기록은 더욱 '오가피주'에 대한 관심을 끌기에 충분하다.

국내 최고의 한글 조리서로 알려진 <음식디미방>에도 "풍증과 벼가 저리고 부어오르는 증상을 고칠 뿐 아니라, 옛 사람 이유공, 도맹작이란 사람이 평생을 장복하니, 나이를 삼백을 살고 아들 서른을 낳으니, 이제 사람 병 있고 단명하니 백

사 다 버리고 먹으라."고 하였다.

1800년대 말엽 한문 기록인 <주찬(酒饌)>에는 "풍습을 없애고 근골을 튼튼히 하며, 기를 순하게 하고 담을 없애며, 정력을 보태고 골수를 보한다. 오래 복용하면 늙지 않고 오래 산다."고 하였다.

이상은 '오가피주'의 효능에 대한 내용들로 '오가피주'가 옛 사람들에게 장생불로(長生不老)의 명약처럼 인식되었음을 알 수 있다. <임원십육지(林園十六志)>와 <한국민속대관(韓國民俗大觀)>에서도 유사한 내용을 목격할 수 있다.

'오가피주'는 <감저종식법(甘藷種植法)>을 비롯하여 <고려대규합총서(高麗大閨閤叢書, 異本)>, <고사신서>, <규합총서(閨閤叢書)>, <농정찬요>, <동의보감(東醫寶鑑)>, <민천집설(民天集說)>, <보감록>, <승부리안주방문>, <양주방>*, <역주방문(曆酒方文)>, <온주법(醞酒法)>, <음식디미방>, <의방합편(醫方合編)>, <이씨(李氏)음식법>, <임원십육지>, <주찬>, <학음잡록(鶴陰雜錄)>, <한국민속대관> 등 19종의 문헌에 23차례나 등장한다. 이는 '오가피주'가 상당히 인기를 누렸으며, 널리 대중화되었음을 짐작케 한다.

'오가피주'에 대한 주방문은 <음식디미방>을 비롯하여 <승부리안주방문>, <민천집설> 등 조선 중기 문헌에 등장한 이후 <감저종식법>, <고려대규합총서(이본)>, <고사신서>, <농정찬요>, <주찬> 등 1800년대 말엽까지 조선 후기 문헌에 집중되었는데, 이는 허준의 <동의보감>이 출간된 데 따른 영향이 아닌가 하는 추측을 하게 된다.

이는 많은 이들이 생활 주변에서 쉽게 구할 수 있는 오가피의 이용법을 지득(知得)하게 된 까닭으로 풀이된다는 뜻이다.

'오가피주'를 빚는 방법은 여러 가지로 나뉜다. 먼저 '오가피주'는 크게 단양주법(單釀酒法)과 이양주법(二釀酒法)으로 나뉜다. 시대적으로 가장 앞선 기록인 <음식디미방>의 단양주법 '오가피주' 주방문을 보면 "오갈피나무에 물이 올랐을 때 겉껍질을 많이 벗겨, 작은 칼로 썰어 햇볕에 바짝 말려서 1말을 준비한다. 멥쌀 5말을 백세작말하고, 물과 함께 솥에 붓고 끓여 죽을 쑨 뒤 차게 식기를 기다린다. 오가피를 베주머니에 담고 준비한 술독에 먼저 넣어놓는다. 누룩 5되를 식은 죽에 합하고, 고루 버무려 술독에 담아 안친 다음 술이 괴는 대로 떠서 공복에 마신다."고 하였다.

오가피를 썰어 베주머니에 담아 술독에 안치고, 그 위에 멥쌀죽과 누룩을 섞어 빚은 술밑을 안쳐서 발효시키는 단양주법의 발효주(醱酵酒)임을 알 수 있다. <역주방문>도 <음식디미방>과 동일한 주방문을 수록하고 있다. <양주방>*의 '오갑피주'는 <음식디미방>과 동일한 방법으로 빚되, 멥쌀가루로 '설기떡'을 쪄서 술밑을 빚으며, <온주법>과 <이씨음식법>에서는 '범벅'을 사용한다는 점에서 약간씩 다르나, 기본적인 양주법은 같다.

그런가 하면 <고려대규합총서(이본)>와 <주찬>의 '오가피주'는 오가피 뿌리(잎, 열매, 꽃)를 청주에 담가 우려 마시는 방법으로 혼성주(混成酒)로 분류할 수 있다.

한편 이양주법 '오가피주'는 <감저종식법>과 <고사신서>, <민천집설>, <의방합편>에서 동일하게 나타난다. 밑술을 빚는 데 있어 오가피 달인 물과 멥쌀가루를 섞어 죽을 쑨 후, 누룩과 밀가루, 석임을 한데 섞어 빚고, 오가피 달인 물을 끓여 갓 쪄낸 고두밥을 한데 섞은 후, 식으면 밑술과 버무려 발효시키는 방법을 보여주고 있다. 단, <학음잡록>은 오가피 달인 물로 범벅을 쑤어 밑술을 빚는다는 점에서 <감저종식법> 등의 문헌과 조금 차이가 있을 뿐이다.

'오가피주' 주방문 가운데 가장 기본적인 방법은 <승부리안주방문>에서 찾아볼 수 있다. 오가피를 담은 주머니를 술독에 먼저 넣고, 멥쌀죽과 누룩을 섞은 술밑을 담아 안쳐서 발효시킨 밑술에 고두밥을 지어 덧술을 하는 방법이다. 즉, <음식디미방>의 '오가피주' 주방문을 바탕으로 고두밥만을 사용하여 덧술을 한 차례 더해 넣는 방법이라는 점에서 가장 기본적인 양주기법이라 하겠다.

그리고 <감저종식법>과 <보감록>, <학음잡록>의 '오가피주 별법(別法)'은 <감저종식법>의 본법인 '오가피주' 밑술 과정과 동일하지만, 술이 익으면 걸러서 증류하여 소주를 만들고, 다시 고두밥과 오가피 달인 물을 각각 냉각하여 누룩과 혼합하여 발효시키며, 발효되는 중간에 준비해 둔 소주를 붓고 후발효 및 숙성시킨다는 점에서 혼양주법(混釀酒法)으로 분류할 수 있다.

정리해 보면 '오가피주'는 단양주법으로 5가지 주방문이 존재하고, 이양주법으로 3가지 주방문을 보여주고 있다. 이 외에도 목적과 용도와 형편에 따라 다양한 방법의 '오가피주' 빚는 법이 유행했음을 확인할 수 있다.

특히 <감저종식법>과 <학음잡록>에 수록된 '오가피주 별법'은 혼양주법이라는 사실에서 우리 술의 다양성과 함께 대중화 및 세계화의 가능성을 엿볼 수 있다.

1. 오가피주 <감저종식법(甘藷種植法)>

술 재료 : 밑술 : 오가피 1근(마른 것 10냥), 멥쌀 1말, 누룩가루 5홉, 밀가루 5홉, 부본 1되, 물 10병
덧술 : 멥쌀 2말, 오가피 1근(마른 것 10냥), 물 10병

술 빚는 법 :

* 밑술 :

1. 4~5월에 (물이 오른) 오가피 줄기를 많이 채취하여 외피(겉껍질)를 제거한다.
2. 오가피 껍질 1근(건조시킨 것은 10냥)을 물 10병에 넣고 달여서 물이 5병이 되면 찌꺼기(건더기)는 제거한다.
3. 멥쌀 1말을 백세작말하여 오가피 달인 물 3병(지주를 빚으려면 1병 반)에 넣고, 팔팔 끓여서 죽을 쑨 후 (넓은 그릇에 펴서) 차게 식기를 기다린다.
4. 오가피죽에 누룩가루 5홉과 밀가루 5홉, 부본 1되를 합하고, 고루 버무려 술밑을 빚는다.
5. 술독에 술밑을 담아 안치고, 예의 방법대로 하여 완전히 익도록 발효시킨다.

* 덧술 :

1. 멥쌀 2말을 백세하여 (물에 담가 불렸다가, 다시 씻어 건져서 물기를 뺀 후) 시루에 안쳐서 고두밥을 짓는다.
2. 외피(겉껍질)를 제거한 오가피 줄기 1근(건조시킨 것은 10냥)을 물 10병에 넣고 달여서 찌꺼기(건더기)는 제거한 오가피물 6병을 준비한다.
3. 고두밥이 익었으면 넓은 그릇에 퍼내고 끓고 있는 오가피물을 합하되, 날물

기를 조심하여 섞고, 주걱으로 헤쳐서 고두밥이 물을 다 먹기를 기다린다.
4. 고두밥을 여러 개의 그릇에 나눠 차게 식기를 기다린다.
5. 오가피 달인 물에 불린 고두밥과 밑술을 합하고, 고루 버무려 술밑을 빚는다.
6. 술독에 술밑을 담아 안치고, 예의 방법대로 하여 발효시키고 익기를 기다린다.

* <감저종식법> 주방문에 "지주(맛있는 술) 빚으려면 밑술을 할 때 오가피 달인 물을 1병 반을 사용하라."고 하였다. 또 주방문 말미에 "오가피 달인 물과 누룩은 무릇 그 양을 알맞게 조절하여 빚으라."고 하였다. 결국 오가피를 달인 물 양에 따라 누룩의 양을 조절하여 맛을 맞추라는 것으로 이해하면 된다.

五加皮酒
四五月去外皮用一斤(乾則十兩)冬月則并外皮倍入水十瓶煎至五瓶用 白米一斗百洗作末以五加煎水三瓶(欲作旨酒用一二瓶半)乘沸調和待冷麴末五合真末五合腐本一升調匀入甕爛熟後以白米二斗百洗熟蒸以五加水六瓶調和待.

2. 오가피주(지주법) <감저종식법(甘藷種植法)>

술 재료 : 밑술 : 오가피 1근(건품 10냥), 멥쌀 1말, 누룩가루 4되, 물 11~12병
덧술 : 멥쌀 2말, (오가피 5냥, 물 5되)

술 빚는 법 :
* 밑술 :
1. 4~5월에 물이 오른 오가피 줄기를 많이 채취하여 외피(겉껍질)를 제거한다.
2. 오가피 줄기(1근, 건조시킨 것은 10냥)를 물 11~12병에 넣고 달여서 물이

4~5병이 되면 찌꺼기(건더기)는 제거한다.

3. 멥쌀 1말을 백세작말하여 오가피 달인 물 4~5병에 넣고, 팔팔 끓여서 죽을 쑨 후 넓은 그릇에 펴서 차게 식기를 기다린다.
4. 오가피죽에 누룩가루 4되를 합하고, 고루 버무려 술밑을 빚는다.
5. 술독에 술밑을 담아 안치고, 예의 방법대로 하여 발효시킨다.
6. 술이 익었으면 소줏고리를 이용하여 증류하여 노주(露酒)를 받아놓는다.

* 덧술 :

1. 찹쌀 5되를 백세하여 (물에 담가 불렸다가, 다시 씻어 건져서 물기를 뺀 후) 고운 가루로 빻는다.
2. 외피(겉껍질)를 제거한 오가피 줄기 1근(건조시킨 것은 10냥)을 물 10병에 넣고 달여서 찌꺼기(건더기)를 제거한 오가피물 3병을 준비한다.
3. 쌀가루를 넓은 그릇에 담고 끓고 있는 오가피물을 합하고, 주걱으로 고루 개어서 범벅을 쑤어 차게 식기를 기다린다.
4. 오가피죽에 누룩가루 7홉을 합하고, 고루 버무려 술밑을 빚는다.
5. 술독에 술밑을 담아 안치고, 예의 방법대로 하여 발효시키고 익기를 기다린다.
6. 술 빚은 지 3~4일이 되어 술맛을 보아 단맛이 적고 매운맛이 나면, 받아둔 노주를 항아리 가운데 붓고 젓지 않는다.
7. 술독을 기름종이로 밀봉하여 약간 따뜻한 곳(微溫)에 안쳐두고, 7~8일간 발효 숙성시킨 다음 주조에 올려 짜낸다.

* 주방문에 "지주를 빚으려면 물을 11~12병을 사용하라(欲作旨酒用一二瓶半)."고 하였으므로 주방문을 작성하였다.

五加皮酒(旨酒法)

四五月去外皮用一斤(乾則十兩)冬月則并外皮倍入水十瓶煎至五瓶用　白米一斗百洗作末以五加煎水三瓶(欲作旨酒用一二瓶半)乘沸調和待冷麴末五合真

末五合腐本一升調匀入甕爛熟後以白米二斗百洗熟蒸以五加水六瓶調和待.

3. 오가피주 <고려대규합총서(高麗大閨閤叢書, 異本)>

오가피쥬

일명은 금염이오 일명은 문댱쵸니 우흐로 오차셩 졍긔을 응흔 고로 닙히 오 슌이니 고인의 왈 만일 흔 모슴 오가피을 어드면 금옥이 슈레의 ᄀ득흔 거슬 쓰지 아니리라 ᄒ고 우왈 문장쵸로 슈을 하면 금이 귀ᄒ믈 니로디 못ᄒ리라 ᄒ니 시 왈 블긍년옥슌ᄒ야 즐겨 옥슌을 앗기지 아니ᄒ야 옥슌은 숀상병치 금염셔로 골와 금염을 키는도다.

4. 오가피주 <고사신서(攷事新書)>

술 재료 : 밑술 : 오가피 1근(마른 것 10냥), 멥쌀 1말, 누룩가루 5홉, 밀가루 5홉, 부본 1되, 물 10병
덧술 : 멥쌀 2말, (오가피 5냥, 물 5되)

술 빚는 법 :

* 밑술 :

1. 4~5월에 물이 오른 오가피 줄기를 많이 채취하여 외피(겉껍질)를 제거한다.
2. 오가피 줄기 1근(건조시킨 것은 10냥)을 물 10병에 넣고 달여서 물이 5병이 되면 찌꺼기(건더기)는 제거한다.
3. 멥쌀 1말을 백세작말하여 오가피 달인 물 5병(또는 3병)에 넣고, 팔팔 끓여서 죽을 쑨 후 넓은 그릇에 퍼서 차게 식기를 기다린다.
4. 오가피죽에 누룩가루 5홉과 밀가루 5홉, 부본 1되를 합하고, 고루 버무려

술밑을 빚는다.
5. 술독에 술밑을 담아 안치고, 예의 방법대로 하여 발효시킨다.

* 덧술 :
1. 멥쌀 2말을 백세하여 (물에 담가 불렸다가, 다시 씻어 건져서 물기를 뺀 후) 시루에 안쳐서 고두밥을 짓는다.
2. 외피(겉껍질)를 제거한 오가피 줄기 1근(건조시킨 것은 10냥)을 물 10병에 넣고 달여서 찌꺼기(건더기)는 제거한 오가피물 6병을 준비한다.
3. 고두밥이 익었으면 넓은 그릇에 퍼내고 끓고 있는 오가피물을 합하고, 주걱으로 헤쳐서 고두밥이 물을 다 먹기를 기다린다.
4. 고두밥을 여러 개의 그릇에 나눠 차게 식기를 기다린다.
5. 오가피 달인 물에 불린 고두밥과 밑술을 합하고, 고루 버무려 술밑을 빚는다.
6. 술독에 술밑을 담아 안치고, 예의 방법대로 하여 발효시키고 익기를 기다린다.

* 주방문에 "맛있게 하려면 밑술을 할 때 오가피 달인 물을 3병을 사용하라."고 하였다. 또 주방문 말미에 "오가피 달인 물과 누룩은 무릇 그 양을 알맞게 조절하여 빚으라."고 하였다. 결국 오가피를 달인 물 양에 따라 누룩의 양을 조절하여 맛을 맞추라는 것으로 이해하면 된다.

五加皮酒

四五月去外皮用一斤(乾則十兩)冬月則并外皮倍入水十瓶煎至五瓶用 白米一斗百洗作末以五加煎水三瓶(欲作旨酒用一二瓶半)乘沸調和待冷麴末五合真末五合腐本一升調勻入甕爛熟後以白米二斗百洗熟蒸以五加水六瓶調和待冷與本釀同和以釀待熟上槽. 雖釀累斗煎水用麴倣此爲例且凡調水時切勿用他水.

5. 오가피주(우법) <고사신서(攷事新書)>

술 재료 : 밑술 : 오가피 1근(마른 것 10냥), 멥쌀 1말, 누룩가루 4되, 물 10병
덧술 : 멥쌀 2말, (오가피 5냥, 물 5되)

술 빚는 법 :

* 밑술 :

1. 4~5월에 물이 오른 오가피 줄기를 많이 채취하여 외피(겉껍질)를 제거한다.
2. 오가피 줄기(1근, 건조시킨 것은 10냥)를 물 10병에 넣고 달여서 물이 4~5병이 되면 찌꺼기(건더기)는 제거한다.
3. 멥쌀 1말을 백세작말하여 오가피 달인 물 4~5병에 넣고, 팔팔 끓여서 죽을 쑨 후 넓은 그릇에 퍼서 차게 식기를 기다린다.
4. 오가피죽에 누룩가루 4되를 합하고, 고루 버무려 술밑을 빚는다.
5. 술독에 술밑을 담아 안치고, 예의 방법대로 하여 발효시킨다.
6. 술이 익었으면 소줏고리를 이용하여 증류하여 노주(露酒)를 받아놓는다.

* 덧술 :

1. 찹쌀 5되를 백세하여 (물에 담가 불렸다가, 다시 씻어 건져서 물기를 뺀 후) 고운 가루로 빻는다.
2. 외피(겉껍질)를 제거한 오가피 줄기 1근(건조시킨 것은 10냥)을 물 10병에 넣고 달여서 찌꺼기(건더기)는 제거한 오가피물 3병을 준비한다.
3. 쌀가루를 넓은 그릇에 담고 끓고 있는 오가피물을 합하고, 주걱으로 고루 개어서 범벅을 쑤고, 차게 식기를 기다린다.
4. 오가피죽에 누룩가루 7홉을 합하고, 고루 버무려 술밑을 빚는다.
5. 술독에 술밑을 담아 안치고, 예의 방법대로 하여 발효시키고 익기를 기다린다.
6. 술 빚은 지 3~4일이 되어 술맛을 보아 단맛이 적고 매운맛이 나면, 받아둔

노주를 항아리 가운데 붓고 젓지 않는다.

7. 술독을 기름종이로 밀봉하여 약간 따뜻한 곳(微溫)에 안쳐두고, 7~8일간 발효 숙성시킨 다음 주조에 올려 짜낸다.

* 주방문 말미에 옛 사람들은 "한 줌의 오가피를 얻을지언정 금과 옥(金玉)을 차(車)에 채우지 않겠다."고 하고, "또 오가피를 일명 문장초(文章草)라고 한다. 술을 만들지언정 금이 귀하다고 말하지 않겠다. 오가피는 대개 상품에 드는 영약(靈藥)이다."고 하여 '오가피주'의 효능에 대해 언급하고 있다.

五加皮酒(又法)

白米一斗百洗入麴末四升以五加煎水四五瓶釀酒熬作露酒又以粘米五升百洗入細末麴七合用五加水三瓶釀酒待其味少甘多烈以露酒注于其中以油紙封置微溫處過七八日上槽. 故人云寧得一把五加不用金玉滿車又曰文章(五加一名文章草)作酒金不言貴五加皮盖上品靈藥也.

6. 오가피주 <규합총서(閨閤叢書)>

오가피쥬(五加皮酒)

일명은 금염이오 일명은 문당쵸니 우흐로 오차셩 정긔을 응흔 고로 닙히 오슌이니 고인의 왈 만일 흔 모습 오가피을 어드면 금옥이 슈레의 ᄀ득흔 거술 쓰지 아니리라 흐고, 우왈 문장쵸로 슈을 하면 금이 귀흐믈 니로디 못흐리라 흐니 시 왈 블긍년옥슌흐야즐겨 옥슌을 앗기지 아니흐야 옥슌은 쇼 상병치 금염셔로 골와 금염을 킈는도다.

7. 오가피주 <농정찬요(農政纂要)>

술 재료 : 밑술 : (오가피 1근[마른 것 10냥], 멥쌀 1말, 누룩가루 4되, 물 10병)
덧술 : (멥쌀 2말, 오가피물 3병[오가피 1근, 물 6병], 노주)

술 빚는 법 :

* 밑술 :

1. 4~5월에 물이 오른 오가피 줄기를 많이 채취하여 외피(겉껍질)를 제거한다.
2. 멥쌀 1말을 백세한다(물에 담가 불려놓는다).
3. 오가피 줄기 1근(건조시킨 것은 10냥)을 물 10병에 넣고, 달여서 물이 4~5병이 되면 찌꺼기(건더기)는 제거한다.
4. (불린 쌀을 다시 씻어 건져서 물기를 뺀 후, 시루에 안쳐서 고두밥을 짓는다.)
5. 고두밥이 익었으면 넓은 그릇에 퍼 담고, 팔팔 끓고 있는 오가피 달인 물 4~5병도 차게 식기를 기다린다.
6. 오가피물과 고두밥, 누룩가루 4되를 합하고, 고루 버무려 술밑을 빚는다.
7. 술독에 술밑을 담아 안치고, 예의 방법대로 하여 발효시킨다.
8. 술이 익었으면 소줏고리를 이용하여 증류하여 노주(露酒)를 받아놓는다.

* 덧술 :

1. 찹쌀 5되를 백세한다(물에 담가 불렸다가, 다시 씻어 건져서 고두밥을 짓는다).
2. 외피(겉껍질)를 제거한 오가피 줄기 1근(건조시킨 것은 10냥)을 물 6병에 넣고 달여서 3병이 되면 찌꺼기(건더기)는 제거한다(오가피물을 차게 식힌다).
3. (고두밥이 익었으면 퍼내고, 주걱으로 고루 헤쳐서 차게 식기를 기다린다.)
4. 고두밥에 오가피물 6병과 누룩 7홉을 합하고, 고루 버무려 술밑을 빚는다.
5. 술독에 술밑을 담아 안치고, 예의 방법대로 하여 발효시키고 익기를 기다린다.
6. 술맛을 보아 단맛이 적으면, 받아둔 노주를 항아리 가운데 붓는다.

7. 술독을 기름종이로 밀봉하여 약간 따뜻한 곳(微溫處)에 안쳐두고, 7~8일간 발효 숙성시킨 다음 주조에 올려 짜낸다.

五加皮酒

四五月去外皮用一斤(乾則十兩)冬月則并外皮倍入水十瓶煎至五瓶用 白米一斗百洗作末以五加煎水三瓶(欲作旨酒用二瓶半)乘沸調和待冷麴末五合真末五合腐本一升調匀入甕爛熟後以白米二斗百洗熟蒸以五加水六瓶調和待冷與本釀同和以釀待熟上槽. 雖釀累斗煎水用麴倣此爲例且凡調水時切勿用他水.

8. 오가피주(우법) <농정찬요(農政纂要)>

술 재료 : 밑술 : 오가피 1근(마른 것 10냥), 멥쌀 1말, 누룩가루 4되, 물 10병
덧술 : 찹쌀 5되, 누룩가루 7홉, 오가피물 3병(오가피 10냥, 10병)

술 빚는 법 :

* 밑술 :

1. 4~5월에 물이 오른 오가피 줄기를 많이 채취하여 외피(겉껍질)를 제거한다.
2. 오가피 줄기(1근, 건조시킨 것은 10냥)를 물 10병에 넣고 달여서 물이 4~5병이 되면 찌꺼기(건더기)는 제거한다.
3. 멥쌀 1말을 백세작말하여 오가피 달인 물 4~5병에 넣고, 팔팔 끓여서 죽을 쑨 후 넓은 그릇에 펴서 차게 식기를 기다린다.
4. 오가피죽에 누룩가루 4되를 합하고, 고루 버무려 술밑을 빚는다.
5. 술독에 술밑을 담아 안치고, 예의 방법대로 하여 발효시킨다.
6. 술이 익었으면 소줏고리를 이용하여 증류하여 노주(露酒)를 받아놓는다.

* 덧술 :

1. 찹쌀 5되를 백세하여 (물에 담가 불렸다, 다시 씻어 건져서) 고운 가루로 빻는다.
2. 외피(겉껍질)를 제거한 오가피 줄기 1근(건조시킨 것은 10냥)을 물 10병에 넣고 달여서 찌꺼기(건더기)는 제거한 오가피물 6병을 준비한다.
3. 쌀가루를 넓은 그릇에 담고 끓고 있는 오가피물을 합하고, 주걱으로 고루 개어서 범벅을 쑤고, 차게 식기를 기다린다.
4. 오가피죽에 누룩가루 7홉을 합하고, 고루 버무려 술밑을 빚는다.
5. 술독에 술밑을 담아 안치고, 예의 방법대로 하여 발효시키고 익기를 기다린다.
6. 술 빚은 지 3~4일이 되어 술맛을 보아 단맛이 적고 매운맛이 나면, 받아둔 노주를 항아리 가운데 붓고 젓지 않는다.
7. 술독을 기름종이로 밀봉하여 약간 따뜻한 곳(微溫)에 안쳐두고, 7~8일간 발효 숙성시킨 다음 주조에 올려 짜낸다.

五加皮酒(又法)

白米一斗百洗入麴末四升以五加煎水四五甁釀酒熬作露酒又以粘米五升百洗入細末麴七合用五加水三甁釀酒待其味少甘多烈以露酒注于其中以油紙封置微溫處過七八日上槽. 故人云寧得一把五加不用金玉滿車又曰文章(五加一名文章草)作酒金不言貴五加皮盖上品靈藥也.

9. 오가피주 <동의보감(東醫寶鑑)>

풍을 치료하고 허를 보한다. 또한 풍비와 통풍을 치료한다. 술을 빚어서 마신다. 이것을 오가피주라고 한다. (처방은 <곡문>에 나온다.) <본초(本草)>를 인용하였다. 눈이 비뚤어지고 사시가 되었을 때 오화가 있으면 바르게 된다고 했다. 바로 오가피를 말한 것이다. 거칠게 가루 내어 술에 담갔다가 마시면 비뚤어진 눈이 저절로 바르게 된다. <뇌공(雷公)>을 인용하였다. <풍(風)>에 나온다.

五加皮(酒)

治風, 補虛, 又治風痹, 急痛風, 釀酒飮之. 名曰五加皮酒 目僻眼睢, 有五花而自正, 卽五加皮也. 粗末, 酒浸飮之, 其目睢自正.

10. 오가피주 <민천집설(民天集說)>

술 재료 : 밑술 : 오가피 1근, 멥쌀 1말, 누룩가루 5홉, 밀가루 5홉, 부본 1되, 물 10병

덧술 : 멥쌀 2말, 오가피 달인 물 2병(오가피 5냥, 물 5병)

술 빚는 법 :

* 밑술 :

1. 4~5월에 물이 오른 오가피 줄기를 많이 채취하여 외피(겉껍질)를 제거한다.
2. 오가피 줄기 1근(마른 것 10냥)을 물 10병에 넣고 달여서 물이 5병이 되면 찌꺼기(건더기)는 제거한다.
3. 멥쌀 1말을 백세작말하여 오가피 달인 물 5병에 넣고, 팔팔 끓여서 죽을 쑨 후 넓은 그릇에 퍼서 차게 식기를 기다린다.
4. 오가피죽에 누룩가루 5홉과 밀가루 5홉, 부본 1되를 합하고, 고루 버무려 술밑을 빚는다.
5. 술독에 술밑을 담아 안치고, 예의 방법대로 하여 발효시킨다.

* 덧술 :

1. 멥쌀 2말을 백세하여 (물에 담가 불렸다가, 다시 씻어 건져서 물기를 뺀 후) 시루에 안쳐서 고두밥을 짓는다.
2. 외피(겉껍질)를 제거한 오가피(5냥)를 물(5병)에 달여서 찌꺼기(건더기)는 제거한 오가피물(2병)을 준비한다.

3. 고두밥이 익었으면, 넓은 그릇에 퍼내고 끓고 있는 오가피물을 합하고, 주걱으로 헤쳐서 고두밥이 물을 다 먹기를 기다린다.
4. 고두밥을 여러 개의 그릇에 나눠 차게 식기를 기다린다.
5. 오가피 달인 물에 불린 고두밥과 밑술을 합하고, 고루 버무려 술밑을 빚는다.
6. 술독에 술밑을 담아 안치고, 예의 방법대로 하여 발효시켜 익기를 기다린다.

* 주방문에 술 빚는 방법에 대한 언급이 없어 상법(常法)의 주방문을 참고하였다. 기록에 "오가피를 캐서 볕에 말려 술을 빚으면 방사가 끊어지지 않고 장수하며 자녀가 많다. 옛날 노나라 정공의 어머니가 이 술을 마셨다."고 하여 '오가피주'의 효능에 대해 강조하고 있다.

五加皮酒
採五加皮, 曬乾作酒, 令人房室不絶得壽多子也. 昔魯定公母服此酒也.

11. 오가피주법 <보감록>

술 재료 : 밑술 : 오가피 껍질(5근), 멥쌀 2말 5되, 가루누룩 5되, 끓는 물(5말)
덧술 : 멥쌀 2말 5되, 끓여 식힌 물 적당량

술 빚는 법 :
* 밑술 :
1. 오가피가 물이 오르려고 할 때 많이 채취하여 물에 깨끗하게 씻어 흙과 이물질을 제거한다.
2. 오가피를 협도로 겉껍질을 벗겨 내어 그늘에 말렸다가, 잘게 썰어 (5근을) 준비해 놓는다.
3. 오가피 썰어놓은 것을 (베주머니에 담고, 주둥이를 묶어) 술독에 넣어놓는다.

4. 희게 쓿은 멥쌀 2말 5되를 물에 깨끗이 씻고 또 씻어 (담가 불렸다가, 다시 씻어 건져서 물기를 뺀 후) 가루로 빻는다.
5. 물(5말)을 끓여 쌀가루에 골고루 붓고, 주걱으로 개어서 덩어리가 없게 범벅을 만들고 이내 차디차게 식기를 기다린다.
6. 범벅이 다 식었으면 누룩 5되와 합하고, 고루 버무려 술밑을 빚는다.
7. 술밑을 오가피를 넣어둔 술독에 담아 안치고, 예의 방법대로 하여 발효시킨다.

* 덧술 :
1. 멥쌀 2말 5되를 백세하여 (물에 담가 불렸다가, 다시 씻어 건져서 물기를 뺀 후) 시루에 안쳐서 고두밥을 짓는다.
2. 고두밥이 익었으면, 넓게 고루 펼쳐서 차디차게 식기를 기다린다.
3. 고두밥에 밑술을 합하고, 고루 버무려 술밑을 빚는다.
4. 술독에 술밑을 담아 안치고, 예의 방법대로 하여 발효시킨 후 맑게 익기를 기다린다.

오가피쥬법

오가피물 모을 ᄶᅵᆨ에 만히 벗겨 음건ᄒᆞ야 유협도의 졸게 쓰러 독 밋테 너코 ᄊᆞᆯ 닷 말 ᄒᆞ라면 반식 ᄇᆡᆨ세ᄒᆞ야 ᄌᆞᆨ말ᄒᆞ야 범벅 ᄀᆡ여 식힌 후 ᄀᆞ로누록 닷 되 섯거 비져서 다 괴거던 남은 ᄊᆞᆯ ᄇᆡᆨ세ᄒᆞ야 닉게 쪄 ᄎᆞ게 식혀 탕수을 다른 슐 물과 갓치 잡아 정히 ᄒᆞ엿다가 다ᄉᆞᄒᆞ게 데여 공심의 알맛게 먹그면 풍병과 반신불슈을 고칠 불 안이라 옛 윤공도와 ᄆᆡᆼ작소란 ᄉᆞ람이 이 슐을 먹그니 나흔 삼ᄇᆡᆨ식 살고 아달은 서흔을 나흐니라. 오가피 일명은 금념이오 일명은 문쟝초니 우흐로 오ᄎᆞ셩 정기을 응ᄒᆞᆫ 고로 닙피 오츌이니 고인이 왈 만일 ᄒᆞᆫ 모슴 오가피를 어드면 금옥이 슈ᄅᆡ에 ᄀᆞ득ᄒᆞᆫ 거살 쓰지 안이 여기니라 ᄒᆞ고 우왈 문쟝초로 슐을 ᄒᆞ면 금이 귀ᄒᆞ믈 니아지 못ᄒᆞᆫ다 ᄒᆞ니라.

12. 오가피주방문 <승부리안주방문>

술 재료 : 밑술 : 오가피(25냥), 멥쌀 2말 5되, 누룩가루 5되, 물(5말)
덧술 : 멥쌀 2말 5되, 끓여 식힌 물(1말)

술 빚는 법 :

* 밑술 :

1. 물이 많이 오른 오가피 줄기를 많이 벗겨 음건한다(외피를 제거한다).
2. 유협도로 오가피 줄기(25냥)를 잘게 썰어 술 빚을 독에 먼저 담아놓는다.
3. 멥쌀 2말 5되를 백세하여 (물에 담가 불렸다가, 다시 씻어 헹궈서) 물(5말)에 넣고 끓여서 죽을 쑨 후, (넓은 그릇 여러 개에 나눠 담고) 차게 식기를 기다린다.
4. 죽에 누룩가루 5되를 합하고, 고루 버무려 술밑을 빚는다.
5. 술독에 술밑을 담아 안치고, 예의 방법대로 하여 발효시킨다.

* 덧술 :

1. 멥쌀 2말 5되를 백세하여 (물에 담가 불렸다가, 다시 씻어 건져서 물기를 뺀 후) 시루에 안쳐서 고두밥을 짓는다.
2. 물(1말)을 팔팔 끓여 차게 식혀놓는다.
3. 고두밥이 익었으면 넓게 고루 펼쳐서 차디차게 식기를 기다린다.
4. 고두밥에 밑술과 끓여 식힌 물(1말)을 합하고, 고루 버무려 술밑을 빚는다.
5. 술독에 술밑을 담아 안치고, 예의 방법대로 하여 발효시킨 후 맑게 익기를 기다린다.

* 술을 따뜻하게 데워서 공복에 알맞게 마시면 풍병과 반신불수를 고칠 뿐 아니라, 옛날 윤공도와 맹작소란 사람이 이 술을 마시고 나이 삼백 살을 살고 아들을 서른을 낳았다고 한다.

오가피쥬방문

오가피을 믈 오ᄅᆞᄂᆞᆫᄣᅵ 만히 벗겨 음건ᄒᆞ여 유협도의 줄게 싸흐라 독 밋ᄒᆡ 녀코 ᄡᆞᆯ ᄃᆞᆺ 말이면 반 식 ᄇᆡᆨ셰ᄒᆞ여 쥭 쑤어 ᄎᆡ와 국말 ᄃᆞᆺ 되 섯거 너허 ᄀᆡ거든 남은 ᄡᆞᆯ ᄇᆡᆨ셰ᄒᆞ여 ᄂᆡᆨ게 쪄 덧허 ᄆᆞᆰ거든 ᄃᆞᄉᆞ케 데여 공심의 알맛초 먹으면 풍병 박신블슈을 곳칠 분 아니라 네윤공도와 맥작재란 ᄉᆞᄅᆞᆷ이 이 술을 먹으니 나ᄒᆞᆫ 삼ᄇᆡᆨ식 살고 아ᄃᆞᆯ을 셜ᄒᆞᆫ을 나ᄒᆞ니라.

13. 오갑피주 <양주방>*

술 재료 : 오가피 껍질(말린 것) 5근, 멥쌀 5말, 가루누룩(2되 5홉), 끓는 물(5말), 끓여 식힌 물 2되

술 빚는 법 :

1. 오가피(땅두릅)를 물이 오르려고 할 때 많이 채취하여 물에 깨끗하게 씻어 물기를 제거한다.
2. 오가피를 칼로 겉껍질을 벗겨 내어 그늘에 말렸다가 잘게 썰어 5근을 준비해 놓는다.
3. 오가피 썰어놓은 것을 베주머니에 담고, (주둥이를 묶어) 술독에 넣어놓는다.
4. 희게 쓿은 멥쌀 5말을 물에 깨끗이 씻고 또 씻어 (담가 불렸다가, 다시 씻어 건져서 물기를 뺀 후) 가루로 빻는다.
5. 쌀가루를 시루에 안쳐서 흰무리떡을 찌고, 물(5말)을 끓여 쪄낸 떡에 골고루 부어 주걱으로 개어서 덩어리가 없게 만든다(이내 차디차게 식기를 기다린다).
6. 물(2되)을 (끓인 후 차디차게 식혀서) 가루누룩(2되 5홉)과 섞는다(물누룩을 만들어놓는다).
7. 설기떡이 다 식었으면 물누룩과 합하고, 고루 버무려 술밑을 빚는다.

8. 오가피를 넣어둔 술독에 술밑을 담아 안치고, 예의 방법대로 하여 발효시
   킨다.

* 주방문에는 고두밥에 붓는 끓는 물과 물누룩을 만드는 데 사용되는 물의 양
  에 대한 구체적인 언급이 없다.

오갑피쥬

오갑피를 물 오르려 ᄒᆞᆯ졔 만히 벗겨 음건ᄒᆞ야 유협도의 잘게 싸흐라 닷 말 비
ᄌᆞ려 ᄒᆞ면 오갑피 싸흔 것 닷 근을 줌치에 너허 뚝 밋ᄒᆡ 너코 ᄇᆡᆨ미 닷 말을 ᄇᆡᆨ
셰작말ᄒᆞ야 쪄 방문쥬 빗듯 물 살혀 썩의도 부으며 국말 닷 되예도 섯거 버무
려 너허다가 닉거든 공심의 데여 먹으면 풍증과 불인증과 ᄉᆞ지부란증과 반신
불슈증을 다 고칠 ᄲᅮᆫ 아나 녜 윤동도와 ᄆᆡᆼ작ᄌᆡ란 사ᄅᆞᆷ이 이 술을 장복을 ᄒᆞ
니 날로 삼ᄇᆡᆨ을 살고 아들 설흔식 나ᄋᆞ니라.

14. 오가피주방 <역주방문(曆酒方文)>

술 재료 : 멥쌀 5말, 오가피 말린 것 1말, 누룩가루 5되, 물(10말)

술 빚는 법 :

1. (가을에 쇠어 거칠지 않은) 오가피를 채취하여 물에 깨끗하게 씻어 먼지와
   이물질을 제거한 후, 작두에 잘게 썰어 햇볕에 말려둔다.
2. 오가피 썰어둔 것 1말을 베로 만든 자루에 담아, 소독하여 준비한 술독에
   먼저 안쳐 놓는다.
3. 멥쌀 5말을 물에 백 번 씻어 매우 깨끗하게 헹군 뒤, 새 물에 담가 불렸다가
   다시 씻어 말갛게 헹궈서 물기를 뺀 뒤 가루로 빻는다.
4. 솥에 물(10말)을 끓이다가 따뜻할 때 쌀가루를 골고루 붓고, 주걱으로 헤쳐

서 멍울을 풀고, 천천히 저어가면서 팔팔 끓여서 죽을 쑨다.
5. 죽을 그릇 여러 개에 퍼서 차게 식기를 기다린다.
6. 죽에 누룩가루 5되를 한데 합하고, 고루 버무려서 술밑을 빚는다.
7. 술밑을 술독에 담아 안치고, (술독 주둥이에 묻은 것을 깨끗하게 씻어내고 베보자기와 뚜껑을 덮어) 발효시킨 후, 익는 대로 채주하여 빈속에 따뜻하게 마신다.

* 주방문 말미에 "술이 익은 후에 빈속에 따뜻하게 데워서 복용하면, 풍질이 나을 뿐 아니라, 마목 등의 병도 치유된다."고 하고, "옛날 '윤공도'와 '맹작사' 두 사람이 항상 이 술을 복용하여 능히 백세까지 장수하였다고 한다."고 기록되어 있다. <양주방>*에는 '윤공도'와 '맹작재'로 되어 있다.
* 풍질(風疾) : 풍으로 앓는 병
* 마목 : 팔다리가 저리고 마비되는 증상

五加皮酒方
五加皮多彩去麤皮細剉乾置釀時取一斗納于布袋鋪瓮底以白米五斗百洗作末粥候冷入曲末五升合釀待熟空心溫服不구愈風疾及痲木(저린증)等(偟)昔尹公度孟綽嗣二人常服(坆)酒能亨百歲.

15. 오가피주 <온주법(醞酒法)>

술 재료 : 오가피 1근, 멥쌀 5말, 누룩가루 5말 5되, 끓는 물 5말

술 빚는 법 :
1. 3~4월에 오가피나무의 껍질을 많이 벗겨낸 후, 거친 겉껍질을 다시 벗겨서 물에 깨끗이 씻어 건조시킨다.

2. 오가피나무의 속껍질을 협도로 잘게 썰어 햇볕에 내어 건조시킨다.
3. 잘게 썬 오가피(1근)를 모시베주머니에 넣고 끈으로 묶어 독 밑에 안쳐놓는다.
4. 멥쌀 5말을 백세하여 (물에 담가 하룻밤 불렸다가, 다시 씻어 건져서 물기를 뺀 후) 작말한다(고운 가루로 빻는다).
5. 쌀가루에 끓는 물 5말을 쳐가면서 (주걱으로 고루 치대어) 범벅을 쑤어 넓은 그릇에 펴서 차게 식혀놓는다.
6. (범벅에) 누룩가루 5말 5되를 합하고, (힘껏 고루 고루 치대어) 술밑을 빚는다.
7. 술독에 술밑을 담아 안치고, 예의 방법대로 하여 발효시킨다.

* 주방문 말미의 "무자하고(자식 없고) 단명ᄒᆞ물 ᄒᆞᆫᄒᆞᄂᆞᆫ 재어든 이 술을 먹어 시험ᄒᆞ라"고 하였으나 해독이 불가하다.

오가피듀

삼ᄉᆞ월 오가피ᄅᆞᆯ 만히 벗겨다가 웃겁질을 벗기고 협도의 ᄊᆞᄒᆞ라 볏히 ᄆᆞᆯᄂᆡ여 두고 오가피 ᄒᆞᆫ 말 주머니예 너허 독 미틔 너코 ᄇᆡᆨ미 닷 말 ᄇᆡᆨ셰 작말ᄒᆞ야 탕슈 닷 말 국말 닷 말가옷 섯거 닉거든 공심의 양ᄃᆡ로 먹으면 풍증과 저려 불인ᄒᆞᆫ 증을 곳치ᄂᆞ니 예 뉴공도와 밍쟉이란 ᄉᆞ람이 이 술을 쟝복ᄒᆞ니 수십 ᄇᆡᆨ셰ᄅᆞᆯ 살고 아ᄃᆞᆯ 삼십을 나ᄒᆞ니 무ᄌᆞᄒᆞ고 단명ᄒᆞ물 ᄒᆞᆫᄒᆞᄂᆞᆫ 재어든 이 술을 먹어 시험ᄒᆞ라.

16. 오가피주 <음식디미방>

술 재료 : 멥쌀 5말, 누룩 5되, 오갈피 1말, (물 15병)

술 빚는 법 :

1. 오갈피나무에 물이 올랐을 때 껍질을 많이 벗겨내어 겉껍질을 벗겨내고, 작은 칼로 썰어 햇볕에 바짝 말려두었다가 (물로 깨끗이 한 차례 씻어) 1말을 준비한다.
2. 멥쌀 5말을 백세하여 (물에 깨끗하게 씻어 하룻밤 담가 불렸다가, 다음날 다시 씻어 건져 물기 뺀 뒤) 작말하고, 넓은 그릇에 나눠 담아놓는다(가루로 빻는다).
3. 물(15병)을 솥에 붓고 끓인다(물이 따뜻해지면 5병 정도를 떠서 쌀가루에 넣고 휘저어 덩어리진 것 없이 하여 '아이죽'을 만든다).
4. 아이죽을 끓는 물솥에 쏟아 붓고, 주걱으로 천천히 저어가면서 죽을 쑨 뒤, 넓은 그릇 여러 개에 나누어 담고 차게 식기를 기다린다.
5. 오가피를 (무거운 돌멩이와 함께) 베주머니에 담고, 주둥이를 묶어 준비한 술독에 먼저 넣어놓는다.
6. 누룩 5되를 식은 죽에 합하고, 고루 버무려 술밑을 빚는다.
7. 오가피 주머니를 넣어둔 술독에 술밑을 담아 안친 다음, 예의 방법대로 하여 발효시킨다.
8. 술이 괴는 대로 (용수를 박아두고) 떠서 공복에 마신다.

* 주방문에 "풍증과 뼈가 저리고 부어오르는 증상을 고칠 뿐 아니라, 옛 사람 이유공, 도맹작이란 사람이 평생을 장복하니, 나이를 삼백을 살고 아들 서른을 낳으니, 이제 사람 병 있고 단명하니 백사 다 버리고 먹으라."고 하였다.

오가피쥬

오가피ᄅᆞᆯ 무임돌제 만히 벗겨 웃겁질 벗기고 협도로 싸흐라 볏틔 ᄆᆞᆯ로여 술 비즐제 닷 말 비ᄌᆞ려ᄒᆞ면 오가피 사흔것 ᄒᆞᆫ 말 주머니예 녀허 독 미틔 노코 ᄇᆡᆨ미 닷 말 ᄇᆡᆨ셰작말ᄒᆞ여 쥭 수어 식거든 누록 닷 되 섯거 독의 녀허 ᄃᆞᆺ다가 괴거든 공심의 먹그면 풍증과 싀저려 블인 ᄒᆞᆫ증을 고칠분 아니라 넷 사ᄅᆞᆷ 이유공 도ᄆᆡᆼ쟉이란 사ᄅᆞᆷ이 평ᄉᆡᆼ을 쟝복ᄒᆞ니 나ᄒᆞᆯ 삼ᄇᆡᆨ을 살고 아들 셜흔을 나

ᄒᆞ니 이제 사ᄅᆞᆷ 병잇고 단명ᄒᆞ니 ᄇᆡᆨ수 다 ᄇᆞ리ᄒᆞ여 먹으라.

17. 오가피주 <의방합편(醫方合編)>

술 재료 : 밑술 : 멥쌀 1말, 누룩가루 5홉, 밀가루 5홉, 주본 1되, 물 10병, 껍질 벗겨 말린 오가피 적당량

덧술 : 멥쌀 2말, 물 12병, 껍질 벗겨 말린 오가피 적당량

술 빚는 법 :

* 밑술 :

1. 4~5월경에 물 10병에 껍질 벗긴 후 말린 오가피(겨울에는 껍질이 있는 것으로 2배 사용)를 넣고, 매우 오랫동안 끓여서 5병이 되게 한다.
2. 멥쌀 1말을 백세하여 (하룻밤 물에 담갔다가, 다시 씻어 건져서 물기를 뺀 다음) 작말한다.
3. 오가피 달인 물 3병을 섞어 한소끔 끓여서 쌀가루에 붓고, 주걱으로 고루 개어서 차갑게 식기를 기다린다.
4. 오가피 범벅에 누룩가루 5홉, 진말 5홉, 주본 1되를 합하고, 고루 버무려 술밑을 빚는다.
5. 술밑을 술독에 담아 안치고, 예의 방법대로 하여 발효시킨다.

* 덧술 :

1. 멥쌀 2말을 백세한다(물에 담가 불렸다가, 다시 씻어 건져서 물기를 뺀다).
2. 불린 쌀을 시루에 안치고, 쪄서 무른 고두밥을 짓는다.
3. 오가피 달인 물 6병을 고두밥에 붓고, 고두밥이 물을 다 먹고 식기를 기다린다.
4. 고두밥에 밑술을 합하고, 고루 버무려 술밑을 빚는다.

5. 술밑을 술독에 담아 안치고, 예의 방법대로 하여 발효시킨다.
6. 술이 익으면 술통에 담는다.

* 주방문 말미에 "여러 말을 할지라도 끓인 물을 써서 누룩을 이 방법에 의하여 빚는다. 또 물을 맞출 때에도 절대로 다른 물을 쓰지 말아야 한다."고 하였다.

五加皮酒

四五月去外皮用一斤(乾則十兩)冬月則并外皮倍入水十瓶煎至五瓶用　白米一斗百洗作末以五加煎水三瓶(欲作旨酒用二瓶半)乘沸調和待冷麯末五合真末五合腐本一升調勻入甕爛熟後以白米二斗百洗熟蒸以五加水六瓶調和待冷與本釀同和以釀待熟上槽. 雖釀累斗煎水用麯倣此爲例且凡調水時切勿用他水.

18. 오갈피주 <이씨(李氏)음식법>

술 재료 : 오가피 말린 것 5근, 멥쌀 5말, 가루누룩 5되, (끓는 물 5말)

술 빚는 법 :
1. (3~4월에) 오가피나무에 물이 막 오를 때 껍질을 많이 벗겨낸 후, 거친 겉껍질을 긁어낸다.
2. 오가피나무의 속껍질을 깨끗이 씻은 후, (협도로) 잘게 썰어 그늘에 널어 건조시킨다.
3. 잘게 썬 오가피 5근을 모시베주머니에 넣고 끈으로 묶어 술 빚을 독 밑에 안쳐 놓는다.
4. 멥쌀 5말을 백세하여 (물에 담가 하룻밤 불렸다가, 다시 씻어 건져서 물기를 뺀 후) 작말한다(고운 가루로 빻는다).

5. 쌀가루에 끓는 물(5말)을 쳐가면서 (주걱으로 고루 치대어) 범벅을 쑤어 넓은 그릇에 퍼내어 (차게 식혀) 놓는다.
6. (범벅에) 가루누룩 5되를 합하고, (힘껏 고루 고루 치대어) 술밑을 빚는다.
7. 술독에 술밑을 담아 안치고, 예의 방법대로 하여 발효시킨다.

* 주방문 말미에 “술 다 익거든 알맞게 먹으면 풍병과 (팔 다리 저려) 불안한 증상이 없나니라.”고 하였다. 물의 양이 언급되어 있지 않아 다른 기록의 ‘송절주’를 참고하여 주방문을 작성하였다.

오갈피쥬

오갈피나무 물 막 올을 졔 겹질을 만히 벅겨 음건ᄒᆞ야 잘게 쓸어 쏠 단 말 비지랴면 오갈피 닷 근을 쥬머니의 너허 그 물을 슐 비질 독 밋틔 너코 ᄇᆡᆨ미 닷 말 ᄇᆡᆨ셰 작말ᄒᆞ야 ᄇᆡᆨ무쥬 비질 졔갓치 물 살혀 쎡 가로에 ᄯᅩ 부으며 갈로 누록 닷 되 셕거 너허다가 슐 다 익거든 알마쵸아 먹으면 픙병과 불인헌 증이 읍나니라.

19. 오가피주 <임원십육지(林園十六志)>

모든 풍습과 위비(痿痺, 위축증과 마비증)를 없애주고 저린 것과 관절염을 치료하며, 근육과 골격을 튼튼하게 한다. 방법은 <보양지>를 참조하라. <본초강목>을 인용하였다.

五加皮酒

<本草綱目> 去一切風濕痿痺壯筋骨填精髓 (案)方見 <葆養志>.

20. 오가피주 <주찬(酒饌)>

술 재료 : 오가피 1근, 지유 1근, 좋은 술 2말, 불린 쌀 6홉, 술독 6개

술 빚는 법 :

1. 오가피 뿌리의 겉껍질을 벗겨 깨끗이 씻은 후 건조시킨다.
2. 오가피 뿌리를 잘게 썰어 각각 1근씩을 자루에 담고 끈으로 묶는다.
3. 찌꺼기 없이 순수한 청주 2말(거르지 않은)에 담근다.
4. 술을 6개의 항아리에 나누어 담고, 단단히 밀봉해서 큰 솥에 안친 후 세지도 약하지도 않은 불로 끓인다.
5. 술항아리 위에 (불린) 쌀 1홉씩 얹는다.
6. 솥에 물을 붓고 세지도 약하지도 않은 불로 끓여 중탕한다.
7. 술항아리 위의 쌀이 익으면 들어낸다.
8. 술은 걸러 청주와 탁주로 나누고, 탁주를 걸러낸 후 술지게미는 햇볕에 말려서 환으로 만든다.

* '오가피주'는 "풍습과 팔다리 저린 것을 고치고 근골을 튼튼히 한다."고 하였다. 환은 매일 아침과 잠자리에 들 때 약주로 50개씩 먹는다. "풍습을 없애고 근골을 튼튼히 하며, 기를 순하게 하고 담을 없애며, 정력을 보태고 골수를 보한다. 오래 복용하면 늙지 않고 오래 산다."고 하였다.

五加皮酒

用五加根皮洗淨去骨莖葉亦可 以水煎汁和曲米釀酒時時飮之. 神仙煮酒法用五加皮地楡刮去麤皮各一斤帒盛入無灰好酒二斗中六罈封固安大鍋內文武火煮之罈上安. 米一合米熟爲度取出火毒以渣晒乾爲丸. 每朝服五十丸藥酒送下臨臥再服能去風濕 壯筋骨順氣化痰添精補髓 久服延年爲童 時珍曰 五加治風濕痿痺壯筋骨.

21. 오가피주 <학음잡록(鶴陰雜錄)>

술 재료 : 밑술 : 오가피 1근(마른 것 10냥), 멥쌀 1말, 누룩가루 5홉, 밀가루 5홉, 부본 1되, 물 10병
덧술 : 멥쌀 2말, 오가피 달인 물 6병(오가피 1근, 물 12병)

술 빚는 법 :

* 밑술 :

1. 4~5월 지나 물이 오른 오가피 줄기를 많이 채취하여 외피(겉껍질)를 제거한다.
2. 오가피 줄기 1근(건조시킨 것은 10냥, 겨울철에는 외피째로 2배)을 물 10병에 넣고, 물이 5병이 되게 달이고, 찌꺼기(건더기)는 제거한다.
3. 멥쌀 1말을 백세하여 (물에 담가 불렸다가, 다시 씻어 건져 헹궈서 물기를 뺀 뒤)작말한다.
4. 끓고 있는 오가피 달인 물 3병을 쌀가루에 합하고, 고루 개어 범벅을 쑨 후 넓은 그릇에 펴서 차게 식기를 기다린다.
5. 오가피 범벅에 누룩가루 5홉과 밀가루 5홉, 부본 1되를 합하고, 고루 버무려 술밑을 빚는다.
6. 술독에 술밑을 담아 안치고, 예의 방법대로 하여 발효시켜 익기를 기다린다.

* 덧술 :

1. 멥쌀 2말을 백세하여 (물에 담가 불렸다가, 다시 씻어 건져서 물기를 뺀 후) 시루에 안쳐서 고두밥을 짓는다.
2. 외피(겉껍질)를 제거한 오가피 줄기 1근(건조시킨 것은 10냥)을 물 10병에 넣고 달여서 찌꺼기(건더기)는 제거한 오가피물 6병을 준비한다.
3. 고두밥이 익었으면 넓은 그릇에 퍼내고 끓고 있는 오가피물을 합한 후 주걱으로 헤쳐서 고두밥이 물을 다 먹기를 기다린다.

4. 고두밥을 여러 개의 그릇에 나눠 차게 식기를 기다린다.
5. 오가피 달인 물에 불린 고두밥과 밑술을 합하고, 고루 버무려 술밑을 빚는다.
6. 술독에 술밑을 담아 안치고, 예의 방법대로 하여 발효시키고 익기를 기다려 주조에 올려 짠다.

* 주방문에 덧술의 오가피와 물의 양이 언급되어 있지 않다. 또 술 빚을 때 "무릇 물을 넣을 때 날물을 절대 금하라."고 하였다. <안가방>을 인용하였다.

五加皮酒

<五加皮酒> 五加皮酒.四五月去外皮, 用一斤, [乾則十兩]冬月則幷外皮, 倍入水十瓶, 煎至五瓶. 白米一斗, 百洗作末, 以五加煎水三瓶, 乘沸調和待冷, 麴末五合, 眞末五合, 腐本一升調均, 入瓮爛熟. 白米二斗, 百洗熟蒸, 以五加水六瓶, 調和待冷, 與本釀同和以釀, 待熟上槽. 雖釀累斗, 煎水用麴, 倣此爲例. 且凡調水時, 切勿用他水. (安家方).

22. 오가피주 우법 <학음잡록(鶴陰雜錄)>

술 재료 : 밑술 : 오가피 1근(마른 것 10냥), 멥쌀 1말, 누룩가루 4되, 물 10병
덧술 : 멥쌀 2말, (오가피 5냥, 물 5되)

술 빚는 법 :

* 밑술 :

1. (4~5월에 물이 오른 오가피 줄기를 많이 채취하여 외피(겉껍질)를 제거한다.)
2. (오가피 줄기 1근을 물 10병에 넣고 달여서 물이 4~5병이 되면 찌꺼기는 제거한다.)

3. 멥쌀 1말을 백세하여 (물에 담가 불렸다가 다시 씻어 건져 헹궈서 물기를 뺀 뒤) 시루에 안쳐서 고두밥을 짓는다.
4. (고두밥이 익었으면, 시루에서 퍼내어 고루 펼쳐서 차게 식기를 기다린다.)
5. 오가피 달인 물 4~5병에 고두밥과 누룩가루 4되를 합하고, 고루 버무려 술밑을 빚는다.
6. 술독에 술밑을 담아 안치고, 예의 방법대로 하여 발효시킨다.
7. 술이 익었으면 소줏고리를 이용해 증류하여 노주(露酒)를 받아놓는다.

* 덧술 :
1. 찹쌀 5되를 백세하여 (물에 담가 불렸다가, 다시 씻어 건져서 물기를 뺀 후) 시루에 안쳐서 고두밥을 짓는다.
2. 외피(겉껍질)를 제거한 오가피 줄기 1근을 물 6병에 넣고 달여서 찌꺼기는 제거한 오가피물 3병을 준비한다.
3. 고두밥이 익었으면 시루에서 퍼내어 넓은 그릇에 담고, 끓고 있는 오가피물을 합하여 주걱으로 고루 개어서 차게 식기를 기다린다.
4. 고두밥이 오가피물을 다 먹고 차게 식었으면 누룩 7홉을 합하고, 고루 버무려 술밑을 빚는다.
5. 술독에 술밑을 담아 안치고, 예의 방법대로 하여 발효시켜 익기를 기다린다.
6. 술 빚은 지 (3~4일 지나) 술맛을 보아 단맛이 적고 매운맛이 나면, 받아둔 노주를 항아리 가운데 붓고 젓지 않는다.
7. 술독을 기름종이로 밀봉하여 상온(常溫)에 안쳐두고, 7~8일간 발효 숙성시킨 다음 주조에 올려 짜낸다.

五加皮酒 又法

白米一斗, 百洗, 入麴末四升, 以五加水四五瓶, 釀酒, 熬作露酒. 又以粘米五升, 百洗, 入細末麴七合, 用五加水三瓶, 釀酒. 待其味少甘多烈, 以露酒注于其中, 以油紙封, 置尙溫處, 過七八日, 上槽. <安家方>.

23. 오가피주 <한국민속대관(韓國民俗大觀)>

오가피주(五加皮酒)

오갈피는 물이 오를 즈음 벗겨 웃껍질을 벗겨버리고 썰어 볕에 말려둔 것을 쓴다. 오가피주(五加皮酒)는 풍증(風症)과 요통(腰痛)에 좋은 것으로 알려져 왔다.

오미자주

스토리텔링 및 술 빚는 법

'오미자주'는 <양주방>*에 수록되어 있는 약용주(藥用酒) 중 한 가지이다. 민간에서 흔히 볼 수 있는 침출주, 곧 혼성주(混成酒)의 한 가지라고 할 수 있으며, 증류주가 아닌 발효주를 원료주로 사용한다는 점에서 눈여겨볼 필요가 있다.

주지하다시피 신맛을 중심으로 달고 쓰고 맵고 떫은맛 등 다섯 가지 맛을 갖추었다 하여 오미자(五味子)란 이름을 얻었는데, 특히 신맛이 강해 양주(釀酒) 원료로는 사용하길 꺼린다. 정상적인 발효를 기대하기도 어렵지만, 발효가 정상적으로 이루어져도 산미가 강하게 느껴지기 때문이다. 이러한 원료를 사용해 술을 담근다는 건 모험이 아닐 수 없다.

<양주방>*에 "오미자를 기름기 없는 철판에 슬쩍 볶아서 차게 식힌 다음, 좋은 술 1말 2되를 독에 붓고, 볶은 오미자를 넣어 밀봉하였다가 다음날 오미자를 건져내고, (한지로 여과하여) 마신다."고 하였다.

'오미자주' 주방문에서 가장 주목되는 점은 "좋은 술 1말 2되를 독에 붓고, 볶은 오미자를 넣어 밀봉하였다가, 다음날 오미자를 건져내고 마신다."고 하는 과정이

다. 알코올은 침출효과를 얻기에 가장 효율적인 방법이다. 그 알코올이 발효주와 같은 저도주가 아닌 증류식 소주라면 더 말할 나위가 없다. 그런데 <양주방>* 에서는 비교적 알코올 도수가 낮은 발효주를 사용하면서도 오미자의 침지시간을 하루 동안이라는 비교적 짧은 시간으로 제한하고 있다.

오미자와 같이 산미가 강한 재료는 볶거나 찌는 방법 등의 열처리를 통해서 어느 정도 신맛을 제거할 수 있지만, 산미를 완전히 제거할 수 없다는 게 단점이다.

따라서 이러한 침출방법의 약용주는 기호음료로서의 술이 아닌 치료나 질병예방 또는 상복하는 보양주로서의 개념이 강한 만큼 좋은 맛이나 기호를 기대할 수는 없다. 다만, 오미자의 뛰어난 효능에 있어서는 누구도 부정할 수 없을 것이다. <향약대사전>에 "오미자는 혈압을 강하시키는 효과가 있다."고 하였고, <본초비요>에서는 "허로를 보한다."고 하였다.

오미자의 주성분은 디페닐사이클렌(diphenylcyclen)계의 리그난(lignan)으로, 그 양이 18.1~19.2%이나 함유되어 있다. 이 리그난 성분이 중풍이나 뇌질환 예방에 효과적인 것으로 알려지고 있으며, 특히 활성산소는 뇌졸중 근위축성 측삭경화증 및 치매의 병인(病因)으로 작용하는 것으로 보고되고 있다.

오미자 추출물이 신경독의 작용을 억제, 뇌신경세포를 신경독으로부터 보호하는 작용이 있다는 것이다. 다시 말해 난치병이라 알려진 알츠하이머나 파킨슨병 같은 뇌질환을 초래하는 신경독의 작용을 막아주며, 유해한 활성산소의 작용으로부터 뇌세포를 보호해 준다는 말이다.

따라서 '오미자주'는 이러한 오미자의 성분을 효율적으로 추출해 사용하는 방법이라고 할 수 있으며, 현대인들의 성인병 예방에도 도움이 될 것으로 보인다. 기능적인 측면에서는 발효방법이 가장 좋겠지만, 발효에 따른 문제가 있으므로 <양주방>*의 발효주를 사용한 침출방식보다는 증류식 소주를 사용해 30일~90일 정도 담갔다가 오미자를 건져내고 적당히 감미를 추가하여 마시는 방법이 건강에는 훨씬 이롭다 하겠다.

<양주방>*의 '오미자주'는 그 특성상 산미 때문에 마시기가 괴로울 수 있으므로 술을 차갑게 해서 얼음을 띄워 마시거나, 약간의 설탕이나 꿀을 가미하여 복용하는 방법도 좋다.

오미자주 <양주방>*

술 재료 : 오미자 5되, 좋은 술 1말 2되

술 빚는 법 :

1. 오미자 5되를 채취하여 물로 깨끗이 씻어 물기를 뺀다.
2. 오미자를 기름기 없는 철판에 슬쩍 볶아서 차게 식힌다.
3. 좋은 술 1말 2되를 독에 붓고, 볶은 오미자를 넣어 밀봉한다.
4. 다음날 오미자를 건져내고, (한지로 여과하여) 마신다.

* 주방문 말미에 "오래 마시면 장수한다."고 하였다.

오미ᄌᆞ쥬

오미ᄌᆞ 닷 되ᄅᆞᆯ 잠간 복가 죠흔 술 말 두 뒤예 담가 ᄒᆞ로밤 재와 건져 ᄇᆞ리고 먹ᄂᆞ니 댱(쟝)복ᄒᆞ면 장슈ᄒᆞᄂᆞ니라.

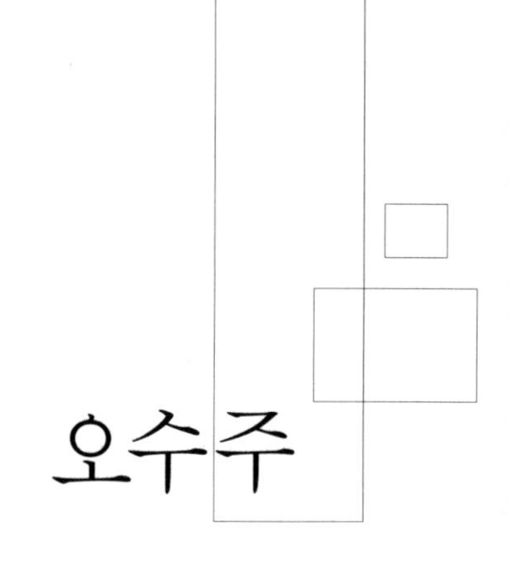

오수주

스토리텔링 및 술 빚는 법

'오수주(烏鬚酒)'는 <동의보감(東醫寶鑑)>과 <임원십육지(林園十六志)>에 수록된 주품으로, 건강 도모를 목적으로 한 전형적인 약용약주류에 속한다.

<동의보감> "신형편(身形偏)"의 '고본주(固本酒)'에 이어 수록된 치료 목적의 주방문이며, 그 용도와 목적이 '고본주'와 동일하나, 주재료의 종류나 제조법은 전혀 다르다. 즉, '오수주'는 여느 약용약주류처럼 쌀(찰기장)을 주원료로 하고, 맥문동을 비롯하여 생지황·숙지황 등 약재를 부재료로 사용해 발효시키는 술인 반면, '고본주'는 이미 완성된 술에 생건·지황·숙지황을 비롯하여 천문동 등의 약재를 넣고 중탕하는 자주법(煮酒法)이라는 점에서 치료약에 가깝다 하겠다.

또한 <동의보감>에는 '경험방(經驗方)'이라는 의미의 '경험오수주(經驗烏鬚酒)'라는 주방문을 볼 수 있는데, 주품명을 생각하면 '오수주'로 생각되나, 오히려 '고본주'와 더 가깝다는 사실을 확인할 수 있다.

'오수주'는 <동의보감>에서만 주방문을 볼 수 있으며, <임원십육지>에는 <만병회춘>을 인용하여 "만병을 치료하고 젊어지게 하며, '고본주'와 같은 효력이 있다. 방법은 <보양지>를 참조하라."고만 되어 있다.

<동의보감>에 '오수주'의 효능에 대해 "허로를 보하며 오래 살게 하고, 수염과 머리카락을 검게 하며, 얼굴을 아름답게 한다."고 언급하면서 <회춘(回春)>을 인용해 "황미 3말, 맥문동·생지황·하수오 각 3냥, 천문동·숙지황·구기자·우슬·당귀 각 2냥, 인삼 1냥을 가루 낸 후 좋은 누룩과 섞고, 밥과 버무려 일반적인 방법으로 술을 빚는다. 술이 숙성하면 청주로 떠서 매일 이른 새벽에 약간 취할 정도로 1~2잔씩 마신다. 소주·파·마늘·쇠고기를 피한다. 황미는 찰기 있는 찰기장으로 누런색을 띤 것으로 한다."고 하여 발효시키는 방법을 수록하고 있다.

다만, 술 빚는 데 따른 누룩과 양주용수의 양이 언급되어 있지 않으나, 약재를 가루 내어 사용한다는 점에서 약을 달여서 사용하는 방법이 아닌 만큼 원활한 발효를 위해 쌀 양과 동량의 양주용수가 필요하다고 판단된다.

주지하다시피 '오수주'는 치료 목적의 약용약주로 향기나 맛을 즐기는 술이 아니다. 따라서 약성을 높이기 위해서는 무엇보다 발효가 활발해져 알코올 도수가 높은 술이 되어야 하므로 필요에 따라 누룩의 양을 늘려도 된다.

또한 '오수주'는 약재의 양이 비교적 많이 사용되는 주품으로 원활한 발효를 위해서는 차지 않은 곳에서 발효시키고, 품온을 충분히 올려서 활발하게 끓어오르도록 해야 산패하지 않는다는 점을 잊지 말아야 한다.

'오수주'는 "만병을 치료하고 젊어지게 하며, 흰머리가 검어지며 노안이 동안이 된다."는 의미를 담고 있다.

따라서 <양주방>*의 '백수환동주'를 비롯하여 <음식방문니라>의 '보혈익기주'와 '연수항춘주', <봉접요람>의 '보원주'를 떠올리게 한다.

'오수주'의 효능도 여느 약주와 마찬가지로 무엇보다 지극정성으로 빚고, 지극정성으로 장기복용하면, 어느 정도의 효능이나 효과를 기대할 수 있겠지만, 지나친 기대를 가지고 맹신 또는 과음을 해서는 안 될 일이다.

1. 오수주 <동의보감(東醫寶鑑)>

술 재료 : 황미 3말, 맥문동 3냥, 생지황·하수오 각 3냥, 천문동·숙지황·구기자·우슬·당귀 각 2냥, 인삼 1냥, 좋은 누룩(3되), (끓여 식힌) 물(3말)

술 빚는 법 :

1. 찰기장쌀 3말을 준비한다(백세하여 물에 담가 불렸다가, 다시 씻어 건져 헹궈서 물기를 뺀 뒤, 시루에 안쳐서 고두밥을 짓는다).
2. (고두밥이 익었으면 시루에서 퍼내고, 고루 펼쳐 차게 식기를 기다린다.)
3. 좋은 누룩(백국)을 절구에 찧고, 고운체에 거듭 쳐서 고운 가루누룩을 만들어 (법제하여) 놓는다.
4. 약재는 분량대로 준비하여 절구에 찧어 거친 가루를 만들어놓는다.
5. 자배기에 고두밥과 법제하여 준비한 가루누룩, 약재가루, (끓여 식힌 물 3말을) 한데 합하고 고루 버무려 술밑을 빚는다.
6. 술독에 술밑을 담아 안치고, 예의 방법대로 하여 (21일간) 발효시킨다.

* 주방문에 술 빚는 데 따른 누룩과 양주용수의 양이 언급되어 있지 않아 쌀 양의 10%에 해당하는 누룩과 끓여서 식힌 물을 쌀 양만큼 산정하여 주방문을 작성하였다.

烏鬚酒

治同上(固本酒). 黃米三斗, 麥門冬 八兩, 生地黃·何首烏各 四兩, 天門冬·熟地黃·拘杞子·牛膝·當歸 各 二兩, 人蔘一兩, 右爲末, 入好麴拌飯, 如常釀法, 待酒熟, 搾出取淸. 每日淸晨, 飮一二盃, 微醺爲度忌白酒·蘿菖·葱·蒜, 黃米 卽粘黍, 米色黃也.

2. 오수주 <임원십육지(林園十六志)>

만병을 치료하고 젊어지게 하며 고본주(固本酒)와 같은 효력이 있다. 방법은 <보양지>를 참조하라. <만병회춘>을 인용하였다.

烏鬚酒

<萬病回春> 治效同固本主. (案)方見 <葆養志>.

오정주

스토리텔링 및 술 빚는 법

영주 지방에 가면 가양주로 전승되고 있는 '영주 오정주(五精酒)'가 있다. 삼양주법(三釀酒法)의 증류식 약용소주(藥用燒酒)이다.

술 빚는 법을 간략히 살펴보면, 먼저 쌀 한 되를 쪄서 고두밥을 지어 식힌 뒤, 누룩가루 7홉과 물 1되 비율로 버무려 밑술을 만들고 따뜻한 아랫목에 3일간 숙성시킨다.

여기에 같은 방법으로 쌀 1말에 누룩 5되, 황정·창출·솔잎 등 약초 다섯 가지를 넣어 달인 물 1말 2되, 고두밥을 밑술과 섞어 덧술을 빚은 후 서늘한 곳에서 10일가량 발효시킨다. 덧술이 익으면 멥쌀 2말로 지은 고두밥에 누룩 1말과 약초 달인 물 2말 3되 비율로 덧술과 섞어 2차 덧술을 빚는다. 2차 덧술은 10일가량 발효시킨 뒤, 소줏고리를 사용해 증류하면 알코올 도수 40~45도 정도의 '영주 오정주'가 빚어진다.

여기에 청정 약수(藥水)를 부어 알코올 도수 30~35도로 맞춘 다음, 서늘한 곳에서 100일 이상 숙성시키면 맛이 부드러워진다.

'오정주(五精酒)'는 <수운잡방(需雲雜方)>과 <요록(要錄)>에서 찾아볼 수 있으며, 앞서 예로 든 영주 지방의 '오정주'와는 다른 발효주(醱酵酒)이자 약용약주(藥用藥酒)이다.

<수운잡방>의 '오정주' 주방문 첫 머리에 "만병을 치료하고 허한 것을 보하며, 오래 살고 백발도 검어지고 빠진 이가 다시 난다."고 하였으니 주품명 그대로 다섯 가지 정을 펴고 보하는 데 사용할 목적으로 빚는 술이라는 의미에서 '오정주'란 주품명이 붙여졌다는 걸 확인할 수 있다.

<수운잡방>과 <요록>에 있는 '오정주'의 주방문이 동일한 것으로 미루어, 시대적으로 앞선 <수운잡방>의 주방문을 <요록>에서 옮겨 쓴 거라 여겨진다.

따라서 <수운잡방>의 주방문을 바탕으로 '오정주' 빚는 데 따른 주의사항과 특징 등에 대해 살펴보고자 한다.

<수운잡방>과 <요록>의 '오정주'는 주원료인 멥쌀 외에도 황정을 비롯하여 천문동, 솔잎, 백출, 구기자 등 5가지 약재에 따른 명칭이기도 하다. 이들 약재를 달인 물을 술 빚는 물로 사용하고, 쌀가루와 섞어 끓여서 만든 죽으로 밑술을 빚는 게 특징이며, 덧술은 고두밥만을 사용한다. 전승가양주 '영주 오정주'가 밑술을 고두밥으로 빚고, 두 차례에 걸쳐 약 달인 물과 고두밥을 사용해 발효시키는 삼양주법과는 차이가 있다.

이와 같이 <수운잡방>이나 <요록>의 '오정주' 주방문과 전승가양주 '영주 오정주'는 술 빚는 과정에서 현저한 차이를 보여주고 있다.

다만 전승가양주 '영주 오정주'는 그 뿌리가 <수운잡방>과 <요록>에 있음에도 불구하고, 왜 그렇게 많은 변화가 있는지 그 이유가 궁금해진다.

즉, 밑술 과정에서 약재를 달인 물과 쌀가루를 섞어 죽을 끓여서 사용하는 <수운잡방>과 <요록>의 주방문이 고두밥으로 별도의 밑술을 빚은 후, 두 차례에 걸쳐 약재를 달인 물과 고두밥을 섞어서 덧술을 빚는 방법으로 변화한 이유를 알게 되면, '오정주'와 같이 약재 등의 부재료를 사용해 술을 빚는 방법을 터득할 수 있기 때문이다.

주지하다시피 꽃을 비롯한 한약재 등의 부재료는 설사 그것이 감초(甘草)처럼 당(糖)을 함유한 약재라 할지라도 발효를 돕기보다는 발효를 억제하고 더디게 만드는 요인이 된다.

그런 까닭에 약재를 사용해 빚은 밑술은, 밑술로서의 역할이 떨어질 수밖에 없고, 덧술을 하더라도 도수가 낮은 술이 만들어지는 것이다.

여기에 더하여 <수운잡방>과 <요록>의 '오정주'처럼 약재의 분량이 많으면 발효상태는 더욱 부진해질 수밖에 없다. 따라서 전승가양주 '영주 오정주'는 별도의 밑술을 빚어 효모를 배양한 후 약재를 달인 물을 덧술에 사용하는 방법으로 바뀌었다고 볼 수 있다.

결국 <수운잡방>과 <요록>의 '오정주'는 맥이 끊기고, 방법을 달리하여 개선한 '영주 오정주'는 전승되어 오늘에 이르고 있는 것이다.

어쨌든 '오정주'는 "만병을 치료하고 허한 것을 보하며, 오래 살고 백발도 검어지고 빠진 이가 다시 난다."고 하는 효능으로 유명했던 술이다.

<수운잡방>에 기록된 이와 같은 내용이 사실이라면 '오정주'야말로 장수약이요, '백수환동주'와 다름 아니라고 할 것이다.

그러나 누차 강조하지만, 불행히도 어떤 술이든 과음하면 수명을 단축시키는 단명약이요, 적당량을 반주로 즐긴다면 천하에 없는 장수약임은 분명하다. 그러니 평소 건강을 도모하고 인생을 즐기고자 한다면, 반주(飯酒) 문화를 향유할 일이다.

1. 오정주 <수운잡방(需雲雜方)>

술 재료 : 밑술 : 멥쌀 5말, 누룩가루 7되 5홉, 밀가루 1되 5홉, 약재(황정 4근, 천문동 3근, 솔잎 6근, 백출 4근, 구기자 5근), 물 30말
덧술 : 멥쌀 10말

술 빚는 법 :

* 밑술 :

1. 황정, 천문동은 껍질을 벗겨 건조시킨 것으로 준비한다.
2. 솔잎, 백출, 구기자를 잘게 썰어놓는다.
3. 물 30말에 껍질 벗긴 황정과 천문동, 잘게 썰어놓은 솔잎, 백출, 구기자 등 약재를 한데 섞어 끓여서 10말이 되게 달인다.
4. 멥쌀 5말을 백세하여 (물에 불렸다가, 다시 씻어 헹궈서) 세말한다.
5. 쌀가루를 약 달인 물에 풀어 넣고, 주걱으로 고루 저어주면서 팔팔 끓여 죽을 쑨 다음, 넓은 여러 개의 그릇에 나누어 담아 차게 식기를 기다린다.
6. 죽에 누룩 7되 5홉과 밀가루 1되 5홉을 섞고, 고루 버무려 술밑을 빚는다.
7. 술독에 술밑을 담아 안친 후 여름에는 서늘한 곳에 두고, 겨울에는 따뜻한 곳에 앉혀두고, 3일간 발효시킨다.

* 덧술 :
1. 멥쌀 10말을 백세하여 (하룻밤 물에 담가 불렸다가, 다시 씻어 헹궈서 물기를 뺀 후) 시루에 안쳐서 무른 고두밥을 짓는다.
2. 고두밥이 익었으면 퍼내고, 고루 펼쳐서 차게 식기를 기다린다.
3. 고두밥을 밑술과 합하고, 고루 버무려 술밑을 빚는다.
4. 술밑을 새 술독에 담아 안친 다음, 예의 방법대로 하여 발효시킨다.
5. 술이 익는 대로 용수를 박아 채주하여 마신다.

* 주방문 첫 머리에 "만병을 치료하고 허한 것을 보하며, 오래 살고 백발도 검어지고 빠진 이가 다시 난다."고 하였다.

五精酒

主萬病補虛延年白髮還黑落齒更生 黃精四斤天門冬三斤法皮松葉六斤白朮四斤枸杞五斤右味剉之水三石煎至一石米五斗百洗細末作粥待冷曲七升五合眞末一升五合合造夏置冷處冬置溫處三日後白米十斗百洗沈宿全蒸和前酒入瓮待熟用之.

2. 오정주 <요록(要錄)>

술 재료 : 밑술 : 멥쌀 5말, 누룩가루 7되, 밀가루 1되, 황정 4근, 천문동 2근, 솔잎 6근, 백출 4근, 구기 5근, 물 30말
덧술 : 멥쌀 10말

술 빚는 법 :

* 밑술 :

1. 황정 4근과 천문동 2근을 절반으로 잘라서 심을 제거한 뒤 깨끗이 씻어 말린다.
2. 솔잎 6근과 백출 4근, 구기자 5근 등의 약재도 깨끗이 씻은 뒤 말려서 준비한다.
3. 물 30말에 약재를 썰어 넣고 오랫동안 삶아 물이 10말이 될 때까지 달인다.
4. 멥쌀 5말을 백세하여 (하룻밤 불렸다가, 다시 씻어 건져서) 세말한다.
5. 약재 달인 물에 쌀가루를 골고루 섞어 넣고, 팔팔 끓여서 된 죽을 쑨 뒤 차게 식기를 기다린다.
6. 차게 식힌 죽에 누룩가루 7되와 밀가루 1되를 넣고, 고루 버무려 술밑을 빚는다.
7. 술밑을 술독에 담아 안친 다음, 예의 방법대로 하여 3일간 발효시킨다.

* 덧술 :

1. 멥쌀 10말을 물에 백세하여 물에 하룻밤 담가 불렸다가, 다시 씻어 건져서 물기가 빠지면 고두밥을 짓는다.
2. (고두밥이 익었으면, 고루 펼쳐서 차게 식힌다.)
3. 고두밥과 밑술을 합하고, 고루 버무려 술밑을 빚는다.
4. 술밑을 술독에 담아 안친 다음, 예의 방법대로 하여 발효시킨 뒤 익기를 기다려 채주한다.

* <수운잡방>과 동일하다.

五精酒

黃精四斤天門冬二斤去心松葉六斤白朮四斤拘杞五斤右剉數三石煎至一石白米五斗百洗細末作粥待冷麴七升眞末一升合造三日後米十斗百洗浸宿全烝合造待熟取淸飮之.

옥지주·옥지춘

스토리텔링 및 술 빚는 법

'옥지주(玉脂酒)' 또는 '옥지춘(玉脂春)'은 '잣' 또는 '실백(實柏)', '백자(栢子)'라고 하는 잣나무 열매를 쌀과 함께 주재료로 사용해 발효시킨 술로, 전통 과실주의 한 가지로 분류하여 왔다.

따라서 '옥지주' 또는 '옥지춘'은 '백자주(栢子酒, 잣술)'의 다른 이름이라 생각할 수 있다. 다만 어떤 이유로 '백자주'와 다른 주품명을 사용하게 되었는지는 확인할 수 없다.

어떤 문헌이나 기록에서도 '옥지주' 또는 '옥지춘'과 관련된 언급을 찾지 못했고, '백자주'와 관련한 문헌과 주방문에서도 '별칭(別稱) 옥지주', '이명(異名) 옥지춘'과 같은 언급을 볼 수 없었기 때문이다.

'옥지주' 또는 '옥지춘'에 대한 문헌 기록으로는 1450년대 <산가요록(山家要錄)>을 시작으로 <승부리안주방문>과 <언서주찬방(諺書酒饌方)>, <역주방문(曆酒方文)>을 들 수 있다. <산가요록>과 <승부리안주방문>에는 '옥지춘'으로, <언서주찬방>과 <역주방문>에는 '옥지주'로 수록되어 있다.

이 네 문헌의 주방문은 동일하며, <역주방문>에는 "내가 도와서 빚는 뛰어난 술(節吾家所釀)"이라고 하는 부제(副題)의 '옥지주 우방(又方)'도 볼 수 있다. 특히 잣이 사용되지 않는 일반적인 청주 주방문이라는 점에서 '옥지주 우방(又方)'이라고 하기에는 무리가 있는 것으로 판단되어 청주류 편에 수록하였음을 밝혀둔다.

이처럼 '옥지주' 또는 '옥지춘'처럼 여러 문헌에 일관되게 동일한 주방문이 수록된 경우는 매우 드물다. 그런 의미에서 '옥지주' 또는 '옥지춘'의 몇 가지 특징을 찾을 수 있다.

첫째, 각 문헌마다 "봄·여름·가을에 빚어 마시면 좋다."거나 "겨울은 사오납나니 날물기를 일절 말라."고 하여 다른 주품들과는 달리 겨울철을 꺼리고, 오히려 서늘하거나 따뜻한 계절이 양주적기(釀酒適期)임을 알 수 있다.

이는 아마도 주재료로 잣을 사용한 데서 기인한 불가피한 사정이라고 할 수 있겠다. 잣의 주성분 가운데 지방(脂肪) 성분을 빼놓을 수 없기 때문이다.

잣기름은 따뜻한 온도에서 잘 분해되기 때문에 추운 겨울철보다 서늘하거나 따뜻한 시기를 선택하게 된 것이다.

둘째, 밑술을 죽 형태로 만들어 사용한다는 점이다. 시대적으로 가장 앞선 기록인 <산가요록>과 <언서주찬방>에서는 쌀가루를 쪄서 백설기를 만들고 끓는 물과 섞어 죽을 만들어 사용하는 방법을 취하고 있다.

이후 기록인 <승부리안주방문>에서는 백설기를 끓는 물과 섞고 죽처럼 만드는 과정이 번거로워 처음부터 죽을 쑤는 방법으로 변하였고, <역주방문>에서는 범벅을 만들어 사용하고 있다. 범벅도 죽의 한 가지로 볼 수 있다는 점에서 '옥지주' 또는 '옥지춘'의 주방문은 밑술 빚는 방법과 형태에서 유사성이 있다 하겠다.

셋째, 밑술과 덧술에서 각기 누룩과 밀가루를 사용하는데, 덧술에서 그 양을 적게 사용하고, 밑술의 쌀 양보다 덧술의 쌀 양이 적거나 동일하게 사용된다는 점에서 다른 주품들과 다르다는 것을 알 수 있다.

주지하다시피 덧술은 대개 알코올 도수를 높이고 양을 늘리기 위한 목적으로, 효모 배양 목적인 밑술에 사용된 양보다 많은 양을 사용하는 게 원칙이나, '옥지주' 또는 '옥지춘'의 경우는 일반적인 양주원칙과 상반된 방법으로 이루어진다.

따라서 쌀을 적게 사용하는 목적과 의도가 알코올 도수를 높이기 위함이 아니라 사용된 잣을 삭이는 데 있음을 알 수 있다.

넷째 '옥지주' 또는 '옥지춘'은 밑술의 발효기간이 하룻밤 또는 하루 동안으로 매우 짧다. 이러한 까닭은 덧술에 사용되는 쌀 양과 누룩, 밀가루가 적게 사용되고, 특히 잣이 사용된 데 따른 조치이다.

효소와 효모 활성이 가장 왕성한 시기가 밑술을 빚은 지 하루가 지난 2~3일째로, 이 시기에 잣을 사용함으로써 잣을 삭히기 위한 목적인 것이다.

다섯째, '옥지주' 또는 '옥지춘'은 잣을 사용함으로써 발생하는 발효현상을 보고 주품명을 붙인 경우라 하겠다. '백자주'를 빚어본 경험이 있다면 무슨 말인지 단번에 알아차릴 것이다.

잣을 분쇄해 술에 사용하게 되면 발효 중에 잣기름이 주면(酒面)에 넓고 두껍게 뒤덮여 있는 것을 볼 수 있다. 바로 이 주면의 잣기름을 '옥지(玉脂)'라고 표현한 것이다.

'옥지주' 또는 '옥지춘'을 빚을 때 주의할 점은, 잣을 넣은 주머니가 주면 위로 떠오르지 않도록 깨끗하게 씻은 돌멩이를 함께 넣어 줘야 한다. 또 냉각 후에 잣기름이 주면 가득 뒤덮었다면 술덧을 가끔씩 휘저어서 기름이 주면을 뒤덮지 않도록 해주어야 산패(酸敗)를 예방할 수 있다.

특히 '옥지주' 또는 '옥지춘'은 오랫동안 두어 숙성시킬 목적으로 주방문보다 발효기간을 길게 가져갈 경우 반드시 산패한다는 사실을 명심해야 한다.

1. 옥지춘 <산가요록(山家要錄)>

–쌀 1말 3되 빚이

술 재료 : 밑술 : 멥쌀 1말, 누룩가루 2되, 밀가루 5홉, 끓은 물 9선(9되)
덧술 : 찹쌀(멥쌀) 3되, 피백자(皮栢子) 7~8홉, 누룩 2홉, 밀가루 2홉

술 빚는 법 :

* 밑술 :

1. 멥쌀 1말을 (백세하여 물에 담가 3일간 불렸다가, 다시 씻어 헹궈서 물기를 뺀 후) 작말한다.
2. 쌀가루를 시루에 안쳐서 흰무리떡을 푹 쪄낸 다음, 물 9복자(9되)를 팔팔 끓여 섞고, 주걱으로 개어 밤재워 차게 식기를 기다린다.
3. 떡이 식으면 누룩가루 2되와 밀가루 5홉을 합하고, 고루 버무려 술밑을 빚는다.
4. 중간 크기의 술독에 술밑을 담아 안치고, 예의 방법대로 하여 하룻밤 동안 발효시킨 후 밑술을 치대어(뒤섞어) 놓는다.

* 덧술 :

1. 앞서 빚은 밑술에 찹쌀 또는 멥쌀 3되를 (백세하여 물에 담가 불렸다가, 다시 씻어 건져서 물기를 뺀 후) 시루에 안쳐서 무른 고두밥을 짓는다.
2. 고두밥이 무르게 익었으면 시루에서 퍼낸다(고루 펼쳐서 차게 식기를 기다린다).
3. 고두밥에 밑술과 좋은 누룩 2홉, 밀가루 2홉을 섞고, 고루 버무려 술밑을 빚는다.
4. 피백자 7~8홉을 (물에 깨끗하게 씻어 물기를 없앤 다음) 절구에 찧어 가루를 만들어 작은 주머니에 담아 술독에 안친다.
5. 술독에 술밑을 담아 안치는데, 처음부터 끝까지 날물이 들어가지 않도록 하고, 술독은 예의 방법대로 하여 7일이 지난 다음에 열어 쓴다.

* 주방문 말미에 "처음부터 끝까지 절대 물이 들어가지 않게 조심해야 한다. 이 술은 봄과 여름, 가을에 빚는 것이 좋다."고 하였다.

玉脂春

米一斗三升. 白米一斗作末 熟蒸 以熟水九鐥作酩 經一宿待冷 又以好匊二升

眞末五合 和之 納中瓮 又經一夜 碾出前酒 又以好匊二升 眞末二合 粘米三升 或用白米 亦可爛炊和之 還入前瓮. 皮栢子七八合 搗末 盛小俗 沈置瓮底 經七日 開用之. 切忌終始生水 宜於春夏秋.

2. 옥지춘법 <승부리안주방문>

술 재료 : 밑술 : 멥쌀 1말, 누룩가루 2되, 진말 5홉, 물 1말 5되
덧술 : 찹쌀 1말, 누룩가루(1되), 실백자 1되

술 빚는 법 :

* 밑술 :

1. 멥쌀 1말을 백세하여 (물에 담가 불렸다가, 다시 씻어 헹궈 건져서 물기를 뺀 후) 가루로 빻는다.
2. 솥에 물 1말 5되와 쌀가루를 풀어 넣고 끓여 죽을 쑤었다가 (넓은 그릇에 나눠 담고) 차게 식기를 기다린다.
3. 죽에 누룩가루 2되와 진말 5홉을 한데 섞어 술밑을 빚는다.
4. 술밑을 술독에 넣어 안치고, 예의 방법대로 하여 하룻밤 발효시킨다.

* 덧술 :

1. 찹쌀 1말을 (백세하여 물에 담가 불렸다가, 다시 씻어 헹궈 건져서 물기를 뺀 후) 시루에 안쳐서 무른 고두밥을 쪄낸다.
2. 고두밥이 익었으면 퍼내고, 넓은 자리에 고루 펼쳐서 차게 식기를 기다린다.
3. 고두밥에 밑술을 합하고, 고루 버무려 술밑을 빚는다.
4. 실백자 1되와 누룩가루(1되)를 (절구에) 짓찧어 베줌치에 넣고 독 밑에 안친 후, 술밑을 그 위에 담아 안친다.
5. 술독은 예의 방법대로 하여 발효시킨 후, 익으면 (용수 박아) 채주한다.

옥지춘법

ᄇᆡᆨ미 일 두 ᄇᆡᆨ세작말ᄒᆞ야 물 말가옷ᄉᆡ 쥭 쑤어 밤 ᄌᆡ야 국말 두 되 진말 닷 홉 섯거 ᄒᆞ로밤 ᄌᆡ와거든 졈미 일 두 므ᄅᆞ게 쪄 ᄎᆞ거든 국말 섯거 너흐되 피잣 ᄒᆞᆫ 되을 ᄂᆞᄅᆞ니 찌어 뵈 줌치의 녀허 독 밋ᄒᆡ 노코 ᄂᆞ믈긔 업시 비즈되 ᄉᆞ졀의 다 비ᄌᆞ라.

3. 옥지주 <언서주찬방(諺書酒饌方)>

술 재료 : 밑술 : 멥쌀 1말, 누룩 2되, 밀가루 5홉, 끓인 물 9대야(선)
덧술 : 찹쌀(멥쌀) 3되, 누룩 2홉, 밀가루 2홉, 실백자 5홉

술 빚는 법 :

* 밑술 :

1. 멥쌀 1말을 일백 번 씻어 (물에 담가 불렸다가, 다시 씻어 헹궈 건져서 물기를 뺀 후) 가루로 빻는다.
2. 쌀가루를 시루에 안쳐서 무른 백설기를 쪄놓는다.
3. 솥에 물 9대야(선)를 끓이다가 백설기가 익었으면 퍼내고 끓는 물 9대야를 한데 합하고, 골고루 화합하여 백설기죽을 만들어놓는다.
4. 백설기죽을 넓은 그릇에 퍼서 하룻밤 재워 차게 식기를 기다린다.
5. 차게 식은 백설기죽에 누룩 2되와 밀가루 5홉을 한데 섞어 술밑을 빚는다.
6. 술밑을 술독에 넣어 안치고, 예의 방법대로 하여 하룻밤 재운다.

* 덧술 :

1. 밑술 빚은 다음날 찹쌀(멥쌀) 3되를 일백 번 씻어 (물에 담가 불렸다가, 다시 씻어 헹궈 건져서 물기를 뺀 후) 시루에 안쳐서 무른 고두밥을 쪄낸다.

2. 고두밥이 익었으면 퍼내고, 넓은 자리에 고루 펼쳐서 차게 식기를 기다린다.
3. 고두밥에 누룩 2홉과 밀가루 2홉을 밑술에 합하고, 고루 버무려 술밑을 빚는다.
4. 실백자 5홉을 잘게 두드려(짓찧어) 독 밑에 안치고, 빚어둔 술밑을 그 위에 담아 안친다.
5. 술독은 예의 방법대로 하여 발효시킨 후, 익으면 (용수 박아) 채주한다.

* 주방문 말미에 "겨울은 사오납나니 날물기를 일절 말라."고 하였다.

옥지쥬(玉脂酒)一白米一斗 麴二升二合 實柏子 五合 粘米 三升 眞末 七合 水九鐥

빅미 ᄒᆞᆫ 말 빅 번 시서 ᄀᆞᄅᆞ 디허 닉게 뼈 끌힌 믈 아홉 대야 골와 식거든 이튼날 누록 두 되와 진ᄀᆞᄅᆞ 닷 홉 섯거 독의 녀허 ᄯᅩ 밤 자거든 도로 내여 누록 두 홉 진말 두홉과 ᄯᅩ 빅미나 졈미나 서 되롤 빅번 시서 닉게 뼈 식거든 섯거 젼술에 녀코 실빅ᄌᆞ 닷 홉 졀게 ᄌᆞᆺ두드려 독 미틔 녀허 닉거든 ᄡᅳ라. 겨울은 사오납ᄂᆞ니 ᄂᆞᆯ믈씌 일졀 말라.

4. 옥지주방 <역주방문(曆酒方文)>

술 재료 : 밑술 : 멥쌀 1말, 누룩가루 2되, 진말 5홉, 끓는 물 9병
덧술 : 찹쌀 3되, 누룩가루 2홉, 진말 2홉, 백자 19개

술 빚는 법 :

* 밑술 :

1. 멥쌀 1말을 백세하여 (매우 깨끗하게 헹군 뒤 새 물에 담가 불렸다가, 다시 씻어 말갛게 헹궈서 물기를 뺀 뒤) 작말한다(가루로 빻는다).

2. 물 9병을 팔팔 끓여 쌀가루에 붓고, 매우 치대어 범벅을 만든 후 넓은 그릇에 펴서 하룻밤 재워 차게 식기를 기다린다.
3. 범벅에 누룩가루 2되와 밀가루 5홉을 합하고, 고루 버무려서 술밑을 빚는다.
4. 술밑을 술독에 담아 안치고, (술독 주둥이에 묻은 것을 깨끗하게 씻어내고 베보자기와 뚜껑을 덮어) 1일간 발효시킨다.

* 덧술 :
1. 찹쌀 3되를 백세하여 (매우 깨끗하게 헹군 뒤 새 물에 담가 불렸다가, 다시 씻어 말갛게 헹궈서) 물기를 빼놓는다.
2. 불린 쌀을 시루에 안치고 쪄서 무른 고두밥을 짓고, 익었으면 펴낸다(차게 식기를 기다린다).
3. 고두밥에 밑술과 누룩가루 2홉과 밀가루 2홉을 섞고, 고루 버무려 술밑을 빚는다.
4. 백자 19개를 깨끗하게 씻고 잘게 부수어 작은 주머니에 담아서 술독에 넣는다.
5. 소독하여 준비한 술독에 술밑을 담아 안친 다음, 술독 주둥이에 묻은 것을 깨끗하게 씻어내고, 베보자기와 뚜껑을 덮어 14일 발효시켜 채주한다.

玉脂酒方

白米一斗百洗作末以猛煮水九鐥按磨之經一宿以曲末二升眞末五合(여)合又經一宿以粘米三升濃爛作飯又以曲末眞末各二合同爲調匀於上酒本還納瓮中又取充實柏子十九枚爛搗入于小帒(擲)布瓮底待二七日始用春夏秋三節釀飮最好切禁生水.

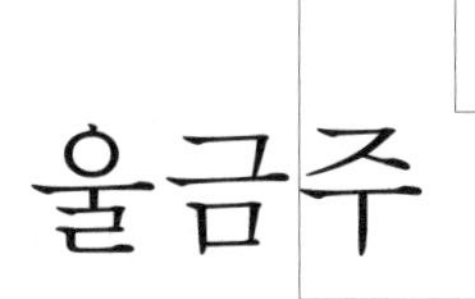

울금주

스토리텔링 및 술 빚는 법

<태상지(太常志)>는 궁중의 종묘제례(宗廟祭禮), 즉 국가의식에 사용되는 제물과 절차 등을 기록한 문헌이다. 조선시대 종묘제례에서 '울금주(鬱金酒)'와 '울창주'를 사용했다는 사실을 확인할 수 있는 기록이기도 하다.

우선 <태상지>에 수록된 '울금주'는 주방문이 분명치 않다. 쌀의 양이나 누룩양, 물의 양 등이 언급되어 있지 않다.

'울금주' 주방문을 보면, "당기장쌀을 가루 내 누룩과 섞어 청주를 얻는다(以唐黍米作末, 和麴取淸, 入鬱金烹煎, 色黃味苦)."고 하였다.

아마도 '울금주'는 수백여 년에 걸쳐 연례적으로 행해진 종묘제례 등의 국가의식에 사용되어 온 만큼 일정한 비율과 발효방법 등의 주방문이 따로 있었을 것이다.

따라서 <태상지>에는 주원료만을 밝혔을 뿐 술을 빚는 데 따른 구체적인 방법을 생략한 것으로 여겨진다.

'울금주'는 기장쌀로 빚는 술(서미주, 黍米酒)이며, "술을 끓일 때는 청주 1병에 황밀과 호초 각 3돈을 넣은 뒤, 큰 주발에 담고 큰 솥에 물을 받아 주발을 띄워 막대기에 묶어 잠기지 않게 한다. 황밀이 다 녹을 때까지 끓여 찌꺼기를 제거하고 얼음을 받쳐 사용한다(入鬱金烹煎, 色黃味苦. 煮酒, 淸酒一瓶, 入黃蜜·胡椒各三錢, 盛大盌以大釜貯水, 浮盌縛杠令勿沈. 煮之限蜜融盡, 去滓照冰用之)."고 하여 '울금주' 양주(釀酒)에 사용되는 주재료가 울금 외에도 황밀과 호초가 사용되었음을 알 수 있다.

울금은 민간인들 사이에서 강황(薑黃)으로 더 널리 알려져 있으나, 엄밀하게는 다른 종류이다. 울금은 방향성을 비롯하여 건위·이뇨제로서 담석증과 황달을 치료하는 효과가 뛰어난 것으로 알려지고 있다. 일반에서는 울금을 소위 '밭에서 나는 황금'이라고 부를 만큼 울금의 효능은 뛰어나다.

현대인들이 주목하는 것은 항산화 물질인 플라보노이드를 비롯하여 칼슘과 칼륨 외 다양한 비타민과 무기질을 포함하고 있으며, 특히 주성분인 '커큐민'의 경우 당뇨와 고혈압 등 심혈관 질환에 좋고, 치매 예방에 효과적이라는 사실이다.

그런가 하면 호초는 과거 일부 귀족과 부유층에서만 이용되었을 정도로 귀한 향신료였다. 호초는 피페린(piperine)과 차비신(chavicine)이 주성분으로 향신료 목적 외에도 한방에서는 온중(溫中)을 비롯하여 건위(健胃)와 구풍(驅風), 발한(發汗)을 치료하는 효능과 더불어 소화불량, 번위(反胃), 하리(下痢) 등의 증상에 치료제로 이용되고 있다.

따라서 '울금주'의 음용은 암을 비롯한 심혈관 질환 등과 같은 각종 성인병 치료와 예방, 그리고 입맛이 떨어지고 소화불량 등 무기력해지기 쉬운 여름철 건강도모를 위한 목적임을 확인할 수 있겠다.

'울금주'를 빚는 방법에 있어 "울금을 넣고 달이면 색은 누렇고 맛은 써진다."고 하여 황밀(黃蜜)을 사용해 그 맛을 보완하는 방법을 취하고 있다.

또한 '달인다'고 하였으므로 발효주이면서 자주류(煮酒類) 또는 '화입살균법(火入殺菌法)'을 채용한 주류임을 확인할 수 있다.

'울금주'는 <산가요록(山家要錄)> 및 <언서주찬방(諺書酒饌方)>, <주방문(酒方文)>, <음식디미방> 등 조선 전기부터 중기에 등장하는 여러 문헌에서 빈번하게 목격된다. 자주법(煮酒法, 끓이는 방법)의 '자주류(煮酒類)'에 속하면서도

'울금주'라는 주품명으로 수록되어 있다는 사실에 주목할 필요가 있다.

이러한 사실은 바로 '울금주'가 궁중의 술로, 민간의 '자주'와 차별화되는 이유이기도 하기 때문이다.

달리 설명하면, <산가요록> 등에 수록된 민간의 '자주'는 좋은 청주에 밀랍·백단향·목향·후추·계피·진피·정향 등 다양하면서도 향기가 좋은 6가지 약재를 사용해 약성과 향기를 함께 즐기고자 한 주방문이었다.

<산가요록> 이후의 문헌인 <역주방문(曆酒方文)>에서는 청주 대신 '좋은 소주'가 사용되고, <요록(要錄)> '자주 우방(又方)'에서는 광목향·계피·진피·호초·밀이 사용되었으며, <임원십육지(林園十六志)>에서는 청주·황랍·대나무잎·관국·천남성이 사용되는 등 부재료의 변화와 가감을 엿볼 수 있지만, 울금만은 사용되지 않았다는 점이다.

이는 울금이 당시 궁중의 전매품이었다는 사실을 반증하는 것이며, 민간에서는 울금을 사용할 수 없었다고 판단된다. 바로 이러한 점이 '울금주'가 '자주'와 차별화된다 하겠다.

<태상지>의 '울금주' 주방문에도 "5월 초하루에 처음 끓인 술을 사용하고(五月朔爲始用煮酒)" 라고 하여 끓인 '자주'로서 '울금주'를 사용했음을 엿볼 수 있다.

하지만 여전히 궁중의식에 사용되는 '울금주'를 왜 '자주법'에서 빌려 왔을까 하는 궁금증은 남았다. 한편 이러한 궁금증은 민간의 자주류에 대한 사용방법이나 목적 또는 용도를 엿볼 수 있는 근거도 될 것이라는 판단에서 비롯되었다.

이러한 궁금증에 대한 해답 역시도 '울금주' 주방문에서 찾아볼 수 있었다. 주방문에 "5월 초하루에 처음 끓인 술을 사용하고(五月朔爲始用煮酒)"라고 하였듯이, 5월은 시기적으로 하절에 속한다. 이때부터 더위가 본격화되는 때이므로 발효가 끝난 생주로서의 서미주 또는 발효주는 산패되기 쉽다. 특히 울금주는 주원료가 기장쌀이다. 기장쌀의 특성상 발효를 통해서 얻을 수 있는 알코올 도수가 그리 높지 않다는 사실이 자주법의 필요성을 더욱 뒷받침한다.

더욱이 "8월에 청주를 바친 뒤에는 청주를 쓴다(八月薦淸酒後用淸酒)."고 한 사실에서도 그 근거를 찾을 수 있다. 즉, 그해 첫 수확을 통해 얻은 기장쌀로 술을 빚게 되므로, 그때는 이미 가을로 접어들어 서늘해지기 시작하므로 굳이 술을 끓일 필요가 없는 것이다.

따라서 '울금주'와 같은 자주법의 '자주'는 각종 성인병 치료와 예방, 그리고 입맛이 떨어지고 소화불량 등 무기력해지기 쉬운 여름철 건강 도모를 위한 목적으로 빚게 되었음을 추측할 수 있다.

특히 여름철에 생기기 쉬운 술의 산패를 방지하려는 데서 기인했음을 확인할 수 있었다.

울금주 <태상지(太常志)>

술 재료 : 기장술(청주) 1병, 울금 적당량, 후춧가루 1전, 밀랍 2전, 불린 쌀

술 빚는 법 :

1. 당기장쌀을 백세하여 물에 담가 불렸다가, 다시 씻어 헹궈서 물기를 뺀 뒤 가루로 빻은 후, 쌀가루를 시루에 안치고 쪄서 무리떡을 익힌 다음 차게 식으면 누룩과 물을 섞어 상법의 술을 빚는다.
2. 술이 숙성되면 용수를 박아 맑고 좋은 청주 1병을 장만하여 큰 주발에 담아놓는다.
3. 울금(적당량, 1냥 정도)과 황밀 3전과 후춧가루 3전을 베주머니에 담아 주둥이를 묶어 술을 담은 주발에 넣는다.
4. 주발이 흔들리거나 뒤집어지지 않도록 작은 삼발이나 걸치게를 만들어 끈으로 고정시킨 다음 물솥에 안친다.
5. 솥에 불을 지펴서 중탕하듯 달이는데 술에 넣은 황밀이 다 녹으면 달이기를 그친다.
6. 주발을 즉시 꺼내어 여과한 후 차게 식기를 기다린다.
7. 쟁반 같은 그릇에 얼음을 깔고 그 위에 술그릇을 올려서 상에 차린다.

* 울금을 많이 넣으면 맛이 써지고 색이 지나치게 농짙어진다. 맛을 보고 울금의 양에 따라 황밀의 양을 조절한다.

鬱金酒

以唐黍米作末, 和麴取清. 入鬱金烹煎, 色黃味苦. 煮酒, 淸酒一瓶, 入黃蜜·胡椒各三錢, 盛大盌以大釜貯水, 浮盌縛杠令勿沈. 煮之限蜜融盡, 去滓照冰用之. 五月朔爲始用煮酒, 八月薦淸酒後用淸酒.

인동주

스토리텔링 및 술 빚는 법

'인동주(忍冬酒)'는 인동초(忍冬草)라는 약재를 사용해 발효시킨 약용약주(藥用藥酒)류의 한 가지이다.

조선시대 기록인 <동의보감(東醫寶鑑)>을 비롯해 <요록(要錄)>과 <윤씨(尹氏)음식법>에 등장하며, 다른 문헌에서는 찾아볼 수 없다. 아마 널리 일반화되지는 못했던 것 같다. 위의 두 문헌에서도 술 빚는 법에 대한 구체적인 내용은 없다.

시대적으로 앞선 기록인 <동의보감>에는 치료 목적의 '인동주' 빚는 법을 수록하고 있으며, <요록>에서는 "인동을 따다가 삶아서 즙을 내어 술을 빚어서 복용하면 허약한 것을 보하여 주고 풍증을 완전하게 해준다. 이것이 수명을 오래도록 연장하여 주는 것이니, 항상 채취하였다가 복용할 만하다."고 하였다.

이후 문헌인 <윤씨음식법>에서도 "인동을 칼히나 다른 낫스로 말고, 손으로 디더다가 질그릇에 달혀 술밥을 아모난일지라도 밥을 지어 그 물에 골나 누록도 그 물의 살아 술을 비즈되, 인동을 잘게 것거 술 빗는데 한데 너허 비져 드리워 쓰라."고 하여 술 빚는 법은 나와 있으나, 주원료의 분량이나 배합비율에 대한 언급이 전혀 없음을 확인할 수 있다.

여기서는 <윤씨음식법>의 기록을 참고해 주방문을 작성하였다. 술 빚는 방법이 <수운잡방(需雲雜方)>과 <요록>에 수록된 '오정주' 주방문과 매우 유사하다. 구체적인 주방문이 없다는 이유로 '인동주'가 일반화되지 못했다고 단정 짓기는 무리가 있겠지만, <요록>의 다음 기록을 보면 아주 잘못된 판단이 아님을 짐작할 수 있다.

<요록>에 "대개 쉽게 얻을 수 있는 약초는 사람들이 즐겨 쓰려고 하지 않고, 구하기 어려운 것만을 구하려고 한다. 이것은 먼 데 것은 귀하게 여기고 가까운 데 것은 천하게 여기는 것이니, 못난 사람들의 심정인가 보다."고 하여, 인동초가 민가 주변과 야산에 널려 있고, 사시사철 구할 수 있는 까닭에 사람들이 귀하게 인식하지 못했던 것만은 분명해 보인다.

하지만 필자는 <꽃으로 빚는 가향주 101가지>라는 책을 준비하면서 '금은화(金銀花)'로 알려진 인동꽃을 사용한 가향주를 개발하게 되었는데, 그때 <윤씨음식법>의 '인동주'도 함께 재현해 볼 수 있는 기회가 있었다. 두 차례에 걸친 재현양주 결과, '인동주'가 사람들로부터 외면당할 수밖에 없었던 이유를 알 수 있었다. 그건 바로 향기는 좋은 반면 맛은 상대적으로 떨어졌기 때문이다.

인동초는 예부터 불로장수의 약으로 중요시되어 왔는데, 그 성분 중에는 루테올린을 비롯한 정유성분과 루톨린, 이노시톨 등과 탄닌질, 진경, 항염, 항균작용의 성분이 함유되어 있으며, 특히 인동꽃에는 산열해독, 소종, 거농, 소염, 청혈, 이뇨, 살균작용이 있어서 열성병을 비롯해 화농성질환, 급만성임질, 종독, 악창 등에 특별한 효과가 있다고 알려져 왔다.

현대의학에서도 인동꽃을 비롯한 줄기와 잎은 여러 가지 악창과 종기, 악성부스럼 등과 숙취해소에 효과가 있고, 초기의 류머티즘과 피로회복에도 효과가 뛰어나며, 해독작용은 냉증 및 부종 치료에 효과적이라고 알려지고 있다.

결국 인동초의 해독, 소종, 거농, 소염, 청혈, 이뇨, 살균작용 등에 관여하는 함유성분이 발효균(醱酵菌)인 효모(酵母)의 활동을 억제하는 결과로 나타나 술의 향기는 매우 좋은 반면, 발효가 잘 되지 않고 쓴맛과 신맛이 강한 술이 된다는 것이다.

따라서 인동초를 사용한 양주(釀酒) 방법은 인동초를 적게 사용하는 한편, 약을 달일 때 가능한 한 약한 불에서 오랫동안 여러 차례 달여서 약성 변화를 유도한 후에 사용할 것을 권한다.

환언하면, 인동초만이 아닌 어떠한 약재라도 알코올 발효를 돕는 약재는 거의 없다고 생각하는 게 맞다. 무엇보다 술은 단순히 술이라야 한다는 결론에 이른다.

약성이 좋은 약재일수록 오히려 탕액(湯液)이나 환(還)을 지어 약으로 복용하고, 술을 곁들임으로써 약효의 흡수에 따른 상승효과를 기대하는 편이 지혜로운 방법이라는 말이다.

'인동주'가 훌륭한 약재인 인동초를 주원료로 사용하면서도 선호되지 못한 이유가 술맛이 썩 좋지 못했기 때문이라는 사실에서, 다시 한 번 "술은 기호음료로써 술의 본디 목적에 부합되어야 한다."는 기본을 강조하고 싶다.

1. 인동주 <동의보감(東醫寶鑑)>

모든 옹저·악창·배옹·유옹을 치료한다. 어는 곳에 생기든지 초기에 먹으면 백발백중으로 낫는다. 인동 덩굴 생것 한 줌을 잎째로 사기그릇에 넣고 짓찧어서 술을 약간 넣고 개어 중심에 있는 창구는 남기고 주위에 바른다. 또 5냥을 망치로 부수고, 감초 생것을 썰어 1냥과 함께 물 2사발을 사기병에 넣고 적당한 불로 1사발이 될 때까지 달인다. 여기에 좋은 술 1큰사발을 넣고 3번 끓어오르게 달여서 3번에 나누어 먹는다. 농부나 노인에게 자장 좋다. <단심(丹心)>을 인용하였다. <옹저(癰疽)>에 나온다.

忍冬酒

治一切癰疽, 惡瘡, 背癰, 乳癰, 不問發在何處, 初撥便當服, 此百發百中, 忍冬藤生取一把, 以葉入砂盆硏爛, 入酒少許調和, 塗付四圍, 中心留一口, 又取五兩槌碎, 甘草生一兩剉, 入砂甁內, 水二椀, 文武火煎之一椀, 入好酒一大椀煎水三沸, 分三服, 田父野老, 最宜服此.

2. 인동주 <요록(要錄)>

忍冬酒

取忍冬煮取汁以釀酒服之補虛療風症阬長年益壽甚可常採服凡易得之草而人多不肯爲之更亢難得煮是貴遠賤之庸人之淸平 黑牛髓和地黃汁白蜜(茉)介作煎服治疫病.

3. 인동주 <윤씨(尹氏)음식법>

술 재료 : 인동초(2~3되), 멥쌀(1말), 누룩 1되 5홉, 물(2말)

술 빚는 법 :

1. 인동초를 (칼이나 낫으로 베어내지 말고) 손으로 뜯어다가 (물에 깨끗하게 씻어 이물질과 먼지, 흙을 제거한 후) 잘게 뜯어 질그릇에 담아놓는다.
2. 질그릇에 물(2말)을 붓고, 매우 오랫동안 뭉근한 불로 달여서 1말이 되게 졸인 후, 찌꺼기를 제거하지 않는다.
3. 멥쌀(1말)을 (백세하여 물에 담가 불렸다가, 다시 씻어 건져서 물기를 뺀 후) 시루에 안쳐서 고두밥을 짓는다.
4. 인동초 달인 물을 차게 식힌 뒤, 2되를 떠서 다른 그릇에 담고 누룩을 섞어 수곡을 만들어놓는다.
5. 고두밥이 익었으면 인동초 달인 물에 합하고, 고두밥이 인동초 달인 물을 다 먹기를 기다린다.
6. 고두밥이 물을 다 먹었으면 삿자리에 펴내고, 고루 펼쳐 고두밥이 차게 식기를 기다린다.
7. 인동초 달인 물로 만든 수곡과 차게 식은 고두밥을 합하고, 고루 버무려 술밑을 빚는다.

8. 술밑을 술독에 담아 안치고, 예의 방법대로 하여 발효시키는데, 술이 익기를 기다려 채주하여 마신다.

* 주방문에 인동초를 비롯한 쌀의 양, 물의 양이 언급되어 있지 않고, 술 빚는 방법에 대한 구체적인 내용도 수록되어 있지 않아 민간의 약용약주 빚는 방법을 참고하여 주방문을 작성하였다.

인동주

인동을 칼히나 다른 낫스로 말고, 손으로 디더다가 질그릇에 달혀 술밥을 아모 난일지라도 밥을 지어 그 물에 골나 누록도 그 물의 살아 술을 비즈되, 인동을 잘게 것거 술 빗는데 한데 너허 비져 드리워 쓰라.

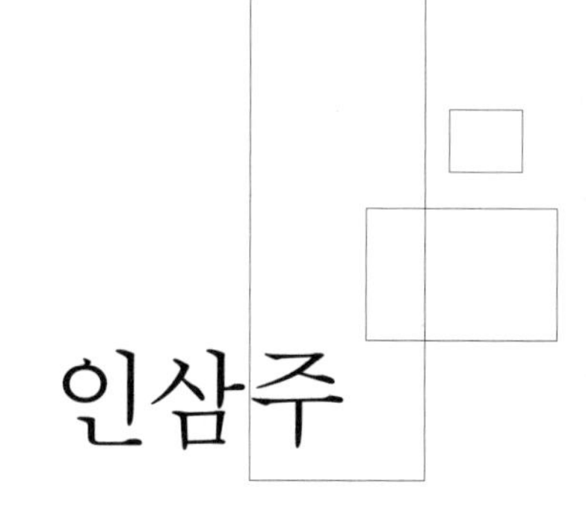

인삼주

스토리텔링 및 술 빚는 법

<음식책(飮食冊)>의 '약주 인삼주 담그는 법'은 유일하게 인삼을 넣어 발효시키는 약용약주의 주방문을 보여주는 예라 하겠다. '인삼'은 조선의 특산품으로 세계적인 명성을 얻었던 약재이면서도, 인삼을 주재료로 한 주품이나 주방문이 없었다.

다만, <임원십육지(林園十六志)>의 "약양제품(藥釀諸品)"에 '인삼주(人蔘酒)'라는 주품명을 볼 수 있긴 하나, <본초강목(本草綱目)>을 인용하여 "보중익기하는 효력이 있다."라고 하는 인삼주의 효능만 언급하고 있을 뿐 주방문은 보이지 않았다.

그래서였는지 '약주 인삼주 담그는 법'이란 주방문은 그 어떤 주방문보다 반갑고 특별한 기록으로 다가왔다.

문제는 <음식책>에 수록된 인삼주 주방문이 난해하기 이를 데 없는 기록으로, 아래와 같은 주방문을 작성해 놓고도 반신반의에 아직까지 확신이 서지 않는다.

우선, 주방문을 보면 "좋은 인삼을 반만 찧어 술밑 한 사발 넣고 삼 몇 뿌리 넣고, 또 술밑 넣고 맞춰 시루떡 밑쌀을 점미 희게 쓸어 쪄서 밑술 물을 백비탕 끓여 차게 식혀 술밑도 식은 후에 누룩하고 빚되, 물 치지 말고 범벅만치 쳐서 그릇에 담아 겨울이면 얼지 않게 잘 간수하여 이십일이 되거든"이라고 하여, 주재료인 찹쌀과 누룩, 인삼, 물의 양에 대한 구체적인 언급이 없다.

주방문 말미에 "또 찹쌀 삼두를 지에 쪄 차게 식혀 빚고, 한데 위 덮을 때 또 물 말고 만졌던 약주로 덮어 또 이십일 만에 두면 양차 합이 '팔십일주'니, 누룩도 처음이나 나중이나 같이 잡아 하라." 하고, 또 언급하기를 "술은 찐해 누룩과 물로 가는 법이니, 누룩과 물을 규칙하되 이렇듯이 정하여 하려 하면 짚에 싸 쌀만치 치자 빻되, 밀가루 물 짚에 싸 갈던지 사으라 하여도 짚둥으로 사서 다시 가는체에 쳐서 초복이나 중복이 잡아 쑥을 덮고 깔아 잘 띄워 괴똥내가 나고, 속에 노란 진과 붉은 곰팡 안서든 말리어 찧어 하면 술이 의심 없이 잘 되나니라."고 하였다.

그리고 후주(後酒)하는 법으로 "술을 이리하여 전술은 죄다 뜨고 찹쌀 한두 되 물 한 동이 잡아 죽 쑤어 식히지 말고, 더운 김에 용수 빼내고 누룩 서 홉만 넣어 죽하고 한데 섞어, 삼사일만 되면 이것은 외지 술이라고 또 쓸 만하니 손청적 이 술은 '은팔주'니라."고 하였다.

위 주방문을 현대적으로 해석하여 주방문을 작성한 결과 '후주'까지 포함해 사양주(四釀酒)이고, 인삼은 밑술에 한 번 사용되며, 4차례의 술 빚기에 매번 누룩과 물이 함께 사용된다는 것을 알 수 있다.

필자의 견해로는 인삼의 사포닌 성분이 발효에 의해 분해되지 않는다는 사실이 이와 같은 주방문을 탄생시킨 배경이 아닐까 하고 생각한다. 그래서 밑술에서부터 인삼을 넣고 발효시키는 방법을 택하게 되었고, 여러 차례의 덧술을 통해 술의 도수(度數)를 올리고자 했을 것이다. 또한 '후주'는 당시만 하더라도 민간에서 인삼은 매우 귀한 보약재로 그 가치가 높았던 만큼 인삼의 약효를 최대한 이용하려는 의도로 보인다. 이는 '약주 인삼주 담그는 법'이란 주방문에서 가장 두드러지는 특징이다. 별도의 누룩을 만들어 사용하며, 특히 4차례에 걸쳐 찹쌀을 사용한다는 게 그와 같은 추측의 근거라 하겠다. 인삼의 약효뿐 아니라 술의 체내흡수에 가장 효과적인 방법이 바로 찹쌀술이기 때문이다.

술 빚는 과정에 있어 밑술만 찐떡 형태를 보여주고, 덧술에서 3차 덧술까지 3차례의 술 빚는 과정은 모두 고두밥이며, 후주 과정에서만 찹쌀죽을 사용했다는 건 인삼의 성분이나 효능을 최대한 얻고자 한 흔적임을 확인시켜 준다.

1. 약주 인삼주 담그는 법 <음식책(飮食冊)>

–인삼주

술 재료 : 밑술 : 찹쌀(3되), 누룩(2되), 인삼 몇 뿌리, 백비탕(1사발)
덧술 : 찹쌀 3말, 누룩(2되), 백비탕 1동이
2차 덧술 : 찹쌀 3말, 누룩(1되)
후주 : 찹쌀 1~2되, 누룩 3홉, 물 1동이

술 빚는 법 :

* 밑술 :

1. 좋은 인삼(몇 뿌리)을 물에 깨끗이 씻어 흙과 이물질을 제거한 후 물기를 닦아놓는다.
2. 인삼을 절구에 넣고, 살짝 찧어놓는다.
3. 찹쌀(3되)을 희게 쓿어 백세하여 물에 담가 불렸다가, 다시 씻어 헹궈서 물기를 뺀 후 가루로 빻는다.
4. 찹쌀가루를 시루에 안쳐서 떡을 찐다.
5. 솥에 물(1사발)을 백비탕으로 끓여 넓은 그릇에 퍼서 차게 식기를 기다린다.
6. 찹쌀떡이 익었으면 퍼내고, 고루 헤쳐서 차게 식기를 기다린다.
7. 찹쌀떡에 누룩(2되)을 합하고, 고루 치대어 술밑을 빚되 백비탕을 물 뿌리듯 하여 넣고 범벅처럼 개어 술밑을 빚는다.
8. 술독에 술밑을 담아 안치는데, 짓찧어 놓은 인삼과 함께 켜켜로 안친 후, 예의 방법대로 하여 겨울이면 얼지 않게 잘 간수하여 20일간 발효시킨다.

* 덧술 :

1 찹쌀 3말을 백세한 후 물에 담가 불렸다가, 다시 씻어 헹궈서 물기를 뺀 후 시루에 안쳐서 고두밥을 짓는다.

2. 단물 1동이를 길어다가 솥에 안쳐서 백비탕으로 끓여 넓은 그릇에 퍼서 차게 식기를 기다린다.

3. 고두밥이 익었으면 퍼내고, 고루 펼쳐서 차게 식기를 기다린다.

4. 고두밥에 밑술과 누룩(2되), 백비탕을 한데 합하고, 고루 버무려 술밑을 빚는다.

5. 술독에 술밑을 담아 안치고, 예의 방법대로 하여 겨울이면 얼지 않게 잘 간수하여 20일간 발효시킨다.

* 2차 덧술 :

1 찹쌀 3말을 백세한 후 물에 담가 불렸다가, 다시 씻어 헹궈서 물기를 뺀 후, 시루에 안쳐서 고두밥을 짓는다.

2. 고두밥이 익었으면 퍼내고, 고루 펼쳐서 차게 식기를 기다린다.

3. 고두밥에 덧술과 누룩(1되)을 한데 합하고, 고루 버무려 술밑을 빚는다.

4. 술독에 술밑을 담아 안치고, 예의 방법대로 하여 겨울이면 얼지 않게 잘 간수하여 20일간 발효시킨다.

5. 술이 다 숙성되었으면 용수 박아 청주를 떠내고, 술이 더 이상 고이지 않으면 후주(後酒)한다.

* 후주법 :

1. 찹쌀 1~2되를 백세한 후 물에 담가 불렸다가, 다시 씻어 헹궈서 건져놓는다.

2. 솥에 물 1동이를 담고 끓이다가 불려둔 찹쌀 1~2되를 넣고 죽을 퍼지게 쑤어서, 익었으면 넓은 그릇에 퍼서 (한 김 나가게) 식힌다.

3. 찹쌀죽에 누룩 3홉을 합하고, 고루 버무려 술밑을 빚는다.

4. 술독의 용수를 빼내고, 술밑이 더운 김에 부어 뒤섞어준 후 예의 방법대로 하여 3~4일간 숙성되기를 기다린다.

약주 인삼주 담그는 법

좋은 인삼을 반만 찧어 술밑 한 사발 넣고 삼 몇 뿌리 넣고, 또 술밑 넣고 맞춰 시루떡 밑쌀을 점미 희게 쓸어 쪄서 밑술 물을 백비탕 끓여 차게 식혀 술밑도 식은 후에 누룩하고 빚되, 물 치지 말고 범벅만치 쳐서 그릇에 담아 겨울이면 얼지 않게 잘 간수하여 이십일이 되거든,

—찹쌀 서 말만 지어 쪄서 차게 식혀 술밑 하고, 지에하고 한데 버무려 위를 덮을 때도 단물을 길러다가 백비탕 끓여 식혀 퍼 물은 한 동 안치듯이 하여 이십일 후에 또 찹쌀 삼 두를 지에 쪄 차게 식혀 빚고, 한데 위 덮을 때 또 물 말고 만졌던 약주로 덮어 또 이십일 만에 두면 양차 합이 팔십일주니 누룩도 처음이나 나중이나 같이 잡아 하라.

—술은 찐해 누룩과 물로 가는 법이니 누룩과 물을 규칙하되 이렇듯이 정하여 하려하면 짚에 싸 쌀만치 치자 빻되 밀가루 물 짚에 싸 갈던지 사으라 하여도 짚둥으로 사서 다시 가는체에 쳐서 초복이나 중복이 잡아 쑥을 덮고 깔아 잘 띄워 괴똥내가 나고 속에 노란 진과 붉은 곰팡 안서든 말리어 찧어 하면 술이 의심 없이 잘 되나니라.

—술을 이리하여 전술은 죄다 뜨고 찹쌀 한두 되 물 한 동이 잡아 죽 쑤어 식히지 말고, 더운 김에 용수 빼내고 누룩 서 홉만 넣어 죽하고 한데 섞어, 삼사일만 되면 이것은 외지 술이라고 또 쓸 만하니 손청적 이 술은 은팔주니라.

2. 인삼주 <임원십육지(林園十六志)>

보중익기하는 효력이 있다. <본초강목>을 인용하였다.

人蔘酒

<本草綱目> 補中益氣. (案)方見 <葆養志>.

인진주

스토리텔링 및 술 빚는 법

각지의 산과 들에서 쉽게 볼 수 있는 쑥은 우리와 매우 친숙한 식물이며, 민간에서는 떡을 비롯한 차와 술, 한방에서는 뜸으로 사용하는 등 그 사용 범위가 매우 넓다.

이러한 쑥을 애엽(艾葉)이라고도 하는데, 그 종류가 다양하다.

보통 단오 무렵의 쑥이 약효가 가장 좋은 것으로 알려지고 있는데, 쑥 가운데 인진(茵蔯)과 청호(菁蒿)가 약용 쑥으로 대변될 만큼 약효가 뛰어난 것으로 알려지고 있다.

전통주 가운데 이 인진과 청호를 사용하는 경향이 다른 것을 알 수 있는데, 청호는 주로 누룩을 빚고 띄우는 데 사용하는 반면, 인진은 술 빚기에 사용된다는 점이다.

예를 들면, <농정회요(農政會要)>에 '조신곡방(造神麯方)'이 수록되어 있는데, 밀가루 100근과 붉은 팥 3되, 행인 3되를 가루로 만들어 '청고(菁膏)'라고 하여 청호를 짓찧어 짜낸 자연즙 3되와 창이즙 3되, 들여뀌즙 3되로 반죽하고, 누룩틀에 디뎌서 마잎이나 닥나무잎으로 싸고, 빈 가마니에 묻어서 띄우는 것으로 되어 있다. 그리고 부언하기를 이 "누룩은 여름철에 사용한다."고 하였다.

한편, 본고에서 다루고자 하는 인진쑥을 사용한 술은 <임원십육지(林園十六志)>에서 찾아볼 수 있는데, '인진주(茵蔯酒)' 주방문에 "인진쑥을 뜯어다 물에 깨끗이 씻어 말린 다음, 1근을 가마솥에 넣고 노랗게 볶아서 차게 식힌다."고 하여 녹차(綠茶)처럼 만들어 사용하는 것을 알 수 있다.

'인진주'는 차조를 주원료로 고두밥을 지어 누룩과 물, 볶아서 준비한 인진쑥을 함께 버무려서 빚는데, 주방문 말미에 <본초강목(本草綱目)>을 인용해 "풍증과 근육과 골격의 경련을 치료한다."고 하였다. 또 "인진쑥(茵蔯蒿)을 볶아 누렇게 된 것 1근에 차조 1석, 누룩 3근을 넣어 보통 방법으로 술을 빚어 마신다."고 하였다.

이로써 '인진주'가 뇌졸중과 같은 질병 예방과 치료 목적의 약용약주라는 사실을 확인할 수가 있다. '인진주'를 빚는 방법은 특별할 것이 없으나, 인진을 불에 볶아서 사용한다는 게 핵심이라고 하겠다.

이는 불에 의해 식품은 그 성질이 바뀐다는 사실에 착안한 가공법이라고 할 수 있다.

이를테면 차잎이나 황정 등의 재료로 차(茶)를 만들 때 구증구포(九蒸九餔)한다거나, 국화를 엷은 소금물에 담갔다가 쪄내는 방법 등이 그것으로, 이러한 열처리 과정을 통해 그 재료의 차고 뜨겁고 시고 떫고 쓴맛 등 기본적인 성질이 바뀌고, 또 독(毒)을 중화시키고자 동원된 방법이라는 것이다.

'인진주'를 빚을 때 주의할 점은 인진을 볶는다 하더라도 가능한 한 수분 없이 잘 건조된 것을 누룩의 30% 미만으로 사용해야 한다.

인진주 <임원십육지(林園十六志)>

술 재료 : 인진쑥 1근, 차조 1석, 누룩 3근, 물(5말)

술 빚는 법 :

1. 인진쑥을 뜯어다 물에 깨끗이 씻어 말린 다음, 1근을 가마솥에 넣고 노랗게 볶아서 차게 식힌다.
2. 차조 1석을 (백세하여 물에 담가 불렸다가, 다시 씻어 헹궈서 물기를 뺀 후) 시루에 안쳐서 고두밥을 짓는다.
3. 고두밥이 익었으면 퍼내고, 고루 펼쳐서 차게 식기를 기다린다.
4. 고두밥에 인진쑥 볶은 것 1근과 누룩 3근, 물(5말)을 합하고, 고루 버무려 술밑을 빚는다.
5. 술독에 술밑을 담아 안치고, 예의 방법대로 하여 (차지도 덥지도 않은 곳에 놓아) 발효시킨다.

茵蔯酒

<本草綱目> 治風疾筋骨攣急用茵蔯蒿炙黃一斤秫米一石麴三斤如常釀酒飮之.

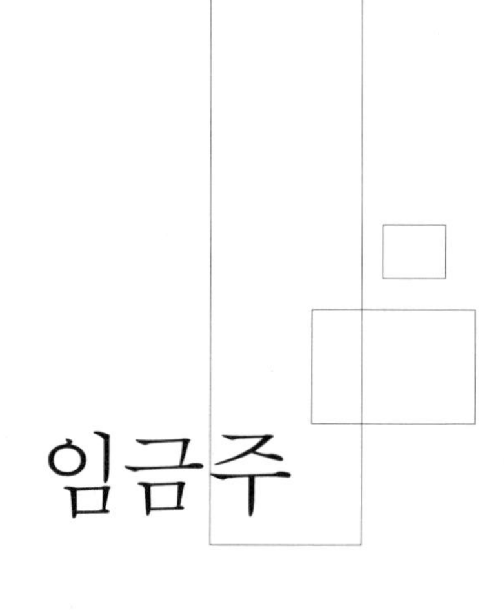

임금주

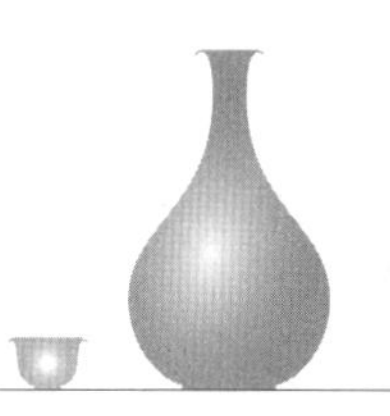

스토리텔링 및 술 빚는 법

'임금(林檎)'은 우리나라 토종 사과인 '능금'을 가리킨다. 인구 증가와 함께 이농 현상은 식량확보 정책으로 나타나기 시작하고, 이러한 정책은 토종 씨를 말리는 계기가 되고 말았다. '다수확'과 '증산'이 정책의 우선으로 대두된 것이다.

그러다 보니 생산량이나 농사법, 경제성 측면에서 경쟁력이 떨어지는 토종은 점차 관심에서 멀어지고 말았다. '임금'도 그 중 하나이다.

어렸을 때만 하더라도 새콤달콤하면서 향기가 좋았던 '임금'을 어렵지 않게 먹을 수 있었는데, 지금은 만금을 주고도 사 먹을 수 없게 되었다.

이를테면 '부사(富士)'나 '스타킹'처럼 '임금'보다 수확량이 많고 상품가치가 높은 외국 품종으로 교체되기 시작하면서 씨가 말라버린 것이다.

'임금'은 '능금'으로 더 알려져 왔다. 국내 최대의 사과 주산지로 알려진 경북 사과의 상표만 보더라도 '경북 능금'이었다는 사실은 토종 사과인 능금이 얼마나 맛좋은 과실이었는지 잘 보여주는 예라 할 것이다.

이 '임금'으로 빚은 술이 <조선무쌍신식요리제법(朝鮮無雙新式料理製法)>에 등장한다. <조선무쌍신식요리제법>의 등장시기가 1936년이라는 사실과 함께 조선시대 양주법을 기록하고 있는 <산가요록(山家要錄)>, <음식디미방>, <증보산림경제(增補山林經濟)>, 그리고 가장 많은 주품을 싣고 있는 <임원십육지(林園十六志)>에 이르기까지 어떤 문헌에서도 볼 수 없었던 '능금술(林檎酒)'라는 주품명이 <조선무쌍신식요리제법>에 등장한 것으로 미루어, 그 역사가 오래지 않고 대중화도 이루지 못한 채 맥이 끊기고 말았음을 알 수 있다.

그러기에 더욱 '능금술'의 가치를 부여할 수 있다는 생각이 든다. '능금술'는 자연발효법의 순수한 과실주이기 때문이다.

그리고 술 빚는 과정을 보면 알 수 있듯이 "능금을 칼로 깎아 껍질을 벗겨내고, 중심의 씨를 제거한 능금을 공이로 짓찧어 즙을 얻은 후, 그 즙을 소독한 단지에 담아 안치고, 즙과 동량의 깨끗한 물을 합하여 서늘한 곳에 7일간 두어 발효시킨 다음, 찌꺼기는 가라앉고 윗물의 맑은 술은 다른 그릇(병)에 따라 그릇에 옮긴 능금 발효액을 단단히 봉하여 땅속에 묻어 1년간 숙성시킨다."고 하여 발효와 숙성을 거치는 서양의 포도주 발효법과 유사성을 갖고 있다.

이러한 '능금술'는 무엇보다 주재료인 임금의 선택에 유의해야 한다. 과실은 잘 익어 당도가 매우 높아야 하고, 과피에 상처나 썩은 부분이 없어야 한다.

그리고 짓찧은 즙을 물과 섞을 때 임금의 당도가 높고 낮음에 따라 그 양을 조절할 필요가 있다. 주방문에 임금과 물의 양이 언급되지 않은 이유가 거기에 있다.

능금술 <조선무쌍신식요리제법(朝鮮無雙新式料理製法)>

술 재료 : 잘 익은 능금 적당량, 물, 단지(작은 항아리)

술 빚는 법 :

1. 능금을 잘 익고 상처가 없이 깨끗한 것으로 골라 물로 씻은 후, 마른수건으로 깨끗이 씻어 물기를 닦아낸다.

2. 능금을 칼로 깎아 껍질을 벗겨내고, 중심의 씨를 제거한다.
3. 껍질 벗긴 능금을 공이로 짓찧어 능금즙을 얻는데 찌꺼기를 제거하지 않는다.
4. 능금즙을 소독한 단지에 담아 안치고, 즙과 동량의 깨끗한 물을 합한다.
5. 단지를 베보자기로 씌워 깨끗하고 서늘한 곳에 7일간 두어 자연발효시킨다.
6. 찌꺼기는 가라앉고, 윗물의 맑은 술은 다른 그릇(병)에 따라낸다.
7. 그릇에 옮긴 능금 발효액을 단단히 봉하여 땅속에 묻어 1년간 숙성시킨다.

* 주방문 말미에 "맑은 것은 위로 떠오를 테니 딴 그릇에 따라 꼭 봉한 후에 일 년 동안만 묻어두면 제일등 자양되는 능금술이 되나니라."고 하였다. 자연발효법의 전통 과실주 중 하나인 '토종 사과(능금)주'라고 할 수 있다.

능금술(林檎酒)

능금을 익은 걸로 썹질을 벗기고 씨를 빼인 후에 짜서 집을 내여 그 집에다 가 물을 상당하게 혼합하야 일주야만 노아 두면 찍기는 가라안고 맑은 것은 우로 써올을 테니 싼 그릇에 곱게 짜라 쏙 봉한 후에 일 년 동안만 무더두면, 제일등 자양되는 '능금숧'이 되나니라.

자근주

스토리텔링 및 술 빚는 법

우리나라를 비롯해 음주문화를 향유하고 있는 나라들의 양주 목적은 처음에는 모두 천신(薦新)과 제사(祭祀)에 쓸 제물(祭物)이었다.

특히 우리나라의 경우, 농경과 목축문화로 발전하면서 제사와 부모 봉양, 그리고 손님 접대와 농경의 힘든 노동에 따른 에너지원을 공급하기 위한 농주(農酒) 등 그 용도가 다양화되었고, 자연스럽게 자가양주(自家釀酒)의 필요성이 대두되었다.

이러한 자가양주는 후일 또 질병 치료와 예방 등 약재에 대한 관심이 높아지면서, 음용에 따른 효과를 높이기 위한 수단으로 술을 끌어들이게 되었고, 이는 약용약주(藥用藥酒)의 성행으로 나타난다.

<임원십육지(林園十六志)>에 등장하는 '자근주(柘根酒)' 역시 약용약주의 목적과 범위에서 벗어날 수 없지만, 여느 전통주와는 매우 다른 점을 발견할 수 있다. 즉, 술에 광물성 재료가 사용된다는 점이다.

일반적으로 술에 사용되는 주·부원료는 곡물과 열매, 초근목피 등 식물성 재

료가 주류를 이루는데, <임원십육지>의 '자근주'에는 '철(鐵)'과 '진자석(磁石)'이 사용된다.

주지하다시피 '철'과 '진자석'의 성분은 발효를 억제시키고 술맛을 나쁘게 하는 성분을 함유하고 있어 어떻게든 제거하는 걸 원칙으로 한다.

그에 반해 '자근주'에서는 이들 성분이 특별한 목적이 있어 사용되는 듯하다. 하지만 이들 재료의 확실한 용도나 작용, 효과 등에 대해서는 밝혀진 것이 없다.

다만 <중화본초(中華本草)>와 <중약대사전(中藥大辭典)>에 '철'에 대한 공효(功效)를 언급하고 있다. "심장과 간을 안정시키고 종기를 삭히며, 해독작용을 한다(鎮心平肝, 消癰解毒)."고 하고, "나쁜 기운을 몰아내고(主賊風), 어혈을 풀어주며(散瘀血), 인대를 강화하고 통증을 완화한다(主堅肌耐痛)."고 하여 그 용도에 대해 소개하고 있다. 또한 '진자석'의 공효로서 "간을 평화롭게 하고 위로 뜬 양기를 가라앉히고, 마음을 안정시키고 경련을 진정시킨다. 눈과 귀를 밝게 하고, 기를 수렴하여 기침을 멎게 한다(平肝潛陽, 安神鎮驚, 聰耳明目, 納氣平喘)."는 효능과 "어지럼증, 눈이 어른거림, 귀가 울리거나 멀 때, 놀라거나 불면증, 신장허약으로 인한 기침(眩暈, 目花, 耳聾, 耳鳴, 驚悸, 失眠, 腎虛喘逆)"을 치료한다고 하는 용도를 밝히고 있다. 이로써 철과 진자석이 한방에서 처방되고 있는 사실을 확인할 수 있다.

또한 '자근주' 주방문 말미에 <태평성혜방>을 인용하여 "귀에서 소리가 울리는 사람과 10~20년 귀머거리를 치료한다."고 한 사실로 미루어, 이명(耳鳴) 현상과 귓병 등의 치료 목적에서 차용된 방법임을 알 수 있다.

<임원십육지>의 '자근주'에 대한 주방문을 살펴보면, "자근(산뽕나무 뿌리) 20근을 1석의 물에 오랫동안 삶아서 물이 5말이 되면 찌꺼기를 제거하고, 차게 식히고, 창포(뿌리) 5말도 1석의 물에 오랫동안 삶아서 물이 5말이 되면 찌꺼기를 제거하고 차게 식힌 후, 철 20근을 불에다 빨갛게 달군 뒤 자근과 창포 달인 물에 담가놓는다. 이어 멥쌀 2석을 백세하여 시루에 안쳐 무르게 고두밥을 짓고, 고루 펼쳐서 차게 식기를 기다렸다가 약 달인 물과 밀가루 3말, 물 1석 5말, 누룩가루 2말을 한데 합하고, 고루 버무려 술밑을 빚어 술독에 담아 안치고, 예의 방법대로 하여 발효시킨다. 술이 익으면 진자석 3근을 분말로 만들어서 술독에 담그고, 3

일 후에 채주하여 마신다."고 하는 술 빚는 과정을 목격할 수 있다.

자근과 창포를 달인 물에 불에 달군 쇠를 담가놓으면, 오래지 않아 약 달인 물의 색깔이 더욱 검어지는 것을 볼 수 있으며, 고두밥과 물, 누룩을 섞어 발효시키면 술의 색깔은 매우 진한 보리차 색깔의 '자근주'를 얻을 수 있다.

자칫 창포를 창포잎으로 이해할 수도 있는데, 창포잎을 위의 비율대로 사용하게 되면 비위가 상하고 설사를 하게 되므로, 반드시 마디가 많은 뿌리를 사용하여야 한다.

이러한 '자근주'는 특별한 향기가 강하게 나타나고, 그 맛은 강한 쓴맛과 매운맛이 있어 한꺼번에 많이 마시지 못한다.

자근주 <임원십육지(林園十六志)>

술 재료 : 멥쌀 2석, 밀가루 2말, 자근(柘根, 뽕나무 뿌리) 20근, 창포(菖蒲) 5말, 철(鐵) 20근, 진자석(磁石) 3근, 누룩가루 2말, 밀가루 2말, 물 3석 5말

술 빚는 법 :

1. 산뽕나무뿌리인 자근 20근을 1석의 물에 오랫동안 삶아서 물이 5말이 되면 찌꺼기를 제거하고 차게 식힌다.
2. 창포 5말을 1석의 물에 오랫동안 삶아서 물이 5말이 되면 찌꺼기를 제거하고 차게 식힌다.
3. 철 20근을 불에다 빨갛게 달군 뒤 약 달인 물에 담근다.
4. 멥쌀 2석을 백세하여 시루에 안쳐 무르게 고두밥을 짓고, 고루 펼쳐서 차게 식기를 기다린다.
5. 고두밥에 자근 달인 물 5말과 밀가루 2말, 창포 달인 물 5말, 누룩가루 2말, 새로 길어온 물 1석 5말을 한데 합하고, 고루 버무려 술밑을 빚는다.

6. 술독에 술밑을 담아 안치고, 예의 방법대로 하여 (20일가량) 발효시킨다.
7. 술이 익으면 진자석 3근을 분말로 만들어서 술독에 담그고, 3일 후에 채주하여 마신다.

柘根酒

<太平聖惠方> 治耳鳴耳聾一二十年者有柘根酒用柘根二十斤菖蒲五斗各以水一石煮取汁五斗故鐵二十斤煆赤以水五斗浸取淸合水一石五斗用米二石(麵/麴)二斗如常釀酒成用眞磁石三斤爲末浸酒中三宿日夜飮之取小醉而眼聞人聲乃止.

자주·전주

스토리텔링 및 술 빚는 법

'자주(煮酒)'는 "중탕한 술" 또는 "찐 술", "삶은 술"이라는 의미에서 유래한 주품이다. 즉, 술의 목적이나 용도에 따라 한두 가지 또는 여러 가지 부재료를 넣고 밀봉한 후, 끓는 물에 달이거나 중탕하기도 하고 시루에 올려서 쪄낸 술을 가리킨다.

이와 같은 방법을 통해 술의 변질이나 부족한 맛을 보완하여 향미(香味)와 저장성(貯藏性)을 부여한다는 의미를 갖는다고 하겠다.

그 방법에 있어 주로 발효주와 함께 계피·진피·호초·진피 등 자극성이 강한 향료와 대추·실백자 등의 과실 또는 꿀이나 밀랍을 사용해 단맛을 부여함으로써 마시기에 부드럽고, 약성에 따른 질병치료나 예방효과 또한 쉽게 얻고자 하는 목적에서 이루어지는 주방문임을 알 수 있다.

'자주'는 <고사신서(攷事新書)>를 비롯해 <고사십이집(攷事十二集)>, <고사촬요(故事撮要)>, <달생비서(達生秘書)>, <동의보감(東醫寶鑑)>, <민천집설(民天集說)>, <산가요록(山家要錄)>, <산림경제(山林經濟)>, <양주방>*, <양주방

(釀酒方)>, <언서주찬방(諺書酒饌方)>, <역주방문(曆酒方文)>, <요록(要錄)>, <음식디미방>, <의방합편(醫方合編)>, <임원십육지(林園十六志, 大板本)>, <조선무쌍신식요리제법(朝鮮無雙新式料理製法)>, <주방문(酒方文)>, <주찬(酒饌)>, <한국민속대관(韓國民俗大觀)>, <해동농서(海東農書)> 등 21종의 문헌에 26차례나 등장한다. 특히 사대부와 부유층에서 즐겼으리라 짐작할 수 있다.

'자주'에 대한 최초의 주방문은 <산가요록>에서 볼 수 있다. "쌀 4말(米四斗). 좋은 밀랍 2전 5푼(好蠟二戔五分), 백단향 8리 3호(白檀香八里三毫), 목향 1푼(木香一分), 후추 2푼 5호(胡椒二分五毫), 계피 1푼 1리 4호(桂皮一分一里四毫), 진피·정향 1푼 1리 4호(陳皮丁香一分一里四毫), 이들 약재와 약주 5병을 항아리에 담는다(右藥酒五瓶 入缸). 항아리 주둥이를 도련지와 기름종이로 겹겹이 밀봉한다(缸口以擣錬紙油紙重封). 단지를 넣고 중탕을 한다(堅防 重湯煮之). 완성되면 조금 찬 곳에 두었다가 차게 식기를 기다려 여과하여 마신다(已成 出置稍冷, 開封用之)."고 하였다.

이는 좋은 청주에 밀랍과 백단향·목향·후추·계피·진피·정향 등 다양하면서도 향기가 좋은 6가지 약재를 사용해 약성과 향기를 함께 즐기려는 주방문임을 보여주고 있다.

이러한 주방문의 특징은 발효주가 안고 있는 저장성의 결여와 약성의 추출효과가 떨어지는 문제를 중탕하는 방법을 통해 부원료의 사용에 따른 약성 추출효과와 더불어 향미와 저장성을 높임으로써 해결책을 강구해 온 것이라 풀이할 수 있다.

특히 '자주'와 같은 양주법은 열처리를 통해 발효주인 청주(약주)의 변질을 예방할 수 있다는 점에서 현대양주에서 추구하고 있는 '화입법(火入法)', '살균법(殺菌法)'의 원형으로서 주목할 필요가 있다 하겠다.

<산가요록> 이후의 문헌으로 <역주방문>에서는 청주 대신 '좋은 소주'가 사용되고, 황랍·계피·후춧가루가 사용되었으며, <요록>에서는 광목향·계피·진피·호초·밀이 사용되었고, <요록> '우방'에서는 호초·광목향·대추살·청밀이 사용된 것을 볼 수 있다.

<음식디미방>에서는 대추·실백자·후추·밀·계피가 사용되었고, <임원십육지

(대판본)>에서는 황랍·대나무잎·관국·천남성이 사용되었으며, <한국민속대관> 에서는 대추·잣·후추·꿀·계피·황밀 등 문헌마다 각기 다른 약재가 사용되어 다양한 자주류(煮酒類)의 등장을 볼 수 있다.

한편 <언서주찬방>과 <동의보감>, <고사촬요>, <주방문>, <산림경제>, <양주방> 등에서는 청주와 후춧가루·황밀 또는 밀랍만 사용되었다. 결국 <산가요록>을 비롯하여 21종의 문헌에 수록된 '자주'는 크게 두 가지 종류로 구분할 수 있다.

즉, <고사신서>를 비롯해 <고사십이집>, <고사촬요>, <동의보감>, <민천집설>, <산림경제>, <양주방>*, <양주방>, <언서주찬방>, <의방합편>, <주방문>, <주찬>, <해동농서> 등 13종의 문헌에서와 같이 청주와 후춧가루·황밀(밀랍)만을 사용하는 경우와 <산가요록>을 중심으로 <역주방문>, <요록>, <음식디미방>, <임원십육지(대판본)>, <한국민속대관> 등에서와 같이 백단향·목향·계피·진피·정향·광목향·대추살·청밀·대나무잎·관국·천남성 등 약재를 3~5가지씩 섞어 필요와 목적에 따라 달리 사용하는 경우가 그것이다.

한편 <오주연문장전산고(五洲衍文長箋散稿)>에는 '청매자주(青梅煮酒)'가 등장하는데, <언서주찬방>을 비롯해 <의방합편>, <주방문>, <주찬>, <해동농서> 등 13종의 문헌에서와 같이 청주와 후춧가루·황밀(밀랍)만을 사용하는 방법이라는 점에서 자주류로 볼 수 있으나, '청매자주'라는 주품명의 유래와 관련하여 별도로 다루었다.

1. 자주 <고사신서(攷事新書)>

술 재료 : 좋은 청주 1병, 후추 1전, 황밀 1전

술 빚는 법 :

1. 맑고 좋은 청주 1병을 장만하여 질그릇 항아리에 담아놓는다.

2. 후추와 황밀 각 1전을 베주머니에 담아 주둥이를 묶어 술항아리에 넣고, 끈을 단지 주둥이에 묶어놓는다.
3. 솥에 물을 붓고, 술단지를 안쳐서 끓인다(아침에 안쳤으면 오후에 꺼내는데, 맛을 보아 달고 고소하고 술맛이 적으면 꺼내어 식혀서 마신다).

* <고사촬요>와 동일한 주방문이다.

煮酒
以上好淸酒一甁胡椒黃蜜各一錢用陶缸盛置於釜內從絃置水煮之經時乃出煮時甁數多少任意.

2. 자주 우법 <고사신서(攷事新書)>

술 재료 : 좋은 청주 1병, 후춧가루 1전, 황랍 1전, 불린 쌀

술 빚는 법 :
1. 맑고 좋은 청주 1병을 장만하여 질그릇 항아리에 담아놓는다.
2. 황랍 1전과 후춧가루 1전을 베주머니에 담아 주둥이를 묶어 술항아리에 넣고, 끈을 단지 주둥이에 묶어놓는다.
3. 불린 쌀을 술과 약재를 담은 병에 담아 밀봉한다.
4. 솥에 물을 붓고, 술단지를 안쳐서 중탕하여 밥을 짓고, 익었으면(황랍이 다 녹은 것으로 판별할 수 있다.) 즉시 꺼내어 식기를 기다린다.

* <고사촬요>와 동일한 주방문이다.

煮酒 又法

酒一瓶入黃臘二錢胡椒研一錢堅封口置一撮濕米於其上重湯煮之米成飯卽成取出於冷用.

3. 자주 <고사십이집(攷事十二集)>

술 재료 : 좋은 청주 1병, 후추 1전, 황밀 1전

술 빚는 법 :

1. 맑고 좋은 청주 1병을 장만하여 질그릇 항아리에 담아놓는다.
2. 후추와 황밀 각 1전을 베주머니에 넣고, 주둥이를 묶어 술에 넣고 끈을 단지 주둥이에 묶어놓는다.
3. 솥에 물을 붓고, 술단지를 안쳐서 끓인다(아침에 안쳤으면 오후에 꺼내는데, 맛을 보아 달고 고소하고 술맛이 적으면 꺼내어 식혀서 마신다).

* 주방문 말미에 "(청주) 병의 수는 임의로 정한다."고 하고, 또 "좋은 청주 1병에 후추·황밀(黃蜜) 각 1전(錢)을 질그릇 항아리에 담아 솥 안에 놓고, 실을 물속에 드리우고(從絃) 고다가 시간이 지나면 꺼낸다. 골 때 병 수는 임의로 정한다."고 하였다. <고사촬요>와 동일한 주방문이다.

煮酒

以上好淸酒一甁胡椒黃蜜各一錢用陶缸盛置於釜內從絃置水煮之經時乃出煮時甁數多少任意.

4. 자주(우법) <고사십이집(攷事十二集)>

술 재료 : 좋은 청주 1병, 후춧가루 1전, 황랍 1전, 불린 쌀

술 빚는 법 :

1. 맑고 좋은 청주 1병을 장만하여 질그릇 항아리에 담아놓는다.
2. 황랍 1전과 후춧가루 1전을 베주머니에 넣고, 주둥이를 묶어 술에 넣고 끈을 단지 주둥이에 묶어놓는다.
3. 불린 쌀을 술과 약재를 담은 병에 담아 밀봉한다.
4. 솥에 물을 붓고, 술단지를 안쳐서 중탕하여 밥을 짓고 익었으면 즉시 꺼내어 식기를 기다린다.

* <고사촬요>와 동일한 주방문이다.

煮酒(又法)

酒一甁入黃臘二錢胡椒硏一錢堅封口置一撮濕米於其上重湯煮之米成飯卽成取出於冷用.

5. 자주 <고사촬요(故事撮要)>

술 재료 : 좋은 청주 1병, 후추 1전, 황밀 1전

술 빚는 법 :

1. 술 빚는 법은 이상(앞의 향온주와 같은 예)과 같이 하여, 얻은 맑고 좋은 술(청주) 1병을 장만하여 자기그릇 단지에 담아놓는다.

2. 후추·황밀 각 1전을 베주머니에 넣고, 주둥이를 묶어 단지의 술에 넣어 주머니의 끈을 단지 주둥이에 묶어놓는다.
3. 솥에 물을 붓고, 술단지를 안쳐서 끓인다(아침에 안쳤으면 오후에 꺼내는데, 맛을 보아 달고 고소하고 술맛이 적으면 꺼내어 식혀서 마신다).

煮酒
其法以上好淸酒一甁胡椒黃蜜各一錢用陶缸盛置於釜內投絃置水煮之經時乃出煮時甁數多少任意.

6. 자주 <달생비서(達生秘書)>

맛이 매우 좋다. 여름에 마시는 것이 좋다. <속방>

煮酒
味殊佳, 夏月宜飮. <俗方>.

7. 자주 <동의보감(東醫寶鑑)>

술 재료 : 좋은 청주 1병, 황밀 2전, 후추 1전, 불린 쌀 한 줌

술 빚는 법 :
1. 맑고 좋은 청주 1병을 장만하여 질그릇 술단지에 담아놓는다.
2. 황밀 2전과 후춧가루 1전을 베주머니에 넣고, 주둥이를 묶어 항아리에 넣는다.
3. 약재를 담은 술단지 주둥이를 밀봉한 다음, 그 위에 불린 쌀을 놓는다.

4. 솥에 물을 붓고, 술단지를 안쳐서 중탕하여 쌀이 익어 밥이 되었으면, 즉시 꺼내어 식기를 기다린다.

* 주방문에는 "좋은 청주 1병에 황밀(黃蜜) 2전(錢), 후추 1전을 질그릇 항아리에 담아 솥 안에 놓고, 고다가 쌀이 익어 밥이 되면 꺼낸다. 즉시 꺼내어 그릇을 식힌다."고 하였다. 또 <속방>을 인용하여 "맛이 매우 좋다. 여름에 마시는 것이 좋다."고 하였다. <고사촬요>와 동일한 주방문이나, 황밀의 양에서 차이가 난다.

煮酒
好淸酒一甁, 入黃臘二錢, 胡椒硏一錢, 堅封口, 置一撮濕米於其上, 重湯煮之, 其米成飯卽成矣. 取出放冷用. <俗方>.

8. 자주 <민천집설(民天集說)>

술 재료 : 좋은 청주 1병, 후추 1전, 황밀 1전

술 빚는 법 :
1. 맑고 좋은 청주 1병을 장만하여 소독한 질그릇 항아리에 담아놓는다.
2. 후추와 황밀 각 1전을 베주머니에 넣고, 주둥이를 묶어 술에 넣고 끈을 단지 주둥이에 묶어놓는다.
3. 솥에 물을 붓고, 술단지를 안쳐서 끓이는데, (아침에 안쳤으면 오후에 꺼내되, 맛을 보아) 달고 고소하고 술맛이 적으면 꺼내어 식혀서 마신다.

* 주방문 말미에 "(청주) 병의 수는 임의로 정한다."고 하였다. <고사촬요>, <증보산림경제>와 동일한 주방문이다.

煮酒

以上好淸酒一甁胡椒黃蜜各一戔用陶器盛置於鼎內從絃置水煮之經時乃出煮時甁數多少任意. 欲多出則後酒如煮蜜倍取煮出.

9. 자주 <산가요록(山家要錄)>

술 재료 : 약주 5병, 좋은 밀랍 2전 5푼, 백단향 8리 3호, 목향 1푼, 후추 2푼 5호, 계피 1푼 1리 4호, 진피 1푼 1리 4호, 정향 1푼 1리 4호

술 빚는 법 :

1. 후추, 계피 등 준비한 약재를 물에 깨끗이 씻어 물기를 제거하여 건조시킨다.
2. 황밀은 얇게 저며 놓는다.
3. 삼베나 베주머니에 후추, 계피, 밀랍, 정향 등의 약재를 넣고 주둥이를 묶는다.
4. 단지에 약주(맑은 술)와 약재 주머니를 담고, 주둥이를 도련지와 기름종이로 겹겹이 밀봉한다.
5. 솥에 물을 붓고 끓으면 단지를 넣고 중탕을 하는데, 아침에 앉혔으면 오후에 끝낸다.
6. 완성되면 조금 찬 곳에 두었다가 차게 식기를 기다려 여과하여 마신다.

* 도련지 : 다듬잇돌에 반드럽게 다듬은 종이

煮酒

米四斗. 好蠟二戔五分, 白檀香八里三毫, 木香一分, 胡椒二分五毫, 桂皮一分一里四毫,. 陳皮丁香一分一里四毫, 右藥酒五甁 入缸 缸口. 以擣鍊紙油紙重封, 堅防 重湯煮之. 已成 出置稍冷. 開封用之.

10. 자주 <산림경제(山林經濟)>

술 재료 : 좋은 청주 1병, 후추 1전, 황밀 1전

술 빚는 법 :

1. 맑고 좋은 술(청주) 1병을 장만하여 단지에 담아놓는다.
2. 후추·황밀 각 1전을 베주머니에 넣고, 주둥이를 묶어 술에 넣어 끈을 단지 주둥이에 묶어놓는다.
3. 솥에 물을 붓고, 술단지를 안쳐서 끓인다(아침에 안쳤으면 오후에 꺼내는데, 맛을 보아 달고 고소하고 술맛이 적으면 꺼내어 식혀서 마신다).

* 주방문 말미에 "(청주) 병의 수는 임의로 정한다."고 하였다.

煮酒

以上好淸酒一瓶 胡椒黃蜜各一錢 用陶缸盛 置於釜內 從絃置水煮之 經時乃出 煮時瓶數 多少任意. <攷事>.

11. 자주 일방 <산림경제(山林經濟)>

술 재료 : 좋은 청주 1병, 황밀 2전, 후춧가루 1전

술 빚는 법 :

1. 맑고 좋은 술(청주) 1병을 장만하여 병에 담아놓는다.
2. 황랍 2전과 후춧가루 1전을 넣고, 병 주둥이를 단단히 묶어 밀봉한다.
3. 병 주둥이 위에 쌀 한 움큼을 올려놓는다.

4. 솥에 물을 붓고, 술병을 안쳐서 끓인다.
5. 병 위의 쌀이 익어 밥이 되었으면 다 된 것이므로 꺼내는데, 차게 식혀서 마신다.

煮酒 一方

酒一瓶 入黃蠟二錢 胡椒研一錢 緊封口 置一撮濕米於其上 重湯煮之 米成飯 卽成 取出放冷用. <寶鑑>.

12. 자주 <양주방>*

술 재료 : 좋은 청주 1병, 밀 2돈, 후춧가루 1돈, 쌀 1줌

술 빚는 법 :
1. 좋은 청주 1병을 준비하여 단지나 주병에 담아놓는다.
2. 밀 2돈과 후추를 곱게 갈아 1돈을 준비한다.
3. 술이 담긴 단지나 주병에 밀과 후추를 넣고, 한지로 밀봉한 후, 끈으로 잡아 단단히 매어놓는다.
4. 솥이나 단지에 물을 채우고, 주병을 세워놓는다.
5. 물에 씻어낸 쌀 1줌을 단지나 솥의 중탕할 물에 넣는다.
6. 뭉근한 불로 중탕을 하는데, 쌀이 익어 밥이 되었으면 술도 다 된 것이니 들어내어서 차게 식힌 후 여과하여 마신다.

쟈쥬

청쥬 ᄒᆞᆫ 병의 황납 두 돈 호쵸 셰말ᄒᆞ야 ᄒᆞᆫ 돈 너허 단단이 싸ᄆᆡ고 그 우희 물 져ᄌᆞᆫ ᄡᆞᆯ ᄒᆞᆫ자밤은 지버 노코 ᄉᆞᆺ희 너허 듕탕ᄒᆞ야 그 ᄡᆞᆯ이 닉어 밥 되면 술도 다 되여ᄂᆞ니 ᄂᆡ여 ᄎᆞ거든 쓰라.

13. 작(자)주법 <양주방(釀酒方)>

술 재료 : 황밀 3돈, 후춧가루 2근, 좋은 술 5사발

술 빚는 법 :

1. 오지로 된 약탕기나 곱돌냄비를 깨끗하게 씻어서 물기를 제거하여 준비한다.
2. 준비한 그릇에 황밀 3돈, 후춧가루 2돈, 좋은 술 5사발 한데 섞어 넣는다.
3. 그릇을 뭉근한 불에 올려서 황밀이 녹을 정도로 끓인다.
4. 베보자기에 밭쳐서 찌꺼기를 걸러낸 후, 차게 식혀서 오지병에 보관하여 두고 마신다.

* 주품명에 '작주법'이라고 하였는데, '자주법(煮酒法)'이라고 하는 게 맞는 것 같다.

작(자)쥬법

황밀 서 돈 호쵸ᄀᆞᄅᆞ 두 돈 죠흔 술 다섯 ᄉᆞ발 한대 ᄒᆞ야 밀 녹을만치 ᄭᅳᆯ혀 ᄡᅳ라.

14. 자주 <언서주찬방(諺書酒饌方)>

술 재료 : 청주 1병, 황밀 7푼, 후추 1돈

술 빚는 법 :

1. 청주 1병을 깨끗한 독에 담아놓는다.
2. 청주를 담은 술병에 황밀 7푼, 후추 1돈을 넣는다.

3. 술병 주둥이를 식지로 두텁게 싸고 (끈으로) 가장 단단히 동여맨다.
4. 솥에 물을 붓고 항아리를 안쳐서 중탕하는데, 끈을 들어 올려서 술병이 공중에 떠 있게 한다.
5. 솥의 물이 와락 끓게 물을 달여 아침에 시작하여 낮에 들어낸다.

* 주방문 말미에 "겨울이거든 술항아리를 짚으로 옷을 만들어 입히고, 솥에 넣으라. 여름에는 술항아리를 찬물이나 얼음에 채워 두고 하루나 이틀간 냄새를 빼야 그 술이 좋고, 오래 두면 시어져 좋지 못하다. 부디 좋은 술로 고으라."고 하였다.

쟈쥬一清酒一瓶 蜜七分 胡椒一戔

쳥쥬 ᄒᆞᆫ 병이면 황밀 칠분과 호쵸 ᄒᆞᆫ 돈을 ᄆᆞ아 녀코 항부리ᄅᆞᆯ 식지로 두텁게 ᄡᅡ ᄀᆞ장 ᄃᆞᆫᄃᆞᆫ이 ᄆᆡ고 그 항을 소ᄐᆡ 믈 브어 듕탕ᄒᆞᄃᆡ 질권 바로 그 항을 드라 공듕에 뼛게 ᄒᆞ고 믈이 왈학〻 글게 믈을 다혀 아ᄎᆞᆷ의 시작ᄒᆞ야 나조희 내라 겨을히어든 술항을 딥으로 옷 니텨 손희 녀흐라. 녀름에ᄂᆞᆫ 술항 ᄎᆞᆫ믈에나 어름에나 ᄎᆡ와 두고 ᄒᆞᄅᆞ 이틀 ᄂᆡ로 ᄲᅧ야 그 술이 됴코 오래 두면 쇠야 됴티 아니 ᄒᆞ니라. ᄇᆞᄃᆡ 됴ᄒᆞᆫ 술로 고오라.

15. 자주법 <역주방문(曆酒方文)>

술 재료 : 좋은 소주 10선, 황랍 5돈중, 계피 5돈중, 후춧가루 3홉

술 빚는 법 :
1. 술독을 깨끗하게 씻어 건조시킨 뒤, 솔잎 수증기법을 이용하여 소독 및 살균하여 준비한다.
2. 사기로 된 그릇을 깨끗하게 씻어 준비한다.

3. 사기그릇에 준비한 분량의 좋은 소주 10선과 황랍 5돈중, 계피 5돈중, 후춧가루 3홉을 담아 안친 후, 단지 주둥이를 종이로 덮어 밀봉한다.
4. 물솥에 사기그릇을 안치고, 불을 지펴 은근한 불로 달이듯 끓인다.
5. 다시 별도로 증류한 소주 5선을 사기그릇에 추가하여 넣고, 밀봉하여 이를 다시 숯불에 중탕하여 마신다.

* 주방문에 "좋은 소주"라고 하였다. 다른 문헌의 '자주'가 약주나 청주인 것과는 다르다. 또 '자주'의 효능으로 "한 순갈만 마셔도 한 그릇을 마시는 것보다 나으며, 기운이 약한 사람은 비록 한 순갈을 먹어도 정신을 차리지 못한다. 이것을 세 차례 다시 내린 소주보다 훨씬 낫다."고 하였다.
* 선(鐥) : 복자, 그릇 이름

煮酒法

好燒酒十鐥黃蠟五戔桂皮五戔胡椒末三合和合煮於沙/炒古五里數之改水出燒酒五鐥納于沙缸更爲重湯慢煮於白炭火取出然一匙之服勝於一器之飮氣弱者雖服一匙不省人事大勝於三次還燒酒.

16. 자주 <요록(要錄)>

술 재료 : 맑은 술(청주) 5병, 광목향·계피·진피·호초 각 5개, 밀 1전

술 빚는 법 :
1. 술독을 상법대로 소독하여 준비한다.
2. 예의 방법대로 하여 청주를 빚고, 다 익었으면 용수를 박아 채주한 좋은 술(청주) 5병(1말 5되)을 준비하여 술독에 담는다.
3. 광목향, 계피, 진피, 호초 각 5개를 깨끗하게 씻어 물기를 닦아낸다.

4. 밀(황밀) 1전(戔, 잔)을 앞서 준비한 약재와 함께 술독에 담아 안친다.
5. 술병은 기름종이(油紙)로 주둥이를 덮어 씌운다.
6. 솥에 술독을 안치고 술독 높이의 반만 차게 물을 붓고 만화로 중탕한다.
7. 황밀이 다 녹을 정도가 되면 꺼내어 차게 식힌 다음, 찌꺼기를 제거하여 마신다.

* 주방문에 '밀'이라고 하여 흰꿀인지, 황밀인지 정확히 알 수 없으나, 다른 주방문에는 황밀이 많이 등장하는 것으로 보아 황밀인 듯싶다. 황밀은 '벌똥으로, 꿀을 짜내고 남은 찌꺼기를 끓여서 짜낸 기름이며, 빛이 누렇고 단단하게 굳어진 것'을 가리킨다.
* 광목향(廣木香) : 한약재 이름

煮酒
先備之(滓)缸酒五瓶盛後廣木香桂皮陳皮胡椒五斤淨蜜一戔未揚缸油紙封口湯水半入煮之(誘)刻.

17. 자주 우방 <요록(要錄)>

술 재료 : 맑은 술(청주) 3병, 호초 7냥, 대추살 7전, 청밀 7냥

술 빚는 법 :
1. 술독을 상법대로 소독하여 준비한다.
2. 예의 방법대로 하여 청주를 빚고, 다 익었으면 용수를 박아 채주한 좋은 술(청주) 3병(1말)을 준비하여 술독에 담는다.
3. 호초 7냥, 대추살(씨 뺀 것) 7전을 깨끗하게 씻어 물기를 닦아낸다.
4. 맑은 꿀 7냥을 앞서 준비한 약재와 함께 술독에 담아 안친다.

5. 술병은 기름종이(油紙)로 주둥이를 덮어 씌운다.
6. 솥에 술독을 안치고 술독 높이의 반만 차게 물을 붓고, 땔감나무 50근으로 불을 때서 중탕한다.
7. 땔감이 다 떨어질 때까지 만화로 중탕하고, 꺼내어 차게 식힌 다음 찌꺼기를 제거하여 마신다.

煮酒 又方
好酒三瓶胡椒七兩淨蜜七兩棗肉七箋同入燒木五十斤盡燒爲度.

18. 차주법 <음식디미방>

술 재료 : 좋은 술 1병, 대추 20개, 실백자 20개, 후추 30개, 밀 1돈, 계피 적량

술 빚는 법 :
1. 대추와 실백자 각 20개, 후추 30개를 물에 깨끗하게 씻어 물기를 제거하여 말려 준비한다.
2. 맑고 좋은 술 1병을 장만하여 단지에 담아놓는다.
3. 대추, 실백자 각 20개, 후추 30개를 가루로 빻아 베주머니에 넣고, 주둥이를 묶어 술에 넣는다.
4. 밀 1돈과 계피는 많고 적고를 가리지 말고 적당량을 술에 넣는다.
5. 솥에 물을 붓고 술단지를 안쳐서 끓이되, 아침에 안쳤으면 오후에 꺼내고, 맛을 보아 달고 고소하고 술맛이 적으면 꺼내어 식혀서 마신다.

* 주품명에 '차주법'이라고 하였는데, 주방문을 보면 '자주법(煮酒法)'임을 알 수 있어 '자주법'의 오기(誤記)인 것으로 여겨진다.

챠쥬법

ᄆᆞᆯ근 죠흔 술 ᄒᆞᆫ 병의 대츄, 실ᄇᆡᆨᄌᆞ 각 ᄉᆞ믈 호쵸 셜흔 작말ᄒᆞ여 주머니에 너코 밀 ᄒᆞᆫ 돈 계피ᄂᆞᆫ 다쇼간애 너허 병재 가마의 너코 믈 부어 ᄉᆞᆱᄒᆞᄃᆡ 아젹의 안치면 오후의 내ᄃᆡ 맛 보면 ᄃᆞᆯ고 고ᄉᆞ고 술 마시 젹거든 내라.

19. 자주법 <의방합편(醫方合編)>

술 재료 : 청주 1병, 후추 1전, 황밀 1돈

술 빚는 법 :

1. 후추 1전을 물에 깨끗이 씻어 물기를 제거하여 건조시킨다.
2. 황밀은 얇게 저며놓는다.
3. 단지 밑바닥에 후추와 황밀을 넣는다.
4. 솥에 물을 붓고 끓으면, 약재를 안친 단지를 넣고 중탕을 하는데, 시간이 경과하면(아침에 앉혔으면 오후에) 끝낸다.
5. 차에 식기를 기다려 여과하여 마시는데 맛이 달고, 고소하여 매우 좋다고 하였다.

* 주방문 말미에 “(술의) 병의 수는 임의로 한다.”고 하였다.

煮酒法

以上好淸酒一甁胡椒黃蜜各一戔用陶缸盛置於釜內徙紘置水煮之經時乃出煮時甁數多少任意.

20. 자주법 <임원십육지(林園十六志, 大板本)>

술 재료 : 청주 1말, 황랍 2전, 대나무잎 5편, 관국 천남성 반 알

술 빚는 법 :

1. 좋은 청주 1병(1말)을 술독에 담는다.
2. 황랍 2전(춘추용은 천남성 1환), 대나무잎 5편(춘하용은 납과 죽엽), 관국 천남성 1/2알을 절구에 짓찧는다.
3. 술을 담은 술독에 찧은 약재가루를 넣고 기름종이로 밀봉한다.
4. 솥에 물을 담고 강한 불로 끓이다가 술독을 안친다.
5. 불을 계속 지펴서 하루 종일 김(수증기)을 쏘인다.
6. 겨울에는 짚으로 옷을 해서 술독을 싸고, 여름에는 차갑게 두되, 오래 두면 맛이 변하므로 1~2일 사이에 다 마셔야 한다.

* 주방문 머리에 "중국인들은 술을 보관할 때 반드시 달여서 저장하므로 여름이라도 변하지 않는다."고 하는 기록을 근거로 하는 저자 의견을 붙였다.

煮酒法

(案, 中國人藏酒必煮熟收貯夏月亦不變)凡煮酒每斗入蠟二錢竹葉五片官局天南星圓半粒化入酒中如法封繫置在甑中(秋冬用天南星丸春夏用蠟並竹葉)然後發火候甑蓋上酒香透酒溢出倒流便更揭起甑蓋取一瓶開看酒滾卽熟矣便住火良久方取下置於石灰中不得頻頻移動白酒須撥得淸然候煮煮時瓶用桑葉(箕)之庶使香氣不絶. <居家必用>.

21. 자주 <조선무쌍신식요리제법(朝鮮無雙新式料理製法)>

술 재료 : 좋은 청주 1병, 호도 1돈, 황밀 1돈, 사기 항아리

술 빚는 법 :

1. 호도를 깨서 얇은 속껍질을 벗겨내고, 면보로 깨끗이 씻어 얇게 저며 1돈을 준비해 놓는다.
2. 황밀도 1돈을 준비해 칼로 얇게 저며 놓는다.
3. 사기 항아리에 청주 1병과 황밀을 넣고, 한지로 주둥이를 씌워 놓는다.
4. 솥에 물을 붓고 끓으면, 술 담은 사기 항아리를 끈으로 매달아 띄워서 오랫동안 중탕을 한다.
5. (황밀이 다 녹고, 충분히 익었으면) 사기 항아리를 꺼내고 식혀서 마신다.

* 주방문 말미에 "끓일 때 병의 수효는 얼마든지 임의대로 하느니라. 이 술은 나라 제향(祭享)에 쓰는 것인데 이것은 지난 상고적부터 내려오는 법이다." 고 하였다.
* 한편 다른 기록인 <임원십육지>에는 "청주 1병, 대추 20개, 실백자 20개, 후추 30알, 계피 약간, 황밀 1돈'을 넣고 아침에 시작하여 오후에 중탕을 끝낸다."고 하여 호도가 아닌 여러 가지 약재를 이용했음을 알 수 있다. 또 "차게 식기를 기다려 여과하여 마시는데 맛이 달고, 고소하여 매우 좋다."고 한 것으로 미루어 같은 방법의 자주류이며, 그 방법은 '주중지약법(酒中漬藥法)'을 병용하고 있음을 알 수 있다.

자주(煮酒)

조흔 맑은 술 한 병에 호도와 황밀(黃蜜) 각 한 돈 물을 사긔 항아리에 담고 솟 안에 물 붓고 항아리를 줄에 다라 물에 씌고 오래 끄리다가 끄내나니라. 끌일 제 병 수효는 얼마든지 임의대로 하나니라. 이 술은 나라 제향(祭享)에

쓰는 것인데, 이것은 지나 상고쩍부터 내려오는 법이니라.

22. 자주 <주방문(酒方文)>

술 재료 : 청주 5대야, 후춧가루 3돈, 황밀 3돈

술 빚는 법 :

1. 좋은 청주 5대야를 술병에 담는다.
2. 후추는 곱게 가루 내어 3돈을 청주를 담은 병에 넣는다.
3. 황밀 3돈을 얇게 저며서 술병에 담는다.
4. 술병은 주둥이를 막아 물솥에 넣고 중탕한다.
5. 황밀이 다 녹을 정도가 되면 꺼내어 차게 식힌 다음 마신다.

* 주방문 말미에 "여름에 더 좋을 것이다. 후추는 저어도 무던하다(무리가 없다)."고 하였다. 저장성이 낮은 술로 가능한 한 냉장고나 서늘한 곳에 보관해 두고 마시거나 빠른 시간에 마셔야 한다. 향기가 매우 좋다. 황밀은 벌똥으로, 꿀을 짜내고 남은 찌꺼기를 끓여서 짜낸 기름이며, 빛이 누렇고 단단하게 굳어진 것을 말한다.

쟈쥬(煮酒)

됴흔 청쥬 다ᄉᆞᆺ 다야의 호쵸ᄀᆞᄅᆞ 서 돈 황밀 서 돈 얇게 뎌며 녀코 병부리 마가 듕탕ᄒᆞ여 달혀 밀이 다 녹거ᄃᆞᆫ 내여 ᄡᅳ라 녀름의 더 됴ᄒᆞ니라 후쵸ᄂᆞᆫ 져거도 므던ᄒᆞ니라.

23. 자주법 <주찬(酒饌)>

술 재료 : 좋은 청주 1병, 황랍 2전, 후추 간 것 1전, 쌀 한 줌

술 빚는 법 :

1. 질 좋은 청주를 병에 담아 준비한다.
2. 술이 담긴 병에 황랍 2전과 후춧가루 1전을 넣고, 단단히 밀봉한다.
3. 속이 깊은 들통에 물을 붓고, 술병이 쓰러지지 않게 세운 후 주병 주둥이에 쌀 한 줌을 얹어놓는다.
4. 불을 지펴 중탕을 하는데, 쌀이 익어 밥이 되었으면 들어내어 차게 식힌 후 마신다.

煮酒法

好淸酒一瓶入黃蠟二戔胡椒硏一戔緊封口置一撮濕米於其上重湯煮之其米成飯卽成取出於冷用.

24. 전주 <한국민속대관(韓國民俗大觀)>

술 재료 : 좋은 청주 1병, 약재(대추·잣·후추·꿀·계피·황밀 적당량)

술 빚는 법 :

1. 질 좋은 청주를 병에 담아 준비한다.
2. 술이 담긴 병에 대추를 비롯하여 준비한 약재를 넣고, 단단히 밀봉한다.
3. 속이 깊은 들통에 물을 붓고, 술병이 쓰러지지 않게 세운 후 주병 주둥이에 쌀 한 줌을 얹어놓는다.

4. 불을 지펴 중탕을 하는데, 쌀이 익어 밥이 되었으면 들어내어 차게 식힌 후 마신다.

* '전주(煎酒)'라고 하였으나 주방문으로 미루어 약재의 차이만 있을 뿐 '자주(煮酒)'의 일종으로, 그 방법이 같음을 알 수 있다.

전주(煎酒)
청주에다 약재(대추·잣·후추·꿀·계피·황밀)를 넣고 고아낸 것인데, 고려시대부터 알려진 약용주이다.

25. 자주 <해동농서(海東農書)>

술 재료 : 좋은 청주 1병, 후추 1전, 황밀 1전

술 빚는 법 :
1. 맑고 좋은 청주 1병을 장만하여 질그릇 항아리에 담아놓는다.
2. 후추와 황밀 각 1전을 베주머니에 담아 주둥이를 묶어 술항아리에 넣고, 끈을 단지 주둥이에 묶어놓는다.
3. 솥에 물을 붓고, 술단지를 안쳐서 끓인다(아침에 안쳤으면 오후에 꺼내는데, 맛을 보아 달고 고소하고 술맛이 적으면 꺼내어 식혀서 마신다).

* 주방문에 "상급의 좋은 청주(淸酒) 1병, 호초(胡椒)와 황밀(黃蜜) 각 1전 등을 항아리에 담고 솥 안에 둔다. 솥의 가를 따라 물을 붓고 끓인다. 시간이 지나 술이 나올 때 병의 많고 적음은 임의로 한다."고 하였다. <사시찬요보(四時纂要補)>를 인용하였다.

煮酒
以上好淸酒一甁 胡椒黃蜜各一錢 用陶缸盛 置於釜內 從絃置水煮之 經時乃出 煮時甁數 多少任意. <四時纂要補>.

26. 자주 우법 <해동농서(海東農書)>

술 재료 : 술 1병, 후춧가루 1전, 밀랍 2전, 불린 쌀

술 빚는 법 :

1. 맑고 좋은 청주 1병을 장만하여 질그릇 항아리에 담아놓는다.
2. 밀랍 1전과 후춧가루 1전을 베주머니에 담아 주둥이를 묶어 술항아리에 넣고, 끈을 단지 주둥이에 묶어놓는다.
3. 불린 쌀을 술과 약재를 담은 병에 담아 밀봉한다.
4. 솥에 물을 붓고, 술단지를 안쳐서 중탕하여 밥을 짓고, 익었으면(밀황랍이 다 녹은 것으로 판별할 수 있다.) 즉시 꺼내어 식기를 기다린다.

* <고사촬요>와 동일한 주방문이다.

煮酒 又法
酒一甁 入黃蠟二錢 胡椒硏一錢 緊封口 置一撮濕米於其上 重湯煮之 米成飯 卽成 取出放冷用. <東醫寶鑑>.

장춘주 · 장춘법주

스토리텔링 및 술 빚는 법

<임원십육지(林園十六志)>에는 '장춘주(長春酒)'라 하고 <오주연문장전산고(五洲衍文長箋散稿)>에서는 '장춘법주(長春法酒)'라 하였다. '장춘주' 또는 '장춘법주'는 중국술로 널리 알려진 것이다.

중국술이 국내에 유입된 배경은 중국에 다녀온 학자들에 의한 거라 추측된다. <임원십육지>와 <오주연문장전산고> 문헌의 배경이 중국의 신문물을 국내에 소개하는 한편, 토착화시키고자 하는 목적이 있었던 만큼 중국술도 예외는 아니었을 것이다.

조선시대 대표적인 학자로 손꼽히는 서유구에 의해 저술된 <임원십육지>와 실학자로 널리 알려진 이규경에 의해 저술된 <오주연문장전산고>를 중심으로 중국의 술이 많이 수록되어 있는 배경이 이러한 추측을 뒷받침한다.

'장춘주' 또는 '장춘법주'는 <임원십육지>에 자세히 소개되어 있다. "송나라 때 가추학(賈秋壑)이 장춘주 1항아리를 황제께 바친 일이 있다고 한다."고 하여 이 주품의 등장시기가 송대(宋代)였음을 암시하고 있다.

또 중국의 문헌인 <거가필용(居家必用)>을 인용하여 "우목릉(于穆陵)의 방법에 의하면, 당귀·천궁·반하(半夏)·청피·모과·백작약·황기·꿀·오미자·육계(거피)·숙지황·감초·백복령·율무·백두구인·축사·빈랑(檳榔)·백출·귤홍(橘紅)·비파잎·인삼·맥얼·곽향·타향(沱香)·목향·초과인·두충·신국·남향·상백피(桑白皮)·후박(厚朴)·생강·정향·창출 등을 각 3전씩 합한 것을 20등분하여 1포식 만들어 1말의 술에 1포씩 넣는다. 봄은 7일, 여름은 3일, 가을은 5일, 겨울은 10일간 숙성시킨다."고 하였다.

이로써 '장춘주' 또는 '장춘법주'가 기존의 술을 사용해 약재의 효능을 얻고자 만든 침출방식의 약용 목적의 술임을 알 수 있게 되었다.

실제로 <임원십육지>의 주방문 말미에 "매일 일정한 때에 1잔씩 마시면 습기를 제거하고 비장을 튼튼히 하며, 가래를 없애고 체한 것을 낫게 하는 효능이 있으며, 보혈과 뼈를 튼튼하게 하는 효력도 있다."고 하였고, <오주연문장전산고>에도 "매일 맑은 새벽에 1배하고 점심때 한 잔 마시면 이것이 아주 효과가 있다. 습기도 제거하고 비장을 튼튼하게 하며, 담음병을 제거하고, 체기를 통하게 하며, 혈맥을 붉게 하고 장을 힘줄과 뼈를 튼튼하게 하며, 관중 흉격을 상쾌하게 하고, 음식을 많이 들어가게 된다."고 하여 음주법과 효능에 대해 언급하고 있다.

이는 '장춘주' 또는 '장춘법주'가 발효주가 아닌 '자주(煮酒)'와 같이 질병치료와 예방 목적의 약용약주류의 한 가지로, 특히 즉석 제조주 또는 속성으로 제조된 술에 속한다는 것을 알 수 있다.

우리나라에선 '법주(法酒)'가 순곡(純穀)으로 빚은 저온장기발효주(醱酵酒)인 것과 상당한 차이가 있다.

'장춘주' 또는 '장춘법주'에서 눈여겨볼 점은 술에 사용되는 약재의 가공 또는 법제(法製)방법이다. 질병의 치료나 예방을 목적으로 빚는 술에 사용될 약재의 법제를 모르고선 오히려 독주(毒酒)가 될 수 있기 때문이다.

1. 장춘주 <임원십육지(林園十六志)>

술 재료 : 청주(1말), 약재(당귀, 천궁, 반하(半夏), 청피, 모과, 백작약, 황기, 꿀, 오미자, 육계(거피), 숙지황, 감초, 백봉령, 율무, 백두구인, 축사, 빈랑(檳榔), 백출, 귤홍(橘紅), 비파잎, 인삼, 맥얼, 곽향, 타향(沱香), 목향, 초과인, 두충, 신국, 남향, 상백피(桑白皮), 후박(厚朴), 생강, 정향, 창출 각 3냥)

술 빚는 법 :

1. 예의 방법대로 빚어 잘 익고 맛 좋은 청주를 준비한다.
2. 준비한 분량의 약재를 20등분하여 1포씩 만든다(베로 만든 주머니에 담는다).
3. 약재 1포를 준비한 술 1말에 담그고, 봄은 7일, 여름은 3일, 가을은 5일, 겨울은 10일간 숙성시킨 후 약재를 건져낸다.

* 주방문에 "매일 일정한 때에 1잔씩 마시면 습기를 제거하고 비장을 튼튼히 하며, 가래를 없애고 체한 것을 낫게 하는 효능이 있으며, 보혈과 뼈를 튼튼하게 하는 효력도 있다."고 하였다.

長春酒

<居家必用> 宋景芝間賈秋壑進長春酒一甕並方于穆陵方用當歸川芎半夏青皮木瓜白芍藥黃耆蜜灸五味子肉桂去麤皮甘草灸白茯笭薏苡仁炙白荳蔻仁縮砂檳榔白朮橘紅枇杷葉去毛灸人蔘麥蘖炒藿香去土沱香木香草果人杜冲炒神麴炒南香桑白皮蜜炒厚朴薑炙丁香蒼木製石斛去根右件各製了淨枰三錢等分作二十包每用一包以生絹帒盛浸於一斗酒內春七日夏三日秋五一冬十日每日淸晨一盃午一盃甚有功效除濕實脾去痰飮行滯氣滋血脉壯筋骨寬中快膈進飮食.

2. 장춘법주 <오주연문장전산고(五洲衍文長箋散稿)>

술 재료 : 술 1말, 약재(당귀, 천궁, 반하, 청피, 모과, 백작약, 남향, 상백피, 황기 , 육계, 숙지황, 감초, 백복령, 의이인, 비파잎, 맥아, 침향, 목향, 초과 씨, 두충, 신국, 곽향, 석곡, 후박, 생강즙, 정향, 창출, 오미자, 백두 속알맹이, 축사, 빈랑, 백출, 귤홍, 인삼 각 3냥)

술 빚는 법 :

1. 당귀·천궁·반하·청피·모과·백작약·남향·상백피·황기는 꿀에 버무려서 햇볕에 말린 다음 불에 굽는다(밀구한다).
2. 육계는 거친 겉껍질을 벗기고, 숙지황과 감초·백복령·의이인을 불에 타지 않게 굽는다.
3. 비파잎은 솜털을 제거해서 굽고, 맥아·침향·목향초과의 씨 두충·신국은 볶고, 곡향은 흙을 털어내고, 석곡은 뿌리를 제거한다.
4. 후박은 생강즙을 내서 버무려 굽고, 정향과 창출은 뜨물에 담가서 법제한다.
5. 오미자, 백두 속알맹이, 축사, 빈랑, 백출, 귤홍, 인삼은 깨끗하게 씻어 준비한다.
6. 위의 약재를 깨끗한 저울에 달아 3등분하여 20포로 만들고, 매 1포씩 사용한다.
7. 약재 1포를 생명주 주머니에 담아서 1말 술에 담가두고 밀봉하였다가 봄 7일, 여름 3일, 가을 5일, 겨울 10일 동안 우려낸다.
8. 매일 맑은 새벽에 1잔 하고, 점심때 1잔씩 마시면 아주 효과가 있다.

長春法酒 辨證說

빚는 방법은 당귀·천궁·반하·청피·모과·백작약·황기는 꿀에 밀구하고(꿀에 버무려 말려서 구운 것), 오미자·육계는 거친 껍질을 벗기고, 숙지황·감초는 굽고, 백복령·의이인도 굽고, 껍질 벗긴 백두·축사·빈랑·백출·귤홍·비파잎은 솜털을 제거해 굽고, 인삼·맥아는 볶고, 곽향은 흙을 털어내고, 침향·목향·초과의 씨 두충은 볶고, 신국은 볶고, 남향·상백피는 밀구해서 볶고, 후박은 생강즙을 내서 버무려 굽고, 정향·창출은 법제하고(뜨물에 담가 법제), 석곡은 뿌리를 제거하여 모든 약재를 법제하기를 마치고, 깨끗한 저울로 3등분씩 각 20포로 만들어 매 1포씩 쓴다. 약재 1포를 생명주 주머니에 담아서 1말 술에 담가서 봄 7일, 여름 3일, 가을 5일, 겨울 10일 동안 (우렸다가) 매일 맑은 새벽에 1배하고 점심때 한 잔 마시면 이것이 아주 효과가 있다. 습기도 제거하고 비장을 튼튼하게 하며, 담음병을 제거하고, 체기를 통하게 하며, 혈맥을 붉게 하고 장을 힘줄과 뼈를 튼튼하게 하며, 관중 흉격을 상쾌하게 하고, 음식을 많이 들어가게 된다.

죽통주

스토리텔링 및 술 빚는 법

‘죽통주(竹筒酒)’는 <농정회요(農政會要)>를 비롯하여 <임원십육지(林園十六志)>, <조선무쌍신식요리제법(朝鮮無雙新式料理製法)>, <증보산림경제(增補山林經濟)>, <한국민속대관(韓國民俗大觀)>에서 그 주방문을 찾아볼 수 있다.

<조선무쌍신식요리제법>의 ‘죽통주’ 주방문 첫머리에 “이 술은 맛도 향기롭고 운치도 있는 것이 와송주와 같으니라.”라고 하여 이양법(異釀法)의 ‘죽통주’를 소개하고 있다. “산 대나무의 마디 사이를 구멍을 내고 보통 술덧을 빚어 넣는다. 이어서 대나무로 구멍을 막고, 진흙으로 개어 발라 빗물이 들어가지 않게 하여 술을 익혀 쓴다.”고 하였는데, 술덧을 빚는 방법에 대한 언급이 없다.

<조선무쌍신식요리제법>에는 “주방문은 ‘춘주’나 ‘방문주’와 같은 주방문으로 빚은 술이면 다 좋다.”고 하였다. 다른 기록인 <임원십육지>의 ‘죽통주’와는 발효시키는 법에서 약간 차이가 있다.

<임원십육지>에서는 “대나무로 구멍을 막고 진흙을 개어 틈새를 메우고 두텁게 발라 빗물이 들어가지 않도록 하여 익힌 다음, 술이 익으면 마디를 잘라내고

술을 채주한다."고 하였다.

이렇듯 '죽통주'는 특정한 주방문에 의한 양주기법(釀酒技法)이라기보다는 술독이나 항아리 대신에 죽통(竹筒)을 발효용기로 사용하는 특별한 방법에 의한 술이라는 점에서 이양주법(二釀酒法)으로 분류된다는 것을 알 수 있다.

'죽통주'는 시대적으로 가장 앞선 기록인 <증보산림경제>에 수록된 '와송주(臥松酒)' 빚는 법에서 착안한 주품이라는 점, 그리고 '와송주' 역시 술덧을 발효시킬 용기로 와송(臥松)을 소구유처럼 만들어 사용한다는 점에서 이들 주품의 주방문이 따로 존재하지 않는다는 걸 알 수 있다.

환언하면, '죽통주'와 같은 이양주법의 주품들은 평소 자신이 즐겨 빚는 술을 살아 있는 대나무에 구멍을 뚫고 그 안에 담아 발효시킴으로써 술독을 대신한 대나무의 향과 색, 또는 효능을 얻기 위한 특별한 기호에서 비롯된 양주기법이라 할 수 있다.

술을 빚는 목적에서 알 수 있듯이 특별한 맛과 향, 약효를 구하려는 시도로 이해할 수 있겠다.

또한 '죽통주'는 '와송주'의 응용이라고 할 수 있으며, 이와 유사한 주품으로 '송하주(松下酒)'를 비롯해 '연엽주(蓮葉酒)' '하엽주(荷葉酒)' '연엽양(蓮葉釀)' 등이 이에 속한다.

'죽통주' 빚는 법이 널리 알려지면서 약식 주방문도 생겨났는데, 민간에서 술독에 소주(燒酒)를 담고 대나무를 마디마디 잘라서 술 속에 넣어두었다가, 일정 기간이 지난 후 대나무통에 구멍을 뚫어서 따라내면 대나무통에 소주가 고여 있다. 이 또한 '죽통주'로 불리며, 대나무를 잘라다가 구멍을 뚫고, 그 속에 소주나 청주(淸酒)를 담아 밀봉하여 두고 숙성시켜서 마시는 '죽통주'가 성행하였음을 알 수 있다.

이러한 '죽통주'는 무엇보다 술덧이 중요하고, 청주나 소주를 이용하더라도 술맛이 좋아야 하며, 술덧을 사용할 경우엔 술을 빚을 때 물이 많이 사용되어선 안 되고, 발효 시에는 주변 온도가 높아도 안 된다. 술이 싱거워져서 시어질 확률이 높기 때문이다.

따라서 '죽통주'는 어떠한 방법으로 빚든지 서늘한 곳에서 발효, 보관해야 하고,

가능한 한 물을 많이 넣어서 빚은 술은 피하는 게 좋다. 물을 많이 넣어 술을 빚을 경우, 대나무로부터 추출되는 죽력(竹瀝)을 비롯한 수분이 녹아들어 도수가 낮아져 결국에는 저장성이 떨어짐으로써 술의 산패를 초래할 수 있기 때문이다.

<조선무쌍신식요리제법>에서 '죽통주'에 대해 "이 술은 맛도 향기롭고 운치도 있는 것이 와송주와 같으니라."고 하였듯이 풋풋한 대나무향과 시원하게 느껴지는 맛이 매력적으로 다가오는 주품으로, 특히 한여름에 마시면 제법 운치가 있다.

1. 죽통주법 <농정회요(農政會要)>

술 재료 : 대나무, 주재(멥쌀 1말, 누룩가루 1되 5홉, 물 5되)

술 빚는 법 :

1. (멥쌀 1말을 백세하여 하룻밤 불렸다가 다시 씻어 건져서 시루에 안치고, 쪄서 고두밥을 짓는다.)
2. (고두밥을 고루 펼쳐서 차게 식힌 뒤, 물 5되와 누룩가루 1되 5홉을 합하고 고루 버무려 술밑을 빚는다.)
3. 대밭에 들어가 대나무의 몸통 부분에 둥그렇게 판다.
4. 위의 방법대로(와송주법과 같이) 술밑을 대나무통 구멍에 넣어 담는다.
5. 황토를 되게 개어 뚜껑 부분에 두텁게 바른다.
6. 다시 기름종이로 싸매고 고무줄로 단단히 동여맨 다음, 풀을 뜯어다 위를 덮어 비가 들어가지 않게 한다.
7. 술이 익기를 기다렸다가 밀봉한 종이와 흙을 벗겨내고 채주한다.

* 동일 문헌의 '와송주법' 주방문을 참고하였다.

竹筒酒法

就生竹節鑿穴釀酒如常酒.

2. 죽통주방 <임원십육지(林園十六志)>

술 재료 : 대나무, 주재(멥쌀 1말, 누룩가루 1되 5홉, 물 3되)

술 빚는 법 :

1. '춘주'나 '방문주' 주방문에 따른 술밑을 빚는다.
2. 대밭에 들어가 대나무 마디의 몸통 부분 위쪽에 둥그렇게 구멍을 판다.
3. 위의 방법대로(와송주법과 같이) 술밑을 대나무통 구멍에 넣어 담는다.
4. 황토를 되게 개어 뚜껑 부분에 두텁게 바른다.
5. 다시 기름종이로 싸매고 고무줄로 단단히 동여맨 다음, 풀을 뜯어다 위를 덮어 비가 들어가지 않게 한다.
6. 술이 익기를 기다렸다가 밀봉한 종이와 흙을 벗겨내고 채주한다.

* 주방문에 "생대나무 마디에 구멍을 파고 와송주법과 같이 술을 빚는다."고 하였다.

竹筒酒方
就生竹節鑿穴釀酒如臥松酒法. <增補山林經濟>.

3. 죽통주 <조선무쌍신식요리제법(朝鮮無雙新式料理製法)>

술 재료 : '춘주'나 '방문주' 술밑, 죽통, 진흙

술 빚는 법 :

1. 살아 있는 굵은 청대나무를 양쪽에 마디가 있게 잘라 사용하는데, 빚을 술의 분량을 산정하여 준비한다.
2. 잘라낸 즉시 대나무 마디의 한가운데에 구멍을 낸다.
3. '춘주'나 '방문주' 주방문대로 상법의 술밑을 빚어놓는다.
4. 대나무 마디의 구멍을 낸 곳에 술밑을 채워 넣는다.
5. (술밑을 채운 대나무를 술독에 담아 안친 다음, 예의 방법대로 하여 차지도 덥지도 않은 곳에서 발효시킨다.)
6. 술이 익었으면 따라서 마시거나, 걸러서 마신다.

* 주방문 첫머리에 "이 술은 맛도 향기롭고 운치도 있는 것이 와송주와 같으니라."라고 하여 이양법(異釀法)의 죽통주를 소개하고 있는데, 발효 방법에 대한 언급이 없다. 술 빚는 "주방문은 '춘주'나 '방문주'와 같은 주방문으로 빚은 술이면 다 좋다."고 하였다.

  한편, 다른 기록인 <임원십육지>의 '죽통주방'과는 발효시키는 법에서 차이가 있다. <임원십육지>에서는 "대나무로 구멍을 막고 진흙을 개어 틈새를 메우고 두텁게 발라 빗물이 들어가지 않도록 익힌 다음, 술이 익으면 마디를 잘라내고 술을 채주한다."고 하여 차이를 나타내고 있다.

죽통주(竹筒酒)

이 술은 맛도 향기롭고 운치도 잇은 것이 와송주와 갓트니라. 청대를 굵은 걸로 마듸 잇게 잘나 쓰되 술에 분정을 보아 할 것이니라. 대를 잘르는 길로 구멍을 뚤코 술을 비저 느엇다가 먹으면 맛이 조흐니 걸러 먹기도 하나니라.

4. 죽통주법 <증보산림경제(增補山林經濟)>

술 재료 : 대나무, 술덧(춘주나 방문주), 황토, 기름종이

술 빚는 법 :
1. '춘주'나 '방문주' 주방문에 따른 술밑을 빚는다.
2. 대밭에 들어가 대나무 마디의 몸통 부분 위쪽에 둥그렇게 구멍을 판다.
3. 위의 방법대로(와송주법과 같이) 술밑을 대나무통 구멍에 넣어 담는다.
4. 황토를 되게 개어 뚜껑 부분에 두텁게 바른다.
5. 다시 기름종이로 싸매고 고무줄로 단단히 동여맨 다음, 풀을 뜯어다 위를 덮어 비가 들어가지 않게 한다.
6. 술이 익기를 기다렸다가 밀봉한 종이와 흙을 벗겨내고 채주한다.

* '와송주법'의 주방문을 참고하였다.

竹筒酒法
就生竹節鑿穴釀酒如常法.

5. 죽통주 <한국민속대관(韓國民俗大觀)>

술 재료 : 대나무, 술덧(춘주나 방문주), 황토, 기름종이

술 빚는 법 :
1. '춘주'나 '방문주' 주방문에 따른 술밑을 빚는다.
2. 대밭에 들어가 대나무 마디의 몸통 부분 위쪽에 둥그렇게 구멍을 판다.

3. 위의 방법대로(와송주법과 같이) 술밑을 대나무통 구멍에 넣어 담는다.
4. 황토를 되게 개어 뚜껑 부분에 두텁게 바른다.
5. 다시 기름종이로 싸매고 고무줄로 단단히 동여맨 다음, 풀을 뜯어다 위를 덮어 비가 들어가지 않게 한다.
6. 술이 익기를 기다렸다가 밀봉한 종이와 흙을 벗겨내고 채주한다.

죽통주(竹筒酒)

산 대나무의 마디 사이를 구멍을 내고 보통 술덧을 빚어 넣는다. 이어서 대나무로 구멍을 막고, 진흙으로 개어 발라 빗물이 들어가지 않게 하여 술을 익혀 쓴다.

중산환동주

스토리텔링 및 술 빚는 법

한약명이 마린자(馬藺子) 또는 마린화(馬藺花)인 꽃창포의 씨앗과 꽃은 우리나라 곳곳의 자연습지 어디에서나 볼 수 있고, 지금은 인공으로 조성하는 연못 등지에 조경용으로 많이 심기도 한다.

꽃창포는 보라색의 붓꽃과 같은 형태를 나타내면서 붉은 보랏빛, 노랑색, 흰색을 띠는 꽃이 핀다. 꽃창포의 키는 60~120센티미터 정도로 곧게 자라고, 잎은 칼 모양으로 어긋난다. 6~7월에 붉은 보랏빛 꽃이 줄기 끝에 피고 꽃이 지면 기다란 자루 모양의 씨방에 털이 달린 씨앗이 까맣게 익는다.

흔히 이 꽃창포의 뿌리를 창포로 알고 있으나, 실은 차이가 많으므로 술이나 특히 약으로 사용할 경우에는 선별에 유의해야 한다.

'중산환동주(中山還童酒)'는 유일하게 <동의보감(東醫寶鑑)>에만 수록되어 있는 까닭에 일반에서는 잘 알지 못하는 주품이며, 치료 목적보다는 질병예방과 건강증진의 용도로 개발된 술이라 하겠다.

<동의보감>에 "중산환동주는 속세의 곳곳에 있다. 좋은 인연으로 이 술을 만

나면, 봉래산(蓬萊山)의 신선(神仙)이 될 것이다."고 하였다.

여기서 '봉래산'은 "영주산(瀛州山), 방장산(方丈山)과 함께 중국 전설상에 나오는 삼신산(三神山)의 하나로서, 이 산에는 신선이 살며 불사(不死)의 영약(靈藥)이 있고, 이곳에 사는 짐승은 모두 빛깔이 희며, 금은(金銀)으로 지은 궁전(宮殿)이 있다."고 전한다.

그래서인지 우리나라에도 부산 영도와 영월, 고흥에도 봉래산이 있다. 그중에 뭐니 뭐니 해도 국내 최고라 일컬어지는 봉래산은 금강산으로, 지금도 사람들의 이상향처럼 인식되고 있다.

따라서 <동의보감>의 '중산환동주'가 "봉래산의 신선이 될 수 있다."거나 "불사의 영약이 있다."고 하는 배경에는 앞서 밝혔듯이 "중산환동주는 속세의 곳곳에 있다. 좋은 인연으로 이 술을 만나면, 봉래산의 신선이 될 것이다."고 한 때문이고, '중산환동주'는 우리 주변에서 흔하게 볼 수 있는 화초 중 하나인 마린자 또는 마린화를 주재(酒材)로 사용한다는 점에서 그 의미를 찾을 수 있겠다.

'중산환동주' 역시 국화주·창포주 등의 주품과 주방문이 유사하다. 즉 약재를 달인 물로 쌀을 끓이고, 누룩과 섞어 술을 빚는다는 점에서 발효법을 채용하고 있다.

단, 주방문에는 술 빚는 데 따른 양주용수의 양이 언급되어 있지 않다. 때문에 누룩 2덩어리의 양으로 약재와 함께 기장쌀 2말을 발효시킬 수 있는 양인 2~3말은 되어야 한다는 사실을 염두에 둘 필요가 있다. 유사한 '국화주'와 '창포주'의 경우도 쌀 5말에 약 달인 물 5말이 사용되고 있기 때문이다.

잘 숙성된 '중산환동주'는 그 빛깔이 진한 보리차처럼 짙은 갈색을 띠고, 맑고 깨끗하며, 알코올 도수는 12~14% 정도에 그치나, 단맛이 적고 약간 쓴맛이 강하며, 약냄새와 함께 엷은 방향을 띤다.

<동의보감>에 "주량에 따라 취하게 마신다. 술을 다 마시면 수염과 머리카락이 모두 검게 된다."고 한 것으로 미루어 '환동주(還童酒)'인 것만은 분명하나, 그 실효성에는 의문이 든다. 언제까지 얼마나 취한다는 얘기인지, 오히려 주독으로 인해 건강을 잃는 건 아닌지 걱정스럽기 때문이다.

우리나라 사람들의 음주경향이 지나치게 과음한다는 사실과 함께 건강에 좋

다면 물불을 가리지 않기 때문에 이러한 비밀방문의 등장이 한편 염려되는 것도 사실이다.

중산환동주 <동의보감(東醫寶鑑)>

술 재료 : 마린자 2되, 마린근 2되, 기장쌀 2말, 묵은 누룩 2덩어리, 술밑(주모/석임) 2사발, 물(2~3말)

술 빚는 법 :

1. 들의 습지나 못가에 자란 마린자(꽃창포 씨앗)를 채취하여 베주머니에 담아 3일간 땅에 묻어놓는다.
2. 기장쌀 2말을 (물에 깨끗이 씻고 또 씻어 물에 담가 불렸다가, 다시 씻어 헹궈 건져서) 물기를 빼놓는다.
3. 꽃창포 뿌리를 채취하여 물에 깨끗하게 씻고, 물기를 제거하여 잘게 썰어놓는다.
4. 땅에 묻어 놓은 마린자를 꺼내어 마린근, 기장쌀과 함께 물(3말)에 넣고 솥에 안쳐서 (2말이 될 때까지) 끓인다.
5. 기장쌀이 죽처럼 되고, 물의 색깔이 검게 변하면 끓이는 것을 멈추고, 넓은 그릇 여러 개에 나눠서 차게 식기를 기다린다.
6. 약과 함께 끓인 기장죽에 술밑(주모/석임) 2사발, 묵은 누룩가루 2덩어리를 한데 섞고, 고루 버무려 술밑을 빚는다.
7. 술독에 술밑을 담아 안치고, 예의 방법대로 하여 (21일간) 발효시킨다.
8. 솥에 마린자와 마린근 각 1되를 물(1말)에 넣고 끓이는데, 10회 정도 솟구치게 끓여서 차게 식힌 후, 술독에 붓고 매일 한두 차례 저어주길 3일간 반복한다.
9. 3일 후에 술찌꺼기를 제거한 후, 주량대로 취하도록 마신다.

* 술 빚는 데 따른 양주용수의 양이 나와 있지 않다. 따라서 주방문의 "약을 달인 물이 검은색이 될 때까지 끓인다."고 하였으므로, 쌀 양보다 훨씬 많은 양의 물이 사용된다고 짐작할 수 있어, 그 양을 누룩 2덩어리로 술을 빚는 데 적당량으로 판단되는 3말로 하였음을 밝혀둔다.

中山還童酒

歌曰, 中山還童酒, 人間處處有, 善緣得遇者, 便是蓬萊叟, 馬藺子一升埋土三日取出, 馬藺根洗切片一升, 用黃米三斗, 水煮成煤 陳麴二塊爲末, 酒酵子二椀, 幷前馬藺子共和一處做酒, 待熟, 另用馬藺子幷根一升, 用水煮十沸入酒內三日, 每日, 攪勻去渣, 隨量飮醉, 其酒飮盡, 鬚髮盡黑, 其酒色如漆之黑.

지골피주

스토리텔링 및 술 빚는 법

<주찬(酒饌)>의 '지골주(地骨酒)'는 '지골피주(地骨皮酒)'를 약칭한 것으로 생각된다. 또 다른 문헌에 수록된 '구기주(枸杞酒)' 또는 '국화주'와 크게 다르지 않다.

<주찬>의 '지골주' 주방문을 보면 알 수 있듯이 구기자나무 뿌리·생지황·감국화가 각 1근씩 사용되는 점과 이들 약재를 물에 넣고 달인 물을 양주용수로 사용하는 등 제반 과정이 <임원십육지(林園十六志)>의 '구기주'와 유사하다는 것을 알 수 있다.

<임원십육지>의 '구기주' 주방문을 보면 "감주산(甘州産) 구기자를 끓여 찧어서 즙으로 만들고, 누룩과 버무려 보통 방법으로 술을 빚는다."고 하였다.

또한 <온주법(醞酒法)>에 수록된 '국화주' 주방문에서는 "노란 감국 5되와 생지황 5되, 지골피 5근을 물에 깨끗하게 씻어 절구에 찧은 후, 물 8말에 준비한 약재를 넣고 삶아, 달인 물이 5말이 되게 한 다음 차게 식힌다. 이어 찹쌀 5말을 (백세하여 물에 담갔다가, 다시 씻어 물기를 뺀 후) 시루에 안쳐 고두밥을 짓는다. 약 달인 즙액에 고두밥과 참 누룩 5되를 한데 합하고, 고루 버무려 술밑을 빚

는다."고 하였다.

<요록(要錄)>의 '국화주' 주방문에서도 "국화, 생지황, 구기자 뿌리 각 5근씩을 물에 깨끗하게 씻어 물기를 뺀 뒤, 절구에 함께 찧는다. 솥에 한 섬의 물을 붓고 찧은 약재와 함께 끓이고 달이는데, 물이 5말이 되면 찌꺼기를 제거하고 차게 식힌다. 찹쌀 5말을 백세하여 (새 물에 다시 씻어 건져서 물기를 뺀 다음) 시루에 안쳐서 무르게 고두밥을 짓고, 고두밥이 익었으면 고루 펼쳐서 차게 식기를 기다렸다가, 약 달인 즙액에 고두밥과 가루누룩(7되~8되)을 한데 합하고, 고루 버무려 술밑을 빚는다."고 하여 <온주법>의 '국화주'와 비교해 누룩의 양이 조금 많을 뿐 술을 빚는 방법에서는 차이가 없다는 걸 알 수 있다.

전통적으로 여러 가지 약재를 부원료로 사용할 경우, 한 가지 약재의 비중을 늘려 주장(主將)으로 삼는 것을 볼 수 있는데, <주찬>과 <온주법>, <요록>의 주방문에서는 그와 같은 차이를 목격할 수 없다.

뿐만 아니라 <주찬>에서는 '국화주'가 아닌 '지골주'라고 되어 있어 그 이유를 찾게 되었는데, '지골주'가 '구기주' 주방문에 별법(別法)으로 함께 수록되어 있음을 확인할 수 있었다. 즉, '지골주'는 '구기주'의 주방문에 이어 기록된 주방문이라 '국화주'로 표기하지 않고 '지골주'로 표기하게 되었음을 확인할 수 있다.

그렇다면 <온주법>과 <요록>의 '국화주' 또한 '구기주'에서 파생된 주품명임을 암시하게 되므로, 이와 같은 추론이 맞는지 확신할 수가 없어 문헌별 등장시기를 추적해 보았다. 뜻밖에도 결과는 전혀 달랐다.

먼저, '국화주'를 수록하고 있는 문헌으로 <주찬>은 1800년대 초엽의 문헌이고, <온주법>은 1700년대 후기의 저술이며, 1854년의 <윤씨(尹氏)음식법>, 1823년경의 <임원십육지>, 연대 미상의 <침주법(浸酒法)>, 1800년대의 <홍씨주방문>, 1680년경의 <요록> 등이 있다.

그런가 하면 '구기주'가 수록된 문헌은 <고려대규합총서(高麗大閨閤叢書, 異本)>를 비롯해 <고사신서(攷事新書)>, <고사십이집(攷事十二集)>, <규합총서(閨閤叢書)>, <농정찬요(農政纂要)>, <달생비서(達生秘書)>, <동의보감(東醫寶鑑)>, <부인필지(夫人必知)>, <양주방>*, <온주법>, <임원십육지>, <주식시의(酒食是儀)>, <주찬>, <학음잡록(鶴陰雜錄)> 등이 있다.

따라서 '국화주'가 수록된 문헌 가운데 저술 연대가 가장 앞선 문헌인 <요록>의 등장 시기가 1680년경인 점을 감안하면, 구기자 또는 지골피를 주재료로 해 발효시키는 '구기주'의 등장이 1737년경의 <고사십이집>과 1800년대 중엽의 <학음잡록>으로, <요록>의 등장시기보다 후대임을 알 수 있다.

다시 말해 발효주인 '구기주'는 '국화주'의 이법 또는 별법이라고 할 수도 있다는 결론이다. 이런 추론 역시도 섣부른 것이긴 하지만, 문헌자료로 보면 이러한 추론도 가능하다는 얘기를 하고 싶었다.

<주찬>의 '지골주' 술 빚는 법에 대해서는 '국화주'나 '구기주'를 참고하면 좋겠다. 주방문 말미에 "하루에 3잔씩 마신다. 근골을 튼튼히 하고 정수를 보하되 늙지 않고 장수한다."고 하여 음주 요령에 대해 언급하고 있다.

참고로 주방문에는 누룩의 양이 나와 있지 않아, 임의대로 양(3~4되)을 책정하여 주방문을 작성했음을 밝혀둔다.

지골(피)주 <주찬(酒饌)>

술 재료 : 찹쌀 5말, 고운 누룩가루(3~4되), 물 1섬, 구기자나무 뿌리·생지황·감국화 각 1근씩

술 빚는 법 :

1. 물 1섬에 깨끗하게 씻어 준비한 구기자나무 뿌리·생지황·감국화 각 1근씩 넣고 오랫동안 삶아 즙(달인 물) 5말을 얻은 다음 차게 식힌다.
2. 찹쌀 5말을 백세하여 (다시 씻어 헹궈 건져서 물기를 뺀 후) 시루에 안쳐서 고두밥을 짓는다.
3. 고두밥이 익었으면 퍼내고, 고루 펼쳐서 차게 식기를 기다린다.
4. 약 달인 즙액에 고두밥, 고운 누룩가루를 합하고, 고루 버무려 술밑을 빚는다.

5. 술독에 술밑을 담아 안치고, 예의 방법대로 하여 발효시킨다.

* 주방문 말미에 “하루에 3잔씩 마신다. 근골을 튼튼히 하고 정수를 보하되 늙지 않고 장수한다.”고 하였다. 주방문에 누룩의 양이 나와 있지 않아 임의 양(3~4되)을 사용하는 것으로 주방문을 작성하였다.

地骨酒

壯筋骨補精髓延年耐老 枸杞根生地黃甘菊花各一斤搗碎以水一石煮取汁五斗炊糯米五斗細麯拌勻入瓮和常封釀待熟澄淸日飮三盃.

지황주

스토리텔링 및 술 빚는 법

오랜 옛날부터 자양강장제란 이름으로 보약을 지을 때 사용되어온 약재의 한 가지로 지황(地黃)이 있다. 이 지황 뿌리를 생지황(生地黃)이라고 하고, 이 생지황을 술에 한번 담갔다가 증기로 아홉 차례 쪄낸 것을 숙지황(熟地黃)이라고 한다.

생지황은 '혈증'을 다스리는 데, 숙지황은 '보혈·정장제'로 그 사용방법을 달리해 왔다.

전통 양주방법에서 숙지황은 여러 가지 약재와 함께 사용되는 것과 달리, 생지황은 단독으로 사용되며, 바로 그 술이 '지황주(地黃酒)'이다.

<고사신서(攷事新書)>를 비롯해 <농정회요(農政會要)>, <달생비서(達生秘書)>, <동의보감(東醫寶鑑)>, <민천집설(民天集說)>, <수운잡방(需雲雜方)>, <온주법(醞酒法)>, <임원십육지(林園十六志)>, <주찬(酒饌)>, <학음잡록(鶴陰雜錄)>, <활인심방(活人心方)> 등 11종의 문헌에 12차례나 등장하는 것으로 미루어 상당히 대중화되었던 주품이었음을 알 수 있다.

1400년대 초엽에 간행된 것으로 알려진 <활인심방>과 1611년 저술된 허준 선

생의 <동의보감>을 비롯하여 <고사신서>, <민천집설>, <온주법>, <학음잡록>에도 <활인심방>과 <신은(神恩)>의 주방문과 동일한 주방문이 수록되어 있다.

이처럼 '지황주'가 비교적 별다른 변화 없이 일관된 주방문을 유지해 오다가, <수운잡방>과 <농정회요>에서는 지황 썬 것 1말(大斗), 찹쌀 5되, 누룩 1되(大升)로 주원료의 배합비율이 달라졌고, 1800년대 말엽의 <주찬>에 이르러서는 이양주법(二釀酒法) 주방문이 등장하고 있다.

'지황주'가 수록된 최초의 기록이자 1400년대 초엽에 저술된 것으로 알려진 이퇴계 선생의 수적본(手迹本) <활인심방>에는 "地黃味甘苦涼無毒. 久服輕身不老, 一名地髓. 補五藏內傷不足, 通血脈益氣力, 利耳目. 每米一斗, 用生地黃三斤同蒸, 用白麴拌之. 候熟, 任意用之, 大能和血佳顔(지황은 맛이 달고 쓰며 성질은 서늘하고 독이 없다. 오래 복용하면 몸이 가벼워지고 늙지 않아 지수라고도 한다. 오장의 내상부족을 보하며 혈맥을 통하게 하고 기력을 돋우며 이목을 밝게 한다. 쌀 1말마다 생지황 3근을 써서 함께 쪄 흰누룩을 섞는다. 익으면 뜻대로 쓰는데, 피를 화하게 하고 안색을 좋게 한다)."고 하였다.

<주찬>의 '지황주' 주방문 말미에도 "피를 조화시켜 얼굴빛의 아름다움을 잃지 않게 하는 효능과 허약함을 보하고, 근골을 강하게 하며, 혈맥을 통하고 복통을 고치며 백발을 검게 한다."고 하였다.

'지황주'는 쌀 1말로 지은 고두밥에 생지황 3근, 흰누룩으로 빚는 단양주가 주류를 이루고 있으며, 질병 예방과 건강 도모를 위한 보양(補養) 목적으로 빚어진 약용약주(藥用藥酒)임을 알 수 있다.

또한 대부분의 문헌에서는 지황즙 외 별도의 물이 사용되지 않은 것으로 되어 있는데, <고사신서>와 <민천집설>에서는 "지황고두밥에 백곡과 합하여 술독에 담아 안치고, '고루 휘저어서(버무려)' 뚜껑을 덮는다."고 하였고, <주찬>의 단양주법 '지황주' 주방문에서는 "끓여 식힌 물 임의 양"이라고 하여 물이 사용된 것을 알 수 있다. 이양주법 주방문의 밑술 과정에서도 덧술의 간격이 1일밖에 되지 않는다는 사실과 관련해 물이 사용되었음을 짐작할 수 있고, 덧술 과정에서도 지황즙과 오가피를 달여서 식힌 물이 사용된 것을 알 수 있다.

'지황주'는 술 빚기가 매우 힘든 술이다. 주방문을 보아 알 수 있듯이 생지황을 짓찧어 그 즙을 얻기가 결코 용이하지 않거니와 그 양도 매우 적기 때문이다.

이러한 이유로 <수운잡방>과 <농정회요>, <주찬>의 경우 지황은 1말로 늘어난 반면, 쌀은 5되로 그 분량이 달라진 거라 추측되며, <활인심방>에서도 "우슬즙을 섞어 끓인 된죽을 넣어서 빚으면 더욱 좋다."거나, "맛이 조청과 같이 매우 달고, 3일이 지나면 칠과 같이 검어진다."라고 한 게 아닐까 여겨진다.

또 <수운잡방>에서는 "술 빛깔은 푸른빛을 띠게 되는데, 이 푸른 빛깔의 맑은 술을 '정화(精華)'라고 한다."고 하였고, <농정회요>에서는 "술독을 열어 맨 위에 고여 있는 푸른 빛깔의 술 1잔을 먼저 떠내는데, 이 술이 '정화'이다."라고 하여 처음 떠낸 술을 매우 가치 있게 여겼음을 알 수 있다.

'지황주'를 빚을 때 주의할 일은 다음과 같다. 술밑은 가능한 한 많이 치대고 버무려서 누룩이 고루 조화되도록 하여야 하고, 물이 새지 않는 술독에 술밑을 담아 안치되, 뚜껑을 덮은 뒤 진흙으로 밀봉하여 김이 새지 않도록 하여 이불로 싸지 말고 아주 찬 곳에 두고 발효시키면 더욱 좋다.

'지황주'는 비교적 발효기간이 긴 편이다. 대략 28일~35일 정도가 소요된다고 했는데, 찬 곳에 두면 더 걸릴 수도 있으므로 시간에 구애받지 말고 충분히 숙성시킨 후에 마시면 더욱 좋다.

물을 적게 사용하여 비교적 단맛이 많고, 진한 바디감을 느낄 수 있다. 의외로 지황의 냄새는 덜하다.

1. 지황주 <고사신서(攷事新書)>

술 재료 : 지황 썬 것 3되, 찹쌀 1말(大斗), 누룩 1되(大升)

술 빚는 법 :

1. 지황은 편으로 잘게 썰어놓은 것으로 3되를 마련해 물에 씻어 잠깐 불렸다가 건져놓는다.

2. 찹쌀 1말을 (백세하여 물에 담가 불렸다가, 다시 씻어 건져 헹궈서 물기를 뺀 뒤) 지황과 함께 시루에 안쳐 밥처럼 무른 고두밥을 짓는다.
3. 고두밥이 무르게 익었으면, 돗자리에 퍼내고 고루 펼쳐서 차게 식기를 기다린다.
4. 식혀둔 지황고두밥에 백곡(가루누룩 2되)과 (끓여 식혀둔 물 5되를) 합하고, 고루 휘저어(버무려) 술밑을 빚는다.
5. 술독에 술밑을 담아 안치고, 예의 방법대로 하여 뚜껑을 덮는다(진흙으로 밀봉한다).

* <수운잡방>의 '지황주'는 찹쌀 5되, 지황 1말을 가루로 빻아 고두밥과 함께 버무려 빚는다. 또 "술이 익으면 첫술을 떠서 매일 한 잔씩 마신다. 첫술을 떠낸 후 나머지는 천으로 씌워두고 마신다."고 하였다.

地黃酒
糯米一斗生地黃三升細切同蒸爛熟入白麴如常法拌釀候熟飮之大能和血住顔.

2. 지황주 <농정회요(農政會要)>

술 재료 : 지황 1말(大斗), 찹쌀 5되(大升), 누룩 1되(大升)

술 빚는 법 :
1. 통통하게 살이 많은 굵은 지황을 물에 깨끗하게 씻어 이물질과 흙을 제거한 후, 큰말(大斗) 1말을 짓찧어 파쇄하여 놓는다.
2. 찹쌀 5되(大升)를 (백세하여 물에 담가 불렸다가, 다시 씻어 건져 헹궈서 물기를 뺀 뒤) 지황과 함께 시루에 안쳐 밥처럼 무른 고두밥을 짓는다.

3. 지황고두밥이 무르게 익었으면 돗자리에 퍼내고, 고루 펼쳐서 차게 식기를 기다린다.
4. 식혀둔 지황고두밥에 큰되(大升)로 누룩 1되를 합하고, 고루 버무려 술밑을 빚는다.
5. 술독에 술밑을 담아 안치고, 예의 방법대로 하여 진흙으로 밀봉한 후 봄에는 21일, 가을·겨울에는 25일간 발효시킨다.
6. 술이 익었으면 술독을 열어 맨 위에 고여 있는 푸른 빛깔의 술을 1잔을 먼저 떠내는데, 이 술이 '정화(精華)'이다.

* 주방문을 보아 알 수 있듯이 물이 사용되지 않는 대신 지황 생즙으로 발효시키는 술이다. 따라서 술 빛깔은 푸른빛을 띠게 되는데, 이 푸른 빛깔의 맑은 술을 '정화(精華)'라고 하였다. 말미에는 "생명주 주머니로 술을 짜서 걸러 마시면 매우 달고 맛있는데, '백출주'와 같이 여러 가지 몸에 좋은 효과가 있다."고 하였다.

地黃酒

用肥大地黃切一大斗搗碎糯米五升作飯麴一大升三物于盆中揉(射)相勻傾入瓮泥封春夏二十日日秋冬頃二十五日開看上者一盞綠液是其精華先取飮之餘以用生布絹汁如飴收貯味極甘美切效同前.

3. 지황주 <달생비서(達生秘書)>

혈(血)을 조화롭게 하고, 얼굴이 늙지 않게 한다. (처방은 잡방문에 나온다.)

地黃酒

和血, 駐顔. <方見雜方>.

4. 지황주 <동의보감(東醫寶鑑)>

술 재료 : 지황 썬 것 3되, 찹쌀 1말, 백곡(가루누룩 2되)

술 빚는 법 :

1. 지황은 편으로 잘게 썰어놓은 것으로, 3되를 마련해 물에 씻어 잠깐 불렸다가 건져놓는다.
2. 찹쌀 1말을 (백세하여 물에 담가 불렸다가, 다시 씻어 건져 헹궈서 물기를 뺀 뒤) 시루에 안친다.
3. 쌀 위에 준비해 둔 지황을 함께 안치고 쪄서 무른 고두밥을 짓는다.
4. 지황고두밥이 무르게 익었으면 돗자리에 펴내고, 고루 펼쳐서 차게 식기를 기다린다.
5. 식혀둔 지황고두밥에 백곡(가루누룩 2되)을 합하고, 고루 버무려 술밑을 빚는다.
6. 술독에 술밑을 담아 안치고, 예의 방법대로 하여 뚜껑을 덮는다(진흙으로 밀봉한다).
7. 술이 숙성되면 열어서 용수를 박아 채주하여 마신다.

* <입문(入門)>에 나온다.

地黃酒

糯米一斗, 生地黃三斤細切, 同蒸爛熟, 入白麴如常法拌釀. 後熟, 任意飮之. 大能和血駐顔.

5. 지황주 <민천집설(民天集說)>

술 재료 : 지황 썬 것 3되, 찹쌀 1말, 흰누룩(2되), (끓여 식힌 물 5되)

술 빚는 법 :

1. 지황은 편으로 잘게 썰어놓은 것으로, 3되를 마련해 놓는다(물에 씻어 잠깐 불렸다가 건져놓는다).
2. (물 5되를 팔팔 끓여 식혀놓는다.)
3. 찹쌀 1말을 (백세하여 물에 담가 불렸다가, 다시 씻어 건져 헹궈서 물기를 뺀 뒤) 지황과 함께 시루에 안쳐 밥처럼 무른 지황고두밥을 짓는다.
4. (지황고두밥이 무르게 익었으면, 돗자리에 퍼내고 고루 펼쳐서 차게 식기를 기다린다.)
5. 식혀둔 지황고두밥에 백곡(가루누룩 2되)과 (끓여 식혀둔 물 5되)를 합하고, 고루 휘저어(버무려) 술밑을 빚는다.
6. 술독에 술밑을 담아 안치고, 예의 방법대로 하여 뚜껑을 덮는다(진흙으로 밀봉한다).

* 주방문에는 또 재료를 합하고 '휘저어'라고 하였는데, 물의 양이 언급되어 있지 않았으므로, 임의 양으로 끓여 식힌 물 5되를 사용하여 주방문을 작성하였다.

地黃酒

糯米一斗生地黃三斤細切同蒸爛熟入白曲末如常法拌釀後熟飮之大能和血佳顔.

6. 지황주 <수운잡방(需雲雜方)>

–변백속효방(變白速效方)

술 재료 : 지황 썬 것 1말(大斗), 찹쌀 5되, 누룩 1되(大升)

술 빚는 법 :

1. 생지황을 물에 깨끗하게 씻은 것으로 골라 잘게 썰어 절구에 넣고 즙이 나도록 짓찧어 놓는다.
2. 찹쌀 5되를 백세하여 (물에 담가 불렸다가, 다시 씻어 헹궈서 물기를 뺀 후) 시루에 안쳐 밥처럼 무른 고두밥을 짓는다.
3. 고두밥이 익었으면 퍼내고, 고루 펼쳐서 차게 식기를 기다린다.
4. 차게 식은 고두밥에 찧어둔 지황가루와 누룩가루 1되(2되)를 합하여 소래기에 담고, 고루 힘껏 버무려 술밑을 빚는다.
5. 물이 새지 않는 술독에 술밑을 담아 안치고, 뚜껑을 덮은 뒤 진흙으로 밀봉한다.
6. 봄·여름에는 21일 가을·겨울에는 다섯이레(35일) 동안 발효시킨다.
7. 술이 익으면 첫술을 떠서 매일 한 잔씩 마신다.
8. 첫술을 떠낸 후 나머지는 천으로 씌워두고 마신다.

* 주방문에 "우슬즙을 섞어 끓인 된죽을 넣어서 빚으면 더욱 좋다."고 하고, "맛이 조청과 같이 매우 달고, 3일이 지나면 칠과 같이 검어진다고 한다. 또 꺼리고 싫어하는 백발을 검게 한다."고 하였다.

地黃酒

變白速效方. 肥地黃切一大斗搗碎糯米五升爛炊麯一大升右伴三味於盆中熟蹂和入納不津器中封泥春夏三七日秋冬五七日日滿開有一盞液是其精華宜先飮之餘用生布絞貯之如稀餳極甘味不過三宿熟黑如漆若牛膝汁拌炊飦更妙

切忌切白.

7. 지황주 <온주법(醞酒法)>

술 재료 : 찹쌀 1말, 생지황 3근, 누룩(3되), (끓여 식힌 물 1말)

술 빚는 법 :

1. 생지황 3근을 물에 깨끗하게 씻어 잘게 찢어놓는다.
2. 찹쌀 1말을 백세하여 (물에 담갔다가, 다시 씻어 물기를 뺀 후) 지황과 함께 시루에 안쳐 무른 지황고두밥을 짓는다.
3. (고두밥이 무르게 익었으면, 시루에서 퍼내고 고루 펼쳐 차게 식기를 기다린다.)
4. 지황고두밥에 국(麴) 화(和)하고(누룩 3되와 끓여 식힌 물 1말을 한데 합하고, 고루 버무려) 술밑을 빚는다.
5. (술독에 술밑을 담아 안치고, 예의 방법대로 하여 발효시킨다.)

* 주방문에 누룩의 양이나 물의 종류와 양에 대한 언급이 없어 상법(常法)의 '지황주법'을 참고하여 주방문을 작성하였다. 주방문 말미에 "낯빛을 좋게 하나니라."고 하였다.

디황듀

디황 서 근을 줄게 쓰더 뎜미 일두 빅셰ᄒᆞ야 ᄒᆞᆫᄃᆡ 무르게 쪄 국화ᄒᆞ고 낫비출 됴케 ᄒᆞᄂᆞ니라.

8. 지황주 <임원십육지(林園十六志)>

효능은 '백출주'와 같다. <준생팔전>를 인용하였다.

地黃酒

<遵生八牋> 功效同前(除病廷年變髮堅齒). (案)方見 <葆養志>.

9. 지황주 <주찬(酒饌)>

술 재료 : 밑술 : 멥쌀 1말, 누룩가루 5되, (끓여 식힌 물 1말)
덧술 : 멥쌀 5말, 생지황 5근, 지골피 5근, 국화 5근, 물 10말

술 빚는 법 :

* 밑술 :

1. 납평 무렵에 멥쌀 1말을 백세하여 (물에 담가 불렸다, 다시 씻어 헹궈서) 작말한다.
2. 쌀가루를 안쳐서 백설기를 찌고, 익었으면 퍼서 온기가 남게 식기를 기다린다.
3. 백설기에 누룩가루 5되, (끓여 식힌 물 1말을) 합하고, 고루 힘껏 치대어 멍울 없는 술밑을 빚는다.
4. 술밑을 술독에 담아 안치고, 예의 방법대로 하여 발효시킨다.

* 덧술 :

1. 납평 전날 국화를 따서 건조시켜서 가루를 만들고, 생지황 5근은 물에 깨끗하게 씻어 절구에 찧어 포대에 넣고 즙을 짠다.
2. 지골피 5근을 물 10말에 넣고 달여서 5말이 될 때까지 졸이고, 지황즙을 넣

고 다시 끓여서 차게 식힌다.

3. 멥쌀 5말을 백세하여 (물에 담가 불렸다가, 다시 씻어 헹궈 건져서 물기를 뺀 뒤) 시루에 안쳐서 고두밥을 짓는다.
4. (시루에서 한 김 나면) 지황즙을 약간 뿌려서 뜸을 들이고, 익었으면 퍼내어 고루 펼쳐서 차게 식기를 기다린다.
5. 고두밥과 밑술, 지황즙, 국화가루를 합하고, 고루 버무려 술밑을 빚는다.
6. 술독에 술밑을 담아 안치고, 싸지 말고 아주 찬 곳에 두고 35일간 발효시킨다.

* '지황주'는 "서왕모가 한의 무왕에게 바쳤던 술이다."고 한다. <주찬>의 덧술 과정은 <온주법>과 <요록> 등에 수록된 '국화주'와 유사하다.

地黃酒

臘平前期白米一斗百洗作末熟調待最冷曲末五升調釀後乾菊花作末五斤生地黃五斤則搗碎以布袋漉出其汁地骨皮五斤則水十斗煎至五斗而地黃汁入注煎납평內日米五斗百洗烝之而以生地黃汁地骨皮水略干灑而烝之待冷始至납평日調釀本酒而生地黃汁地骨皮水菊花末竝調釀之置于最冷處又不裹之只令快凉而三十五日後垂之 此酒卽西王母獻于漢武王酒也.

10. 지황주 <주찬(酒饌)>

술 재료 : 찹쌀 1말, 생지황 3근, 백곡가루(1근), 끓여 식힌 물(5되)

술 빚는 법 :

1. 찹쌀 1말을 백세하여 물에 담가 하룻밤 불렸다가 (다시 씻어 새 물에 헹궈 건져) 물기를 빼놓는다.

2. 솥에 임의 양(5되)의 물을 붓고 팔팔 끓여 차게 식힌다.
3. 생지황 3근을 물에 깨끗이 씻어 잘게 썰고, 건져둔 쌀과 함께 시루에 안쳐 고두밥을 무르게 쪄낸다.
4. 고두밥이 익었으면 퍼내고, 고루 펼쳐서 차게 식기를 기다린다.
5. 고두밥에 생지황과 끓여 식힌 물(5되), 백곡가루(1근)를 한데 합하고, 고루 버무려 술밑을 빚는다.
6. 술독에 술밑을 담아 안치고, 예의 방법대로 하여 21일간 발효시킨다.

* 주방문에 <본초강목(本草綱目)>을 인용하여 "허약한 것을 보하고 혈맥을 통하게 하며, 능히 백발을 검게 한다."고 하고, "지황즙과 누룩, 쌀로 빚어 그릇에 담고 밀봉하여 5~7일 후에 열어보면, 녹색의 즙이 생기는데 진정작용을 한다. 마땅히 즙을 여과해 우슬즙을 섞어 마시면 더욱 좋다."고 하고, 말미에 "피를 조화시켜 얼굴빛의 아름다움을 잃지 않게 하는 효능과 허약함을 보하고, 근골을 강하게 하며, 혈맥을 통하고 복통을 고치며 백발을 검게 한다."고 하였다.

地黃酒

補虛弱壯筋骨通血脈治腹痛變白髮用生地黃絞汁同曲米封密器中五七日啓之中有綠汁眞精英也 宜先飮之乃濾汁藏貯加牛膝汁效更速. 綱目. 糯米一斗生地黃三斤細切同烝爛熟入白曲如常法拌釀候熟任意飮大能和血駐顔.

11. 지황주 <학음잡록(鶴陰雜錄)>

술 재료 : 생지황 3근, 찹쌀 1말, 흰누룩(2되), (끓여 식힌 물 5되)

술 빚는 법 :

1. 생지황을 물에 깨끗하게 씻어 편으로 잘게 썰어놓은 것으로 3근을 마련해 놓는다.
2. (물 5되를 팔팔 끓여 식혀놓는다.)
3. 찹쌀 1말을 (백세하여 물에 담가 불렸다가, 다시 씻어 건져 헹궈서 물기를 뺀 뒤) 지황과 함께 시루에 안쳐 밥처럼 무른 고두밥을 짓는다.
4. (지황고두밥이 무르게 익었으면, 돗자리에 펴내고 고루 펼쳐서 차게 식기를 기다린다.)
5. 식혀둔 지황고두밥에 백곡(가루누룩 2되)과 (끓여 식혀둔 물 5되)를 합하고, 고루 버무려 술밑을 빚는다.
6. 술독에 술밑을 담아 안치고, 예의 방법대로 하여 발효시킨다.

* 주방문에는 "상법(常法)대로 교합하여 빚어 익기를 기다려"라고 하였는데, 물의 양이 언급되어 있지 않아 상법의 물 양을 참고하여 주방문을 작성하였다. 또 "익은 뒤 마시면 피를 잘 돌게 하고 안색이 좋아진다."고 하였다.

地黃酒
粘米一斗生地黃三斤細切同甚爛熟入白麯常法拌釀候熟飮之大能和血佳顔.

12. 지황주 <활인심방(活人心方)>

술 재료 : 지황 3근, 찹쌀 1말, 백곡(큰되 1되), (끓여 식혀둔 물 5되)

술 빚는 법 :
1. 지황은 편으로 잘게 썰어놓은 것으로 3되를 마련해 물에 씻어 잠깐 불렸다가, 건져놓는다.
2. 찹쌀 1말을 (백세하여 물에 담가 불렸다가, 다시 씻어 건져 헹궈서 물기를 뺀

뒤) 지황과 함께 시루에 안쳐 밥처럼 무른 고두밥을 짓는다.

3. 고두밥이 무르게 익었으면, 돗자리에 펴내고 고루 펼쳐서 차게 식기를 기다린다.
4. 식혀둔 지황고두밥에 백곡(큰되 1되), (끓여 식혀둔 물 5되) 합하고, 고루 휘저어(버무려) 술밑을 빚는다.
5. 술독에 술밑을 담아 안치고, 예의 방법대로 하여 뚜껑을 덮는다(진흙으로 밀봉한다).

* <동의보감>에 지황은 "오로칠상을 치료하고, 기력을 더해 주며, 허손을 보해준다."고 하였다. <수운잡방>의 '지황주'는 <신은>의 '지황주'와는 원료비율이 다르며, 방법에서도 약간 차이가 있다. 또 "우슬즙을 섞어 끓인 된죽을 넣어서 빚으면 더욱 좋다."고 하며, "맛이 조청과 같이 매우 달고, 3일이 지나면 칠과 같이 검어진다."고 하였다.

地黃酒

地黃味甘苦涼無毒. 久服輕身不老, 一名地髓. 補五藏內傷不足, 通血脈益氣力, 利耳目. 每米一斗, 用生地黃三斤同蒸, 用白麴拌之. 候熟, 任意用之, 大能和血佳顔.

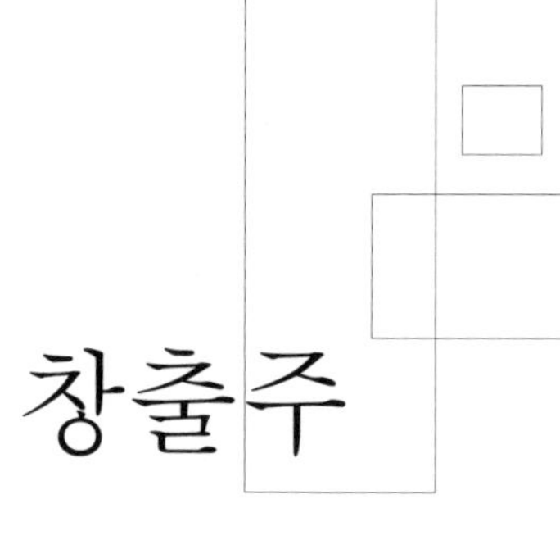

창출주

스토리텔링 및 술 빚는 법

한약재로 사용되는 삽주의 덩이 지지 않은 뿌리를 창출(蒼朮)이라고 하고, 삽주의 덩이진 뿌리를 백출(白朮)이라고 한다.

따라서 창출과 백출은 한 가지 풀뿌리를 두고 그 형태에 따라 분류한 것으로, 약효 또한 달라서 처방을 달리하는 것으로 알려져 있다. 즉, 창출은 소화기를 범한 외감을 푸는 데 사용하며, 백출은 창출보다 성질이 따뜻하여 비위를 돕고 소화불량이나 구토, 설사, 습증(濕症) 등에 사용한다고 한다.

전통주에는 이 창출을 넣어 빚은 '창출주(蒼朮酒)'와 백출을 넣어 빚은 '백출주(白朮酒)'가 존재하는데, '창출주'처럼 단일재료를 사용해 빚는 약용약주의 경우, 주재료의 이름을 반영한 명칭을 사용하는 게 일반적이다.

'창출주'는 문헌마다 주방문이 약간씩 다르기도 하고 동일하기도 하다. 특히 '창출주'와 '백출주'의 주방문이 동일한 과정으로 이루어지므로, 총칭하여 '출주(朮酒)'라고도 한다.

'백출주'는 조선시대 기록인 한글 붓글씨본인 <언서주찬방(諺書酒饌方)>을 비롯하여 <수운잡방(需雲雜方)>, <농정회요(農政會要)>, <요록(要錄)>, <임원십육지(林源十六志)> 등 한문 판각본과 필사본에 수록되어 있고, '출주'는 <양주방>*, '창출주'는 <온주법(醞酒法)>과 <이씨(李氏)음식법> 등 한글 기록 주방문에서만 찾아볼 수 있다는 사실 또한 의미하는 바가 크다 할 것이다.

창출은 전국의 야산에 산재해 있어 누구든지 쉽게 구할 수 있었으므로, 민간에서 널리 사용했던 약재로 가양주에도 반영되었을 것이고, 그 제조법을 기록으로 남기게 되었을 것이다.

'창출주'를 빚는 방법으로는 한 가지 방법이 전해 온다. 가장 구체적인 기록을 보여주고 있는 문헌은 <양주방>*으로 "창출 뿌리를 캐어 물에 깨끗이 씻은 뒤, 겉껍질을 벗겨내어 30근을 준비하여 절구에 넣고 나른하여지게(무르게 부드러워지게) 찧는다. 동류수(東流水) 30말을 길어다가 술독에 담고, 짓찧은 창출 뿌리를 넣고 풀어 20일간 담가두었다가 창출 뿌리를 건져낸다. 물기가 남지 않게 비틀어 짜서 생긴 앙금을 백항아리에 넣고, 이슬이 내리는 곳에 5일간 둔다. 항아리 속의 창출 짜낸 앙금물이 벌겋게 붉은 빛깔이 되었으면, 누룩가루(1~2말)를 풀어놓는다. 이어 멥쌀(15~20말)을 깨끗이 씻고 또 씻어(백세하여) 물에 담가 하룻밤 불렸다가, 시루에 안쳐서 고두밥을 짓는다. 뜸을 들여 무르게 푹 익었으면 고루 펼쳐서 차게 식기를 기다렸다가, 누룩 풀어둔 창출 우린 물에 고두밥을 섞어 넣고, 고루 버무려서 술밑을 빚는다."고 하였다.

<온주법>에는 삽주를 가공하는 방법만 언급되어 있을 뿐 술 빚는 방법이 나와 있지 않다. <임원십육지> 등의 기록에 보이는 '백출주'의 경우 '향온주' 주방문에 백출을 넣어 빚는다고 했는데, '창출주' 주방문에는 그와 같은 내용은 보이지 않는다.

또 '창출주'는 단양주(單釀酒)로만 되어 있는데, '백출주'는 단양주와 이양주(二釀酒) 두 가지 방법으로 이루어진다는 점에서 차이가 있다.

'창출주'의 특징은, 창출을 짓찧어 흐르는 물을 길어다 담가서 20일 후에 건져내고 그 물을 사용하는데, 이때 창출 우린 물은 산소와의 접촉으로 산화되어 붉은빛을 띠게 된다. 창출 우린 물을 오랜 시간 공기와 접촉하도록 방치해 두면 산화과정을 통해서 창출 뿌리의 독성이 약화되거나, 산화 환원작용에 의한 성분변화가 유도되는 것으로 판단된다. 이렇듯 산화된 물을 사용하여 빚는 술이라는 데 그 특징이 있으며, 이와 같은 과정은 '백출주'의 경우에서도 마찬가지이다.

이러한 예는 여느 약용약주에서 보이는 달인 즙액이나 탕약 형태로 술을 빚는 것과 다르다고 할 수 있다.

'창출주' 역시 기호음료로서 술의 향이나 맛을 즐기기보다는 약재가 갖는 질병 예방 목적이나 치료 효과, 또는 보양과 보기의 목적이 더 크다.

<양주방>* 주방문 말미에 "술이 익거든 아침마다 양(量)대로 맞추어 마시면, 10일 만에 병이 헐해지고 흰머리가 검어지고, 얼굴빛이 윤택해지고, 일생을 장복하면 늙는 줄을 모른다. 이 술을 마실 때 먹지 말아야 할 것은 복숭아와 오얏과 쇠고기와 조개, 돼지고기와 배추, 청어와 닭이다."고 하였다.

1. 출주 <양주방>*

술 재료 : 창출 뿌리 30근, 멥쌀(15~20말), 누룩가루(1~2말), 동류수 30말

술 빚는 법 :

1. 창출 뿌리를 캐어 물에 깨끗이 씻은 뒤, 겉껍질을 벗겨내어 30근을 준비한다.
2. 껍질 벗긴 창출 뿌리를 절구에 넣고 나른하여지게(무르고 부드러워지게) 찧는다.
3. 동류수(東流水) 30말을 길어다가 술독에 담고, 짓찧은 창출 뿌리를 넣고 풀어 20일간 담가둔다.
4. 20일 후에 창출 뿌리를 건져내고, 물기가 남지 않게 비틀어 짜서 생긴 앙금을 백항아리에 넣고, 이슬이 내리는 곳에 5일간 둔다.
5. 항아리 속의 창출 짜낸 앙금물이 벌겋게 붉은 빛깔이 되었으면, 누룩가루(1~2말)를 풀어놓는다.

6. 멥쌀(15~20말)을 깨끗이 씻고 또 씻어(백세하여) 물에 담가 하룻밤 불렸다가, (다시 씻어 헹궈 건져서) 물기를 빼놓는다.
7. 불린 쌀을 시루에 안쳐서 고두밥을 짓고, 뜸을 들여 무르게 푹 익었으면 고루 펼쳐서 차게 식기를 기다린다.
8. 누룩 풀어둔 창출 우린 물에 고두밥을 섞어 넣고, 고루 버무려서 술밑을 빚는다.
9. 술독에 술밑을 담아 안치고, 예의 방법대로 하여 발효시킨다.

* 주방문 말미에 “술이 익거든 아침마다 양(量)대로 맞추어 마시면, 10일 만에 병이 헐해지고 흰머리가 검어지고, 얼굴빛이 윤택해지고, 일생을 장복하면 늙는 줄을 모른다. 이 술을 마실 때 먹지 말아야 할 것은 복숭아와 오얏과 쇠고기와 조개, 돼지고기와 배추, 청어와 닭이다.”고 하였다.

출쥬
창출 ᄲᅮᆯ희ᄅᆞᆯ 캐야 웃겁질 벅겨 삼십 근을 방하의 ᄶᅵ허 눌은 ᄒᆞ거든 동뉴수 삼십 두의 프러 닉은 그ᄅᆞ싀 다마 일 십일 만의 건져 탈짜 그 물을 ᄇᆡᆨ항의 너허 이술 맛ᄂᆞᆫᄃᆡ 오 일만 두며 빗치 벍어 ᄒᆞ거든 그 물의 누록 프러 상술 빗드시 밥의 섯거 비져 닉거든 아젹마다 냥의 맛게 먹으면 십일 만의 왼갓 병이 덜니고 ᄇᆡᆨ발이 환흑 ᄒᆞ고 낫빗치 윤ᄐᆡᆨᄒᆞ고 일생 장복ᄒᆞ면 늙ᄂᆞᆫ 쥴 모르ᄂᆞ니 이 술 먹을젹 금긔ᄂᆞᆫ 복셩화 외얏 새고기 죠ᄀᆡ 졔육 ᄇᆡᆨᄎᆞ 졍어 ᄃᆞᆰ.

2. 창출주 <온주법(醞酒法)>

술 재료 : 창출 뿌리 30근, 멥쌀(15~20말), 누룩가루(1~2말), 동류수 30말

술 빚는 법 :

1. 창출 뿌리를 캐어 물에 깨끗이 씻은 뒤, 겉껍질을 벗겨내고 칼로 다듬어 30근을 준비한다.
2. 껍질 벗긴 창출 뿌리를 절구에 넣고 부드러워지게 찧는다.
3. 동류수(東流水) 30말을 길어다가 술독에 담고, 짓찧은 창출 뿌리를 넣고 풀어 20일간 담가둔다.
4. 20일 후에 창출 뿌리를 건져내고, 물기가 남지 않게 비틀어 짜서 생긴 앙금을 백항아리에 넣고, 이슬이 내리는 곳에 5일간 둔다.
5. 항아리 속의 창출 짜낸 앙금물이 벌겋게 붉은빛이 되었으면, 누룩가루(1~2말)를 풀어놓는다.
6. 멥쌀(15~20말)을 깨끗이 씻고 또 씻어(백세하여) 물에 담가 하룻밤 불렸다가, (다시 씻어 헹궈 건져서) 물기를 빼놓는다.
7. 불린 쌀을 시루에 안쳐서 고두밥을 짓고, 뜸을 들여 무르게 푹 익었으면 고루 펼쳐서 차게 식기를 기다린다.
8. 누룩 풀어둔 창출 우린 물에 고두밥을 섞어 넣고, 고루 버무려서 술밑을 빚는다.
9. 술독에 술밑을 담아 안치고, 예의 방법대로 하여 발효시킨다.

* 주방문에 술 빚는 법이 나와 있지 않아 <양주방>*의 '출주' 주방문을 참고하였다.

창츌듀

창츌 녈근 각근 거 ᄉᆞᆯ피 씨서 쥬듸헤 동뉴슈 ᄒᆞᆫ 셤의 ᄃᆞᆫᄃᆞᆫᄒᆞᆫ 독의 ᄃᆞᆷ가 이십일 만의 건지ᄂᆞᆫ 물의 발라 독의 여허 두고 이 물의 술 비저 먹으면 빅병이 업고 댱복ᄒᆞ면 댱슈ᄒᆞ고 늙지 아니ᄒᆞ니 이 술 먹을 제 복셩 오얏 죠게 쳥어젓 긔ᄒᆞ라.

朮酒一二朮無好

朮三十斤玄黃皮淨洗磨碎以東流水三石작불비화중지지이일착려거재어즙출

세화중성저야간후유성과시○자기성명치○즙중여오경기즙당처 여혈능취즙 침국여○온법조주. 숙임성복지십일만병제백일백발재흑낙갱생면유광강구복 연년불노기도리鯖肉.

3. 창출주 <이씨(李氏)음식법>

술 재료 : 창출 30근, 멥쌀(15~20말), 섬누룩(1말~2말), 동류수 30말

술 빚는 법 :

1. 창출 30근을 깨끗하게 씻어 (겉껍질을 벗겨내어) 방망이로 자근자근 두드려서 부드럽게 만든다.
2. 동류수(東流水) 30말을 길어다가 술독에 담고 짓찧은 창출을 넣어 20일간 우린다.
3. 20일 후에 창출 뿌리를 건져낸다(물기가 남지 않게 비틀어 짜낸다).
4. 항아리 속의 창출 짜낸 물이 벌겋게 붉은 빛깔이 되었으면, 섬누룩 1~2말을 풀어놓는다.
5. (멥쌀 15~20말을 백세하여 하룻밤 물에 담가 불렸다가, 다시 씻어서 건져서 물기를 뺀 후 시루에 안쳐서 고두밥을 짓는다.)
6. (고두밥은 뜸을 들여 푹 찌고, 익었으면 고루 펼쳐서 차게 식기를 기다린다.)
7. 누룩 풀어둔 창출 우린 물에 고두밥을 섞어 넣고, 고루 버무려서 술밑을 빚는다.
8. 술독에 술밑을 담아 안치고, 예의 방법대로 하여 발효시킨다.

챵츌쥬

챵츌 숨십 근을 싱으로 정히 씨셔 날른이 쓰두려 동뉴슈 셕 셤을 이십 일 담가다가 챵츌 건져 바리고 그 물의 셤누룩 당가다가 예ᄉ 슐 빗다시 비져 익거든 임의로 먹그면 됴흐니라.

창포주·석창포주

스토리텔링 및 술 빚는 법

매년 단옷날이면 서울의 남산골 한옥마을을 비롯해 강릉 등 전국 각지에서 세시(歲時) 축제가 벌어진다. 이때 빠지지 않고 등장하는 것이 창포(菖蒲)이다. 창포 목욕과 머리감기, 비녀꽂이 등의 세시풍속(歲時風俗)이 재연된다.

이런 행사 때면 창포는 국화 못지않게 우리나라 여성들에게 친숙한 식물로 느껴지곤 하는데, 사용하는 창포를 보면 실망하게 된다. 대개가 꽃창포를 사용하고 있기 때문이다.

우리가 '창포'라고 부르는 것에는 창포와 꽃창포가 있다. 대부분 이들이 같은 종류로 알고 있는데, 주의할 필요가 있다. 꽃창포는 붓꽃과인 반면, 창포는 천남성과로서 전혀 다른 종류의 식물이다.

꽃창포를 창포로 알고 있는 이유 가운데 하나로, 꽃창포는 그 잎이 창포와 같이 생겼고 꽃이 아름답다. 또 이들 두 가지 식물이 다 물을 좋아하고, 초여름에 꽃을 피우는 점도 비슷하기 때문이다.

하지만 창포는 꽃창포와 꽃의 형태가 전혀 다르다. 창포는 같은 꽃대에 아주

작은 꽃들이 수없이 달라붙어 있는 '육수화서'라고 하여 특이한 꽃차례를 이루고 있다. 또한 꽃자루가 조 이삭처럼 생긴 데다 곧추 서 있기 때문에 자세히 살펴보지 않고서는 언제 꽃이 피어있는지 잘 알 수 없을 정도로 드러나지 않는 특성이 있다.

창포는 석창포(石菖蒲)라고 하는 천남성과의 다년초로서, 전국의 연못이나 호숫가에 자생하는데, 이 창포의 향기가 뛰어나 악병(惡病)을 쫓을 수 있다고 믿었던 것이다.

창포는 창포(菖蒲)와 석창포(石菖蒲)로 크게 나뉘는데, 석창포가 창포보다 약효가 우수하여 쓰임새가 더 많은 것으로 알려지고 있다.

석창포의 약리작용을 보면, 주성분으로 정유성분(아세톤)과 배당체를 함유하여 그 성질이 따뜻하고 매운맛이 있으며, 정신을 맑게 하고 혈액순환을 개선시킨다고 한다. 따라서 이 창포를 이용한 '창포주(菖蒲酒)'가 중풍을 치료하는 데 효과가 크며, 한방과 민간에서는 담습을 없애고 입맛을 돋우며 독을 풀어준다고 하였다. 특히 선비들 사이에서 '창포주'를 즐겼는데, 창포의 잎과 뿌리에는 특별한 향취가 있기 때문이다. 창포잎을 손바닥에 놓고 부비면 샴푸처럼 독특한 향기가 난다. 뿐만 아니라 항균작용을 하는 성분도 함유하고 있어 술과 함께 마시면 건강에도 좋다.

그래서 옛날 여인들은 창포를 달인 물로 목욕을 하고 머리를 감으면 피부와 머리를 부드럽고 촉촉하게 해주어 아름다움을 가꿀 수 있다고 믿었던 것이다.

이 밖에도 귀먹은 데, 목쉰 데, 배 아픈 데, 이질, 풍한, 습비에도 효능을 발휘한다. 창포주를 5홉들이 잔으로 한 잔씩 하루에 세 번 마시면 기운이 화(和)하고 무병하여진다고 하며, 중풍을 치료하는 데 효과가 좋다고 알려져 있다.

'창포주'는 <고사신서(攷事新書)>를 비롯하여 <고사십이집(攷事十二集)>, <동의보감(東醫寶鑑)>, <농정회요(農政會要)>, <달생비서(達生秘書)>, <양주방>*, <임원십육지(林園十六志)>, <주찬(酒饌)>, <학음잡록(鶴陰雜錄)>에 등장하며, <고사신서>, <고사십이집>, <농정회요>, <양주방>*, <학음잡록>의 '창포주' 빚는 법은 동일하다.

우선, 술 빚는 횟수가 한 차례에 그치는 단양주법(單釀酒法)으로, 창포를 짓찧어 만든 창포즙에 고두밥과 누룩을 섞어 발효시키는 방법이다.

<양주방>*에는 두 가지 별법(別法)이 등장한다. 청주(淸酒)에 창포 뿌리를 담가서 우려 마시는 '침지법(浸漬法)'과 '침지법'으로 빚은 술에 다시 고두밥을 지어 넣고 발효시키는 방법의 특이한 주방문을 볼 수 있다. 이와 같은 방법은 <주찬>의 '창포주' 주방문에서도 볼 수 있다.

한편 술에 창포잎을 띄워 마시는 방법들도 볼 수 있다. 고려 말기에서 조선 후기에 이르기까지 시인과 선비들의 시집과 문집에 '창포주'에 대한 시편들이 무수히 등장하고 있다.

대개의 '창포주'는 이미 빚어둔 '부의주(浮蟻酒)'나 '동동주', 기타 '청주'에 때맞추어 창포 뿌리나 창포잎을 넣어 재차 숙성시키거나, 현장에서 그 향기와 약성을 침출하여 술과 함께 마시는 방법이 널리 펴졌음을 알 수 있다.

이러한 '창포주'는 '초백주', '국화주'와 더불어 고려시대 때부터 선비들 사이에서 즐겼던 대표적인 절기주 중 한 가지였다. 봄철의 대표적인 풍류로 '창포주음(菖蒲酒飮)'이라는 독특한 음주풍속이 있었는데, 이와 같은 음주풍속은 계절변화에 맞춰 즐기는 세시주(歲時酒)로서 '창포주'가 얼마나 인기 있었는지를 말해준다고 하겠다.

매년 사대부와 시인묵객들이 단오명절을 즐기고자 모인 현장은 대개 '유상곡수(流上曲水)'나 '탁족(濯足)놀이'를 하기에 적합한 물가에 위치하기 마련인데, 이때 품속의 장도(長刀)를 사용해 창포잎을 뜯어다 머리칼처럼 가늘게 썰어서 가져온 술동이나 술잔에 띄워서 주향(酒香)에 창포향(菖蒲香)을 첨가하여 즐기는 음주풍속이 바로 '창포주음'이었던 것이다.

이는 옛 사람들의 아름다운 풍류(風流)와 함께 더워지는 여름철을 대비하는 지혜와 방향(芳香)으로서, 잡귀를 쫓고자 했던 벽사풍속(辟邪風俗)의 단면도 엿볼 수 있다.

술에 창포잎을 띄워 마시는 방법은 <산림경제(山林經濟)>를 비롯한 여러 주방문에도 다수 나타나고 있지만, 그 현장성과 즉흥성을 반영하고 있는 건 아무래도 시인들의 작품이 아닐까 싶다.

예를 들면, 조선 전기 소세양(蘇世讓, 1486~1562년)의 문집인 <양곡선생집(陽

谷先生集)>에 수록된 "단오(端午)"라는 시를 보자.

今日是端午(오늘이 바로 단오이니)
戱遊群少年(소년들이 무리지어 즐겁게 노네.)
街裂爭角觝(거리마다 다투어 씨름을 하고)
樹樹颺秋天(나무마다 그네를 뛰네.)
酒泛蒲觴暖(잔에 창포를 띄워 따뜻하고)
門編艾虎懸(문에는 애호를 엮어 달았네.)
老翁何所事(노인 하는 일이 무엇인가)
終夕掩書眠(밤새도록 책 덮고 잠자는 것이네.)

또 오도일(吳道一, 1645~1703년)의 <서파집(西坡集)> 중 "대전단오첩(大殿端午帖)"이란 시에서도 창포를 띄운 술을 '창포주'로 총칭하고 있으며, '창포주음'의 현장과 즉흥성을 엿볼 수 있다.

蒲泛千年酒(창포를 오래 묵은 술에 띄울 제)
榴開五月花(석류는 5월에 꽃 피우네.)
金華勤日講(금화전에서는 부지런히 한낮에 강의하니)
時運屬亨嘉(시대의 운수가 형통하게 되었네.)

이렇듯 '창포주'를 노래한 시를 통해 알 수 있는 사실은 조선시대 후기에 이르기까지 시인묵객(詩人墨客)들 사이에서 '창포주'가 널리 애음되었던 대상이었음을 알 수 있다. 이후에도 사림과 풍류객들 사이에서도 전해지는 등 '창포주'가 단오절의 절기주로 뿌리내려 왔음을 짐작할 수 있다.

이에 필자도 '창포주음'을 주제로 한 시주풍류(詩酒風流)를 시도한 바 있다.

이랑마다 푸른 물결 새소리는 푸른 가락(歌樂)
사람마다 머리 감고 난탕(蘭湯)에 목욕하니

좋은 날 봄빛을 얻어 여기(沴氣) 씻는 명절(名節)이라네.
술잔에 뜬 창포잎은 푸른 바람을 불러와 향기롭고
동이 술 잔질하며 사람마다 흥겨우니
잊혀진 시속(時俗)을 좇아 풍류(風流)를 사양하지 않네.
—졸작 <단오풍경(端午風景)> 전문(全文)

이끼 낀 못가에는 창포(菖蒲) 향기 푸르르고
낙화(落花)는 둥둥 떠서 봄바람에 실려 간다.
술 취해 꿈속의 일 아닌가 의심스럽다 말하네.
—졸작 <단오음(端午飮)> 전문(全文)

지금까지 살펴보았듯이 '창포주'는 단오 무렵에 창포를 넣어 술을 빚기도 하지만, 물가에 나아가 야음을 하면서 물가의 창포를 뜯어 술에 띄워 마셨던 사대부와 선비, 시인묵객들의 시주풍류(詩酒風流)에서 유래한 것이라 볼 수도 있겠다.

왜냐하면 다른 명절이나 절기에 비해 유독 사람들이 많이 모이고, 나들이가 분주해지는 연말연시와 단오, 그리고 중양절에 세시주(歲時酒) 감상이 많았으며, 수많은 문사들 사이에서 '초백주'나 '국화주'처럼 현장성과 즉흥성을 수반하는 음주풍속과 그 감회를 읊은 작품들이 유독 많기 때문이다.

1. 석창포주 <고사신서(攷事新書)>

술 재료 : 창포물(즙) 5말, 찹쌀 5말, 누룩 5되

술 빚는 법 :

1. 5월 5일에 석창포(石菖蒲) 뿌리 1치 길이에 아홉 마디가 있는 뿌리를 많이 캐어 물에 깨끗하게 씻어 이물질과 잔뿌리를 제거한다.

2. 다음은 석창포 뿌리를 절구에 찧어서 창포즙(5되)을 만들어 준비한다.
3. 찹쌀(1말)을 준비한다(백세하여 물에 담가 하룻밤 불렸다가, 다시 씻어 건져서 물기를 뺀다).
4. (불린 찹쌀을 시루에 안쳐서 고두밥을 짓고, 익었으면 퍼내고 고루 펼쳐서 차게 식기를 기다린 다음 넓은 그릇에 퍼 담는다.)
5. 누룩을 곱게 빻아 체에 쳐서 내린 누룩가루와 창포즙을 한데 합하고, 고루 버무려 술밑을 빚는다.
6. 소독하여 준비한 술독에 술밑을 담아 안치고, 예의 방법대로 하여 발효시킨 후 익기를 기다려 채주하여 마신다.

* <임원십육지>에는 "혈액순환을 돕고, 풍, 마비 증세에 효과가 있고, 정신 계통을 맑게 하며, 눈과 귀를 밝게 한다."고 하였다. 또 다른 기록에는 "하루 세 차례씩 너 홉들이 잔으로 따뜻하게 데워 마시면 늙지 않고 튼튼하여지며, 정신이 좋아진다. 이 세 가지 방법을 다 해 마시면 사람의 혈맥이 다 통하게 되고 영위가 좋게 되니 이 술을 여러 해 마시면 뼛속 깊이 박힌 병이 다 낫고, 신색이 윤택해지고 기력이 갑절이나 나아지고, 걸음걸이가 나는 듯해지고, 흰머리가 도로 검어지고, 빠졌던 이가 다시 나고, 있는 방안에 빛이 나고 점점 밝아진다. 늙도록 먹으면 신선을 만날 수 있다."고 하여 창포주의 효능을 설명하고 있다.

石菖蒲酒
石菖蒲一寸九節者五月五日採根絞取汁入糯米飯細麯釀酒服通神延年.

2. 창포주 <고사십이집(攷事十二集)>

술 재료 : 창포물(즙) 5말(90ℓ), 찹쌀 5말(40kg), 누룩 5되(2.5kg)

술 빚는 법 :

1. 5월 5일에 석창포(石菖蒲) 뿌리 1치 길이에 아홉 마디가 있는 뿌리를 많이 캐어 물에 깨끗하게 씻어 이물질과 잔뿌리를 제거한다.
2. 다음은 석창포 뿌리를 절구에 찧어서 창포즙(5되)을 만들어 준비한다.
3. 찹쌀(1말)을 준비한다(백세하여 물에 담가 하룻밤 불렸다가, 다시 씻어 건져서 물기를 뺀다).
4. (불린 찹쌀을 시루에 안쳐서 고두밥을 짓고, 익었으면 퍼내고 고루 펼쳐서 차게 식기를 기다린 다음 넓은 그릇에 퍼 담는다.)
5. 누룩을 곱게 빻아 체에 쳐서 내린 누룩가루와 창포즙을 한데 합하고, 고루 버무려 술밑을 빚는다.
6. 소독하여 준비한 술독에 술밑을 담아 안치고, 예의 방법대로 하여 발효시킨 후 익기를 기다려 채주하여 마신다.

* <임원십육지>에는 “혈액순환을 돕고, 풍, 마비 증세에 효과가 있고, 정신 계통을 맑게 하며, 눈과 귀를 밝게 한다.”고 하였다. 또 다른 기록에는 “하루 세 차례씩 너 홉들이 잔으로 따뜻하게 데워 마시면 늙지 않고 튼튼하여지며, 정신이 좋아진다. 이 세 가지 방법을 다 해 마시면 사람의 혈맥이 다 통하게 되고 영위가 좋게 되니 이 술을 여러 해 마시면 뼛속 깊이 박힌 병이 다 낫고, 신색이 윤택해지고 기력이 갑절이나 나아지고, 걸음걸이가 나는 듯해지고, 흰머리가 도로 검어지고, 빠졌던 이가 다시 나고, 있는 방안에 빛이 나고 점점 밝아진다. 늙도록 먹으면 신선을 만날 수 있다.”고 하여 ‘창포주’의 효능을 설명하고 있다.

菖蒲酒

石菖蒲一寸九節者五月五日採根絞取汁入糯米飯細麯釀酒服通神延年(葛洪抱朴子云韓衆服菖蒲十三年身上生毛冬袒不寒日記萬言咼丘不娶愉食菖蒲根不饑不老不知所終 神仙傳云 咸陽王典食菖蒲得畏生安期生采一寸九節菖蒲服仙去.

3. 창포주 <농정회요(農政會要)>

술 재료 : 구절창포즙 5말, 찹쌀 5말, 누룩 5근

술 빚는 법 :

1. 창포(菖蒲)를 캐되, 뿌리 1치 길이에 아홉 마디가 있는 구절창포(九折菖蒲) 뿌리를 많이 캐어 물에 깨끗하게 씻어 이물질과 잔뿌리를 제거한다.
2. 다음은 석창포 뿌리를 절구에 찧고 짜서 얻은 창포즙 5말을 만들어 준비한다.
3. 찹쌀 5말을 (백세하여 물에 담가 불렸다가, 다시 씻어 건져서 물기를 뺀 후) 시루에 안쳐서 고두밥을 짓는다.
4. 고두밥이 익었으면 퍼내고, 고루 펼쳐서 차게 식기를 기다린 다음 넓은 그릇에 펴 담는다.
5. 누룩을 곱게 빻아 체에 쳐서 내린 누룩가루 5근과 창포즙, 고두밥을 한데 합하고, 고루 버무려 술밑을 빚는다.
6. 테가 있는 자기항에 술밑을 담아 안치고, 예의 방법대로 하여 끈으로 묶어 밀봉하고 이불로 덮어 발효시키고, 익기를 기다려 채주하여 마신다.

* 주방문 말미에 "하루 세 차례씩 따뜻하게 데워 마시면 사람의 혈맥이 다 통하게 되고 영위가 좋게 되니 이 술을 여러 해 마시면 뼛속 깊이 박힌 병이 다 낫고, 신색이 윤택해지고 기력이 갑절이나 나아지고, 걸음걸이가 나는 듯해지고, 흰머리가 도로 검어지고, 빠졌던 이가 다시 나고, 있는 방안에 빛이 나고 점점 밝아진다. 늙도록 먹으면 신선을 만날 수 있다."고 하였다.
* 주방문에 '자심밀개(磁鐔密盖)'라고 했는데, 이를 '테가 있는 자기항에 술밑을 담아 안치고, 예의 방법대로 하여 끈으로 묶어 밀봉하고 이불로 덮어'로 해석했으나 정확하지는 않다. 본 창포주 주방문은 다른 기록에서는 목격되지 않는 독특한 방법으로 발효시킨다는 점에서 차이가 있다.
* <임원십육지>에는 "혈액순환을 돕고, 풍, 마비 증세에 효과가 있고 정신 계

통을 맑게 하며, 눈과 귀를 밝게 한다."고 하였다. 또 다른 기록에는 "하루 세 차례씩 너 홉들이 잔으로 따뜻하게 데워 마시면 늙지 않고 튼튼해지며, 정신이 좋아진다. 이 세 가지 방법을 다 해 마시면 사람의 혈맥이 다 통하게 되고 영위가 좋게 되니 이 술을 여러 해 마시면 뼛속 깊이 박힌 병이 다 낫고, 신색이 윤택해지고 기력이 갑절이나 나아지고, 걸음걸이가 나는 듯해지고, 흰머리가 도로 검어지고, 빠졌던 이가 다시 나고, 있는 방안에 빛이 나고 점점 밝아진다. 늙도록 먹으면 신선을 만날 수 있다."고 하여 '창포주'의 효능을 설명하고 있다.

菖蒲酒

取九節菖蒲生搗絞汁五斗糯米五斗炊飯細麯五斤相拌匀入缸醖蜜蓋二十一日即蓋溫服日三服之通血脉滋榮臂治風痹骨立黃醫不終始服一劑百日後顔色光彩0力倍嘗耳目聰明髮白變黑落更生袍有光明延年益壽功不盡述.

4. 창포주 <달생비서(達生秘書)>

풍비(風痹)를 치료하고, 오래 살게 한다. (처방은 잡방문에 나온다.)

菖蒲酒

治風痹連年. <方見雜方>.

5. 창포주 <동의보감(東醫寶鑑)>

술 재료 : 창포물(즙) 5말, 찹쌀 5말, 누룩 5되

술 빚는 법 :

1. 들에 돋은 석창포 뿌리를 캐어 물에 깨끗이 씻은 뒤, 짓찧어 찌꺼기를 제거한 즙을 내어 5말을 준비한다.
2. 찹쌀 5말을 (물에 깨끗이 씻고 또 씻어 물에 담가 불렸다가, 다시 씻어 헹궈 건져서 물기를 뺀 후) 창포즙에 넣는다.
3. 창포즙을 솥에 넣고 끓여서 찹쌀밥이 익었으면 퍼낸다(고루 펼쳐서 차게 식기를 기다린다).
4. 창포밥에 고운 누룩가루 5근을 합하고, 고루 버무려 술밑을 빚는다.
5. 소독한 술독에 술밑을 담아 안치고, 예의 방법대로 하여 단단히 밀봉한 후 (21일간) 발효시킨다.
6. 술이 익으면 술자루에 담아 압착 여과하여 하루에 5홉들이 잔으로 한 잔씩 하루에 세 번 마신다.

* <동의보감>에 창포주 두 가지 기록을 엿볼 수 있고, 창포에 대한 효능도 언급되어 있어, 함께 수록하였다.

菖蒲酒方

菖蒲根 絞汁五斗, 糯米五斗, 炊熟, 細麴五斤拌勻, 如常釀法, 酒熟澄淸久服. 通神明, 延年益壽. (菖蒲 : 輕身, 延年不老, 取根, 泔浸一宿, 曝乾搗末, 以糯米粥入진蜜, 和丸梧大子, 酒飮任下, 朝服三十丸, 夕服 二十丸.)

菖蒲酒

治風痺連年. <方見雜方>.

6. 창포주 <양주방>*

술 재료 : 창포물(즙) 5말, 찹쌀 5말, 누룩 5되

술 빚는 법 :

1. 들에 돋은 창포 뿌리를 캐어 물에 깨끗이 씻은 뒤, 짓찧어 찌꺼기를 제거한 즙을 내어 5말을 준비한다.
2. 찹쌀 5말을 물에 깨끗이 씻고 또 씻어 (백세하여 물에 담가 불렸다가, 다시 씻어 헹궈 건져서 물기를 뺀 후) 시루에 안쳐 고두밥을 짓는다.
3. 고두밥이 익었으면 퍼낸다(고루 펼쳐서 차게 식기를 기다린다).
4. 창포즙에 고두밥과 좋은 누룩가루 5되를 합하고, 고루 버무려 술밑을 빚는다.
5. 소독한 술독에 술밑을 담아 안치고, 예의 방법대로 하여 단단히 밀봉한 후 21일간 발효시킨다.
6. 술이 익으면 술자루에 담아 압착 여과하여 하루에 5홉들이 잔으로 한 잔씩 하루에 세 번 마신다.

* 5~6월에 캔 석창포의 뿌리를 사용하면 약효가 더욱 좋다.
* 주방문 말미에 "기운이 화하고 무병하여진다."고 하였다. 한편 <임원십육지>에는 "혈액순환을 돕고, 풍, 마비 증세에 효과가 있고 정신 계통을 맑게 하며, 눈과 귀를 밝게 한다."고 하였다.

챵포쥬

돌 우ᄒᆡ 도든 챵포 불희ᄅᆞᆯ ᄏᆡ야 죄 씨셔 즛찌어 즙 ᄂᆡ야 닷 말만 ᄒᆞ고 졈미 닷 말 ᄇᆡᆨ셰ᄒᆞ야 ᄂᆡᆨ게 쪄 죠흔 국말 닷 되ᄅᆞᆯ 챵포즙의 섯거 ᄇᆡᆨ항의 단단이 봉ᄒᆞ야 두엇다가 삼칠일 후 ᄂᆡ야 오홉드리 잔으로 ᄒᆞ로 세 순식 먹으라. 긔운이 화ᄒᆞ고 무병ᄒᆞ니라.

7. 창포주 우일방 <양주방>*

술 재료 : 창포 뿌리 3근, 청주 1말, 찰기장쌀 1말

술 빚는 법 :

1. 창포 뿌리를 캐어 물에 깨끗이 씻어서 물기를 닦아낸 후, 엷게 조각내어 썰어 3근을 준비한다.
2. 잘게 썬 창포 뿌리를 햇볕에 내어 꽤 말려서 비단 주머니에 넣어 주둥이를 묶어놓는다.
3. 술독에 맑은 술 1말과 창포 뿌리를 담은 주머니를 담고, 술독을 밀봉하여 100일간 숙성시킨다.
4. 술 빛깔이 파랗게 변하였으면 찰기장고두밥을 준비한다.
5. 찰기장쌀 1말을 깨끗이 씻고 또 씻어(백세하여) 물에 담가 하룻밤 불렸다가(다시 씻어 헹궈 건져서) 물기를 빼놓는다.
6. 불린 찰기장쌀을 시루에 안치고 쪄서 무른 고두밥을 짓는다.
7. 고두밥이 무르게 익었으면 퍼낸다(고루 펼쳐서 차게 식기를 기다린다).
8. 고두밥을 파랗게 변한 창포술과 합하여 술밑을 빚는다.
9. 술밑을 술독에 담아 안치고, 예의 방법대로 하여 단단히 밀봉해 두었다가 14일 만에 채주한다.

* 주방문 말미에 "두이레 만에 내어 마시면 온갖 병이 다 없어진다."고 하였다.

챵포쥬 우일방

챵포 불희를 넓게 편지어 싸흐라 서 근을 볏희 마이 말뇌야 깁쥼치의 너허 청쥬 ᄒᆞᆫ말의 감가 ᄇᆡᆨ일 만의 보면 파라앗거든 찰기장 ᄡᆞᆯ ᄒᆞᆫ 말 닉게 ᄡᅧ 너허 단단이 봉ᄒᆞ야 두엇다가 이 칠일의 ᄂᆡ야 먹으면 ᄇᆡᆨ병이 다 업ᄂᆞ니라.

8. 창포주 우일방 <양주방>*

술 재료 : 창포 뿌리 1말, 청주 5말

술 빚는 법 :

1. 창포 뿌리를 캐어 물에 깨끗이 씻어서 물기를 닦아낸 후, 송송 썰어 1말을 준비한다.
2. 잘게 썬 창포 뿌리를 비단 주머니에 넣고, 주둥이를 묶어놓는다.
3. 백항아리에 맑은 술 5말과 창포 뿌리를 담고, 항아리를 밀봉해 봄·여름엔 7일, 가을과 겨울엔 14일간 숙성시킨다.
4. 술이 숙성되었으면 따라내서 하루에 4홉들이 잔으로 따뜻하게 데워서 마신다.

* 주방문 말미에 "하루 세 번씩 너 홉들이 잔으로 따뜻하게 데워 마시면 늙지 않고 튼튼하여지며, 정신이 좋아진다."고 하였다. 또 "이 세 가지 방법의 술을 다 해 먹으면, 사람의 혈맥이 다 통하게 되고, 영위가 좋게 되니, 이 술을 여러 해 해먹으면, 뼛속 깊이 박힌 병이 다 낫고, 신색이 윤택해지고, 기력이 갑절이나 나아지고, 걸음걸이가 나는 듯해지고 흰머리가 도로 검어지고, 빠졌던 이가 다시 나고, 있는 방안에 빛이 나고 점점 젊어진다. 늙도록 먹으면 신선을 만날 수 있다."고 하였다.
* 고려시대부터 단옷날 마시는 술로 전날부터 마시는 풍속이 있었으며, 술을 마시면 창포의 향기로 모든 악병을 쫓는다고 믿었다.

챵포쥬 우일방

챵포 불희ᄅᆞᆯ 층층 빠흐라 ᄒᆞᆫ 말만 깁즙치의 너허 청쥬 닷말의 담가 ᄇᆡᆨ항의 너허 봉ᄒᆞ야 츄동은 이칠일이오, 츈하ᄂᆞᆫ 일칠일 되거든 ᄒᆞ로 세 순식 너홉잔으로 사ᄉᆞᄒᆞ게 데여 먹으면 늙디 아니ᄒᆞ고 강건ᄒᆞ야 정신이 죠흐니라. 이 술 세

법(번)을 다 먹으면 사ᄅᆞᆷ의 혈ᄆᆡᆨ을 통케 ᄒᆞ고 영위를 죠케 ᄒᆞᄂᆞ니 이 술을 히 포 ᄢ 으면 골수의 박힌 병이 다 죠코 신ᄉᆡᆨ이 윤택ᄒᆞ고 긔운이 ᄇᆡ나낫고 힝븨 날듯ᄒᆞ고 ᄇᆡᆨ발이 환흑ᄒᆞ고 낙치복출ᄒᆞ고 잇ᄂᆞᆫ 방안이 광ᄎᆡ잇고 졈ᄀᆞ소명ᄒᆞ고 늙도록 먹으면 신션을 만나 ᄂᆞ니라.

9. 창포주 <임원십육지(林園十六志)>

풍으로 마비된 것을 풀어주며, 혈액순환을 돕고, 뼈가 저린 것이 치료되며, 눈과 귀를 맑게 한다. <본초강목>을 인용하였다.

菖蒲酒

<本草綱目> 治風痺通血脉治骨痿聰耳目. (案)方見 <葆養志>.

10. 창포주 <주찬(酒饌)>

술 재료 : 청주 1말, 창포 뿌리, 명주자루, 청량차조 1말

술 빚는 법 :

1. 창포 뿌리를 물에 깨끗이 씻어 흙과 잔털 등 잡물을 제거하고, 잘게 썰어놓는다.
2. 창포 썰어놓은 것을 햇볕에 바짝 말린다.
3. 술독에 청주 1말을 붓는다.
4. 창포 뿌리를 명주자루에 담고 끈으로 묶어 술독에 넣는다.
5. 술독은 단단히 봉하고 예의 방법대로 하여, 그늘지고 서늘한 곳에 3개월간 보관한다.

6. 3개월 후 술독을 열어 술 빛깔이 푸르게 변하였으면, 고두밥을 준비한다.
7. 생동찰(청량차조)을 백세하여 (물에 담가 불렸다가 다시 씻어 헹궈서 물기를 뺀 후) 시루에 안쳐서 고두밥을 짓는다.
8. 고두밥이 무르게 푹 쪄졌으면 퍼내고, 고루 펼쳐서 차게 식기를 기다린다.
9. 생동찰고두밥을 술독에 넣고 고루 저어준 뒤, 밀봉하여 7일간 발효시킨다.

* 주방문 말미에 "이 술을 마시면 36가지 병이 저절로 없어진다."고 하고, "중풍도 치료된다."고 하였다.

菖蒲酒

菖蒲根細切陰陽乾之以紬袋裹而浸之於清酒一斗中堅封三朔後視之色青則粘青粱米一斗熟烝添入又堅封七日後用之則三十六病自消而又療風症.

11. 창포주 <학음잡록(鶴陰雜錄)>

술 재료 : 창포즙(1말), 찹쌀(1말), 누룩가루(3되)

술 빚는 법 :

1. (5월 5일에) 창포(菖蒲) (1치 길이에 아홉 마디) 뿌리를 많이 캐어 물에 깨끗하게 씻어 이물질과 잔뿌리를 제거한다.
2. 다음은 창포 뿌리를 절구에 찧어서 자루에 넣고 짜서 창포즙(1말)을 만들어 준비한다.
3. 찹쌀(1말)을 준비한다(백세하여 물에 담가 불렸다가, 다시 씻어 건져서 물기를 뺀다).
4. (불린 찹쌀을 시루에 안쳐서 고두밥을 짓고, 익었으면 퍼내고 고루 펼쳐서 차게 식기를 기다린 다음 넓은 그릇에 펴 담는다.)

5. 곱게 빻아 만든 누룩가루(3되)와 창포즙을 한데 합하고, 고루 버무려 술밑을 빚는다.
6. 소독하여 준비한 술독에 술밑을 담아 안치고, 예의 방법대로 하여 발효시킨 후 익기를 기다려 채주하여 마신다.

* 주방문에 창포즙을 비롯하여 찹쌀의 양과 누룩가루의 양에 대한 언급이 없어 상법의 약용약주 제조법을 참고하였다. 한편 <임원십육지>에 창포주의 효능에 대해 "혈액순환을 돕고, 풍, 마비 증세에 효과가 있고 정신 계통을 맑게 하며, 눈과 귀를 밝게 한다."고 하였다. 또 다른 기록에는 "하루 세 차례씩 너 홉들이 잔으로 따뜻하게 데워 마시면 늙지 않고 튼튼하여지며, 정신이 좋아진다. 이 세 가지 방법을 다 해 마시면 사람의 혈맥이 다 통하게 되고, 영위가 좋게 되니 이 술을 여러 해 마시면 뼛속 깊이 박힌 병이 다 낫고, 신색이 윤택해지고 기력이 갑절이나 나아지고, 걸음걸이가 나는 듯해지고, 흰머리가 도로 검어지고, 빠졌던 이가 다시 나고, 있는 방안에 빛이 나고 점점 밝아진다. 늙도록 먹으면 신선을 만날 수 있다."고 하여 창포주의 효능을 설명하고 있다.

菖蒲酒

石菖蒲一寸九節者五月五日採根絞取汁入糯米飯細麯釀酒服通神延年(葛洪抱朴子云韓衆服菖蒲十三年身上生毛冬袒不寒日記萬言茼丘不娶愉食菖蒲根不饑不老不知所終 神仙傳云 咸陽王典食菖蒲得畏生安期生采一寸九節菖蒲服仙去.

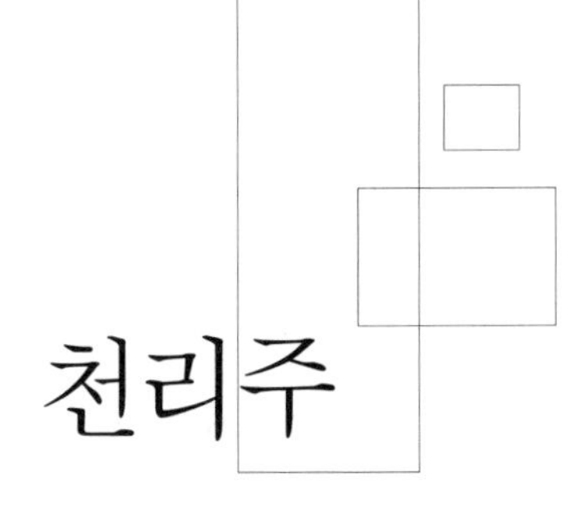

천리주

스토리텔링 및 술 빚는 법

'천리주(千里酒)'라는 주품과 주방문을 대하고 난 느낌은 매우 특별했다. 무엇보다 지금까지 다른 문헌에서는 찾아볼 수 없었던 '천리주국(千里酒麴)'이라는 독특한 누룩을 만드는 방법과 함께 소위 인스턴트식 즉석주 제조법 때문이었다.

인스턴트식 즉석주로 '이화주'와 '강술', '준순주', '경각화준순주' 등이 있지만, 가장 저장성이 좋으면서도 최단시간에 술의 제조가 가능한 주품은 아마도 '천리주'가 단연 으뜸이 아닌가 싶다.

'천리주'를 빚으려면 무엇보다 천리주국에 대해 자세히 알아둘 필요가 있다. <오주연문장전산고(五洲衍文長箋散稿)>와 <임원십육지(林園十六志)>에 그 기록을 찾을 수 있다. <임원십육지> 주방문 말미에 "<고금비원>을 인용하였다."고 한 것으로 미루어 중국의 술 빚는 법을 들여왔음을 알 수 있다.

<오주연문장전산고>에 '천리주'에 대한 구체적인 주방문을 읽을 수 있는데, 그 내용은 다음과 같다. "다시 달리 누룩 빚는 법으로 신이한 '천리주국'이 있다. 누룩은 천선자·천오·관중 각 1냥과 감국꽃 3전, 진피 5전, 감초 1전을 가루 내고,

찹쌀 1되와 소주 5사발로 죽을 쑤어서 식힌 다음에 갈은 약가루를 고르게 섞어 병에 넣고 단단히 봉한다. 삼칠일 된 후 꺼내 위에 누룩 1되를 노랗게 볶고, 꿀을 끓여 타서 환을 짓는데, 앵도알만 하게 크게 만들어 수유(생우유기름)를 환에 발라서 금박으로 옷을 입혀서 저장해 두어라."고 하였다.

또 "누룩을 쓸 때 물 한 잔을 팔팔 끓여 백비탕에 환약 1개를 넣으면 바로 술이 된다."고 하였으므로 누룩을 백비탕에 넣어두는 것이 술 빚는 방법임을 알 수 있다.

결국 '천리주'를 빚는 방법은 좋은 천리주국을 만드는 데 달려 있으며, 천선지 등 약재가루를 마련하는 일과 소주에 찹쌀을 섞어 죽을 쑤는 일, 끝으로 누룩을 만들어 띄우는 과정으로 이루어진다는 것을 알 수 있다.

필자가 경험한 바로 '천리주'는 도수가 높은 술은 아니었다. 실질적인 알코올 도수는 3~4% 정도로 느껴지는데, 약재 고유의 쓰고 단맛이 있어 알코올 도수가 다소 높게 느껴졌다.

누룩을 빚을 때 주의할 점은 첫째, 약재를 가루로 빻을 때 가능한 한 곱게 빻도록 하고, 깁체나 고운체에 내려서 사용해야 한다. 약재가루가 거칠수록 술맛이 떨어지고, 입안에 이물이 남아 주미가 떨어지기 때문이다.

둘째, 찹쌀은 백세 후 불려서 사용하고 죽을 쑬 때 사용하는 소주는 알코올 도수가 높은 게 좋다. 그 양에 따라 '천리주'의 알코올 도수도 다소 차이가 난다. 찹쌀 1되에 소주는 5사발이라고 하였으므로, 그 양을 지키되 소주가 직접 화기(火器)에 닿아 불이 나지 않도록 하고, 죽은 반드시 퍼지게 익어야 한다. 찹쌀죽이 익지 않으면 술맛이 떫고 쓴맛이 배이며, 누룩 반죽이 질어져서 환을 만들기가 어려워진다.

천리주국은 찹쌀죽을 차게 식혀 사용하는데, 준비한 약재가루는 타지 않을 정도로 기름기 없는 프라이팬이나 솥에 볶아서 찹쌀죽에 골고루 뿌리면서 뒤섞고, 고루 반죽하여 한 덩어리로 뭉친 후, 가는 엿가락처럼 길게 늘여서 조금씩 떼어 앵두 크기의 둥근 환약을 빚는다.

환의 크기가 균일하지 않아도 되지만, 지나치게 크면 누룩을 보관하는 중에 속이 부패하거나 나쁜 냄새가 날 수 있으므로 주의해야 한다.

'천리주'를 빚어 즐길 때는 물을 오랫동안 끓인 백비탕에 넣어서 누룩이 다 풀어지면 마시는데, 향을 좋게 하려면 백비탕이 조금 따뜻해야 잘 풀리고 향기가 좋고, 여름에는 시원하게 해서 마시면 마치 훌훌한 '모주(母酒)'를 마시는 것 같은 느낌을 얻을 수 있다.

1. 천리주 <오주연문장전산고(五洲衍文長箋散稿)>

누룩 재료 : 천선자·천오·관중 각 1냥, 감국꽃 3전, 진피 5전, 감초 1전, 찹쌀 1되, 소주 5사발, 꿀, 생우유기름(수유), 금박
술 재료 : 천리주국 1알, 백비탕 1잔

누룩 빚는 법 :

1. 천선자·천오·관중 각 1냥과 감국꽃 3전, 진피 5전, 감초 1전을 한데 합하고, 맷돌에 갈아 가루를 만든다.
2. 찹쌀 1되를 깨끗하게 씻어 불렸다가 다시 건져 헹군 후, 소주 5사발과 함께 끓여서 죽을 쑨다.
3. 죽을 그릇에 펴 담고, 식기를 기다린다.
4. 식은 죽에 갈은 약재가루를 고르게 섞어서 병에 넣고, 단단히 밀봉하여 21일이 지난 후 꺼내어 건조시킨다.
5. 완성된 누룩 1되를 노랗게 볶고 꿀을 끓여 타서 환을 짓는데, 앵두만 한 크기로 만든다.
6. 환에 생우유기름을 발라서 금박으로 옷을 입혀서 저장해 둔다.

술 빚는 법 :

1. 솥에 깨끗한 물 1잔을 팔팔 끓여 백비탕을 만든다.
2. 끓인 백비탕을 차게 식힌 후에 천리주국 1알을 넣고 녹기를 기다리면 술

이 된다.

* 술 빚는 법보다 누룩을 만드는 법에 대해 상세하게 기록되어 있다. 이에 누룩 방문을 기반으로 '천리주' 주방문을 작성하였다.

千里酒

다시 달리 누룩 빚는 법으로 신이한 '천리주국'이 있다. 누룩은 천선자, 천오, 관중, 각 1냥과 감국꽃 3전, 진피 5전, 감초 1전을 가루 내고, 찹쌀 1되 소주 5사발로 죽을 쑤어서 식은 다음에 같은 약가루를 고르게 섞어서 병에 넣고 단단히 봉해서 삼칠일 된 후, 꺼내서 위에 누룩 1되를 노랗게 볶고 꿀을 끓여 타서 환을 짓는데, 앵도알만하게 크게 만들어 우유기름(타락죽)를 환에 발라서 금박으로 옷을 입혀서 저장해 두어라."고 하였다. 또 "누룩을 쓸 때에 물 한 잔을 팔팔 끓여 백비탕에 환약 1개를 넣으면 바로 술이 된다.

2. 천리주방 <임원십육지(林園十六志, 高麗大本)>

술 재료 : 약재(천선자, 천오, 관중 각 1냥, 진피 5전, 감초 1전), 찹쌀 1되, 소주 5 사발, 누룩 2되, 꿀 약간, 수유, 금박

술 빚는 법 :

1. 천선자(天仙子), 천오(川烏), 관중(菅衆) 각각 1냥, 진피(眞皮) 5전, 감초(甘草) 1전 등 약재를 절구에 찧거나 믹서에 갈아서 가루로 만든다.
2. 찹쌀 1되를 백세하여 (물에 담가 불렸다가, 다시 씻어 건져서) 가루로 빻는다.
3. 쌀가루에 소주 5사발을 합하고, 솥에 끓여서 죽을 쑨 다음 넓은 그릇에 펴서 차게 식기를 기다린다.
4. 술독에 찹쌀죽과 준비해 둔 약재가루를 고루 버무려 술밑을 만든 뒤, 새 단

지에 담아 안치고 단단히 밀봉한다.

5. 술독은 서늘한 곳에 21일간 두었다가 취한다.
6. 누룩 2되를 기름기 없는 프라이팬에 노랗게 볶고, 절구에 찧어 가루를 만든다(깁체에 내려 고운 가루를 취한다).
7. 술독 안의 술밑에 누룩가루와 꿀을 섞고, 고루 버무린 후 앵두 크기로 만들어서 수유금박(酥油金泊)을 입혀 환을 만든다.
8. 필요할 때 누룩환 1알을 따뜻한 물에 풀면 곧 술이 된다.

* '수유금박'은 생우유로 쑨 타락죽을 환에 바르고 금박으로 옷 입힌 것을 가리킨다.

千里酒方

天仙子 川烏管衆各一兩眞皮五錢甘草一錢爲末糯米一升燒酒五椀煮作粥糜冷(穴)之入前藥和匀瓶內封固三七日取出用麪二升炒黃爲末(煉) 蜜和丸如櫻桃大抹酥油金箔爲衣用時投一丸於嫩湯中卽和成酒. <古今秘苑>.

천문동주

스토리텔링 및 술 빚는 법

'천문동주(天門冬酒)'는 천문동(天門冬)이라는 한약재를 주원료로 하여 발효시킨 술이다. <고사신서(攷事新書)> <고사십이집(攷事十二集)>, <농정회요(農政會要)>, <달생비서(達生秘書)>, <동의보감(東醫寶鑑)>, <온주법(醞酒法)>, <임원십육지(林園十六志)>, <주찬(酒饌)>, <학음잡록(鶴陰雜錄)>에 11차례 등장하며, <고사십이집>에서는 '문동주(虋冬酒)'라 하여 표기가 다른 것을 볼 수 있다.

'천문동주'에 대한 기록은 <동의보감>이 시대적으로 가장 앞서 있다. <동의보감>의 보급과 함께 대중성을 띤 주품으로 자리 잡았던 것으로 여겨진다.

<동의보감>에 "천문동을 껍질과 심(거목)을 제거한 후, 절구에 찧어 그 즙 2말을 준비한다. 누룩 2되를 즙에 담가놓는다. 누룩이 발효를 시작할 때 찹쌀 2말을 가양법으로 술을 빚는다. 술독을 밀봉하여 28일간 발효시켜 채주한다. 떠낸 술을 정치시켜 맑아지기를 기다려 마신다."고 하고, "이 술에 천문동을 가루로 만들어 오래도록 복용하면 더욱 좋다."고 하였다.

대부분의 문헌에서도 <동의보감> 주방문의 주원료 비율과 같이 찹쌀 2말, 천문동즙 2말, 누룩가루 2되가 사용되어 동일한 주방문임을 확인할 수 있다.

한편 <동의보감>보다 400년 후의 문헌인 <주찬>에는 3가지 주방문을 수록하고 있는데, 다른 문헌들과 대동소이하다.

다만, 천문동 30근, 찹쌀 2말, 누룩가루 10근, 천문동 달인 물 1섬으로 빚는 방법과 천문동을 짓찧은 즙으로 빚는 법 등을 함께 수록하고 있다는 게 차이라 하겠다. 쌀과 누룩의 양이 달라졌다는 건 아무래도 세월이 흐르면서 자연스럽게 주방문에도 변화가 생긴 거라 여겨진다.

또한 <학음잡록>에서는 "술은 가양주법으로 빚는다."고 하고 "천문동을 얻게 되면, (씻어 말린 후) 가루 내어 술에 타서 마시면 더욱 좋다."고 하여 <동의보감>과는 사용방법이 달라진 것을 볼 수 있다.

<동의보감>에서는 '천문동의 술을 빚고, 익은 후에 천문동가루를 섞어서 마시면 좋다.'고 하였는데, '천문동을 얻게 되면, 가루 내어 술에 타서 마시면 더욱 좋다.'고 하여 약식 방법으로 변화했다는 걸 알 수 있다.

'천문동주'는 분명한 목적으로 양주된 술이다. 또한 술이라고 하기보다는 건강도모와 질병 예방을 목적으로 한 약주 개념이 강한 술이다.

<주찬>의 주방문 말미에 "하루 3잔씩 마신다. '천문동주'는 오장(五臟)을 윤택하게 하고, 혈맥(血脈)을 순하게 하며, 오래 복용하면 오로칠상(五勞七傷)과 전간(癲癎)과 같은 악질(惡疾)을 없앤다. 술기운을 더하게 되므로 많이 취하도록 마시지 말 것이며, 날것과 찬 것을 피한다. 10일이 되면 풍진(風疹) 독기가 없어지고, 30~50일이면 겨울에 찬바람이 불어도 이를(추운 줄) 모른다."고 하였다.

'천문동주'의 효능에 대한 사실 여부를 떠나서 "과음(過飮)은 몸을 망친다."는 것이 철칙이다. 과유불급(過猶不及)이라는 말을 다시 새겨볼 필요가 있다.

1. 천문동주 <고사신서(攷事新書)>

술 재료 : 찹쌀 2말, 천문동즙 2말, 누룩가루 2되

술 빚는 법 :

1. 찹쌀 2말을 백세하여 물에 담가 하룻밤 불려놓는다.
2. 천문동을 물에 깨끗하게 씻어 이물질과 잔뿌리, 물기를 제거한 뒤 껍질을 벗기고 중심부의 심을 제거한다.
3. 준비한 천문동을 절구에 넣어 짓찧고 즙을 낸 뒤, 2말을 소독하여 준비한 술독에 담아 안친다.
4. 천문동즙 2말에 누룩가루 2되를 넣고, 고루 버무려 누룩을 불려놓는다.
5. 불린 찹쌀을 다시 씻어 헹궈서 건져낸 후, 소쿠리에 밭쳐 물기를 뺀 다음 시루에 안쳐서 고두밥을 짓는다.
6. 고두밥이 익었으면 돗자리에 펴내고 고루 펼쳐서 차게 식기를 기다린다.
7. 고두밥에 누룩 불린 천문동즙을 한데 합하고, 고루 버무려 술밑을 빚는다.
8. 술독에 술밑을 담아 안치고, 예의 방법대로 밀봉하여 28일간 발효시킨다.
9. 술이 익었으면 술을 체에 걸러낸 후 맑아지기를 기다려 마시는데, 이때 천문동을 가루 내어 섞어서 마시면 더욱 좋다.

* 주방문에 "껍질과 속을 제거하고 찧어서 즙을 2말 취하여 누룩 2되를 적셔 발효시킨다. 찹쌀 2말을 집에서 빚는 법에 의해 술을 빚어 28일 동안 봉해 둔다. 술이 다 되면 가라앉아 아주 맑고 깨끗하게 된다."고 하였다. <고사십이집>에 인용하기를 "<열선전(烈仙傳)>에 천문동을 복용하고 나서 빠진 이가 다시 나고, 가는 머리카락이 다시 굵어지고 다시 났으며 사람들이 300여 년을 살았다고 한다. 천문동을 비롯해 복령 등을 분말로 하여 날마다 복용하면 두려운 것이 없어지고, 추운 겨울에도 홑옷을 입고 밖에 나가도 추위를 타지 않는다."고 하였다.

天門冬酒

去皮心擣取汁二斗漬麴二升麴發以糯米二斗准家釀法造酒封四七日取出澄淸飮之若得天門冬爲末和服尤佳.

2. 문동주 <고사십이집(攷事十二集)>

술 재료 : 찹쌀 2말, 천문동즙 2말, 누룩가루 2되

술 빚는 법 :

1. 찹쌀 2말을 백세하여 물에 담가 하룻밤 불려놓는다.
2. 천문동을 물에 깨끗하게 씻어 이물질과 잔뿌리, 물기를 제거한 뒤 껍질을 벗기고 중심부의 심을 제거한다.
3. 준비한 천문동을 절구에 넣어 짓찧고, 즙을 낸 뒤 2말을 소독하여 준비한 술독에 담아 안친다.
4. 천문동즙 2말에 누룩가루 2되를 넣고, 고루 버무려 누룩을 불려놓는다.
5. 불린 찹쌀을 다시 씻어 헹궈서 건져낸 후, 소쿠리에 밭쳐 물기를 뺀 다음 시루에 안쳐서 고두밥을 짓는다.
6. 고두밥이 익었으면 돗자리에 퍼내고, 고루 펼쳐서 차게 식기를 기다린다.
7. 고두밥에 누룩 불린 천문동즙을 한데 합하고, 고루 버무려 술밑을 빚는다.
8. 술독에 술밑을 담아 안치고, 예의 방법대로 밀봉하여 28일간 발효시킨다.
9. 술이 익었으면 술을 체에 걸러낸 후 맑아지기를 기다려 마신다.

* 주방문 말미에 “술은 가양주법으로 빚는다.”고 하였고, 또 “천문동을 얻게 되면, (씻어 말린 후) 가루 내어 술에 타서 마시면 더욱 좋다.”고 하였다. 인용하기를 “<열선전>에 천문동을 복용하고 나서 빠진 이가 다시 나고, 가는 머리카락이 다시 굵어지고 다시 났으며 사람들이 300여 년을 살았다고 한다.

천문동을 비롯 복령 등을 분말로 하여 날마다 복용하면 두려운 것이 없어지고, 추운 겨울에도 홑옷을 입고 밖에 나가도 추위를 타지 않는다."고 하였다.

虋冬酒

天門冬去皮心擣取汁二斗漬麴二升麴發以糯米二斗准家釀法造酒封四七日取出澄淸飮之若得天門冬爲末和服尤佳. <列仙傳>云 "赤松子服天門冬齒落更生細髮復出太厚甘始服天門冬在人間三百餘年聖化經云以天門茯苓等分爲末日服方寸七則不畏寒大寒時單衣汗出也."

3. 천문동주 <농정회요(農政會要)>

술 재료 : 천문동(30근), 찹쌀 2말, 누룩 2되, (물 4말)

술 빚는 법 :

1. 6월 6일에 순주(진한 청주) 1말을 준비한다.
2. 천문동(7근)을 껍질과 속(심)을 제거하고 절구에 찧어놓는다.
3. 솥에 물(1말)을 붓고 천문동과 함께 끓여, 찌꺼기를 제거해 달인 천문동즙 5되를 만들어놓는다(차게 식힌다).
4. 찹쌀 5되를 (백세하여 물에 담가 불렸다가, 다시 씻어 건져서 물기를 뺀 후) 시루에 안쳐서 고두밥을 짓는다.
5. 고두밥이 익었으면 시루에서 퍼내고, 고루 펼쳐서 차게 식기를 기다린다.
6. 순주 1말에 누룩가루 1되를 담가서 주곡을 만들어놓는다.
7. 천문동 달인 즙 5되에 고두밥과 주곡(누룩가루 1되, 순주 1말)을 한데 합하고, 고루 버무려 술밑을 빚는다.
8. 술독에 술밑을 담아 안치고, 예의 방법대로 하여 봄과 여름에는 7일, 가을과 겨울에는 10일간 발효시켰다가 익으면 채주하여 마신다.

* 중국 시인 소동파 시에 "천문동주가 새해에 익으니, 누룩과 쌀이 한데 어우러져 봄의 향기가 난다는 말을 듣는구나."라고 하였다.

天門冬酒
天門冬去皮心搗取汁二斗漬曲二升曲發以糯米二斗准家釀法造酒封四七日取出澄淸飮之天門冬末和服尤佳.

4. 천문동주 <달생비서(達生秘書)>

기혈을 보하고, 수명을 늘린다. (처방은 신형문에 나온다.)

天門冬酒
補氣血, 連年. <方見身形>.

5. 천문동주 <동의보감(東醫寶鑑)>

술 재료 : 찹쌀 2말, 천문동즙 2말, 누룩가루 2되

술 빚는 법 :
1. 찹쌀 2말을 (백세하여 물에 담가 불렸다가, 다시 씻어 건져 헹궈서 물기를 뺀 뒤) 시루에 안친다.
2. 천문동을 물에 깨끗하게 씻어 이물질과 잔뿌리, 물기를 제거한 뒤 껍질을 벗기고 중심부의 심을 제거한다.
3. 준비한 천문동을 절구에 넣어 짓찧고 즙을 낸 뒤, 2말을 소독하여 준비한 술독에 담아 안친다.

4. 천문동즙 2말에 누룩가루 2되를 넣고, 고루 버무려 누룩을 불려놓는다.
5. (고두밥이 익었으면 돗자리에 퍼내고 고루 펼쳐서 차게 식기를 기다린다.)
6. 고두밥에 누룩 불린 천문동즙을 한데 합하고, 고루 버무려 술밑을 빚는다.
7. 술독에 술밑을 담아 안치고, 예의 방법대로 밀봉하여 28일간 발효시킨다.
8. 술이 익었으면, 술을 체에 걸러낸 후 맑아지기를 기다려 마신다.

* <동의보감>의 <득효(得效)>와 <입문(入門)>에 각각의 두 가지 방법이 수록되어 있는데, 약간씩 차이가 있다.

天門冬酒
補益, 天門冬去皮心擣取汁二斗, 漬麴二升, 麴發, 以糯米二斗, 酒家釀法, 造酒, 封四七日取出, 澄淸飮之. 若得天門冬爲末, 和腹无佳. <得效>.

天門冬酒方
取根搗絞汁二斗, 糯米飯 二斗, 拌細麴如常釀法, 候熟取淸飮. 乾者作末, 釀之亦可. 忌食鯉魚.

6. 천문동주 <온주법(醞酒法)>

술 재료 : 천문동(30근), 찹쌀 2말, 참누룩(진곡) 2되, (물 4말)

술 빚는 법 :
1. 천문동(30근)을 껍질과 속(심)을 제거하고 절구에 찧어놓는다.
2. (솥에 물 4말을 붓고 천문동과 함께 끓여) 2말의 달인 즙을 만들어 둔다(차게 식힌다).
3. 천문동 달인 즙에 참누룩(분곡) 2되를 섞어 불린다.

4. (누룩 불린 즙액을 짜내고 찌꺼기는 버린다.)
5. 멥쌀 5말을 (백세하여 물에 담갔다가, 다시 씻어 물기를 뺀 후) 시루에 안쳐 고두밥을 짓는다.
6. (고두밥이 무르게 익었으면 시루에서 퍼내고, 고루 펼쳐 차게 식기를 기다린다.)
7. 고두밥에 누룩 불린 천문동즙을 한데 합하고, 고루 버무려 술밑을 빚는다.
8. 술독에 술밑을 담아 안치고, 예의 방법대로 하여 발효시켰다가 28일 후 채주하여 마신다.

* 주방문 말미에 "많이 유익하니라."고 하였으나, 구체적인 재료의 양이나 방법이 언급되지 않아 <주찬>의 주방문을 참고하였다.

텬문동듀
텬문동을 겁질과 업시ᄒᆞ고 즛지어 즙 두 말의 진국 두 되 담과 뎜미 두 말 빅셰ᄒᆞ야 쪄 ᄆᆞ이 씩혀 ᄉᆞ칠일 만의 먹으면 ᄆᆞ이 유익ᄒᆞ니라.

7. 천문동주 <임원십육지(林園十六志)>

오장을 원활하게 하고 혈액순환을 도우며 오로칠상 및 간질을 치료한다. 방법은 <보양지>를 참조하라. <천금요방>을 인용하였다.

天門冬酒
<千金要方> 潤五臟和血脉久服除五勞七傷癲癎 (案)方見 <葆養志>.

8. 천문동주 <주찬(酒饌)>

술 재료 : 천문동(30근), 찹쌀(2말), 누룩(10근), 물(4말)

술 빚는 법 :

1. 심을 제거한 천문동 30근을 물(4말)에 넣고 달여서 달인 즙(2말)을 만들어 둔다(차게 식힌다).
2. 찹쌀(2말)로 술거리를 만든다(백세하여 물에 담가 불렸다가, 다시 씻어 헹궈 건져서 물기를 뺀 뒤, 시루에 안쳐서 고두밥을 짓는다).
3. (고두밥이 익었으면 퍼내고, 고루 펼쳐서 차게 식기를 기다린다.)
4. 천문동 달인 즙에 (고두밥과) 누룩(10근)을 섞고, 고루 버무려 술밑을 빚는다.
5. 술독에 술밑을 담아 안치고, 예의 방법대로 하여 발효시킨다.
6. 술이 익으면, 처음에는 신맛이 나다가 오래 되면 맛이 아름다워진다.

* 주방문 머리에 "오장을 윤택하게 하고, 혈맥을 순하게 하며, 오래 복용하면 오로칠상(五勞七傷)과 전간(癲癎)과 같은 악질을 없앤다. 술기운을 더하게 되므로 많이 취하도록 마시지 말 것이며, 날것과 찬 것을 피한다. 10일이 되면 풍진 독기가 없어지고, 30~50일이면 겨울에 찬바람이 불어도 이를 모른다." 고 하였다. <천금방>을 인용하였다.

天門冬酒

潤五臟和血脈久服除五勞七傷癲癎惡疾常令酒氣相濟勿令大碎忌生冷十日當出風疹毒氣三十日乃已五十日不知風吹. 冬月天門冬去心煮汁同曲米釀成初孰味酸久乃味佳. <千金>.

9. 천문동주 우방 <주찬(酒饌)>

술 재료 : 천문동 30근, 찹쌀 1말, 누룩 10근, 물 20말

술 빚는 법 :

1. 천문동 30근을 껍질과 속(심)을 제거하고 절구에 찧어놓는다.
2. 솥에 천문동 찧은 것과 함께 물 20말을 붓고 끓여 10말의 달인 즙을 만들어둔다(차게 식힌다).
3. 찹쌀 1말로 술거리를 만든다(백세하여 물에 담갔다가 다시 씻어 물기를 뺀 후, 시루에 안쳐 고두밥을 짓는다).
4. (고두밥이 무르게 익었으면, 시루에서 퍼내고 고루 펼쳐 차게 식기를 기다린다.)
5. 고두밥에 천문동즙과 누룩 10근을 한데 합하고, 고루 버무려 술밑을 빚는다.
6. 술독에 술밑을 담아 안치고, 예의 방법대로 하여 발효시켰다가 익기를 기다려서 채주하여 하루에 3잔씩 마신다.

* <본초강목>을 인용하였다.

天門冬酒 又方

補五臟調六腑 天門冬三十斤去心搗碎以水二石煮汁一石糯米一斗細曲十斤如常炊釀酒熟日飲三盃. 綱目.

10. 천문동주 일방 <주찬(酒饌)>

술 재료 : 찹쌀 2말, 누룩 2되, 천문동즙 2말

술 빚는 법 :

1. 찹쌀 2말을 준비한다(백세하여 물에 담가 하룻밤 불려놓는다).
2. 천문동을 물에 깨끗하게 씻어 이물질과 잔뿌리, 물기를 제거한 뒤, 껍질을 벗기고 중심부의 심을 제거한다.
3. 준비한 천문동을 절구에 넣어 짓찧어 2말의 천문동즙을 낸 뒤, 소독하여 준비한 술독에 담아 안친다.
4. 천문동즙 2말에 누룩 2되를 넣고, 고루 버무려 누룩을 불려놓는다.
5. 가양주법으로 술을 빚는다(불린 찹쌀을 다시 씻어 헹궈서 건져낸 후, 소쿠리에 밭쳐 물기를 빼고, 시루에 안쳐서 고두밥을 짓는다. 고두밥이 익었으면 돗자리에 펴내고 고루 펼쳐서 차게 식기를 기다린다).
6. (고두밥에 누룩 불린 천문동즙을 한데 합하고, 고루 버무려 술밑을 빚는다.)
7. 술독에 술밑을 담아 안치고, 예의 방법대로 하여 밀봉한 후 28일간 발효시킨다.
8. 술이 익었으면 술을 체에 걸러낸 후 맑아지기를 기다려 마신다.

* 주방문 말미에 "천문동을 가루로 만들어 술과 함께 복용하면 더욱 아름답다(좋다)."고 하였다.

天門冬酒 一方

天門冬去皮心搗取汁二斗漬曲二升曲發以糯米二斗准家釀法造酒封四七日取出澄淸飮之天門冬末和服尤佳.

11. 천문동주 <학음잡록(鶴陰雜錄)>

술 재료 : 찹쌀 2말, (누룩가루 2되), 천문동즙 2말

술 빚는 법 :

1. 찹쌀 2말을 백세하여 물에 담가 하룻밤 불려놓는다.
2. 천문동을 물에 깨끗하게 씻어 이물질과 잔뿌리, 물기를 제거한 뒤, 껍질을 벗기고 중심부의 심을 제거한다.
3. 준비한 천문동을 절구에 넣어 짓찧어 2말의 천문동즙을 낸 뒤, 소독하여 준비한 술독에 담아 안친다.
4. 천문동즙 2말에 누룩가루 2되를 넣고, 고루 버무려 누룩을 불려놓는다.
5. 가양주법으로 술을 빚는다(불린 찹쌀을 다시 씻어 헹궈서 건져낸 후, 소쿠리에 밭쳐 물기를 빼고, 시루에 안쳐서 고두밥을 짓는다. 고두밥이 익었으면 돗자리에 퍼내고, 고루 펼쳐서 차게 식기를 기다린다).
6. 고두밥에 누룩 불린 천문동즙을 한데 합하고, 고루 버무려 술밑을 빚는다.
7. 술독에 술밑을 담아 안치고, 예의 방법대로 밀봉하여 28일간 발효시킨다.
8. 술이 익었으면, 술을 체에 걸러낸 후 맑아지기를 기다려 마신다.

* 주방문 말미에 "술은 가양주법으로 빚는다."고 하였고, 또 "천문동을 얻게 되면 (씻어 말린 후) 가루 내어 술에 타서 마시면 더욱 좋다."고 하였다.

天門冬酒

去皮心擣取汁二斗漬麴二升麴發以糯米二斗准家釀法造酒封四七日取出澄清飮之若得天門冬爲末和服尤佳(列仙傳云赤松子服天門冬齒落更生細髮復出太厚甘始服天門冬在人間三百餘年聖化經云以天門茯苓等分爲末日服方寸七則不.畏寒大寒時單衣汗出也).

청매자주

스토리텔링 및 술 빚는 법

'청매자주(青梅煮酒) 변증설(辯證說)'은 <오주연문장전산고(五洲衍文長箋散稿)>에 수록되어 있다. '변증설'은 주방문과 함께 그 유래나 주품명에 대해 저자가 개인적 견해를 설명해 놓은 것이다. <오주연문장전산고> '청매자주 변증설'의 '청매자주' 주방문을 놓고 보면 '자주류(煮酒類)'의 하나임을 알 수 있다.

'청매자주'의 주원료로 황랍과 후춧가루를 사용했음에도 불구하고, 주품명을 '후추술' 또는 '호초주'로 하지 않고 '청매자주'라고 한 배경이 무엇인지 정확히는 알 수 없다. 단지 '청매자주'라는 주품명의 주방문을 엿볼 수 있을 뿐이다.

<오주연문장전산고>의 '청매자주 변증설'을 보면, "의서에 술을 끓여 만드는 방법이 있는데, 좋은 청주 1병을 황랍 2전과 후초를 갈아서 단단히 술병을 막고, 한 주먹(한 홉)의 쌀을 술병 위에 넣고 중탕해서 끓이면 위에 쌀이 밥이 되면, 그 병에 술도 완성된 것이다. 꺼내 식혀서 '청매자주'로 주로 썼다고 했으니, 혹은 우리나라에서 이와 같이 썼을 것이다. 비록 이슬처럼 끓여서 받은 것은 아니나, 이미 중탕해서 끓였다면 소주와 같은 것이니, 장차 소주의 점진이 되는 것이 아니

겠느냐."고 하였다.

주방문에 "중탕해서 끓이면 위에 쌀이 밥이 되면, 그 병에 술도 완성된 것이다. 꺼내 식혀서 '청매자주'로 주로 썼다."고 한 사실에서 '청매자주'라는 주품명의 유래를 짐작해볼 수 있겠다.

'청매자주'는 <오주연문장전산고>를 제외한 <고사신서(攷事新書)>를 비롯해 <고사십이집(攷事十二集)>, <고사촬요(故事撮要)>, <동의보감(東醫寶鑑)>, <민천집설(民天集說)>, <산림경제(山林經濟)>, <양주방>*, <양주방(釀酒方)>, <언서주찬방(諺書酒饌方)>, <의방합편(醫方合編)>, <주방문(酒方文)>, <주찬(酒饌)>, <해동농서(海東農書)> 등에서는 '자주(煮酒)'라고 수록되어 있으며, 동일 원료를 사용하고 술을 빚는 과정 또한 동일하다는 것을 확인할 수 있다.

따라서 <오주연문장전산고>의 '청매자주'는 중국의 주방문을 옮겨 쓴 것으로 생각된다. 단, 주방문에서 언급하고 있는 것처럼 "비록 이슬처럼 끓여서 받은 것은 아니나, 이미 중탕해서 끓였다면 소주와 같은 것이니, 장차 소주의 점진이 되는 것이 아니겠느냐."고 한 내용을 볼 때 '청매자주'나 '자주'를 소주류(燒酒類)로 판단하고 있다는 점은 의구심이 남는다.

'청매자주'나 '자주'를 중탕한다고 해서 소주류로 볼 수는 없다. 주지하다시피 발효주를 밀봉하여 '중탕한다.'는 것은 '화입법(火入法)'을 통해 '멸균(滅菌)'을 하기 위한 방법이지, 발효주의 순수 알코올분을 분리하는 증류기술이 아니기 때문이다. 이에 '청매자주'를 '자주류'에 포함하지 않고 따로 구분하였음을 밝혀둔다.

청매자주 <오주연문장전산고(五洲衍文長箋散稿)>

술 재료 : 좋은 청주 1병, 황랍 2전, 후춧가루(1돈), 쌀 1줌

술 빚는 법 :

1. 좋은 청주 1병을 준비하여 단지나 주병에 담아놓는다.
2. 황랍 2전과 후추를 곱게 갈아서 준비한다.
3. 술이 담긴 단지나 주병에 황랍과 후추를 넣고, 한지로 밀봉한 후 끈으로 잡아 단단히 매어놓는다.
4. 솥이나 단지에 물을 채우고, 주병을 세워놓는다.
5. 물에 씻어낸 쌀 1줌을 단지나 주병의 위에 놓는다.
6. 뭉근한 불로 중탕을 하는데, 쌀이 익어 밥이 되었으면 술도 다 된 것이니 들어내어서 차게 식힌 후 여과하여 마신다.

青梅煮酒 辯證說

의서에 술을 끓여 만드는 방법이 있는데, 좋은 청주 1병을 황랍 2전과 후초를 갈아서 단단히 술병을 막고, 한 주먹(한 홉)의 쌀을 술병 위에 넣고 중탕해서 끓이면 위에 쌀이 밥이 되면, 그 병에 술도 완성된 것이다. 꺼내 식혀서 '청매자주'로 주로 썼다고 했으니, 혹은 우리나라에서 이와 같이 썼을 것이다. 비록 이슬처럼 끓여서 받은 것은 아니나, 이미 중탕해서 끓였다면 소주와 같은 것이니, 장차 소주의 점진이 되는 것이 아니겠느냐. 중탕해서 끓이면 위에 쌀이 밥이 되면, 그 병에 술도 완성된 것이다. 꺼내 식혀서 '청매자주'로 주로 썼다.

청주·무우술

스토리텔링 및 술 빚는 법

채소인 무를 한자로 ‘청(菁)’이라고 표기한다. ‘청주(菁酒)’는 이 무를 사용한 술로, 1800년대 문헌으로 알려진 <주찬(酒饌)>과 <규합총서(閨閤叢書, 嶺南大本)>에 처음 등장하는 주품이다. 우리말 술 이름은 ‘무술법’이다.

‘청주’를 잘못 표기하면 ‘청주(淸酒)’라고 할 수 있는데, ‘청주(淸酒)’가 “쌀로 빚은 술 또는 맑은 술”이라는 의미인 반면, ‘청주(菁酒)’는 유일하면서도 독특하게 “채소인 무를 사용한 약주 개념의 술”이다.

어떻게 해서 ‘청주’를 빚게 되었는지 그 배경이나 등장시기를 소개한 문헌이 없어 정확히 알 수는 없다. 다만, 주방문에 “혈병(血病)에 좋으며, 토혈, 하혈에 신기한 효과가 있다.”고 하였으므로, ‘청주’의 양주 목적은 분명하게 드러났다 하겠다. 하지만 주원료인 무와 관련해서는 여전히 그 상관관계를 떠올리긴 힘들다.

우선, 무에 대한 성분과 효능을 밝힘으로써 ‘청주’에 대한 이해를 돕고자 한다. 무(菁)는 즙을 내어 먹으면 지해(址咳), 지혈(地血), 소독, 해열이 되고, 삶아서 먹으면 담증을 없애주고, 식적(食積)을 제거해 준다는 효능으로 널리 알려져 있다.

무에는 '디아스타제'와 같은 전분 소화효소는 물론, 단백질 분해효소도 가지고 있어서 소화작용을 돕는다. 무 성분 가운데 이 효소는 사람의 침 속에 들어 있는 '아밀라아제' 같은 역할을 하므로, 소화기능이 떨어진 사람이 무를 갈아 먹으면 소화가 잘 되는 것도 이 때문이다.

그밖에도 트림이나 가슴앓이, 숙취, 위산과다 등의 해소에도 도움이 되는 채소이다. 또한 무즙은 담을 삭여주는 거담작용을 해주기 때문에 감기에 걸렸을 때 엿을 넣고 즙을 내서 먹으면 좋고, 니코틴을 중화하는 해독작용이 있으므로 담배를 피우는 사람은 무를 자주 먹는 것이 좋다고 한다.

무는 또 노폐물 제거와 소염·이뇨작용이 있어서 혈압을 내려주며, 담석을 용해하는 효능도 있어 담석증을 예방하기도 한다는 사실이 밝혀질 정도로 매우 유익한 채소이나, 너무 흔해서 귀한 줄 모르게 되었다.

한의학의 고전(古典)으로 알려져 있는 <본초강목(本草綱目)>에는 "무 생즙은 소화를 촉진시키고 독을 푸는 효과가 있으며, 오장을 이롭게 하고 몸을 가볍게 하면서 살결이 고와진다."고 하였다. <동의보감(東醫寶鑑)>에서는 "무는 오장의 악기를 제거하고 면독을 제어하므로, 속명으로 '나복(蘿葍)' 또는 '내복(萊菔)'이라고 한다."고 소개하고 있다.

어떻든 이런 무가 술의 재료로 사용되었을 경우, 그 효과는 아직 밝혀진 것이 없어 자신할 수는 없지만, 발효 시 원활한 당화촉진 효과와 함께 무의 효능에 따른 치료 효과를 목적으로 양주되었을 가능성을 점칠 수 있겠다. 앞서 언급했듯이 '혈병(血病)'이나 '토혈', '하혈'에 신기한 효과가 있는지는 알 수 없다.

<주찬>의 '청주'는 두 가지 주방문이 전해 오고 있다. '본법'과 '별법'이 그것으로, 무 삶은 물을 양주용수로 사용한다는 점에서 공통점을 이루지만 그 물을 사용하는 방법이 다르다는 데 차이가 있다.

<주찬>의 '청주 본법'에서는 작은 무 20개를 잘게 썰어 물 5사발과 함께 삶는데, 약한 불을 사용하여 물이 2사발 반이 되게 달인다. 이 무를 달인 물과 찹쌀 1말로 지은 고두밥, 섬누룩 1되를 섞어 버무리는데, 물이 적으므로 많이 치대주어야 발효가 용이해진다.

한편 술밑을 서늘한 데 두어서 발효시켜야 과발효를 예방할 수 있다. 무 달인

물을 사용한 까닭에 당화가 빠르며, 자칫 과발효를 초래할 수 있기 때문이다.

술은 시간이 경과되어 충분히 숙성된 후에 용수를 박아 청주를 뜨거나 체에 걸러 탁주로 사용할 수 있는데, 청주보다는 탁주가 훈감하여 맛이 더 좋다. 청주에서는 시원한 맛과 함께 무 냄새를 느낄 수 있는데, 술의 향기는 특별할 것이 없다.

<규합총서(영남대본)>의 '무우술법'은 우리말 술 이름으로, 주방문에 "준 무우면 스물 굴근 무우면 열다솟술 나봇나봇 쓰흐러 물 다솟 사발 부어 두 사발가옷 되게 달혀 졈미 일두 쪄 식거든 섬곡 흔 되을 무우 살문 물의 셧거싸가 닉거든 드리워 쓰느니 이 슐은 혈병의 보혈흐고 토혈 흐혈의도 신효흐니라. 슐밋촌 약쥬갓치 흐라."고 하였다. <주찬>의 '청주'와 동일한 주품이자 주방문도 동일하다는 점에서 두 문헌 중 등장시기의 선후를 추측할 수 있다.

<주찬>의 '청주 별법'은 본법과 달리 무 달인 물을 쪄낸 고두밥에 뿌려서, 고두밥이 무 달인 물을 다 흡수하고 나면 차게 식혀서 누룩과 섞고 버무려서 술밑을 빚는다는 점에서 차이가 있다.

본법보다 술의 양이 많고 발효도 빨리 이루어지나 술밑을 빚는 작업은 요령이 더 필요하다. 발효된 술은 그 맛이 독하게 느껴지며 알코올 도수도 더 높다.

1. 무우술법 <규합총서(閨閤叢書, 嶺南大本)>

술 재료 : 작은 무 20개(큰 무 15개), 찹쌀 1말, 섬누룩 1되, 물 5사발

술 빚는 법 :

1. 작은 무는 20개(굵은 무는 15개)를 물에 깨끗이 씻어 얇게 썰어놓는다.
2. 솥에 물 5사발과 함께 넣고 삶는데, 물이 2사발 반이 되게 졸아들면 삶기를 그치고, 그릇에 퍼서 차게 식힌다.
3. 찹쌀 1말을 (백세하여 물에 담가 불렸다가, 다시 씻어 건져서 물기를 뺀 후) 시루에 안쳐서 고두밥을 짓는다.

4. 고두밥이 익었으면 퍼내고, 고루 펼쳐서 차게 식기를 기다린다.
5. 고두밥에 무 삶은 물과 섬누룩 1되를 섞고, 고루 치대서 술밑을 빚는다.
6. 술독에 술밑을 담아 안치고, 예의 방법대로 하여 발효시켜 익는 대로 드리운다.

* 주방문 말미에 "이 술은 혈병의 보혈ᄒᆞ고 토혈 ᄒᆞ혈의도 신효ᄒᆞ니라. 술밋츤 약쥬갓치 ᄒᆞ라."고 하였다. <주찬>의 '청주(菁酒)' 주방문과 동일하다.

무우술법
존 무우면 스물 굴근 무우면 열다숫슬 나붓나붓 쓰흐러 물 다숫 사발 부어 두 사발가옷 되게 달혀 졈미 일 두 쪄 식거든 섬곡 ᄒᆞᆫ 되을 무우 살문 물의 셧거싸가 닉거든 드리워 쓰ᄂᆞ니 이 술은 혈병의 보혈ᄒᆞ고 토혈 ᄒᆞ혈의도 신효ᄒᆞ니라. 술밋츤 약쥬갓치 ᄒᆞ라.

2. 청주 <주찬(酒饌)>

술 재료 : 작은 무 20개(큰 무 15개), 찹쌀 1말, 섬누룩 1되, 물 5사발

술 빚는 법 :
1. 작은 무 20개를 물에 깨끗이 씻어 얇게 조각내서 썰어놓는다.
2. 솥에 물 5사발과 함께 넣고 삶는데, 물이 2사발 반이 되게 졸아들면 삶기를 그치고, 그릇에 퍼서 차게 식힌다.
3. 찹쌀 1말을 백세하여 (물에 담가 불렸다가, 다시 씻어 건져서 물기를 뺀 후) 시루에 안쳐서 고두밥을 짓는다.
4. 고두밥이 익었으면 퍼내고, 고루 펼쳐서 차게 식기를 기다린다.
5. 고두밥에 무 삶은 물과 섬누룩 1되를 섞고, 고루 치대서 술밑을 빚는다.

6. 술독에 술밑을 담아 안치고, 예의 방법대로 하여 발효시킨다.

* 주방문 말미에 "혈병(血病)에 좋으며, 토혈, 하혈에 신기한 효과가 있다."고 하였다. 신곡(薪曲)은 '섬누룩'이자 햇누룩을 가리키며, <규합총서(영남대본)>에는 '섬곡'이라고 하였다.

菁酒
小菁則二十箇大菁則十五箇片片蒲斫水五碗同煎至二碗半粘米一斗烝飯待冷薪曲一升合釀於菁水旣熟則垂而用之雖釀. 本而釀之亦煎菁水調飯釀之雖以常酒釀之 如藥酒釀之此酒益於血病吐血下血之病皆神效.

3. 청주(별법) <주찬(酒饌)>

술 재료 : 작은 무 20개(큰 무 15개), 찹쌀 1말, 물 5사발, 섬누룩 1되

술 빚는 법 :
1. 찹쌀 1말을 백세하여 (물에 담가 불렸다가, 다시 씻어 건져서 물기를 뺀 후) 시루에 안쳐서 고두밥을 짓는다.
2. 작은 무 20개를 물에 깨끗이 씻어 얇게 조각내서 썰어놓는다.
3. 솥에 물 5사발과 함께 무를 넣고 삶는데, 물이 2사발 반이 되게 졸아들 때까지 삶는다.
4. 고두밥이 익었으면 무 삶은 물에 퍼 담고, 고두밥이 물을 다 먹기를 기다린다.
5. 고두밥이 물을 다 먹었으면, 그릇 여러 개에 나눠 담고 차게 식기를 기다린다.
6. 고두밥에 무 삶은 것과 섬누룩 1되를 섞고, 고루 치대서 술밑을 빚는다.
7. 술독에 술밑을 담아 안치고, 예의 방법대로 하여 발효시킨다.

* 주방문 말미에 "본법을 기본으로 술을 빚는데, 무 삶은 물에 고두밥을 말아 상법(常法)으로 빚는 경우가 있다."고 하였으므로, 이에 따라 주방문을 작성하였다.

菁酒(別法)

小菁則二十箇大菁則十五箇片片蒲斫水五碗同煎至二碗半粘米一斗烝飯待冷薪曲一升合釀於菁水旣熟則垂而用之雖釀. 本而釀之亦煎菁水調飯釀之雖以常酒釀之 如藥酒釀之此酒益於血病吐血下血之病皆神效.

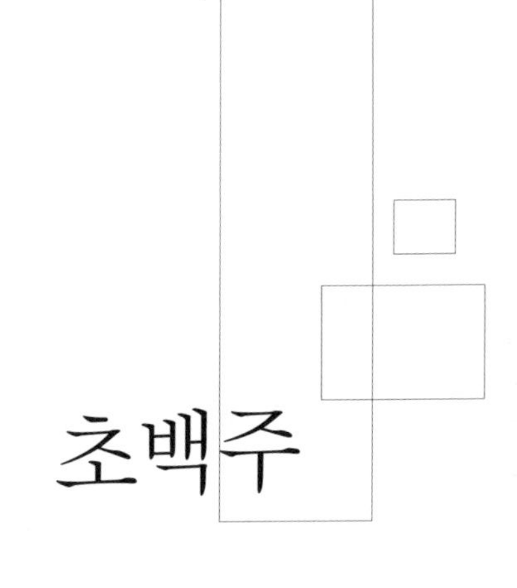

초백주

스토리텔링 및 술 빚는 법

分明五更夢(분명한 것은 5경쯤 꿈속에서)
椒酒壽孤親('초백주'로 고친에게 헌수를 올렸네.)
(…중략…)
遙想孤燈下(멀리서 생각하니 외로운 등불 아래에서)
潦愁酒如何(근심의 술을 따르는 것이 어떠하겠는가.)

中宵譙鼓報闐闐(한밤중에 가득 붕붕대는 저 북소리)
斷送人間己亥年(인간의 기해년을 마지막으로 보내네.)
爆竹頌楸無舊俗(폭죽과 '초백주'로 칭송하는 옛 풍속은 없지만)
按歌催瑟且華筵(느린 노래와 잦은 비파소리도 흥겨운 잔치이네.)
功名不入持杯手(공명은 술잔 가진 이 손에 들어오지도 못하고)
歲月從消擁被眠(세월만 덧없이 지나가니 이불 쓰고 잠만 자네.)
莫笑明朝三十二(내일 아침 서른두 살이라고 비웃지 말게나.)

潘郎元已雪滿顚(반랑의 이마에는 눈이 가득하였다네.)

장유일의 <문봉선생문집>에 수록된 "세제야 독좌서회 정진경자휴(歲除夜 獨坐書懷 呈震卿子休)"라는 시의 일부와 허균(許筠)의 <성소부부고>의 "제석(除夕)"이라는 시의 내용이다.

위의 두 시 내용을 통해서 연말연시에 '초백주(椒柏酒)'를 마셨으며, 이는 사대부(士大夫)와 시인묵객(詩人墨客)들 사이에서 완상(玩賞)의 대상이었음을 알 수 있다. <동국세시기(東國歲時記)>에 이르기를 "설날 차례를 물리고 초백주를 마신다", "설날 도소주(屠蘇酒)와 교아당(膠牙糖)을 올린다."고 한 것으로 미루어 '초백주'를 마시는 음주문화가 납월과 정월의 풍속으로 깊이 뿌리내렸음을 확인할 수 있다. 또 이상의 기록을 통해 '초백주'가 설날에 마시는 '도소주'와 같은 의미를 담고 있다는 사실도 알 수 있다.

'초백주'란 천초(川椒)와 백엽(柏葉, 잣나무잎)을 넣어 만든 약용약주의 한 가지이다. 일반적으로 약주는 술을 빚을 때 준비한 약재를 함께 넣고 발효시킨 술을 가리키거나, 소주에 한 가지 또는 여러 가지 약재를 넣고 일정 기간 우려낸 약용 목적의 술을 가리킨다. '도소주'에서도 그렇듯이 '초백주'는 이미 숙성을 끝낸 발효주에 천초열매와 잣나무잎을 넣고 잠깐 끓여 마시는 술로서, 알코올 도수가 낮아 어린아이들도 한두 잔은 거뜬히 마실 수가 있다.

'초백주'의 의미를 새겨보면, 천초는 붉은색의 열매로서 완전히 익으면 검붉은 색으로 변하고, 술이나 물에 녹이면 붉은색의 색소가 추출된다. 이 붉은색이 잡귀와 악병을 물리치는 힘이 있다고 믿는 주술적 의미를 담고 있다.

잣나무잎은 사시사철 푸른색을 띠는 강인함과 함께 잣나무잎 특유의 강한 방향(芳香) 역시 나쁜 냄새와 부정한 것을 물리치는 힘이 있다고 믿은 데서 천초와 잣나무잎을 이용한 약주를 빚어 마시게 되었다고 여겨진다.

초백주 <임원십육지(林園十六志)>

술 재료 : 천초 3~7알, 백엽 7장, 청주(1병)

술 빚는 법 :

1. 좋은 청주(1병)를 병에 담아놓는다.
2. 천초 3~7알과 백엽 7장을 깨끗하게 씻어 먼지나 이물질을 제거한 후, 주머니에 담아놓는다.
3. 약재 주머니를 술병에 담가두었다가 1~2일 후에 건져낸다.

椒柏酒

<本草綱目> 元朝飮之辟一切疫癘不正之氣除夕以椒三七粒東向側柏葉七(枝/枚)浸酒一瓶飮.

치천증

스토리텔링 및 술 빚는 법

‘치천증(治喘症)’은 <요록(要錄)>에 수록되었으며, 치료 목적을 위해 의도적으로 작성한 약용약주(藥用藥酒) 주방문으로 여겨진다.

‘치천증’이 천식(喘息)이나 해수병(咳嗽病)과 같이 기침으로 인해 호흡이 곤란해지는 증세에 치료 목적으로 개발한 약용약주라는 것이다.

<요록>의 ‘치천증’ 역시 명확한 주방문은 없다. “쌀 1말과 검은 콩 3되, 창포가루 2되, 누룩 5되로 술을 빚어서 매일 아침에 복용한다.”고 하여 개략적인 방법만 제시하고 있을 뿐 구체적인 주방문이 나와 있지 않다.

그 이유는 확신할 수 없거니와 다른 주품 편에서도 누차 설명했듯이 ‘치천증’과 같은 병증은 한 집안의 특정 병증이나 환자의 상태에 따른 치료 목적으로 양주되는 만큼 그 집안의 주인만 알고 있을 뿐, 일반적으로 상용하기 위한 목적의 기호성 술이 될 수는 없었을 것이다.

환자의 병증에 따라 다른 처방법, 즉 평소에는 직접 양주(釀酒)를 하여 상용하는 것을 원칙으로 하고, 증세가 악화되거나 빨리 진정시켜야 할 필요가 있을 때는 다른 응급조치법을 취해 온 것으로 여겨진다.

<요록>의 '치천증(治喘症)' 주방문 말미에 "처음에는 철쭉 열매(躑躅花實)를 따다가 경지에서 말려 곱게 가루로 만들어 상기에는 1순갈, 중기에는 1순갈 좀 못되게, 하기에는 반 순갈을 청주에 타서 복용한다."고 하였다.

이는 직접 양주되는 주방문과 달리 비교적 간편한 방법으로 마시는 약에 술을 곁들이는 방법이다. 그늘에서 말려서 작말한 철쭉 열매 가루를 따뜻한 술과 함께 곁들이면, 그 흡수가 빨라져서 약성의 치료효과도 빨리 나타나는 알코올의 순기능을 활용한 것이라 하겠다.

따라서 <요록>의 '치천증'은 '구황주'와 '창포주'를 참고하여 발효시키는 단양주법(單釀酒法)으로 직접 양주해 본 결과를 바탕으로 주방문을 수록했음을 밝혀둔다.

<요록>의 '치천증'은 치료 목적의 약용약주인 만큼 술맛을 기대하기는 어렵다. 다만, 발효를 일으켜야 하므로 가장 문제가 되는 창포가루를 어떻게 처리할 것인지 고민했다. 다행히 천금목피를 사용한 '구황주'와 '창포주' 주방문에 그 방법이 나와 있어 창포 달인 물을 사용하게 된 것이다.

그리고 검은콩은 날것을 사용하고, 창포 달인 물은 가능한 한 오랫동안 달이는 것이 중요하며, 반드시 찌꺼기를 제거한 후 차디차게 식혀서 사용해야 실패가 없다.

치천증 <요록(要錄)>

술 재료 : 멥쌀 1말, 검은콩 3되, 창포가루 2되, 누룩 5되, 물(2말)

술 빚는 법 :

1. 검은콩 3되를 물에 깨끗하게 씻어 충분히 불린 다음, 물기를 빼고 그늘에 펼쳐서 표면의 물기를 건조시켜 놓는다.

2. 물(2말)에 창포가루를 넣고 오랫동안 끓여서 1말이 되면 넓은 그릇에 나누어 차게 식힌다.
3. 멥쌀 1말을 백세하여 (물에 담가 불렸다가, 다시 씻어 건져서 물기를 뺀 후) 시루에 안쳐서 고두밥을 짓는다.
4. 고두밥이 익었으면 퍼내고, 고루 펼쳐서 차게 식기를 기다린다.
5. 고두밥이 식었으면 누룩 5되와 검은콩 3되, 창포 달인 물 1말을 한데 합하고, 고루 버무려 술밑을 빚는다.
6. 술독에 술밑을 담아 안치고, 예의 방법대로 하여 (7~14일간) 발효시킨다.

* 주방문에 술 빚는 법에 대한 구체적인 내용이 나와 있지 않아 '구황주'와 '창포주' 주방문을 참고하여 작성하였음을 밝혀둔다. 주방문 말미에 "처음에는 철쭉꽃 열매를 따다가 경지에서 말려 곱게 가루로 만들어 상기에는 1순갈, 중기에는 1순갈 좀 못되게, 하기에는 반 순갈을 청주에 타서 복용한다."고 하였다.

治喘症(酒)

米一斗黑太三升菖蒲末二升麴五升釀酒其(能)服飮初度歸燭花實摘取陰乾)細末上氣(揚)一匙中氣餘匙下氣(揚)半匙淸酒交服注出後(純米)酒服卽離.

치황주

스토리텔링 및 술 빚는 법

전통주 가운데 동물성 식품을 사용하여 술을 빚는 예는 그리 흔하지 않다. 가장 널리 알려진 술이 누렁개를 삶아서 사용하는 '무술주'이고, 소의 심장과 쓸개를 사용해 빚는 '우방소주'와 '우담주', 그리고 양고기즙으로 빚는 '양고주' 등이 있다.

'치황주(雉黃酒)'는 꿩고기와 쇠고기를 주원료로 하여 발효시키는 술로, <김승지댁주방문(金承旨宅廚方文)>에 유일하게 수록되어 있는 주품이다.

<김승지댁주방문>의 '치황주' 주방문에는 물과 누룩의 양이 언급되어 있지 않다. 주방문 말미에 "상법대로 빚어 익히되, 먹으면 혈기화열하고, 누렇던 사람이 윤택하니라."고 하였으므로 동물성 재료로 빚은 '무술주'의 주방문을 참고하고, 상법(常法)에 의거하여 물과 누룩의 양을 산정하여 직접 양주실습을 해본 경험을 바탕으로 주방문을 작성하였음을 밝혀둔다.

먼저, <동의보감(東醫寶鑑)>의 '무술주' 주방문을 보면, "찹쌀 3말을 시루에 안치고 쪄서 수컷 황구 한 쌍을 껍질과 내장을 제거하고 삶아 하루 동안 푹 무르게 삶아 질게 절구에 찧고, 국물째로 고두밥과 백국 3냥을 함께 고루 버무려 술

을 빚는다."고 하여 고기를 삶아서 익히고, 고기 삶은 물과 함께 빚는 것임을 알 수 있다.

주지하다시피 '무술주'는 개 한 마리를 잡아서 내장을 제외하고 얻을 수 있는 개고기 전체를 사용하므로, 꿩고기나 황육보다는 지방이 많다. 따라서 발효를 나쁘게 하고 술맛을 그르칠 수 있는 지방을 제거할 필요가 있기 때문에 물과 함께 오랜 시간 삶아야 한다.

이와 같이 <동의보감> 등의 '무술주'를 바탕으로 개발된 가양주가 '치황주'라 추측해 본다면, '치황주'에 사용되는 꿩고기 곧 치육(雉肉)과 황육(黃肉)은 거의 지방이 없으므로 껍질과 기름 부분은 제거한 살코기만을 필요한 분량만큼 준비하여 잘게 썰어놓는다. 고기를 삶을 때에는 물을 먼저 끓인 다음에 고기를 넣어 익히도록 하고, 센 불로 한 번 푹 끓인 다음 불을 줄여서 뭉근한 불에 삶도록 하고, 삶는 중간에 기름기가 떠오르면 제거한다. 또 삶은 물이 절반으로 줄었으면 그대로 차게 식기를 기다렸다가, 기름기가 굳으면 거름망을 사용해 부서지지 않게 살짝 떠내는 게 좋다.

찹쌀고두밥이 무르게 푹 익고, 차게 식었으면 삶은 고기와 물, 누룩을 한데 섞고 고루 치대어 술밑을 빚어 안치는데, 술독은 정갈하게 하고 면보자기를 여러 겹 덮어서 두텁게 밀봉하여 발효시켜야 한다.

발효가 끝난 '치황주'는 처음 술독을 열었을 때 비린내나 역취가 올라올 수 있다. 이는 기름기가 완전히 제거되지 않았거나, 고두밥이 딱딱하게 말랐을 경우에 일어난다. 그렇지 않고 정상적인 발효가 되었을 때는 잡냄새가 없으며, 향기 또한 나쁘지 않다.

<김승지댁주방문>의 '치황주' 주방문에 "상법(常法)대로 빚어 익은 후에 마시면 혈기화열하고, 누렇던 사람이 윤택하니라."고 한 것으로 미루어, 부모나 노인들의 허약한 몸을 보(補)하기 위한 약의 개념으로 개발된 약용약주임을 알 수 있다. 특히 '치황주'를 다른 문헌에서는 찾아볼 수 없거니와, 주방문이 구체적이지 않다는 사실도 '치황주'가 "김승지댁의 비밀 약방문"이라는 근거가 된다 하겠다.

어쨌든 '치황주'라는 주품의 등장을 통해서 식물성 원료뿐 아니라 다양한 동물성 식품까지도 술에 녹여내는 우리 조상들의 다양하면서도 뛰어난 양주기술, 즉

우리 전통주의 다양성을 다시 한 번 확인하는 계기가 되었다.

치황주법 <김승지댁주방문(金承旨宅廚方文)>

술 재료 : 찹쌀 1말, 생치 3근, 황육 3근, 누룩(1~2되), (물 1말)

술 빚는 법 :

1. 찹쌀 1말을 백세하여 물에 하룻밤 불렸다가, 다시 씻어 건져서 시루에 안치고 고두밥을 짓는다.
2. 찹쌀고두밥이 익었으면 시루에서 퍼내고, 돗자리에 고루 펼쳐서 차게 식기를 기다린다.
3. 쇠고기 중 제일 연한 황육(쇠고기) 3근과 생치(꿩 살코기) 3근을 잘게 다져서 물 1말과 함께 물솥에 담아 안쳐서 한 차례 세차게 끓인다.
4. 고기가 한 차례 끓고 나면, (고기 삶은 물이 5되가 될 때까지) 불을 줄여 낮은 불에서 오랜 시간 달여서 익힌다.
5. 고기가 흐물흐물하게 익었으면(물이 5되로 줄었으면) 넓은 그릇에 펴서 차게 식히고, 굳은 기름이 떠 있으면 깨끗하게 제거한다.
6. 고두밥에 생치와 황육, 누룩(1~2되)을 섞고, 고루 버무려 술밑을 빚는다.
7. 술독에 술밑을 담아 안치고, 두텁게 밀봉한 후 예의 방법대로 하여 발효시키고 익기를 기다린다.

* 주방문에는 물과 누룩의 양이 언급되어 있지 않다. 말미에 "상법(常法)대로 빚어 익은 후에 마시면 혈기화열하고, 누렇던 사람이 윤택하니라."고 하였으므로, 상법에 의거하여 물의 양을 없이 하고, 누룩은 1~2되를 사용하여 주방문을 작성하였다.

치황주법

졈미 ᄒᆞᆫ 말 ᄇᆡᆨ세ᄒᆞ여 ᄃᆞᆷᄀᆞᆺ다가 이튼날 찌고 졔연ᄒᆞᆫ 황육과 ᄉᆡᆼ치를 서 돈식 누리게 빠흐라 술의 석거 닉게 쎠 ᄀᆞ로누룩 석거 예사 법되로 비져 닉거든 먹으면 혈기 화열ᄒᆞ고 누루든 사람이 윤ᄐᆡᆨᄒᆞ니라.

팔선주

스토리텔링 및 술 빚는 법

'무병장수(無病長壽)' 또는 '연년익수(延年益壽)'를 인간의 본능(本能)이자 끝없는 염원(念願)으로 인식해 왔다. 이러한 본능과 염원을 담은 음식과 약이 불티나게 팔리고 있는 것만 보더라도 삶에 대한 인간의 애착이 얼마나 크고 깊은지를 알 수 있다.

무병장수나 연년익수에 대한 상징적인 음식이자 약으로 '술'을 들 수 있는데, 소위 '신선주'로 대표된다 하겠다.

신선주는 '오선주'를 비롯해 '칠선주', '팔선주', '신선주', '제세팔선주' 등이 전국에 분포되어 있는데, 대개 이들 신선주류(神仙酒類)는 문헌이나 기록에서는 찾기가 힘들고, 전승가양주 형태로 나타나고 있다.

그런데 그간 민간의 전승가양주로만 알려져 왔던 '신선주류' 가운데 '팔선주(八仙酒)'가 문헌에 등장한 것은 <음식방문니라>가 처음이 아닌가 싶다. 물론 <동의보감(東醫寶鑑)> 등에 '신선고본주'가 등장하고, <임원십육지(林園十六志)>에도 '신선주(神仙酒)'가 등장했으나, <동의보감>의 '신선고본주'는 '고본주'의 이명(異名)이고, <임원십육지>의 '신선주'는 약재를 술과 곁들이는 것이므로 엄밀한 의미의 신선주류는 <음식방문니라>의 '팔선주'가 처음이라 여겨진다.

민간에 전승되고 있는 신선주류 가운데 <음식방문니라>와 일치하는 주품명의 '팔선주'는 전북 부안군 일대의 '청림팔선주', '풍랑팔선주', '신선대팔선주' 등 3가지 '팔선주'가 있다. 이러한 사례는 전국을 통틀어 유일하다고 할 만큼 집중되어 있다. 이 지역의 '팔선주'는 지리산 청학동으로 흘러들어가 '청학동 신선주'와 장성군 황룡면의 '팔목주(八木酒)'를 낳기도 한다.

먼저, 상서면 일대에 전승되고 있는 '청림팔선주'는 오가피 1.2kg을 비롯하여 마가목·노나무·음정목 각 600g, 우슬 600g, 위령선300g, 창출 500g, 석창포 400g 등 여덟 가지 약재를 물 75리터에 넣고 오랫동안 달여서 물이 25리터가 되면 차게 식혀놓는다. 멥쌀 2말 5되를 백세하여 하룻밤 물에 담가 불렸다가, 다시 씻어 고두밥을 짓고, 익었으면 펴서 차게 식기를 기다린다. 고두밥에 약 달인 물과 누룩가루 1말 2되 5홉을 한데 합하고 고루 버무려서 술밑을 빚고, 여름철은 11일, 겨울철에는 14일간 발효 숙성시킨 후 채주하여 마신다고 하였다.

또한 진서면 풍랑리를 중심으로 한 '풍랑팔선주'는 위령선 대신 바람풍나무를 사용하고, 진서면 석포리를 중심으로 한 '신선대팔선주'는 우슬과 창출, 석창포 위령선 대신 바람풍나무와 엄나무, 참빗살나무, 초피나무를 약재로 사용하고 있어 지역마다 차이가 있음을 알 수 있다.

한편 <음식방문니라>의 '팔선주법'은 "오갈피·우슬·송졀·위령션·함한피·ᄆᆞ가피·거ᄌᆡ나무을 각〻 족니고 창출·우슬은 정히 다드머 씻쳐 족인 것과 ᄒᆞᆫᄃᆡ 살ᄆᆞ그물을 식여 쏠을 당건 제 ᄉᆞ흘 만의 건져 쪄 식니고 한 말의 섬누록 셔 되식 넉코 그 물을 한 말의 닷셧 ᄉᆞ발식 너허 비져 셔늘ᄒᆞᆫ ᄃᆡ두어싸 구일 만의 소쥬을 ᄂᆡ리되 한 말의 두 식기식 ᄂᆡ리워 단〻니 봉ᄒᆞ야 던운 ᄃᆡ 두엇싸 숨일 후 먹으면 ᄇᆡᆨ병니 침식하리."라고 하였다.

<음식방문니라>의 '팔선주' 주방문을 다시 살펴보면, 오갈피·우슬·송절·위령선·함한피·마가목의 껍질을 벗겨 각각 물에 달여 졸이고, 창출과 우슬은 깨끗이 씻어 다듬고, 각각의 약 달인 물과 함께 다시 삶아서 차게 식힌 후에 4일간 물에 담가 불려두었던 쌀을 쪄서 식기를 기다렸다가, 쌀 1말당 섬누룩 3되와 약 달인

물 5사발을 한데 섞어 술을 빚는데 9일간 발효시킨 후, 증류하여 소주로 마신다는 것을 알 수 있다.

따라서 변산 지방의 전승가양주 '변산 팔선주'와 <음식방문니라>의 '팔선주'는 약재의 종류와 쌀, 누룩 등 비율에서 차이가 있으나 술을 빚는 방법이 한 가지임을 알 수 있다. 또 이들 주방문을 통해서 알 수 있는 분명한 한 가지는 약재를 가능한 한 오랫동안 진하게 달여서 약성을 높이는 한편, 그 성질을 변화시켜서 술 빚기에 사용한다는 점이다. 그리고 약재의 양이 많은 것과 관련해 누룩의 양도 비교적 많이 사용되고 있는 것도 알 수 있다.

<음식방문니라>의 '팔선주'가 특별하다고 생각되는 이유는 바로 약용약주를 그냥 마시지 않고 증류하여 소주를 내린다는 데 있다.

대개의 약용약주류는 그 맛과 향기를 즐기기보다는 약효를 얻고자 한 데서 발효주 상태로 즐겨온 것과 달리 증류하여 소주를 마심으로써 약효도 강화시키고 음주에 따른 흥취도 얻고자 한 방법이라는 점에서 주목할 필요가 있다 하겠다.

팔선주법 <음식방문니라>

술 재료 : 멥쌀(1말), 약재(오가피·송절·위령선·함한피·마가목) 적당량(각 1근), 섬누룩 3되, 물(10사발)

술 빚는 법 :

1. 멥쌀(1말)을 (백세하여) 물에 담가 3일간 불려놓는다.
2. 오가피·송절·위령선·함한피·마가목·거재나무 껍질을 다듬어 각각 조각낸다.
3. 창출과 우슬은 정히 다듬어 물에 깨끗하게 씻어낸다.
4. 물(10사발)에 오가피·송절·위령선·함한피·마가목·거재나무를 한데 넣고 (5사발이 되도록 오랫동안) 달인다.
5. 약 달인 물에 창출·우슬을 넣고 다시 삶는다.

6. (약 달인 물은 고운체에 밭쳐 찌꺼기를 제거한 후, 차게 식기를 기다린다.)
7. 불린 쌀을 다시 씻어 헹궈서 물기를 뺀 후 시루에 안쳐서 고두밥을 짓고, 익었으면 퍼내어 (차게) 식기를 기다린다.
8. 쌀 1말당 약 달인 물 5사발과 섬누룩 3되를 고두밥에 한데 합하고, 고루 버무려 술밑을 빚는다.
9. 술밑을 술독에 담아 안치고, 예의 방법대로 하여 서늘한 곳에 앉혀두어 9일간 발효시킨 후 술을 걸러서 탁주를 만들어놓는다.

* 증류 :

1. 불을 지핀 솥에 예의 방법대로 탁주를 담아 안치고, 소줏고리를 얹는다.
2. 솥과 소줏고리, 냉각수 사이를 소줏번을 붙여 김이 새는 것을 막는다.
3. 소줏고리에 냉각수를 붓고, 불을 조절한 후에 증류를 한다.
4. 상법대로 소주를 내리는데, 쌀 1말에 2식기씩 받아내고 단단히 밀봉하여 더운 곳에 두었다가 삼일 후부터 마신다.

* 주품명에서는 전북 변산 지방의 '신선대팔선주'나 '풍랑팔선주' 등과 유사하나, '약용증류주'라는 점에서 차이가 있다.
* 술 빚는 데 사용되는 주요 원료인 약재와 달이는 데 사용되는 양주용수의 양이 구체적이지 않다. 따라서 약재와 양주용수의 양은 임의대로 계량하여 주방문을 작성하였음을 밝혀둔다. 그리고 주방문 말미에 "백병이 침식하리." 라고 하였다.

팔션주법

오갈피 우슬 송절 위령션 함한피 ᄆᆞ가피 거ᄌᆡ나무을 각〻 족니고 창츌 우슬은 정히 다드머 씻쳐 족인 것과 ᄒᆞᆫᄃᆡ 살ᄆᆞ 그물을 식여 쏠을 당건 졔 ᄉᆞ흘만의 건져 쪄 식니고 한 말의 셤누록 셔되식 녁코 그 물을 한 말의 닷셧 ᄉᆞ발식 너허 비져 셔늘ᄒᆞᆫ ᄃᆡ두어ᄡᅡ 구일만의 소쥬을 ᄂᆡ리되 한 말의 두 식긔식 ᄂᆡ리워 단〻니 봉ᄒᆞ야 던운ᄃᆡ 두엇ᄡᅡ ᄉᆞᆷ일 후 먹으면 ᄇᆡᆨ병니 침식하리.

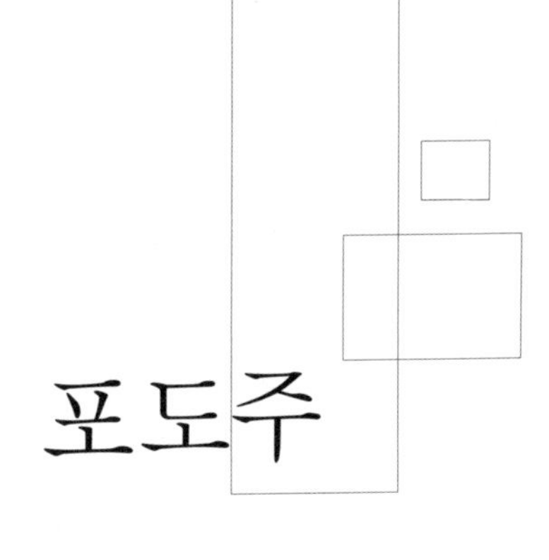

포도주

스토리텔링 및 술 빚는 법

'포도주(葡萄酒)'는 과일주로 분류된다. 여름철 과실의 하나인 포도를 압착하여 얻은 즙액을 발효시켜서 마시는 세계적인 알코올음료이며, 원료가 되는 포도는 유럽종으로 중앙아시아의 코카서스 지방이 원산이라고 알려져 있다. 그리스를 거쳐 로마에 전해졌고, 유럽 전역으로 재배가 확산되었다고 한다.

우리나라에서 '포도주'가 등장한 시기는 고려시대 때부터라고 기록에 전한다. 그러나 당시의 '포도주'는 국내에서 생산된 것이 아니라, 중국 등 외국에서 유입된 것으로 추정된다. 국내에서 포도가 재배된 시기가 고려 말기 충렬왕 때이기 때문이다.

원나라 세조가 사위가 되는 고려의 충렬왕에게 포도나무를 주어 심게 하였다고 알려지고 있는데, 재배기술이 없어 실패했던 것 같다. 따라서 포도주가 제조된 시기는 포도의 재배법이 성공하고 양주기법이 발달한 시기인 조선시대 중엽부터라는 설이 가장 신빙성 있는 주장이라 하겠다.

우리나라의 과실주로는 산포도인 '머루주'를 비롯하여 '호도주', '백자주(栢子

酒)' 등이 있다. <고려사(高麗史)>에 '포도주'와 '백자주'가 등장하는 것으로 미루어, 우리나라 과실주는 그 역사가 깊다는 것을 알 수 있다. 조선시대 기록인 <고사신서(攷事新書)>를 비롯하여 <군학회등(群學會騰)>, <규합총서(閨閤叢書)>, <농정회요(農政會要)>, <동의보감(東醫寶鑑)>, <달생비서(達生秘書)>, <산림경제(山林經濟)>, <산림경제촬요(山林經濟撮要)>, <수운잡방(需雲雜方)>, <술방>, <양주방>*, <온주법(醞酒法)>, <임원십육지(林園十六志)>, <조선무쌍신식요리제법(朝鮮無雙新式料理製法)>, <증보산림경제(增補山林經濟)>, <주찬(酒饌)>, <한국민속대관(韓國民俗大觀)>, <해동농서(海東農書)> 등에서 '포도주'에 대한 기록과 주방문을 엿볼 수 있다. <주찬>과 1602~1650년에 작성된 서한(書翰, 편지글)인 <현풍곽씨언간주해(玄豊郭氏諺簡注解)>에서는 쌀로만 빚는 '포도주'에 대한 기록도 찾아볼 수 있다.

반면 증류한 '포도소주(蒲萄燒酒)'가 등장하는 문헌은 <임원십육지>의 기록이 유일하다. "포도주에는 소주를 넣어서 빚는 방법과 포도즙에 누룩과 찹쌀을 넣어서 보통 방법으로 빚는 2가지 방법이 있다."하고, "포도즙이 없을 때에는 포도가루를 사용해도 된다."고 한 것으로 미루어, 그때그때 필요에 따라 방법을 달리했음을 알 수 있다.

'포도주'의 주방문을 수록하고 있는 국내 최고의 문헌으로 1500년대 초엽의 기록인 <수운잡방>에는 두 가지 주방문이 수록되어 있다. 단양주법(單釀酒法)과 이양주법(二釀酒法)의 주방문이 그것이다.

이양주법은 멥쌀가루로 죽을 쑤어 식으면 누룩을 섞어 발효시킨 밑술에 멥쌀로 지은 고두밥과 누룩을 섞어 덧술을 하는 전통적인 주방문에 포도를 건조시켜 만든 포도가루를 한데 섞어 발효시키는 한국적인 '포도주' 주방문임을 알 수 있다.

이에 비해 단양주법의 '포도주' 주방문은 찹쌀가루로 만든 죽에 누룩가루와 포도를 짓이겨 넣는 방법으로, 이양주법의 덧술 과정이 생략되었다 하겠다. 전형적인 레드와인과 같은 술 빛깔과 함께 보다 깊고 풍부한 맛을 즐길 수 있다.

이와 같은 '포도주' 양주법은 포도만으로 빚은 술에 비해 무게감이 있어 쌀로 빚은 전통주의 맛과 과실주의 풍부한 향기를 동시에 즐길 수 있다는 점에서 의미가 있다.

그런 연유에서인지 <수운잡방>의 '포도주' 주방문 말미에 별첨하기를 "양주자사(涼州刺史) 자리도 걸어볼 만하다."고 하였다. 양주라고 하면 중국 당나라 시대 때 무역거래가 가장 활발했던 상업 중심도시로 알려졌다. 얼마 전 모 텔레비전 방송국의 대하사극 '장보고(張保皐)'의 활동무대이기도 했던 곳이기도 하다. 극에서 보는 바와 같이 상권이 발달한 도시이니만큼 재물이 모여드는 곳이었기에 관리로서는 너나없이 갈망하는 관직이었을 것이다.

<도서집성(圖書集成) 식화전(食貨典)> 권 273 <주부(酒部)>에 "한말의 정권이 환관에게 있었다. 서양주(西涼州) 포도주 10곡(斛)을 장양(張讓)에게 준 자가 곧 양주자사가 되었다(漢末政在閹宦. 有獻西涼州葡萄十斛於張讓者, 立拜涼州刺史)."는 기록이 있다. 쌀과 포도의 절묘한 융합에서 오는 맛과 향기라면, 굳이 부언하지 않더라도 술맛을 짐작할 수 있을 것이다. 가히 맹타의 욕심을 부려도 볼 만하지 않겠는가.

이는 중국의 '포도주' 빚는 기술이 국내에 유입된 것임을 여실하게 드러낸 기록이라 하겠다. 그렇다면 이 얘기와 비슷한 내용의 평양 '관서감홍로', 영광 '신청주'와도 그 맛을 겨룰 법하다.

<수운잡방>에 이어 이양주법 '포도주' 주방문을 수록하고 있는 문헌으로는 <양주방>*과 <조선무쌍신식요리제법>, <주찬>, <현풍곽씨언간주해>가 있다. <양주방>*에서는 밑술을 범벅으로 하고, 덧술은 찹쌀고두밥으로 바뀌었으며, <조선무쌍신식요리제법>에서는 단양주법의 포도주에 쌀고두밥으로 덧술을 하는 방법을 보여주고 있어 <양주방>*의 주방문과는 대조를 이룬다.

그리고 <주찬>의 포도주는 밑술의 쌀 가공방법이 범벅으로 바뀌었을 뿐 덧술과정은 <양주방>*과 동일하며, <현풍곽씨언간주해>의 '포도주'는 밑술과 덧술을 찹쌀고두밥으로 빚는 일반적인 양주 형태를 보여주고 있어 과실만 사용하는 포도주와는 구별된다 하겠다.

<수운잡방>의 단양주법 '포도주' 주방문은 <동의보감>에 이르러 찹쌀고두밥과 흰누룩, 그리고 줄기를 제거한 후 짓찧은 순수한 포도즙을 사용해 빚는 방법으로 변화하였으며, 찹쌀고두밥과 포도즙으로 빚는 '포도주'는 <고사신서>를 비

롯해 <군학회등>, <규합총서(이본)>, <농정회요>, <달생비서>, <동의보감>, <산림경제>, <산림경제촬요>, <수운잡방>, <술방>, <양주방>*, <온주법>, <임원십육지>, <조선무쌍신식요리제법>, <증보산림경제>, <한국민속대관>, <해동농서> 등에 영향을 미친 것으로 보인다. 이들 문헌의 주방문이 <동의보감>과 동일하기 때문이다.

이러한 사실은 포도만으로 빚는 서양의 '포도주'가 알코올 도수가 낮아 저장성이 떨어진 데 대한 보완책으로 알코올 도수를 높여 장기보관이 가능하다는 장점과 함께 쌀과 누룩으로 빚은 순곡주 취향의 한국인들에게 순수한 '포도주'는 싱겁게 여겨졌을 것이므로 죽보다 고두밥 형태의 양주법을 선호하게 된 거라 생각된다.

단양주법 '포도주' 역시 속성주법에 포도즙을 섞어 빚는 방법으로, <규합총서>에도 "포도 익은 것을 많이 즙을 내어 찰밥을 얼음같이 차게 식혀 누룩가루 섞어 빚으면, 자연히 아름다운 술이 된다."고 하고, "이 주방문은 <산림경제>의 것이다. <본초(本草)>의 '포도주'는 쌀, 누룩을 안 쓴다."고 하였다.

또한 <증보산림경제>에서는 찹쌀고두밥으로 빚되 포도를 으깬 후 줄기와 껍질을 제거하는 과정을 볼 수 있어 화이트와인과 같은 술 빛깔의 한국적 '포도주' 주방문도 엿볼 수 있다.

이와 같이 전통적인 양주기법에 포도즙을 곁들여 빚은 '포도주'가 주류를 이루는 가운데, 여러 가지 다양한 주방문이 등장하는데, 순수한 포도즙에 누룩(이화곡)을 넣어 빚는 주방문이 <온주법>에 처음 등장한다.

이후 <온주법>의 주방문에 기초한 '포도주' 주방문은 <농정회요>의 '포도주 우법(又法)'을 비롯하여 <임원십육지>의 '포도주 우방(又方)', <조선무쌍신식요리제법>의 '우(又) 포도주'로 이어지고 있다. <조선무쌍신식요리제법>의 또 다른 '우(又) 포도주' 에서 보듯이 포도와 흰누룩을 섞어 발효시킨 '포도주'에 고두밥을 덧술로 하는 이양주법은 매우 특별한 의미를 갖는다 할 것이다.

이 밖에도 순수한 포도즙으로 빚는 자연발효법의 정통적인 '포도주'는 <임원십육지>에서 찾아볼 수 있다. 서양의 포트와인과 같은 개념의 포도소주(蒲萄燒酒) 주방문도 찾을 수 있다. <임원십육지>의 '포도소주' 주방문 말미에 "이 술은 원래

서역(西域)의 것으로, 당(唐)나라가 고창(高昌)을 정복할 때 전래된 것이다. 소주보다 매우 독하다."고 하여 다양한 방법의 '포도주'가 양주되었음을 알 수 있다.

따라서 '포도주'는 중국으로부터 유입된 술로, 그 시기가 고려시대라는 것을 알 수 있으며, 중국으로부터 유입된 '포도주'가 중국에서 생산된 술이었는지, 유입될 당시의 '포도주'가 발효주였는지 '포도소주'였는지는 분명히 알 수 없다 하겠다.

이러한 '포도주'는 무엇보다 당도가 높고 맛있는 포도를 선별하는 일이 중요하다. 국내에서 재배·생산되는 포도는 당도보다 산도가 높아 균형 잡힌 '포도주'를 빚기가 힘들다. 때문에 포도의 당도와 산도를 측정한 후에 쌀의 양과 가공방법을 강구하는 것이 순서라고 생각된다.

문제는 이들 대부분의 문헌에 수록된 단양주법 '포도주' 주방문에는 모든 원료의 양이 구체적으로 나와 있지 않다는 것이다. 그럼에도 불구하고 시험 삼아 빚어본 결과, 서양의 '적포도주'와 같은 색깔과 맛을 유지하기 위해서는 포도의 양과 쌀의 양을 동일하게 하고, 누룩은 5~15% 정도를 사용해야만 한다는 사실을 알게 되었다.

'포도주'는 주원료인 포도가 단맛이 높아야 하는데, 단맛이 떨어지고 신맛이 많이 나는 것이라면 쌀의 양을 많이 넣어야 하므로, '포도주' 고유의 색깔을 유지하기 힘들어진다. 때문에 포도를 건조시켜서 수분을 제거하거나 가루로 만들어 사용하는 것을 볼 수 있으며, 부득이한 경우 설탕이나 꿀을 첨가해 주는 것으로도 대신할 수 있다. 그 양은 포도 당도에 따라 가감한다.

이 밖에도 '포도주' 주방문에 '우법(又法)'으로 수록되어 있는 <농정회요>와 <조선무쌍신식요리제법>을 보면, '밀주(密酒)' 주방문을 엿볼 수 있다. 그런가 하면 <한국민속대관>에서는 다음과 같은 견해를 수록하고 있다.

"포도는 우리나라에 도입된 역사가 오래되지 않았기 때문에 '포도주'도 비교적 생소한 것이었다. 고려 충렬왕 때 왕이 몽골의 공주를 왕비로 맞아들여 올 때 원나라의 황제가 하사하여 그 씨를 가지고 들어와 심었으나, 당시 포도 재배에 관한 기술이 없었던 탓으로 성공하지 못한 것 같다. 원나라 세조가 사위가 되는 고려 충렬왕에게 '포도주'를 하사한 기록이 있을 뿐 '포도주'를 양주한 기록은 찾을 수 없다. 약주(藥酒)에 낯익은 우리나라 사람들에게 '포도주'는 구미에 맞지 않아

별로 관심을 갖지 않게 된 것 같다. <음식디미방>과 <수운잡방>, <산림경제> 등에 나와 있는 '포도주'란 재래 가양주에 포도즙을 곁들인 정도의 양주법이어서 포도의 향미를 조금 가미한 정도에 지나지 않았을 것이다."

이는 한국적인 '포도주' 양주법에 대해 경시하는 경향을 반영한 것으로 보인다. '포도주'는 포도만으로 빚는 술이라는 견해에 이견이 없지만, 포도와 쌀을 접목시켜 '쌀포도주'를 빚어낸 한국식 '포도주'에 대한 필자의 애정은 남다르다.

무엇보다 포도와 쌀을 접목시켜 '포도주'를 완성해 낸 조상들의 지혜를 높이 사기 때문이다. 뿐만 아니라 우리나라의 술은 중국으로부터 유래되어 이 땅의 산물과 공기와 물, 토착 미생물에 의해 중국의 황주(黃酒)나 백주(白酒)와는 전혀 다른 한국의 전통주로 뿌리내렸다고 보기 때문이다. 그 성과로 이미 삼국시대에 우리의 전통주를 중국에 수출하는가 하면, 중국의 명사들 사이에서 '신라주(新羅酒)'를 찬송한 시가 여러 편 등장하기에 이른다.

일찍이 우리 조상들은 제주와 반주·접대주를 상비하고, 계절주를 즐기는 '가양주문화'를 일궈왔으며, 서양인들이 생각해 내지 못한 포도와 쌀의 절묘한 궁합을 찾아내 술에 녹여낸 양주기술이야말로 세계에 자랑할 만한 쾌거이기 때문이다.

1. 포도주 <고사신서(攷事新書)>

술 재료 : 포도(1말), 찹쌀 5되, 누룩가루 5홉

술 빚는 법 :

1. 포도 또는 산포도(5되~1말)를 면보로 깨끗이 씻은 뒤, 짓이겨 즙을 내어 놓는다.
2. 찹쌀 5되를 (백세하여 물에 담가 불렸다가, 다시 씻어 헹궈 건져서 물기를 뺀 후) 시루에 안쳐서 고두밥을 짓는다.
3. 찹쌀고두밥이 잘 익었으면, 넓은 그릇에 퍼 담고 주걱으로 고루 헤쳐서 차

게 식기를 기다린다.

4. 찹쌀고두밥에 포도즙과 가루누룩(백곡 5홉)을 넣고, 고루 버무려 술밑을 빚는다.
5. 술밑을 술독에 담아 안치고, 예의 방법대로 하여 발효시켜 맑아지면 채주한다.

* <수운잡방>에는 "양주자사(楊洲刺史)의 자리도 걸어볼 만하다."고 하였다. <수운잡방>의 찹쌀죽을 쑤어 빚는 방법을 참고하여 주방문을 작성하였다.

葡萄酒

葡萄熟者採取汁 同粘米飯白麴和釀自然成酒味亦味好山葡萄亦可.

2. 포도주법 <군학회등(群學會騰)>

술 재료 : 찹쌀(1말), 가루누룩(흰누룩 : 분곡 1되 5홉), 포도즙(1말)

술 빚는 법 :

1. 포도와 같은 양의 찹쌀을 (1말을 물에 깨끗이 씻어 하룻밤 불렸다가, 다시 씻어 건져서 물기를 뺀 다음) 준비한다.
2. 솥에 물을 붓고 끓이다가 시루를 올리고, 불린 찹쌀을 안쳐서 고두밥을 익게(무르게) 찐다.
3. (잘 익은 포도를 깨끗한 행주나 면보로 깨끗하게 씻어낸 후, 알알이 따서 줄기를 제거한다.)
4. 포도를 알알이 손으로 으깨어 주물러 체에 밭쳐서 찌꺼기를 제거하지 아니한 포도즙을 만들어놓는다.
5. (고두밥이 익었으면, 자리에 퍼내서 고루 펼쳐서 차게 식기를 기다린다.)

6. 찹쌀고두밥에 흰가루누룩(1되 5홉)과 준비한 분량의 좋은 포도즙을 한데 합하고, 고루 버무려 술밑을 빚는다.
7. 술밑을 술독에 담아 안치고, 예의 방법대로 하여 발효시키는데 (21~30일이면) 자연히 술이 된다(익는다).

* 주방문 말미에 "맛이 훌륭하다. 머루(산포도)도 가능하다. 안색이 온화하고 신장에도 좋다."고 하였다.

葡萄酒法

葡萄熟者按取汁同粘米飯白麯醸之. 自然性酒味美 山蒲萄亦可.

3. 포도술 <규합총서(閨閤叢書, 異本)>

술 재료 : 잘 익은 포도즙(1말), 찹쌀(1말), 흰가루누룩(1되 5홉)

술 빚는 법 :

1. 찹쌀 1말을 백세하여 (물에 담갔다가, 다시 씻어 건져서 물기를 뺀 후) 시루에 안쳐서 고두밥을 짓는다.
2. 잘 익은 포도를 선별하여 깨끗하게 다듬은 후, 많은 양을 자루에 담고 주물러 짜서 즙(1말)을 취한다.
3. 고두밥이 익었으면 시루에서 퍼내고, 고루 펼쳐서 차게 식기를 기다린다.
4. 법제한 흰가루누룩(1되 5홉)을 절구에 찧고 중간체로 쳐서 내린다.
5. 자배기에 고두밥과 포도즙, 누룩가루를 합하고, 고루 치대어 술밑을 빚는다.
6. 술독에 술밑을 담아 안치고, 밀봉하여 예의 방법대로 발효시키면 자연히 술이 숙성된다.

* 주방문 말미에 "포도 익은 것을 많이 즙을 내어 찰밥을 얼음같이 차게 식혀 누룩가루 섞어 빚으면, 자연히 아름다운 술이 된다."고 하고, "이 주방문은 <산림경제>의 것이다. <본초(本草)>의 '포도주'는 쌀누룩을 안 쓴다."고 하였다.
* 모든 재료의 양이 나와 있지 않으나 포도의 양과 쌀의 양을 동일하게 하고, 누룩은 10~20% 정도를 사용하면 된다. 주재료의 포도가 단맛이 높은 것이라야 하는데, 단맛이 떨어지고 신맛이 많이 나는 것이라면, 설탕이나 꿀을 첨가해 주어야 한다. 그 양은 포도 1말당 꿀 1~2되로, 포도의 당도에 따라 가감한다.

포도술(葡萄酒)

포도 국은 것을 많이 즙(汁)을 내어 찰밥을 얼음같이 식혀 누룩가루 섞어 빚으면 자연히 아름다운 술이 된다. 이 방문(方文)은 <산림경제>의 것이다. <본년(本年)>.

4. 포도주법 <농정회요(農政會要)>

술 재료 : 찹쌀 1말, 가루누룩(흰누룩, 분곡 1되 5홉), 포도즙 1말

술 빚는 법 :

1. 찹쌀 (1말을 물에 깨끗이 씻어 물에 담가 불렸다가, 다시 씻어 건져서 물기를 뺀 다음)을 준비한다.
2. 잘 익은 포도를 (깨끗한 행주나 키친타월로 깨끗하게 씻어낸 후) 알알이 따서 줄기를 제거한다.
3. 포도를 알알이 으깨어 체에 밭쳐서 찌꺼기를 제거하지 않은 포도즙 1말을 만들어놓는다.

4. 솥에 물을 붓고 끓이다가 시루를 올리고, 불린 찹쌀을 안쳐서 고두밥을 익게(무르게) 찐다.
5. (고두밥이 익었으면, 자리에 퍼내서 고루 펼쳐서 차게 식기를 기다린다.)
6. 찹쌀고두밥에 흰가루누룩(1되 5홉)과 준비한 분량의 좋은 포도즙을 한데 합하고, 고루 버무려 술밑을 빚는다.
7. 술밑을 술독에 담아 안치고, 예의 방법대로 하여 (21~30일) 발효시키면 술이 익는다.

* 주방문 말미에 "맛이 훌륭하다. 머루(산포도)도 좋다."고 하였다.

葡萄酒法

葡萄熟者按取汁同粘米飯白麴釀之. 自然性酒味美. 山蒲萄亦可.

5. 포도주 우법 <농정회요(農政會要)>

술 재료 : 포도즙 1말, 가루누룩(흰누룩, 분곡) 4냥

술 빚는 법 :

1. 잘 익은 포도를 (깨끗한 행주나 키친타월로 깨끗하게 씻어낸 후) 알알이 따서 줄기를 제거한다.
2. 포도를 알알이 주물러 으깨어 체에 밭쳐서 찌꺼기를 제거하지 않은 포도즙 1말을 만들어놓는다.
3. 포도즙에 흰가루누룩 4냥을 한데 합하고, 고루 버무려 술밑을 빚는다.
4. 술밑을 술독에 담아 안치고, 예의 방법대로 하여 술독 주둥이를 밀봉하여 두면 (21~30일) 자연히 발효되어 술이 익는다.

* 주방문 말미에 "술에서 이상한 향기가 난다."고 하였다.

葡萄酒 又法

用葡萄子取汁一斗用麯四兩攪勻入瓮內封口自然性酒更有異香.

6. 포도주 우법 (밀주) <농정회요(農政會要)>

술 재료 : 꿀 3근, 누룩가루 2냥, 백효(건조효모) 2냥, 물 1말

술 빚는 법 :

1. 꿀 3근을 물 1말과 합하고 (은근한) 불에 끓여서 따뜻하게 식힌다.
2. 꿀을 달일 때 생기는 거품을 걷어내고 적당히 식으면 병에 담는다.
3. 누룩가루 2냥과 백효(건조효모) 2냥을 섞어 넣고, 종이로 밀봉한다.
4. 술병을 깨끗한 곳에 두는데, 봄·가을에는 5일, 여름철에는 3일, 겨울철에는 7일이면 자연히 숙성되어 술이 익는데, 또한 맛과 향기가 아름답다.

* 주방문에 '포도주 우법'이라고 하였으나, 밀주(蜜酒)이다.

葡萄酒 又法

用蜜三斤水一斗同煎入瓶內候溫入麯末二兩白酵二兩濕紙封口放淨處春秋五日夏三日冬七日自然性酒且佳.

7. 포도주 <달생비서(達生秘書)>

얼굴이 늙지 않고, 신(腎)을 따뜻하게 한다. (처방은 잡방문에 나온다.)

葡萄酒

駐顔, 煖腎. <方見雜方>.

8. 포도주 <동의보감(東醫寶鑑)>

술 재료 : 찹쌀(1말), 가루누룩(흰누룩, 분곡 1되 5홉), 포도즙(1말)

술 빚는 법 :

1. 찹쌀 (1말을 물에 깨끗이 씻어 하룻밤 불렸다가, 다시 씻어 건져서 물기를 뺀 다음)을 준비한다.
2. 잘 익은 포도를 (깨끗한 행주나 키친타월로) 깨끗하게 씻어낸다.
3. 포도를 알알이 따서 으깨어 주물러 체에 밭쳐서 찌꺼기를 제거한 포도즙을 만들어놓는다.
4. 솥에 물을 붓고 끓이다가 시루를 올리고, 불린 찹쌀을 안쳐서 고두밥을 익게(무르게) 찐다.
5. (고두밥이 익었으면, 자리에 펴내서 고루 펼쳐서 차게 식기를 기다린다.)
6. 찹쌀고두밥에 흰가루누룩 1되 5홉과 준비한 분량의 좋은 포도즙을 한데 합하고, 고루 버무려 술밑을 빚는다.
7. 술밑을 술독에 담아 안쳐두면 (예의 방법대로 하여 21~30일이면) 자연히 술이 익는다.

* 주방문 말미에 "포도 익은 것을 주물러 짜서 즙을 낸 후, 동량의 찹쌀로 밥을 지어 흰누룩과 섞어 빚어두면, 자연히 익어 술이 된다. 그 술맛이 훌륭하다. 머루(산포도)도 좋다."고 하였다. 포도주의 양주법으로써 원료비율이 <동의보감>에 처음 등장한다.

葡萄酒

葡萄熟自採取汁, 同糯米飯, 白麴和釀之, 自然成酒, 味亦美好, 山葡萄亦加. <本草>.

9. 포도주 <동의보감(東醫寶鑑)>

얼굴이 늙지 않고, 신(腎)을 따뜻하게 한다. (처방은 잡방문에 나온다.)

葡萄酒

駐顔, 煖腎. <方見雜方>.

10. 포도주 <산림경제(山林經濟)>

술 재료 : 찹쌀(1말), 가루누룩(흰누룩, 분곡 1되 5홉), 포도즙(1말)

술 빚는 법 :

1. 찹쌀을 (1말을 물에 깨끗이 씻어 하룻밤 불렸다가, 다시 씻어 건져서 물기를 뺀 다음) 준비한다.
2. (잘 익은 포도를 깨끗한 행주나 키친타월로 깨끗하게 씻어낸 후 알알이 따서 줄기를 제거한다.)
3. 포도를 알알이 으깨어 주물러 체에 밭쳐서 찌꺼기를 제거한 포도즙을 만들어놓는다.
4. 솥에 물을 붓고 끓이다가 시루를 올리고, 불린 찹쌀을 안쳐서 고두밥을 익게(무르게) 찐다.
5. (고두밥이 익었으면, 자리에 퍼내서 고루 펼쳐서 차게 식기를 기다린다.)

6. 찹쌀고두밥에 흰가루누룩 1되 5홉과 준비한 분량의 좋은 포도즙을 함께 합하고, 고루 버무려 술밑을 빚는다.
7. 술밑을 술독에 담아 안치고, 예의 방법대로 하여 발효시키는데 21~30일이면 술이 익는다.

葡萄酒

蒲萄熟者挼取汁 同粘米飯白麴和釀之. 自然成酒. 味亦美好. 山蒲萄亦可. <本草>.

11. 포도주법 <산림경제촬요(山林經濟撮要)>

술 재료 : 찹쌀(1말), 흰누룩(분곡 1되 5홉), 포도즙(1말)

술 빚는 법 :

1. 찹쌀을 (1말을 물에 깨끗이 씻어 하룻밤 불렸다가, 다시 씻어 건져서 물기를 뺀 다음) 준비한다.
2. 쌀 양과 같은 분량의 잘 익은 포도(1말)를 (깨끗한 행주나 키친타월로 깨끗하게 씻어낸 후) 알알이 따서 줄기를 제거한다.
3. 포도를 알알이 으깨어 주물러 체에 밭쳐서 찌꺼기를 제거한 포도즙을 만들어놓는다.
4. 솥에 물을 붓고 끓이다가 시루를 올리고, 불린 찹쌀을 안쳐서 고두밥을 익게(무르게) 찐다.
5. (고두밥이 익었으면, 자리에 펴내서 고루 펼쳐서 차게 식기를 기다린다.)
6. 찹쌀고두밥에 준비한 분량의 좋은 포도즙을 함께 합하여 고루 버무린 후, 다시 흰가루누룩(1되 5홉)과 섞어 술밑을 빚는다.
7. 술밑을 술독에 담아 안치고, 예의 방법대로 하여 발효시키는데 (덥지도 차지

도 않은 곳에 두고) 술이 익기를 기다린다.

* 주방문에 포도주는 "포도 잘 익은 것을 손으로 비벼 그 즙을 짜서 동량의 찹쌀지에밥과 흰누룩을 섞어 빚으면 저절로 술이 되고, 맛 또한 훌륭하다. 산포도(머루)도 된다."고 하였다.

葡萄酒法
葡萄熟者按取汁同粘米飯白麯釀之. 自然成美. 山蒲萄亦可.

12. 포도주 <수운잡방(需雲雜方)>

술 재료 : 밑술 : 멥쌀 2말, 누룩가루 7되, 물(3말)
덧술 : 멥쌀 5말, 누룩 3되, 포도가루 1말

술 빚는 법 :
* 밑술 :
1. 멥쌀 2말을 백세하여 (물에 담가 불렸다가, 다시 씻어 헹궈서 물기를 뺀 후) 세말한다(고운 가루로 빻는다).
2. 솥에 물(3말)을 붓고 끓이다가 따뜻해지면, 쌀가루를 풀어 넣고 팔팔 끓는 죽을 쑨 뒤, (넓은 그릇에 나눠 담고) 차게 식기를 기다린다.
3. 죽에 누룩가루 7되를 합하고, 고루 버무려 술밑을 빚는다.
4. 술밑을 술독에 담아 안치고, 예의 방법대로 (3~5일간) 발효시켜 익기를 기다린다.

* 덧술 :
1. 잘 익고 깨끗한 포도를 알맹이만 따서 햇볕에 건조시킨 뒤, 가루를 만들어

1말을 준비한다.
2. 멥쌀 5말을 백세하여 (물에 담가 불렸다가, 다시 씻어 헹궈서 물기를 뺀 후) 시루에 안쳐서 고두밥을 짓는다.
3. 고두밥이 익었으면 퍼내고, 고루 펼쳐서 차게 식기를 기다린다.
4. 차게 식은 고두밥에 포도가루 1말과 밑술, 누룩 3되를 합하고, 고루 버무려 술밑을 빚는다.
5. 술밑을 술독에 담아 안치고, 예의 방법대로 발효시켜 익으면 채주하여 쓴다.

葡萄酒

白米三斗百洗細末作粥待冷麯末七升和入瓮待熟白米五斗百洗全蒸待冷麯三升萄末一斗和前酒入瓮待熟用之. 又法葡萄破碎用糯米五升作粥待冷麯末五合和入瓮待淸用之可博凉州刺史.

13. 포도주(우법) <수운잡방(需雲雜方)>

술 재료 : 포도(1말), 찹쌀 5되, 누룩가루 5홉, 물(5되)

술 빚는 법 :

1. 잘 익고 깨끗한 포도를 선별하여 그릇에 담고 짓이겨 즙을 만들어놓는다.
2. 찹쌀 5되를 백세하여 (물에 담가 불렸다가, 다시 씻어 헹궈서 물기를 뺀 후) 작말한다(가루로 빻는다).
3. 솥에 물 5되를 붓고 끓이다가 물이 따뜻해지면 쌀가루를 풀어 넣고, 팔팔 끓여 죽을 쑨다.
4. 찹쌀죽을 넓은 그릇에 펴서 차게 식기를 기다린다.
5. 찹쌀죽에 준비한 포도즙과 누룩가루 5홉을 넣고, 고루 버무려 술밑을 빚는다.

6. 술밑을 술독에 담아 안치고, 예의 방법대로 하여 발효시켜 맑아지면 채주한다.

* 주방문 말미에 "양주자사(楊洲刺史)의 자리도 걸어볼 만하다."고 하였다.

葡萄酒(又法)
葡萄破碎用糯米五升作粥待冷麯末五合和入瓮待淸用之可博凉州刺史.

14. 포도주 <술방>

술 재료 : 포도 익은 것(1말), 찹쌀(1말), 쌀누룩가루(1~2되)

술 빚는 법 :
1. 찹쌀(1말)을 백세하여 물에 불린다.
2. 솥에 시룻물을 계량하여 붓고, 불을 지펴 끓인다.
3. 시루를 물에 깨끗이 씻어 30분 이상 완전히 잠기도록 물에 담가둔다.
4. 찹쌀이 불려졌으면 다시 새 물에 헹군 후, 소쿠리에 밭쳐서 물기를 뺀다.
5. 물이 끓으면 시루를 씻어 솥에 얹고, 시루밑을 물에 적셨다가 짠 후 시루 안에 깐다.
6. 물기를 뺀 찹쌀을 시루에 안치고 뚜껑을 덮는다.
7. 농익은 포도를 알맹이만 따고 줄기는 제거한다.
8. 포도를 삼베로 만든 자루나 술자루에 담고, 주물러 짜서 즙을 낸다(포도즙만을 이용해도 되나 술 빛깔이 전통 곡주에 가깝게 되므로, 껍질을 함께 넣으면 술 빛깔이 포도주와 같거니와 향취가 더욱 좋다).
9. 고두밥이 다 쪄졌으면 돗자리를 펴고, 그 위에 얇게 펴서 얼음같이 차게 식힌다.

10. 고두밥이 식었으면 자배기에 담고, 포도즙과 누룩가루(1~2되 정도)를 넣고, 고루 버무려 술밑을 빚는다.
11. 소독한 술독에 술밑을 담아 안치고, 예의 방법대로 하여 발효시킨다.
12. 술빚은 지 15~21일이면 술밑이 가라앉으므로, 용수를 박아 맑아지면 떠 마신다.

포도쥬

포도 익은 후 쥬물너 즙 ᄂᆡ여 찰밥과 쏠누룩의 비즈면 ᄌᆞ연 술맛시 죠코 산 포도로 ᄒᆞ여도 죠ᄒᆞ니라.

15. 포도주 <양주방>*

술 재료 : 찹쌀(1말), 포도(1말), 누룩가루(1되)

술 빚는 법 :

1. 찹쌀(1말)을 백세하여 새 물에 담가 불렸다가, 다시 씻어 건져서 물기를 뺀다.
2. 찹쌀을 시루에 안쳐서 고두밥을 무르게 찌고, 익었으면 퍼내어 고루 펼쳐서 차게 식기를 기다린다.
3. 잘 익어 당도가 높고 싱싱하며 상처가 없는 포도나 머루를 따서 줄기를 제거한 후, 1말을 마련하여 즙을 짜되 껍질을 제거하지 않는다.
4. 준비한 포도즙에 찹쌀고두밥과 좋은 누룩가루 1되를 합하고, 고루 버무려 술밑을 빚는다.
5. 술독에 술밑을 담아 안치고 예의 방법대로 하여 발효시킨다.

* 주방문 말미에 "산포도로도 하고, 빚는 법과 분량의 많고 적음을 보아가며 뜻대로 하라. 술밑을 빚으려면 찹쌀로 빚는 술방문에 처음에나 이틀째(두 번째

: 덧술)나 포도즙을 섞어 빚되, 주방문에서 물을 한 되쯤 덜어라."고 하였다.

포도쥬
닉은 포도 짜셔 즙을 닉여 그르싀 두 운의 담고 졈미 빅셰ᄒᆞ여 므르게 쪄 죠흔 국말을 섯거 포도즙ᄎᆞ 섯거 너허 비ᄌᆞ면 슐이 되야 빗과 마시 죠흐니라.

16. 포도주 별법 <양주방>*

술 재료 : 밑술 : (멥쌀 2되, 누룩가루 5홉, 석임 5홉, 끓는 물 3되)
덧술 : 찹쌀(1말), 산포도(1말), (누룩가루 5홉)

술 빚는 법 :
* 밑술 :
1. 멥쌀 2되를 깨끗이 씻고 또 씻어(백세하여) 물에 담가 불렸다가 (다시 씻어 말갛게 헹궈서 물기를 뺀 후) 작말한다.
2. 끓는 물 3되를 멥쌀가루에 골고루 붓고, 주걱으로 개어 범벅을 쑨 다음 차게 식기를 기다린다.
3. 차게 식은 범벅에 누룩가루(5홉)와 석임(5홉)을 합하고, 고루 버무려서 술밑을 빚는다.
4. 술독에 술밑을 담아 안친 후, 예의 방법대로 하여 3~4일간 발효시킨다.

* 덧술 :
1. 찹쌀(1말)을 백세하여 새 물에 담가 불렸다가, 다시 씻어 건져서 물기를 뺀다.
2. 찹쌀을 시루에 안쳐서 고두밥을 무르게 찌고, 익었으면 퍼내어 고루 펼쳐서 차게 식기를 기다린다.
3. 잘 익어 당도가 높고 싱싱하며 상처가 없는 산포도(1말)를 따서 줄기를 제거

한 후, 즙을 짜되 껍질을 제거하지 않는다.

4. 준비한 산포도즙에 고두밥과 밑술, 좋은 누룩가루(5홉)를 합하고, 고루 버무려 술밑을 빚는다.
5. 술독에 술밑을 담아 안치고 예의 방법대로 하여 발효시킨다.

* 주방문 말미에 "산포도로도 하고, 빚는 법과 분량의 많고 적음을 보아가며 뜻대로 하라. 술밑을 빚으려면 찹쌀로 빚는 술주방문에 처음에나 이틀째(두 번째 : 덧술)나 포도즙을 섞어 빚되, 주방문에서 물을 한 되쯤 덜어라."고 하였다.

포도쥬

ᄂᆡᆨ은 포도 짜셔 즙을 ᄂᆡ여 그르ᄉᆡ 두 운의 담고 졈미 ᄇᆡᆨ셰ᄒᆞ여 ᄆᆞ르게 쪄 죠흔 국말을 섯거 포도즙ᄎᆞ 섯거 너허 비ᄌᆞ면 슐이 되야 빗과 마시 죠흐니라. 산포도로도 ᄒᆞ고 빗ᄂᆞᆫ 법과 다소란 보아가며 임의로 ᄒᆞ라. 슐밋 ᄒᆞ랴 ᄒᆞ면 졈미로 ᄒᆞᄂᆞᆫ 주방문의 쳐음의나 덧틀제나 포도즙을 섯거 비ᄌᆞᄃᆡ 주방문의셔 물을 ᄒᆞᆫ되나 덜나.

17. 포도주 <온주법(醞酒法)>

술 재료 : 포도(즙 1말), 이화곡(가루) 1되

술 빚는 법 :

1. 포도가 익었을 때 (1말가량) 짓찧어 찌꺼기를 제거하지 말고 즙을 내어, 독에 담아 안친다.
2. 포도즙에 이화곡 (1되 가루 내어) 독에 담고 고루 혼합한다.
3. 술독은 예의 방법대로 하여 밀봉한 후 자연발효시킨다.

* 주방문에 "맛이 아름다워 기특하다."고 하였다.

포도쥬

포도 닉거든 걸너 그 즙을 ᄎᆞ백과 니화국의 섯거 비ᄌᆞ면 마시 아람ᄃᆞ와 긔특ᄒᆞ니라.

18. 포도주방 <임원십육지(林園十六志)>

–소주 이용법

술 재료 : 포도(1말), 소주(3되)

술 빚는 법 :

1. 잘 익은 포도를 짓이겨서 껍질과 함께 술독에 담아 안친다.
2. 술독에 준비한 분량의 소주를 부어주고, 술독을 밀봉하여 서늘한 곳에 오랫동안 저장해 둔다.
3. 발효가 끝나 술 냄새가 나면, 술자루에 담고 눌러 짜서 채주한다.

* 주방문에 "포도주에는 소주를 넣어서 빚는 방법과 포도즙에 누룩과 찹쌀밥을 넣어서 보통 방법으로 빚는 2가지 방법이 있다. 포도즙이 없을 때는 말린 포도가루를 사용해도 된다."고 하고, "위문제(魏文帝)는 '양주한 포도주는 다른 종류의 술보다 달고, 취하여도 곧 깰 수 있다.'"고 하여 옛 고사를 수록하였다.

葡萄酒方

葡萄酒有二(様)有燒酒有釀酒釀法取葡萄汁同大麴如常釀糯米飯法無汁用乾葡萄末亦可. 魏文帝取謂葡萄釀酒甘於麴米醉而易醒者也.

19. 포도주 일방 <임원십육지(林園十六志)>

술 재료 : 포도즙 1말

술 빚는 법 :

1. 잘 익어 상처가 없는 포도를 짓이겨 즙내어 찌꺼기를 제거하지 말고, 술독에 담아 안친다.
2. 술독을 예의 방법대로 하여 밀봉한 후, 오랫동안 자연발효·숙성시킨다.
3. 발효된 술은 달 뿐만 아니라 매우 독하여 진짜 포도주라고 할 수 있다.

葡萄酒方

或云葡萄久貯亦自成酒芳甘酷烈此眞葡萄酒也. <本草綱目>.

20. 포도주 우방 <임원십육지(林園十六志)>

–누룩 이용법

술 재료 : 포도즙 1말, 대국(누룩) 4냥

술 빚는 법 :

1. 잘 익은 포도 1말을 짓이겨 즙액 상태로 만든다(찌꺼기를 제거하지 않는다).
2. 포도즙에 대국 4냥을 섞고, 고루 버무려 술밑을 빚는다.
3. 술밑을 술독에 담아 안치고, 예의 방법대로 발효시킨다.
4. 술이 맑게 갈아 앉았으면 채주하여 마신다.

葡萄酒方

法用葡萄子取汁一斗用麯四兩攪勻入瓮內封口自然成酒更有異香. <遵生八牋>.

21. 포도주 <조선무쌍신식요리제법(朝鮮無雙新式料理製法)>

술 재료 : 찹쌀(1말), 포도즙(1말), 누룩(3냥~1되)

술 빚는 법 :

1. 포도가 잘 익은 후에 송이째 따 짓찧어서 즙을 많이 내어 소독한 술독에 담아둔다.
2. 찹쌀(1말)을 백세하여 물에 담가 충분히 불렸다가 다시 씻어 건져서 물기를 뺀다.
3. 불린 찹쌀을 시루에 안치고 쪄서 무르게 고두밥을 짓고, 익었으면 고루 펼쳐서 차게 식기를 기다린다.
4. 식힌 고두밥과 누룩(3냥~1되), 준비해 둔 포도즙(1말)을 합하고, 고루 버무려 술밑을 빚는다.
5. 술밑을 술독에 담아 안치고, 예의 방법대로 하여 21일간 발효시킨다.
6. 술이 익었으면 술자루에 담고 눌러 짜서 채주한 다음 정치시켜 마신다.

* 주방문에 "서양서는 어떻게 하는지 모르거니와 술 중에 제일등으로 치나니라."고 하였다. 재료의 분량을 언급하지 않아 제 일등의 포도주 제조법에 따른 재료비율은 알 수 없다. 또 "별법으로 포도주는 두 가지가 있다."고 전제하고, 그 방법을 소개하고 있다.

포도주(葡萄酒)

포도가 익은 후에 짜서 집을 만히 내여 찹쌀 지예를 누룩가루에 석거 비즈면 맛이 아름다우니라. 서양서는 엇터케 하는지 모르거니와 술 중에 제일등으로 치나니라.

22. 우(又) 포도주 <조선무쌍신식요리제법(朝鮮無雙新式料理製法)>

술 재료 : 찹쌀(1말), 포도즙(1말), 누룩(3냥~1되)

술 빚는 법 :

1. 찹쌀(1말)을 백세하여 물에 담가 충분히 불렸다가, 다시 씻어 건져서 물기를 뺀다.
2. 불린 찹쌀을 시루에 안치고 쪄서 무르게 고두밥을 짓고, 익었으면 고루 펼쳐서 차게 식기를 기다린다.
3. 포도가 잘 익은 후에 송이째 따 짓찧어서 즙을 많이 내어 소독한 술독에 담아둔다.
4. 포도즙에 누룩(3냥~1되)과 고두밥을 넣고, 고루 버무려 술밑을 빚는다.
5. 술밑을 술독에 담아 안치고, 예의 방법대로 하여 (2~3일간) 발효시킨다.

* 주방문에 "위문제(魏文帝)가 말하되, '포도로 술을 빚는 것이 누룩, 쌀로 한 것보다는 달고 취하되 쉽게 깬다.' 하며, 혹은 '포도를 오래 두면 저절로 술이 되어 꽃 같고 달며, 혹독히 맹렬하다.' 하는데, 이것이 참 포도주이다."고 하였다.

포도주(葡萄酒) 쏘

'포도주'가 두 가지가 잇스니 소주도 잇고 비즌 술도 잇나니, 빗는 법은 포도집을 내여 누룩에 버무려 항상 잇는 법과 갓게 하고, 찹쌀밥은 집이 업시하고 말은 포도가루를 느어도 조흐니라. 위문제(魏文帝)가 말하되 포도로 술을 빗는 것이 누룩 쌀로 한 것보담 덜 취하되 쉽게 쌘다 하며, 혹은 포도를 오래 두면 제절로 술이 되여 ᄉᆞᆺ답고 달며 흑독히 맹렬하다는데 이것이 참 '포도주(葡萄酒)'라 하나니라.

23. 우(又) 포도주 <조선무쌍신식요리제법(朝鮮無雙新式料理製法)>

술 재료 : 포도즙 1말, 누룩 4냥

술 빚는 법 :

1. 포도를 짓찧어 즙을 내고, 찌꺼기를 제거하지 말고, 1말가량을 독에 담아 안친다.
2. 포도즙에 누룩 4냥을 가루 내어 독에 담고 고루 혼합한다.
3. 술독은 예의 방법대로 하여 밀봉한 후, 자연 발효시킨다.

* 주방문에 "술이 이상한 향기가 있느니라."고 하였다.

포도주(葡萄酒) 또

포도를 집을 내여 한 말가량에 누룩 넉 량중을 작말하야 한테 버무려 독에 늣코 ᄭᅪᆨ 봉하야 두면 제절로 술이 되나니 술이 이상한 향기가 잇나니라.

24. 우(又) 포도주 (밀주)

<조선무쌍신식요리제법(朝鮮無雙新式料理製法)>

술 재료 : 꿀 3근, 누룩가루 2냥중, 술밑(白酵, 이스트) 2냥중, 물 1말

술 빚는 법 :

1. 꿀 3근과 물 1말을 한데 달여서 병에 담아놓는다.
2. 병의 꿀물이 따뜻할 때 누룩가루와 술밑(白酵, 이스트) 각 2냥을 넣는다.
3. 병을 젖은 종이로 밀봉하고, 정한(깨끗한) 곳에 놓아두면, 봄·가을에는 5일, 여름에는 3일, 겨울에는 7일 만에 자연발효되어 아름답게 익는다.

* '포도주'라고 하였으나 '밀주(蜜酒)'라는 것을 알 수 있다. 이 외의 다른 문헌 기록인 <수운잡방>과 <임원십육지>에 "포도 1말을 짓이겨 즙액 상태로 만든 후, 찹쌀 5되를 백세작말하여 죽을 쑨 뒤 차게 식히고, 누룩가루 5홉과 함께 섞어 혼합하여 익힌다."고 하는 주방문을 비롯하여 유사한 '포도주' 양주법을 엿볼 수 있다.
* 주방문 말미에 "행공도인(行功導引, 무슨 일을 도모하고 직접 행할 때)할 때 한두 잔 마시면 일백 맥이 흘러 화창하고 기운이 막힘이 없으며, 조도(助道)에 폐치 못할 것이니라."고 하였다.

포도주(葡萄酒) 쏘 법

꿀 서 근과 물 한 말을 한테 대려 병에 붓고 짜뜻할 째에 누룩가루와 술밋(白酵) 각 두 량중식 느은 후에 저진 종희로 봉하야 정한 곳에 노아두면 봄가을에는 닷세요, 여름에는 사흘이요, 겨울에는 닐헤 만이면 자연 술이 아름답게 되나니, 행공도인(行功導引) 할 째에 한두 잔 마시면 일백 맥이 흘러 화창하고 긔운(氣運)이 맥히미 업스며 조도(助道)에 폐치 못할 것이니라.

25. 포도주법 <증보산림경제(增補山林經濟)>

술 재료 : 찹쌀(1말), 가루누룩(흰누룩, 분곡 1되 5홉), 포도즙(1말)

술 빚는 법 :

1. 찹쌀을 (1말을 물에 깨끗이 씻어 하룻밤 불렸다가, 다시 씻어 건져서 물기를 뺀 다음) 준비한다.
2. (잘 익은 포도를 깨끗한 행주나 키친타월로 깨끗하게 씻어낸 후, 알알이 따서 줄기를 제거한다.)
3. 포도를 알알이 으깨어 주물러 체에 밭쳐서 찌꺼기를 제거한 포도즙을 만들어놓는다.
4. 솥에 물을 붓고 끓이다가 시루를 올리고, 불린 찹쌀을 안쳐서 고두밥을 익게(무르게) 찐다.
5. (고두밥이 익었으면, 자리에 퍼내서 고루 펼쳐서 차게 식기를 기다린다.)
6. 찹쌀고두밥에 흰가루누룩 1되 5홉과 준비한 분량의 좋은 포도즙을 한데 합하고, 고루 버무려 술밑을 빚는다.
7. 술밑을 술독에 담아 안치고, 예의 방법대로 하여 발효시키는데 (21~30일이면) 술이 익는다.

* 주방문 말미에 "맛이 훌륭하다. 머루(산포도)도 좋다."고 하였다.
* <동의보감>에 "葡萄熟自採取汁, 同糯米飯, 白麴和釀之"라고 하여 포도와 쌀의 양을 동량으로 한다는 것을 확인할 수 있다.

葡萄酒法

葡萄熟者按取汁同粘米飯白麯釀之. 自然性酒味美 山蒲萄亦可.

26. 포도주 <한국민속대관(韓國民俗大觀)>

* 주방문에 "과실주"에 대하여 우리나라에서 과실주가 기록되기는 <고려사(高麗史, 충렬왕 11년 1285년)>에 기록된 것이 처음이다. 다른 술에 비하면 흔치 않은 것이었는데, '송자주', '포도주', '백자주', '호도주' 등이 여기에 속하

는 것이었다.

포도주(葡萄酒)

포도는 우리나라에 도입된 역사가 오래되지 않았기 때문에 '포도주(葡萄酒)'도 비교적 생소한 것이었다. 고려 충렬왕 때 왕이 몽고의 공주를 맞아들여 올 때 원나라의 황제가 하사하여 그 씨를 가지고 들어와 심었으나, 당시 포도재배에 관한 기술이 없었던 탓으로 성공하지 못한 것 같다. 원나라 세조가 사위가 되는 고려 충렬왕에게 포도주를 하사한 기록이 있을 뿐, 포도주를 양주한 기록은 찾을 수 없다.

약주에 낯익은 우리나라 사람들에게 포도주는 구미에 맞지 않아 별로 관심을 갖지 않게 된 것 같다. <음식디미방>과 <수운잡방>, <산림경제> 등에 나와 있는 포도주란 재래주에 포도즙을 곁들인 정도의 양주법이어서 포도의 향미를 조금 가미한 정도에 지나지 않았을 것이다.

27. 포도주 <해동농서(海東農書)>

술 재료 : 포도(5되~1말), 찹쌀 5되, 가루누룩(백곡 5홉)

술 빚는 법 :

1. 포도 또는 산포도(5되~1말)를 면보로 깨끗이 씻은 뒤, 짓이겨 즙을 내어 놓는다.
2. 찹쌀 5되를 (백세하여 물에 담가 불렸다가, 다시 씻어 헹궈 건져서 물기를 뺀 후) 시루에 안쳐서 고두밥을 짓는다.
3. 찹쌀고두밥이 잘 익었으면, 넓은 그릇에 펴 담고 주걱으로 고루 헤쳐서 차게 식기를 기다린다.
4. 찹쌀고두밥에 포도즙과 가루누룩(백곡 5홉)을 넣고, 고루 버무려 술밑을

빚는다.

5. 술밑을 술독에 담아 안치고, 예의 방법대로 하여 발효시켜 맑아지면 채주 한다.

* <수운잡방>의 주방문을 참고하여 주방문을 작성하였다.

葡萄酒

蒲萄熟者挼取汁 同粘米飯白麴和釀之. 自然成酒. 味亦美好. 山蒲萄亦可. <本草>.

호도주

스토리텔링 및 술 빚는 법

'호도주(胡桃酒)'는 호도를 주원료로 하여 발효시킨 주품이다. '호도주'를 수록하고 있는 기록은 <고사촬요(故事撮要)>를 시작으로 13권의 고식문헌에서 찾아볼 수 있는데, 이들 문헌에 수록된 주방문은 대략 세 가지로 나누어 생각해 볼 수 있다. '호도주'를 빚는 방법에 있어 세 가지 방법이 있다는 뜻이다.

첫째, <고사촬요>를 중심으로 <산림경제(山林經濟)>와 <감저종식법(甘藷種植法)>, <고사신서(攷事新書)>, <민천집설(民天集說)> 등에 수록된 바와 같이 '향온주(香醞酒)'를 기주(起酒)로 하여 빚는 방법이 있다.

둘째, <수운잡방(需雲雜方)>과 <양주집(釀酒集)>에서와 같이 이양주법(二釀酒法)의 '호도주' 주방문이 있다.

셋째, <해동농서(海東農書)>를 중심으로 <증보산림경제(增補山林經濟)>와 <임원십육지(林園十六志)>, <군학회등(群學會騰)>, <농정회요(農政會要)>, <학음잡록(鶴陰雜錄)> 등에 수록된 단양주법(單釀酒法)으로 나눌 수 있다.

시대적으로 가장 앞선 기록인 <고사촬요>를 중심으로 한 '호도주' 빚는 법은

'향온주'를 빚는 방법으로 호도가루를 누룩가루와 함께 짓찧어 술밑과 혼합하는 방법이다. 본디는 '백자주(栢子酒)'의 응용이라고 할 수 있다. <고사촬요>의 '호도주' 주방문을 보면, '향온주 주방문에 이어 '호도주'라는 주품명이 등장하는데, "백자(栢子) 때와 같다. 다만 호도(胡桃)로 이를 대신한다."고 하였다.

한편 <수운잡방>과 <양주집>에는 이양주법으로 빚는 '호도주' 주방문이 수록되어 있다. 두 문헌의 '호도주' 빚는 방법은 동일하며, 누룩과 호도의 양에서 다소 차이가 있을 뿐이다. 이양주법의 '호도주'는 밑술과 덧술에서 두 차례 동일한 방법으로 술을 빚는데, 덧술의 쌀 양이 많아졌을 뿐이다.

끝으로 위의 두 가지 주방문과 전혀 다른 단양주법의 '호도주' 주방문은 <해동농서>를 중심으로 <증보산림경제>와 <임원십육지>, <군학회등>, <농정회요>, <학음잡록> 등 모두 한문 기록에서 찾아볼 수 있다는 점이 특징이다.

이는 <해동농서>나 <증보산림경제>의 영향을 받은 바가 크다고 할 수 있는데, 이들 문헌의 주방문도 술을 빚는 과정은 동일하지만, 주원료의 배합비율은 차이가 있다.

특히 <학음잡록>의 경우, 누룩가루의 양이 1되로 가장 적은 비율을 나타내고 있다는 점에서 차이가 있는데, 그게 직접적인 양주과정에서 얻어낸 결과인지, 옮겨 쓰거나 주방문을 기록하는 과정에서 생긴 오기(誤記)인지는 자세히 알 수 없다.

주지하다시피 '호도주'를 빚을 때는 호도의 기름을 어떻게 할 것인지에 대한 주의가 필요하다. 알코올 발효에서 기름은 그 종류가 어떤 것이든 좋지 않다. 산패를 일으키고, 술의 풍미를 떨어뜨리는 원인이 되기 때문이다. 이에 따른 조치법은 '백자주' 주방문을 참고하기 바란다.

1. 호도주 <감저종식법(甘藷種植法)>

술 재료 : 호도 2말, 멥쌀 10말, 찹쌀 1말, 누룩가루 1말, 부본 1병, 물 15병

술 빚는 법 :

1. 멥쌀 10말과 찹쌀 1말을 한데 섞어 물에 깨끗이 씻은 뒤, 하룻밤 불렸다가 (다시 씻어 헹군 후 건져서) 시루에 안쳐 고두밥을 짓는다.
2. 고두밥이 익었으면 퍼낸다(넓은 그릇 여러 개에 나눠 담아놓는다).
3. 물 15병을 팔팔 끓여 고두밥에 골고루 나눠 붓고, 고두밥이 물을 다 먹어 윤기가 돌면 돗자리에 고루 펼쳐서 차게 식기를 기다린다.
4. 고두밥에 부본 1병을 한데 합하고, 고루 버무려 술밑을 빚는다.
5. 껍질을 벗겨낸 호도 2말을 누룩가루 1말과 함께 절구에 넣고 짓찧어 술밑과 합하고, 다시 버무려 놓는다.
6. 술독에 술밑을 담아 안치고, 예의 방법대로 하여 발효시킨 뒤 술이 익었으면 용수 박아 채주한다.

* '내국향온' 주방문 말미에 "백자주에 실호도로 술밑을 빚는다."고 하였다.

胡桃酒

造麴以麥磨之不篩其末每一圓入一斗碎菉豆一合調和造作. 白米十斗粘米一斗百洗蒸出用熱水十五瓶調和待其水盡入于蒸飯然後鋪於簟上寒之良久麴末一斗五升腐本一瓶調和釀之. 入實胡桃爲胡桃酒.

2. 호도주 <고사신서(攷事新書)>

술 재료 : 호도 2말, 멥쌀 10말, 찹쌀 1말, 누룩가루 1말, 부본 1병, 물 15병

술 빚는 법 :

1. 멥쌀 10말과 찹쌀 1말을 한데 섞어 물에 깨끗이 씻은 뒤, 하룻밤 불렸다가 (다시 씻어 헹군 후 건져서) 시루에 안쳐 고두밥을 짓는다.

2. 고두밥이 익었으면 퍼낸다(넓은 그릇 여러 개에 나눠 담아놓는다).
3. 물 15병을 팔팔 끓여 고두밥에 골고루 나눠 붓고, 고두밥이 물을 다 먹어 윤기가 돌면 돗자리에 고루 펼쳐서 차게 식기를 기다린다.
4. 고두밥에 부본 1병을 한데 합하고, 고루 버무려 술밑을 빚는다.
5. 껍질을 벗겨낸 호도 2말을 누룩가루 1말과 함께 절구에 넣고 짓찧어 술밑과 합하고, 다시 버무려 놓는다.
6. 술독에 술밑을 담아 안치고, 예의 방법대로 하여 발효시킨 뒤 술이 익었으면 용수 박아 채주한다.

胡桃酒 釀法

與栢子酒同以但以胡桃代之.

3. 호도주 <고사촬요(故事撮要)>

술 재료 : 호도 2말, 멥쌀 10말, 찹쌀 1말, 누룩가루 1말, 부본 1병, 물 15병

술 빚는 법 :

1. 멥쌀 10말과 찹쌀 1말을 한데 섞어 물에 깨끗이 씻은 뒤, 하룻밤 불렸다가 (다시 씻어 헹군 후 건져서) 시루에 안쳐 고두밥을 짓는다.
2. 고두밥이 익었으면 퍼낸다(넓은 그릇 여러 개에 나눠 담아놓는다).
3. 물 15병을 팔팔 끓여 고두밥에 골고루 나눠 붓고, 고두밥이 물을 다 먹어 윤기가 돌면 돗자리에 고루 펼쳐서 차게 식기를 기다린다.
4. 고두밥에 부본 1병을 한데 합하고, 고루 버무려 술밑을 빚는다.
5. 겉껍질과 속껍질을 모두 벗긴 호도 2말을 누룩가루 1말과 함께 절구에 넣고 짓찧어 술밑과 합하고, 다시 버무려 놓는다.
6. 술독에 술밑을 담아 안치고, 예의 방법대로 하여 발효시킨 뒤 술이 익었으

면 용수 박아 채주한다.

* 주방문에 "술 빚는 법은 '백자주' 빚는 법과 같다." 고 하였다.

胡桃酒

釀法 與源于酒同而但以胡桃代之.

4. 호도주법 <군학회등(群學會騰)>

술 재료 : 멥쌀 1말, 호도 1되, 방문주 밑술(1되), 끓는 물 3병

술 빚는 법 :

1. 멥쌀 1말을 백세하고 (물에 백 번 씻어 새 물에 담가 불렸다가, 다시 씻어 말갛게 헹궈서 물기를 뺀 후) 작말하여(가루로 빻아) 그릇에 담아놓는다.
2. 껍질을 모두 벗긴 호도 1되를 절구에 넣고 짓찧어 놓는다.
3. 물(3병)을 팔팔 끓이다가 잣가루를 넣고 팔팔 끓여 잣죽을 쑨 후, 쌀가루에 붓고, 주걱으로 고루 개어 (반생반숙의 잣범벅을 만들어) 차게 식기를 기다린다.
4. 호도범벅에 방문주 주본(밑술)을 합하고, 매우 치대어 술밑을 빚는다.
5. 술독에 술밑을 안치고, 예의 방법대로 하여 (밀봉한 뒤, 3일간) 발효시킨다.

* 기록에 "위(백자주법)와 같다."고 하였으므로, 잣 대신 껍질을 벗긴 호도를 사용하여 주방문을 작성하였다. 또 '백자주' 주방문 말미에 "방문주 주본을 넣어 빚으면 3일이면 마실 수 있는데, 몸에 세 가지가 이롭다."고 하였다. 참고로 방문주의 밑술은 다음과 같이 "멥쌀 1말을 백세작말하여 물 3병을 팔팔 끓여 쌀가루에 붓고, 반생반숙(범벅)을 만들고, 차게 식힌 후에 누룩가루 1

되 5홉과 밀가루 1되 5홉을 넣고, 3일(~4일)간 발효시킨다."고 했는데, 이 밑술의 양을 다 넣는지는 불분명하다. 따라서 상법(常法)대로 한다면 방문주 밑술 1되 또는 1병 정도를 사용하는 게 좋을 듯하다.

胡桃酒法

釀法 與栢子酒同以但以胡桃代之.

5. 호도주법 <농정회요(農政會要)>

술 재료 : 멥쌀 1말, 호도 1되, (누룩가루 1되 5홉), 물 2말 1되

술 빚는 법 :

1. 겉껍질과 속껍질을 모두 벗긴 호도 1되를 깨끗하게 씻어 물에 담가 밤재워 불린다.
2. 불린 호도를 다시 깨끗하게 고쳐 씻어 절구에 넣고 짓찧어 진흙처럼 만들어놓는다.
3. 물 2말 1되에 짓찧은 호도가루를 넣고 오랫동안 끓여 1말이 되게 만든 다음, 고운체에 걸러 찌꺼기를 제거한다.
4. 멥쌀 1말을 백세하고 (새 물에 담가 불렸다가, 다시 씻어 말갛게 헹궈서 물기를 뺀 후) 작말하여(가루로 빻아) 그릇에 담아놓는다.
5. 호도 달인 물에 쌀가루를 합하고, 주걱으로 고루 저어가면서 호도죽을 쑨 후 (뚜껑을 덮고) 차게 식기를 기다린다.
6. 호도죽에 (누룩가루 1되 5홉을) 합하고, 고루 버무려 술밑을 빚는다.
7. 술독에 술밑을 안치고, 예의 방법대로 하여 10일간 발효시킨다.

* 기록에 "위(백자주법)와 같다."고 하였으므로, 잣 대신 껍질을 벗긴 호도를 사

용하여 주방문을 작성하였다.

胡桃酒法

上同(栢子酒法：欲釀米一斗取實胡桃一升磨碎如泥調方文酒之本而釀).

6. 호도주 <민천집설(民天集說)>

술 재료 : 호도 2말, 멥쌀 10말, 찹쌀 1말, 누룩가루 1말, 부본 1병, 물 15병

술 빚는 법 :

1. 멥쌀 10말과 찹쌀 1말을 한데 섞어 (백세하여 물에 담가 불렸다가, 다시 씻어 건져서 물기를 뺀 후) 시루에 안쳐 고두밥을 짓는다.
2. 고두밥이 익었으면 퍼낸다(넓은 그릇 여러 개에 나눠 담아놓는다).
3. 물 15병을 팔팔 끓여 고두밥에 골고루 나눠 붓고, 고두밥이 물을 다 먹어 윤기가 돌면 돗자리에 고루 펼쳐서 차게 식기를 기다린다.
4. 고두밥에 부본 1병을 한데 합하고, 고루 버무려 술밑을 빚는다.
5. 껍질을 벗겨낸 호도 2말을 누룩가루 1말과 함께 절구에 넣고 짓찧어 술밑과 합하고, 다시 버무려 놓는다.
6. 술독에 술밑을 담아 안치고, 예의 방법대로 하여 발효시킨 뒤 술이 익었으면 용수 박아 채주한다.

＊ 주방문에 '백자주'와 동일하다. 단지 호도(胡桃)로 백자(栢子)를 대신할 뿐이다. <고사촬요>, <고사십이집>의 '호도주 빚는 법(胡桃酒釀法)'과 동일하다.

胡桃酒

釀法與柏子酒同. 而但以胡桃代之.

8. 호도주 <산림경제(山林經濟)>

술 재료 : 호도 2말, 멥쌀 10말, 찹쌀 1말, 누룩가루 1말, 부본 1병, 물 15병

술 빚는 법 :

1. 멥쌀 10말과 찹쌀 1말을 한데 섞어 물에 깨끗이 씻은 뒤, 하룻밤 불렸다가 (다시 씻어 헹군 후 건져서) 시루에 안쳐 고두밥을 짓는다.
2. 고두밥이 익었으면 퍼낸다(넓은 그릇 여러 개에 나눠 담아놓는다).
3. 물 15병을 팔팔 끓여 고두밥에 골고루 나눠 붓고, 고두밥이 물을 다 먹어 윤기가 돌면 돗자리에 고루 펼쳐서 차게 식기를 기다린다.
4. 고두밥에 부본 1병을 한데 합하고, 고루 버무려 술밑을 빚는다.
5. 겉껍질과 속껍질을 모두 벗긴 호도 2말을 누룩가루 1말과 함께 절구에 넣고 짓찧어 술밑과 합하고, 다시 버무려 놓는다.
6. 술독에 술밑을 담아 안치고, 예의 방법대로 하여 발효시킨 뒤 술이 익었으면 용수 박아 채주한다.

* <고사촬요>를 인용하였다.

胡桃酒

釀法與柏子酒同. 而但以胡桃代之. 上同.

9. 호도주 <수운잡방(需雲雜方)>

술 재료 : 밑술 : 껍질 깐 호도 1되 5홉, 멥쌀 1말, 누룩 5되, 끓는 물 1말
덧술 : 멥쌀 3말, 껍질 깐 호도알 1되 5홉, 누룩 3되, 끓는 물 3말

술 빚는 법 :

* 밑술 :

1. 껍질을 깐 호두알 5홉을 곱게 갈아 가루를 만들어놓는다.
2. 멥쌀 1말을 백세하여 (물에 담가 불렸다가, 다시 씻어 헹궈 건져서 물기를 뺀 후) 세말한다(고운 가루를 만든다).
3. 소쿠라치게 끓는 물 1말을 멥쌀가루에 골고루 섞고, 주걱으로 고루 개어 떡(범벅)을 만들어 (넓은 그릇에 퍼서) 차게 식기를 기다린다.
4. 차게 식은 떡(범벅)에 누룩 5되와 호도가루를 섞고, 고루 버무려 술밑을 빚는다.
5. 술독에 술밑을 담아 안치고, 발효시켜 익기를 기다린다.

* 덧술 :

1. 멥쌀 3말을 백세하여 (물에 담가 불렸다가, 다시 씻어 헹궈 건져서 물기를 뺀 후)시루에 안치고 쪄서 고두밥을 짓는다.
2. 솥에 물 3말을 팔팔 끓이고, 고두밥이 익었으면 (넓은 그릇에 퍼내고) 끓는 물 3말을 합하고, 주걱으로 개어놓는다.
3. 고두밥이 물을 다 먹었으면, (넓은 그릇 여러 개에 나눠 담고) 차게 식기를 기다린다.
4. 껍질 깐 호두알 1되 5홉을 곱게 갈아서 준비한다.
5. 진고두밥에 누룩 3되와 (호도가루는 자루에 담아 술독에 먼저 안친다.) 밑술을 합하고 고루 버무려 술밑을 빚는다.
6. 술밑을 술독에 담아 안치고, 예의 방법대로 발효시켜 익으면 쓴다.

* <양주집>의 주방문과 제조법이 동일하다. 발효를 돕고 변화를 주기 위해 덧술의 호도가루를 자루에 담아 먼저 술독에 안치는 방법으로 주방문을 작성하였다.

胡桃酒

治五勞七傷補氣不足 白米一斗百洗細末水一斗極湯和均作餠待冷實胡桃五合細硏麴五升調和納瓮待熟白米三斗百洗蒸飯水三斗和均待冷麴三升實胡桃一升五合細硏和前酒納瓮待熟用之.

10. 호도주 <양주집(釀酒集)>

술 재료 : 밑술 : 멥쌀 1말, 호도 5홉, 누룩 2되, 끓는 물 1말
덧술 : 멥쌀 3말, 호도 5홉, 누룩 3되, 끓는 물 1동이(말)

술 빚는 법 :

* 밑술 :

1. 멥쌀 1말을 백세하여 (물에 담가 불렸다가, 새 물에 다시 씻어 맑게 헹궈 건져서 물기를 뺀 후) 세말한다(고운 가루로 빻는다).
2. 솥에 물 1말을 붓고 끓여 쌀가루에 골고루 붓고, 주걱으로 고루 개어 담(범벅)을 만들어 차게 식기를 기다린다.
3. 껍질을 벗겨 실한 호도 5홉을 찧거나 갈거나 하여 가루를 만들어놓는다.
4. 담(범벅)에 누룩 2되와 호도가루를 함께 담(범벅)에 넣고, 고루 힘껏 치대어 술밑을 빚는다.
5. 술독에 술밑을 담아 안치고, 예의 방법대로 하여 술이 괴어오르길 기다린다.

* 덧술 :

1. 멥쌀 3말을 백세하여 (물에 담가 불렸다가, 새 물에 다시 씻어 맑게 헹궈 건져서 물기를 뺀 후) 시루에 안쳐서 고두밥을 짓는다.
2. 솥에 물 1동이를 끓이다가 고두밥이 익었으면 넓은 그릇에 퍼 담고, 끓는 물을 골고루 나눠 붓고, 고루 헤쳐서 차게 식기를 기다린다.
3. 껍질을 벗겨 실한 호도 5홉을 찧거나 갈거나 하여 가루를 만들어놓는다.
4. 밑술에 누룩 3되와 고두밥, 호도가루를 한데 합하고, 고루 치대어 술밑을 빚는다.
5. 술독에 술밑을 담아 안치고, 예의 방법대로 하여 (14일간) 발효시킨 다음 익는 대로 채주한다.

胡桃酒

白米 一ᅪ 百洗 細末ᄒᆞ야 ᄭᅳᆯ인 믈 ᄒᆞᆫ 말ᄋᆡ ᄃᆞᆷ ᄀᆡ여 ᄎᆞ거든 실ᄒᆞᆫ 胡桃 五合을 눌오니 삐커나 ᄀᆞᆯ거나 ᄒᆞ야 曲子 二升ᄋᆡ 섯거 녀허다가 괼만 ᄒᆞ거든 白米 三ᅪ 百洗ᄒᆞ야 밥 ᄶᅧ ᄭᅳᆯ인 믈 ᄒᆞᆫ 동희에 골화 ᄎᆞ거든 曲子 三升와 실ᄒᆞᆫ 胡桃 一升 五合을 ᄀᆞ장 눌오니 삐커나 ᄀᆞᆯ거나 ᄒᆞ야 밋술ᄋᆡ 섯거 녀허다가 닉거든 쓰라.

11. 핵도주방 <임원십육지(林園十六志)>

술 재료 : 멥쌀 1말, 껍질 벗긴 호도 1되, 누룩가루 1되 5홉, 물 1말 1되

술 빚는 법 :
1. 겉껍질과 속껍질을 모두 벗긴 호도 1되를 물에 담가 하룻밤 담갔다가 다시 씻어 건진다.
2. 멥쌀 1말을 백세하고 (물에 백 번 씻어 새 물에 담가 불렸다가, 다시 씻어 말갛게 헹궈서 물기를 뺀 후) 작말하여(가루로 빻아) 그릇에 담아놓는다.

3. 씻어 건져놓은 호도 1되를 맷돌에 갈아 가루를 만들고, 물 1말 1되와 함께 끓여서 달인 물이 1말이 되면 체에 걸러 찌꺼기를 제거한다.
4. 호도 달인 물과 쌀가루를 합하고, 다시 팔팔 끓여 죽을 쑨 후 넓은 그릇에 펴서 차게 식기를 기다린다.
5. 호도죽에 (누룩가루 1되 5홉을 합하고) 고루 버무려 술밑을 빚는다.
6. 술독에 술밑을 안치고, 예의 방법대로 하여 10일간 발효시킨다.

* 주방문에 "위(송자주)와 같다."고 하였으므로, 잣 대신 껍질을 벗긴 호도를 사용하여 주방문을 작성하였다. <문경방>을 인용하였다. '핵도주(核桃酒)' 라고 하였으나 '호도주(胡桃酒)'의 다른 이름일 뿐이므로 '호도주'로 분류하였다.

核桃酒方

釀法同松子酒. <聞見方>.

12. 호도주법 <증보산림경제(增補山林經濟)>

술 재료 : 멥쌀 1말, 껍질 벗긴 호도 1되, 누룩가루 1되 5홉, 끓는 물 3병

술 빚는 법 :
1. 멥쌀 1말을 백세하고 (물에 백 번 씻어 새 물에 담가 불렸다가, 다시 씻어 말갛게 헹궈서 물기를 뺀 후) 작말하여(가루로 빻아) 그릇에 담아놓는다.
2. 물 3병을 팔팔 끓여 쌀가루에 붓고, 주걱으로 고루 섞어 (반생반숙의 범벅을 만들어 뚜껑을 덮고) 차게 식기를 기다린다.
3. 겉껍질과 속껍질을 모두 벗긴 호도 1되를 누룩가루 1되 5홉과 함께 절구에 넣고 짓찧어 놓는다.

4. 술밑에 범벅을 합하고, 매우 치대어 술밑을 빚는다.
5. 술독에 술밑을 안치고, 예의 방법대로 하여 (여러 겹 종이로 밀봉한 뒤, 14일간) 발효시킨다.

* 주방문에 "위(백자주법)와 같다."고 하였으므로, 잣 대신 껍질을 벗긴 호도를 사용하여 주방문을 작성하였다.

胡桃酒法
上同(栢子酒法).

13. 호도주 <학음잡록(鶴陰雜錄)>

술 재료 : 멥쌀 1말, 호도 2되, 누룩가루 1말, 끓는 물 1병 반

술 빚는 법 :
1. 멥쌀 1말과 찹쌀 1되를 백세하여 (물에 백 번 씻어 새 물에 담가 불렸다가, 다시 씻어 말갛게 헹궈서 물기를 뺀 후) 시루에 안쳐서 고두밥을 짓는다.
2. 물 1병 반을 팔팔 끓여 쪄낸 고두밥에 붓고, 주걱으로 고루 섞어 고두밥이 물을 다 먹기를 기다렸다가 삿자리에 펼쳐서 차게 식기를 기다린다.
3. 겉껍질과 속껍질을 모두 벗긴 호도 2되를 누룩가루 1되와 함께 절구에 넣고 짓찧어 놓는다.
4. 고두밥에 잣과 누룩 찧은 것을 한데 합하고, 매우 치대어 술밑을 빚는다.
5. 술독에 술밑을 안치고, 예의 방법대로 하여 발효시킨다.

* 기록에 "위(백자주법)와 같다."고 하였으므로, 잣 대신 껍질 벗긴 호도를 사용하여 주방문을 작성하였다.

胡桃酒

上同(栢子酒). 釀法如香醞而但以實栢子二斗與厚入麴末一斗同擣爛入酒本調和釀之.

14. 호도주 <해동농서(海東農書)>

술 재료 : 멥쌀 1말, 껍질 벗긴 호도 1되, 누룩가루 1되 5홉, 끓는 물 3병

술 빚는 법 :

1. 멥쌀 1말을 백세하고 (물에 백 번 씻어 새 물에 담가 불렸다가, 다시 씻어 말갛게 헹궈서 물기를 뺀 후) 작말하여(가루로 빻아) 그릇에 담아놓는다.
2. 물 3병을 팔팔 끓여 쌀가루에 붓고, 주걱으로 고루 섞어 (반생반숙의 범벅을 만들어 뚜껑을 덮고) 차게 식기를 기다린다.
3. 겉껍질과 속껍질을 모두 벗긴 호도 1되를 누룩가루 1되 5홉과 함께 절구에 넣고 짓찧어 놓는다.
4. 술밑에 범벅을 합하고, 매우 치대어 술밑을 빚는다.
5. 술독에 술밑을 안치고, 예의 방법대로 하여 (여러 겹 종이로 밀봉한 뒤, 14일간) 발효시킨다.

* 주방문에 "위(백자주법)와 같다. 호도로 대신할 뿐이다."고 하였으므로, 잣 대신 껍질을 벗긴 호도를 사용하여 주방문을 작성하였다.
* <고사촬요>를 인용하였다.

胡桃酒

釀法 如香醞. 而但以實柏子二斗. 與原入麴末一斗. 同擣爛入酒本. 調和釀之. 上同.

호마주

스토리텔링 및 술 빚는 법

'호마주(胡麻酒)'는 청마자(青麻子)를 약간 볶은 것에 생강과 생용뇌를 섞어서 다시 볶아 찧어서 가루로 만들어 술에 담가 우린 술이다. "풍(風)을 없애고, 허리와 무릎 아픈 데 마시면 좋다."고 알려지고 있다.

'호마주'는 <임원십육지(林園十六志)>에 처음 등장하는데, "<산가청공>을 인용하였다."고 하였고, '호마주'를 '거승주'라 한다고 한다. <임원십육지>에는 '거승주'도 수록하고 있는데, 주방문 없이 "<본초강목(本草綱目)>을 인용하였다."고 하고 "풍을 없애고, 허리와 무릎 아픈 데 마시면 좋다."고 한 것으로 미루어, 중국의 주품이 <임원십육지>를 통해 우리나라에 소개되었음을 확인할 수 있다.

'호마주'는 청마자와 용뇌엽, 생강이 주원료로 술에 타서 마시는 약용주의 한 가지에 속한다.

'호마주'에 사용된 주원료 중 청마자는 '어저귀'라는 아욱과의 한해살이풀로, 줄기의 높이가 1.5미터 정도이며, 잎은 어긋나고 둥근 모양으로 가장자리에 둔한 톱니가 있다. 8~9월에 노란 오판화(五瓣花)가 줄기 끝의 잎겨드랑이에서 핀다. 어저

귀의 줄기로는 밧줄이나 마대를 만들고, 씨는 생약재로 쓴다. 열매는 삭과(蒴果)로서 '경마(苘麻)', '동규자(冬葵子)', '백마(白麻)', '백마실(白麻實)', '청마(靑麻)'라고 하여 약재로 쓰이고, 술에도 사용한다.

'용뇌엽(龍腦葉)'은 다년생 본초로 용뇌향과(龍腦香科)에 속한 용뇌향수(龍腦香樹)라고 하는 나무의 잎이다. 이 용뇌향수를 수증기로 증류하여 냉각하면 결정체가 얻어지는데 이를 '용뇌(龍腦)'라고 하며, 부인과의 질환과 눈병 등의 치료와 정신안정제로 사용한다.

<별록(別錄)>에 "용뇌(龍腦)는 난산(難産)에 가루를 조금 복용하면 새롭게 진액이 보충되어 쉽게 출산한다." 하고, 다른 문헌에서는 "막힌 것을 통하게 하고, 정신을 맑게 하여 정신혼몽이나 의식불명에 치료제로 쓰이며, 열과 부기를 내리고 통증을 완화시켜 주며, 눈에 생긴 내장과 외장을 낫게 하여 눈을 밝게 하고 정신을 안정시키는 등의 효능과 항균·항염증상에 작용한다."고 하였다.

'생강(生薑)'은 면역력을 높여주어 감기도 예방하고, 몸을 따뜻하게 해 여성들에게는 보약으로 알려지고 있는데, 해열, 진통 살균작용 등 다양한 효능이 알려지고 있다. 생강은 특히 감기 바이러스나 폐렴을 일으키는 세균류뿐만 아니라, 무좀의 원인인 진균에 대한 항균능력도 뛰어나고, 원형탈모증이 있는 머리나 무좀이 발생하는 발에 생강즙을 바르면 효과를 톡톡히 볼 수 있다. 몸 속 회충이나 사상충 같은 기생충에도 효과적이라고 한다.

<동의보감(東醫寶鑑)>에 따르면, 생강을 섭취하면 혈액을 순환시켜 발한, 배뇨, 배변효과가 촉진되어 몸속에 오염된 피, 음식물 독과 체액 등으로 인한 독소의 배출을 돕고, 독소를 몰아내어 신체 정화에 효과적이라고 한다.

'호마주'에 사용되는 원료는 맛과 향이 강한 성질을 지녔다는 공통점이 있어 그 사용법에 유의해야 한다. 이들 원료를 볶을 때 사용하는 프라이팬이나 솥은 기름기가 없어야 한다.

먼저, 청마자는 단백질과 지방이 많은 까닭에 타지 않을 정도로 볶은 다음, 차게 식힌 후 다시 용뇌엽과 생강을 추가하여 볶는다. 용뇌엽과 생강의 수분이 거의 없을 정도로 볶은 뒤 분쇄기나 믹서기에 넣고 가루를 만들어두었다가, 맑은 청주 5말을 한 차례 끓여서 차게 식힌 후에 타서 두고두고 마신다.

한꺼번에 만들기가 부담스러우면 비율대로 줄여서 하는데, 청마자 등의 약재가 타지 않도록 주의해야 한다.

<임원십육지>에 <산가청공>을 인용하여 "여름철에 1사발을 마시면 청신하고 상쾌한 맛이 그윽하며, 더위를 없애준다."고 하였다. 반면 '거승주(巨勝酒)'에 대하여 일명 '호마주'라고 한다는 부제(副題)와 함께 <본초강목(本草綱目)>을 인용하여 "풍을 없애고, 허리와 무릎 아픈 데 마시면 좋다. 방법은 <보양지>를 참조하라."고 하였다.

일반에서는 "호마주는 곧 '거승주'로, 검은 참깨를 거승(巨勝)이라 하며, 이 참깨로 빚은 술이다."라 했다. 이는 청마자가 검은 참깨와 유사하게 생긴 데다, 기름을 짜서 사용한다는 공통점으로 그 구별이 쉽지 않았던 까닭이 아닌가 한다. 따라서 '호마주'와 '거승주'는 차이가 있음을 확인할 필요가 있다.

한편, <부인양방>에 "동규자(冬葵子)와 사인(砂仁)을 등분하여 가루 내고 데운 술로 복용하면, 유즙불행(乳汁不行)·유방창통(乳房脹痛)을 치료한다."고 하여 '호마주'와 사용방법이 유사하므로, 일반에서 말하는 것처럼 검은 참깨가 아닌 동규자 곧 청마자를 사용한 술임을 알 수 있다.

호마주 <임원십육지(林園十六志)>

술 재료 : 청마자 2되, 생강 2냥, 생용뇌엽(生龍腦葉) 1주먹(줌), 끓인 술 5말

술 빚는 법 :

1. 청마자 2되를 깨끗하게 씻은 후, 기름기 없는 프라이팬에 볶아서 차게 식힌다.
2. 생강 2냥과 생용뇌엽(生龍腦葉) 1주먹(줌)을 함께 기름기 없는 프라이팬에 볶아서 차게 식힌다.
3. 볶은 약재를 분쇄기에 넣고 가루로 만든다.
4. 술 5말을 끓인 후 차게 식기를 기다렸다가 약재가루를 넣어 마신다.

* 주방문 말미에 "여름철에 1사발을 마시면 청신하고 상쾌한 맛이 그윽하며, 더위를 없애준다."고 하였다.

胡麻酒

<山家淸供> 有胡麻酒方 基法 靑麻子二升煎熟畧炒加生薑二兩生龍腦葉一撮同入炒細研投之以煎醞五升濾渣去水浸之盛夏飮一巨觥淸風颯然絶無暑氣大有所益.

호유주

스토리텔링 및 술 빚는 법

민간 속설에 "고수나물을 잘 먹으면 스님이 된다."거나 "고수를 잘 먹어야 중노릇 잘한다."는 말이 있다. 고수나물은 맛도 그렇거니와 독특한 냄새가 매우 강하여 대부분의 사람들이 먹기를 꺼리는데, 마치 빈대 냄새가 나기 때문이다.

하지만 이 고수나물을 즐겨 먹는 스님들이나 사람들은 '고소하다'고까지 할 정도로 매력 있는 나물로 여긴다.

'호유실' 혹은 '빈대풀'이라고도 불리는 고수는 우리나라의 사찰에서 텃밭에 몇 고랑을 만들어 키우기도 하지만 지금은 전업농가에서 재배해 대량으로 생산하기도 한다. "향이 독특해 처음에는 먹기에 거북하나 잎에 맛이 길들여지면 최고의 야채로 각광받고 있다."는 것이다.

이 고수나물은 아주 오래된 향료의 하나로 알려지고 있으며, 한방에서는 그 씨앗을 약재로도 이용한다. 한약명으로 '호유(胡荽)', '호유실(胡荽實)'이라고 하고, 건위·이뇨·해열·거담·강장제로 사용하는 등 그 이용 범위가 넓은 편이다.

뿌리와 잎은 그 맛이 맵고 성질은 따뜻하다. 생채로 먹거나 김치를 담가 먹는데,

소화를 잘 되게 하고 오장을 편하게 하며, 빈혈을 고치고 대·소장을 이롭게 한다. 또 배의 기를 통하게 하고, 사지의 열을 없애며, 두통을 치료한다고 알려져 있다.

한편 최근 들어 고수는 전립선염에 효험이 있는 것으로 알려지고 있다. 고수와 더덕을 동량의 비율로 하여 진하게 달여서 마시면 전립선염이 완화된다고 한다.

<동의보감(東醫寶鑑)>에 '호유주(胡荽酒)'가 처음 등장하는데, "治痘不快出(두창이 시원하게 돋지 않는 것을 치료한다)."고 하여 술과 함께 사용하는 것을 볼 수 있다.

두창(痘瘡)은 법정전염병의 한 가지로, 열이 나고 두통을 동반하며, 온몸에 발진이 생겨서 자칫하면 얼굴이 얽게 되는 전염병을 가리킨다.

고수나물의 줄기에 두창을 잘 돋게 하여 빠른 시간 내에 치료할 수 있는 성분이 있다는 것이다.

지금은 두창(천연두)이 거의 퇴치되었고, 병원에만 가면 치료할 수 있어 크게 걱정할 일은 아니지만, 과거에는 사회적 고민거리가 아닐 수 없었다.

하지만 외모를 중요시하는 요즘 젊은이들과 특히 여성들 사이에서는 두창이 여전히 두려울 수도 있다.

'호유주'가 각광을 받지 못한 채 기록에만 남아 있는 주품이 된 배경으로는 섭생에 대한 관심이 높아지고 보다 잘살게 되었다는 사실과 보다 빠른 치료와 사전 예방 등 현대의학의 발전과도 무관하지 않다 하겠다.

또한 '호유주'의 맛이 썩 아름답지 못하여 마시기를 꺼리게 된 이유가 되지 않았나 생각된다.

호유주 <동의보감(東醫寶鑑)>

술 재료 : 고수줄기 2냥 , 청주 2되

술 빚는 법 :

1. 고수줄기를 채취하여 물에 깨끗하게 씻어 이물질과 낙엽을 제거하여 물기를 빼서 2냥을 준비해 놓는다.
2. 솥에 청주 2되를 붓고 고수줄기를 넣어 달인다.
3. 술이 끓으면 약기운이 새지 않게 밀봉하여 덮어준다.
4. 술이 따뜻해지면 고수줄기를 제거한다.
5. 따뜻한 술을 두창이 있는 환자의 얼굴과 머리를 제외한 온몸에 뿜어서 뿌리고, 옷을 입혀서 몸이 따뜻해지게 한다.

* <본초(本草)>를 인용하였다. <소아(小兒)>에 나온다.

胡荽酒

治同上(治痘不快出), 胡荽莖剉二兩, 以淸酒二升同煎, 令沸, 便以物盖定, 物泄氣, 候溫去滓, 噴一身令遍, 物噴頭面, 以衣溫覆, 須臾痘子快出, 神效. 無莖則用子.

황정주

스토리텔링 및 술 빚는 법

요즘 기능성 식품이 인기를 누리면서 인터넷상에서 '둥굴레'와 '황정(黃精)'에 대한 얘기가 자주 오르내리는 것을 목격할 수 있다. 주된 내용은 '둥굴레'와 '황정'이 동종의 식물인가 다른가 하는 질문들이 주로 많고, 언급되는 글마다 그 경계가 뚜렷하지 않음을 이야기하고 있다.

전문가들에 의하면 '황정'이나 '둥굴레'는 한 속(屬)이며, "약효가 인정되는 것을 '황정'으로 규정한다."고 한다.

사실 '황정'이나 '둥굴레'는 절간에서 '선방(禪房)의 차(茶)'로 널리 알려지면서 열풍적으로 번지게 되었다. 전국의 산야가 둥굴레 채취로 몸살을 알았던 것이 벌써 20여 년도 넘은 것 같은데, 아직도 '둥굴레 타령'이다. 우리나라 사람들의 줏대 없는 쏠림현상을 어찌해야 할지 모르겠다.

하지만 예로부터 황정을 술에 이용하여 왔다는 사실은 잘 모르는 것 같다. <농정회요(農政會要)>를 비롯해 <우음제방(禹飮諸方)>과 <임원십육지(林園十六志)>에 '황정주(黃精酒)'가 수록되어 있다.

'황정주'의 술 빚는 법은 두 가지가 전해 오며, '황정주'는 황정을 주재료로 하여 빚는 만큼 발효주와 약용약주(藥用藥酒)로 분류할 수 있다.

'황정주'를 수록하고 있는 문헌 가운데 시대적으로 가장 앞선 기록이 <임원십육지>이다. <임원십육지>에는 주방문이 수록되어 있지 않고, <본초강목(本草綱目)>을 인용하여 "근육과 골격을 튼튼하게 하고, 정수에 이로우며, 흰머리를 검게 하고, 여러 가지 병을 치료한다."고 소개하고 있다.

따라서 <본초강목>을 상고할 필요가 있으며, '황정주'의 유래는 <본초강목>으로부터 시작되었을 것으로 여겨진다.

<임원십육지>보다 7년 뒤에 저술된 것으로 알려진 <농정회요>에 비로소 주방문이 나타난다. 황정 4근을 비롯하여 심을 제거한 천문동 3근, 송침 6근, 백출 4근, 구기자 5근, 누룩 15되, 물 3석(30말)이 사용된다고 하였다.

그러나 사용되는 쌀의 분량이 언급되어 있지 않다. 또 19세기 초의 기록으로 추정되는 <우음제방>에는 황정(임의 양), 찹쌀 1말, 누룩 1두레(덩어리)로 빚는다고 하였을 뿐, 여기서도 역시 황정과 물의 양이 나와 있지 않다.

<농정회요>의 '황정주' 빚는 과정을 보면, "황정 4근, 심을 제거한 천문동 3근, 송침 6근, 백출 4근, 구기자 5근을 생것으로 준비한다(물에 깨끗하게 씻어 이물질과 흙 등 불순물을 제거한다). 물 3석과 함께 솥에 넣고 하루 동안 달여서 (체에 걸러서) 물이 맑아지기를 기다린다. 약재 달인 물에 누룩을 담가 불린 후, 멥쌀을 사용하여 '집에서 빚는 법(如家醞法)'으로 한다."고 하였다.

<우음제방>에서는 "2월과 8월에 까막무릇(황정)을 캐어 물에 즉시 씻어서 쓴 즙을 다 빼낸다. 찹쌀 1말을 백세하여 고두밥을 짓고, 누룩 1두레(덩어리)를 합하고, 고루 버무려 술밑을 빚는데, 술밑에 황정을 썰어 술독에 함께 담아 안쳐서 익힌다."고 하여, <농정회요>의 주방문과 <우음제방>의 기록이 서로 상이하다는 것을 알 수 있다.

특히 <우음제방>에서는 '까막무릇'을 황정으로 보고 있다(저자가 살았던 대전 지방에서는 까막무릇을 황정이라고 했던 것 같다). 이 까막무릇을 초봄과 한여름에 캐서 사용하고, 짓찧어서 즙을 제거한 후 찹쌀 1말로 지은 고두밥과 누룩 1두레로 물 없이 빚은 술밑에 썰어 넣어 사용한다고 했다.

따라서 이들 주방문이 불확실한 부분이 많아 정확히 단정 지을 수 없지만, '황정주'는 반가에서 보약주(補藥酒) 개념으로 빚어 마셨던 술인 것만은 분명하다.

<농정회요>의 주방문 말미에 "술이 익어 맑은 부분을 걸러 뜻대로 마시면, 온갖 병을 다스려 없애고 수명을 늘이며, 수염과 머리털이 검어지고 치아가 새로 나니, 효과가 오묘하여 헤아릴 수 없다."고 하였고, <우음제방>에서는 주방문 머리에 "황정은 가막무릇으로, 철(쇠붙이)을 꺼린다."고 하고, 주방문 말미에 "공복에 주량껏 마시면 연년수명하고 눈이 밝아지고 정신이 상연하니라(상쾌하고 맑다)."고 한 것을 볼 수 있다.

결국 이들 문헌에서 밝힌 대로 하면, '황정주'는 보약주 가운데서도 상약방문(上藥方文)이 아닐 수 없다.

술 빚는 법으로 다시 돌아가면, '황정주'는 황정을 주원료로 사용하여 빚는 방법과 황정 외의 다른 보조약재를 사용하여 약효를 상승시키는 두 가지 방법이 있다. 이와 같은 경우는 '국화주'에서도 볼 수 있다. 국화만을 사용하는 '국화주'와 국화 외 구기자와 생지황을 달여서 빚는 방법이 그것이다.

'황정주'를 빚을 때 주의할 일은 황정을 깨끗하게 씻어서 흙과 이물질을 제거한 후, 물에 오랫동안 담가서 쓴맛을 빼내야 한다는 것이다. 가능하면 오랫동안 진하게 달여서 사용하면 약효는 물론이고 발효상태도 더욱 좋아진다.

경험을 예로 들면, "황정 4근을 비롯하여 심을 제거한 천문동 3근, 송침 6근, 백출 4근, 구기자 5근, 누룩 15되, 물 3석(30말)이 사용된다."고 하는 <임원십육지>의 주방문의 경우, 약재를 달인 물이 3말이 되도록 오랫동안 달인 후 찌꺼기를 제거하여 약 달인 물만을 취하고 차게 식혀서 찹쌀이나 멥쌀 2~3말로 지은 고두밥과 함께 빚는데, 술의 발효가 끝나면 가능한 한 빨리 채주하여 오지병에 담아 서늘한 곳에 보관해 두고 마시는 것이 좋다.

약 달인 물을 사용한 '황정주'는 장기저장이 어렵고, 누룩이 많이 사용된 까닭에 시간이 오랠수록 술 빛깔이 검어지고 기호가 떨어지기 때문이다.

그리고 <우음제방>의 '황정주'는 황정 1~2근을 잘게 썰어서 물 2말에 넣고 달인 물이 1말이 되도록 오랫동안 삶아서 쓴맛을 빼낸 다음, 찹쌀이나 멥쌀 1말로 고두밥을 짓고, 누룩 2되와 끓여 식힌 물 1말을 사용하여 발효시키는 방법이 맛이나 향기 면에서 선호되었음을 밝혀둔다.

1. 황정주 <농정회요(農政會要)>

술 재료 : 황정 4근, 심을 제거한 천문동 3근, 송침 6근, 백출 4근, 구기자 5근, 멥쌀(15말), 누룩 15되, 물 3석(30말)

술 빚는 법 :

1. 황정 4근, 심을 제거한 천문동 3근, 송침 6근, 백출 4근, 구기자 5근을 생것으로 준비한다(물에 깨끗하게 씻어 이물질과 흙 등 불순물을 제거한 후, 건조시켜 물기를 없앤다).
2. 솥에 물 3석을 붓고, 준비한 약재를 넣고 하루 동안 달여서 (체에 걸러서) 물이 맑아지기를 기다린다.
3. 약재 달인 물에 누룩을 담가 불린 후 가양주법으로 술을 빚는다.
4. 가양주법(멥쌀 15말을 백세하여 물에 담갔다가, 다시 씻어 건져서 물기를 뺀 후 시루에 안쳐서 고두밥을 짓는다. 고두밥이 익었으면 시루에서 퍼내고, 고루 펼쳐서 차게 식기를 기다린다. 고두밥에 누룩을 불린 약 달인 물을 합하고, 고루 버무려 술밑을 빚는다. 술밑을 술독에 담아 안치고, 베보자기로 밀봉한 후 뚜껑을 덮어 차지도 덥지도 않은 곳에 두고 발효시킨다.)으로 술을 빚고 발효시킨다.
5. 술이 익어 맑아졌으면, 식사 때 임의로 주량껏 마신다.

* 주방문 말미에 "술이 익어 맑은 부분을 걸러 뜻대로 마시면, 온갖 병을 다스려 없애고 수명을 늘이며 수염과 머리털이 검어지고 치아가 새로 나니 효과가 오묘하여 헤아릴 수 없다"고 하였다.

黃精酒

用黃精四斤,天門冬去心三斤,松針六斤,白朮四斤,枸杞五斤,俱生用.納釜中,以水三石煮之一日,去渣,以清汁浸麯,如家醞法.酒熟取清,任意食之,主除百病,延年,變鬚髮,生齒牙,功妙無量.

2. 황정주 <우음제방(禹飮諸方)>

술 재료 : 가막무릇(황정 임의 양), 찹쌀 1말, 누룩 1두레(덩어리)

술 빚는 법 :

1. 2월과 8월에 가막무릇(황정)을 캐어, 물에 즉시 씻어서 쓴 즙을 다 빼낸다.
2. 찹쌀 1말을 백세하여 (물에 담가 불렸다가, 다시 씻어 건져서 물기를 뺀 후) 시루에 안쳐서 고두밥을 짓는다.
3. 고두밥이 익었으면 시루에서 퍼내고, 고루 펼쳐서 차게 식기를 기다린다.
4. 고두밥에 누룩 1두레(덩어리)를 합하고, 고루 버무려 술밑을 빚는다.
5. 술밑에 황정을 썰어 술독에 함께 담아 안치고, 예의 방법대로 하여 (차지도 덥지도 않은 곳에 두고) 발효시킨다.
6. 술이 익었으면, 공복에 임의로 주량껏 마신다.

* 주방문 머리에 "황정은 가막무릇으로, 철(쇠붙이)을 꺼린다."고 하였다. 말미에 "공복에 주량껏 마시면 연년수명(延年壽命)하고 눈이 밝아지고 정신이 상연(爽然)하니라(상쾌하고 맑다)."고 하였다.

황뎡쥬

황뎡은 가막므르시니 긔쳘ᄒᆞᄂᆞ니라. 가막므르ᄉᆞᆯ 이월과 팔월의 ᄏᆡ야 물의 즉시 씨서 쓴 즙을 다 낸 후의 찹ᄊᆞᆯ ᄒᆞᆫ 말 ᄇᆡᆨ셰ᄒᆞ야 밥 찌고 누록 ᄒᆞᆫ 두레ᄅᆞᆯ 너허 술 비즌 후 가막ᄆᆞ루술 써흐러 닉기를 기ᄃᆞ려 슈량ᄒᆞ야 날마다 공심의 먹으면 년년 익슈ᄒᆞ고 눈 ᄇᆞᆰ고 졍신이 상연ᄒᆞ니라.

3. 황정주 <임원십육지(林園十六志)>

근육과 골격을 튼튼하게 하고 정수에 이로우며 흰 머리를 검게 하고 여러 가지 병을 치료한다. <본초강목>을 인용하였다.

黃精酒

<本草綱目> 壮筋骨益精髓變白髮治百病. (案)方見 <葆養志>.

부록

문헌별 찾아보기

주방문 수록 문헌 및 내용

1. 〈간본규합총서(刊本閨閤叢書)〉 1869년, 한글 활자본, 빙허각(憑虛閣) 이씨(李氏) 원찬(原撰)

- 주방문 (7종) : 1. 연엽주 2. 화향입주법 3. 두견주 4. 일년주 5. 약주 6. 과하주 7. 소주
- 기타 (2종) : 1. 술 빚는 길일 2. 술 신맛 구하는 법

2. 〈감저종식법(甘藷種植法)〉 1766년, 한문 필사본, 유중임(柳重臨)

- 주방문 (33종) : 1. 작주부본(作酒腐本) 2. 택수(澤水) 3. 중원인양호주법(中原人釀好酒) 4. 백로주(白露酒) 5. 소곡주(少麯酒) 6. 약산춘(藥山春) 7. 약산춘(藥山春 一方) 8. 호산춘(壺山春) 9. 호산춘(壺山春 一法) 10. 삼해주법(三亥酒法) 11. 내국향온법(內局香醞法) 12. 백자주(栢子酒) 13. 호도주(胡桃酒) 14. 도화주(桃花酒) 15. 도화주(桃花酒 一云) 16. 연엽주(蓮葉酒) 17. 경면녹파주(鏡面綠波酒) 18. 벽향주(碧香酒) 19. 하향주(荷香酒) 20. 이화주(梨花酒) 21. 청서주(淸暑酒) 22. 일일주(一日酒) 23. 삼일주(三日酒) 24. 과하주(過夏酒) 25. 과하주(過夏酒 一方) 26. 화향입주방(花香入酒方) 27. 화향입주방(花香入酒 一方) 28. 오가피주(五加皮酒) 29. 오가피주(五加皮酒 別法) 30. 무술주(戊戌酒) 31. 주중지약법(酒中漬藥法) 32. 구주불비법(救酒不沸法) 33. 구산주법(救酸酒法)
- 누룩 (1종) : 1. 조요국(造蓼麴)
- 기타 (2종) : 1. 식면후욕음주(食麵後欲飮酒) 2. 조주법(造酒法)

3. 〈고려대규합총서(高麗大閨閤叢書, 異本)〉 1800년대 초엽, 한글 활자본, 저자 미상, 고려대학교 소장본

- 주방문 (18종) : 1. 구기주 2. 오가피주 3. 화향입주방 4. 도화주 5.연엽주 6. 두견주 7. 소국주 8. 과하주 9. 백화주(자제신증) 10. 감향주 11. 송절주 12. 송순주 13. 호산춘 14. 삼일주 15. 일일주 16. 박문주 17. 녹파주 18. 오종주방문
- 기타 (11종) : 1. 각국 술 이름(諸國酒名) 2. 옛 후비(后妃)가 만든 주명(酒名) 3. 술 이름 소사(酒小史) 4. 갱기(羹器) 5. 음론(飮論) 6. 술 빚는 길일 7. 술 못 빚는 날 8. 음주금기 9. 성주

불취 10. 단주방 11. 모든 술이 깨고 병이 들지 않는 약방문

4. 〈고사신서(攷事新書)〉 1771년, 한문 판각인쇄본, 서명응(徐命膺)

◆ 주방문 (50종) : 1. 백로주(百露酒) 2. 소국주(少麴酒) 3. 약산춘(藥山春) 4. 약산춘 별법(藥山春 別法) 5. 호산춘(壺山春) 6. 삼해주(三亥酒) 7. 향온주(香醞酒) 8. 백자주(栢子酒) 9. 호도주양법(胡桃酒釀法) 10. 도화주(桃花酒) 11. 연엽주(蓮葉酒) 12. 녹파주(綠波酒) 13. 벽향주(碧香酒) 14. 하향주(荷香酒) 15. 이화주(梨花酒) 16. 청서주(淸暑酒) 17. 부의주(浮蟻酒) 18. 청감주(淸甘酒) 19. 포도주(葡萄酒) 20. 백주(白酒) 21. 일일주(一日酒) 22. 삼일주(三日酒) 23. 잡곡주(雜穀酒) 24. 지주(地酒) 25. 내국홍로주(內局紅露酒) 26. 노주(露酒) 27. 노주소독(露酒消毒) 28. 계당주(桂當酒) 29. 자주(煮酒) 30. 자주 우법(煮酒 又法) 31. 과하주(過夏酒) 32. 과하주 우법(過夏酒 又法) 33. 밀주(密酒) 34. 밀주 우법(密酒 又法) 35. 화향입주(花香入酒) 36. 화향입주 우법(花香入酒 又法) 37. 오가피주(五加皮酒) 38. 오가피주 우법(五加皮酒 又法) 39. 천문동주(天門冬酒) 40. 구기자지복법(枸杞子漬服法) 41. 구기자주 별법(枸杞子酒 別法) 42. 국화주(菊花酒) 43. 국화주 우법(菊花酒 又法) 44. 석창포주(石菖蒲酒) 45. 백화주(百花酒) 46. 지황주(地黃酒) 47. 무술주(戊戌酒) 48. 주중지약법(酒中漬藥法) 49. 구주불비법(救酒不沸法) 50. 구산주법(救酸酒法)

◆ 누룩 (2종) : 1. 조국법(造麴法) 2. 조요국(造蓼麴)

◆ 기타 (2종) : 1. 식면후음주(食麵後飮酒) 2. 취하지 않는 법

5. 〈고사십이집(攷事十二集)〉 1737년경/1787년경, 한문 판각인쇄본, 서명응(徐命膺)

◆ 주방문 (42종) : 1. 향온주(香醞酒) 2. 백로주(百露酒) 3. 녹파주(綠波酒) 4. 녹파주 우법(綠波酒 又法) 5. 벽향주(碧香酒) 6. 약산춘(藥山春) 7. 약산춘 별법(藥山春 別法) 8. 소국주(少麴酒) 9. 부의주(浮蟻酒) 10. 자주(煮酒) 11. 자주 우법(煮酒 又法) 12. 지주(地酒) 13. 밀주(密酒) 14. 밀주 우법(密酒 又法) 15. 호산춘(壺山春) 16. 삼해주(三亥酒) 17. 도화주(桃花酒) 18. 연엽주(蓮葉酒) 19. 과하주(過夏酒) 20. 과하주 우법(過夏酒 又法) 21. 하향주(荷香酒) 22. 백주(白酒) 23. 이화주(梨花酒) 24. 청감주(淸甘酒) 25. 일일주(一日酒) 26. 삼일주(三日酒) 27. 소주양법(燒酒釀法) 28. 소주양법 우법(燒酒釀法 又法) 29. 관서감홍로(關西甘紅露) 30. 관서계당주 양법(關西桂糖酒 釀法) 31. 무술주(戊戌酒) 32. 송액주(松液酒) 33. 송절주(松節酒) 34. 문장주(文章酒) 35. 문장주 우법(文章酒 又法) 36. 구기주(枸杞酒) 37. 구기주 우법(枸杞酒 又法) 38. 국화주(菊花酒) 39. 국화주 우법(菊花酒 又法) 40. 창포

주(菖蒲酒) 41. 문동주(虋冬酒) 42. 백자주(栢子酒)

◆ 기타 (1종) : 1. 식면후음주법(食麵後飮酒法)

6. 〈고사촬요(故事撮要)〉 1554/1613년, 한문 초간본, 어숙권 편·박희현 증보

◆ 주방문 (24종) : 1. 부의주(浮蟻酒) 2. 백로주(白霞酒) 3. 백로주(白霞酒, 旨酒法) 4. 하향주(荷香酒) 5. 청감주(淸甘酒) 6. 호도주(胡桃酒) 7. 백자주(栢子酒) 8. 자주(煮酒) 9. 홍로주(紅露酒) 10. 내국향온법(內局香醞法) 11. 구산주법(救酸酒法) 12. 구주법(救酒法) 13. 도화주(桃花酒) 14. 도화주 일운(桃花酒 一云) 15. 소곡주(小麯酒) 16. 약산춘(藥山春) 17. 과하주(過夏酒) 18. 청서주(淸署酒) 19. 약주(藥酒) 20. 송순주(松荀酒) 21. 도소주(屠蘇酒) 22. 노주소독방(露酒消毒方) 23. 송엽주(松葉酒) 24. 구황주(救荒酒)

◆ 기타 (2종) : 1. 식면후음주(食麵後飮酒) 2. 이앓이 않는 법

7. 〈구황촬요(救荒撮要)〉 명종 9년, 한문 판각본, 명종 명(命)

◆ 주방문 (1종) : 1. 천금주법(千金酒法, 븕나모술비즐법)

8. 〈구황보유방(救荒補遺方)〉 현종 원년(1660년), 한문 판각본, 신속(申洬)

◆ 주방문 (2종) : 1. 적선소주방(謫仙燒酒方) 2. 적선소주 우방(謫仙燒酒 又方)

9. 〈군학회등(群學會騰, 博海通攷)〉 1800년대 중엽, 한문 판각인쇄본, 저자 미상

◆ 주방문 (35종) : 1. 작주부본법(作酒腐本法) 2. 구산주법(救酸酒法) 3. 변탁주위청주법(變濁酒爲淸酒法) 4. 수잡주법(收雜酒法) 5. 화향입주법(花香入酒法) 6. 지약주중법(漬藥酒中法) 7. 일일주법(一日酒法) 8. 일일주법 우법(一日酒法 又法) 9. 삼일주법(三日酒法) 10. 삼일주법 우법(三日酒法 又法) 11. 백자주법(栢子酒法) 12. 백자주법(栢子酒法)-한 말 빚이 13. 포도주법(葡萄酒法) 14. 상심주법(桑椹酒法) 15. 자주법(煮酒法) 16. 백화주법(百花酒法) 17. 도화주법(桃花酒法) 18. 하향주법(荷香酒法) 19. 하엽주법(荷葉酒法) 20. 연엽주법(蓮葉酒法) 21. 송순주법(松荀酒法) 22. 내국향온법(內局香醞法) 23. 벽향주법(碧香酒法) 24. 청서주법(淸署酒法) 25. 지주법(地酒法) 26. 밀주법(蜜酒法) 27. 취로주견봉(聚露

酒堅封) 28. 노주소독법(露酒消毒法) 29. 두강주법(杜康酒法) 30. 신선고본주법(神仙固本酒法) 31. 백화춘법(白花春法) 32. 죽력고법(竹瀝膏法) 33. 이강고법(梨薑膏法) 34. 추모주법(秋麰酒法) 35. 중원인작호주법(中元人作好酒法)

- 누룩 (6종) : 1. 조곡길일 2. 조곡법 3. 조곡법 속법 4. 미곡법 5. 녹두곡법 6. 요곡법
- 기타 (4종) : 1. 조주길일 2. 매삭조곡조양길일법 3. 택수법 4. 음주예병법

10. 〈규중세화〉 기미 납월 초록, 한글 붓글씨본, 저자 미상, 완주 대한민국술박물관 소장본

- 주방문 (21종) : 1. 이퇴백 효주법 2. 칠일주 3. 삼일주 4. 삼해주법이라 5. 이적선 효주 6. 송순주방문 7. 송엽주 솔방울법 8. 호산춘주 9. 유감주 한법 10. 두견주 11. 이화주 12. 석탄향주법이라 13. 소곡주법 14. 백일주방문 15. 상방문 16. 점주법 17. 효주 18. 효주(별법) 19. 백화주법 20. 과하주법 21. 백일주법
- 누룩 (1종) : 이화곡

11. 〈규합총서(閨閤叢書)〉 1815년경, 한글 붓글씨 필사본, 빙허각(憑虛閣) 이씨(李氏)

- 주방문 (19종) : 1. 구기자술(枸杞酒) 2. 복사꽃술(桃花酒) 3. 연잎술(蓮葉酒) 4. 와송주(臥松酒) 5. 꽃향기 술에 들이는 법(花香入酒法) 6. 포도술(葡萄酒) 7. 배꽃술(梨花酒) 8. 진달래꽃술 9. 소국주(少麴酒) 10. 과하주(過夏酒) 11. 감향주(甘香酒) 12. 일일주(一日酒) 13. 삼일주(三日酒) 14. 신증 송절주(新增 松節酒) 15. 송순주(松荀酒) 16. 호산춘(壺山春) 17. 신술 고치는 법 18. 술이 더디 괴거든 19. 소주독 없애는 법
- 기타 (4종) : 1. 술 빚기 좋은 날 2. 꺼리는 날 3. 술 먹은 뒤 먹지 말아야 할 것(酒後食忌) 4. 소줏불 난 데

12. 〈김승지댁주방문(金承旨宅廚方文)〉 1860년, 한글 필사본, 김승지댁(金承旨宅) 친모(新母)

- 주방문 (23종) : 1. 사철소주 주방문 2. 소국주 3. 내주방문 4. 찹쌀청주법 5. 두견주법 6. 백환주법 7. 녹자주방문 8. 삼월주법 9. 건조항주법 10. 소주 되날(괴는) 법 11. 황금주법 12.

적성소주법 13. 보리소주법 14. 부의주법 15. 치황주법 16. 감향주법 17. 니화주방문 18. 소자주 19. 송엽주방문 20. 절주방문 21. 도화주법 22. 청명주방문 23. 백화주방문

13. 〈농정찬요(農政纂要)〉 1817년/1877년, 한문 필사본, 저자 미상

- 주방문 (7종) : 1. 조주착취법(造酒搾取法) 2. 무양주법(无讓酒法) 3. 청감주법(淸甘酒法) 4. 수잡주방(收雜酒方) 5. 구기자지주법(拘杞子漬酒法) 6. 치산주방(治酸酒法) 7. 채오가피주(菜五加皮酒)
- 기타 (2종) : 1. 조곡법(造麯法) 2. 조주길일(造酒吉日)

14. 〈농정회요(農政會要, 治膳編)〉 1830년경, 한문 필사본, 최한기

- 주방문 (81종) : 1. 중원인작호주법(中原人作好酒法) 2. 작주부본방(作酒腐本方) 3. 백하주법(白霞酒法) 4. 백하주 지주방(白霞酒 旨酒方) 5. 백하주 우방(白霞酒 又方) 6. 백하주 우방(白霞酒 又方) 7. 삼해주법(三亥酒法) 8. 삼해주 우방(三亥酒 又方) 9. 삼해주 우방(三亥酒 又方) 10. 도화주법(桃花酒法) 11. 도화주 우방(桃花酒 又方) 12. 연엽주법(蓮葉酒法) 13. 소곡주법(少麯酒法) 14. 소곡주 속법(少麯酒 俗法) 15. 약산춘법(藥山春法) 16. 약산춘법 우방(藥山春法 又方) 17. 경면녹파주법(鏡面綠波酒法) 18. 경면녹파주 우방(鏡面綠波酒 又方) 19. 경면녹파주 우방(鏡面綠波酒 又方) 20. 벽향주법(碧香酒法) 21. 벽향주 우방(碧香酒 又方) 22. 벽향주 별법(碧香酒 別法) 23. 부의주(浮蟻酒) 24. 지주(地酒) 25. 일일주(一日酒) 26. 일일주 일운(一日酒 一云) 27. 일일주 우방(一日酒 又方) 28. 삼일주(三日酒) 29. 삼일주 우법(三日酒 又法) 30. 칠일주법(七日酒法) 31. 칠일주법(七日酒法) 32. 사절칠일주방(四節七日酒方) 33. 잡곡주(雜穀酒) 34. 송순주방(松笋酒方) 35. 과하주(過夏酒) 36. 과하주 우방(過夏酒 又方) 37. 과하주 우방(過夏酒 又方) 38. 노주이두방(露酒二斗方) 39. 소주다출방(燒酒多出方) 40. 소맥소주법(小麥燒酒法) 41. 하향주법(荷香酒法) 42. 이화주법(梨花酒法) 43. 청감주법(淸甘酒法) 44. 포도주법(葡萄酒法) 45. 포도주 우법(葡萄酒 又法) 46. 포도주 우법(葡萄酒 又法, 蜜酒) 47. 감주법(甘酒法) 48. 하엽주법(荷葉酒法) 49. 추모주법(秋麰酒法) 50. 모미주법(麰米酒法) 51. 백자주법(栢子酒法) 52. 백자주 우법(栢子酒 又法) 53. 호도주법(胡桃酒法) 54. 와송주법(臥松酒法) 55. 죽통주법(竹筒酒法) 56. 소자주법(蘇子酒法) 57. 죽력고법(竹瀝膏法) 58. 이강고법(梨薑膏法) 59. 백화주법(百花酒法) 60. 화향입주방(花香入酒方) 61. 화향입주방(花香入酒方)–주배 62. 화향입주방(花香入酒方)–유자피 63. 주중지약법(酒中漬藥法) 64. 두강주방(杜康酒方) 65. 두강

주 우방(杜康酒 又方) 66. 도원주(桃源酒) 67. 향설주(香雪酒) 68. 납주(臘酒) 69. 건창홍주(建昌紅酒) 70. 오향소주(五香燒酒) 71. 산우주(山芋酒) 72. 황정주(黃精酒) 73. 백출주(白朮酒) 74. 지황주(地黃酒) 75. 창포주(菖蒲酒) 76. 양고주(羊羔酒) 77. 천문동주(天門冬酒) 78. 송화주(松花酒) 79. 국화주(菊花酒) 80. 오가피삼투주(五加皮三透酒) 81. 하월수중양주법(夏月水中釀酒法)

- 누룩 (12종) : 1. 조진면곡법(造眞麵麯法) 2. 조요곡법(造蓼麯法) 3. 조녹두곡법(造菉豆麯法) 4. 조미곡법(造米麯法) 5. 백곡법(白麯法) 6. 내부비전곡방(內附秘傳麯方) 7. 연화곡(蓮花麯) 8. 조홍곡법(造紅麯法) 9. 조신곡방(造神麯方) 10. 양능곡(襄陵麯) 11. 홍백지약(紅白漬藥) 12. 동양주곡(東陽酒麯)
- 기타 (8종) : 1. 주(酒) 2. 주 속법(酒 俗法) 3. 노주소독방(露酒消毒方) 4. 변탁주위청주법(變濁酒爲淸酒法) 5. 수잡주법(收雜酒法) 6. 구주불비방(救酒不沸方) 7. 구산주법(救酸酒法) 8. 음주방병법(飮酒防病法)

15. 〈달생비서(達生秘書)〉 1918년, 한문 필사본, 황찬(黃瓚), 국립중앙박물관 소장본

- 주방문 (32종) : 1. 조하주(糟下酒) 2. 두림주(豆淋酒) 3. 총시주(蔥豉酒) 4. 포도주(葡萄酒) 5. 상심주(桑椹酒) 6. 구기주(枸杞酒) 7. 지황주(地黃酒) 8. 무술주(戊戌酒) 9. 송엽주(松葉酒) 10. 송절주(松節酒) 11. 창포주(菖蒲酒) 12. 녹두주(鹿頭酒) 13. 고아주(羔兒酒) 14. 밀주(密酒) 15. 춘주(春酒) 16. 무회주(無灰酒) 17. 병자주(餠子酒) 18. 황련주(黃連酒) 19. 국화주(菊花酒) 20. 천문동주(天門冬酒) 21. 섬라주(暹羅酒) 22. 홍국주(紅麴酒) 23. 동양주(東陽酒) 24. 금분로(金盆露) 25. 산동 추로백(山東 秋露白) 26. 소주 소병주(蘇州 小瓶酒) 27. 남경 금화주(南京 金華酒) 28. 회안 녹두주(淮安 菉豆酒) 29. 강서 마고주(江西 麻姑酒) 30. 소주(燒酒) 31. 자주(煮酒) 32. 이화주(梨花酒)
- 기타 (1종): 1. 조(糟)

16. 〈동의보감(東醫寶鑑, 雜方/穀部/內傷編)〉 1611년/1613년, 한문 판각인쇄본, 허준

- 주방문 (14종) : 1. 구기자주(拘杞子酒) 2. 지황주(地黃酒) 3. 천문동주(天門冬酒) 4. 무술주(戊戌酒) 5. 신선고본주(神仙固本酒) 6. 포도주(葡萄酒) 7. 밀주(密酒) 8. 계명주(鷄鳴酒) 9. 계명주 우방(鷄鳴酒 又方) 10. 백화춘(白花春) 11. 자주(煮酒) 12. 작주본(作酒本) 13. 조홍소주법(造紅燒酒法) 14. 지약주법(漬藥酒法)

◆ 누룩 (2종) : 1. 조신국(造神麴) 2. 조반하국법(造半夏麴法)
◆ 기타 (9종) : 1. 주(酒) 2. 주(酒) 3. 소주독(燒酒毒) 4. 제주품(諸酒品) 5. 주상(酒傷) 6. 음주금기(飮酒禁忌) 7. 주독변위제병(酒毒變爲諸病) 8. 주병치법(酒病治法) 9. 성주령불취(聖酒令不醉)

17. 〈민천집설(民天集說)〉 1752년/1822년, 한문 필사본, 두암노인(斗庵老人), 편집(編輯) 백치일인중(白痴逸人重) 교(較)

◆ 주방문 (50종) : 1. 작주본 2. 소곡주 3. 소곡주 별법 4. 호산춘 5. 호산춘 별법 6. 삼해주 7. 내국향온 8. 내국향온 우법 8. 내국향온 우법 10. 부의주 11. 부의주 우법 12. 청감주 13. 청감주(양을 적게 하는 법) 14. 점감주 15. 일일주 16. 삼일주 17. 잡곡주 18. 잡곡주 우법 19. 지주 20. 칠일주 21. 칠일주 우방 22. 오칠주 23. 과하주 24. 석탄향 25. 석탄향 우방 26. 자주 27. 홍로주 28. 백자주 29. 호도주 30. 백하주 31. 하향주 32. 화향주 33. 화향주 우법 34. 백화주 35. 국화주 36. 지황주 37. 오가피주 38. 무술주 39. 신선고본주 40. 도소주 41. 녹주두 42. 송엽주 43. 적선소주 44. 두강주 45. 소곡주 46. 방문주 47. 황감주 48. 삼오로주 49. 구주불비법 50. 구주산법
◆ 누룩 (1종) : 1. 조신곡법
◆ 기타 (1종) : 1. 선취법

18. 〈반찬ᄒᆞᄂᆞᆫ등속(饌饍繕册)〉 계축(癸丑) 납월(臘月) 24일 (1913년 12월 24일), 한글 필사본, 진주 강씨 가문

◆ 주방문 (3종) : 1. 과(하)주 2. 연잎술 3. 약주

19. 〈방서(方書)〉 1867년, 한문 필사본, 신석근

◆ 주방문 (1종) : 1. 조주법

20. 〈보감록(寶鑑錄)〉 저술 연대 미상, 한글 붓글씨본, 저자 미상

◆ 주방문 (13종) : 1. 감향주 2. 감향주 우일방 3. 감향주 또 일방 4. 과하주 5. 과하주 또 6.

구기주 7. 두견주법 8. 도화주 9. 삼일주 10. 송순주 11. 송순주 일법 12. 송절주 13. 오가피주법

◆ 기타 (1종) : 1. 술 빚는 길일

21. 〈봉접요람〉 저술 연대 미상, 한글 필사본, 한산이씨, 한복려 소장본

◆ 주방문 (11종) : 1. 두견주법 2. 삼칠주법 3. 과하주법 4. 부원주법 5. 유하주법 6. 송순주법 7. 절주법 8. 석탄향법 9. 경양(액)춘법 10. 녹두누룩술법 11. 황금주법 12. 하양(향)주법 13. 번주법 14. 소곡주법 15. 호산춘법 16. 삼일주법 17. 녹파주법 18. 진상주법

◆ 누룩 (1종) : 1. 녹두누룩

22. 〈부인필지(夫人必知)〉 1915년, 한글 필사본, 빙허각(憑虛閣) 이씨(李氏) 원찬(原撰)

◆ 주방문 (13종) : 1. 구기주법 2. 도화주법 3. 연엽주법 4. 와송주법 5. 국화주법 6. 두견주법 7. 소곡주법 8. 과하주법 9. 감향주법 10. 일일주법 11. 삼일주법 12. 송절주법 13. 소주(소주독 없애는 법)

◆ 기타 (1종) : 1. 신 술 (고치는 법)

23. 〈사시찬요초(四時纂要抄)〉 성종(1469~1494년), 한문 활자본, 강희맹 편저

◆ 주방문 (2종) : 1. 조곡법(造麯法) 2. 국화주(菊花酒)

24. 〈산가요록(山家要錄)〉 1450년경, 한문 필사본, 전순의

◆ 주방문 (65종) : 1. 주방(酒方) 2. 취소주법(取燒酒法) 3. 향료 지주(香醪 旨酒) 4. 옥지춘(玉脂春) 5. 이화주(梨化酒) 6. 송화천로주(松化天露酒) 7. 삼해주(三亥酒) 8. 벽향주(碧香酒) 9. 벽향주 우법(碧香酒 又法) 10. 아황주(鵝黃酒) 11. 아황주 우법(鵝黃酒 又法) 12. 녹파주(綠波酒) 13. 유하주(流霞酒) 14. 두강주(杜康酒) 15. 죽엽주(竹葉酒) 16. 여가주(呂家酒) 17. 연화주(蓮花酒) 18. 황금주(黃金酒) 19. 진상주(進上酒) 20. 유주(乳酒) 21. 절주(節酒) 22. 사두주(四斗酒) 23. 오두주(五斗酒) 24. 육두주(六斗酒) 25. 구두주(九斗酒) 26. 모

미주(牟米酒) 27. 삼일주(三日酒) 28. 칠일주(七日酒) 29. 칠일주 우법(七日酒 又法) 30. 점주(粘酒) 31. 무국주(無麴酒) 32. 소국주(小麴酒) 33. 신박주(辛薄酒) 34. 하절삼일주(夏節三日酒) 35. 하일절주(夏日節酒) 36. 과하백주(過夏白酒) 37. 손처사하일주(孫處士夏日酒) 38. 하주불산법(夏酒不酸法) 39. 부의주(浮蟻酒) 40. 급시청주(急時淸酒) 41. 목맥주(木麥酒) 42. 맥주(麥酒) 43. 향온주조양식(香醞酒造釀式) 44. 사시주(四時酒) 45. 사절통용육두주(四節通用六斗酒) 46. 상실주(橡實酒) 47. 상실주 우용(橡實酒 又用) 48. 하숭사절주(河崇四節酒) 49. 자주(煮酒) 50. 예주(醴酒) 51. 예주 우방(醴酒 又方) 52. 예주 우방(醴酒 又方) 53. 예주 우방(醴酒 又方) 54. 예주 우방(醴酒 又方) 55. 삼미감향주(三味甘香酒) 56. 감주(甘酒) 57. 감주 우방(甘酒 又方) 58. 감주 우방(甘酒 又方) 59. 점감주(粘甘酒) 60. 점감주 우방(粘甘酒 又方) 61. 유감주 우방(乳甘酒 又方) 62. 과동감백주(過冬甘白酒) 63. 목맥소주(木麥燒酒) 64. 수주불손훼(收酒不損毁) 65. 기주법(起酒法)

- 누룩 (4종) : 1. 양국법(良麴法) 2. 양국법 우방(良麴法 又方) 3. 조국법(造麴法) 4. 조국법 우방(造麴法 又方)

25. 〈산림경제(山林經濟, 治善)〉 1715년경, 한문 활자본, 홍만선

- 주방문 (40종) : 1. 작주부본법(作酒腐本法) 2. 백로주(白露酒) 3. 소곡주(少麯酒) 4. 약산춘(藥山春) 5. 약산춘 일방(藥山春 一方) 6. 호산춘(壺山春) 7. 삼해주(三亥酒) 8. 내국향온법(內局香醞法) 9. 柏子酒釀法(백자주양법) 10. 호도주양법(胡桃酒釀法) 11. 도화주(桃花酒) 12. 연엽주(蓮葉酒) 13. 경면녹파주(鏡面綠波酒) 14. 경면녹파주 우방(鏡面綠波酒 又方) 15. 벽향주(碧香酒) 16. 하향주(荷香酒) 17. 이화주(梨花酒) 18. 청서주(淸暑酒) 19. 부의주(浮蟻酒) 20. 청감주(淸甘酒) 21. 포도주(葡萄酒) 22. 백주(白酒) 23. 일일주(一日酒) 24. 삼일주(三日酒) 25. 잡곡주(雜穀酒) 26. 지주(地酒) 27. 내국홍로주(內局紅露酒) 28. 노주이두방(露酒二斗方) 29. 노주소독방(露酒消毒方) 30. 자주(煮酒) 31. 자주 일방(煮酒 一方) 32. 과하주(過夏酒) 33. 과하주 일방(過夏酒 一方) 34. 밀주(蜜酒) 35. 밀주 일방(蜜酒 一方) 36. 화향입주법(花香入酒法) 37. 화향입주법 일방(花香入酒法 一方) 38. 주중지약법(酒中漬藥法) 39. 구주불비법(救酒不沸法) 40. 구산주법(救酸酒法)
- 누룩 (1종) : 1. 조국(造麴)
- 기타 (4종) : 2. 조주길일(造酒吉日, 술 빚기 좋은 날) 3. 술과 초, 누룩 디디기 좋은 날 4. 택수(澤水) 41. 식면후음주법(食麵後飮酒法)

26. 〈산림경제촬요(山林經濟撮要, 造酒諸方)〉 1800년대 중엽, 한문 필사본, 저

자 미상

- 주방문 (17종) : 1. 작주부본법(作酒腐本法) 2. 삼해주법(三亥酒法) 3. 삼해주법 우방(三亥酒 又方) 4. 도화주법(桃花酒法) 5. 소곡주법(少麯酒法) 6. 소곡주 속법(少麯酒 俗法) 7. 약산춘법(藥山春法) 8. 경면녹파주법(鏡面綠波酒法) 9. 칠일주법(七日酒法) 10. 칠일주법(七日酒法) 11. 사절칠일주법(四節七日酒法) 12. 잡곡주법(雜穀酒法) 13. 송순주법(松笋酒法) 14. 과하주법(過夏酒法) 15. 포도주법(葡萄酒法) 16. 수잡주법(受雜酒法) 17. 구산주법(救酸酒法)
- 누룩 (2종) : 1. 조미곡법(造米麯法) 2. 조국(造麴)
- 기타 (1종) : 1. 음주 후 꺼릴 것

27. 〈색경(穡經, 搜聞譜錄)〉 1676년, 한문 필사본, 박세당

- 주방문 (3종) : 1. 조유하주법(造流霞酒法) 2. 유하주 우법(流霞酒 又法) 3. 조점주법(造粘酒法)
- 누룩 (1종) : 1. 조신국법(造神麴法)

28. 〈수운잡방(需雲雜方)〉 1500년대 초엽, 한문 필사본, 김유

- 주방문 (63종) : 1. 삼해주(三亥酒) 2. 삼오주(三午酒) 3. 사오주(四午酒) 4. 벽향주(碧香酒) 5. 만전향주(滿殿香酒) 6. 두강주(杜康酒) 7. 벽향주(碧香酒) 8. 칠두주(七斗酒) 9. 소곡주(小麯酒) 10. 감향주(甘香酒) 11. 백자주(栢子酒) 12. 호도주(胡桃酒) 13. 상실주(橡實酒) 14. 하일약주(夏日藥酒) 15. 우 하일약주(又 夏日藥酒) 16. 하일청주(夏日淸酒) 17. 하일점주(夏日粘酒) 18. 우 하일점주(又 夏日粘酒) 19. 우 하일점주(又 夏日粘酒) 20. 소국주 우법(小麴酒 又法) 21. 진맥소주(眞麥燒酒) 22. 녹파주(綠波酒) 23. 일일주(一日酒) 24. 도인주(桃仁酒) 25. 백화주(白花酒) 26. 유하주(柳霞酒) 27. 이화주조국법(梨化酒造麴法) 28. 오두주(五斗酒) 29. 오두주(五斗酒) 30. 감향주(甘香酒) 31. 백출주(白朮酒) 32. 정향주(丁香酒) 33. 십일주(十日酒) 34. 동양주(冬陽酒) 35. 보경가주(宝卿家酒) 36. 동하주(冬夏酒) 37. 남경주(南京酒) 38. 진상주(進上酒) 39. 별주(別酒) 40. 이화주(梨花酒) 41. 우 이화주(又 梨花酒) 42. 우 벽향주(又 碧香酒) 43. 삼오주(三午酒) 44. 삼오주 일법(三午酒 一法) 45. 오정주(五精酒) 46. 송엽주(松葉酒) 47. 포두주(葡萄酒) 48. 우 포도주(又 葡萄酒) 49. 애주(艾酒) 50. 황국화주(黃菊花酒) 51. 건주법(乾酒法) 52. 지황주(地黃酒) 53. 예주(醴

酒) 54. 예주 별법(醴酒 別法) 55. 황금주(黃金酒) 56. 세신주(細辛酒) 57. 아황주(鵝黃酒) 58. 도화주(桃花酒) 59. 경장주(瓊漿酒) 60. 칠두오승주(七斗五升酒) 61. 우 오두오승주(又 五斗五升酒) 62. 백화주(百花酒) 63. 향료방(香醪方)

29. 〈술 만드는 법〉 1800년대 말엽, 한글 필사본, 저자 미상

- 주방문 (19종) : 1. 사절주 2. 삼일주 3. 일일주 4. 사시통음주 5. 사절소곡주 6. 두견주 7. 두광주 8. 청명주 9. 오병주 10. 방문주 11. 여름지주 12. 니화주 13. 부의주 14. 송령주 15. 삼선주 16. 청감주법 17. 벽향주 18. 감주법 19. 십일주

30. 〈술방〉 저술 연대 미상, 한글 필사본, 저자 미상, 박록담 소장본

- 주방문 (34종) : 1. 과하주 2. 과하주 별법 3. 과하주 별법 4. 하향주 5. 이화주 6. 청감주 7. 포도주 8. 하엽주 9. 소자주 10. 백화주 11. 두강주 12. 두강주 별법 13. 죽력고 14. 이강주 15. 삼일주 16. 삼일주 별법 17. 칠일주 별법 18. 칠일주 별법 19. 사절칠일주 20. 가을보리술 21. 가을보리술 별법 22. 화향입주법 23. 유자 넣는 법 24. 술이 잘못되거나 괴지 아니할 때 25. 술이 시면 고치는 법 26. 도화주 27. 연엽주 28. 약산춘 29. 약산춘 별법 30. 경면녹파주 31. 벽향주 32. 지주 33. 송순주 34. 소곡주

31. 〈술방문〉 1801/1861년간, 한글 붓글씨 필사본, 저자 미상, 국립중앙박물관 소장

- 주방문 (7종) : 1. 송순주법(松荀酒法) 2. 백화주법(百花酒法) 3. 향훈주방문(香薰酒方文) 4. 진종주법(珍種酒法) 5. 석탄주법(惜香酒法) 6. 홍나주법 7. 두견주방문(杜鵑酒方文)

32. 〈술 빚는 법〉 1800년대 말엽, 한글 필사본, 저자 미상, 국립중앙박물관 소장

- 주방문 (11종) : 1. 과하주방문 2. 방문주 3. 백일주방문 4.소국주방문 5. 두견주 6. 또 과하주방문 7. 송절주 8. 송순주 9. 또 방문주 10. 삼일주 11. 일일주

33. 〈승부리안주방문〉 저술 연대 미상, 한글 붓글씨본, 저자 미상

◆ 주방문 (12종) : 1. 송순주방문 2. 삼일주방문 3. 과하주방문 4. 옥지춘법 5. 석탄향주 6. 옥정주법 7. 혼돈주법 8. 오가피주방문 9. 소자주방문 10. 백수환동법 11. 구기주법 12. 감향주법

34. 〈시의전서(是義全書)〉 1800년대 말엽, 한글 필사본, 저자 미상, 홍정 소장

◆ 주방문 (19종) : 1. 소곡주 별방 2. 과하주 별방 3. 방문주 별방 4. 벽향주 5. 녹파주 6. 성탄향 7. 황감주 8. 신상주 9. 두견주 10. 송순주 11. 두강주 12. 두강주 일방 13. 삼일주 14. 삼일주 일방 15. 삼해주 16. 회산춘 17. 일년주 18. 과하주 19. 청감주

35. 〈약방〉 저술 연대 미상, 한글 붓글씨본, 저자 미상, 완주대한민국술박물관 소장

◆ 주방문 (4종) : 1. 술방문 2. 술방문 별법 3. 술방문 우법 4. 술방문 우법

36. 〈양주(釀酒)〉 저술 연대 미상, 한글 붓글씨본, 저자 미상, 전주전통술박물관 소장

◆ 주방문 (13종) : 1. 삼해주 2. 호산춘 3. 세심주 4. 부의주 5. 과하주 6. 보름주 7. 백하주 8. 감주 9. 점주 10. 절주 11. 절세주 12. 육두주 13. 오승주

37. 〈양주방〉* 1837/1800년대 말엽, 한글 필사본, 전라도 지방, 저자 미상

◆ 주방문 (83종) : 1. 두견주 2. 소국주 3. 소국주 우일방 4. 삼해주 5. 회일주 6. 청명주 7. 청명향 8. 포도주 9. 백화주 10. 당백화주 11. 백하주 12. 백하주 일법 13. 절주 14. 시급주 15. 일일주 16. 오호주 17. 삼일주 18. 육병주 19. 오병주 20. 오병주 우일방 21. 부의주 22. 부의주 일법 23. 부의주 일법 24. 무술주 25. 무술주 우일방 26. 삼합주 27. 조엽주 28. 합엽주 29. 자주 30. 녹파주 31. 세심주 32. 소백주 33. 백단주 34. 벽향주 35. 죽엽주 36. 송엽주 37. 도화주 38. 매화주 39. 층층지주 40. 황금주 41. 사절주 42. 오두주 43. 과하주 44. 선초향 45. 니화주 46. 니화주 우일방 47. 신도주 48. 방문주 49. 향노주 50. 하향주 51. 점주 52. 감향주 53. 백수환동주 54. 경향옥액주 55. 송순주 56. 천금주 57. 출주 58. 창포주 59. 창포주 우일방 60. 창포주 우일방 61. 일두사병주 62. 서김법 63. 녹파주 우일방 64. 황감주 65. 사시주 66. 소주만히나는 법 67. 동파주 68. 백화춘 69. 송엽주(송령주) 70. 숑엽

주 71. 소자주 72. 오갑피주 73. 혼돈주 74. 구기자주 75. 옥노주 76. 만년향 77. 호산춘 78. 집성향 79. 구기자주 80. 방문주 우일방 81. 오미자주 82. 석술 83. 소소국주

- 누룩 (4종) : 1. 배꽃술누룩 2. 백수환동주누룩 3. 또 한 가지 배꽃술누룩 4. 경향옥액주 누룩

38. 〈양주방(釀酒方)〉 1700년대 후기, 한글 필사본, 저자 미상, 연민선생 소장본

- 주방문 (42종) : 1. 니화주법 2. 일해주법 3. 삼해주법 4. 청명주법 5. 별향주법(여덟 말 빚이) 6. 소국주법(엿 말 빚이) 7. 소국주법(닷 말 빚이) 8. 소국주법(너 말 빚이) 9. 소국주법(서 말 빚이) 10. 하절주법(한 말 빚이) 11. 노송주법(닷 되 빚이) 12. 백하주법(서 말 빚이) 13. 하향주법(한 말 빚이) 14. 합주법(한 말 빚이) 15. 향감주법(한 말 빚이) 16. 백점주법(두 말 빚이-여름에 쓰는 법) 17. 삼일주법(한 말 빚이-여름에 빚느니라) 18. 사절주법(한 말 빚이) 19. 백노주법(서 말 빚이) 20. 향노주법(일곱 말 닷 되 빚이) 21. 점주법(한 말 두 되 빚이) 22. 청감주법(한 말 빚이) 23. 과하주법 24. 감향주법 25. 유화주법(일곱 말 닷 되 빚이) 26. 죽엽주법(엿 말 빚이) 27. 도화주법 28. 백일주법(닷 말 빚이) 29. 작주법 30. 뉴직주법 31. 급용주법 32. 보리소주법 33. 속주법 34. 니화주의 누룩 넣는 법 35. 회산춘법 36. 사절주법 37. 가로밀 아니하고 빚는 약주법 38. 백화주법 39. 니금하는 법 40. 백일주법 41. 두견주법 42. 오병주법
- 누룩 (2종) : 1. 이화주 누룩법 2. 이화주의 누룩 넣는 법

39. 〈양주집(釀酒集)〉 저술 연대 미상, 한글 필사본, 저자 미상, 박록담 소장본(사본)

- 주방문 (40종) : 1. 소국주(小菊酒) 2. 녹파주(綠波酒) 3. 점미녹파주(粘米綠波酒) 4. 삼오주(三午酒) 5. 사오주(四午酒) 6. 삼해주(三亥酒) 7. 우 삼해주(又 三亥酒) 8. 우우 삼해주(又又 三亥酒) 9. 과하주(過夏酒) 10. 하시절품주(夏時節品酒) 11. 하시주(夏時酒) 12. 하향주(霞香酒) 13. 벽향주(碧香酒) 14. 우 벽향주(又 碧香酒) 15. 서향주(暑香酒) 16. 감향주(甘香酒) 17. 백화주(白花酒) 18. 우 백화주(又 白花酒) 19. 우우 백화주(又又 白花酒) 20. 죽엽주(竹葉酒) 21. 황금주(黃金酒) 22. 백오주(百五酒) 23. 백일주(百日酒) 24. 백자주(栢子酒) 25. 우 백자주(又 栢子酒) 26. 약백자주(藥栢子酒) 27. 호도주(胡桃酒) 28. 일일주(一日酒) 29. 삼일주(三日酒) 30. 칠일주(七日酒) 31. 사시주(四時酒) 32. 삼양주(三釀酒) 33. 삼두주(三斗酒) 34. 오병주(五瓶酒) 35. 일두육병주(一斗六瓶酒) 36. 소주(燒酒) 37. 피모소주(皮牟(麰)燒酒) 38. 모미주(牟(麰)米酒) 39. 우 모미주(又 牟(麰)米酒) 40. 우 피모소주

(又 皮牟(麰)燒酒)

40. 〈언서주찬방(諺書酒饌方)〉 저술 연대 미상, 한글 필사본, 저자 미상, 박록담 소장본

◆ 주방문 (38종) : 1. 백하주(白霞酒) 2. 백하주 별법(白霞酒 別法) 3. 삼해주(三亥酒) 4. 옥지주(玉脂酒) 5. 이화주(梨花酒) 6. 벽향주(碧香酒) 7. 벽향주(碧香酒) 또 별법 8. 유하주(流霞酒) 9. 유하주 우법(流霞酒 又法) 10. 두강주(杜康酒) 11. 아황주(鵝黃酒) 12. 죽엽주(竹葉酒) 13. 연화주(蓮花酒)-일명 무국주 14. 소국주(小麴酒) 15. 우 소국주(又 小麴酒) 16. 모미주(麰米酒) 17. 추모주(秋麰酒) 18. 세신주(細辛酒) 19. 향온 빚는 법(香醞釀酒法) 20. 내의원 향온 빚는 법 21. 점주(粘酒) 22. 감주(甘酒) 23. 서김 만드는 법 24. 하일절주(夏日節酒) 25. 하숭의 사시절주 26. 하숭의 사시절주(별법) 27. 하절삼일주(夏節三日酒) 28. 하일불산주(夏日不酸酒) 29. 부의주(浮蟻酒) 30. 부의주 우방(浮蟻酒 又方) 31. 하향주(荷香酒) 32. 합자주(榼子酒) 33. 삽주뿌리술 34. 소주 많이 나게 고는 법(燒酒多出法) 35. 밀소주 36. 쌀 한 말에 지주 네 병 나는 술법(米一斗旨酒四瓶出酒法) 37. 자주(煮酒) 38. 신 술 고치는 법

◆ 누룩 (3종) : 1. 누룩 만드는 법 2. 누룩 만드는 법 (또 한 법) 3. 누룩 만드는 법 (또 한 법)

41. 〈역주방문(曆酒方文)〉 1800년대 중엽, 한문 필사본, 저자 미상, 윤용진 소장

◆ 주방문 (43종) : 1. 세신주(細辛酒) 2. 신청주(新淸酒) 3. 소곡주방(小曲酒方) 4. 백자주방(栢子酒方) 5. 백화주방(百花酒方, 白花酒) 6. 녹파주방(綠波酒方) 7. 백파주방(白波酒方) 8. 진상주(進上酒) 9. 옥지주방(玉脂酒方) 10. 옥지주 우방(玉脂酒 又方) 11. 과하주방(過夏酒方) 12. 벽향주방(碧香酒方) 13. 삼해주방(三亥酒方) 14. 삼오주방(三午酒方) 15. 과하주방(過夏酒方) 16. 하향주방(夏香酒方) 17. 감하향주방(甘夏香酒方) 18. 편주방(扁酒方) 19. 이화주방(梨花酒方) 20. 향온주방(香醞酒方) 21. 삼일주방(三日酒方) 22. 소주방(燒酒方) 23. 추모주(秋麰酒) 24. 삼일주방(三日酒方) 25. 백화주방(百花酒方) 26. 백화주방(百花酒方) 27. 유화주방(柳花酒方) 28. 두강주방(杜康酒方) 29. 아황주방(鵝黃酒方) 30. 연화주방(蓮花酒方) 31. 오가피주방(五加皮酒方) 32. 소자주방(蘇子酒方) 33. 죽엽주방(竹葉酒方) 34. 송엽주방(松葉酒方) 35. 모소주방(牟燒酒方) 36. 모소주방 우방(牟燒酒方 又方) 37. 삼칠소곡주방(三七小曲酒方) 38. 일야주방(一夜酒方) 39. 광제주방(광제주방) 40. 백화주방(百花酒方) 41. 자주방(煮酒方) 42. 모소주방(牟燒酒方) 43. 소곡주방(小曲酒方)

42. 〈오주연문장전산고(五洲衍文長箋散稿)〉 1850년, 한문 필사본, 이규경

- 주방문 (22종) : 1. 양주(釀酒) 2. 천야홍주방(天冶紅酒方) 3. 계명주(鷄鳴酒) 4. 계명주(鷄鳴酒) 5. 구기오가피삼투주(枸杞五加皮三骰酒) 6. 장춘법주(長春法酒) 7. 제화향입주(諸花香入酒) 8. 남번소주 번명 아리걸(南番燒酒 番名 阿里乞) 9. 청명주(淸明酒) 10. 도소주(屠蘇酒) 11. 구작양주 잡주(口嚼釀酒 咂酒) 12. 비주(飛酒) 13. 준순주(浚巡酒) 14. 아랄길주 황주(阿剌吉酒 黃酒) 15. 경각화준순주(頃刻花浚巡酒) 16. 동양주(東陽酒) 17. 동양주(東陽酒) 18. 제홍국 국모(製紅麴 麴母) 19. 천리주(千里酒) 20. 비선주(飛仙酒) 21. 백수환동주(白首還童酒) 22. 청매자주(靑梅煮酒)
- 누룩 (12종) : 1. 주국(酒麴) 2. 홍국제방(紅麴諸方) 3. 단국(丹麴) 4. 법국(法麴) 5. 약국(藥麴) 6. 천리주국(千里酒麴) 7. 비선국(飛仙麴) 8. 경각화준순주국(頃刻花浚巡酒麴) 9. 백수환동주국(白首還童酒麴) 10. 백수환동주국 일법(白首還童酒麴 一法) 11. 동양주국(東陽酒麴) 12. 동양주국(東陽酒麴)
- 기타 (2종) : 1. 고인주량설(故人酒量說) 2. 주명 고·로·약 칭 '상'(酒名 膏·露·藥' 稱 '霜')

43. 〈온주법(醞酒法)〉 1700년대 후기, 한글 필사본, 의성김씨 종가 소장

- 주방문 (51종) : 1. 술법 2. 서왕모유옥성향주 3. 계당주 4. 녹두주(녹되주) 5. 삼해주 6. 삼해주 우법 7. 삼해주 우법 8. 니화주 9. 니화주 또 한 법 10. 니화주 또 한 법 11. 하절니화주 12. 과하주 13. 포도주 14. 국화주 15. 지황주 16. 천문동주 17. 오가피주 18. 송엽주 19. 지주 20. 녹파주 21. 감향주 22. 사절주 23. 향감주 24. 정향극렬주 25. 적선소주 26. 청명주 27. 지주 28. 소자주 29. 감점주 30. 감점주 또 한 법 31. 감점주 또 한 법 32. 연엽주 33. 연엽주 또 한 법 34. 과하점미주 35. 구기자주 36. 오호주 37. 급주 38. 하절삼일주 39. 하향주 40. 창출주 41. 소주 많이 나는 법 42. 정향주 43. 석향주 44. 밤세향주 45. 절주 46. 신방주 47. 안정주 48. 청명불변주 49. 소국주 50. 백자주 51. 사미주
- 누룩 (3종) : 1. 니화국법 2. 니화국법 또 한 법 3. (조국법)
- 기타 (1종) : 1. (장과 술 아니하는 날)

44. 〈요록(要錄)〉 1680년경, 한문 필사본, 저자 미상, 고대 신암문고 소장

- 주방문 (29종) : 1. 이화주(梨花酒) 2. 감향주(甘香酒) 3. 향온방(香醞方) 4. 백자주(栢子酒) 5. 삼해주(三亥酒) 6. 자주(煮酒) 7. 우방 자주(又方 煮酒) 8. 벽향주(碧香酒) 9. 소국주(小

麴酒) 10. 하향주(夏香酒) 11. 하일주(夏日酒) 12. 하일청주(夏日淸酒) 13. 연해주(燕海酒) 14. 무시주(無時酒) 15. 칠일주(七日酒) 16. 일일주(一日酒) 17. 급주(急酒) 18. 죽엽주(竹葉酒) 19. 송자주(松子酒) 20. 송엽주(松葉酒) 21. 애주(艾酒) 22. 오정주(五精酒) 23. 황화주(黃花酒) 24. 황금주(黃金酒) 25. 출주(朮酒) 26. 국화주(菊花酒) 27. 인동주(忍冬酒) 28. 점주법(粘酒法) 29. 오가피주(五加皮酒)

45. 〈우음제방(禹飮諸方, 각식 술방문)〉 1890년경, 한글 필사본, 연안이씨, 동춘당가 소장본, 대전선사박물관

- 주방문 (25종) : 1. 송순주 2. 호산춘 3. 청화주 4. 청화주 5. 두견주 6. 추향주 7. 송순주 8. 삼해주 9. 소주삼해주 10. 일년주 11. 녹파주 12. 청명주 13. 화향주 14. 송화주법 15. 점감주 16. 감향주 17. 황정주 18. 황구주 19. 감향주 20. 삼칠주 21. 보리소주 22. 이화주 23. 방문주 24. 구일주 25. 백일주

46. 〈윤씨(尹氏)음식법(饌法)〉 1854년, 한글 필사본, 윤씨

- 주방문 (4종) : 1. (인동주) 2. 도인주 3. 국화주 방문 4. 송엽주 방문

47. 〈음식디미방(閨壼是議方)〉 1670년, 한글 필사본, 정부인 안동장씨, 경북대학교 도서관 소장본

- 주방문 (50종) : 1. 순향주 2. 삼해주 3. 삼해주 4. 삼해주 5. 삼해주 6. 삼오주/사오주 7. 사오주 8. 이화주법 9. 이화주법 10. 이화주법 11. 이화주법 12. 점감청주 13. 감향주 14. 송화주 15. 죽엽주 16. 유화주 17. 향온주 18. 하절삼일주 19. 삼일주 20. 사시주 21. 소곡주 22. 일일주 23. 백화주 24. 동양주 25. 절주 26. 벽향주 27. 남성주 28. 녹파주 29. 칠일주 30. 벽향주 31. 두강주 32. 절주 33. 별주 34. 행화춘주 35. 하절주 36. 시급주 37. 과하주 38. 점주 39. 점감주 40. 하향주 41. 부의주 42. 약산춘 43. 황금주 44. 칠일주 45. 오가피주 46. 차주법 47. 소주 48. 밀소주 49. 찹쌀소주 50. 소주
- 누룩 (2종) : 1. 주국방문 2. 이화주 누룩법

48. 〈음식방문(飮食方文, 술방문)〉 1800년대 중엽, 한글 필사본, 저자 미상

◆ 주방문 (16종) : 1. 소곡주 2. 보혈익기주 3. 연수향춘주 4. 부의주 5. 사절주 6. 오병주 7. 황감주 8. 하향주 9. 감향주 10. 청감주 11. 이화주 12. 석탄향 13. 목욕주(닥주/저주) 14. 삼일주 15. 동과주 16. 호산춘

49. 〈음식방문니라〉 신묘년(1891년 추정, 이월), 한글 붓글씨본, 문동(文洞), 조응식가 소장본

◆ 주방문 (17종) : 1. 화향입주법 2. 두견주법 3. 소국주법 4. 감홍(향)주법 5. 송절주법 6. 송순주법 7. 송순주법 일방 8. 송순주법 또 일방 9. 과하주법 10. 삼일주법 11. 삼칠주법 12. 팔선주법 13. 삼오주법 14. 녹타주법 15. 선표향법 16. 매화주법 17. 잠(감)절주법

50. 〈음식보(飮食譜)〉 1600년대 후기~1700년대 초엽, 한글 필사본, 숙부인 진주정씨(石崖先生 夫人) 수필(手筆)

◆ 주방문 (12종) : 1. 삼해주법 2. 청명주법 3. 청명주 별법 4. 백화주법 5. 매화주법 6. 두강주법 7. 백병주 바삐 빚는 법 8. 진향주방문 9. 단점주방문 10. 과하주법 11. 오병주법 12. 소국주방문

51. 〈음식책(飮食冊)〉 1838년/1898년경, 한글 필사본, 저자 미상

◆ 주방문 (6종) : 1. 약주의 지주 방문주로 담그는 법 2. 합주 하는 법 3. 송순주 하는 법 4. 감홍주 하는 법 5. 우 감주 6. 감홍로 하는 법

52. 〈의방합편(醫方合編, 釀酒方〉 저술 연대 미상, 한문 활자본, 저자 미상, 국립중앙박물관 소장

◆ 주방문 (23종) : 1. 녹파주(綠波酒) 2. 녹파주 별법(綠波酒 別法) 3. 벽향주(碧香酒) 4. 부의주(浮蟻酒) 5. 일일주(一日酒) 6. 잡곡주(雜穀酒) 7. 화향입주법(花香入酒法) 8. 오가피주(五加皮酒) 9. 무술주(戊戌酒) 10. 노인우가 적선소주(老人尤佳 謫仙燒酒) 11. 송순주(松笋酒) 12. 소곡주(少曲酒) 13. 백하주(白霞酒) 14. 호산춘(壺山春) 15. 청감주(淸甘酒) 16. 향온법(香醞法) 17. 도소주(屠蘇酒) 18. 홍로주(紅露酒) 19. 자주법(煮酒法) 20. 백자주(柏子

酒) 21. 청감주(淸甘酒) 22. 하향주(荷香酒) 23. 노주소독방(露酒消毒方)

53. 〈이씨(李氏)음식법〉 1800년대 말, 한글 필사본, 저자 미상

◆ 주방문 (15종) : 1. 신도주 2. 송순주 3. 두견주 4. 이화주 5. 일년주 6. 소국주 7. 상원주 8. 감향주 9. 송절주 10. 오갈피주 11. 창출주 12. 무술주 13. 절통소주 14. 동파주 15. 청향주신방

54. 〈임원십육지(林園十六志, 온배지류/미료지류)〉 1827년간, 한문 필사본, 서유구, 고려대본(高麗大本)/대판본(大板本)

◆ 주방문 (230종) : 1. 봉양법(封釀法) 2. 수중양법(水中釀法) 3. 상조법(上槽法)-대판본 4. 수주법(收酒法)-대판본 5. 자주법(煮酒法)-대판본 6. 조주본방(造酒本方) 7. 조부본방(造腐本方) 8. 조부본방 일법(造腐本方 一法) * 이류(酏類) : 1. 백하주방(白霞酒方) 2. 백하주 우방(白霞酒 又方) 3. 백하주 우방(白霞酒 又方) 4. 향온주방(香醞酒方) 5. 녹파주방(綠波酒方) 6. 녹파주 우방(綠波酒 又方) 7. 녹파주 일방(綠波酒 一方) 8.벽향주방(碧香酒方) 9. 벽향주 일방(碧香酒 一方) 10. 벽향주 우방(碧香酒 又方) 11. 유하주방(流霞酒方) 12. 소국주방(小麴酒方) 13. 소곡주 속법(少麯酒 俗法) 14. 부의주방(浮蟻酒方) 15. 동정춘방(洞庭春方) 16. 경액춘방(瓊液春方) 17. 죽엽춘방(竹葉春方) 18. 인유향방(麟乳香方) 19. 석탄향방(惜呑香方) 20. 벽매주방(辟霾酒方) 21. 오호주방(五壺酒方)-고려대본 22. 하향주방(荷香酒方) 23. 향설주방(香雪酒方) 24. 벽향주방 이법(碧香酒方 異法) * 주류(酎類) : 1. 호산춘방(壺山春方) 2. 호산춘 우방(壺山春 又方) 3. 잡곡주방(雜穀酒方)-고려대본 4. 두강춘방(杜康春方)-고려대본 5. 무릉도원주방(武陵桃源酒方) 6. 동파주방(東坡酒方)-고려대본 * 향양류(香釀類) : 1. 도화주방(桃花酒方) 2. 도화주 일운(桃花酒 一云) 3. 송로양방(松露釀方) 4. 송화주방(松花酒方)-고려대본 5. 松笋酒方(고려대본) 6. 죽엽청방(竹葉淸方) 7. 하엽청방(荷葉淸方) 8. 연엽양방(蓮葉釀方) 9. 연엽양 일방(蓮葉釀 一方) 10. 령주방(酃酒方)-고려대본 11. 국화주방(菊花酒方) 12. 만전향주방(滿殿香酒方) 13. 밀온투병향방(蜜醞透甁香方) 14. 밀주방(蜜酒方) 15. 화향입주방(花香入酒方) 16. 화향입주 우방(花香入酒 又方) * 과라양류(菓蓏釀類) : 1. 송자주방(松子酒方) 2. 송자주 우방(松子酒 又方) 3. 핵도주방(核桃酒方) 4. 상실주방(橡實酒方) 5. 산사주방(山査酒方) 6. 포도주방(葡萄酒方) 7. 포도주 일방(葡萄酒 一方) 8. 포도주 우방(葡萄酒 又方) 9. 포두주 우우방(葡萄酒 又又方) 10. 감저주방(甘藷酒方) * 이양류(異釀類) : 1. 이양류(異釀類) 2. 청서주방(淸暑酒方) 3. 봉래

춘방(蓬來春方) 4. 신선벽도춘방(神仙碧桃春方) 5. 와송주방(臥松酒方) 6. 죽통주방(竹筒酒方) 7. 지주방(地酒方) 8. 포양방(抱醸方)-고려대본 * 시양류(時醸類) : 1. 약산춘방(藥山春方) 2. 약산춘 일운(藥山春 一云) 3. 삼해주방(三亥酒方) 4. 삼해주 우방(三亥酒 又方) 5. 삼해주 노주방(三亥酒 露酒方) 6. 춘주방(春酒方)-고려대본 7. 상시춘주법(常時春酒法) 8. 속미주방(粟米酒方)-고려대본 9. 법주방(法酒方)-고려대본 10. 청명주방(淸明酒方) 11. 삼구주방(三九酒方)-고려대본 12. 서미법주방(黍米法酒方)-고려대본 13. 당량주방(當粱酒方)-고려대본 14. 갱미주방(秔米酒方)-고려대본 15. 납주방(臘酒方) 16. 칠석주방(七夕酒方)-고려대본 17. 분국상락주방(笨麴桑落酒方)-고려대본 18. 동미명주방(冬米明酒方)-고려대본 * 순내양류(旬內醸類) : 1. 순내양류(旬內醸類) 2. 일일주방(一日酒方) 3. 일일주 우방(一日酒 又方) 4. 계명주방(鷄鳴酒方)-고려대본 5. 삼일주방(三日酒方) 6. 삼일주 일방(三日酒 一方) 7. 삼일주 우방(三日酒 又方) 8. 하삼청방(夏三淸方) 9. 백화춘방(白花春方) 10. 두강주방(杜康酒方)-고려대본 11. 두강주 우방(杜康酒 又方)-고려대본 12. 칠일주방(七日酒方) 13. 칠일주 속법(七日酒 俗醸)-고려대본 14. 칠일주 일방(七日酒 一方)-고려대본 15. 사절칠일주방(四節七日酒方) 16. 계명주방(鷄鳴酒方)-고려대본 17. 계명주 우법(鷄鳴酒 又法)-고려대본 * 제차류(醍醝類) : 1. 천태홍주방(天台紅酒方) 2. 건창홍주방(建昌紅酒方) 3. 하동이백주방(河東頤白酒方)-고려대본 4. 백주방(白酒方) 5. 백주 일방(白酒 一方) 6. 왜백주방(倭白酒方) * 앙료류(醠醪類) : 1. 이화주방(梨花酒方) 2. 집성향방(集聖香方) 3. 추모주방(秋麰酒方) 4. 모미주방(麰米酒方) 5. 백료주방(白醪酒方)-고려대본 6. 분국백료주방(笨麴白醪酒方) * 예류(醴類) : 1. 감주방(甘酒方) 2. 청감주방(淸甘酒方) 3. 왜예주방(倭醴酒方) 4. 왜예주 별방(倭醴酒 別方) 5. 왜미림주방(倭美淋酒方) * 소로류(燒露類) : 1. 소주총방(燒酒總方) 2. 내국홍로방(內局紅露方) 3. 노주이두방(露酒二斗方) 4. 절주방(切酒方) 5. 관서감홍로방(關西甘紅露方) 6. 관서계당주방(關西桂糖酒方) 7. 죽력고방(竹瀝膏方) 8. 이강고방(梨薑膏方) 9. 적선소주방(謫仙燒酒方) 10. 삼일로주방(三日露酒方) 11. 모미소주방(麰米燒酒方)-고려대본 12. 소맥노주방(小麥露酒方) 13. 교맥노주방(蕎麥露酒方) 14. 이모로주방(耳麰露酒方) 15. 송순주방(松笋酒方) 16. 과하주방(過夏酒方) 17. 과하주 일방(過夏酒 一方) 18. 과하주 우방(過夏酒 又方) 19. 오향소주방(五香燒酒方) 20. 포도소주방(葡萄燒酒方) 21. 감저소주방(甘藷燒酒方)-고려대본 22. 천리주방(千里酒方)-고려대본 23. 왜소주방(倭燒酒方)-고려대본 24. 소주다취로법(燒酒多取露法) 25. 소로잡법(燒露雜法) 26. 소번황주법(燒燔黃酒法) * 의주제법(醫酒諸法) : 1. 치주불배법(治酒不醅法) 2. 요산주법(拗酸酒法) 3. 해백주산법(解白酒酸法)-고려대본 4. 치주변미방(治酒变味方)-고려대본 5. 치산박주작호주방(治酸薄酒作好酒方) 6. 탁주위청주방(濁酒爲淸酒方) 7. 치다수주법(治多水酒法)-고려대본 8. 치로주화염법(治露酒火焰法)-고려대본 * 부록 약양제품(藥醸諸品) : 1. 도소주(屠蘇酒) 2. 도소주 일방(屠蘇酒 一方) 3. 장춘주(長春

酒) 4. 신선주(神仙酒) 5. 고본주(固本酒) 6. 오수주(烏鬚酒) 7. 신선고본주(神仙固本酒) 8. 준순주(俊巡酒) 9. 유학주(愈瘧酒) 10. 홍국주(紅麴酒) 11. 거승주(巨勝酒) 12. 호마주(胡麻酒) 13. 오가피주(五加皮酒) 14. 선로비주(仙露脾酒) 15. 의이인주(薏苡仁酒) 16. 천문동주(天門冬酒) 17. 백령등주(百靈藤酒) 18. 소자주(蘇子酒) 19. 백출주(白朮酒) 20. 지황주(地黃酒) 21. 우슬주(牛膝酒) 22. 당귀주(當歸酒) 23. 창포주(菖蒲酒) 24. 구기주(枸杞酒) 25. 구기주(枸杞酒) 26. 인삼주(人蔘酒) 27. 서여주(薯蕷酒) 28. 복령주(茯苓酒) 29. 국화주(菊花酒) 30. 황정주(黃精酒) 31. 상실주(桑實酒) 32. 상심주(桑椹酒) 33. 밀주(蜜酒) 34. 요주(蓼酒) 35. 강주(薑酒) 36. 장송주(長松酒) 37. 회향주(茴香酒) 38. 축사주(縮砂酒) 39. 사근주(沙根酒) 40. 인진주(茵蔯酒) 41. 청호주(靑蒿酒) 42. 백부주(百部酒) 43. 해조주(海藻酒) 44. 선묘주(仙茆酒) 45. 통초주(通草酒) 46. 남등주(南藤酒) 47. 천금주(千金酒) 48. 송액주(松液酒) 49. 송절주(松節酒) 50. 백엽주(柏葉酒) 51. 송지주(松脂酒) 52. 초백주(椒柏酒) 53. 죽엽주(竹葉酒) 54. 괴지주(槐枝酒) 55. 우방주(牛蒡酒) 56. 마인주(麻仁酒) 57. 자근주(柘根酒) 58. 화사주(花蛇酒) 59. 호골주(虎骨酒) 60. 미골주(麋骨酒) 61. 녹두주(鹿頭酒) 62. 녹용주(鹿茸酒) 63. 무회주(戊灰酒) 64. 양고주(羊羔酒) 65. 올눌제주(膃肭臍酒) 66. 백화주(百花酒) 67. 주중지약법(酒中漬藥法) * 상음잡법(觴飮雜法) : 1. 음주방병법(飮酒防病法) 2. 음주불취법(飮酒不醉法) 3. 음주즉취법(飮酒卽醉法) 4. 논화동음법(論華東飮法) 5. 논음저(論飮儲)

- 누룩 (23종) : 미료지류(味料之類)/국얼(麴糱) : 총론(總論) 1. 맥국법(麥麴法) 2. 맥국법(麥麴法) 3. 맥국법(麥麴法) 4. 맥국법(麥麴法) 5. 맥국법(麥麴法) 6. 면국방(麪麴方) 7. 백국방(白麴方) 8. 백국방(白麴方) 9. 미국방(米麴方) 10. 미국방(米麴方) 11. 내부비전국방(內府秘傳麴方) 12. 연화국방(蓮花麴方) 13. 금경로국방(金莖露麴方) 14. 양양국방(襄陽麴方) 15. 요국방(蓼麴方) 16. 여국방(女麴方) 17. 맥완법(麥麲法) 18. 황증방(黃蒸方) 19. 황증방(黃蒸方) 20. 황증방(黃蒸方) 21. 홍국방(紅麴方) 22. 수납조법(收臘糟法) 23. 조얼방(造糱方)
- 주례총서(酒禮叢書) : 1. 연기(緣起) 2. 총론(總論)
- 양주잡법(釀造雜法) : 1. 논국품(論麴品) 2. 치국법(治麴法) 3. 치주재법(治酒材法) 4. 택수법(擇水法)
- 수주의기(收酒宜忌) : 1. 수주불훼법(收酒不毁法) 2. 수로주법(收露酒法) 3. 수잡주법(收雜酒法) 4. 잡기(雜忌)

55. 〈잡지(雜誌)〉 저술 연대 미상, 한문 붓글씨본, 저자 미상, 한복려 소장본

- 주방문 (1종) : 1. 구기자술

56. 〈정일당잡지(貞一堂雜識)〉 1856년, 한글 필사본, 정일당

◆ 주방문 (4종) : 1. 하일청향죽엽주 2. 사절소국주 3. 연일주 4. 부의주

57. 〈조선고유색사전(朝鮮固有色辭典)〉 1930년대, 일본어 활자인쇄본, 일본인 키타카와

◆ 주방문 (7종) : 1. 삼해주(三亥酒) 2. 약주(藥酒) 3. 탁주(濁酒) 4. 소주(燒酎) 5. 백주(白酒) 6. 과하주(過夏酒) 7. 도소주(屠蘇酒)
◆ 누룩 (1종) : 1. 곡자(麯子)

58. 〈조선무쌍신식요리제법(朝鮮無雙新式料理製法)〉 1936년간, 한글 활자본, 이용기

◆ 주방문 (85종) : 1. 술밑 만드는 법(造酒法) 2. 술 담글 때 알아둘 일 3. 곡미주(麯米酒) 4. 송순주(松荀酒) 5. 우 송순주(又 松荀酒) 6. 백로주(白露酒) 7. 우 백로주(又 白露酒) 8. 삼해주(三亥酒) 9. 우 삼해주(又 三亥酒) 10. 이화주(梨花酒) 11. 도화주(桃花酒) 12. 연엽양(蓮葉釀) 13. 호산춘(壺山春) 14. 경액춘(瓊液春) 15. 동정춘(洞庭春) 16. 봉래춘(蓬來春) 17. 송화주(松花酒) 18. 우 송화주(又 松花酒) 19. 죽엽춘(竹葉春) 20. 죽통주(竹筒酒) 21. 집성향(集成香) 22. 석탄향(惜呑香) 23. 하삼청(夏三淸) 24. 청서주(淸暑酒) 25. 자주(煮酒) 26. 매화주(梅花酒) 27. 연화주(蓮花酒) 28. 유자주(柚子酒) 29. 포도주(葡萄酒) 30. 우 포도주(又 葡萄酒) 31. 우 포도주(又 葡萄酒) 32. 우 포도주(又 葡萄酒) 33. 두견주(杜鵑酒) 34. 과하주(過夏酒) 35. 우 과하주(又 過夏酒) 36. 우 과하주(又 過夏酒) 37. 우 과하주(又 過夏酒) 38. 우 과하주(又 過夏酒) 39. 향설주(香雪酒) 40. 무릉도원주(武陵桃源酒) 41. 동파주(東坡酒) 42. 법주(法酒) 43. 송자주(松子酒) 44. 송자주(松子酒) 45. 감저주(甘藷酒) 46. 칠일주(七日酒) 47. 우 칠일주(又 七日酒) 48. 우 칠일주(又 七日酒) 49. 백료주(白醪酒) 50. 부의주(浮蟻酒) 51. 잡곡주(雜穀酒) 52. 신도주(新稻酒) 53. 백화주(百花酒) 54. 백화주(百花酒) 55. 삼알주(三日酒) 56. 우 삼일주(又 三日酒) 57. 우 삼일주(又 三日酒) 58. 혼돈주(混沌酒) 59. 청주(淸酒) 60. 탁주(濁酒) 61. 우 탁주(又 濁酒) 62. 합주(合酒) 63. 모주(母酒) 64. 감주(甘酒) 65. 임금주(林檎酒, 능금술) 66. 계피주(桂皮酒) 67. 생강주(生薑酒) 68. 소주 고는 법 69. 또 소주 고는 법 70. 또 소주 고는 법 71. 또 소주 고는 법 72. 또 소주 고는 법 73. 또 소주 고는 법 74. 소주특방(燒酒特方) 75. 우 소주특방(又 燒酒特方) 76.

출소주(秫燒酒) 77. 옥촉서소주(玉蜀黍燒酒) 78. 감홍로(甘紅露) 79. 이강고(梨薑膏) 80. 죽력고(竹瀝膏) 81. 상심소주(桑椹燒酒) 82. 상심소주(桑椹燒酒) 83. 우담소주(牛膽燒酒) 84. 상심소주(桑椹燒酒) 85. 관서감홍로(關西甘紅露)

◆ 누룩 (9종) : 1. 보리누룩/맥국(麥麴) 2. 밀누룩(小麥麴) 3. 밀누룩(小麥麴) 시속법(時俗法) 4. 흰누룩(白麴) 5. 쌀누룩(米麴) 6. 또 쌀누룩(米麴) 7. 내부비전국(內府秘傳麴) 8. 홍국(紅麴) 9. 누룩 만드는 법(造麯法)

◆ 기타 (2종) : 1. 술 담그는 날(造酒日) 2. 양주기일(釀酒忌日)

59. 〈주방(酒方)〉* 1800년대 초엽, 한글 필사본, 저자 미상, 이씨 소장본

◆ 주방문 (18종) : 1. 감주법 2. 청감주법 3. 일두주방문 4. 녹파주방문 5. 백화주방문 6. 박향주방문 7. 소국주방문 8. 삼일주방문 9. 칠일주방문 10. 백일주방문 11. 이화주방문 12. 과하주방문 13. 백하주방문 14. 백하주방문(또 한 법) 15. 구가주방문 16. 별소주방문 17. 보리소주방문 18. 백하주법

60. 〈주방(酒方)〉 1827년(1887년), 한글 한문 혼용필사본, 수구산부여해(壽扣山富如海), 임용기 소장본

◆ 주방문 (14종) : 1. 삼해주방문(三亥酒方文) 2. 두강주방문 3. 일일주방문(一日酒方文) 4. 삼합주방문(三合酒方文) 5. 구일주방문(九日酒方文) 6. 삼칠주방문(三七酒方文) 7. 별향주방문(別香酒方文) 8. 호산춘주이방문 9. 별춘주방문(別春酒方文) 10. 연엽주방문(蓮葉酒方文) 11. 도화주방문(桃花酒方文) 121. 황금주방문(黃金酒方文) 13. 녹파주방문(綠波酒方文) 14. 아소국주방문

61. 〈주방문(酒方文)〉 1600년대 말엽, 한글 필사본, 하생원, 서울대 가람문고 소장

◆ 주방문 (30종) : 1. 과하주(過夏酒) 2. 백화주(白花酒) 3. 삼해주(三亥酒) 4. 벽향주(碧香酒) 5. 합주(合酒) 6. 닥주(楮酒) 7. 절주(節酒) 8. 자주(煮酒) 9. 소주(燒酒) 10. 점주(粘酒) 11. 점주 우법(粘酒 又法) 12 연엽주(蓮葉酒) 13. 감주(甘酒) 14. 감주 우일법(甘酒 又一法) 15. 급청주(急淸酒) 16. 송령주(松鈴酒) 17. 급시주(急時酒) 18. 무곡주(無麯酒) 19. 이화주(梨花酒) 20. 보리주(麰酒) 21. 보리소주(麰燒酒) 22. 일일주(一日酒) 23. 서김법(酵法) 24. 단술누룩법(甘酒麯造法) 25. 술맛 그르치지 않는 법 26. 신 술 고치는 법 27. 소주 별방(燒酒

別方) 28. 일해주(一亥酒) 29. 하향주 30. 청명주(淸明酒)

62. 〈주방문조과법(造果法)〉 1925년(계해년 정월), 한글 붓글씨 필사본, 가야촌, 한복려 소장

- 주방문 (23종) : 1. 벽향주법(팔두오승 빚이) 2. 벽향주법(삼두 빚이) 3. 세신주방 4. 삼해주(열 말 비지법) 5. 니화주법 6. 단점주법(甘粘酒) 7. 딱술법(楮酒) 8. 소자주법 9. 백화주(엿 말 비지법) 10. 구도주(엿 말 비지법) 11. 구도주(엿 말 비지법) 12. 니화주법 13. 하향주법 14. 술이 시거든(救酸酒法) 15. (화향입주법) 16. (급청주법) 17. 쌀보리소주법 18. 쌀보리소주법 19. 겉보리소주법 20. 백화주법(열두 말 빚이) 21. 백화주법(열 말 빚이) 22. 합주법 23. 백화주(서 말 비지법)
- 기타 (10법) : 10법

63. 〈주방문초(酒方文抄)〉 저술 연대 미상, 한문 활자본, 저자 미상

- 주방문 (6종) : 1. 과하주법(過夏酒法) 2. 백화주법(白花酒法) 3. 백하주법(白河酒法) 4. 오병주법(五甁酒法) 5. 청명주법(淸明酒法) 6. 하일두강주법(夏日杜康酒法)

64. 〈주식방(酒食方, 延世大閨壼要覽)〉 1896년간, 한글 필사본, 저자 미상, 연세대학교 소장본

- 주방문 (1종) : 1. 천일주법

65. 〈주식방(酒食方, 高大閨壼要覽)〉 1800년 초·중엽, 한글 필사본, 저자 미상, 고려대 신암문고 소장

- 주방문 (30종) : 1. 중원인호작주법 2. 소곡주법 3. 과하주법 4. 백일주법 5. 부의주법 6. 부럽주 7. 소주 많이 나는 법 8. 보리술법 9. 일일주법 10. 국화주법 11. 송국주법 12. 청주법(청명주법) 13. 백화주 14. 호산춘 15. 삼해주 16. 삼칠일주 17. 삼칠일주(우법) 18. 소자주 19. 사절주 20. 연엽주 21. 칠일주법 22. 벽향주 23. 벽향주법 24. 칠일주 25. 별향주 26. 노산춘 27. 과하주 28. (감주) 29. 감향주 30. 감향주 우법

66. 〈주식방문〉 저술 연대 미상, 한글 붓글씨본, 저자 미상

◆ 주방문 (2종) : 1. 합주방문 2. 아달두견주방문

67. 〈주식시의(酒食是儀)〉 1900년경, 한글 필사본, 저자 : 연안이씨, 동춘당가 소장본, 대전선사박물관

◆ 주방문 (8종) : 1. 구기자주법 2. 감향주법 3. 별약주법이라 4. 화향입주방 5. 두견주 6. 점감주 7. 감향주 8. 송순주

68. 〈주정(酒政)〉 1800년대 말엽, 한문 붓글씨본, 저자 미상

◆ 주방문 (9종) : 1. 소국주(小麴酒) 2. 소국주(小麴酒) 3. 아소국주(兒小麴酒) 4. 백일주(百日酒) 5. 두강주(杜康酒) 6. 방문주(方文酒) 7. 방문주(方文酒) 8. 방문주 소주(方文酒 燒酒) 9. 두견주방(杜鵑酒方)

69. 〈주찬(酒饌)〉 1800년대 말엽, 한문 필사본, 저자 미상

◆ 주방문 (80종) : 1. 과하주(過夏酒) 2. 삼해주(三亥酒) 3. 소곡주(少麯酒) 4. 과하주(過夏酒) 5. 과하주(過夏酒) 6. 과하주(過夏酒) 7. 소국주(小麴酒) 8. 황금주(黃金酒) 9. 일일주(一日酒) 10. 하절불산주(夏節不酸酒) 11. 사시절주(四時節酒) 12. 사시절주(四時節酒) 13. 이화주(梨花酒) 14. 백하주(白霞酒) 15. 오가피주(五加皮酒) 16. 황감주(黃柑酒) 17. 하향주(荷香酒) 18. 청감주(淸甘酒) 19. 절주(節酒) 20. 청주(菁酒) 21. 천금주(千金酒) 22. 소자주(蘇子酒) 23. 창포주(菖蒲酒) 24. 송엽주(松葉酒) 25. 송순주(松荀酒) 26. 송엽주(松葉酒) 27. 송순주(松荀酒) 28. 두견주(杜鵑酒) 29. 도화주(桃花酒) 30. 도화주(桃花酒) 31. 도인주(桃仁酒) 32. 지황주(地黃酒) 33. 오향주(五香酒) 34. 삼합주(三合酒) 35. 구기주(枸杞酒) 36. 도소주(屠蘇酒) 37. 지골주(地骨酒) 38. 육일주(六日酒) 39. 진상주(進上酒) 40. 석탄향(石炭香) 41. 두강주(杜康酒) 42. 선령비주(仙灵脾酒) 43. 호산춘(壺山春) 44. 녹용주(鹿茸酒) 45. 연일주(連日酒) 46. 송계춘(松桂春) 47. 광릉춘(廣陵春) 48. 부겸주(浮兼酒) 49. 천문동주(天門冬酒) 50. 방문주(方文酒) 51. 도화춘(桃花春) 52. 경액춘(瓊液春) 53. 은화춘(銀花春) 54. 지황주(地黃酒) 55. 백화춘(白花春) 56. 별 백화주(別 白花酒) 57. 추포주(秋葡酒) 58. 백탄향(白灘香) 59. 내국향온(內局香醞) 60. 홍로주(紅露酒) 61. 백자주(栢子酒) 62. 부

의주(浮蟻酒) 63. 낙산춘(樂(藥)山春) 64. 청서주(淸暑酒) 65. 구황주(救荒酒) 66. 신선고본주법(神仙固本酒法) 67. 적선소주(謫仙燒酒) 68. 진향주(震香酒) 69. 주방(酒方) 70. 주방별법(酒方 別法)-조소주 71. 무술주(戊戌酒) 72. 경감주(瓊甘酒) 73. 백화춘(白花春) 74. 왕감주(王甘酒) 75. 하절청주(夏節淸酒) 76. 하절이화주(夏節梨花酒) 77. 예주(醴酒) 78. 시급주(時急酒) 79. 자주법(煮酒法) 80. 작주부본법(作酒腐本法)

70. 〈쥬식방문〉 저술 연대 미상, 한문 활자본, 저자 미상

◆ 주방문 (6종) : 1. 백화춘 술방문 2. 삼해주방문(三亥酒方文) 3. 송순주법 4. 연일주법 5. 청명주방문(梅岐方文) 6. 칠일주법

71. 〈증보산림경제(增補山林經濟)〉 1767년, 한문 필사본/활자본, 유중임(柳重臨)

◆ 주방문 (77종) : 1. 작주부본방(作酒腐本方) 2. 백하주법(白霞酒法) 3. 백하주법 우방(白霞酒法 又方) 4. 백하주 우방(白霞酒 又方) 5. 백하주 우방(白霞酒 又方) 6. 삼해주법(三亥酒法) 7. 삼해주법 우방(三亥酒法 又方) 8. 삼해주 우방(三亥酒 又方) 9. 도화주법(桃花酒法) 10. 도화주법 우방(桃花酒法 又方) 11. 연화주법(蓮葉酒法) 12. 소곡주법(少麯酒法) 13. 소곡주 속법(少麯酒 俗法) 14. 별소곡주방(別少麯酒方) 15. 소곡주 별법(少麯酒 別法) 16. 비시소곡주방(非時少麯酒方) 17. 약산춘법(藥山春法) 18. 약산춘법 우방(藥山春法 又方) 19. 경면녹파주법(鏡面綠波酒法) 20. 경면녹파주법 우방(鏡面綠波酒法 又方) 21. 경면녹파주법 우방(鏡面綠波酒法 又方) 22. 방문주 별법(方文酒 別法) 23. 벽향주법(碧香酒法) 24. 벽향주법 우방(碧香酒法 又方) 25. 벽향주법 별법(碧香酒法 別法) 26. 부의주(浮蟻酒) 27. 지주(地酒) 28. 일일주(一日酒) 29. 일일주 우방(一日酒 又方) 30. 삼일주(三日酒) 31. 삼일주법 우법(三日酒法 又法) 32. 칠일주법(七日酒法) 33. 칠일주법(七日酒法) 34. 사절칠일주방(四節七日酒方) 35. 잡곡주(雜穀酒) 36. 송순주방(松笋酒方) 37. 송순주 본법(松笋酒 本法) 38. 송순주법(松笋酒法) 39. 송순주법(松笋酒法) 40. 과하주(過夏酒) 41. 과하주 우방(過夏酒 又方) 42. 과하주 우방(過夏酒 又方) 43. 노주이두방(露酒二斗方) 44. 소주다출방(燒酒多出方) 45. 소맥소주법(小麥燒酒法) 46. 노주소독방(露酒消毒方) 47. 하향주법(荷香酒法) 48. 절주방(節酒方) 49. 이화주법(梨花酒法) 50. 청감주법(淸甘酒法) 51. 포도주법(葡萄酒法) 52. 감주법(甘酒法) 53. 하엽주법(荷葉酒法) 54. 추모주법(秋麰酒法) 55. 모미주법(麰米酒法) 56. 백자주법(栢子酒法) 57. 호도주법(胡桃酒法) 58. 와송주법(臥松酒法) 59. 죽통주법(竹筒酒法) 60. 소자주법(蘇子酒法) 61. 죽력고법(竹瀝膏法) 62. 이강

고법(梨董膏法) 63. 백화주법(百花酒法) 64. 화향입주방(花香入酒方) 65. 화향입주방(花香入酒方) 66. 화향입주방(花香入酒方) 67. 주중지약법(酒中漬藥法) 68. 두강주방(杜康酒方) 69. 두강주방 우방(杜康酒方 又方) 70. 백자주법(栢子酒法) 71. 변탁주위청주법(變濁酒爲淸酒法) 72. 수잡주법(收雜酒法) 73. 구주불비방(救酒不沸方) 74. 구산주법(救酸酒法) 75. 하월수중양주법(夏月水中釀酒法) 76. 중원인작호주법(中原人作好酒法) 77. 조주제법(造酒諸法)

- 누룩 (8종) : 1. 조곡길일(造麯吉日) 2. 조곡방(造麯方) 3. 조곡방 속법(造麯方 俗法) 4. 조진면곡법(造眞麵麯法) 5. 조요곡법(造蓼麯法) 6. 조녹두곡법(造菉豆麯法) 7. 조미곡법(造米麯法) 8. 조주길일(造酒吉日)
- 기타 (2종) : 1. 음주방병법(飮酒防病法) 2. 택수(擇水)

72. 〈치생요람(治生要覽)〉 1691년, 한문 필사본, 저자 미상

- 주방문 (15종) : 1. 내국향온 2. 홍로주 3. 청감주 4. 하향주 5. 백하주 6. 부의주 7. 송엽주 8. 도화주 9. 청서주 10. 소국주 11. 과하주 12. 약산춘 13. 구황주 14. 송순(주) 15. 천금주

73. 〈침주법(侵酒法)〉 저술 연대 미상, 한글 필사본, 저자 미상, 한복려 소장본

- 주방문 (49종) : 1. 삼일주 2. 세향주 3. 녹하주 4. 삼해주 5. 유감주 6. 세신주 7. 백화주 8. 남경주 9. 처화주(처하주) 10. 닥주(저주) 11. 구과주 12. 니화주(이화주) 13. 보리주법 14. 국화주 15. 적선소주 16. 송순주 17. 녹파주 18. 또 녹파주 19. 찹쌀녹파주(점미녹파주) 20. 부점주 21. 삼일주 22. 또 삼일주 23. 칠일주 24. 일두주 25. 산주 26. 감주 27. 하향주 28. 삼칠주 29. 니화주(이화주) 30. 또 니화주 31. 청하주 32. 송엽주 33. 애엽주 34. 소주 35. 뉴하주(유하주) 36. 뫼속주(매속주) 37. 부의주 38. 진상주 39. 향온주 40. 홍소주 41. 백자주 42. 소주 43. 보리소주 44. 삼일주 45. 무시절주 46. 육두주 47. 삼두주 48. 청감주 49. 감주
- 누룩 (1종) : 1. 누룩법

74. 〈태상지(太常志)〉 고종 10년(1873년), 한문 필사본, 이근명(李根命)

- 주방문 (2종) : 1. 양주(釀酒) 2. 울금주(鬱金酒)
- 누룩 (1종) : 1. 조국(造麴)

75. 〈학음잡록(鶴陰雜錄)〉 1800년대 말엽, 한문 필사본, 鶴陰(?)

- 주방문 (21종) : 1. 백로주 2. 백로주(지주 빚는 법) 3. 소곡주 4. 약산춘 5. 약산춘 우방 6. 호산춘 7. 호산춘 우방 8. 삼해주 9. 내국향온 10. 백자주 11. 호도주 12. 도화주 13. 도화주 우방 14. 연엽주 15. 지황주 16. 오가피주 17. 오가피주 우방 18. 무술주 19. 천문동주 20. 구기주 21. 창포주
- 누룩 (2종) : 1. 조곡법 2. 조요국
- 기타 (1종) : 3. 양주법(택수)

76. 〈한국민속대관(韓國民俗大觀)〉 1985년간, 한글 활자본, 고려대 민족문화연구소 발행

- 주방문 (41종) : 1. 이화주(梨花酒) 2. 이화주(梨花酒) 3. 이화주(梨花酒) 4. 이화주(梨花酒) 5. 하절 별법 이화주(梨花酒) 6. 약주(藥酒) 7. 백하주(白霞酒) 8. 소곡주(小麯酒) 9. 하향주(荷香酒) 10. 부의주(浮蟻酒) 11. 청명주(淸明酒) 12. 감향주(酣香酒) 13. 절주(節酒) 14. 방문주(方文酒) 15. 석탄주(惜呑酒) 16. 법주(法酒) 17. 호산춘(壺山春) 18. 송자주(松子酒) 19. 백자주(柏子酒) 20. 포도주(葡萄酒) 21. 두견주 22. 원시적 증류법(는지) 23. 고리 이용법 24. 노주(露酒) 25. 감홍로(甘紅露) 26. 이강고(梨薑膏) 27. 도소주(屠蘇酒) 28. 과하주(過夏酒) 29. 사마주(四馬酒) 30. 청명주(淸明酒) 31. 유두음(流頭飮) 32. 국화주(菊花酒) 33. 와송주(臥松酒) 34. 죽통주(竹筒酒) 35. 지주(地酒) 36. 청서주(淸署酒) 37. 송하주(松下酒) 38. 전주(煎酒) 39. 소자주(蘇子酒) 40. 오가피주(五加皮酒) 41. 구기주(枸杞酒)
- 누룩 (1종) : 1. 생곡(生麯)

77. 〈해동농서(海東農書)〉 1799년, 한문 필사본, 서호수(徐浩修)

- 주방문 (43종) : 1. 작주부본방(作酒腐本方) 2. 백하주(白霞酒) 3. 소곡주(少麯酒) 4. 약산춘(藥山春) 5. 약산춘 우일방(藥山春 又一方) 6. 호산춘(壺山春) 7. 삼해주법(三亥酒法) 8. 내국향온법(內局香醞法) 9. 백자주양법(栢子酒釀法) 10. 호도주양법(胡桃酒釀法) 11. 도화주(桃花酒) 12. 도화주 일방(桃花酒 一方) 13. 연엽주(蓮葉酒) 14. 경면녹파주(鏡面綠波酒) 15. 경면녹파주 일방(鏡面綠波酒 一方) 16. 벽향주(碧香酒) 17. 하향주(荷香酒) 18. 이화주(梨花酒) 19. 청서주(淸暑酒) 20. 부의주(浮蟻酒) 21. 부의주 일방(浮蟻酒 一方) 22. 청감주(淸甘酒) 23. 포도주(葡萄酒) 24. 백주(白酒) 25. 삼일주(三日酒) 26. 일일주(一日酒) 27. 잡

곡주(雜穀酒) 28. 지주(地酒) 29. 내국홍로주양법(內局紅露酒釀法) 30. 노주소독방(露酒消毒方) 31. 노주이두방(露酒二斗方) 32. 자주(煮酒) 33. 자주 우법(煮酒 又法) 34. 과하주(過夏酒) 35. 과하주 우방(過夏酒 又方) 36. 밀주(密酒) 37. 밀주 우법(密酒 又法) 38. 화향입주방(花香入酒方) 39. 화향입주 우법(花香入酒 又法) 40. 주중지약법(酒中漬藥法) 41. 구주불비법(救酒不沸法) 42. 구산주법(救酸酒法) 43. 중원인양호법(中原人釀好酒)

- 누룩 (2종) : 1. 조곡길일(造麯吉日) 2. 조곡(造麯)
- 기타 (4종(: 1. 조주길일(造酒吉日) 2. 조주기일(造酒忌日) 3. 택수(擇水) 4. 식면후음주(食麵後飮酒)

78. 〈현풍곽씨언간주해〉 1602년~1650년, 한글 필사본(번역본), 곽주 가

- 주방문 (2종) : 1. 죽엽주(두엽쥬법) 2. 포도주(보도쥬법)

79. 〈홍씨주방문〉 1800년대, 한글 필사본, 저자 미상

- 주방문 (37종) : 1. 옥녹주 2. 옥녹주 별법 3. 백수환동주 4. 동파삼일주 5. 부의주 6. 황구주 7. 소곡주 별방문 8. 성탄향 9. 선초향주 10. 벽향주 11. 녹파주 12. 약주 13. 백일주 별법 14. 청명주방문 15. 절주 16. 호산춘 17. 백일주법 18. 백일주 19. 삼해주 20. 두강주 21. 일일주 22. 사월주 23. 백화춘 24. 홀도주(혼돈주) 25. 황금주 26. 사절소주법 27. 송순주법 28. 송순주 29. 과하주 30. 국화주방문 31. 도화주 32. 두견주방문(8말 빚이) 33. 두견주 추후별방문(3말 5되 빚이) 34. 두견주 추후별방문(7말 5되 빚이) 35. 백화주 36. 만전향주 37. 도화주(4말 빚이)

80. 〈활인심방(活人心方)〉 1400년대 초엽, 한문 필사본, 퇴계(退溪) 이황(李晃) 수적본(手蹟本)

- 주방문 (3종) : 1. 저령주 2. 지황주 3. 무술주

81. 〈후생록(厚生錄)〉 1767년(영조 43) 이전, 한문 활자본, 신중후(辛仲厚)

- 주방문 (7종) : 1. 일일주법(一日酒法) 2. 일일주법 우법(一日酒法 又法) 3. 삼일주(三日酒)

4. 잡곡주방(雜穀酒方) 5. 중원인작호주(中原人作好酒) 6. 적선주방(謫仙酒方) 7. 청감주방(淸甘酒方)

82. 〈조선상식문답(朝鮮常識問答, 風俗)〉 1948년간, 한글 활자본, 최남선

1. 약주란 말은 무슨 뜻입니까? 2. 조선술의 유명한 것은 무엇이 있습니까?(관서감홍로, 전주 이강고, 전라도 죽력고) 3. 누룩

83. 기타

* <동국세시기(東國歲時記)> 1849년, 홍석모

1. 정월 : 세주·도소주 2. 상원 : 이롱주(치롱주) 3. 봄철가주(과하주·소주·두견주·도화주·송순주·소주(공릉삼해주)·관서감홍로·벽향주·해서 이강주·호남 죽력고·계당주, 호서의 노산춘주, 유듀국)

* <성호사설(星湖僿說, 萬物門)> 조선 숙종대, 이익, 국립중앙도서관·규장각

1. 주(酒) 2. 주재(酒材) 3. 오재·삼주(五齊三酒) 4. 명수(明水) 5. 오곡(五穀) 6. 부백(浮白) 7. 회주(灰酒) 8. 도량(度量) 9. 주기보(酒器譜) 10. 곡명(穀名) 11. 향음주례(鄕飮酒禮)

* <조선세시기(朝鮮歲時記)> 1916년~1917년, 장지연, 매일신보

1. 신춘명주(춘주류) : 1. 도화춘 2. 이화춘 3. 두견춘 4. 송순춘 5. 소국춘
2. 과하주·소곡주류 : 1. 평양의 감홍로 2. 벽향주 3. 해서의 이강고 4. 호남 및 영남의 죽력고 5. 계당주 6. 호서의 노산춘 7. 서향로 8. 사마주

* <임하필기(林下筆記, 春明逸史)> 1871년(고종 8 탈고, 1961년 영인), 임하려(1871), 서울대학교 규장각 소장본

향음주례(鄕飮酒禮)를 행하다

* <열양세시기(列陽歲時記)> 1819년, 김매순, 광문회(光文會)에서 인간(印刊, 1927년)

1. 정월(正月) 도소주(屠蘇), 귀밝이술(耳明酒). 2. 유월(六月) 보름 유두국(流頭麯) 3. 중추(中秋) 햅쌀술

* <경도잡지(京都雜誌)> 조선 정조대, 유득공,

1. <풍속조(風俗條)> : 1. 주식(酒食), 2. 유상(遊賞), 3. 시포(市舖), 4. 시문(詩文)
2. <세시(歲時)> : 1. 원일(元日), 2. 정월 보름 날, 3. 유월 보름